여러분의 합격을 위한

해커스경찰의 특별 혜택!

KB083837

FREE 경찰학 **특강**

해커스경찰(police.Hackers.com) 접속 후 로그인 ▶ 상단의 [무료강좌 → 경찰 무료강의] 클릭하여 이용

 해커스경찰 온라인 단과강의 **20% 할인쿠폰**

E3FA6AEE9A46FB4A

해커스경찰(police.Hackers.com) 접속 후 로그인 ▶ 상단의 [내강의실] 클릭 ▶
[쿠폰/포인트] 클릭 ▶ 쿠폰번호 입력 후 이용

* 등록 후 7일간 사용 가능(ID당 1회에 한해 등록 가능)

합격예측 **온라인 모의고사 응시권 + 해설강의 수강권**

FFBC24A28BDB28C2

해커스경찰(police.Hackers.com) 접속 후 로그인 ▶ 상단의 [내강의실] 클릭 ▶
[쿠폰/포인트] 클릭 ▶ 쿠폰번호 입력 후 이용

* ID당 1회에 한해 등록 가능

쿠폰 이용 관련 문의 **1588-4055**

단기 합격을 위한
해커스경찰 커리큘럼

입문
탄탄한 기본기와 핵심 개념 완성!
누구나 이해하기 쉬운 개념 설명과 풍부한 예시로 부담없이 쌩기초 다지기
TIP 베이스가 있다면 **기본 단계**부터!

▼

기본+심화
필수 개념 학습으로 이론 완성!
반드시 알아야 할 기본 개념과 문제풀이 전략을 학습하고
심화 개념 학습으로 고득점을 위한 응용력 다지기

▼

기출+예상 문제풀이
문제풀이로 집중 학습하고 실력 업그레이드!
기출문제의 유형과 출제 의도를 이해하고 최신 출제 경향을 반영한
예상문제를 풀어보며 본인의 취약영역을 파악 및 보완하기

▼

동형문제풀이
동형모의고사로 실전력 강화!
실제 시험과 같은 형태의 실전모의고사를 풀어보며 실전감각 극대화

▼

최종 마무리
시험 직전 실전 시뮬레이션!
각 과목별 시험에 출제되는 내용들을 최종 점검하며 실전 완성

PASS

* 커리큘럼 및 세부 일정은 상이할 수 있으며,
자세한 사항은 해커스경찰 사이트에서 확인하세요.

단계별 교재 확인 및
수강신청은 여기서!

police.Hackers.com

해커스경찰

서정표
경찰학

기본서 | 1권 총론

🏛 해커스경찰

서정표

약력

국립경찰대학교 행정학과(학사)

고려대학교 경영대학원 Finance MBA(경영학 석사)

제49회 사법시험 합격

사법연수원 수료, 한국변호사

현 | 경북지방경찰청, 독도경비대장

　　　울산지방경찰청, 동부경찰서

　　　법무법인(유) 율촌, 기업법무/공공법무

　　　IT기업 법무총괄

현 | 해커스 경찰학원 경찰학(순경) 강의

저서

서정표 경찰학 기본서, 해커스경찰

서정표 경찰학 기출문제집, 해커스경찰

서정표 REAL 경찰헌법 기본서, 연승북스

경찰학, 바로 나의 이야기

세상에서 가장 재미있는 이야기 … ?

세상에서 가장 재미있는 이야기가 뭘까요? 허약한 소년이 기이한 인연으로 힘을 얻어 일진들을 쳐부수는 이야기? 잘못된 선택의 순간으로 회귀하여 과거의 잘못을 바로잡으며 승승장구하는 이야기? 폐허가 된 세상에서 힘겹게 생존해 나가는 이야기? 모두들 요즘 인기있는 재미있는 이야기들이지만, 이러한 모든 이야기를 압도하는 가장 재미있는 이야기가 있습니다.

상상해 봅시다. 나는 지금 학교 화장실 안 좌변기에 앉아서 일을 보고 있습니다. 그런데 밖에서 손을 씻던 누군가 내 이름을 언급하며 "철수 걔 있잖아, 요즘 무슨 일 있나?"라는 말을 듣는 순간, 한 마디도 놓치지 않기 위한 청각과 집중력은 평소보다 10배쯤 상승하고, 잊지 않기 위한 기억력도 비슷하게 상승할 것입니다. 네, 세상에서 가장 재미있는 이야기는, 지금 현실에서 일어나고 있는 바로 나의 이야기입니다.

지금 경찰학 수험교재의 머리말을 지금 읽고 계신 여러분! 여러분들에게는 바로 이 경찰학 수험서가 가까운 미래에 펼쳐질 여러분들의 이야기입니다. 경찰관이 되어서 어떤 일을 어떻게 할지, 내가 일하게 될 경찰조직은 어떤 곳인지? 경찰관으로서 해도 되는 것과 안 되는 것은 어떤 것들인지? 등등, 경찰이 되려고 하는 여러분들께는 비록 수험서라 할지라도 경찰학은 재미가 있을 수밖에 없는, 바로 여러분들의 이야기입니다.

그래서 이 책은?

제가 과거에 사법시험 준비를 할 때도 마찬가지였지만, 그로부터 많은 시간이 지난 지금도 대부분의 수험서는 단순히 '시험에 이런 것들이 나온다.'는 내용을 책에 모아놓은 것들이 대부분인 것으로 보이고, 저는 그 점이 매우 안타까웠습니다.

그래서 이 책은, 제가 과거 경찰과 변호사로 경험했던 실제 우리 주변에서 일어나고 있는 현실적인 일들, 그리고 우리 사회를 떠들석하게 했던 중요한 사건들, 나아가 주변의 경찰 동료들로부터 전달받은 간접적인 경험들과 각종 통계수치 등을, 수험서로서의 본질을 잃지 않는 범위 내에서 최대한 녹여내고자 하였습니다.

이를 통해 여러분들은, '내가 경찰하려고 이런 것까지 알아야 되나?'라는 마음이 아닌, '내 주변에서 일어나고 있는 이런 일들을 경찰관으로서 제대로 처리하려면 이 정도는 당연히 알아야겠네!'라는 마음으로 흥미롭게 경찰학을 공부할 수 있게 될 것이라고 확신합니다. 또한 현실적인 지면의 한계로 책에 모든 내용을 담지는 못하였지만, 경찰공무원 시험 전문 해커스경찰(police.Hackers.com)에서 학원강의나 인터넷동영상강의를 통해 지면에서 풀어내지 못한 부분을 채워드릴 것이라 약속드립니다.

또한 이 책은 …

제가 과거 사법시험을 준비할 때 '이런 책이 있었으면 공부하기 편하겠다.'라는 수험생 시절의 마음과, 경찰근무를 하면서 사법시험(1차)에 합격했던 다음과 같은 저만의 노하우를 담았습니다.

1. 어떤 시험이든 기출이야 말로 소위 말하는 '족보'로써 그 중요성을 절실히 알고 있기에, 최근 10년 이상의 기출을 실무(승진)시험까지 모두 분석하여 교재에 표시하였습니다. 이를 통해 자연스럽게 빈출되는 중요부분과 그렇지 않은 부분을 한눈에 알 수 있도록 하였습니다.

2. 기본서에서 설명하고 있는 내용이 실제 시험에서 어떤 식으로 변형되고 어떤 함정을 파는지 바로 알 수 있도록, 해당 내용의 바로 아래에 관련 기출지문을 다양하게 수록하였습니다.

3. 공부를 하면서 뜻을 쉽게 파악하기 힘든 용어 등이 나오는 경우 다시 찾아보는 시간과 수고를 덜어드리기 위해, 해당 내용의 바로 옆 날개에 생소한 용어 설명을 곁들였습니다.

4. 또한 공부를 하다 보면 '비슷한 내용을 봤던 것 같은데?' 혹은 '이 내용은 다른 부분과도 관련이 있는 것 같은데?'라는 생각이 들 때가 있습니다. 수험생의 입장에서 이러한 부분들 역시 해당 내용의 바로 옆 날개에 유사내용 또는 유관내용을 정리하여 소개하였습니다.

5. 수험공부를 비교적 장기간 한 분들 중, 대화해 보면 분명히 내용은 이해하고 있는 듯 한데 점수로 잘 표현이 되지 않는 분들이 상당히 있습니다. 제 경험에 비추어 보면, 이러한 특징을 가진 분들은 소위 '요약의 함정'에 빠져있는 분들일 가능성이 높습니다. 출제위원들도 출제오류를 최소화하기 위해서는 법령의 지문을 거의 그대로 낼 수밖에 없는데, 과도하게 축약된 요약서나 표 위주의 정리자료로 공부를 하면 내용은 알고있지만 점수로 현출시키기 어렵습니다. 이에 저는 법령의 경우 최대한 원래 법령지문을 그대로 소개하면서도, 난해한 법조문은 '쉽게 읽기!' 코너를 통해 초심자들의 접근도 어렵지 않도록 하였습니다.

수험의 제1원칙: Occam's Razor(오캄의 면도날)

저에게 있어 오캄의 면도날이란, "해봤자 해결되지 않는 고민, 해봤자 내가 어찌할 수 없는 고민은 과감히 쓰레기통에 던져버리라."라는 단순화 원칙입니다. 다르게 표현하면 "내가 내 손으로 해결할 수 있는 문제만을 고민한다."라는 것이 되겠네요. 수험생활은 아메바처럼 단순해져야 하고, 따라서 쓸데없는 생각과 고민은 과감히 쳐내야 합니다.

기존의 경찰학개론이 경찰학으로 바뀌면서 신경향 문제는 어떻고 작년에 비해 올해는 어느 파트에서 출제비중이 높았으며, 경찰행정법 부분은 비중을 어느정도 두는게 맞는지 …, 이런 문제는 여러분들이 고민할 문제가 아닙니다. 극단적으로 외국 경찰(비교경찰) 파트에서 40문제가 전부 신경향으로 나와도 수험생인 우리는 할 말도 없고 할 수 있는 것도 없습니다. 수험생인 우리가 해야 할 것은 단 하나, 바로 나의 이야기인 경찰학이 재미있다고 느끼기만 하면, 여기에 하나 덧붙이자면 경찰이라는 직업에 사명감과 애정을 가져주시기만 하면 됩니다.

수험생에게 쓸데없는 고민은 강사인 제가 하겠습니다. 이 책과 경찰공무원 시험 전문 해커스경찰(police.Hackers.com)에서 학원강의ㆍ인터넷동영상강의에서 이루어질 강의를 통해, 여러분들이 경찰학을 재미있게 공부하실 수 있도록, 경찰이라는 직업에 사명감과 애정을 느끼실 수 있도록 하겠습니다.

그리고 이 책이 수험생 여러분들과 만날 수 있도록 묵묵히 도움을 주신 해커스 경찰편집팀 관계자분들께도 진심으로 감사의 마음을 전합니다.

감사합니다.

2024년 7월
서정표

목차

총론

제1편 경찰행정법

해커스경찰
police.Hackers.com

제1편

경찰행정법

제1장 / 경찰행정법 통론

제1절 경찰행정법이란?

주제 1 경찰행정법과 법치행정

01 경찰행정법

1. 행정과 행정법

사회목적적 행정(내무행정)
- **질서행정(치안행정)**: 소극적인 질서유지를 위한 행정
- **복리행정(급부행정)**: 적극적인 복지증진을 위한 행정

국가목적적 행정
- **외무행정**: 외교관계 유지를 위한 행정
- **재무행정**: 국가재정 관리를 위한 행정
- **사법행정**: 사법제도와 관련된 행정
- **군사행정**: 군사제도와 관련된 행정

- 행정이란 국가 내지 사회목적의 적극적 실현을 위해, 법에 따라 현실적·구체적으로 행하여지는 국가활동을 말한다.
- 행정법이란 이와 같은 '행정'에 관한 국내공법을 의미한다. '행정법'이라는 단일법전은 존재하지 않고, '행정절차법', '행정심판법', '행정소송법', '질서위반행위규제법'과 같은 여러 법들을 총칭하여 '행정법'이라고 한다. ➜ 단, 최근 2021.3.23. 행정기본법이 제정되어 행정 운영의 전반에 적용되는 일반원칙과 개별 행정작용별로 적용되는 기준 등이 마련되었다.

[2020 군무원 7급] 행정법은 그 대상인 행정의 다양성과 전문성 등으로 단일법전화되어 있지 않다. (○)

2. 경찰행정법

(1) 의미

> **경찰관 직무집행법 제1조【목적】**① 이 법은 국민의 자유와 권리 및 모든 개인이 가지는 불가침의 기본적 인권을 보호하고 사회공공의 질서를 유지하기 위한 경찰관(경찰공무원만 해당한다. 이하 같다)의 직무 수행에 필요한 사항을 규정함을 목적으로 한다.

경찰행정이란 경찰목적의 실현을 위해 행하여지는 행정을 말하며, 경찰행정법이란 이러한 경찰행정에 관한 행정법을 말한다.

(학문적 의미의) 보안경찰
다른 행정작용 동반 없이 오로지 경찰작용만으로 사회공공의 안녕과 질서를 유지하는 경찰작용 ➜ 풍속경찰, 교통경찰 등

협의의 행정경찰
다른 행정작용과 결합하여 특별한 사회적 이익 보호를 목적으로 하면서 그 부수작용으로 사회공공의 안녕과 질서를 유지하는 경찰작용 ➜ 위생경찰, 건축경찰, 관세경찰

(학문적 의미) 보안경찰 + 협의의 행정경찰 = 광의의 행정경찰

(2) 구성

- 경찰행정법은 당해 법에 규정된 조직이나 작용(직무)이 누구와 관련있느냐에 따라 ① 일반경찰행정법, ② 특별경찰행정법으로 분류할 수 있다.

일반경찰행정법 (학문상 보안경찰)	국가경찰과 자치경찰의 조직 및 운영에 관한 법률, 경찰공무원법, 경찰관 직무집행법, 경찰직무 응원법, 정부조직법, 경찰대학 설치법 등
특별경찰행정법 (협의의 행정경찰)	식품위생법, 건축법, 폐기물관리법, 공중위생관리법, 감염병의 예방 및 관리에 관한 법률, 소음·진동관리법 등 환경 관련 법규

- 또한, 경찰행정법은 구체적으로 어떤 내용을 규율하고 있느냐에 따라 ① 경찰조직법, ② 경찰작용법, ③ 경찰구제법으로 분류할 수 있다.

경찰조직법	경찰행정을 운영하는 조직이나 기구에 관하여 정한 법 예 국가경찰과 자치경찰의 조직 및 운영에 관한 법률, 경찰공무원법
경찰작용법	경찰조직이 수행해야 할 경찰활동의 내용을 정한 법 예 경찰관 직무집행법, 경범죄 처벌법, 도로교통법
경찰구제법	경찰활동에 의해 불이익을 받은 국민의 구제절차를 정한 법 예 행정절차법, 행정심판법, 행정소송법, 국가배상법

02 경찰행정과 법치행정의 원칙

> 행정기본법 제8조【법치행정의 원칙】행정작용은 법률에 위반되어서는 아니 되며, 국민의 권리를 제한하거나 의무를 부과하는 경우와 그 밖에 국민생활에 중요한 영향을 미치는 경우에는 법률에 근거하여야 한다. [2021 경행특채 2차]

1. 의미

법치행정의 원칙이란 경찰행정이 국민의 권리·의무에 관계되는 작용을 할 경우에는 반드시 국민의 대표기관인 국회가 제정한 법률에 따라야 한다는 원칙이다.

2. 법치행정원칙의 내용

(1) 법률의 법규창조력

국회가 제정한 형식적 의미의 법률만이 국민의 권리를 제한하거나 의무를 부과하는 법규를 창조할 수 있는 힘이 있다는 원칙을 말한다.

[2022 채용2차] 법치행정의 원칙에 관한 전통적 견해는 '법률의 지배', '법률의 우위', '법률의 유보'를 내용으로 한다. (×)

(2) 법률유보의 원칙 – 행정권을 발동할 수 있느냐 하는 적극적 원칙

- 행정권의 발동은 반드시 개별적인 법률의 근거(법률의 수권)를 요한다는 원칙을 말한다. 예 자살을 시도하는 사람에 대한 경찰관서 보호, 붕괴위험시설에 대한 예방적 출입금지, 공무원에 대해 특정종교를 금지하는 훈령 [2022 채용2차]

  [2011 채용1차] 법률에 일정한 행위를 일정한 요건하에 수행하도록 수권하는 근거규정이 없으면 경찰기관은 자기의 판단에 따라 독창적으로 행위를 할 수 없다는 것을 법률유보의 원칙이라 한다. (○)

- 법률유보원칙에서 말하는 행정권 발동의 법적 근거는 작용법적 근거이자, 원칙적으로 개별적인 근거를 말한다. ➡ 단, 경찰권 발동을 위해 포괄적인 근거를 두기도 한다는 견해가 있다(일반적 수권조항).

- 조직법적 근거는 경찰행정은 물론 모든 행정권 행사에 있어 당연히 요구되는 것이므로, 법률유보원칙의 논의대상은 조직법적 근거가 아니라 작용법적 근거를 말하는 것이다.

- 법률유보원칙에서 말하는 '법률'에는 불문법으로서 관습법은 포함되지 않는다.

▌법규(法規)
국민의 권리·의무에 영향을 미치는, 국민에 대한 구속력(대외적 구속력)을 가지는 규범

▌일반적 수권조항의 예(견해대립 있음)
경찰관 직무집행법 제2조【직무의 범위】경찰관은 다음 각 호의 직무를 수행한다.
7. 그 밖에 공공의 안녕과 질서 유지

▌개별적 수권조항의 예
경찰관 직무집행법 제3조【불심검문】① 경찰관은 다음 각 호의 어느 하나에 해당하는 사람을 정지시켜 질문할 수 있다.
1. 수상한 행동이나 그 밖의 주위 사정을 합리적으로 판단하여 볼 때 어떠한 죄를 범하였거나 범하려 하고 있다고 의심할 만한 상당한 이유가 있는 사람

■ 법률유보원칙은 '법률에 의한' 규율만을 뜻하는 것이 아니라 '법률에 근거한' 규율을 요청하는 것이므로 기본권 제한의 형식이 반드시 법률의 형식일 필요는 없고 법률에 근거를 두면서 헌법 제75조가 요구하는 위임의 구체성과 명확성을 구비하면 위임입법에 의하여도 기본권 제한을 할 수 있다(헌재 2005.2.24, 2003헌마289).
[2018 경행특채 2차] 기본권 제한에 관한 법률유보원칙은 '법률에 근거한 규율'을 요청하는 것이 아니라 '법률에 의한 규율'을 요청하는 것이다. (×) ➜ 헌법재판소는 수신료 금액의 결정이나 수신료 납부의무자의 범위는 '본질적인 사항'이지만, 수신료 징수업무 위탁여부·징수업무 수탁자(한전)가 자신의 고유업무와 결합하여 징수할지 여부 등은 비본질적 사항이라고 보았다.
[2024 채용 1차] 법률유보원칙은 법률에 의한 규율을 뜻하므로 위임입법에 의해 기본권 제한을 할 수 없다. (×)

■ 오늘날 법률유보원칙은 단순히 행정작용이 법률에 근거를 두기만 하면 충분한 것이 아니라, 국가공동체와 그 구성원에게 기본적이고도 중요한 의미를 갖는 영역, 특히 국민의 기본권실현에 관련된 영역에 있어서는 행정에 맡길 것이 아니라 국민의 대표자인 입법자 스스로 그 본질적 사항에 대하여 결정하여야 한다는 요구까지 내포하는 것으로 이해하여야 한다(이른바 의회유보원칙)(헌재 2008.2.28, 2006헌바70).
[2018 경행특채 2차]
[2024 채용 1차] 헌법상 보장된 국민의 자유나 권리를 제한할 때에는 적어도 그 제한의 본질적 사항에 관하여 국회가 법률로써 스스로 규율하여야 한다. (○)

■ 살수차는 사용방법에 따라서는 경찰장구나 무기 등 다른 위해성 경찰장비 못지않게 국민의 생명이나 신체에 중대한 위해를 가할 수 있는 장비에 해당하고, 집회의 자유는 인격 발현에 기여하는 기본권이자 표현의 자유와 함께 대의 민주주의 실현의 기본 요소다. 집회나 시위 해산을 위한 살수차 사용은 이처럼 중요한 기본권에 대한 중대한 제한이므로, 살수차 사용요건이나 기준은 법률에 근거를 두어야 한다(헌재 2018.5.31, 2015헌마476).
[2024 채용 1차] [2018 경행특채 2차] 집회나 시위 해산을 위한 살수차 사용은 집회의 자유 및 신체의 자유에 대한 중대한 제한을 초래하므로 살수차 사용요건이나 기준은 법률에 근거를 두어야 한다. (○)
[2022 채용2차] 법령의 구체적 위임 없이 최루액의 혼합·살수 방법 등을 규정한 경찰청장의 「살수차운용지침」(2014.4.3.)은 법률유보의 원칙에 위배되는 측면이 있으나, 그 지침에 따라 살수한 경찰관의 행위는 집회를 해산하기 위한 불가피한 조치라는 점에서 반드시 위헌·위법이라 할 수 없다. (×)

▌ 경찰관 직무집행법상 '기타장비'
가스차·살수차·특수진압차·물포·석궁·다목적발사기 및 도주차량차단장비 ➜ 차량관련 + 석·다·물

(3) 법률우위의 원칙 - 이미 존재하는 법률 침해를 금지하는 소극적 원칙

· 모든 행정작용은 법률에 위반되어서는 안 된다는 원칙을 말한다.
[2011 채용1차] 어떠한 경찰활동도 경찰활동을 제약하는 법률의 규정에 위반해서는 안 된다는 것을 법률우위의 원칙이라 한다. (○)

· 법률우위의 원칙은 행정의 모든 영역에 적용되므로, 수익적·침익적 행정, 권력작용·비권력작용을 가리지 않고 모두 적용된다. ➜ 반면, 법률유보원칙의 경우 수익적 행정 내지 비권력적 작용에서는 완화되어 적용될 수 있으므로, 경찰은 조직법적 근거만 있다면 작용법적 근거가 없더라도 순수한 서비스활동과 같은 수익적·비권력적 작용을 할 수 있다고 본다.
[2024 채용 1차] 법률우위원칙은 행정의 종류를 불문하고 모든 행정 영역에 적용된다. (○)

☑ KEY POINT | **법률우위원칙과 법률유보원칙 비교**

	법률우위	법률유보
개념	법률에 위반하면 안 됨	법률에 근거(수권)요구
문제상황	법률이 있는 경우 문제됨	법률이 없는 경우 문제됨
성질	소극적 원칙	적극적 원칙
'법률'의 범위	· 형식적 의미의 법률 + 법규명령 등 행정입법 · 불문법도 포함	· 형식적 의미의 법률 + 법규명령 등 행정입법 · 불문법은 포함 ×
적용범위	모든 영역	· 권력적 작용: ○ · 비권력적 작용: ×

[2022 채용2차] '법률의 우위'에서의 법률에는 형식적 의미의 법률뿐만 아니라 그 밖에 성문법과 불문법이 포함된다. (○)
[2022 채용2차] 법률유보원칙과 관련하여, 비록 법률의 근거가 없더라도, ⊙ 경찰관의 학교 앞 등교지도, ⓒ 주민을 상대로 한 교통정책홍보, ⓒ 기초생활수급자에 대한 생계비지원과 같은 작용은 가능하다. (○)

03 법치행정원칙에 대한 예외

견해대립은 있으나, 법치행정원칙의 예외로 언급되는 상황은 다음과 같은 것들이 있다.

1. 통치행위

통치행위란 고도의 정치성을 가지는 국가기관의 행위로 법에 의해 규율되거나 사법심사의 대상이 되는 것이 적당하지 않은 행위를 말한다.

> ⚖ **요지판례 ǀ**
>
> **<통치행위성을 긍정한 사례>**
> - 남북정상회담의 개최는 고도의 정치적 성격을 지니고 있는 행위라 할 것이므로 특별한 사정이 없는 한 그 당부를 심판하는 것은 사법권의 내재적·본질적 한계를 넘어서는 것이 되어 적절하지 못하다(대판 2004.3.26, 2003도7878).
> - 계엄선포가 당연무효가 아닌 한, 사법기관인 법원이 계엄선포의 요건구비나 선포의 당, 부당을 심사하는 것은 사법권의 내재적인 본질적 한계를 넘어서는 것이 되어 적절하지 못하다(대판 1981.4.28, 81도874).
>   - **비교》** 비상계엄의 선포나 확대가 국헌문란의 목적을 달성하기 위하여 행하여진 경우에는 법원은 그 자체가 범죄행위에 해당하는지의 여부에 관하여 심사할 수 있다(대판 1997.4.17, 96도3376).
> - 대통령의 긴급재정경제명령은 대통령이 고도의 정치적 결단을 요하고 가급적 그 결단이 존중되어야 한다(헌재 1996.2.29, 93헌마186). ➡ 이른바 통치행위를 포함하여 모든 국가작용은 국민의 기본권적 가치를 실현하기 위한 수단이라는 한계를 반드시 지켜야 하는 것이고, 비록 고도의 정치적 결단에 의하여 행해지는 국가작용이라고 할지라도 그것이 국민의 기본권 침해와 직접 관련되는 경우에는 당연히 헌법재판소의 심판대상이 될 수 있는 것일 뿐만 아니라, 긴급재정경제명령은 법률의 효력을 갖는 것이므로 마땅히 헌법에 기속되어야 할 것이다. [2020 경행특채 2차]
> - 외국에의 국군의 파견결정은 파견군인의 생명과 신체의 안전뿐만 아니라 국제사회에서의 우리나라의 지위와 역할, 동맹국과의 관계, 국가안보문제 등 궁극적으로 국민 내지 국익에 영향을 미치는 복잡하고도 중요한 문제로서 국내 및 국제정치관계 등 제반상황을 고려하여 미래를 예측하고 목표를 설정하는 등 고도의 정치적 결단이 요구되는 사안이다(헌재 2004.4.29, 2003헌마814). [2020 경행특채 2차]
>
> **<통치행위성을 부정한 사례>**
> - 남북정상회담의 개최과정에서 재정경제부장관에게 신고하지 아니하거나 통일부장관의 협력사업 승인을 얻지 아니한 채 북한측에 사업권의 대가 명목으로 송금한 행위 자체는 헌법상 법치국가의 원리와 법 앞에 평등원칙 등에 비추어 볼 때 사법심사의 대상이 된다(대판 2004.3.26, 2003도7878). [2020 경행특채 2차]
> - 비록 서훈취소가 대통령이 국가원수로서 행하는 행위라고 하더라도 법원이 사법심사를 자제하여야 할 고도의 정치성을 띤 행위라고 볼 수는 없다(대판 2015.4.23, 2012두26920).
>   - [2020 경행특채 2차] 대법원은 대통령의 서훈취소행위를 통치행위로 보고 있다. (×)

❙ 서훈(敍勳)
훈장을 수여하는 일

2. 예외적 상황이론

공권력이 법규정을 준수해서는 도저히 극복하기 어려운, 전쟁이나 극심한 자연재해와 같은 예외적인 비상상황에서는 법치행정의 예외가 인정될 수 있다는 이론이다.

01 법원(法源)의 의미

▎ 법원(法院)
구체적 사건에 있어서 법률적 판단을 하는 국가의 사법권을 행사하는 기관을 말하며, 대법원·고등법원·지방법원·가정법원·행정법원 등이 여기에 해당한다.

• 경찰행정법의 법원이란 경찰행정에 관한 법의 존재형식 내지 인식근거를 말한다.
• 현대국가에서는 국민의 법생활에 있어서 예측가능성 보장을 위해 성문법주의를 원칙으로 한다. ➡ 단, 광범위하고 복잡한 현대행정의 특성을 감안하여 일정한 불문법에도 법원성을 인정하는 **불문법주의**를 가미

02 법원(法源)의 종류

1. 성문법원 [2022 경간] [2023 채용1차]

(1) 헌법

헌법은 국가의 기본적인 통치구조를 정한 기본법으로서 행정의 조직이나 작용의 기본원칙을 정한 부분은 그 한도 내에서 경찰행정법의 법원이 된다. [2012 승진(경위)] [2021 경간] [2022 경간]

(2) 법률

국회가 제정한 형식적인 의미의 법률을 의미하며, 국가경찰과 자치경찰의 조직 및 운영에 관한 법률(경찰법)·경찰공무원법·경찰관 직무집행법 등과 같은 경찰행정법은 경찰행정상의 법률관계에 있어 가장 중심적인 법원이 된다.
[2022 경간] 경찰권 발동은 법률에 근거해야 하므로, 법률은 경찰법상의 법률관계에 있어서 중요한 법원이다. (○)

(3) 행정입법(명령)

▎ 행정입법의 구조
행정입법 ┬ 법규명령 ┬ 위임명령
        │   └ 집행명령
        └ 행정규칙

• 행정입법이란 행정부가 제정하는 법을 의미하며, 대외적으로 국민을 구속하는 효력이 있는 법규명령과 행정조직 내부의 사무처리기준에 관한 행정규칙으로 구분된다. ➡ 행정규칙은 법규성이 없다.
[2020 승진(경위)] 국회의 의결을 거치지 않고 행정기관에 의하여 제정된 성문법규를 법규명령이라고 한다. (○)
[2019 채용2차] [2021 경간] 행정입법이란 행정부가 제정하는 법을 의미하며, 행정조직 내부의 사무처리기준에 관한 법규명령과 국민을 구속하는 효력이 있는 행정규칙으로 구분된다. (×)
• 한편, 법규명령은 법률 또는 상위명령에서 구체적으로 범위를 정하여 개별적으로 위임(수권)한 사항에 대해 새로운 내용을 정하는 위임명령과, 법률 또는 상위명령의 범위 내에서 그 집행에 관한 세부적 사항을 정하는 집행명령으로 나눌 수 있다.
[2012 승진(경위)] 국회의 의결을 거치지 않고 행정기관에 의하여 제정된 성문법규를 '명령'이라 하고 명령의 종류에는 위임명령과 집행명령이 있다. (○)
[2016 경간] [2019 승진] 위임명령은 법규명령이고 집행명령은 행정규칙이다. (×)

⊕ 심화 법규명령에 대해 더 알아보자!

1 헌법적 근거 및 발령권자

> 헌법 제75조 대통령은 법률에서 구체적으로 범위를 정하여 위임받은 사항과 법률을 집행하기
> 위하여 필요한 사항에 관하여 대통령령을 발할 수 있다.
>
> 헌법 제95조 국무총리 또는 행정각부의 장은 소관사무에 관하여 법률이나 대통령령의 위임 또
> 는 직권으로 총리령 또는 부령을 발할 수 있다.
> [2020 승진(경위)] 국무총리는 직권으로 총리령을 발할 수 있으나, 행정각부의 장은 직권으로 부령을 발할 수 없다. (×)

- 국민의 대표인 의회가 아닌, 행정부가 정립한 규범임에도 국민의 권리·의무에 영향을 미친다는
  점이 다소 의아할 수도 있으나, 위와 같이 법규명령은 헌법적 근거를 가지고 있다.
  [2021 경간] 법규명령의 제정에는 헌법·법률 또는 상위명령의 근거가 필요하지 않아 독자적인 행정입법 작용이 허용된다. (×)
  [2019 승진(경위)] 법규명령은 대외적 구속력을 갖기 때문에 그에 반하는 행정권 행사는 위법하다. (○)

> ⚖ 요지판례 |
>
> 일반적으로 법률의 위임에 따라 효력을 갖는 법규명령의 경우에 위임의 근거가 없어 무효였더
> 라도 나중에 법 개정으로 위임의 근거가 부여되면 그때부터는 유효한 법규명령으로 볼 수
> 있다. 그러나 법규명령이 개정된 법률에 규정된 내용을 함부로 유추·확장하는 내용의 해석규
> 정이어서 위임의 한계를 벗어난 것으로 인정될 경우에는 법규명령은 여전히 무효이다(대판
> 2017.4.20, 2015두45700). [2021 경행특채 2차]

- 헌법 제75조에 근거하여 대통령이 발하는 명령이 '대통령령', 헌법 제95조에 근거하여 국무총리
  또는 행정각부의 장이 발하는 명령이 '총리령', '부령'이다. ➡ 통상 대통령령은 '~~법 시행령', 총
  리령이나 부령은 '~~법 시행규칙'이라 명명된다.

> ⚖ 요지판례 |
>
> 헌법이 인정하고 있는 위임입법의 형식은 예시적인 것으로 보아야 할 것이고, 그것은 법률이
> 행정규칙에 위임하더라도 그 행정규칙은 위임된 사항만을 규율할 수 있으므로, 국회입법의 원
> 칙과 상치되지도 않는다(헌재 2006.12.28, 2005헌바59). [2021 경행특채 2차]

- 한편, 대통령령, 부령과 같은 법규명령의 형식을 취했으나 실질적 내용은 행정규칙으로 다루어질
  내용을 정하는 경우(법규명령 형식의 행정규칙), 이를 법규명령으로 보아야 할지 행정규칙으로
  보아야 할 지 학설은 대립하나, 판례는 행정규칙으로 보고 있다.

> ⚖ 요지판례 |
>
> 공중위생법 시행규칙 제41조 별표7은 형식은 부령으로 되어 있으나 그 성질은 행정기관 내
> 부의 사무처리준칙을 규정한 것에 불과한 것으로서 보건사회부장관이 관계 행정기관 및 직원
> 에 대하여 그 직무권한행사의 지침을 정하여 주기 위하여 발한 행정명령의 성질을 가지는 것
> 이지 위 법 제23조 제1항에 의하여 보장된 재량권을 기속하거나 대외적으로 국민이나 법원을
> 기속하는 것은 아니다(대판 1990.5.22, 90누157).

[2019 승진(경위)] 법규명령의 형식(부령)을 취하고 있지만 그 내용이 행정규칙의 실질을 가지는 경우 판례는 당해 규범을 행정
규칙으로 보고 있다. (○)

2 위임명령과 집행명령

- '~~ 등은 (대통령령 or ○○부령)으로 정한다.'와 같이 법률 또는 상위명령에서 개별적·구체적
  으로 위임한 사항에 대해 발해진 명령을 위임명령, 이러한 개별적·구체적 위임 없이도 상위법령
  을 집행하기 위해 필요한 절차나 형식 등 세부적·기술적 사항을 규율하는 명령을 집행명령이라
  한다.

- 국민의 대표인 의회가 Rule을 만들
  고, 행정부는 그 Rule을 집행하고, 사
  법부는 Rule대로 하는지 심판을 보는
  것이 기본적인 삼권분립의 모습이다.
- 그런데 행정부가 Rule을 만들 수 있
  을 뿐만 아니라, 그렇게 만들어진
  Rule에 국민이 영향을 받는다고?

구분	내용	비고
법률	**경찰관 직무집행법 제11조의2 【손실보상】** ① 국가는 경찰관의 적법한 직무집행으로 인하여 … 손실을 입은 자에 대하여 정당한 보상을 하여야 한다. ⑦ 제1항에 따른 손실보상의 기준, 보상금액 … 손실보상에 관하여 필요한 사항은 대통령령으로 정한다.	• 법률 제18807호 • 손실보상의 기준이나 보상금액 등에 대해 대통령령으로 정하도록 위임하고 있다.
위임명령	**경찰관 직무집행법** 시행령 **제9조 【손실보상의 기준 및 보상금액 등】** ① 법 제11조의2 제1항에 따라 손실보상을 할 때 물건을 멸실 · 훼손한 경우에는 다음 각 호의 기준에 따라 보상한다. 1. 손실을 입은 물건을 수리할 수 있는 경우: 수리비에 상당하는 금액 2. 손실을 입은 물건을 수리할 수 없는 경우: 손실을 입은 당시의 해당 물건의 교환가액 …	• 대통령령 제31380호 • 위 법률규정의 위임에 따라 어떤 상황(보상기준)에 얼마를 지급할지(보상금액) 규정하고 있다.
집행명령	**경찰관 직무집행법** 시행령 **제10조 【손실보상의 지급절차 및 방법】** ① 법 제11조의2에 따라 경찰관의 적법한 직무집행으로 인하여 발생한 손실을 보상받으려는 사람은 별지 제4호서식의 보상금 지급 청구서에 손실내용과 손실금액을 증명할 수 있는 서류를 첨부하여 손실보상청구 사건 발생지를 관할하는 국가경찰관서의 장에게 제출하여야 한다.	• 대통령령 제31380호 • 위 법률규정에서 어떤 내용과 형식의 서식으로 국민이 손실보상을 청구해야 하는지 명시적으로 위임하고 있지는 않다. • 보상금 지급업무를 구체적으로 실행(집행)하기 위한 세부적 · 기술적 사항을 규율한다.

[2016 경간] [2019 승진(경위)] [2021 경간] 위임명령은 법규명령이고 집행명령은 행정규칙이다. (×)

③ **위임명령과 집행명령의 한계**

• 위임명령의 한계로는 다음과 같은 것들이 있다.
① 포괄위임금지: 법률에서 '구체적으로' 범위를 정하여 위임하여야 하므로, 일반적이고 포괄적인 위임은 금지된다.
② 국회 전속 입법사항 위임금지: 헌법에서 직접 법률로 정하도록 규정한 사항을 위임하는 것도 금지된다. ➔ 단, 일정 범위에서 구체적 범위를 정한, 세부적 사항에 대해서는 위임 가능
③ 전면적 재위임금지: 법률에서 위임받은 사항을 전혀 규정하지 않고 그대로 재위임하는 것은 허용되지 않는다.
• 집행명령은 법률 등을 현실적으로 집행하는 데 필요한 절차나 형식 등 세부적인 사항을 제외하고, 법률 등에 규정되지 않은 새로운 내용(법규사항)을 규정할 수는 없다. 예 응시횟수, 응시연령

[2017 승진(경감)] [2019 승진(경감)] 유사] 법규명령의 한계로 행정권에 대한 입법권의 일반적 · 포괄적 위임은 인정될 수 없고, 국회 전속적 법률사항의 위임은 원칙적으로 금지되며, 법률에 의하여 위임된 사항을 전부 하위명령에 재위임하는 것은 금지된다. (○)

④ **위임명령과 집행명령의 비교**

구분	위임명령	집행명령
근거	• 개별적 · 구체적 수권 필요 • 헌법 제75조 · 제95조 + 개별적 위임	• 포괄적 근거만으로 성립 가능 • 헌법 제75조 · 제95조
본질	법률의 내용을 보충하는 보충명령	법률의 집행에 관한 시행세칙
범위	국민의 권리 · 의무에 관한 새로운 입법사항(법규사항) 규정 가능	국민의 권리 · 의무에 관한 새로운 입법사항(법규사항) 규정 불가
공통점	• 법규명령이다(법규성을 갖는다). • 문서 · 법조형식을 취한다. • 공포를 요한다.	• 국민의 권리 · 의무사항을 규율할 수 있다. • 헌법에 근거가 있다.

[2010 경간] 위임명령은 법규성을 가지나 집행명령은 법규성이 없다. (×)
[2021 승진(실무종합)] 위임명령은 상위법령의 집행시 필요한 절차나 형식을 정하는 데 그쳐야 하며 새로운 법규사항을 정하여서는 안 된다. (×)

▌규정과 규율
• **규정**: 존재하지 않던 '새로운 내용'을 정하는 것을 의미
• **규율**: 상위법령이 이미 정하고 있는 내용을 그대로 정하는 것을 의미
[2022 채용2차] 법규명령에는 위임명령과 집행명령이 있으며, 모두 국민의 권리 · 의무에 관한 사항을 규정할 수 있다. (×)

⊕ 심화 행정규칙에 대해 더 알아보자!

1 행정규칙의 의미

• 상급행정기관이 행정조직 내부에서 그 행정의 조직과 활동에 대해 사무처리기준으로서 하급행정 기관에 발하는, 대외적 구속력이 없는 일반적 · 추상적 규율을 말한다.

• 단, 예외적으로 대외적 구속력, 즉 법규성을 가지는 경우도 있을 수 있다(재량준칙, 법령보충규칙).

[2018 경행특채 2차] 행정규칙은 원칙적으로 그 성격상 대외적 효력을 갖는 것은 아니나, 예외적인 경우에 대외적으로 효력을 가질 수 있다. (○)

2 행정규칙의 종류

• 행정규칙은 그 내용에 따라 다음과 같이 구분할 수 있다.

① **조직규칙**: 행정기관의 설치 · 조직, 내부적 권한배분 등을 정하는 규칙

② **근무규칙**: 상급기관이 하급기관의 근무에 관한 사항을 규율하기 위해 정하는 규칙

③ **영조물규칙**: 영조물 관리청이 영조물의 조직 · 관리 등을 위해 정하는 규칙

• 행정규칙은 그 형식에 따라 다음과 같이 구분할 수 있다.

① **훈령**: 상급기관이 장기간에 걸쳐 하급기관의 권한행사를 일반적으로 지휘 · 감독하기 위해 발하는 명령 예 경찰청 위임전결 규칙(경찰청훈령 제70호)

② **예규**: 상급기관이 하급기관의 근무에 관한 사항을 규율하기 위해 정하는 규칙 예 경찰 수사서류 열람 · 복제에 관한 규칙(경찰청예규 제591호)

③ **지시**: 상급기관이 직권 등으로 하급기관에 대해 개별 · 구체적으로 발하는 명령

④ **일일명령**: 당직 · 출장 · 시간 외 근무 등 일일업무에 관한 명령

⑤ **고시**: 행정기관이 일정 사항을 불특정 다수인에게 알리는 행위 ➡ 고시는 법규명령일 수도 있고, 행정규칙일 수도 있으며, 행정처분일 수도 있다. 예 2021년 경찰대학 졸업생 상환경비(경찰청고시 제2021-5호), 국내면허 인정국가 고시(경찰청고시 제2017-9호)

[2019 승진] 행정규칙의 종류로는 고시 · 훈령 · 예규 · 일일명령 등이 있다. (○)

> ⚖ **요지판례 I**
>
> ■ 전결과 같은 행정권한의 내부위임은 법령상 처분권자인 행정관청이 내부적인 사무처리의 편의를 도모하기 위하여 그의 보조기관 또는 하급 행정관청으로 하여금 그의 권한을 사실상 행사하게 하는 것으로서 법률이 위임을 허용하지 않는 경우에도 인정되는 것이므로, 설사 행정관청 내부의 사무처리규정에 불과한 전결규정에 위반하여 원래의 전결권자 아닌 보조기관 등이 처분권자인 행정관청의 이름으로 행정처분을 하였다고 하더라도 그 처분이 권한 없는 자에 의하여 행하여진 무효의 처분이라고는 할 수 없다(대판 1998.2.27, 97누1105).
>
> [2021 경행특채 2차] 전결과 같은 행정권한의 내부위임은 법령상 처분권자인 행정관청이 내부적인 사무처리의 편의를 도모하기 위하여 그의 보조기관 또는 하급 행정관청으로 하여금 그의 권한을 사실상 행사하게 하는 것으로서 법률의 위임이 있어야 허용된다. (×)
>
> ■ 고시 또는 공고의 법적 성질은 일률적으로 판단될 것이 아니라 고시에 담겨진 내용에 따라 구체적인 경우마다 달리 결정된다고 보아야 한다. 즉, 고시가 일반 · 추상적 성격을 가질 때는 법규명령 또는 행정규칙에 해당하지만, 고시가 구체적인 규율의 성격을 갖는다면 행정처분에 해당한다(헌재 1998.4.30, 97헌마141). [2018 경행특채 2차]

3 행정규칙의 효력

• 행정규칙은 그 행정규칙이 수명기관에 도달한 때 효력을 발생한다. ➡ 법규명령과 같이 공포를 효력발생요건으로 하지 않는다.

• 행정규칙은 원칙적으로 법규성이 인정되지 않는다(대외적 구속력 ×). 단, 발령기관의 권한이 미치는 범위 내에서 조직 내부에서는 일면적 구속력을 가진다(대내적 구속력 ○). ➡ 따라서 위반시 위법(무효 또는 취소)의 문제는 발생하지 않으나 내부적으로 징계책임의 문제는 발생할 수 있다.

[2016 경간 유사] [2019 승진(경감)] 행정규칙은 행정기관이 법률의 수권 없이 권한 범위 내에서 만든 일반적 · 추상적 명령을 말하며 대내적 구속력을 갖고 있으므로 경찰관이 이를 위반하면 반드시 위법이 된다. (×)

4 **특수한 행정규칙 - 법규성을 갖는 행정규칙**

• **재량준칙**: 행정의 재량권 행사에 있어 재량권 행사의 일반적·통일적 기준을 정하기 위해 마련된 행정규칙을 말한다. 이러한 재량준칙이 되풀이되어 행정관행을 이루어 행정이 자기구속을 받는 경우에는 재량준칙에도 법규성이 인정되는 것과 유사한 결과가 발생할 수 있다.

> **요지판례 |**
>
> 행정규칙이라도 재량권행사의 준칙으로서 그 정한 바에 따라 되풀이 시행되어 행정관행을 이루게 되면, 행정기관은 평등의 원칙이나 신뢰보호의 원칙에 따라 상대방에 대한 관계에서 그 규칙에 따라야 할 자기구속을 당하게 되는바, 이 경우에는 대외적 구속력을 가진 공권력의 행사가 된다(헌재 2007.8.30, 2004헌마670). [2021 경행특채 2차]

• **법령보충규칙(행정규칙 형식의 법규명령)**: 법률의 내용을 보충하거나 구체화하는 행정규칙을 법령보충적 행정규칙이라 하는데, 이러한 법령보충규칙에 대해 대법원은 상위 법령과 결합하여 법규성을 갖는다고 판시한 바 있다. ➡ 반면, 형식은 법규명령이지만 실질은 행정규칙인 경우도 있을 수 있는데, 이 경우 판례는 행정규칙으로 본다(법규명령형식의 행정규칙).

> **요지판례 |**
>
> ■ 법령보충적 행정규칙이라도 그 자체로서 직접적으로 대외적인 구속력을 갖는 것은 아니다. 즉, 상위법령과 결합하여 일체가 되는 한도 내에서 상위법령의 일부가 됨으로써 대외적 구속력이 발생되는 것일 뿐 그 행정규칙 자체는 대외적 구속력을 갖는 것은 아니라 할 것이다(헌재결 2004.10.28, 99헌바91).
> [2018 경행특채 2차] 이른바 법령보충적 행정규칙은 그 자체로서 직접적으로 대외적인 구속력을 갖는다. (×)
>
> ■ 법령의 규정이 특정행정기관에게 그 법령내용의 구체적 사항을 정할 수 있는 권한을 부여하면서 그 권한행사의 절차나 방법을 특정하고 있지 아니한 관계로 수임행정기관이 행정규칙의 형식으로 그 법령의 내용이 될 사항을 구체적으로 정하고 있는 경우, 그러한 행정규칙, 규정은 행정조직 내부에서만 효력을 가질 뿐 대외적인 구속력을 갖지 않는 행정규칙의 일반적 효력으로서가 아니라, 행정기관에 법령의 구체적 내용을 보충할 권한을 부여한 법령규정의 효력에 의하여 그 내용을 보충하는 기능을 갖게 되고, 따라서 당해 법령의 위임한계를 벗어나지 아니하는 한 그것들과 결합하여 대외적인 구속력이 있는 법규명령으로서의 효력을 갖게 된다(대판 1998.6.9, 97누19915). ➡ 법령보충규칙에 대한 판결
> [2018 경행특채 2차 유사] [2021 경간] 법령규정이 특정 행정기관에 그 법령 내용의 구체적 사항을 정할 수 있는 권한을 부여하면서 그 권한행사의 절차나 방법을 특정하고 있지 않아 수임행정기관이 행정규칙의 형식으로 그 내용을 구체적으로 정하고 있다면 그 행정규칙은 대외적 구속력이 있는 법규명령으로서의 효력을 가진다. (○)
>
> ■ 공중위생법 시행규칙 제41조 별표7에서 위 행정처분의 기준을 정하고 있더라도 위 시행규칙은 형식은 부령으로 되어 있으나 그 성질은 행정기관 내부의 사무처리준칙을 규정한 것에 불과한 것으로서 보건사회부장관이 관계 행정기관 및 직원에 대하여 그 직무권한행사의 지침을 정하여 주기 위하여 발한 행정명령의 성질을 가지는 것이지, 위 법 제23조 제1항에 의하여 보장된 재량권을 기속하거나 대외적으로 국민을 기속하는 것은 아니다(대판 1991.3.8, 90누6545). ➡ 법규명령형식의 행정규칙에 대한 판결
> [2019 승진(경위)] 법규명령의 형식(부령)을 취하고 있지만 그 내용이 행정규칙의 실질을 가지는 경우 판례는 당해 규범을 행정규칙으로 보고 있다. (○)

☑ KEY POINT | 법규명령과 행정규칙 비교

① 양자의 비교

구분	법규명령	행정규칙
대상	일반국민 / 일반권력관계	공무원 등 / 특별권력관계
형식	시행령(대통령령), 시행규칙(부령)	훈령, 고시, 예규, 지침 등
법적 근거	• 위임명령: 개별·구체적 수권 필요 • 집행명령: 개별·구체적 수권 불필요	불필요(예외 있음)
구속력	• 양면적 구속력(대외·대내) • 재판규범성 ○	• 일면적 구속력(대내적 구속력) • 재판규범성 ×
조문형식	조문형식 필요	구술로도 가능
한계	법률우위원칙 + 법률유보원칙	법률우위원칙만 적용
위반효과	위법(무효 또는 취소사유)	• 위법 ×(효력에 영향 ×) • 내부적 징계책임 발생 가능
공포	필요(효력발생요건)	불필요

[2010 경간] 법규명령은 법령의 수권을 요하는 반면, 행정규칙은 법령에서 법령의 개별적 구체적 수권을 필요로 하지 않는다. (○)
[2016 경간] [2019 승진(경감)] 법규명령은 국민과 행정청을 동시에 구속하는 양면적 구속력을 가짐으로써 재판규범이 된다. (○)
[2010 경간] 법규명령위반은 무효사유임에 반해서 행정규칙위반은 취소사유이다. (×)
[2016 경간] 법규명령은 공포를 요하지 않으나, 행정규칙은 공포를 요한다. (×)

② 법령 등 공포에 관한 법률

법령 등 공포에 관한 법률 제11조 【공포 및 공고의 절차】 ① 헌법개정·법률·조약·대통령령·총리령 및 부령의 공포와 헌법개정안·예산 및 예산 외 국고부담계약의 공고는 관보에 게재함으로써 한다. [2018 경행특채 2차]
② 「국회법」 제98조 제3항 전단(➔ 확정된 법률을 대통령이 공포하지 아니할 때)에 따라 하는 국회의장의 법률 공포는 서울특별시에서 발행되는 둘 이상의 일간신문에 게재함으로써 한다.
③ 제1항에 따른 관보는 종이로 발행되는 관보(이하 "종이관보"라 한다)와 전자적인 형태로 발행되는 관보(이하 "전자관보"라 한다)로 운영한다.
④ 관보의 내용 해석 및 적용 시기 등에 대하여 종이관보와 전자관보는 동일한 효력을 가진다.
[2020 경행특채 2차] 국회법 제98조 제3항 전단에 따라 하는 국회의장의 법률 공포는 수도권에서 발행되는 둘 이상의 일간신문에 게재함으로써 한다. (×)
[2018 경행특채 2차] 관보의 내용 해석 및 적용 시기는 전자관보를 우선으로 하며, 종이관보는 부차적인 효력을 가진다. (×)

법령 등 공포에 관한 법률 제12조 【공포일·공고일】 제11조의 법령 등의 공포일 또는 공고일은 해당 법령 등을 게재한 관보 또는 신문이 발행된 날로 한다.

법령 등 공포에 관한 법률 제13조 【시행일】 대통령령, 총리령 및 부령은 특별한 규정이 없으면 공포한 날부터 20일이 경과함으로써 효력을 발생한다. [2023 승진(실무종합)] [2023 채용1차]
[2017 승진(경감)] 대통령령, 총리령 및 부령은 특별한 규정이 없으면 공포한 날부터 14일이 경과함으로써 효력이 발생한다. (×)
[2021 경간] 법규명령은 특별한 규정이 없는 한 공포일로부터 30일이 경과해야 효력이 발생하나 행정규칙은 공포를 요하지 않는다. (×)
[2019 채용2차] [2019 승진(경위)] 유사] 법규명령은 특별한 규정이 없는 한 공포일로부터 20일 경과 후 효력이 발생하나, 행정규칙은 공포를 요하지 않는다. (○)

법령 등 공포에 관한 법률 제13조의2 【법령의 시행유예기간】 국민의 권리 제한 또는 의무 부과와 직접 관련되는 법률, 대통령령, 총리령 및 부령은 긴급히 시행하여야 할 특별한 사유가 있는 경우를 제외하고는 공포일부터 적어도 30일이 경과한 날부터 시행되도록 하여야 한다. [2017 승진(경감)] [2020 경행특채 2차] [2021 승진(실무종합)]
[2018 경행특채 2차 유사] [2023 승진(실무종합)] 국민의 권리 제한 또는 의무 부과와 직접 관련되는 법률, 대통령령, 총리령 및 부령은 긴급 시행하여야 할 특별한 사유가 있는 경우를 제외하고는 공포일부터 적어도 20일이 경과한 날부터 시행되도록 하여야 한다. (×)

▌ 행정입법의 구조

행정입법 ┬ 법규명령 ┬ 위임명령
         │   └ 집행명령
         └ 행정규칙

▌ 공포(公布)
국민 일반에 널리 알림

▌ 법률의 효력발생 [2023 승진(실무종합)]
헌법 제53조 ① 국회에서 의결된 법률안은 정부에 이송되어 15일 이내에 대통령이 공포한다.
⑦ 법률은 특별한 규정이 없는 한 공포한 날로부터 20일을 경과함으로써 효력을 발생한다.

지방자치단체의 의회
지방자치단체의 주요사항을 최종적으로 심의·결정하는 의결기관을 말한다. 예컨대 지방자치단체인 서울특별시의 지방의회는 '서울특별시의회'이다.

(4) 자치법규

조례는 지방자치단체의 의회가 법령의 범위 안에서 지방자치권에 의거하여 제정하는 법규를 말하고, **규칙**은 지방자치단체의 장이 법령이나 조례의 범위에서 그 권한이 속하는 사무에 관하여 제정하는 법규를 말한다(지방자치법 제28조, 제29조).

[2023 채용1차] 지방자치단체의 장은 법령의 범위에서 그 사무에 관하여 조리(條理)를 제정할 수 있다. (×)
[2020 승진(경위)] 지방의회가 법령의 범위 안에서 제정하는 자치법규를 규칙이라고 한다. (×)
[2021 경간] 조례와 규칙은 지방의회가 정한다. (×)

⊕심화 조례 관련 지방자치법 규정

지방자치법 제28조【조례】 ① 지방자치단체는 법령의 범위에서 그 사무에 관하여 조례를 제정할 수 있다. 다만, 주민의 권리 제한 또는 의무 부과에 관한 사항이나 벌칙을 정할 때에는 법률의 위임이 있어야 한다. [2018 경행특채 2차] [2019 경행특채 2차]
  [2012 승진(경위)] 조례로 특히 주민의 '권리제한'을 제외한 '의무부과' 및 '형벌'을 정할 경우에는 반드시 법률의 위임이 있어야 한다. (×)

지방자치법 제34조【조례 위반에 대한 과태료】 ① 지방자치단체는 조례를 위반한 행위에 대하여 조례로써 1천만원 이하의 과태료를 정할 수 있다.

⚖요지판례 Ⅰ

지방자치법 관련 규정에 의하면 지방자치단체는 원칙적으로 그 고유사무인 자치사무와 법령에 의하여 위임된 단체위임사무에 관하여 이른바 자치조례를 제정할 수 있는 외에, 개별 법령에서 특별히 위임하고 있을 경우에는 그러한 사무에 속하지 아니하는 기관위임사무에 관하여도 그 위임의 범위 내에서 이른바 위임조례를 제정할 수 있지만, 조례가 규정하고 있는 사항이 그 근거 법령 등에 비추어 볼 때 자치사무나 단체위임사무에 관한 것이라면 이는 자치조례로서 지방자치법 제15조가 규정하고 있는 '법령의 범위 안'이라는 사항적 한계가 적용될 뿐, 위임조례와 같이 국가법에 적용되는 일반적인 위임입법의 한계가 적용될 여지는 없다(대판 2000.11.24, 2000추29). [2021 경행특채 2차]

지방자치단체의 사무
- **자치사무:** 주민복리 등 자기책임 하에 처리하는 고유한 사무 예 학교급식실시사무, 상·하수도 설치 및 관리사무
- **단체위임사무:** 법령에 의해 자치단체에 위임된 사무 예 국가하천 점용료·사용료의 징수를 시·도에 위임하는 것
- **기관위임사무:** 법령에 의해 자치단체장에게 위임된 사무 예 국도의 유지수선사무

외교관계에 관한 비엔나 협약(Vienna Convention on Diplomatic Relations)
예컨대 이 협약에 따라 외교관에 대한 체포·구금이 불가능하고 형사재판도 면제된다.

(5) 조약·국제법규

헌법 제6조 ① 헌법에 의하여 체결·공포된 조약과 일반적으로 승인된 국제법규는 국내법과 같은 효력을 가진다.

헌법 제60조 ① 국회는 상호원조 또는 안전보장에 관한 조약, 중요한 국제조직에 관한 조약, 우호통상항해조약, 주권의 제약에 관한 조약, 강화조약, 국가나 국민에게 중대한 재정적 부담을 지우는 조약 또는 입법사항에 관한 조약의 체결·비준에 대한 동의권을 가진다.

조약과 국제법규의 내용이 경찰활동에 관하여 구체적인 규정을 포함하고 있다면 별도의 국내법 편입절차(제정절차) 없이도 경찰활동을 위한 법원이 될 수 있다.

2. 불문법원

(1) 관습법

관행이 반복되어 일반국민의 법적 확신을 얻어 만들어지는 법규범을 말하며, 판례는 관습법의 법원성을 인정한다.

> **🔨요지판례 ㅣ**
>
> 관습법이란 사회의 거듭된 관행으로 생성한 사회생활규범이 사회의 법적 확신과 인식에 의하여 법적 규범으로 승인·강행되기에 이르른 것을 말하고, 사실인 관습은 사회의 관행에 의하여 발생한 사회생활규범인 점에서 관습법과 같으나 사회의 법적 확신이나 인식에 의하여 법적 규범으로서 승인된 정도에 이르지 않은 것을 말하는 바, 관습법은 바로 법원으로서 법령과 같은 효력을 갖는 관습으로서 법령에 저촉되지 않는 한 법칙으로서의 효력이 있는 것이며(대판 1983.6.14, 80다3231).
>
> [2023 채용1차] 사회의 거듭된 관행으로 생성한 사회 생활규범이 사회의 법적 확신과 인식에 의하여 법적 규범으로 승인·강행되기에 이른 것을 관습법이라 한다. (O)

(2) 판례법

1) 의의

법원의 판결을 법으로 인식하는 것을 판례법이라 하며, 통상 영미법계 국가에서는 판례의 법원성을 긍정하나 대륙법계 국가에서는 판례의 법원성을 부정한다.

┃ 대륙법계·영미법계
- 대륙법계는 유럽대륙의 독일·프랑스를 중심으로 발달한 법계를 말한다. 우리나라와 일본은 대륙법계로 분류된다.
- 영미법계란 영국법과 이를 계수한 미국법을 중심으로 하는 법계를 말한다.

2) 대법원 판례

> **법원조직법 제8조【상급심 재판의 기속력】** 상급법원 재판에서의 판단은 해당 사건에 관하여 하급심을 기속한다.

법원조직법 제8조에 따라 대법원 판결과 같은 상급법원의 판단은 '해당 사건'에서만 하급심을 기속하므로, '다른 사건'에는 기속력이 미치지 않고 따라서 대법원 판례에는 법원성이 인정되지 않는다고 보는 것이 다수설이다.

3) 헌법재판소의 위헌결정

> **헌법재판소법 제47조【위헌결정의 효력】** ① 법률의 위헌결정은 법원과 그 밖의 국가기관 및 지방자치단체를 기속한다.

헌법재판소법은 위헌결정에 대해 기속력을 인정하는 명문규정을 두고 있으므로, 헌법재판소의 위헌결정은 법원성이 인정된다고 본다(다수설).

[2021 경간] 헌법재판소의 위헌결정은 법원이나 기타 국가기관 및 지방자치단체를 기속하므로 법원성이 인정된다. (O)

(3) 조리

불문법원으로서 일반적으로 정의에 합치되는 보편적 원리로서 인정되고 있는 모든 원칙을 '조리'라 하며, 최후의 보충적 법원으로서의 성격을 갖는다. ➡ 경찰관청의 행위가 형식상 적법하더라도 조리에 위반할 경우에는 위법이 될 수 있다.

[2022 경간] 불문법원으로서 일반적으로 정의에 합치되는 보편적 원리로서 인정되고 있는 모든 원칙을 조리라 하고, 경찰관청의 행위가 형식상 적법하면 조리에 위반하더라도 위법이 될 수 없다. (×)
[2012 승진(경위)] [2019 채용2차] 최후의 보충적 법원으로 조리는 일반적·보편적 정의를 의미하는 바, 경찰관청의 행위가 행위가 형식상 적법하더라도 조리에 위반할 경우 위법이 될 수 있다. (O)
[2020 승진(경위)] [2021 경간] 경찰법의 법원은 일반적으로 성문법원과 불문법원으로 나눌 수 있으며 헌법, 법률, 조약과 국제법규, 조리와 규칙은 성문법원이다. (×)

┃ 조리의 성문화 추세
조리는 비례의 원칙(과잉금지원칙), 평등의 원칙, 신뢰보호의 원칙(금반언의 원칙), 자기구속의 원칙, 부당결부금지원칙, 신의성실의 원칙 등으로 구성되어 있으며 오늘날 법의 일반원칙은 성문화되어 가는 추세에 있다.

주제 3 │ 경찰행정법의 여러 가지 일반원칙들

01 비례의 원칙(과잉금지원칙) 💡 적당히 해라

> **헌법 제37조** ② 국민의 모든 자유와 권리는 국가안전보장·질서유지 또는 공공복리를 위하여 필요한 경우에 한하여 법률로써 제한할 수 있으며, 제한하는 경우에도 자유와 권리의 본질적인 내용을 침해할 수 없다.
>
> **행정기본법 제10조【비례의 원칙】** 행정작용은 다음 각 호의 원칙에 따라야 한다.
> 1. 행정목적을 달성하는 데 <u>유효하고 적절할 것</u> ➡ **적합성**
> 2. 행정목적을 달성하는 데 <u>필요한 최소한도에 그칠 것</u> ➡ **필요성**
> 3. 행정작용으로 인한 국민의 이익 침해가 그 행정작용이 의도하는 공익보다 크지 아니할 것 ➡ **상당성**
>
> [2022 승진(실무종합)] 경찰행정관청의 특정행위가 공적 목적 달성을 위해 적합하고, 국민에게 가장 피해가 적으며, 달성되는 공익이 침해되는 사익보다 더 커야 적법한 행정작용이 될 수 있다. (○)
>
> **경찰관 직무집행법 제1조【목적】** ② 이 법에 규정된 경찰관의 직권은 그 직무 수행에 필요한 최소한도에서 행사되어야 하며 남용되어서는 아니 된다.
>
> [2020 채용2차] 경찰비례의 원칙은 「경찰관 직무집행법」 제1조 제2항이 명문으로 규정하고 있을 뿐만 아니라 헌법 제37조 제2항으로부터도 도출된다. (○)

▎행정기본법상 명문규정?
비례의 원칙, 평등의 원칙, 신뢰보호의 원칙, 부당결부금지원칙 ➡ 자기구속 원칙만 행정기본법상 명문규정이 없다!

1. 의의

- 비례의 원칙이란 행정작용에 있어 행정목적과 수단 사이에 합리적인 비례관계가 유지되어야 한다는 원칙을 말한다.
- 독일에서 경찰법상의 판례를 중심으로 발달하여 왔고 오늘날에는 행정법의 모든 영역에서 적용되는 원칙으로 이해되고 있다. [2020 채용2차]

2. 내용

비례의 원칙은 ① <u>적합성의 원칙</u> ➡ ② <u>필요성의 원칙</u>(최소침해의 원칙) ➡ ③ <u>상당성의 원칙</u>(협의의 비례원칙)으로 구성되며, 비례의 원칙이 충족되기 위해서는 <u>위 3원칙이 순서대로 모두 만족되어야</u> 한다.

> ⚖ **요지판례 ▎**
>
> 헌법 제37조 제2항에 의하면 국민의 기본권을 법률로써 제한하는 것이 가능하다고 하더라도 그 본질적인 내용을 침해할 수 없고 또한 과잉금지의 원칙에도 위배되어서는 아니 되는바, 과잉금지의 원칙이라 함은 국민의 기본권을 제한함에 있어서 국가작용의 한계를 명시한 것으로서 목적의 정당성·방법의 적정성·피해의 최소성·법익의 균형성 등을 의미하며 그 어느 하나에라도 저촉이 되면 위헌이 된다는 헌법상의 원칙을 말한다(헌재 1997.3.27, 95헌가17).
>
> [2011 승진 유사] [2020 승진(경위)] 경찰비례의 원칙의 내용으로서 '적합성의 원칙', '필요성의 원칙', '상당성의 원칙'이 있으며 적어도 하나는 충족해야 위법하지 않다. (×)
>
> [2018 경행특채 2차] 과잉금지의 원칙이라 함은 국민의 기본권을 제한함에 있어서 국가작용의 한계를 명시한 것으로서 목적의 정당성·방법의 적정성·피해의 최소성·법익의 균형성 등을 의미하며 그 어느 하나에라도 저촉이 되면 위헌이 된다는 헌법상의 원칙을 말한다. (○)

적합성의 원칙	• 수단은 목적을 이루는 데 적합해야 한다. • 가장 적합한 수단을 요구하는 것은 아니다.
필요성의 원칙 (최소침해의 원칙)	여러 수단 중 당사자의 권리나 자유를 가급적 최소한으로 침해하는 수단을 선택해야 한다. [2023 채용1차]
상당성의 원칙 (협의의 비례원칙)	• 당해 수단에 의해 달성하고자 하는 공익이, 사익피해의 정도보다 커야 한다. • "경찰은 대포로 참새를 쏘아서는 안 된다."

[2023 채용1차] 적합성의 원칙은 경찰기관의 어떤 조치가 경찰목적 달성을 위해 필요한 경우라고 하여도 그 조치에 따른 불이익이 그 조치로 인해 발생하는 이익보다 큰 경우에는 경찰권을 발동해서는 안 된다는 원칙이다. (×)
[2020 채용2차] 최소침해의 원칙은 협의의 비례원칙이라고도 불린다. (×)
[2019 채용1차] 경찰비례의 원칙의 내용 중 상당성의 원칙은 경찰권 발동에 따른 이익보다 사인의 피해가 더 큰 경우 경찰권을 발동해서는 안 된다는 원칙으로서 최소침해원칙이라고도 한다. (×)
[2020 승진(경위)] '경찰은 대포로 참새를 쏘아서는 안 된다'는 법언은 상당성의 원칙을 잘 표현한 것이다. (○)

3. 위반효과

비례의 원칙을 위반한 국가작용은 위법한 국가작용으로서 행정소송의 대상이 되며, 국가배상책임이 성립할 수 있다. [2020 승진(경위)]

▍국가배상
공무원 등의 위법한 직무집행 행위로 손해를 입은 사인이 국가 등에 대하여 배상책임을 물을 수 있는 제도를 말한다.

⚖ 요지판례 Ⅰ

<위반으로 본 사례>

■ 불법·폭력 집회나 시위가 개최될 가능성이 있다고 하더라도 이를 방지하기 위한 조치는 개별적·구체적인 상황에 따라 필요최소한의 범위에서 행해져야 하는 것인바, 서울광장에서의 일체의 집회는 물론 일반인의 통행까지 막은 것은 당시 상황에 비추어 볼 때, 필요한 최소한의 조치였다고 보기 어렵고, 가사 그 필요성이 있더라도 몇 군데 통로를 개설하거나 또는 집회의 가능성이 적거나 출근 등의 왕래가 빈번한 시간대에는 통행을 허용하는 등 덜 침해적인 수단을 취할 수 있었음에도 모든 시민의 통행을 전면적으로 통제한 것은 침해를 최소화한 수단이라고 할 수 없으므로 과잉금지원칙을 위반하여 기본권을 침해하였다(헌재결 2011.6.30, 2009헌마406).

■ 가스총을 사용하는 경찰관으로서는 인체에 대한 위해를 방지하기 위하여 상대방과 근접한 거리에서 상대방의 얼굴을 향하여 이를 발사하지 않는 등 가스총 사용시 요구되는 최소한의 안전수칙을 준수함으로써 장비 사용으로 인한 사고 발생을 미리 막아야 할 주의의무가 있다(대판 2003.3.14, 2002다57218). ➡ 경찰관이 난동을 부리던 범인을 검거하면서 가스총을 약 1.5m 거리에서 근접 발사하여 가스와 함께 발사된 고무마개가 범인의 눈에 맞아 실명한 경우 국가배상책임을 인정한 사례

■ 공정한 업무처리에 대한 사의로 두고 간 돈 30만원이 든 봉투를 소지함으로써 피동적으로 금품을 수수하였다가 돌려 준 20여 년 근속의 경찰공무원에 대한 해임처분은 사회통념상 현저하게 타당성을 잃어 재량권의 남용에 해당한다(대판 1991.7.23, 90누8954).

<위반이 아니라고 본 사례>

8년여를 경찰관으로 근무하면서 8회에 걸쳐 표창 등을 받은 사정을 참작한다고 하더라도 도박행위를 묵인하여 준 뒤 금 20만원을 수수한 경찰관에 대한 해임처분은 정당하다(대판 1996.7.12, 96누3302).

02 평등의 원칙 💡 똑같이 해라.

> 헌법 제11조 ① 모든 국민은 법 앞에 평등하다. 누구든지 성별·종교 또는 사회적 신분에 의하여 정치적·경제적·사회적·문화적 생활의 모든 영역에 있어서 차별을 받지 아니한다.
>
> 행정기본법 제9조 【평등의 원칙】 행정청은 합리적 이유 없이 국민을 차별하여서는 아니 된다. ➡ 합리적 이유가 있는 차별은 가능하다.

• 행정청으로 하여금 합리적 이유 없이 국민을 차별하는 것을 금지하는 원칙이다.

평등원칙 위반 인정 판례사안

평등원칙 위반 인정 판례사안
• 함께 화투놀이 한 4명 중 3명은 견책, 1명은 파면한 것
• 청원경찰 인원감축시, 초졸이하 집단과 중학교 중퇴이상 학력 집단으로 나누어 감원비율 달리 산정한 것
• 공무원 시험에서 국가유공자 가족들에게 10%가산점을 부여하는 규정

> ⚖️ **요지판례** |
>
> 같은 정도의 비위를 저지른 자들 사이에 있어서도 그 직무의 특성 등에 비추어, 개전의 정이 있는지 여부에 따라 징계의 종류의 선택과 양정에 있어서 차별적으로 취급하는 것은, 사안의 성질에 따른 합리적 차별로서 이를 자의적 취급이라고 할 수 없는 것이어서 평등원칙 내지 형평에 반하지 아니한다(대판 1999.8.20, 99두2611). [2022 채용2차]

03 신뢰보호의 원칙 💡 말바꾸지 마라.

> 행정기본법 제12조 【신뢰보호의 원칙】 ① 행정청은 공익 또는 제3자의 이익을 현저히 해칠 우려가 있는 경우를 제외하고는 행정에 대한 국민의 정당하고 합리적인 신뢰를 보호하여야 한다. [2021 경행특채 2차] [2022 채용1차] [2023 승진(실무종합)]
>
> 행정절차법 제4조 【신의성실 및 신뢰보호】 ② 행정청은 법령등의 해석 또는 행정청의 관행이 일반적으로 국민들에게 받아들여졌을 때에는 공익 또는 제3자의 정당한 이익을 현저히 해칠 우려가 있는 경우를 제외하고는 새로운 해석 또는 관행에 따라 소급하여 불리하게 처리하여서는 아니 된다. [2022 채용1차]
>
> [2011 승진] 신뢰보호원칙이란 행정기관의 일정한 언동의 정당성 또는 존속성에 대한 개인의 보호가치 있는 신뢰는 보호해주어야 한다는 것으로서, 현행 「행정절차법」이 일반법적 근거가 될 수 있다. (○)

1. 의의

• 행정청의 행위를 사인이 정당하게 신뢰한 경우, 그 신뢰는 보호되어야 한다는 원칙을 말한다.
• 영미법계의 법원칙인 금반언의 원칙과 유사하다.

금반언(禁反言)의 원칙
이미 표명한 자기의 언행(언동)에 대하여 이와 모순되는 행위를 할 수 없다는 원칙

2. 성립요건

선행조치 (공적 견해표명)	• 먼저 행정청의 선행조치(판례상 표현: 공적 견해표명)이 있어야 한다. • 적법행위뿐만 아니라 위법행위도 선행조치가 될 수 있다. 단, 무효인 행정행위는 선행조치가 될 수 없다. ➡ 《주의》 자기구속원칙에서 선례는 적법해야 함!

보호가치 있는 신뢰	• 행정청의 선행조치가 상대방 등 관계자의 사실은폐나 부정행위에 기인한 것이 아니어야 한다. • 즉, 사인의 귀책사유가 없어야 한다.
신뢰에 기초한 행위	행정청의 선행조치를 믿은 것만으로는 부족하고, 어떠한 행위를 하였어야 한다.
인과관계	선행조치에 대한 신뢰와 그 신뢰에 따른 조치 사이에 인과관계가 있어야 한다.
선행조치에 반하는 후행조치	행정청이 선행조치에 반하는 후행조치를 하여야 한다. ➡ 상기 요건이 모두 충족된 경우, 이 '후행조치'가 신뢰보호원칙에 위반되는 것이다.

⚖ 요지판례 ㅣ

■ 운전면허취소사유에 해당하는 음주운전을 적발한 경찰관의 소속 경찰서장이 사무착오로 위반자에게 운전면허정지처분을 한 상태에서 위반자의 주소지 관할 지방경찰청장이 위반자에게 운전면허취소처분을 한 것은 선행처분에 대한 당사자의 신뢰 및 법적 안정성을 저해하는 것으로서 허용될 수 없다(대판 2000.2.25, 99두10520).

[2018 경행특채 2차] 운전면허취소사유에 해당하는 음주운전을 적발한 경찰관의 소속 경찰서장이 사무착오로 위반자에게 운전면허정지처분을 한 상태에서 위반자의 주소지 관할 지방경찰청장이 위반자에게 운전면허취소처분을 한 것은 선행처분에 대한 당사자의 신뢰 및 법적 안정성을 저해하는 것으로 볼 수 없다. (×)

[2019 채용2차] 판례에 의할 때 운전면허취소사유에 해당하는 음주운전을 적발한 경찰관의 소속 경찰서장이 사무착오로 위반자에게 운전면허정지처분을 한 상태에서 위반자의 주소지 관할 시·도경찰청장이 위반자에게 운전면허취소처분을 한 경우 이는 법의 일반원칙인 조리에 반하여 허용될 수 없다. (○)

■ 폐기물처리업에 대하여 사전에 관할 관청으로부터 적정통보를 받고 막대한 비용을 들여 허가요건을 갖춘 다음 허가신청을 하였음에도 다수 청소업자의 난립으로 안정적이고 효율적인 청소업무의 수행에 지장이 있다는 이유로 한 불허가처분은 신뢰보호의 원칙 및 비례의 원칙에 반하는 것으로서 재량권을 남용한 위법한 처분이다(대판 1998.5.8, 98두4061).

[2022 채용2차] 폐기물처리업에 대하여 사전에 관할 관청으로부터 적정통보를 받고 막대한 비용을 들여 허가요건을 갖춘 다음 허가신청을 하였음에도 관할 관청으로부터 '다수 청소업자의 난립으로 안정적이고 효율적인 청소업무의 수행에 지장이 있다'는 이유로 불허가처분을 받은 경우, 그 처분은 신뢰보호원칙 위반으로 인한 위법한 처분에 해당된다. (○)

3. 한계

• 신뢰보호의 원칙은 법률적합성(합법성)과 충돌할 수 있다.
• 무엇을 우선해야 할 것인지 견해대립이 있지만, 동위설(이익형량설)이 다수설·판례의 입장이다.

⚖ 요지판례 ㅣ

신의칙 내지 금반언의 원칙은 합법성의 원칙을 희생하여서라도 납세자의 신뢰를 보호함이 정의에 부합하는 것으로 인정되는 특별한 사정이 있을 경우에 한하여 적용된다고 할 것이다(대판 1992.4.28, 91누9848).

⊕ **심화 신뢰보호의 원칙과 실권(실효)의 법리**

① **의의 및 법적 근거**

> **행정기본법 제12조 【신뢰보호의 원칙】** ② 행정청은 권한 행사의 기회가 있음에도 불구하고 장기간 권한을 행사하지 아니하여 국민이 그 권한이 행사되지 아니할 것으로 믿을 만한 정당한 사유가 있는 경우에는 그 권한을 행사해서는 아니 된다. 다만, 공익 또는 제3자의 이익을 현저히 해칠 우려가 있는 경우는 예외로 한다. [2023 승진(실무종합)]

- 행정청이 권한행사의 기회가 있었음에도 장기간 그 권한을 행사하지 아니한 경우, 그 권한행사를 허용하지 않는다는 법리이다.
- 과거 판례는 신의성실원칙에서 실권의 법리가 파생된다고 보았으나, 2021년 3월 행정기본법이 제정되면서 명시적인 법적 근거가 생겼다. ➡ 행정기본법은 신뢰보호의 원칙과 같은 조에서 실권의 법리를 규정하고 있다.

② **판례**

> ⚖ **요지판례 |**
>
> ■ 택시운전사가 1983.4.5. 운전면허정지기간 중의 운전행위를 하다가 적발되어 형사처벌을 받았으나 행정청으로부터 아무런 행정조치가 없어 안심하고 계속 운전업무에 종사하고 있던 중 행정청이 위 위반행위가 있은 이후에 장기간에 걸쳐 아무런 행정조치를 취하지 않은 채 방치하고 있다가 3년여가 지난 1986.7.7.에 와서 이를 이유로 행정제재를 하면서 가장 무거운 운전면허를 취소하는 행정처분을 하였다면 이는 행정청이 그간 별다른 행정조치가 없을 것이라고 믿은 신뢰의 이익과 그 법적안정성을 빼앗는 것이 되어 매우 가혹할 뿐만 아니라 비록 그 위반행위가 운전면허취소사유에 해당한다 할지라도 그와 같은 공익상의 목적만으로는 위 운전사가 입게 될 불이익에 견줄바 못된다 할 것이다(대판 1987.9.8, 87누373).
>
> ■ 교통사고가 일어난 지 1년 10개월이 지난 뒤 그 교통사고를 일으킨 택시에 대하여 운송사업면허를 취소하였더라도 택시운송사업자로서는 자동차운수사업법의 내용을 잘 알고 있어 교통사고를 낸 택시에 대하여 운송사업면허가 취소될 가능성을 예상할 수도 있었을 터이니, 자신이 별다른 행정조치가 없을 것으로 믿고 있었다 하여 바로 신뢰의 이익을 주장할 수는 없다(대판 1989.6.27, 88누6283).

04 자기구속의 원칙 💡 하던대로 해라.

1. 의미

- 행정청이 재량영역에서 선례를 만들었다면, 동종 사안에 대해 동일한 결정을 해야 한다는 원칙을 말한다.

2. 근거

- 신뢰보호원칙에서 파생되었다는 견해와 평등원칙에서 파생하였다는 견해가 있는데, 평등원칙에서 도출되었다고 보는 것이 통설이다.
- 단, 판례는 자기구속원칙의 근거를 양자 모두에서 찾는다.

> ⚖ **요지판례 |**
>
> 재량권행사의 준칙인 규칙이 그 정한 바에 따라 되풀이 시행되어 행정관행이 이룩되게 되면, 평등의 원칙이나 신뢰보호의 원칙에 따라 행정기관은 그 상대방에 대한 관계에서 그 규칙에 따라야할 자기구속을 당하게 되고, 그러한 경우에는 대외적인 구속력을 가지게 된다 할 것이다(헌재 1990.9.3, 90헌마13).

| **재량행위 vs 기속행위**
- **재량행위**: 요건충족이나 그로 인해 발생하는 효과 선택에 행정청의 독자적인 판단권(재량권)이 부여된 행위 ➡ 근거규정의 모습: '~~할 수 있다.'
- **기속행위**: 행정청이 기계적으로 법령을 그대로 집행하여야 하는 행위 ➡ 근거규정의 모습: '~~하여야 한다.'

3. 성립요건

자기구속원칙이 성립하기 위해서는 ① 당해 행정행위가 이루어지는 영역이 재량영역일 것, ② 동일한 행정청의 동종 사안에 대한 것일 것, ③ 행정선례가 존재할 것, ④ 선례가 적법할 것의 요건이 필요하다. ➡ **《주의》** 선례가 위법하다면 자기구속 원칙이 적용되지 않는다(신뢰보호원칙과 비교).

> ⚖ **요지판례 |**
>
> 위법한 행정처분이 수차례에 걸쳐 반복적으로 행하여졌다 하더라도 그러한 처분이 위법한 것인 때에는 행정청에 대하여 자기구속력을 갖게 된다고 할 수 없다(대판 2009. 6.25, 2008두13132). ➡ 날짜가 기재되지 않은 동의서를 효력이 없다고 간주한 선례가 위법하다면 행정청은 이러한 위법한 선례에 구속되지 않는다.
>
> [2022 채용2차] 적법 및 위법을 불문하고 재량준칙에 따른 행정관행이 성립한 경우라면, 행정의 자기구속 원칙이 적용될 수 있다. (×).
> [2011 승진] 행정의 자기구속의 원칙은 구속의 근거가 되는 행정관행이 적법한 경우에만 적용된다. (○)
> [2021 승진(실무종합)] 행정규칙에 따른 종래의 행정관행이 위법한 경우에는 행정청은 자기구속을 당하지 않는다. (○)

4. 효과

자기구속원칙은 재량준칙(행정규칙)을 법규로 전환시키는 역할을 한다.

05 부당결부금지원칙 💡 엉뚱한거 갖다 붙이지 마라.

> **행정기본법 제13조【부당결부금지의 원칙】** 행정청은 행정작용을 할 때 상대방에게 해당 행정작용과 실질적인 관련이 없는 의무를 부과해서는 아니 된다.

행정청이 행정작용을 할 때 상대방에게 해당 행정작용과 실질적으로 관련이 없는 의무를 부과하거나 의무를 이행하도록 강제해서는 안 된다는 원칙을 말한다(대판 2009.2.12, 2005다65500). [2018 경행특채 2차]

> ⚖ **요지판례 |**
>
> **<위반으로 본 사례>**
>
> 수익적 행정행위에 있어서는 법령에 특별한 근거규정이 없다고 하더라도 그 부관으로서 부담을 붙일 수 있으나, 그러한 부담은 비례의 원칙, 부당결부금지의 원칙에 위반되지 않아야만 적법하다. 지방자치단체장이 사업자에게 주택사업계획승인을 하면서 그 주택사업과는 아무런 관련이 없는 토지를 기부채납하도록 하는 부관을 주택사업계획승인에 붙인 경우, 그 부관은 부당결부금지의 원칙에 위반되어 위법하다(대판 1997.3.11, 96다49650). [2018 경행특채 2차] [2022 채용2차]
>
> **<위반이 아니라고 본 사례>**
>
> 고속국도 관리청이 고속도로 부지와 접도구역에 송유관 매설을 허가하면서 상대방과 체결한 협약에 따라 송유관 시설을 이전하게 될 경우 그 비용을 상대방에게 부담하도록 하였고, 그 후 도로법 시행규칙이 개정되어 접도구역에는 관리청의 허가 없이도 송유관을 매설할 수 있게 된 경우라도 위 협약은 효력을 상실하지 않으며 위 협약에 포함된 부관이 부당결부금지의 원칙에 위반되는 것도 아니다(대판 2009.2.12, 2005다65500).

| 부관
행정행위의 효과를 제한 또는 보충하기 위해서 행정기관에 의해서 주된 행정행위에 부가되는 종된 규율 예 조건 · 기한 · **부담** · 철회권 유보 · 법률효과 일부배제 등

[2021 경행특채 2차] 고속국도의 관리청이 고속도로 부지와 접도구역에 송유관 매설을 허가하면서 상대방과 체결한 협약에 따라 송유관 시설을 이전하게 될 경우 상대방에게 그 비용을 부담하도록 한 부관은 행정작용과 실질적 관련성이 없는 의무를 부과하는 것으로서 부당결부금지원칙에 위반된다. (×)

⊕ 심화 부당결부금지원칙과 복수운전면허 일부철회

1 복수운전면허의 취급

- 한 사람이 여러 종류의 자동차운전면허를 취득하는 경우뿐 아니라, 이를 취소 또는 정지하는 경우에도 서로 별개의 것으로 취급하는 것이 원칙이다.
- 다만, 취소사유가 특정 면허에 관한 것이 아니고 ① 다른 면허와 공통된 것이거나 ② 운전면허를 받은 사람에 관한 것일 경우에는 여러 면허를 전부 취소할 수도 있다. → 즉, 이 경우에는 부당결부금지원칙 위반이 아니다.

2 판례

> ♨ 요지판례 |
> - 제1종 대형면허 소지자는 제1종 보통면허 소지자가 운전할 수 있는 차량을 모두 운전할 수 있는 것으로 규정하고 있어, 제1종 대형면허의 취소에는 당연히 제1종 보통면허 소지자가 운전할 수 있는 차량의 운전까지 금지하는 취지가 포함된 것이어서 이들 차량의 운전면허는 서로 관련된 것이라고 할 것이므로, 제1종 대형면허로 운전할 수 있는 차량을 음주운전하거나 그 제재를 위한 음주측정의 요구를 거부한 경우에는 그와 관련된 제1종 보통면허까지 취소할 수 있다(대판 1997.2.28, 96누17578).
> - 제1종 보통면허 소지자는 승용자동차뿐만 아니라 원동기장치자전거까지 운전할 수 있도록 규정하고 있어 제1종 보통면허의 취소에는 당연히 원동기장치자전거의 운전까지 금지하는 취지가 포함된 것이어서 이들 차량의 운전면허는 서로 관련된 것이라고 할 것이므로, 제1종 보통면허로 운전할 수 있는 차량을 음주운전한 경우에는 이와 관련된 원동기장치자전거면허까지 취소할 수 있는 것으로 보아야 한다(대판 1996.11.8, 96누9959).
> - 갑이 혈중알코올농도 0.140%의 주취상태로 배기량 125cc 이륜자동차를 운전하였다는 이유로 관할 지방경찰청장이 갑의 자동차운전면허[제1종 대형, 제1종 보통, 제1종 특수(대형견인·구난), 제2종 소형]를 취소하는 처분을 한 사안에서, 갑에 대하여 제1종 대형, 제1종 보통, 제1종 특수(대형견인·구난) 운전면허를 취소하지 않는다면, 갑이 각 운전면허로 배기량 125cc 이하 이륜자동차를 계속 운전할 수 있어 실질적으로는 아무런 불이익을 받지 않게 되는 점 등에 비추어 볼 때, 처분이 사회통념상 현저하게 타당성을 잃어 재량권을 남용하거나 한계를 일탈한 것이라고 단정할 수 없다(대판 2018.2.28, 2017두67476).
> - 제1종 대형, 제1종 보통 자동차운전면허를 가지고 있는 갑이 배기량 400cc의 오토바이를 절취하였다는 이유로 지방경찰청장이 갑의 제1종 대형, 제1종 보통 자동차운전면허를 모두 취소한 경우, 위 오토바이를 훔쳤다는 사유만으로 제1종 대형면허나 보통면허를 취소할 수 없다(대판 2012.5.24, 2012두1891).

| 오토바이 운전면허

- **125cc 이하**: 제1종(대형·보통·소형·특수) 및 제2종(보통·소형·특수)의 모든 면허로 운전 가능하다.
- **125cc 초과**: 제2종 소형면허로만 운전 가능하다.

⊕ 심화 행정기본법상 기간의 계산

1 행정에 관한 기간의 계산

> **행정기본법 제6조 【행정에 관한 기간의 계산】** ① 행정에 관한 기간의 계산에 관하여는 이 법 또는 다른 법령등에 특별한 규정이 있는 경우를 제외하고는 「민법」을 준용한다. [2021 경행특채 2차]
> ② 법령등 또는 처분에서 국민의 권익을 제한하거나 의무를 부과하는 경우 권익이 제한되거나 의무가 지속되는 기간의 계산은 다음 각 호의 기준에 따른다. 다만, 다음 각 호의 기준에 따르는 것이 국민에게 불리한 경우에는 그러하지 아니하다.
> 1. 기간을 일, 주, 월 또는 연으로 정한 경우에는 기간의 첫날을 산입한다.
> 2. 기간의 말일이 토요일 또는 공휴일인 경우에도 기간은 그 날로 만료한다.
> [2021 경행특채 2차] 100일간 운전면허정지처분을 받은 사람의 경우, 100일째 되는 날이 공휴일인 경우에도 면허정지기간은 그 날(공휴일 당일)로 만료한다. (○)

| 민법상 기간 계산의 원칙

- **초일불산입**: 기간을 일, 주, 월 또는 연으로 정한 때에는 기간의 초일은 산입하지 아니한다(민법 제157조).
- **초일산입**: 기간이 오전 영시로부터 시작하는 때에는 초일을 산입한다(민법 제157조 단서).

- 행정에 관한 기간 계산에 대하여 민법에 따른 기산점, 만료점 등의 일반원칙을 따름을 명확히 하 하되, 국민의 권익을 제한하거나 의무를 부과하는 경우의 기간 계산에 관한 규정을 별도로 둠으로써 민법상 기간 계산 준용의 한계를 명확히 하고, 공법관계에서 기간 계산의 타당성을 확보하였다.

2 법령등 시행일의 기간 계산

> **행정기본법 제7조 【법령등 시행일의 기간 계산】** 법령등(훈령·예규·고시·지침 등을 포함한다. 이하 이 조에서 같다)의 시행일을 정하거나 계산할 때에는 다음 각 호의 기준에 따른다.
> 1. 법령등을 공포한 날부터 시행하는 경우에는 공포한 날을 시행일로 한다.
> 2. 법령등을 공포한 날부터 일정 기간이 경과한 날부터 시행하는 경우 법령등을 공포한 날을 첫날에 산입하지 아니한다.
> 3. 법령등을 공포한 날부터 일정 기간이 경과한 날부터 시행하는 경우 그 기간의 말일이 토요일 또는 공휴일인 때에는 그 말일로 기간이 만료한다.
> [2021 경행특채 2차] 법령등(훈령·예규·고시·지침 등을 포함한다)의 시행일을 정하거나 계산할 때 법령등을 공포한 날부터 일정 기간이 경과한 날부터 시행하는 경우 법령등을 공포한 날을 첫날에 산입한다. (×)

3 민원 처리에 관한 법률의 경우

> **민원 처리에 관한 법률 제19조 【처리기간의 계산】** ① 민원의 처리기간을 5일 이하로 정한 경우에는 민원의 접수시각부터 "시간" 단위로 계산하되, 공휴일과 토요일은 산입하지 아니한다. 이 경우 1일은 8시간의 근무시간을 기준으로 한다. [2021 경행특채 2차]
> ② 민원의 처리기간을 6일 이상으로 정한 경우에는 "일" 단위로 계산하고 첫날을 산입하되, 공휴일과 토요일은 산입하지 아니한다.
> ③ 민원의 처리기간을 주·월·연으로 정한 경우에는 첫날을 산입하되, 「민법」 제159조부터 제161조까지의 규정을 준용한다.

주제 4 경찰조직법과 경찰행정의 주체

01 경찰조직법

> **헌법 제96조** 행정각부의 설치·조직과 직무범위는 법률로 정한다.
> **정부조직법 제34조 【행정안전부】** ⑤ 치안에 관한 사무를 관장하기 위하여 행정안전부장관 소속으로 경찰청을 둔다.
> ⑥ 경찰청의 조직·직무범위 그 밖에 필요한 사항은 따로 법률로 정한다.
> **국가경찰과 자치경찰의 조직 및 운영에 관한 법률 제1조 【목적】** 이 법은 경찰의 민주적인 관리·운영과 효율적인 임무수행을 위하여 경찰의 기본조직 및 직무 범위와 그 밖에 필요한 사항을 규정함을 목적으로 한다.

- 경찰조직법이라 함은 경찰조직에 그 존립의 근거를 부여하고, 경찰이 설치한 기관의 명칭·권한, 경찰관청 상호간의 관계, 나아가 경찰관청의 임면·신분·직무 등에 대하여 규정하는 법을 말한다.
- 헌법 제96조가 행정조직 법정주의를 규정하고 있고, 이에 따라 국가중앙행정조직에 대한 기본법인 정부조직법이 제정되어 있으며, 경찰조직에 대한 기본법으로 국가경찰과 자치경찰의 조직 및 운영에 관한 법률이 제정되어 있다.

02 경찰행정의 주체

1. 행정주체와 행정기관, 행정청

(1) 행정주체

- 행정주체란 행정상의 권리·의무가 귀속되는 행정법관계의 일방당사자로서 행위의 법적 효과가 귀속되는 자를 말한다.
- 대표적인 행정주체로는 국가와 지방자치단체가 있고, 그 외에도 공법상 사단법인(공공조합)·공법상 재단법인(공재단)·영조물법인 등이 있다.

(2) 행정기관

- 행정주체의 행정사무담당자를 행정기관이라고 하며, 행정주체와 행정기관의 관계는 회사(법인)와 대표이사와의 관계와 유사하다.
- 행정기관은 직무수행 권한은 있으나 독립된 법인격이 없으므로 행위의 법적 효과는 행정주체에게 귀속된다.
- 행정기관에는 행정청(시장·장관), 의결기관(공무원징계위원회, 지방의회), 보조기관(차관·국장 등), 보좌기관(정책담당자·차관보·비서실), 집행기관(개별 공무원) 등이 있다.

(3) 행정청

- 행정기관 중에서 특히 의사를 결정하여 표시할 수 있는 권한을 가지는 행정기관을 행정청이라 한다.
- 독임제 행정청(시장, 장관)과 합의제 행정청(공정거래위원회, 토지수용위원회, 행정심판위원회 등)이 있다.

2. 경찰행정주체와 경찰행정기관

(1) 경찰행정주체

경찰행정의 주체라 함은 경찰행정을 행할 권리와 의무를 가지며, 자기의 이름과 책임하에 경찰행정을 실시하는 단체(법인)을 말한다. 국가경찰과 자치경찰의 조직 및 운영에 관한 법률은 국가경찰과 자치경찰제도를 채택하고 있으므로 국가와 시·도자치단체는 경찰행정의 주체이다.

(2) 경찰행정기관

- 경찰행정주체(국가와 시·도자치단체)를 위하여 현실적으로 직무를 수행하는 기관을 경찰행정기관이라 한다. ➡ 경찰행정주체는 법인이므로 현실적으로 경찰행정업무를 수행할 경찰행정기관이 필요하다.

행정주체의 실제
- **광역지방자치단체:** 특별시·광역시·도·특별자치도·특별자치시 예 서울특별시, 경기도
- **기초지방자치단체:** 시·군·자치구 예 성남시, 서울특별시 동작구
- **공법상 사단법인:** 특정 행정목적으로 설립되고 조합원에 의해 구성된 인적 단체에 법인격이 부여된 것 예 농지개량조합(현 한국농어촌공사)
- **공법상 재단법인:** 특정 행정목적에 제공된 재산을 관리하기 위해 설립된 재단법인 예 공무원연금관리공단, 국민건강보험공단
- **영조물법인:** 특정 행정목적에 제공된 인적·물적 시설의 종합체인 영조물에 법인격이 부여된 것 예 한국방송공사, 한국은행

• 경찰행정기관은 다음과 같이 분류할 수 있다.

종류	의미 및 특징	예시
경찰행정관청	• 외부적으로 행정주체의 의사를 결정하여 표시할 수 있는 권한을 가진 기관 • 국민에게 명령하여 그 권리·의무를 결정할 수 있다. • 행정주체를 위한 계약체결을 위해 상대방에게 의사표시를 할 권한이 있다.	경찰청장, 시·도경찰청장, 경찰서장
경찰의결기관	• 경찰행정관청의 의사를 구속하는 의결을 행하는 합의제 기관 • 법령상 경찰의결기관의 의결을 거쳐야 함에도 이를 거치지 아니한 경찰행정관청의 행위는 무권한의 행위로서 무효가 된다.	국가경찰위원회, 경찰징계위원회, 경찰승진심사위원회
경찰자문기관	• 경찰행정관청의 자문에 응하여 그 의견을 제시하는 기관 • 경찰자문기관의 의견이 경찰행정관청을 구속하지는 않는다. ➡ 의견에 따르지 않아도 된다.	경찰공무원인사위원회(경찰청), 경찰청인권위원회
경찰집행기관	• 경찰행정 목적을 실현하기 위하여 필요한 실력(강제집행·즉시강제)을 행사하는 기관 • 제복착용권, 경찰장구·무기휴대 및 사용권을 보유	순경에서 치안총감까지의 전 경찰공무원
경찰보조기관	• 경찰행정관청의 직무를 보조하기 위하여 일상적인 직무를 수행하는 기관 • 경찰행정학상의 계선(line)기관	차장, 국장, 부장, 과장, 계장, 반장, 지구대장 등
경찰보좌기관	• 행정기관이 그 기능을 원활하게 수행할 수 있도록 그 기관장이나 보조기관을 보좌함으로써 행정기관의 목적 달성에 공헌하는 기관 • 경찰행정학상 참모(staff: 막료)기관	비서실, 관리관, 조정관, 기획관
경찰감사기관	경찰행정기관의 사무나 회계를 검사하여 그 적부를 감사하는 기관	감사관
부속기관	행정권의 직접적 행사를 임무로 하는 기관에 부속하여 그 기관을 지원하는 행정기관	경찰대학·경찰인재개발원·중앙경찰학교·경찰수사연수원·도로교통공단(경찰청 신하 특수법인)·경찰병원(책임운영기관) 등

[2011 채용2차 유사] [2012 채용2차] **경찰행정주체를 위하여 경찰에 관한 국가의 의사를 결정하여 외부에 표시하는 권한을 가진 경찰행정기관을 경찰행정관청**이라 하며 경찰청장, 시·도경찰청장, 경찰서장, 지구대장이 이에 해당한다. (×)
[2011 채용2차] **경찰행정관청에는 경찰청장, 시·도경찰청장, 경찰서장, 지구대장 등이 해당한다.** (×)
[2010 승진] **국가경찰위원회는 합의제 자문기관에 해당된다.** (×)
[2012 채용2차] **경찰행정에 관한 의사를 결정할 수 있지만 이를 자기의 명의로 표시할 권한이 없는 경찰행정기관을 경찰의결기관이라 하며 국가경찰위원회, 경찰공무원인사위원회가 있다.** (×)
[2011 채용2차] **경찰청의 차장이나 과장은 보조기관이다.** (○)
[2010 승진] **경찰조직의 업무 특성상 경쟁의 원리보다 공공성이 강조되므로 책임운영기관을 둘 수 없다.** (×)

▌독임제 행정관청
1인의 자연인으로 구성되고, 그가 단독으로 행정의사를 결정하고 책임을 지는 행정관청 예 경찰청장, 시·도경찰청장, 경찰서장

▌합의제 행정관청
2명 이상의 자연인으로 구성되어 그 의사결정이 구성원의 합으로 이루어지는 행정관청 예 행정심판위원회, 소청심사위원회, 감사원

▌경찰장구
경찰관이 휴대하여 범인 검거와 범죄 진압 등의 직무 수행에 사용하는 수갑, 포승, 경찰봉, 방패 등

▌책임운영기관
인사·예산 등 운영에서 대폭적인 자율성을 갖는 집행적 성격의 행정기관을 말하며, 책임운영기관의 설치·운영에 관한 법률이 제정되어 있다.

주제 5 경찰관청의 권한행사

01 경찰관청의 권한

1. 권한의 의미

- 행정관청이 행정주체를 위하여 법령상 유효하게 그 의사를 결정하고 표시할 수 있는 범위를 행정관청의 권한이라고 한다. ➡ 직무권한, 직무범위 또는 관할이라고 표현하기도 한다.

2. 권한의 획정

- 행정관청의 일반적 권한은 헌법·법률 또는 이에 의거한 명령(법규명령)이나 조례 등으로 결정된다(행정권한법정주의).
- 관할이 분명하지 아니한 경우에 대해 행정절차법이 관련 규정을 두고 있다.

▌권한획정 관련 분쟁의 해결
행정청 상호간에 그 직무의 범위가 명확하지 않아 분쟁이 있는 경우, 즉 권한쟁의가 있는 경우에는 기관소송이나 헌법재판소의 권한쟁의심판 등의 일정한 절차를 거쳐 해결한다.

> **행정절차법 제6조【관할】** ② 행정청의 관할이 분명하지 아니한 경우에는 해당 행정청을 공통으로 감독하는 상급 행정청이 그 관할을 결정하며, 공통으로 감독하는 상급 행정청이 없는 경우에는 각 상급 행정청이 협의하여 그 관할을 결정한다.

3. 권한의 내용

사물적 권한	당해 경찰기관이 수행해야 할 일정한 임무범위
심급상 권한	사물적 권한을 가진 상·하의 경찰기관 사이에 분배된 사무범위
지역적 권한	경찰권한을 행사할 수 있는 공간상의 영역

02 경찰관청의 상호관계와 권한행사

1. 경찰관청 상호간의 관계 개설

상하관청 상호간	권한의 대리관계	• 권한의 이전 없이 사무처리만 대행 • 임의대리·법정대리
	관한의 위임관계	권한 일부가 수임청 권한으로 이전
	관한의 감독관계	• 상급행정청이 하급행정청의 권한행사 적법성·타당성 확보위한 통제작용 • 감시권, 훈령권, 주관쟁의 결정권, 인가권, 취소·정지권
대등관청 상호간	권한의 존중관계	권한의 불가침, 주관(권한)쟁의
	권한의 협력관계	협의, 사무위탁(촉탁), 경찰응원

2. 권한의 대리관계

```
                        OO 허가증

 1. 법인명칭: A 주식회사
 2. 소재지: 서울특별시 동작구 OO길O, 3층
 3. 대표자 성명: BBB
 4. 주민등록번호: 800000-1******
 5. 주소: 서울특별시 영등포구 OO
 6. 허가대상업무: OOOO
   *허가일자: 2025.1.24.

        OO법 제O조 O항 규정에 의하여 위와 같이 허가합니다.
                    2025년 1월 24일

              서울특별시경찰청장        ➡ 본인(피대리관청)
                위 직무대행(직무대리)    ➡ 본인 위한 것임을 표시
              서울동작경찰서장 [날인]    ➡ 대리관청 이름으로 행위
```

(1) 의의

- 경찰관청의 권한의 대리란 경찰관청의 권한의 전부 또는 일부를 다른 대리기관 (통상 보조기관, 하급행정기관 등)이 피대리관청을 위한 것임을 표시하여 자기의 이름으로 행하고(현명주의), 그 행위의 법적 효과는 피대리관청의 행위로서 발생하는 것을 말한다.

  [2012 채용1차 유사] 권한의 대리는 대리관청을 위한 것임을 표시하여 피대리관청 명의로 권한을 행사한다. (×)
  [2013 채용1차] 대리기관은 피대리관청을 위한 것임을 표시하고 자신(대리기관)의 명의로 대리한다. (O)
  [2020 승진(경위)] 권한의 대리는 피대리자의 권한의 전부 또는 일부를 대리자가 피대리자를 위한 것임을 표시하고 자기의 명의로 대행하는 것으로 그 행위는 대리자의 행위로서 효과가 발생한다. (×)

- 이 경우 대리기관은 자기의 명의로 사무처리를 하는 것이나, 그 법적 효과는 피대리관청의 효과로서 발생한다는 점에서 대리관계의 발생에 의하여 법령상의 권한 분배에는 영향이 없다. ➡ 즉, 권한 이전이 없다! **비교»** 권한의 위임에서는 권한 이전이 발생!

(2) 종류

[2020 승진(경위)] 권한의 대리에는 임의대리와 법정대리가 있는데, 보통대리는 임의대리를 의미한다. (O)

1) 임의대리

- **개념**: 피대리관청의 수권에 의하여 대리관계가 발생하는 경우를 말한다.
- **법적근거**: 권한의 이전을 가져오지 않는다는 점에서 법령의 명시적 근거를 요하지 않는다.
- **범위**: 권한의 일부에 한해서만 가능하다(일부대리). 전부대리를 허용하게 되면 피대리관청이 자신의 권한을 포기하는 결과가 되기 때문이다.
- **대리사무에 대한 지휘 · 감독권**: 대리관청은 피대리관청의 책임하에서 그 권한을 행사하는 것이므로 피대리관청은 대리관청에 대하여 지휘 · 감독권을 행사할 수 있으며, 대리행위에 대하여 지휘 · 감독 책임을 진다.
- **복대리 가능성**: 대리관계가 신뢰관계를 기초로 맺어져 있으므로 명문의 규정이 있는 경우를 제외하고는 복대리가 원칙적으로 허용되지 않는다.

┃ 복대리

대리자가 대리권을 다시 다른 자로 하여금 대리하게 하는 것을 복대리라 하며, 복대리 지체는 언제나 임의대리의 성격을 갖는다.

2) 법정대리

- **개념**: 법정사실이 발생한 경우 직접 법령의 규정에 의하여 대리관계가 발생하는 것을 말한다.

> ### ⊕ 심화 법정대리의 종류 – 협의의 법정대리와 지정대리
>
> ① **협의의 법정대리**
> - 법정사실이 발생하였을 때에 대리자가 법령의 규정에 의하여 직접 정하여져 있어 특별한 지정행위를 요하지 않고 법률상 당연히 대리관계가 발생하는 경우를 말한다. [2020 승진(경위)]
>
> > **헌법 제71조** 대통령이 궐위되거나 사고로 인하여 직무를 수행할 수 없을 때에는 **국무총리**, **법률이 정한 국무위원**의 순서로 그 권한을 대행한다.
> >
> > **국가경찰과 자치경찰의 조직 및 운영에 관한 법률 제15조【경찰청 차장】** ② 차장은 경찰청장을 보좌하며, 경찰청장이 부득이한 사유로 직무를 수행할 수 없을 때에는 그 직무를 대행한다.
> > [2022 채용2차]
> > [2015 승진(경감)] 경찰청장이 부득이한 사유로 직무를 수행할 수 없을 때 차장이 직무를 대리하는 것은 지정대리에 해당한다. (×)
>
> ② **지정대리**
> - 법정사실이 발생하였을 때에 일정한 자가 대리자를 지정함으로써 비로소 대리관계가 발생하는 경우를 말한다.
>
> > **정부조직법 제22조【국무총리의 직무대행】** 국무총리가 사고로 직무를 수행할 수 없는 경우에는 기획재정부장관이 겸임하는 부총리, 교육부장관이 겸임하는 부총리의 순으로 직무를 대행하고, 국무총리와 부총리가 모두 사고로 직무를 수행할 수 없는 경우에는 대통령의 지명이 있으면 그 지명을 받은 국무위원이, 지명이 없는 경우에는 제26조 제1항에 규정된 순서에 따른 국무위원이 그 직무를 대행한다.

- **법적근거**: 법정대리는 개념상 반드시 법률의 근거가 필요하다.
- **범위**: 법정대리는 피대리관청의 권한의 전부에 미친다(전부대리).
- **대리사무에 대한 지휘 · 감독권**: 피대리관청이 궐위된 경우의 법정대리에는 피대리관청의 지휘 · 감독권은 아무런 의미가 없으므로 감독책임을 부정하는 견해가 다수설이다.
  [2019 승진(경감)] 법정대리의 경우 피대리관청은 원칙적으로 지휘 · 감독상의 책임을 지지 않는다. (○)
- **복대리 가능성**: 신뢰관계와는 무관하게 법정사실의 발생에 따라 당연히 대리관계가 발생한다는 점을 고려할 때 복대리가 허용된다고 본다. ➡ 법정대리에서 복대리가 허용되는 것이라도 복대리 자체의 성격은 임의대리임을 유의!
  [2019 채용1차] 복대리의 성격은 임의대리에 해당한다. (○)

(3) 효과

임의대리 · 법정대리를 불문하고 대리관청의 행위는 피대리관청의 행위로서의 효과를 발생한다.

(4) 대리관계의 종료

- **임의대리**: 수권행위의 철회, 수권행위의 실효(예 종기의 도래, 해제조건의 성취), 대리자의 사망 등에 의하여 종료된다.
- **법정대리**: 대리권을 발생하게 한 법정사실의 소멸(예 질병치료 · 해외출장에서의 귀국 등)에 의하여 종료된다.

☑ KEY POINT | 임의대리와 법정대리 비교

구분	임의대리	법정대리
대리권의 발생	대리권 수여행위(수권행위)	법정사실의 발생
대리권의 범위	일부대리만 가능	전부대리 가능
법적 근거	불필요	필요
피대리청의 지휘·감독	지휘·감독을 할 수 있음	원칙적으로 지휘·감독 불가능
복대리	불가능(신뢰관계)	가능
대리권의 소멸	수권행위의 철회·실효, 대리자의 사망 등	법정사실의 소멸

[2012 채용1차] 법정대리의 경우 피대리관청은 대리기관의 지휘·감독상의 책임을 지는데 비해 임의대리의 경우는 그렇지 않다. (×)
[2012 채용1차] [2018 경채] 원칙적으로 임의대리는 권한의 전부에 대해서 가능하고 복대리가 불가능하나, 법정대리는 권한의 일부에 대해서만 가능하고 복대리가 가능하다. (×)
[2019 승진(경감)] 원칙적으로 임의대리는 권한의 일부에 대해서만 가능하고 복대리가 불가능하나, 법정대리는 권한의 전부에 대해서 가능하고 복대리가 가능하다. (○)
[2020 승진(경위)] 임의대리는 피대리관청의 대리자에 대한 지휘·감독이 가능하나, 법정대리는 원칙적으로 피대리관청의 대리자에 대한 지휘·감독이 불가능하다. (○)

3. 권한의 위임관계

(1) 의의

- 경찰관청이 권한의 일부를 다른 경찰기관(보통 하급관청)에 이전하여 그 수임관청의 권한으로 그 수임관청 자신의 명의와 책임하에서 행사하도록 하는 것을 말한다. [2013 채용1차]
- 권한의 위임이 있으면 그 권한은 위임의 범위 안에서 수임기관의 권한으로 되고, 수임기관은 자기의 명의와 책임하에 권한을 행사하게 된다.

  [2022 채용2차] 권한을 위임받은 수임청은 자기의 이름 및 자기의 책임으로 권한을 행사한다. (○)
  [2018 경채] 권한의 위임은 수임관청이 자기명의로 권한을 행사하지만, 권한의 대리는 피대리관청을 위한 것임을 표시하여 대리기관 명의로 권한을 행사한다. (○)

(2) 법적 근거

1) 법적 근거 필요

행정권한의 위임은 법률상의 권한을 다른 행정관청에 이전하여 권한의 법적 귀속을 변경하는 것이므로 반드시 법령의 근거를 요한다. ➡ 따라서 법률의 근거가 없는 권한의 위임은 무효이며, 그러한 권한위임에 기한 수임기관의 행위는 무권한의 행위로서 무효가 된다.

[2013 채용1차] 권한의 위임은 법령상의 근거가 필요 없다. (×)

2) 일반법적 근거

> 정부조직법 제6조 【권한의 위임 또는 위탁】 ① 행정기관은 법령으로 정하는 바에 따라 그 소관사무의 일부를 보조기관 또는 하급행정기관에 위임하거나 다른 행정기관·지방자치단체 또는 그 기관에 위탁 또는 위임할 수 있다. 이 경우 위임 또는 위탁을 받은 기관은 특히 필요한 경우에는 법령으로 정하는 바에 따라 위임 또는 위탁을 받은 사무의 일부를 보조기관 또는 하급행정기관에 재위임할 수 있다.

> **대통령령** 행정권한의 위임 및 위탁에 관한 규정 제2조 【정의】 이 영에서 사용하는 용어의 뜻은 다음과 같다.
> 1. "위임"이란 법률에 규정된 행정기관의 장의 권한 중 일부를 그 보조기관 또는 하급행정기관의 장이나 지방자치단체의 장에게 맡겨 그의 권한과 책임 아래 행사하도록 하는 것을 말한다. [2018 채용1차]
> 2. "위탁"이란 법률에 규정된 행정기관의 장의 권한 중 일부를 다른 행정기관의 장에게 맡겨 그의 권한과 책임 아래 행사하도록 하는 것을 말한다. [2021 승진(실무종합)]

> **대통령령** 행정권한의 위임 및 위탁에 관한 규정 제3조 【위임 및 위탁의 기준 등】 ① 행정기관의 장은 허가 · 인가 · 등록 등 민원에 관한 사무, 정책의 구체화에 따른 집행사무 및 일상적으로 반복되는 사무로서 그가 직접 시행하여야 할 사무를 제외한 일부 권한(이하 "행정권한"이라 한다)을 그 보조기관 또는 하급행정기관의 장, 다른 행정기관의 장, 지방자치단체의 장에게 위임 및 위탁한다. [2024 승진]

3) 개별법적 근거

🔍 **쉽게 읽기!**
• §7 ③ 전문: 경찰정장은 / 임용에 관한 권한 일부를 / 위임할 수 있다. / 누구에게? 시 · 도지사, 국가수사본부장, 소속 기관의 장, 시 · 도경찰청장에게
• §7 ③ 후문: 시 · 도지사는 / 위임받은 권한 일부를 / 재위임할 수 있다. / 누구에게? 시 · 도자치경찰위원회, 시 · 도경찰청장에게

> **예** **경찰공무원법 제7조 【임용권자】** ③ 경찰청장은 대통령령으로 정하는 바에 따라 경찰공무원의 임용에 관한 권한의 일부를 특별시장 · 광역시장 · 도지사 · 특별자치시장 또는 특별자치도지사(이하 "시 · 도지사"라 한다), 국가수사본부장, 소속 기관의 장, 시 · 도경찰청장에게 위임할 수 있다. 이 경우 시 · 도지사는 위임받은 권한의 일부를 대통령령으로 정하는 바에 따라 「국가경찰과 자치경찰의 조직 및 운영에 관한 법률」 제18조에 따른 시 · 도자치경찰위원회(이하 "시 · 도자치경찰위원회"라 한다), 시 · 도경찰청장에게 다시 위임할 수 있다.

개별법령에 위 경찰공무원법 제7조와 같은 권한 위임에 관한 명시적 · 개별적 근거가 없는 경우, 일반규정인 정부조직법 제6조, 행정권한의 위임 및 위탁에 관한 규정만을 근거로 권한을 위임할 수 있는지 문제되나, 판례는 이를 긍정하고 있다.

> ⚖️ **요지판례 |**
>
> 정부조직법 제6조 제1항에 기하여 제정된 행정권한의 위임 및 위탁에 관한 규정 제4조에 따른 권한 재위임의 가부(적극)
> 도지사 등은 정부조직법 제6조 제1항에 기하여 제정된 행정권한의 위임 및 위탁에 관한 규정에 정한 바에 의하여 위임기관의 장의 승인이 있으면 그 규칙이 정하는 바에 의하여 그 수임된 권한을 시장, 군수 등 소속기관의 장에게 다시 위임할 수 있다(대판 1990.6.26, 88누12158).

(3) 위임의 한계

- 수임관청은 법령의 근거가 있는 경우 위임받은 권한을 다시 재위임할 수 있다.
- 권한의 위임은 경찰관청의 권한의 일부에 대해서만 가능하고, 권한의 전부나 주요 부분에 대한 위임은 인정되지 않는다. [2013 채용1차]

[2019 승진(경감)] 권한의 위임이란 상급관청이 하급관청에 권한의 전부를 이전하여 수임기관의 권한으로 행하도록 하는 것으로 위임의 범위에는 제한이 없는 것이 원칙이다. (×)
[2012 채용1차] [2018 경채] 권한의 위임이란 상급관청이 하급관청에 권한의 전부 또는 주요부분을 이전하여 수임기관의 권한으로 행하도록 하는 것이다. (×)

(4) 위임의 상대방

- **보조기관·하급경찰관청에 대한 위임**: 가장 일반적·보편적인 경우이다. 수임기관의 동의는 필요하지 않다.
- **대등한 경찰관청 기타 다른 행정기관에 대한 위임**: 가능하며, 이를 권한의 '위탁'이라고 한다.
- **민간영역**: 명문규정이 있다면 교도소의 민간위탁처럼 국민의 권리·의무와 관련 있는 사무도 위탁의 대상이 될 수 있다.

(5) 위임의 효과

> **대통령령** 행정권한의 위임 및 위탁에 관한 규정 제5조【위임 및 위탁사무의 처리】수임 및 수탁기관은 수임 및 수탁사무를 처리할 때 법령을 준수하고, 수임 및 수탁사무를 성실히 수행하여야 한다.
>
> **대통령령** 행정권한의 위임 및 위탁에 관한 규정 제8조【책임의 소재 및 명의 표시】① 수임 및 수탁사무의 처리에 관한 책임은 수임 및 수탁기관에 있으며, 위임 및 위탁기관의 장은 그에 대한 감독책임을 진다. [2020 경간] [2021 채용1차]
> ② 수임 및 수탁사무에 관한 권한을 행사할 때에는 수임 및 수탁기관의 명의로 하여야 한다. [2021 채용1차]
>
> [2018 채용1차] 수임 및 수탁사무의 처리에 관한 책임은 수임 및 수탁기관에 있으므로, 위임 및 위탁기관의 장은 그에 대한 감독책임을 지지 않는다. (×)
> [2021 승진(실무종합)] 수임 및 수탁사무의 처리에 관한 책임은 수임 및 수탁기관에 있으며, 수임 및 수탁사무에 관한 권한을 행사할 때에는 위임 및 위탁기관의 명의로 하여야 한다. (×)

- 위임이 있으면 그 권한은 수임기관의 권한으로 이전되어 위임기관은 사무를 처리할 권한을 상실하고, 수임기관은 자기의 명의나 책임하에 권한을 행사하며, 그 효과도 수임기관 자신에게 귀속한다.
- 권한이 실질적으로 이전되므로, 수임기관이 권한을 행사하지 않는다고 하여도 위임관청이 그 권한을 대행할 수 없다.
- 취소소송 등 항고소송의 피고도 수임기관이 된다.

[2022 채용2차] 수임청 및 피대리관청은 항고소송에서 피고가 된다. (○)
[2019 채용1차] 수임관청이 권한의 위임에서 쟁송의 당사자가 된다. (○)
[2015 승진(경감)] 권한의 위임은 권한의 귀속이 변경되어 수임기관은 자기의 명의와 책임하에 권한을 행사하고 위임된 권한에 관한 쟁송을 할 때 수임관청 자신이 당사자가 된다. (○)

> **▌항고소송**
> 행정소송(항·당·민·기) 중 가당 대표적인 유형으로, 행정행위가 위법함을 이유로 그 취소나 무효확인 등을 구하는 소송을 말한다.

(6) 비용부담 및 교육 등

> **대통령령** 행정권한의 위임 및 위탁에 관한 규정 제3조【위임 및 위탁의 기준 등】② 행정기관의 장은 행정권한을 위임 및 위탁할 때에는 위임 및 위탁하기 전에 수임기관의 수임능력 여부를 점검하고, 필요한 인력 및 예산을 이관하여야 한다. [2024 승진] [2021 승진(실무종합)]
> ③ 행정기관의 장은 행정권한을 위임 및 위탁할 때에는 위임 및 위탁하기 전에 단순한 사무인 경우를 제외하고는 수임 및 수탁기관에 대하여 수임 및 수탁사무 처리에 필요한 교육을 하여야 하며, 수임 및 수탁사무의 처리지침을 통보하여야 한다.
> [2019 승진(경위)] 권한의 위임으로 인한 사무처리에 소요되는 인력 예산 등은 수임자 부담이 원칙이다. (×)
> [2020 경간] 행정기관의 장은 행정권한을 위임 및 위탁할 때에는 위임 및 위탁하기 전에 수임기관의 수임능력 여부를 점검하고, 필요한 인력 및 예산을 이관할 수 있다. (×)

(7) 지휘 · 감독권

> **대통령령** 행정권한의 위임 및 위탁에 관한 규정 제6조【지휘 · 감독】위임 및 위탁기관은 수임 및 수탁기관의 수임 및 수탁사무 처리에 대하여 지휘 · 감독하고, 그 처리가 위법하거나 부당하다고 인정될 때에는 이를 취소하거나 정지시킬 수 있다. [2018 채용1차] [2021 채용1차]
> [2020 경간] 위임 및 위탁기관은 수임 및 수탁기관의 수임 및 수탁사무 처리에 대하여 지휘 · 감독하고, 그 처리가 위법하거나 부당하다고 인정될 때에는 이를 취소하거나 정지시켜야 한다. (×)
> [2015 승진(경감)] 권한의 위임시 위임기관은 수임기관의 수임사무 처리가 위법하거나 부당하다고 인정될 때에는 이를 취소하거나 정지시킬 수 있다. (○)
>
> **대통령령** 행정권한의 위임 및 위탁에 관한 규정 제7조【사전승인 등의 제한】수임 및 수탁사무의 처리에 관하여 위임 및 위탁기관은 수임 및 수탁기관에 대하여 사전승인을 받거나 협의를 할 것을 요구할 수 없다. [2024 승진] [2020 경간] [2021 승진(실무종합)] [2021 채용1차]
> [2019 승진(경위)] 권한의 위임시 수임기관의 사무처리가 위법 부당하다고 인정될 때에는 위임기관은 이를 취소 또는 정지할 수 있고, 수임기관에 대하여 사전승인을 받거나 협의할 것을 요구할 수 있다. (×)
>
> **대통령령** 행정권한의 위임 및 위탁에 관한 규정 제9조【권한의 위임 및 위탁에 따른 감사】위임 및 위탁기관은 위임 및 위탁사무 처리의 적정성을 확보하기 위하여 필요한 경우에는 수임 및 수탁기관의 수임 및 수탁사무 처리 상황을 수시로 감사할 수 있다. [2024 승진] [2018 채용1차] [2020 경간]

구분	권한의 위임	권한의 대리	
		임의대리	법정대리
공통점	행정청의 권한을 다른 자가 대신하여 행사		
명의	수임청 명의	대리관청 명의(현명)	대리관청 명의(현명)
상대방	(보통) 하급관청	(보통) 보조기관	(보통) 보조기관
법적근거	필요	불필요	필요
발생원인	법령에 근거한 위임청의 일방적 위임	피대리관청의 일방적 수권	법에 정해진 사실의 발생
권한이전	수임청으로 이전	권한이전 없음	권한이전 없음
공시	공시 필요	공시 불필요	공시 불필요
권한범위	일부위임	일부대리	전부대리
효과귀속	수임청	피대리관청	피대리관청
행정소송 피고	수임청	피대리관청	피대리관청
책임귀속	수임청	• 외부: 피대리관청 • 내부: 대리관청(징계책임)	
지휘감독	가능	가능	불가능
복대리 · 재위임	가능(법령근거 필요)	불가능(신임관계)	가능 ➡ 복대리 자체는 임의대리!

| 공시(Public Notice)
일정한 내용을 공개적으로 게시하는 일

[2019 승진(경위)] 권한의 위임은 보조기관, 권한의 대리는 하급관청이 주로 상대방이 된다. (×)
[2012 채용1차] [2018 경채] 권한의 위임의 효과는 수임관청에게 귀속되고, 권한의 대리의 효과는 대리관청에게 귀속된다. (×)
[2019 승진(경감)] 권한의 위임은 수임관청에 권한이 이전되므로 수임관청에 효과가 귀속되나, 권한의 대리는 직무의 대행에 불과하므로 임의대리든 법정대리든 피대리관청에 효과가 귀속된다. (○)
[2019 채용1차] 원칙적으로 대리관청이 대리행위에 대한 행정소송의 피고가 된다. (×)

⊕ 심화 내부위임 · 위임전결 · 대결

1 의미
• 내부위임이란 결재권한이나 결재행위를 하급관청 · 보조기관에게 위임하거나 맡기는 것을 말하며, 그 구체적 종류로는 위임전결과 대결이 있다.

위임전결	상급관청이 미리 만들어둔 위임전결규정에 따라 결재권한을 미리 위임해 두는 것	• 위임전결규정이 미리 만들어진다. • 비교적 중요성이 낮은 업무에 대해 이루어진다.
대결	결재권자의 휴가 · 출장 · 사고 등 일시부재 시 사무처리에 대한 결재를 대신 맡기는 것	• (통상) 위임전결규정이 미리 만들어지지 않는다.

[2015 승진(경감)] 대결이란 행정기관의 결재권자가 휴가 출장 · 사고 등의 사유로 결재할 수 없을 때 그 직무를 대리하는 자가 결재하는 것을 뜻한다. (○)

2 특징
• 모두 권한 이전을 발생시키지 않으므로 법령상 근거가 필요하지 않다.
• 권한행사의 명의자는 모두 본래의 행정청(위임청)이 된다.
[2012 채용1차] 대결은 법령상의 근거를 요하지 않으며, 외부에 대한 관계에서는 본래 행정청의 이름으로 표시하여 행한다. (○)

3 대리 · 위임과 차이점
• 본래 행정청이 권한행사의 명의자가 된다는 점에서 피대리관청을 위한 것임을 표시(현명)하는 대리와 다르다.
• 본래 행정청이 권한행사의 명의자가 된다는 점에서 수임청이 명의자가 되는 위임과 다르다.
• 권한이전이 발생하지 않는다는 점에서 권한이 이전되는 위임과 다르다.
[2024 승진] 권한위임의 경우에는 수임관청이 자기의 이름으로 그 권한행사를 할 수 있지만 내부위임의 경우에는 수임관청은 위임관청의 이름으로만 그 권한을 행사할 수 있을 뿐 자기의 이름으로는 그 권한을 행사할 수 없다. (○)

4. 권한의 감독관계

- 감독관계란 상급행정청이 하급행정청의 권한행사의 적법성과 타당성을 확보하기 위하여 행하는 통제적 작용을 말한다.
- 상급행정청이 하급행정청을 감독함에 있어 개별적인 법적 근거는 필요하지 않다. 다만, 상급행정청의 감독권 자체에 대한 일반적·추상적인 법적 근거는 필요하다.
- 상급행정청의 권한감독 수단으로는 다음과 같은 것들이 있다.

감시권	보고를 받고, 서류 및 장부를 검사하며, 실제로 사무감사를 행하는 등의 권한
훈령권	상급관청이 하급관청의 권한행사를 지휘하기 위하여 발하는 명령
주관(권한)쟁의 결정권	소속 하급행정청간에 주관권한에 대해 다툼이 있는 경우 이를 결정할 수 있는 권한
인가권(승인권)	하급관청의 권한행사 전에 상급관청이 갖는 인가권한
취소·정지권	상급관청이 직권으로 또는 당사자의 청구에 의하여 하급관청의 위법·부당한 행위를 취소하거나 정지할 수 있는 권한

▎주관쟁의

행정관청 상호간의 주관 권한에 대한 분쟁이 발생한 경우 이를 해결하기 위한 절차
- **적극적 주관쟁의**: 서로 자기 권한이라고 주장하는 경우
- **소극적 주관쟁의**: 서로 자기 권한이 아니라고 주장하는 경우

☑ KEY POINT | 훈령과 직무명령

1 의미

- **훈령**: 상급행정청이 하급행정청 또는 보조기관의 권한행사를 일반적으로 지휘하기 위하여 사전에 발하는 명령으로 구체적으로 다음과 같이 구분된다.

협의의 훈령	상급행정청이 하급행정청의 권한행사를 장기간에 걸쳐 일반적으로 지휘하기 위하여 직권으로 발하는 명령
지시	상급행정청이 하급행정청에 대하여 개별적·구체적 지휘를 위하여 발하는 명령
예규	반복적 행정사무의 기준을 제시하기 위하여 발하는 명령
일일명령	당직, 출장, 특근, 휴가 등 일일업무에 관하여 발하는 명령

[2012 경간] 상급관청이 하급관청에 대하여 개별적·구체적 지휘를 위하여 발하는 명령을 예규라 한다. (×)
- **직무명령**: 상관이 부하직원에 대하여 행하는 개별적·구체적으로 행하는 직무상의 명령을 말한다.
[2012 경간] 상급공무원이 하급공무원에게 발하는 명령이 훈령이다. (×)

2 훈령과 직무명령 비교

구분	훈령	직무명령
주체	상급관청 ➡ 하급관청	상관 ➡ 부하공무원
성격	• **원칙**: 일반적·추상적 • **예외**: 개별적·구체적	개별적·구체적
대상	하급행정청의 소관사무	부하직원의 소관사무 + 직무수행 관련 활동(복장, 직무태도 등 직무 관련 사생활 규율 가능)
구성원 변경시 효력	기관의사를 구속하므로 기관구성원의 변동이 있어도 효력에 영향 ×	공무원 개인을 구속하므로 수명공무원의 변동이 있으면 **효력 상실**
양자의 관계	훈령은 직무명령을 겸할 수 있음 ➡ 이 경우의 훈령은 개별적·구체적 사항을 규율하는 것!	직무명령은 훈령을 겸할 수 없음

요건	형식적	• 정당한 권한을 가진 상급관청이 • 하급관청의 권한 내 사항에 관하여 • 하급관청의 직무상 독립이 보장되지 않은 사항에 대하여	• 권한 있는 상관이 • 부하의 직무범위 내 사항에 관하여 • 부하의 직무상 독립이 보장되지 않은 사항에 대해 • 법정 형식이나 절차가 있으면 이를 갖추어
	실질적	• 내용이 적법하고(법규에 저촉되지 않고) • 타당하며 • 공익에 반하지 않고 • 실현 가능하고 명백할 것	
형식적 요건에 대한 심사		• 하급관청 / 부하공무원에게 심사권이 있다. • 따라서 심사 후 형식적 요건이 구비되지 않았다고 판단시 복종을 거부해야 하며, 복종시 하급관청 / 부하공무원의 책임이다.	
실질적 요건에 대한 심사		• 하급관청 / 부하공무원에게 심사권이 없다. • 단, 중대·명백한 하자(당연무효사유)가 있거나 범죄를 구성하는 경우에는 심사할 수 있으며 복종을 거부해야 하고, 복종시 하급관청 / 부하공무원의 책임이다.	
공통점		• 구두·문서 어떤 형식도 취할 수 있다. • 특별한 법적 근거 없이도 발할 수 있다. • (일반국민에 대한) 대외적 구속력은 없다(= 법규성이 없다). ➡ 위반하여도 위법이라 할 수 없고, 행위 자체의 효력은 유효하다. [2016 채용2차] [2021 경간] • (조직 내부적으로) 대내적 구속력은 있다. ➡ 위반시 징계책임 발생 가능	

형식적 요건
주체·형식·절차에 대한 요건

실질적 요건
내용에 대한 요건

[2012 채용3차] [2018 경채] [2019 채용2차 유사] 직무명령은 상급공무원이 직무에 관하여 하급공무원에게 발하는 명령이며, 직무와 관련 없는 사생활에는 효력이 미치지 않는다. (O)
[2017 승진(경위)] 하급관청 구성원의 변동이 있으면 훈령은 그 효력에 영향을 받는다. (×)
[2020 승진(경감)] 하급관청 구성원에 변동이 있더라도 훈령의 효력에는 영향이 없다. (O)
[2019 승진(경위)] [2020 경간 유사] 훈령이란 상급관청이 하급관청의 권한행사를 지휘하기 위하여 발하는 명령으로 구성원의 변동이 있는 경우에는 당연히 효력을 상실하게 된다. (×)
[2019 채용2차] [2020 경간 유사] 훈령은 직무명령을 겸할 수 있으나, 직무명령은 훈령의 성질을 가질 수 없다. (O)
[2019 채용2차] 훈령은 일반적·추상적 사항에 대하여만 발할 수 있으며, 개별적·구체적 사항에 대해서는 발할 수 없다. (×)
[2020 승진(경위)] '하급관청의 권한 내의 사항에 관한 것일 것'은 훈령의 형식적 요건에 해당한다. (O)
[2018 경채] [2021 경간] 훈령의 실질적 요건으로는 훈령이 법규에 저촉되지 않을 것, 공익에 반하지 않을 것, 실현 가능성이 있을 것, 훈령권이 있는 상급관청이 발할 것 등이 있다. (×)
[2020 승진(경감)] 훈령의 형식적 요건으로는 훈령권이 있는 상급관청이 발한 것일 것, 하급관청의 권한 내의 사항에 관한 것일 것, 하급관청의 직무상 독립성이 보장된 사항일 것을 들 수 있다. (×)
[2019 채용2차] 훈령을 발하기 위해서는 법령의 구체적 근거를 요하나, 직무명령은 법령의 구체적 근거가 없이도 발할 수 있다. (×)
[2018 승진(경위)] 훈령은 내부적 구속력을 갖고 있어, 훈령을 위반한 공무원의 행위는 징계의 사유가 되고, 무효 또는 취소사유에 해당한다. (×)

③ **훈령의 경합 / 직무명령의 경합**

• 서로 모순되는 훈령이 서로 경합하는 경우, 다음과 같은 해결원칙을 따른다. [2017 승진(경위)]

① 주관 상급관청의 훈령과 주관아닌 상급관청 훈령이 서로 모순: 주관 상급관청의 훈령을 따른다.

② 상·하관계에 있는 상급관청의 훈령이 서로 모순: 직근 상급관청의 훈령을 따른다.

③ 주관 상급관청이 불명확한 경우: 주관쟁의 방법으로 해결한다.

[2012 경간] 혜화경찰서 소속 한국인 순경이 근무 중 서울시경찰청 훈령과 경찰청 훈령이 경합하는 내용을 발견한 경우에는 경찰청 훈령에 따라 업무를 처리해야 한다. (×)
[2020 경간] 상호 모순되는 둘 이상의 상급관청의 훈령이 경합할 경우 주관상급관청이 불명확한 때에는 직근 상급행정관청의 훈령에 따른다. (×)

• 서로 모순되는 직무명령이 서로 경합하는 경우, 직근 상관의 명령에 복종해야 한다.

5. 대등한 경찰관청 상호간의 관계

(1) 권한의 존중관계

▌헌법 제89조 제10호
헌법 제89조 다음 사항은 국무회의의 심의를 거쳐야 한다.
10. 행정각부간의 권한의 획정

- **권한의 불가침**: 대등 경찰관청 상호간에는 서로 다른 관청의 권한을 존중하여야 하며 이를 침범하여서는 안 된다.
- **주관(권한)쟁의**: 대등 경찰관청 상호간 소관에 대한 다툼은 주관쟁의의 방법으로 해결하며, 주관쟁의가 발생한 경우 원칙적으로 ① 각 경찰관청의 공통 상급행정청이 결정하고, ② 그러한 행정청이 없는경우 쌍방의 상급행정청 협의로 결정하며, ③ 그러한 협의도 이루어지지 않는 경우 행정각부간 주관쟁의로 되어 국무회의 심의를 거쳐 대통령이 결정한다(헌법 제89조 제10호).

(2) 권한의 협력관계

대등 경찰관청은 원활한 경찰행정 수행을 위해 서로 협조하여야 하며, 구체적 협력수단은 다음과 같은 것들이 있다.

① **사무위탁(촉탁)**: 대등 경찰관청 사이에서 어느 한 관청이 다른 관청에게 사무처리를 위탁하는 것을 말한다.

② **경찰응원**: 직무상 필요한 특정행위를 경찰관청 사이에서 지원하는 것을 말한다.

③ **협의**: 여럿이 모여 서로 대책을 의논하는 것을 말한다.

⊕심화 행정응원

1 행정응원

- 특정 행정청의 고유기능만으로는 본래의 행정목적을 달성할 수 없을 경우 다른 행정청이 그 기능의 전부·일부에 대하여 원조를 하는 것을 말한다. ➜ 기존에는 경찰·소방 등 특수 분야에서 주로 인정되었으나, 오늘날 행정응원은 행정 전반에서 널리 인정된다. 예 인원의 파견, 장비·설비 등 제공, 장소제공, 통계자료 제공 등
- 행정응원은 관청간 상·하관계가 아닌 대등관계에서 주로 발생한다고 본다.

2 행정응원 요청사유

> **행정절차법 제8조【행정응원】** ① 행정청은 다음 각 호의 어느 하나에 해당하는 경우에는 다른 행정청에 행정응원을 요청할 수 있다.
> 1. 법령등의 이유로 독자적인 직무 수행이 어려운 경우
> 2. 인원·장비의 부족 등 사실상의 이유로 독자적인 직무 수행이 어려운 경우
> 3. 다른 행정청에 소속되어 있는 전문기관의 협조가 필요한 경우
> 4. 다른 행정청이 관리하고 있는 문서(전자문서를 포함한다. 이하 같다)·통계 등 행정자료가 직무 수행을 위하여 필요한 경우
> 5. 다른 행정청의 응원을 받아 처리하는 것이 보다 능률적이고 경제적인 경우 [2024 채용1차]

3 행정응원 거부사유

> **행정절차법 제8조【행정응원】** ② 제1항에 따라 행정응원을 요청받은 행정청은 다음 각 호의 어느 하나에 해당하는 경우에는 응원을 거부할 수 있다.
> 1. 다른 행정청이 보다 능률적이거나 경제적으로 응원할 수 있는 명백한 이유가 있는 경우 [2024 채용1차]
> 2. 행정응원으로 인하여 고유의 직무 수행이 현저히 지장받을 것으로 인정되는 명백한 이유가 있는 경우

④ 행정응원의 방법

> **행정절차법 제8조【행정응원】** ③ 행정응원은 해당 직무를 직접 응원할 수 있는 행정청에 요청하여야 한다.
> ④ 행정응원을 요청받은 행정청은 응원을 거부하는 경우 그 사유를 응원을 요청한 행정청에 통지하여야 한다.
> ⑤ 행정응원을 위하여 파견된 직원은 응원을 요청한 행정청의 지휘·감독을 받는다. 다만, 해당 직원의 복무에 관하여 다른 법령등에 특별한 규정이 있는 경우에는 그에 따른다.
> ⑥ 행정응원에 드는 비용은 응원을 요청한 행정청이 부담하며, 그 부담금액 및 부담방법은 응원을 요청한 행정청과 응원을 하는 행정청이 협의하여 결정한다. [2024 채용1차]
> [2024 채용1차] 행정응원을 위하여 파견된 직원은 다른 법령 등에 특별한 규정이 있는 경우를 제외하고는 원소속 행정청의 지휘·감독을 받는다. (×)

주제 6 │ 경찰작용법과 경찰권의 발동

01 경찰작용과 경찰작용법

1. 경찰작용과 경찰작용법

- **경찰작용**: 경찰이 사회공공의 안녕과 질서를 유지하기 위하여, 일반통치권에 근거하여 국민에게 명령·강제 등을 하는 권력적·침해적 작용을 말한다.
- **경찰작용법**: 경찰행정상의 법률관계의 성립·변경·소멸에 관련된 모든 법을 말한다. 구체적으로는 경찰의 직무·경찰권 발동의 근거와 한계·경찰행정의 유형·경찰상 처분의 법적 효력·경찰강제 등을 규율하는 법 일체를 경찰작용법이라고 한다. ➔ 경찰행정의 내용을 규율하는 법. 대표적인 경찰작용법으로 '**경찰관 직무집행법**'이 있다.

2. 법률유보원칙과 경찰작용

- 경찰작용은 다른 어떤 행정작용보다도 국민의 자유와 권리를 제한하거나 침해할 가능성이 큰 작용이므로, 법률에 경찰작용의 근거·요건·한계 등을 가능한 한 명백히 규정해야 한다. ➔ 법치주의, 특히 법률에 근거가 있어야 한다는 **법률유보원칙**이 강하게 요구된다.
- 다만, 복잡한 현대사회의 특성상 입법부가 미리 모든 경찰작용의 모습을 상정해서 그 발동요건을 규정해 두기 어려우므로, 일반적 수권조항의 문제가 발생하게 된다.

02 경찰권의 발동

경찰권 발동과 조직법적 근거

- 경찰조직법이란 경찰행정을 운영하는 조직이나 기구에 관한 법을 말하는 것으로서, 이러한 경찰조직법에서 **경찰의 직무범위(임무범위, 사물관할)**를 규정하게 된다. → 국가가 이러이러한 임무를 수행하기 위해 이런 조직을 만들겠다!
- 경찰의 모든 활동은 경찰의 직무범위 내에서 이루어져야 하므로, 모든 경찰작용에는 조직법적 근거가 필요하다.
- 반면, 경찰작용 중 국민의 권리의무에 영향을 미치지 않는 비권력적 작용(순수 서비스 활동 등)에는 작용법적 근거가 필요치 않다는 점에서, 모든 경찰활동에 작용법적 근거가 필요한 것은 아니다.

1. 경찰권 발동의 근거

(1) 일반적 수권조항(일반조항, 개괄조항)

> **경찰관 직무집행법 제2조 【직무의 범위】** 경찰관은 다음 각 호의 직무를 수행한다.
> 7. 그 밖에 공공의 안녕과 질서 유지

- 일반적 수권조항은 경찰권의 발동권한을 일반적·포괄적으로 경찰에 부여하는 조항을 말하며, 이를 통해 입법부가 미리 상정하지 못한 상황에서도 경찰권 발동을 통해 공공의 안녕과 질서유지라는 경찰목적을 효율적·탄력적으로으로 달성할 수 있게 된다. → 반면, 일반적 수권조항이 남용되면 경찰권의 무분별한 발동으로 국민의 기본권이 침해될 가능성이 높아지게 된다.
- 현행법상 경찰관 직무집행법 제2조 제7호를 일반적 수권조항으로 인정할 수 있느냐에 대해 다음과 같은 견해가 대립하고 있다.

학설	근거	비판
긍정설	• 복잡한 현대사회에서 입법부가 모든 경찰권 발동사태를 미리 예측하여 입법해 두는 것은 불가능하다. • 일반적 수권조항을 인정하더라도 어차피 개별적 수권조항에 대해 보충적·예외적으로만 적용될 뿐이다. • 경찰행정법의 여러 일반원칙(비례원칙·평등원칙·신뢰보호원칙·자기구속원칙·부당결부금지원칙 등)에 의해 통제가 가능하므로, 법치주의에 위반된다고 보기 어렵다.	국민의 기본권 침해 가능성이 높아지게 된다.
부정설	• 경찰작용이 가지는 침해적·권력적 성질을 감안하면 개별적 수권조항이 없는 경찰권 발동은 인정할 수 없고, 이를 인정하는 것은 법치주의, 특히 명확성원칙에 위반된다. • 경찰관 직무집행법 제2조 제7호는 그 자체로도 조직법적 성질을 가지고 있고, 이 규정이 경찰관 직무집행법에 규정되어 있다는 것만으로 수권조항, 특히 일반적 수권조항으로 보기는 어렵다.	효율적·탄력적 경찰권 행사가 어렵게 될 수 있다.

[2016 채용2차] "「경찰관 직무집행법」 제2조 제7호는 단지 경찰의 직무범위만을 정한 것으로서 본질적으로는 조직법적 성질의 규정이다."라는 것은 개괄적 수권조항 인정 여부에 있어 찬성측의 논거이다. (×)

[2020 채용1차] 일반적 수권조항의 존재를 부정하는 학자들에 따르면 「경찰관 직무집행법」 제2조 제7호는 경찰의 직무범위만을 정한 것으로서 본질적으로 조직법적 성질의 규정에 해당한다고 주장한다. (○)

(2) 개별적 수권조항

> **경찰관 직무집행법 제3조 【불심검문】** ① 경찰관은 다음 각 호의 어느 하나에 해당하는 사람을 정지시켜 질문할 수 있다.
> 1. 수상한 행동이나 그 밖의 주위 사정을 합리적으로 판단하여 볼 때 어떠한 죄를 범하였거나 범하려 하고 있다고 의심할 만한 상당한 이유가 있는 사람
> 2. 이미 행하여진 범죄나 행하여지려고 하는 범죄행위에 관한 사실을 안다고 인정되는 사람

- **개별적 수권조항**이란 경찰권 발동의 요건, 내용, 대상, 효과 등에 대하여 구체적으로 규정하고 있는 조항을 말한다.
- 경찰권의 발동근거로 일반조항을 인정하는 경우에도 일반조항은 개별적 수권조항이 없는 경우에 보충적으로 적용되므로 경찰권의 행사가 문제되는 경우에 있어서는 일차적으로 개별적 수권조항의 존부가 문제된다.
- 개별적 수권조항으로는 경찰관 직무집행법 제3조 이하에서 자주 반복되는 경찰상의 조치를 유형적으로 표준화해서 특별히 규정하고 있는 표준조치(표준처분, 표준적 직무행위) 등이 있다.

[2022 승진(실무종합)] [2023 채용1차] 경찰비례의 원칙은 일반적 수권조항에 근거하여 경찰권을 발동하는 경우는 물론, 개별적 수권조항에 근거하여 경찰권을 발동하는 경우에도 적용된다. (○)

2. 경찰권 발동의 한계

(1) 법규상 한계

경찰권의 발동은 반드시 법규에 근거가 있을 때에만 발동될 수 있으며, 동시에 법규에 의하여 허용된 한도 안에서만 발동될 수 있다. ➡ 법률유보원칙 · 법률우위원칙

(2) 조리상 한계

1) 경찰소극목적의 원칙

- 경찰권은 사회공공의 안녕 · 질서에 대한 위해의 방지 · 제거라는 소극목적을 위해서만 발동될 수 있고, 복리증진이라는 적극목적을 위하여서는 발동될 수 없다.
- 따라서 경찰권이 이러한 소극목적을 넘어서서 적극적으로 사회의 복리증진을 위하여 발동되는 때에는 그것은 이미 경찰의 한계를 넘어선 것으로서 위법한 것이 된다.

⊕심화 크로이츠베르크 판결(Kreuzberg Urteil, 1882)

1 사건의 개요

- 나폴레옹에 대항해서 치뤄진 독일 해방전쟁의 승리를 기념하기 위해 베를린 크로이츠베르크에 세워진 전승기념탑의 조망을 확보 목적으로, 베를린 경찰청장은 1879년 3월 전승기념탑 주변 건물의 높이를 제한하는 내용의 경찰명령을 발령하였다.
- 퇴직연금수급자였던 M은 인근에 4층 높이의 주거용 건물을 지으려고 했으나, 위 경찰명령에 의해 그 허가신청이 거부되었다.

2 판시사항(프로이센 고등행정법원) [2018 승진(경감)]

- 프로이센 일반란트법 제2장 제17절 제10조는 "공공의 평온과 안녕 및 질서를 유지하고 공중이나 그 개별 구성원에게 임박한 위험을 방지하기 위해 필요한 기관은 경찰관청이다."라고 규정하고 있다.
- 그런데 위 경찰명령은 공공의 평온과 안녕 및 질서를 유지하기 위한 것이 아니라, 적극적인 복리증진의 목적으로 발령된 것이다.
- 따라서 위 경찰명령은 법률에 근거가 없이 발령되어 무효이고, 이와 같이 무효인 경찰명령에 근거한 건축허가 거부처분도 위법하므로 취소되어야 한다.

3 판결의 의미

- 복지국가를 표방하며 신민들의 완전한 후견 · 감독을 가져왔던 17~18세기의 절대주의 경찰국가 시대의 경찰개념은, 18세기 후반의 계몽주의 철학자들(루소, 칸트, 몽테스키외 등)의 영향과 '프로이센 일반란트법(1794)'의 영향으로 어느정도 해소되고 있었다. ➡ 기존의 경찰국가시대 경찰이 법치국가시대 경찰로의 전환점!

- 이러한 흐름이 1882년 크로이츠베르크 판결을 통해 경찰 권한은 위험방지에 국한되며, 복지증진과 같은 적극적 요소는 경찰 임무에서 제외되는 것으로 확인되었다. ➡ 경찰소극목적 확립의 계기!
- 이후 1931년, 프로이센 경찰행정법 제14조가 "경찰관청은 공공의 안녕과 질서를 위협하는 위험을 방지하는 것을 그의 임무로 한다."고 규정함으로써, 법치국가에서의 실질적 의미의 경찰(공공의 안녕과 질서를 유지하는 경찰)개념 확립에 결실을 맺게 되었다.

2) 경찰공공의 원칙

경찰공공의 원칙은 경찰권은 사회공공의 안녕·질서를 유지하기 위해서만 발동될 수 있고, 그와 직접 관계가 없는 사생활·사주소 및 민사상의 법률관계에는 원칙적으로 관여할 수 없음을 말한다. 사생활자유의 원칙이라고도 한다. 예 (경찰공공의 원칙에 따라 개입할 수 없는 경우) 경찰관이 범죄행위와 관련된 가해자와 피해자간의 합의를 종용하는 경우, 경찰관이 사인간의 가옥임대차에 관한 분쟁에 개입하는 경우, 경찰관이 민사상의 채권집행에 관여하는 경우 [2011 채용2차]

■ **사생활·사주소에의 경찰개입**
- 개인의 사생활이라 하여도 미성년자의 음주·흡연, 전염병의 발생, 마약의 흡식, 공중이 보는 앞에서의 남녀 간의 문란행위, AIDS 등과 같이 사회공공의 안녕·질서에 영향을 미치는 경우에는 경찰권발동의 대상이 될 수 있다.
- 사주소 안의 행위일지라도 그것이 공공의 안전이나 질서에 직접 중대한 장해를 가져오는 경우, 예컨대 외부에서 공공연히 관망할 수 있는 장소에서 나체로 생활하는 행위, 인근에 불편을 주는 과도한 소음·악취, 사나운 개의 관리 등의 발생행위는 경찰권발동의 대상이 된다.

3) 경찰비례의 원칙(과잉금지원칙) [2019 채용1차]

- 경찰비례의 원칙은 사회공공의 안전과 질서유지를 위한 경찰작용은 그에 의하여 추구되는 공익목적과 그로 인하여 제한·침해되는 개인의 자유·권리와의 사이에는 적정한 비례관계가 형성되어야 한다는 것을 말한다.
- 이러한 경찰비례 원칙은 헌법상 과잉금지원칙(헌법 제37조 제2항)에 헌법적 근거를 두고 있으며, 행정기본법 제10조와 경찰관 직무집행법 제1조 제2항에서도 명시적으로 규정하고 있듯 성문화되어가는 추세에 있다. [2020 채용2차]
- 구체적으로 다음과 같은 3원칙으로 구성되어 있다. ➡ 아래 3원칙 모두가 만족되어야 적법한 경찰권 발동이 된다.
  ① **적합성의 원칙**: 경찰권의 발동결정 내지는 그에 의한 조치는 공공의 안녕과 질서에 대한 위험방지라는 경찰목적에 적합한 것이어야 한다는 원칙이다.
  ② **필요성의 원칙**: 경찰권의 발동은 당해 목적달성을 위한 필요 최소한도의 것이어야 한다는 원칙이다. ➡ 최소침해원칙이라고도 한다.
  ③ **상당성의 원칙**: 경찰권 발동으로 달성되는 공익이 그로 인한 상대방의 자유·권리에 대한 침해보다 큰 경우에만 허용된다는 원칙이다. ➡ 협의의 비례원칙이라고도 한다.

  [2019 채용1차] 경찰비례의 원칙의 내용 중 상당성의 원칙은 경찰권 발동에 따른 이익보다 사인의 피해가 더 큰 경우 경찰권을 발동해서는 안 된다는 원칙으로서 최소침해원칙이라고도 한다. (×)
  [2020 채용2차] 최소침해의 원칙은 협의의 비례원칙이라고도 불린다. (×)

4) 경찰평등의 원칙

경찰권의 발동에 있어서 상대방의 성별·종교·사회적 신분·인종 등을 이유로 하는 불합리한 차별을 하여서는 안 된다는 원칙이다.

5) 경찰책임의 원칙

경찰권 발동의 상대방(대상)은 경찰책임자에 대해서만 가능하고, 이와 관계없는 제3자에게는 발동할 수 없다는 원칙이다.

주제 7 │ 경찰책임의 원칙

01 개설

- 경찰책임의 원칙이란 경찰권은 사회공공의 안녕·질서에 대한 위험이 발생하거나 발생할 우려가 있는 경우 그러한 상태(경찰위반상태)의 발생에 책임이 있는 자(경찰책임자)에 대하여 행사되어야 한다는 원칙을 말한다. ➡ 경찰권은 경찰위반상태를 야기한 경찰책임자에게 행사되어야 하는 것이 원칙이다. [2016 승진(경감)] [2019 채용1차]
  [2014 승진(경감)] 고의·과실이 없는 경우에는 언제나 경찰책임을 지지 않는다. (×)
- 다만, 경찰책임을 지지 않는 자에 대해서도 긴급한 필요가 있는 경우 경찰권 발동을 하는 경우가 있을 수 있는 바, 이 경우는 법령상의 근거가 있는 경우에만 경찰권을 발동할 수 있다. ➡ 경찰긴급권: 긴급한 필요(위반상태가 현존하고 급박할 것) + 법령상 근거 있을 것 + 비책임자의 손실에 대해 보상이 있을 것
- 경찰권발동의 상대방이 누구인가에 관한 문제이지, 경찰권발동의 정도를 제한하기 위한 원칙이 아니다.

02 경찰책임의 주체

1. 자연인

- 자연인의 경우 자기의 지배범위 안에서 객관적으로 경찰위반상태가 생긴 경우에는 그 위반상태의 발생에 대한 책임을 진다. ➡ 따라서 위험에 대한 인식 여부, 고의·과실 여부, 위법성의 유무, 행위자의 작위·부작위에 의한 것인지 여부, 행위능력이나 불법행위능력 유무, 형사책임능력자인지 여부, 국적 등을 불문한다. [2014 실무 1] [2017 경간]
  [2022 경간] 형사미성년자도 행위책임의 주체가 될 수 있다. (○)
  [2022 경간] 행위자의 작위나 부작위에 상관없이 위험을 야기시키면 행위책임을 진다. (○)
  [2016 승진(경감)] 경찰책임원칙에 따른 행위책임이 인정되기 위해서는 「민법」상의 행위능력이 요구된다. (×)
- 자기의 지배범위에 속하는 한 타인의 행위 또는 타인 물건의 상태에 대해서도 책임을 진다. ➡ 이 경우에도 책임의 성격은 대위책임이 아닌 자기책임이다.

2. 사법인(私法人)

사법인도 당연히 경찰책임의 주체가 될 수 있으며, 또한 권리능력이 없는 경우(권리능력 없는 사단·재단 등)에도 경찰책임자가 될 수 있다. [2017 경간]

3. 공법인(公法人)

공권력의 주체가 되는 국가나 지방자치단체 또는 기타 공법인도 경찰책임자가 될 수 있는지 논의가 있다.

▍권리능력 없는 사단·재단
- **권리능력 없는 사단**: 법인등기를 하지 않아 법인격을 취득하지 못한 사람의 집합(사단) 예 종중, 교회, 불교단체, 친목계 등
- **권리능력 없는 재단**: 법인등기를 하지 않아 법인격을 취득하지 못한 재산의 총체(재단) 예 설립 중인 재단법인

(1) 형식적 경찰책임의 경우

- 국가나 지방자치단체, 기타 공법인이 법령상 부여된 자신의 과제를 수행하는 과정에서 공공의 안녕과 질서에 대한 위험을 야기한 경우 경찰권 발동대상이 될 수 있는가의 문제이다. 예 시가 운영하는 하수처리장에서 냄새가 많이 나는 경우 경찰권을 발동할 수 있는가?
- 이를 인정하는 경우 국가·지방자치단체 등에 대해 경찰행정관청의 우위를 인정하게 되므로 인정할 수 없다는 견해도 있으나, 다수설은 국가 등의 공적과제 수행과 공공의 안녕질서라는 이익을 비교형량하여 후자가 더 큰 경우에는 경찰권 발동이 허용된다는 입장이다(제한적 긍정설).

(2) 실질적 경찰책임의 경우

실질적 경찰책임이란 경찰법규를 준수하여 공공의 안녕·질서에 대한 위해를 방지하여야 할 의무를 부담하여야 할 것을 의미하는바, 모든 국가기관은 헌법과 법에 구속되므로 이들도 경찰법규를 준수하여야 하는 의무를 부담한다고 본다.

[2016 지방직 7급] 자연인과 사법인은 실질적·형식적 경찰책임을 질 수 있으며, 공법인 또는 행정기관도 실질적 경찰책임을 질 수 있다. (○)

03 경찰책임의 종류

1. 행위책임

(1) 의의

행위책임은 사람의 행위(작위·부작위)를 매개로 하여 경찰위반상태가 발생하는 경우에 그에 대하여 지는 책임, 즉 자기 또는 자기의 보호·감독하에 있는 자의 행위로 인해 경찰위해가 발생한 경우에 지는 책임을 말한다.

(2) 타인 행위에 대한 책임

타인을 보호·감독하는 자는 피보호자 또는 피감독자의 행위로 생긴 질서위반상태에 대하여 경찰상의 책임을 지는바, 자기의 보호·감독하에 있는 자의 행위로 인한 책임은 대위책임이 아니라 자기의 지배범위 내에서 경찰위반이 발생한 데 대한 '자기책임'이다. 예 친권자인 보호자의 자녀(피보호자) 행위에 대한 책임

[2016 승진(경감)] 경찰책임 원칙에 따르면 자신의 보호·감독하에 있는 자의 행위에 대해서도 책임을 진다. (○)

(3) 인과관계의 문제

| 목적적 원인제공자
직접 경찰위반상태의 원인을 제공하지는 않았으나 직접원인자의 행위를 의도적으로 야기시킨자를 말한다. 이러한 **목적적 원인제공자에게는 경찰책임을 지울 수 있다.** 예 도로에 인접한 상점의 진열장에 통행인의 주의를 크게 끄는 진열을 하여 진열장 주위에 많은 사람들이 모여들어 교통에 중대한 방해를 가져오는 경우, 진열장을 설치한 자에게도 경찰책임을 지울 수 있다.

행위자의 행위와 발생한 경찰위반상태라(결과) 사이에 어느 정도의 인과관계가 필요한지에 대해 견해대립이 있으나, 공공질서에 대한 위험 또는 장해의 직접적 원인이 되는 행위를 한 자만이 책임을 진다는 직접원인설이 통설의 입장이다. 예 휴대폰 가게 내의 TV에서 방영되는 월드컵 축구시합을 보려고 모여든 군중이 도로의 통행을 방해한 경우, 모인 군중에게 경찰책임이 귀속된다.

⊕ 심화 인과관계 문제에 관한 여러 학설들

A는 자신이 운영하는 옷가게에서 여자모델 B에게 수영복만을 입게 하여 쇼윈도우에 서 있도록 하였다. 지나가던 사람들이 이를 구경하기 위해 쇼윈도우 앞에 몰려들어 도로교통상의 심각한 장해가 발생하였다면, 누구에게 경찰책임을 물을 것인가? [2022경간]

1 상당인과관계설
- 상당한 인과관계, 즉 일반경험칙에 따라 인과관계를 판단하자는 이론이다.
- 이 이론에 따르면, (i) 군중이 모이지 않았더라면 무질서가 발생하지 않았을 것이라고 판단된다는 점에서 모인 군중들은 당연히 경찰책임자가 될 수 있고, (ii) A가 TV진열을 하지 않았더라면 무질서가 발생하지 않았을 것이라고도 판단된다는 점에서 A역시 경찰책임자가 될 수 있다고 본다.

2 조건설
- 경찰위반상태라는 결과발생에 조건이 된 모든 행위에 대해서 경찰책임을 부과할 수 있다는 이론이다.
- 이 이론에 따르면, 사안의 경우 직접 위반상태를 야기한 군중은 물론, 군중이 모이도록 한 조건을 제공한 A, B 모두 경찰책임자가 된다.

3 직접원인설
- 경찰위반상태를 직접적으로 야기한 자만 경찰책임자가 된다는 이론이다.
- 이 이론에 따르면 사안의 경우 직접 위반상태를 야기하고 있는 군중들이 경찰책임자가 된다.

3 목적적 원인제공자이론(의도적 간접원인제공자이론)
- 직접 경찰위반상태를 야기하지 않았더라도, 제3자가 위반행위를 하도록 의도적 원인을 제공한 자도 예외적 경찰책임을 부담할 수 있다는 이론이다.
- 이 이론에 따르면 A는 직접 도로교통상의 위해를 야기한 것은 아니지만, 군중이 모이도록 의도적으로 B를 서 있도록 하는 원인을 제공하였으므로 예외적으로 A에게 위해제거를 위한 경찰명령을 발동할 수 있다고 보게 된다.

2. 상태책임

(1) 의의

상태책임은 물건·동물의 소유자·점유자 등 사실상 관리자가 그 지배범위에 속하는 물건·동물로 인하여 경찰위반상태가 발생한 경우에 지는 책임을 말한다.

예 도로교통법상의 교통장해물의 제거의무

⚖ 요지판례 Ⅰ

폐기물관리법 제8조 제3항에서 말하는 '필요한 조치'에는 토지소유자 등이 폐기물관리법에 따른 토지의 청결유지의무를 다하지 못하여 환경상의 위해가 발생할 경우 토지상에 적치 또는 방치된 폐기물의 제거를 명하는 조치도 포함된다고 해석하여야 한다(대판 2020.6.25, 2019두39048).

(2) 상태책임의 귀속주체
- **상태책임의 1차적 주체**: 물건·동물에 대한 사실상의 지배자이다. 즉, 물건·동물을 실제로 점유하거나 보관하는 자가 우선적으로 지는바, 사실상의 지배상태가 적법하게 성립되었는지 여부는 상태책임의 성립에 있어서는 문제되지 않는다. ➡ 지배상태가 정당한 권원에 기초할 것을 요구하지 않는다. 예 도난 자동차로 인하여 발생된 교통장해에 대해, 그 자동차를 사실상 관리하고 있는 절도범이 1차적으로 상태책임을 진다.

- **상태책임의 2차적 주체**: 소유권자는 2차적으로 경찰책임의 대상이 된다. 그러나 물건이 도난, 압류된 경우처럼 자신의 처분권이 법률상 또는 사실상 미치지 않게 된 경우에는 소유자가 상태책임을 지지 않는다. 예 타인에게 운행을 허락한 자동차로 인하여 발생된 교통장해에 대해, 그 자동차의 소유자는 2차적으로 상태책임을 진다.

3. 복합책임(혼합책임)

(1) 의의

- 복합적 책임은 하나의 위해가 다수인의 행위나 다수인이 지배하는 물건의 상태에 기인하거나, 행위책임과 상태책임의 중복에 기인한 경우를 말한다.
- 각개의 행위 또는 상태만으로는 경찰위반이 되지 않음에도 불구하고 다수의 행위 또는 상태가 결합함으로써 하나의 사회적 장해를 야기하는 경우이다. 예 다수의 소량의 오수방출행위가 경찰위반상태를 형성하는 경우

[2014 승진(경감)] 다수인의 행위 또는 다수인이 지배하는 물건의 상태로 인하여 하나의 질서위반상태가 발생한 경우, 일부 또는 전체에 대하여 경찰권 발동이 가능하다. (○)

(2) 책임의 귀속

- 기본적으로 경찰권의 발동은 다수의 경찰책임자 중 위험이나 장해를 가장 신속하고도 효과적으로 제거할 수 있는 위치에 있는 자에게 행해져야 하는데, 이는 의무에 합당한 재량으로 결정할 문제이다.
- 행위책임과 상태책임이 경합한 경우에는 행위책임이 우선한다는 것이 일반적이다.

[2019 소방간부] 행위책임과 상태책임이 경합하는 경우에는 우선적으로 행위책임자에 대하여 경찰권이 발동될 수 있고, 동일인이 복합적인 책임을 지는 경우에는 하나의 책임을 지는 자보다는 복합적 책임을 지는 자가 우선적으로 경찰권 발동의 대상이 될 수 있다. (○)

04 경찰책임의 승계

- 경찰책임자가 사망하거나 물건을 양도한 경우, 이전에 부과되어 있던 경찰책임이 그 상속인이나 물건의 양수인에게 승계되는지의 문제가 있는바, 이것이 경찰책임의 승계문제이다.
- 경찰책임의 승계 여부와 관련하여 학설이 일치하는 것은 아니지만 대체로 행위책임은 특정인의 행위에 대한 법적 평가로서 일신전속적 성격을 갖기 때문에 승계될 수 없으나, 상태책임은 물건의 상태와 관련된 책임이기 때문에 승계가 가능하다고 본다.

05 경찰책임의 예외 - 경찰긴급권

(1) 의의

경찰권은 경찰위반사실에 대한 직접책임자에 대하여만 발동되는 것이 원칙이다. 그러나 이에 대한 예외로서 긴급한 필요가 있는 때에는 경찰책임이 없는 제3자에 대하여도 원조강제·토지나 물건 사용 등의 경찰권발동이 인정되는 경우가 있는바, 이와 관련한 논의가 비책임자에 대한 경찰권발동이다. [2019 채용1차]

[2014 실무 1] 경찰긴급권은 경찰책임의 원칙에 부합하는 대표적인 예로 볼 수 있다. (×)
[2014 승진(경감)] 경찰책임의 원칙에 따르면 자기 자신 이외의 자의 행위에 대해서는 일체 책임을 지지 않는다. (×)

(2) 법적 근거

- 제3자에 대한 경찰권발동은 예외적인 것으로, 목전에 급박한 위해를 제거하기 위한 경우에 한하여, 법령상의 근거가 있는 경우에만 인정된다.

  [2017 경간] 긴급한 필요가 있는 경우 예외적으로 경찰책임자가 아닌 자에 대해서 법령상 근거 없이 경찰권을 발동할 수 있다. (×)

- 제3자에 대한 경찰권발동의 <u>직접적인 일반적 법률은 없고</u>, 개별법에서 예외적으로 인정하고 있는 경우가 있다.

  [2022 경간] 경찰상 긴급상태에 대한 일반적 근거는 「경찰관 직무집행법」에 규정되어 있다. (×)

  > 예 **소방기본법 제24조【소방활동 종사 명령】** ① 소방본부장, 소방서장 또는 소방대장은 화재, 재난·재해, 그 밖의 위급한 상황이 발생한 현장에서 소방활동을 위하여 필요할 때에는 그 관할구역에 사는 사람 또는 그 현장에 있는 사람으로 하여금 사람을 구출하는 일 또는 불을 끄거나 불이 번지지 아니하도록 하는 일을 하게 할 수 있다. 이 경우 소방본부장, 소방서장 또는 소방대장은 소방활동에 필요한 보호장구를 지급하는 등 안전을 위한 조치를 하여야 한다.

(3) 발동요건

그 발동요건으로는 ① 이미 경찰상 장해가 발생하였거나 <u>급박한 위험이 존재하고 법적 근거가 있을 것</u>, ② 다른 방법에 의한 위해방지가 불가능할 것(경찰책임자에게 경찰권을 발동할 수 없거나 발동하여도 위해를 제거하기 어려운 경우 – 보충성), ③ 제3자에게 수인가능성이 있을 것(제3자의 생명·신체 등 중대한 법익을 침해하지 않을 것), ④ 제3자의 본래의 급박한 업무를 방해하지 않을 것, ⑤ <u>위해방지를 위한 최소한도에 그칠 것</u>, ⑥ 제3자에게 손해가 발생한 경우에는 보상이 지급되거나, 유형적 결과가 발생되어 있는 경우 그 결과가 제거될 것이다.

[2022 경간] 경찰비책임자에 대한 경찰권발동을 위해서 보충성은 전제조건이므로 경찰책임자에 대한 경찰권발동 또는 경찰 자신의 고유한 수단으로는 위험방지가 불가능한지 여부를 먼저 심사하여야 한다. (○)

[2022 경간] 경찰권발동으로 인하여 손실을 입은 경찰비책임자에게는 정당한 보상이 행해져야 하며, 결과제거청구와 같은 구제수단이 마련되어야 한다. (○)

[2014 승진(경감)] 경찰이 경찰긴급권에 의하여 예외적으로 경찰책임이 없는 자에게 경찰권을 발동한 경우, 긴급한 상황에 의한 것이므로 그로 인하여 제3자가 손실을 받더라도 보상할 필요가 없다. (×)

06 경찰책임과 손실보상

1. 경찰책임자의 경우

경찰책임자에게는 원칙적으로 자신에게 발생한 손실이 있더라도 손실보상이 이루어지지 않는 것이 원칙이다. 이는 헌법상 일반적 행동자유권의 한계(행위책임의 경우) 내지 재산권의 사회적 기속성(상태책임의 경우)에 따른 것으로 설명된다.

[2022 경간] 경찰책임자에 대한 경찰의 경찰권발동으로 경찰책임자에게 재산적 손해가 발생한 경우, 그 경찰책임자에게 손실보상청구권이 인정된다. (×)

2. 경찰비책임자의 경우

경찰비책임자는 경찰권 행사로 발생한 손실에 대해 국가에 손실보상을 청구할 수 있다.

경찰관 직무집행법 제11조의2【손실보상】

① 국가는 경찰관의 적법한 직무집행으로 인하여 다음 각 호의 어느 하나에 해당하는 손실을 입은 자에 대하여 **정당한 보상**을 하여야 한다.

1. 손실발생의 원인에 대하여 책임이 없는 자가 **생명·신체 또는 재산**상의 손실을 입은 경우(손실발생의 원인에 대하여 책임이 없는 자가 경찰관의 직무집행에 자발적으로 협조하거나 물건을 제공하여 생명·신체 또는 재산상의 손실을 입은 경우를 포함한다)

2. 손실발생의 원인에 대하여 책임이 있는 자가 자신의 책임에 상응하는 정도를 초과하는 **생명·신체 또는 재산상의 손실을 입은 경우**

01 개인적 공권

■ 국가적 공권
국가, 공공단체 등 행정주체가 우월한 의사주체로서 행정객체(개인 또는 단체)에 대하여 가지는 권리를 말한다. 예 질서유지를 위한 경찰의 하명권, 재정수입 확보위한 조세징수권

1. 개인적 공권의 의미

개인이 자기의 이익을 위해 행정주체에게 일정한 행위를 요구할 수 있는 공법상 권리를 말한다. 주관적 공권이라고도 한다. 예 정보공개청구권

2. 개인적 공권의 성립요건 ➜ 강행법규 존재 + 사익보호성

(1) 강행법규의 존재

행정주체에게 행정의무를 부과하는 강행법규가 존재해야 하며, 여기서 강행법규란 성문법만을 의미하는 것은 아니고 불문법과 일반원칙도 포함된다. ➜ 한편, 강행법규성을 요구하기 때문에 그에 따른 행정주체의 행정의무는 기속행위임이 원칙이나, 재량행위 영역에서도 공권 성립이 인정될 수 있다(공권의 확대화 경향).

(2) 사익보호성

위와 같이 존재하는 강행법규인 행정법규가 개인의 '사익(私益)'을 보호하는 성격을 가지고 있어야 하며, 해당 법규가 사익만을 보호하는 경우는 물론 공익과 함께 사익을 보호하는 경우에도 사익보호성은 인정된다.

> ⚖ **요지판례 ㅣ**
>
> 환경영향평가에 관한 환경영향평가법령의 규정들의 취지는 집단시설지구개발사업이 환경을 해치지 아니하는 방법으로 시행되도록 함으로써 집단시설지구개발사업과 관련된 환경공익을 보호하려는 데에 그치는 것이 아니라 그 사업으로 인하여 직접적이고 중대한 환경피해를 입으리라고 예상되는 환경영향평가대상 지역 안의 주민들이 개발 전과 비교하여 수인한도를 넘는 환경침해를 받지 아니하고 쾌적한 환경에서 생활할 수 있는 개별적 이익까지도 이를 보호하려는 데에 있다(대판 1998.4.24, 97누3286). [2017 국가직 9급]

---

02 반사적 이익

💡 경찰공무원 복무규정 제13조 【여행의 제한】 경찰공무원은 휴무일 또는 근무시간 외에 2시간 이내에 직무에 복귀하기 어려운 지역으로 여행을 하고자 할 때에는 소속 경찰기관의 장에게 신고를 하여야 한다.

1. 반사적 이익의 의미

행정법규가 공익목적만을 위하여 행정주체에 대하여 일정한 작위·부작위 등을 명하고 있는 경우 개인이 얻게 되는 사실상 이익을 반사적 이익이라 한다.

2. 구별기준

• 공권: 실정법규가 공익의 보호와 함께 개인의 이익까지 보호하고 있는 경우 그 개인의 이익
• 반사적 이익: 실정법규가 공익만 보호하고 있는 경우 개인이 반사적으로 누리는 이익

☑ KEY POINT | 공권과 반사적 이익의 비교

구분	공권	반사적 이익
구별기준(법규)	사익 / 사익 + 공익보호	공익보호
원고적격	긍정	부정
손해배상	긍정	부정

⚖ 요지판례 |

■ 상수원보호구역 설정의 근거가 되는 수도법 관련 조항이 보호하고자 하는 것은 상수원의 확보와 수질보전일 뿐이고, 그 상수원에서 급수를 받고 있는 지역주민들이 가지는 상수원의 오염을 막아 양질의 급수를 받을 이익은 직접적이고 구체적으로는 보호하고 있지 않음이 명백하여 위 지역주민들이 가지는 이익은 상수원의 확보와 수질보호라는 공공의 이익이 달성됨에 따라 반사적으로 얻게 되는 이익에 불과하므로 지역주민들에 불과한 원고들에게는 위 상수원보호구역변경처분의 취소를 구할 법률상의 이익이 없다(대판 1995.9.26, 94누14544). [2018 경행특채 2차]

■ 공무원에게 부과된 직무상 의무의 내용이 단순히 공공일반의 이익을 위한 것이거나 행정기관의 내부의 질서를 규율하기 위한 것이 아니고, 전적으로 또는 부수적으로 사회구성원 개인의 안전과 이익을 보호하기 위하여 설정된 것이라면, 공무원이 그와 같은 직무상 의무를 위반함으로 인하여 피해자가 입은 손해에 대하여는 상당인과관계가 인정되는 범위 내에서 국가나 지방자치단체가 손해배상책임을 지는 것이다(대판 2012.5.24, 2012다11297).

03 개인적 공권의 성립근거

1. 법률규정

개인적 공권이 주로 법률(행정주체에 대하여 일정한 작위의무를 부과하는 강행법규)에 의해 성립된다는 것은 앞서 본바와 같다.

2. 헌법규정

- 일반적인 견해는 헌법상 기본권 역시 개인적 공권이 될 수 있다는 점에서 소송가능성을 인정하고 있다.
- 그러나 헌법상의 모든 기본권이 행정상 법률관계에 있어 개인적 공권이 되는 것은 아니다.

⚖ 요지판례 |

■ 인간다운 생활을 할 권리로부터는 인간의 존엄에 상응하는 생활에 필요한 '최소한의 물질적인 생활'의 유지에 필요한 급부를 요구할 수 있는 구체적인 권리가 상황에 따라서는 직접 도출될 수 있다고 할 수는 있어도 동 기본권이 직접 그 이상의 급부를 내용으로 하는 구체적인 권리를 발생하게 한다고는 볼 수 없다고 할 것이다. 이러한 구체적 권리는 국가가 재정형편 등 여러 가지 상황들을 종합적으로 감안하여 법률을 통하여 구체화할 때에 비로소 인정되는 법률적 권리라고 할 것이다(헌재 1995.7.21, 93헌가14).

■ 연금수급권과 같은 사회보장수급권은 헌법 제34조로부터 도출되는 사회적 기본권의 하나이다. 이와 같이 사회적 기본권의 성격을 가지는 연금수급권은 국가에 대하여 적극적으로 급부를 요구하는 것이므로 헌법규정만으로는 이를 실현할 수 없고, 법률에 의한 형성을 필요로 한다(헌재 1999.4.29, 97헌마333). [2018 경행특채 2차]

▎헌법 제34조
① 모든 국민은 인간다운 생활을 할 권리를 가진다.

3. 조리

조리에 의해서도 개인적 공권은 성립될 수 있다.

> ⚖️ **요지판례 |**
>
> 법령상 검사임용신청 및 그 처리의 제도에 관한 명문규정이 없다고 하여도 조리상 임용권자는 임용신청자들에게 전형의 결과에 대한 응답, 즉 임용 여부의 응답을 해줄 의무가 있다고 보아야 하고 원고로서는 그 임용신청에 대하여 임용 여부의 응답을 받을 권리가 있다(대판 1991.2.12, 90누5825).

4. 행정규칙

국민의 권리 · 의무와 관련이 없는 행정규칙에 의해서는 개인적 공권이 성립하지 아니한다.

> ⚖️ **요지판례 |**
>
> 서울특별시의 '철거민에 대한 시영아파트특별분양개선지침'은 서울특별시가 사업주체로 된 주택인 시영아파트를 공급함에 있어서 도시정비사업 등으로 인하여 주택이 철거된 가옥주로서 일정한 요건에 해당하는 자에게 위 시영아파트를 특별분양하는 혜택을 부여하도록 하는 서울특별시 내부에 있어서의 행정지침에 불과하며 그 지침 소정의 자에게 공법상의 분양신청권이 부여되는 것은 아니라고 할 것이어서 서울특별시의 위 아파트에 대한 분양 불허의 의사표시는 항고소송의 대상이 되는 신청거부의 행정처분으로 볼 수 없다고 할 것이다(대판 1989.12.26, 87누1214).

5. 기타

공법상 계약, 법규명령, 관습법 및 행정행위에 의해서도 개인적 공권은 성립할 수 있다.

[2017 교행] 공법상 계약을 통해서는 개인적 공권이 성립할 수 없다. (×)

04 공권의 확대화 경향

기존 법규의 해석에서 단순히 반사적 이익으로 보던 것을 공권으로 보는 경향이 증가하고 있는데, 이를 공권의 확대화 경향이라 한다. ➜ 앞서 본 헌법상 기본권규정에서 공권을 도출하는 것도 공권의 확대화 경향 중 하나이다.

1. 재량영역에서의 공권 인정

- 과거에는 기속행위의 경우에만 공권이 존재하고, 재량행위의 경우에는 공권이 성립되지 않는다고 보았다.
- 그러나 오늘날에는 재량영역에도 무하자재량행사청구권 · 행정개입청구권(경찰개입청구권) 등의 개인적 공권이 성립된다고 본다.

2. 제3자에게 공권 인정

근거법규 내지 관계법규를 제3자의 이익도 보호하고 있는 것으로 넓게 해석하여 제3자의 이익을 법적 이익으로 확대하여 해석하여 주는 것이다.

⚖ 요지판례 |

■ 도시계획법과 건축법의 규정 취지에 비추어 볼 때 이 법률들이 주거지역 내에서의 일정한 건축을 금지하고 또는 제한하고 있는 것은 도시계획법과 건축법이 추구하는 공공복리의 증진을 도모하고자 하는데 그 목적이 있는 동시에 한편으로는 주거지역 내에 거주하는 사람의 "주거의 안녕과 생활환경을 보호"하고자 하는데도 그 목적이 있는 것으로 해석이 된다. 그러므로 주거지역 내에 거주하는 사람이 받는 위와 같은 보호이익은 단순한 반사적 이익이나 사실상의 이익이 아니라 바로 법률에 의하여 보호되는 이익이라고 할 것이다(대판 1975.5.13, 73누96,97). ➡ 연탄공장 건축허가 처분으로 불이익을 받고 있는 제3거주자는 비록 당해 행정처분의 상대자가 아니라 하더라도 그 행정처분으로 말미암아 위와 같은 법률에 의하여 보호되는 이익을 침해받고 있다면 당해 행정처분의 취소를 소구하여 그 당부의 판단을 받을 법률상의 자격이 있다.

■ 도시계획의 입안제안을 받은 입안권자는 그 처리결과를 제안자에게 통보하도록 규정하고 있는 점 등과 헌법상 개인의 재산권 보장의 취지에 비추어 보면, 도시계획구역 내 토지 등을 소유하고 있는 주민으로서는 입안권자에게 도시계획입안을 요구할 수 있는 법규상 또는 조리상의 신청권이 있다고 할 것이고, 이러한 신청에 대한 거부행위는 항고소송의 대상이 되는 행정처분에 해당한다(대판 2004.4.28, 2003두1806).
[2018 경행특채 2차] 도시계획구역 내 토지 등을 소유하고 있는 주민은 입안권자에게 도시계획입안을 요구할 수 있는 법규상 또는 조리상의 신청권이 없다. (×)

주제 9 │ 무하자재량행사청구권과 경찰개입청구권

01 무하자재량행사청구권

1. 의의 및 성격

- 행정청에 대하여 재량권을 흠 없이 행사하여 줄 것을 청구하는 권리를 의미한다.
- 과거에는 행정청에 재량이 부여되어 있는 경우에 사인은 공권을 가질 수 없다고 보았다. 그러나 오늘날에는 실질적 법치주의가 정착되었으므로 재량행위의 영역에서도 공권이 성립할 수 있다고 본다. 다만, 이는 특정한 내용의 처분을 요구하는 권리가 아니라 재량권의 한계를 (어떻게든 잘) 준수하여 줄 것을 요구하는 권리이다.
- 행정청이 재량권을 행사할 때 어떠한 내용이든 재량권 행사의 법적 한계를 준수해 줄 것을 청구하는 권리라는 점에서 형식적 권리라고 할 수 있다. ➡ 특정 행정처분을 요구하는 실체적 권리가 아니다!

2. 성립요건 - 행정청의 의무의 존재(강행법규성) + 사익보호성

- **강행법규성**: 행정청에게 재량권을 행사하여 어떤 처분을 하여야 할 의무가 부과되어야 한다. ➡ 처분내용에 있어서는 재량이 인정되지만, 처분을 할 의무 자체는 강행성을 갖는다는 의미이다.
- **사익보호성**: 재량법규가 공익뿐만 아니라 사익보호를 의도하고 있어야 한다.
  [2015 국가직 9급] 일반적인 개인적 공권의 성립요건인 사익보호성은 무하자재량행사청구권이나 행정개입청구권에는 적용되지 않는다. (×)

3. 적용범위

재량권이 인정되는 모든 영역에서 인정된다. 기속영역에서는 인정되지 않는다.

> **⚖ 요지판례 |**
>
> 경찰관 직무집행법은 형식상 경찰관에게 재량에 의한 직무수행권한을 부여한 것처럼 되어 있으나, 구체적인 사정에 따라 경찰관이 그 권한을 행사하여 필요한 조치를 취하지 아니하는 것이 현저하게 불합리하다고 인정되는 경우에는 그러한 권한의 불행사는 직무상의 의무를 위반한 것이 되어 위법하게 된다(대판 1998.8.25, 98다16890).

4. 내용

- 행정청에게 재량권을 하자 없이 행사할 의무가 발생하고, 개인은 하자 없는 재량권 행사에 의한 처분을 받을 권리를 가진다.
- 재량권이 0으로 수축되면 무하자재량행사청구권은 특정처분을 요구할 수 있는 행정개입청구권(경찰개입청구권)으로 전환된다(실체적 권리, 기속행위).

▍재량권의 0으로의 수축
재량권이 0으로 수축된 경우는 사람의 생명·신체 등 중대한 법익에 침해가 곧 발생될 것이 명백한 경우이면서 그러한 위험이 행정권의 발동으로 제거될 수 있는 경우를 말한다. 이러한 경우 행정청에게 선택의 여지가 없어지고 하나의 결정만이 적법한 행위가 된다.

02 경찰개입청구권

1. 의의

- **광의**: 자기 또는 제3자에 대해 일정한 내용의 경찰권을 발동하여 줄 것을 청구하는 권리를 말한다.
- **협의**: 제3자에게 일정한 내용의 경찰권을 발동하여 줄 것을 청구하는 권리를 말한다. ➡ 경찰개입청구권은 보통 협의의 경찰개입청구권을 의미한다.

2. 등장배경

- 과거 행정권 발동은 행정청의 자유판단에 맡겨진 것이므로 행정개입으로 인한 이익은 반사적 이익이라 보았다(반사적 이익론).
- 그러나 독일의 경찰행정 분야에서 띠톱 판결로 인해 행정개입청구권에 대한 논의가 시작되었다.
- 행정에 대한 의존도가 높아지는 현대행정에서는 행정권의 발동이 의무적이라고 본다. 따라서 오늘날은 기속영역은 물론 재량영역에서도(재량이 0으로 수축되는 경우) 행정개입청구권이 인정된다고 본다.
  [2012 승진(경위)] 오늘날 복지국가적 행정을 요구하고 있는 시대적 요청에 따라 경찰행정 분야에서도 각 개인이 경찰권의 발동을 요청할 수 있는 권리인 경찰개입청구권을 인정하기에 이르렀는데 이는 '재량권의 0으로의 수축이론'과 관련이 있다. (○)

⊕ 심화 띠톱 판결(Bandsäge Urteil, 1960)

1 **사건의 개요**
- 주거지역에 위치한 석탄제조업체에서 사용하는 띠톱에서 배출되는 먼지와 소음 등으로, 인근 주민들이 피해를 받고 있었다.
- 이에 인근주민이 행정청에게 건축경찰상의 금지처분을 발해줄 것을 청구하였는데, 행정청은 이 업소의 조업은 건축관계법규에 위반되지 않는 것이라는 이유로 금지처분을 거부하였고, 이에 인근주민들이 거부처분에 대한 취소소송을 제기하였다.

2 **판시사항**
- 하급심인 베를린 고등법원은 원고(인근주민)에게 건축법규에 근거한 특정처분을 구할 수 있는 권리가 없다고 보아 원고 청구를 기각하였다.
- 그러나 독일 연방행정재판소는 ① 우선 관계 건축법규 해석상 원고에게 무하자재량행사청구권이 있음이 인정되고, ② 본 사안에서 행정청의 재량은 0으로 수축된다고 하면서 원고의 청구를 인용하였다.

3 **판결의 의미**
- 이 판결은 경찰법규 목적이 공익보호뿐만 아니라 국민 개개인의 사익도 보호하는 것으로 해석될 수 있음을 인정하면서(반사적 이익론의 극복), 경찰개입 여부는 원칙적으로 재량이지만 특정한 상황에서는 재량권이 0으로 수축되고 이 경우 개인은 행정청에 특정한 내용의 조치를 취할 권리, 즉 행정개입(경찰개입)청구권이 인정된다고 하여 종래 판례 입장에 대한 획기적인 전환점을 이루었다고 평가된다.

---

3. 성립요건 ➡ 경찰개입청구권도 공권의 일종이므로 공권의 성립요건을 갖추어야!

- **강행법규성**: 행정청에게 행정권을 발동할 의무가 발생하여야 한다. 기속행위는 당연히 의무가 발생하고 재량이 0으로 수축하는 경우에는 재량영역에서도 공권력을 발동해야 할 의무가 발생한다.
- **사익보호성**

4. 인정범위

- 주로 경찰행정 분야에서 논의가 시작되었으나, 현재는 행정의 모든 영역에서 논의되고 있다.
- 기속행위·재량행위 모두 행정개입청구권이 인정된다. ➡ 재량영역: 재량권이 0으로 수축된 경우

5. 실현수단

행정청이 행정개입의무를 이행하지 아니하여 손해가 발생한 경우 국가배상청구가 가능하다.

🔨요지판례 |

■ 경찰관이 농민들의 시위를 진압하고 시위과정에 도로상에 방치된 트랙터 1대에 대하여 이를 도로 밖으로 옮기거나 후방에 안전표지판을 설치하는 것과 같은 위험발생방지조치를 취하지 아니한 채 그대로 방치하고 철수하여 버린 결과, 야간에 그 도로를 진행하던 운전자가 위 방치된 트랙터를 피하려다가 다른 트랙터에 부딪혀 상해를 입은 경우 국가배상책임이 인정된다(대판 1998.8.25, 98다16890). [2012 실무 2]

■ 음주운전으로 적발된 주취운전자가 도로 밖으로 차량을 이동하겠다며 단속경찰관으로부터 보관 중이던 차량 열쇠를 반환받아 몰래 차량을 운전하여 가던 중 사고를 일으킨 경우, 국가배상책임이 있다(대판 1998.5.8, 97다54482).

☑ KEY POINT | 무하자재량행사청구권과 경찰개입청구권 비교

구분	무하자재량행사청구권	경찰개입청구권
내용	하자 없는 재량행사를 구하는 권리	특정한 처분을 구하는 권리
성질	형식적 권리, 절차적 권리, 소극적 권리 + 적극적 권리	실체적 권리, 실질적 권리, 적극적 권리
인정영역	재량	기속 + 재량(O)
요건	재량준수의무 + 사익보호성	개입의무 + 사익보호성

제2절 경찰행정작용

주제 1 행정행위와 처분

01 행정행위란?

- 행정행위란 ① 행정청이 ② 법 아래에서 ③ 구체적 사실에 관한 ④ 법집행으로 행하는 ⑤ 권력적 단독행위로서의 공법행위를 말한다.
- 행정행위의 개념은 학문상으로 발전되어 온 개념이다. ➡ 반면, 처분은 실정법상 발전되어 온 개념이다.

1. 행정청이

- 행정청은 행정조직법상의 개념이 아닌 기능적 개념이다. ➡ 국회사무총장, 법원행정처장, 지방의회, 지방자치단체장 등도 행정청의 개념에 포함될 수 있다.
- 공공단체나 공무수탁사인도 위임을 받은 범위 내에서 행정청이 된다.

2. 법 아래에서

법률유보 내지 법률우위를 말한다.

3. 구체적 사실

특정인 · 특정 사건에 관한 규율이어야 한다.

> ⊕ **심화 일반처분**
>
> **1 일반처분의 의미 및 성질**
> - 일반처분이란 구체적 사실과 관련하여 불특정 다수인을 대상으로 하여 발하여지는 행정행위를 말한다.
> - 구체적인 법적 효과를 가져오는 행위인 점에서 일반 · 추상적인 성격을 갖는 법규명령과 구별된다.
> - 행정행위의 한 유형으로 항고소송의 대상이 된다고 보는 것이 통설 · 판례이다.
>
> **2 종류**
> - **대인적 일반처분**: 특정일 · 특정장소 · 특정시간에서의 집회금지, 일정시간 이후의 통행금지 등
> - **대물적 일반처분**: 교통표지판에 의한 교통제한표지(속도제한표지판 등)과 같이 직접 물건의 특성을 규율하는 행위
>
> > ✎ **요지판례 l**
> > ■ 지방경찰청장이 횡단보도를 설치하여 보행자의 통행방법 등을 규제하는 것은, 행정청이 특정사항에 대하여 의무의 부담을 명하는 행위이고 이는 권리 · 의무에 직접 관계가 있는 행위로서 행정처분이라고 보아야 할 것이다(대판 2000.10.27, 99두1144). [2021 경행특채 2차]
>
> **3 인접개념과의 비교**
>
> | 구분 | 구체적 | 추상적 |
> |------|--------|--------|
> | 개별적 | 행정행위(건물철거명령) | 행정행위(눈 오면 치워라) |
> | 일반적 | 행정행위(일반처분) | 법 |

4. 법 집행행위

(1) 법적 행위
- 법적 행위란 외부적으로 직접적인 법적 효과를 가지는 행위를 의미한다. ➡ 단순한 조사, 도로청소, 행정지도 등의 **사실행위는 행정행위가 아니다.**
- 권력적 사실행위는 처분성이 인정되나 행정행위는 아니다. ➡ 법률효과 발생을 목적으로 하지 않기 때문이다.

┃ 권력적 사실행위
행정주체가 우월적 지위를 가지고 하는, 직접적으로 사실상의 효과를 가져오는 공권력의 행사를 말한다. 예 불법건축물의 강제철거, 전염병환자의 강제격리, 검사조사실에서의 계구사용행위, 교도소장의 미결수용자의 서신검열 등

(2) 외부적 행위
- 내부행위 그 자체는 외부성이 없으므로 행정행위가 아니다. 예 단순한 직무명령
- 다른 행정청의 동의를 얻어 행정행위를 하는 경우 동의는 외부성이 없으므로 행정행위가 아니다.

5. 권력적 단독행위
- 권력적 단독행위란 행정청이 우월한 지위에서 일방적 의사로 행하는 공법행위를 의미한다. ➡ 여기서 공법행위란 그 효과가 공법적이라는 것이 아니라 행위의 근거가 공법적이라는 것이다.

- 물품구매와 같은 사법(私法)상 계약, 공법상 계약, 공법상 합동행위 등은 행정행위
  가 아니다.

02 처분

1. 실정법상의 처분규정

> **행정기본법 제2조【정의】** 이 법에서 사용하는 용어의 뜻은 다음과 같다.
> 4. "처분"이란 행정청이 구체적 사실에 관하여 행하는 법 집행으로서 공권력의 행사
>   또는 그 거부와 그 밖에 이에 준하는 행정작용을 말한다.
>
> **행정절차법 제2조【정의】** 이 법에서 사용하는 용어의 뜻은 다음과 같다.
> 2. "처분"이란 행정청이 행하는 구체적 사실에 관한 법 집행으로서의 공권력의 행사
>   또는 그 거부와 그 밖에 이에 준하는 행정작용을 말한다.
>
> **행정심판법 제2조【정의】** 이 법에서 사용하는 용어의 뜻은 다음과 같다.
> 1. "처분"이란 행정청이 행하는 구체적 사실에 관한 법집행으로서의 공권력의 행사
>   또는 그 거부, 그 밖에 이에 준하는 행정작용을 말한다.
>   [2022 채용2차] 도로점용허가, 주민등록번호 변경신청 거부, 교통경찰관의 수신호, 교통신호등에 의한 신호는 행정청이 행하는
>   구체적 사실에 관한 법 집행으로서 공권력의 행사 또는 그 거부와 그 밖에 이에 준하는 행정작용에 해당한다. (○)

2. 행정행위와 처분 개념의 관계

행정행위와 처분 개념의 관계와 관련하여, 다음과 같은 학설이 대립한다.

일원설	이원설
학문상 행정행위와 쟁송법상 처분은 같은 개념으로, 굳이 양자를 구분할 필요가 없다.	학문상 행정행위보다 쟁송법상 처분이 더 넓은 개념이다.
행정행위 = 처분	• 행정행위 < 처분 • 처분 = 행정행위 + α • α: 그 밖에 이에 준하는 작용으로, 권력적 사실행위 · 처분적 조례 등이 포함된다.

3. 처분에 적용되는 기준시법

> **행정기본법 제14조【법 적용의 기준】** ① 새로운 법령등은 법령등에 특별한 규정이 있는
> 경우를 제외하고는 그 법령등의 효력 발생 전에 완성되거나 종결된 사실관계 또는
> 법률관계에 대해서는 적용되지 아니한다.
> ② 당사자의 신청에 따른 처분은 법령등에 특별한 규정이 있거나 처분 당시의 법령
> 등을 적용하기 곤란한 특별한 사정이 있는 경우를 제외하고는 처분 당시의 법령등에
> 따른다.

4. 제재처분

(1) 의의

> **행정기본법 제2조【정의】** 이 법에서 사용하는 용어의 뜻은 다음과 같다.
> 5. "제재처분"이란 법령등에 따른 의무를 위반하거나 이행하지 아니하였음을 이유로 당사자에게 의무를 부과하거나 권익을 제한하는 처분을 말한다. 다만, 제30조 제1항 각 호에 따른 행정상 강제는 제외한다.
>
> **행정기본법 제22조【제재처분의 기준】** ① 제재처분의 근거가 되는 법률에는 제재처분의 주체, 사유, 유형 및 상한을 명확하게 규정하여야 한다. 이 경우 제재처분의 유형 및 상한을 정할 때에는 해당 위반행위의 특수성 및 유사한 위반행위와의 형평성 등을 종합적으로 고려하여야 한다.
> ② 행정청은 재량이 있는 제재처분을 할 때에는 다음 각 호의 사항을 고려하여야 한다.
> 1. 위반행위의 동기, 목적 및 방법 / 2. 위반행위의 결과 / 3. 위반행위의 횟수
> 4. 그 밖에 제1호부터 제3호까지에 준하는 사항으로서 대통령령으로 정하는 사항

▌ **행정상 강제(제30조 제1항)**
- 행정상 실효성 확보수단을 말하며, 경찰강제라고도 한다.
- 즉시강제와 강제집행(대집행·직접강제·이행강제금·강제징수)으로 구성된다.
- 이에 대해서는 실효성 확보수단에 대한 특유의 별도 법리가 적용되므로, 행정기본법상 제재처분의 일반 법리는 적용되지 않는다.

(2) 제재처분에 대한 법 적용 기준

> **행정기본법 제14조【법 적용의 기준】** ③ 법령등을 위반한 행위의 성립과 이에 대한 제재처분은 법령등에 특별한 규정이 있는 경우를 제외하고는 법령등을 위반한 행위 당시의 법령등에 따른다. 다만, 법령등을 위반한 행위 후 법령등의 변경에 의하여 그 행위가 법령등을 위반한 행위에 해당하지 아니하거나 제재처분 기준이 가벼워진 경우로서 해당 법령등에 특별한 규정이 없는 경우에는 변경된 법령등을 적용한다.

제재처분은 국민에게 일정한 불이익을 부과한다는 점에서 형사처벌과 유사한 측면이 있으므로, 형사법에서의 법 적용 기준과 같이 원칙적으로 행위시법주의를 취한다.

(3) 제재처분에 대한 제척기간

> **행정기본법 제23조(제재처분의 제척기간)** ① 행정청은 법령등의 위반행위가 종료된 날부터 5년이 지나면 해당 위반행위에 대하여 제재처분(인허가의 정지·취소·철회, 등록 말소, 영업소 폐쇄와 정지를 갈음하는 과징금 부과를 말한다. 이하 이 조에서 같다)을 할 수 없다.
> ② 다음 각 호의 어느 하나에 해당하는 경우에는 제1항을 적용하지 아니한다.
> 1. 거짓이나 그 밖의 부정한 방법으로 인허가를 받거나 신고를 한 경우
> 2. 당사자가 인허가나 신고의 위법성을 알고 있었거나 중대한 과실로 알지 못한 경우
> 3. 정당한 사유 없이 행정청의 조사·출입·검사를 기피·방해·거부하여 제척기간이 지난 경우
> 4. 제재처분을 하지 아니하면 국민의 안전·생명 또는 환경을 심각하게 해치거나 해칠 우려가 있는 경우
> ③ 행정청은 제1항에도 불구하고 행정심판의 재결이나 법원의 판결에 따라 제재처분이 취소·철회된 경우에는 재결이나 판결이 확정된 날부터 1년(합의제행정기관은 2년)이 지나기 전까지는 그 취지에 따른 새로운 제재처분을 할 수 있다.

▌ **실효의 원칙(실권의 법리)**
- 행정청이 권한행사 기회가 있었음에도 장기간 그 권한을 행사하지 아니한 경우 그 권한행사가 허용되지 아니한다는 원칙을 말한다.

행정기본법상 제재처분에 대한 제척기간 규정은 행정법의 일반원칙 중 신뢰보호원칙 내지 신뢰보호원칙의 파생원칙으로서 실효의 원칙(실권의 법리)이 제재처분 영역에서 구체화 된 것으로 이해할 수 있다.

💡 행정기본법상 3대 국민 권리구제재도
- 국민의 권리구제를 대폭 확대하는 제도로서, ① 제재처분의 제척기간, ② 처분에 대한 이의신청, ③ 처분의 재심사 제도 3가지를 말한다.
- 2021. 3. 행정기본법 시행 당시 입법되어 2년간의 유예기간을 거쳐, 2023. 3. 24. 본격 시행되었다.

▮ 민사소송법 제451조에 따른 재심사유
- **판단주체의 하자**: 재판부 구성에 법 위반이 있는 경우 등
- **판단근거의 하자**: 증거위변조, 거짓증언 등
- **판단대상의 하자**: 중요한 사항에 대한 판단누락 등

⊕ 심화 행정기본법상 이의신청과 재심사

① 이의신청

행정기본법 제36조 【처분에 대한 이의신청】 ① 행정청의 처분(「행정심판법」 제3조에 따라 같은 법에 따른 행정심판의 대상이 되는 처분을 말한다. 이하 이 조에서 같다)에 이의가 있는 당사자는 처분을 받은 날부터 30일 이내에 해당 행정청에 이의신청을 할 수 있다. [2024 채용1차]
② 행정청은 제1항에 따른 이의신청을 받으면 그 신청을 받은 날부터 14일 이내에 그 이의신청에 대한 결과를 신청인에게 통지하여야 한다. 다만, 부득이한 사유로 14일 이내에 통지할 수 없는 경우에는 그 기간을 만료일 다음 날부터 기산하여 10일의 범위에서 한 차례 연장할 수 있으며, 연장 사유를 신청인에게 통지하여야 한다. [2024 채용1차]
③ 제1항에 따라 이의신청을 한 경우에도 그 이의신청과 관계없이 「행정심판법」에 따른 행정심판 또는 「행정소송법」에 따른 행정소송을 제기할 수 있다. [2024 채용1차]
④ 이의신청에 대한 결과를 통지받은 후 행정심판 또는 행정소송을 제기하려는 자는 그 결과를 통지받은 날(제2항에 따른 통지기간 내에 결과를 통지받지 못한 경우에는 같은 항에 따른 통지기간이 만료되는 날의 다음 날을 말한다)부터 90일 이내에 행정심판 또는 행정소송을 제기할 수 있다.
⑤ 다른 법률에서 이의신청과 이에 준하는 절차에 대하여 정하고 있는 경우에도 그 법률에서 규정하지 아니한 사항에 관하여는 이 조에서 정하는 바에 따른다.
[2024 채용1차] 이의신청에 대한 결과를 통지받은 후 행정심판 또는 행정소송을 제기하려는 자는 그 결과를 통지받은 날부터 60일 이내에 행정심판 또는 행정소송을 제기하여야 한다. (×)

② 처분의 재심사

행정기본법 제37조 【처분의 재심사】 ① 당사자는 처분(제재처분 및 행정상 강제는 제외한다. 이하 이 조에서 같다)이 행정심판, 행정소송 및 그 밖의 쟁송을 통하여 다툴 수 없게 된 경우(법원의 확정판결이 있는 경우는 제외한다)라도 다음 각 호의 어느 하나에 해당하는 경우에는 해당 처분을 한 행정청에 처분을 취소·철회하거나 변경하여 줄 것을 신청할 수 있다.
1. 처분의 근거가 된 사실관계 또는 법률관계가 추후에 당사자에게 유리하게 바뀐 경우
2. 당사자에게 유리한 결정을 가져다주었을 새로운 증거가 있는 경우
3. 「민사소송법」 제451조에 따른 재심사유에 준하는 사유가 발생한 경우 등 대통령령으로 정하는 경우
② 제1항에 따른 신청은 해당 처분의 절차, 행정심판, 행정소송 및 그 밖의 쟁송에서 당사자가 중대한 과실 없이 제1항 각 호의 사유를 주장하지 못한 경우에만 할 수 있다.
③ 제1항에 따른 신청은 당사자가 제1항 각 호의 사유를 안 날부터 60일 이내에 하여야 한다. 다만, 처분이 있는 날부터 5년이 지나면 신청할 수 없다.
④ 제1항에 따른 신청을 받은 행정청은 특별한 사정이 없으면 신청을 받은 날부터 90일(합의제행정기관은 180일) 이내에 처분의 재심사 결과(재심사 여부와 처분의 유지·취소·철회·변경 등에 대한 결정을 포함한다)를 신청인에게 통지하여야 한다. 다만, 부득이한 사유로 90일(합의제행정기관은 180일) 이내에 통지할 수 없는 경우에는 그 기간을 만료일 다음 날부터 기산하여 90일(합의제행정기관은 180일)의 범위에서 한 차례 연장할 수 있으며, 연장 사유를 신청인에게 통지하여야 한다.

주제 2 행정행위의 종류

1. 행정행위의 전체적인 분류

법적 효과	수익적 행정행위 / 침익적 행정행위 / 복효적 행정행위	
행위의 대상	대인적 행정행위 / 대물적 행정행위 / 혼합적 행정행위	
재량 여부	재량행위 일정한 한도 내에서 재량권을 부여한 행위	기속행위 법이 정하는 요건이 충족되면 일정한 행위를 반드시 하거나 해서는 안 되는 행정행위
내용에 따른 분류	법률행위적 행정행위 의사표시대로 효과가 발생하는 법적 행위	준법률행위적 행정행위 의사표시 외에 법규가 정한 바에 따라 법적 효과가 발생하는 행위
상대방의 협력을 요건으로 하는지 여부	일방적 행정행위 • 행정청이 직권으로 발하는 행정행위 • 조세부과 · 영업취소처분 등 침익적 행정행위	협력을 요하는 행정행위(쌍방적 행정행위) • 동의 · 신청 등 상대방의 협력이 필요한 행정행위 • 상대방의 신청 또는 동의를 전제로 하더라도 결정은 행정청에 의해 단독으로 이루어지므로 권력적이다. • 영업허가 · 운전면허 등의 수익적 행정행위가 이에 해당
상대방의 수령을 요하느냐	수령을 요하는 행정행위 • 처분의 상대방이 특정인인 경우 • 상대방에게 도달되어야 효력이 발생한다.	수령을 요하지 않는 행정행위 • 상대방이 불특정 다수인 경우 or 주소 · 거소가 불분명 특정인인 경우 • 공고 · 공시를 통해 효력을 발생시킨다.

2. 재량 여부에 따른 분류 - 재량행위 · 기속행위

(1) 기속행위

- 법에서 정한 요건이 충족되면 행정청이 반드시 어떠한 행위를 발하거나 발하지 말아야 하는 행정행위를 말한다.
- 행정의 근거법규가 요건에 따른 행위의 효과를 일의적 · 확정적으로 규정하고 있다.

■ 도로교통법 규정에 의하면, 술에 취한 상태에 있다고 인정할 만한 상당한 이유가 있음에도 불구하고 경찰공무원의 측정에 응하지 아니한 때에는 필요적으로 운전면허를 취소하도록 되어 있어 처분청이 그 취소 여부를 선택할 수 있는 재량의 여지가 없음이 그 법문상 명백하므로, 위 법조의 요건에 해당하였음을 이유로 한 운전면허취소처분에 있어서 재량권의 일탈 또는 남용의 문제는 생길 수 없다(대판 2004. 11.12, 2003두12042).

[2017 경행특채] 술에 취한 상태에 있다고 인정할 만한 상당한 이유가 있음에도 불구하고 경찰공무원의 측정에 응하지 아니한 때에는 필요적으로 운전면허를 취소하도록 되어 있어 처분청이 그 취소 여부를 선택할 수 있는 재량의 여지가 없음이 도로교통법상 명백하므로, 동법 요건에 해당하였음을 이유로 한 운전면허취소처분에 있어서 재량권의 일탈 또는 남용의 문제는 생길 수 없다. (○)
[2022 채용2차] 「도로교통법」상 교통단속임무를 수행하는 경찰공무원을 폭행한 사람의 운전면허를 취소하는 것은 행정청이 재량여지가 없으므로 재량권의 일탈·남용과는 관련이 없다. (○)

■ 구 총포·도검·화약류 등 단속법에 의하면, 면허관청은 화약류 관리보안 책임자 면허를 받은 사람이 같은 법의 규정을 위반하여 벌금 이상의 형의 선고를 받음으로써 화약류 관리보안 책임자의 결격사유에 해당하게 된 경우에는 그 면허를 취소하여야 한다(대판 1996.8.23, 96누1665).

■ 건축허가권자는 건축허가신청이 건축법 등 관계 법규에서 정하는 어떠한 제한에 배치되지 않는 이상 당연히 같은 법조에서 정하는 건축허가를 하여야 하고, 중대한 공익상의 필요가 없는데도 관계 법령에서 정하는 제한사유 이외의 사유를 들어 요건을 갖춘 자에 대한 허가를 거부할 수는 없다(대판 2009.9.24, 2009두8946).

■ 식품위생법상 일반음식점영업허가는 성질상 일반적 금지의 해제에 불과하므로 허가권자는 허가신청이 법에서 정한 요건을 구비한 때에는 허가하여야 하고 관계 법령에서 정하는 제한사유 외에 공공복리 등의 사유를 들어 허가신청을 거부할 수는 없고, 이러한 법리는 일반음식점 허가사항의 변경허가에 관하여도 마찬가지이다(대판 2000.3.24, 97누12532). ➡ 지하도로 대기오염의 심화를 방지한다는 공익을 이유로 지하도로가 설치된 지하상가 내 점포의 일반음식점허가사항 변경허가신청을 거부할 수 없다.

[2018 경행특채 2차] 「식품위생법」상 일반음식점영업허가는 성질상 일반적 금지의 해제에 불과하므로 허가권자는 허가신청이 법에서 정한 요건을 구비한 때에는 원칙적으로 허가를 하여야 하나, 다만 예외적으로 관계 법령에서 정하는 제한사유 외에 공공복리 등의 사유를 들어 허가신청을 거부할 수 있다. (×)

대물적 행정행위로서 건축허가

건축허가는 대물적 성질을 갖는 것이어서 행정청으로서는 허가를 할 때에 건축주 또는 토지 소유자가 누구인지 등 인적 요소에 관하여는 형식적 심사만 한다(대판 2017.3.15, 2014두41190). [2021 경행특채 2차]

---

(2) 재량행위

💡 행정재량의 본질은 개별적 정의실현에 있다.

- 행정청에 결정의 융통성을 주기 위해 행정권을 행사함에 있어서 결정·선택권이 주어진 행정행위를 말한다. ➡ 구체적 타당성이 있는 행정권의 행사가 가능하도록 하여 개별적 정의를 실현하고자 하는 것이다.
- 재량행위라 하더라도 완전히 법에서 자유로운 행위는 아니고, 행정의 법률적합성의 원리상 행정법령상에서 인정되는 의무에 합당한 재량이라고 볼 수 있다. 따라서 기속행위뿐 아니라 재량행위에서도 요건을 갖추지 못한 경우 거부처분을 하여야 한다.
- 재량권의 한계를 넘어 일탈·남용이 있으면 위법한 행위가 된다(항고소송 인용).
- 재량을 그르친 경우에는 부당한 행위가 되어 법원에 의해 통제되지 않는다(항고소송 기각). ➡ 부당은 적법하나 최선이 아닌 상태를 말하며, 부당은 행정심판의 통제대상은 되나, 행정소송의 통제대상은 아니다(법원은 합법성 심사만 할 수 있지 합목적성 심사는 할 수 없다).

[2022 채용2차] 재량의 일탈·남용뿐만 아니라 단순히 재량권 행사에서 합리성을 결하는 등 재량을 그르친 경우에도 행정심판의 대상이 된다. (○)

결정재량과 선택재량 [2022 채용2차]

- **결정재량**: 법규가 허용한 조치를 행정청이 처분을 할 수도 안할 수도 있는 재량을 말한다.
- **선택재량**: 법규가 허용한 다양한 처분방식 중에서 어느 방식으로 하느냐 또는 어떤 상대방을 선택하여 조치를 할 것인지의 재량을 말한다.

⚖️ 요지판례 |

■ 총포·도검·화약류 등 단속법령상 총포 등의 소지허가를 받을 수 있는 자격요건을 정하고 있는 규정은 없으나, 관할관청의 총포 등 소지허가가 총포·도검·화약류 등 단속법 소정의 결격자에 해당되지 아니하는 경우 **반드시 허가를 하여야 하는 기속행위라고는 할 수 없고**, 같은 법 제13조 제2항의 규정에 비추어 관할관청에 총포 등 소지허가에 관한 재량권이 유보되어 있는 것이다(대판 1993.5.14, 92도2179).
[2010 경행특채] 총포·도검·화약류 등 단속법상의 총포 등 소지허가는 기속행위라고는 할 수 없다. (○)

■ 토지의 형질변경허가는 그 금지요건이 불확정개념으로 규정되어 있어 그 금지요건에 해당하는지 여부를 판단함에 있어서 행정청에게 재량권이 부여되어 있다고 할 것이므로, 같은 법에 의하여 지정된 도시지역 안에서 **토지의 형질변경행위를 수반하는 건축허가는 결국 재량행위에 속한다**(대판 2005.7.14, 2004두6181). [2018 경행특채 2차] [2021 경행특채 2차]
[2020 경행특채 2차] 국토의 계획 및 이용에 관한 법률상 용도지역 안에서 토지의 형질변경행위를 수반하는 건축허가는 재량행위에 속한다. (○)

■ 마을버스운송사업면허의 허용 여부는 사업구역의 교통수요, 노선결정, 운송업체의 수송능력, 공급능력 등에 관하여 기술적·전문적인 판단을 요하는 분야로서 이에 관한 행정처분은 운수행정을 통한 공익실현과 아울러 합목적성을 추구하기 위하여 보다 구체적 타당성에 적합한 기준에 의하여야 할 것이므로 그 범위 내에서는 법령이 특별히 규정한 바가 없으면 **행정청의 재량에 속하는 것**이라고 보아야 할 것이고, 또한 마을버스 한정면허시 확정되는 마을버스 노선을 정함에 있어서도 기존 일반노선버스의 노선과의 중복 허용 정도에 대한 판단도 행정청의 재량에 속한다(대판 2001.1.19, 99두3812). [2021 경행특채 2차]

> 💡 건축허가는 강학상 허가로서 그 법적 성질은 기속행위로 이해하는 것이 통설 및 판례의 입장이다.

☑️ KEY POINT | 기속행위와 재량행위

1 비교

구분	기속행위	재량행위
규정방식	… 하여야 한다.	… 할 수 있다.
사법심사의 방식	대체판단방식*	독자적 결론을 도출함이 없이 재량권의 일탈·남용이 있는지를 판단
부관의 허용성 (전통적 견해)	부관을 붙일 수 없음	부관을 붙일 수 있음
선원주의**	적용됨	적용되기 어려움

* 대체판단방식: 법원이 독자적으로 일정 결론을 도출한 후 행정청이 실제 내린 판단과 비교 [2018 경행특채 2차]
** 선원주의: 신청한 자가 여러 명 있는 경우 먼저 신청한 자에게 허가 등을 발급하여야 한다는 원칙

2 재량하자의 유형

- **재량권의 일탈**: 법률의 외적 한계, 법규상 한계, 수권규정의 한계를 넘어 재량권이 행사된 경우를 말한다. 예 6개월 이하의 영업정지를 할 수 있다고 규정되어 있는데 1년을 한 경우
- **재량의 남용**: 재량권 범위 내에서 행사되었지만 입법목적 위배, 일반원칙(평등의 원칙·비례의 원칙) 위배, 사실의 오인이 있는 경우이다. ➡ 내적 한계, 조리상 한계 초과
- **재량의 불행사**: 재량권을 행사함에 있어 고려하여야 할 구체적 사정을 전혀 고려하지 않은 경우를 말한다. ➡ 재량의 불행사는 그 자체로 재량권의 일탈·남용이다.

> 💡 판례는 재량의 일탈과 남용을 명확하게 구분하지는 않는다.

> **요지판례 |**
> ■ 경찰공무원이 그 단속의 대상이 되는 신호위반자에게 먼저 적극적으로 돈을 요구하고 다른 사람이 볼 수 없도록 돈을 접어 건네주도록 전달방법을 구체적으로 알려주었으며 동승자에게 신고시 범칙금 처분을 받게 된다는 등 비위신고를 막기 위한 말까지 하고 금품을 수수한 경우, 비록 그 받은 돈이 1만원에 불과하더라도 위 금품수수행위를 징계사유로 하여 당해 경찰공무원을 해임처분한 것은 징계재량권의 일탈·남용이 아니다(대판 2006.12.21, 2006두16274).
> ■ 개발제한구역 내에서의 건축물의 건축 등에 대한 예외적 허가는 그 상대방에게 수익적인 것으로서 재량행위에 속하는 것이라고 할 것이므로 그에 관한 행정청의 판단이 사실오인, 비례·평등의 원칙 위배, 목적위반 등에 해당하지 아니하는 이상 재량권의 일탈·남용에 해당한다고 할 수 없다(대판 2004.7.22, 2003두7606). [2018 경행특채 2차]

3. 내용에 따른 분류 – 법률행위적·준법률행위적

(1) 개념

> **의사표시**
> • 일정한 법률효과의 발생을 목적으로 하는 의사(뜻)을 표시하는 행위 예 포도주 경매장에서 손을 드는 행위
> • 의사표시 이론은 민사법 분야에서 발전된 이론이지만, 의사표시의 주체가 공법상 당사자들이고, 이에 따라 발생하는 법률효과와 공법상의 법률효과라는 점만 염두에 두면 수험적으로는 거의 동일하게 이해해도 무방하다. 예 운전면허허가

• **법률행위적 행정행위**: 행정청의 의사표시를 요소로 하고 그 의사표시의 내용대로 효과가 발생하는 행위를 말한다. 법률효과의 내용에 따라 명령적 행위와 형성적 행위가 있다.

• **준법률행위적 행정행위**: 행정청의 의사표시 이외의 판단·인식 표시를 요소로 하고, 그 효과발생은 법률의 규정에 의하여 발생하는 행위를 말한다.

(2) 법률행위적 행정행위

• **명령적 행위**: 개인이 원래부터 가지고 있던 자연적 자유를 대상으로 일정한 작위·부작위·급부·수인 등의 의무를 명하는 행정행위를 말한다.

• **형성적 행위**: 개인에 대해 개인이 원래부터 가지고 있는 것이 아닌 새로운 권리·능력, 기타 포괄적 법률관계를 발생·변경·소멸시키는 행정행위이다.

성격	종류	의미	예시
명령적	하명	작위·부작위(금지), 급부·수인의 의무를 명하는 것	• 위법건축물 철거명령(작위하명) • 영업정지처분(부작위하명) • 조세부과(급부하명) • 강제격리(수인하명)
	허가	법령으로 부과된 일반적·상대적 금지(부작위의무)를 해제	• 운전면허 • 건축허가
	면제	법령에 의해 일반적으로 부과된 작위·급부·수인 등의 의무를 특정한 경우에 해제 ➡ 의무를 해제하는 행위라는 점에서는 허가와 성질이 유사하나, 허가는 부작위의무를 해제하고, 면제는 작위·급부·수인의무를 해제	• 병역면제처분 • 면세처분

형성적	특허	특정인에 대해 새로운 권리·능력 또는 포괄적 법률관계 설정(설권행위)	• 광업권허가 • 귀화허가
	대리	제3자가 할 일을 행정청이 대신하여 행함으로써 제3자가 스스로 한 것과 같은 법적 효과 발생	조세체납처분 중 공매행위
	인가	제3자의 법률적 행위를 보충, 그 법률상 효과를 완성	사립대학 설립인가

(3) 준법률행위적 행정행위

행정청의 의사표시 이외의 정신작용을 구성요건으로 하는 행정행위로서 그 효과가 행정청의 의사가 아닌 법률의 규정에 의해 발생하는 행위를 말한다.

종류	의미	예시
공증	특정한 사실 또는 법률관계 존재를 공적으로 증명하는 행위	등기, 영수증, 합격증, 여권
통지	특정한 사실 또는 의사를 알리는 행위	• 독촉, 계고, • 특허출원의 공고 • 귀화의 고시
수리	행정청에 대한 행위를 유효한 행위로 수령하는 행위	사표의 수리
확인	특정사실 또는 법률관계 존부에 의문·다툼이 있는 경우 행정청이 공적 권위로 판단(확인)하는 행위	• 발명특허 • 행정심판위원회의 재결 • 국가시험합격자 결정 • 당선인 결정

[2021 경간] 법률행위적 행정행위는 명령적 행정행위(하명·허가·면제 등)과 형성적 행정행위(특허·인가·대리)로 구분할 수 있고, 준법률행위적 행정행위는 확인, 공증, 통지, 수리 등으로 구분할 수 있다. (○)

[2020 경행특채 2차] 특허출원의 공고, 귀화의 고시, 대집행의 계고는 준법률적 행정행위 중 통지행위에 해당한다. (○)

⚖ 요지판례 |

건설업면허증 및 건설업면허수첩의 재교부는 그 면허증 등의 분실, 헐어 못쓰게 된 때, 건설업의 면허이전 등 면허증 및 면허수첩 그 자체의 관리상의 문제로 인하여 종전의 면허증 및 면허수첩과 동일한 내용의 면허증 및 면허수첩을 새로이 또는 교체하여 발급하여 주는 것으로서, 이는 건설업의 면허를 받았다고 하는 특정사실에 대하여 형식적으로 그것을 증명하고 공적인 증거력을 부여하는 행정행위(강학상의 공증행위)이므로, 그로 인하여 면허의 내용 등에는 아무런 영향이 없이 종전의 면허의 효력이 그대로 지속하고, 면허증 및 면허수첩의 재교부에 의하여 재교부 전의 면허는 실효되고 새로운 면허가 부여된 것이라고 볼 수 없다(대판 1994.10.25, 93누21231).

[2021 경행특채 2차] 건설업 등록증 및 건설업 등록수첩의 재발급은 건설업 등록을 하였다고 하는 사실을 특정인이나 불특정인에게 알리는 준법률행위적 행정행위인 통지행위에 해당한다. (×)

4. 법적 효과에 따른 분류 – 수익적 · 침익적 · 복효적

(1) 수익적 행정행위와 침익적 행정행위

- **수익적 행정행위**: 국민에 대하여 권리 · 이익을 부여하는 등 유리한 효과를 발생시키는 행정행위
- **침익적 행정행위**: 국민에게 의무를 부과하고 권리를 제한하는 등 상대방에게 불리한 효과를 발생시키는 행정행위

구분	수익적 행정행위	침익적 행정행위
예	허가, 특허, 침익적 행정행위의 취소	하명, 수익적 행정행위의 취소
신청	일반적으로 상대방의 신청을 전제로 함(협력을 요하는 행정행위)	신청과 무관하게 행정청의 직권에 의해 이루어짐(일방적 행정행위)
성질	자유재량성이 강함	기속
법률유보	완화	엄격
절차적 통제	완화	강화 ➡ 행정절차법상의 침익적 처분절차를 거쳐야 한다.
취소 · 철회	신뢰보호원칙 등으로 취소 · 철회가 제한된다.	침익적 행정행위의 취소나 철회는 상대방의 의사에 부합하므로 제한이 없다.
부관	원칙적으로 부관 부가 가능	원칙적으로 부관 부가 불가
강제집행	무관	강제집행 가능

(2) 복효적 행정행위

하나의 행정행위에 수익적 효과와 침익적 효과의 복수효과를 발생시키는 행정행위를 말하며, ① 복수의 효과가 동일인에게 발생하는 혼합효 행정행위와, ② 1인에게는 수익을, 타인에게는 불이익이라는 상반된 효과를 발생시키는 제3자효 행정행위가 있다.

5. 행위대상에 따른 분류 – 대인적 · 대물적 · 혼합적

구분	대인적	대물적	혼합적
의미	행정행위의 상대방의 주관적 사정(지식 · 지능 · 경험 등)을 고려하여 행해지는 행정행위	행정행위의 대상인 물건이나 시설의 객관적 상태를 고려하여 행해지는 행정행위	상대방의 주관적 사정과 행정행위의 대상인 물건, 시설 등의 객관적 사정을 모두 고려하여 행하는 행정행위
일신전속성	○	×	–
제재사유 승계	×	○	–
예시	자동차운전면허, 의사면허, 인간문화재 지정	차량검사합격처분, 건축물 준공검사, 채석허가	전당포영업허가, 총포 · 화약류 영업허가, 석유 · 가스사업허가

⚖ **요지판례 |**

영업장 면적이 변경되었음에도 그에 관한 신고의무가 이행되지 않은 영업을 양수한 자역시 그와 같은 신고의무를 이행하지 않은 채 영업을 계속한다면 시정명령 또는 영업정지 등 제재처분의 대상이 될 수 있다(대판 2020.3.26, 2019두38830). [2021 경행특채 2차]

주제 3 명령적 행정행위(경찰하명 · 경찰허가 · 경찰면제)

01 경찰하명

1. 의의

경찰목적의 달성을 위하여 국가의 일반통치권에 근거, 상대방에게 작위 · 부작위(중지), 급부 · 수인의 의무를 명하는 행위로서 개인의 자유를 제한하고 의무를 부과하는 것을 내용으로 하는 법률행위적 행정행위를 말한다. [2020 승진(경위)] [2023 승진(실무종합)]

[2023 채용1차] 경찰하명은 경찰상의 목적을 위하여 국가의 일반통치권에 의거, 개인에게 특정한 작위 · 부작위 · 수인 또는 급부의 의무를 명하는 행정행위이다. (○)

[2021 경간] 경찰관의 수신호나 교통신호 등의 신호도 의무를 부과하는 행위로서 경찰하명에 해당한다. (○)

2. 종류 [2020 승진(경위)]

내용에 따른 분류	• 작위하명: 건물철거명령, 청소명령, 징집명령, 경찰관의 수신호 등 • 부작위하명(금지): 통행금지, 입산금지, 차량운행금지, 미성년자 음주금지, 인화물질저장금지 등 • 수인하명: 강제입원조치, 건강진단의 수인명령 등 • 급부하명: 조세부과처분, 부담금납부명령 등 [2023 채용1차] 부작위하명은 적극적으로 어떤 행위를 하지 말 것을 명하는 것으로 '면제'라 부르기도 한다. (×)
목적에 따른 분류	• 질서하명(경찰하명): 음주운전금지, 건축금지, 영업금지, 통행금지 등 • 규제하명: 토지규제, 경제규제의 하명 • 재정하명: 조세부과처분, 전매물품제조금지 • 군정하명: 징집명령, 군사보호시설출입금지 • 조직하명: 선거에 관한 하명 • 급부행정상의 하명: 수도사용료납부명령, 부담금납부명령
상대방에 따른 분류	• 개별하명: 특정인을 대상으로 하는 하명 • 일반하명: 불특정 다수인을 대상으로 하는 하명
대상에 따른 분류	• 대인적 하명: 운전면허정지 • 대물적 하명: 차량운행금지 • 혼합적 하명

┃ 작위하명과 부작위하명
• 작위하명: 적극적으로 어떤 행위를 할 것을 명령하는 것이다.
• 부작위하명: 소극적으로 어떤 행위를 하지 말 것을 명령하는 것으로, 금지라고도 한다.

3. 성질

• 하명은 개인의 자유를 제한하거나 새로운 의무를 부과하는 행위로, 침익적 행정행위이다.
• 하명은 침익적 성질을 가지므로 법률유보의 원칙이 적용된다. ➡ 법률에 근거를 요한다.

4. 상대방

- 특정인을 상대방으로 하는 것이 원칙이다(개별하명).
- 예외적으로 통행금지 · 흡연금지 · 입산금지 등 불특정 다수인에 대해서 행해지는 하명은 일반처분의 성질을 가진다.

5. 효과

(1) 하명 자체의 효과

- 하명의 내용에 따라 일정한 행위를 하거나 하지 않아야 할 공법상 의무가 발생한다.
- 대인적 하명의 경우 그 효과는 상대방에 대해서만 발생한다. 그러나 대물적 하명은 그 물건을 승계한 자에게도 그 효과가 미친다.
- 경찰하명이 있는 경우, 상대방은 행정주체에 대하여만 의무를 이행할 책임이 있고 그 이외의 제3자에 대하여 법상 의무를 부담하는 것은 아니다. [2019 채용1차]

(2) 하명 위반시의 효과 [2023 채용1차]

- 하명에 위반된 행위는 경찰상의 강제집행이나 경찰벌이 가해진다.
- 하명을 위반하여 이루어진 행위라 하더라도 사법상 효력은 유효하다. 예 판매금지명령을 받은 총포판매업자가 이에 위반하여 총포를 판매한 행위의 경우 그 판매행위(사법상 매매계약)의 효력 자체는 유효하다.

[2021 경간] 경찰하명에 위반하여 이루어진 행위는 원칙적으로 그 법적 효력에는 아무런 영향을 받지 않는다. 그러나 영업정지명령에 위반하여 영업을 계속하였을 경우는 당해 영업에 대한 거래행위의 효력이 부인된다. (×)

> **⚖ 요지판례 |**
>
> 외국환관리법은 외국환과 그 거래 기타 대외거래를 관리하여 국제수지의 균형, 통화가치의 안정을 달성하기 위하여 그에 역행하는 몇 가지 행위를 제한하거나 금지하고 그 제한과 금지를 확실히 하기 위하여 위반행위에 대한 벌칙 규정을 두고 있는바, 위 제한규정에 위반한 행위는 외국환관리법의 목적에 합치되지 않는 행위일 뿐 그것이 바로 민법상의 불법행위나 무효행위가 되는 것은 아니다(대판 1987.2.10, 86다카1288).

6. 구제

- 위법한 하명에 대해서는 항고소송이나 손해배상청구를 통해 구제를 받을 수 있다. [2023 채용1차]
- 적법한 하명에 의해 특별한 희생에 해당하는 손실을 입은 자는 손실보상을 통해 구제를 받을 수 있다.

[2020 승진(경위)] 위법한 하명으로 인하여 권리 · 이익이 침해된 자는 손실보상을 청구할 수 있다. (×)
[2019 채용1차] 경찰하명의 상대방인 수명자는 수인의무를 지므로 경찰하명이 위법하더라도 손해배상을 청구할 수 없다. (×)

▌경찰상 강제집행 · 경찰벌

- **경찰상 강제집행**: 의무위반이 있는 경우 장래를 향해 의무이행을 강제하여 의무를 이행시키거나 의무이행이 있는 것과 같은 상태를 만드는 것을 말하며, **대집행 · 직접강제 · 이행강제금 · 강제징수**가 있다.
- **경찰벌**: 과거의 의무위반에 대해서 과해지는 제재로서의 벌을 말하며, 경찰형벌과 경찰질서벌(과태료)가 있다.

02 경찰허가

1. 의의

- 인간의 본래 자유로운 활동에 대하여 공공질서의 유지를 위하여 미리 금지를 해두고 일정한 요건을 갖춘 경우 신청에 따라 일반적·상대적 금지를 해제하는 행정행위를 허가라 한다(부작위의무의 해제). 예 운전면허, 영업허가, 주류판매업면허(단란주점허가), 기부금품모집허가, 건축허가 등

  [2022 채용2차] 특별한 규정이 없는 한, 허가는 법령이 부과한 작위의무, 부작위의무 및 급부의무를 모두 해제하는 것이다. (×)
  [2018 채용3차] [2019 승진(경위)] 허가는 법령에 의하여 과하여진 작위·급부·수인의무를 특정한 경우에 해제하여 주는 경찰상의 행정행위이다. (×)

- 허가는 강학상 개념으로, 실정법상으로는 허가 외에도 인가(은행업·신용금고업)·면허(자동차운전·의사·약사)·등록(사설학원 등)·지정(담배소매인 등)·승인 등으로 다양하게 표현된다.

> ⚖ **요지판례** |
> 한의사 면허는 경찰금지를 해제하는 명령적 행위(강학상 허가)에 해당한다(대판 1998. 3.10, 97누4289). [2020 경행특채 2차]

> ⊕ **심화 허가의 신청과 선원주의**
> - 허가는 신청을 전제로 행해지는 것이 보통이다. 즉, 신청(출원)에 의하여 행하여지는 쌍방적 행정행위이다. 출원이 경합되는 경우에는 먼저 출원한 것부터 허가하여야 한다(선원주의).
> - 그러나 신청 없이 이루어지는 허가(일반처분)도 가능하다. 예 도로통행금지해제, 입산금지해제
>
>   [2019 승진(경위)] 허가는 상대방의 신청에 의하여 행하여지는 것으로 신청에 의하지 않고는 행하여질 수 없다. (×)
>   [2022 채용2차] 강학상 허가와 강학상 특허는 당사자의 신청이 없어도 가능하다는 점에서 공통점이 있다. (×)

▎**출원(신청)이 없는 특허**
- 형성적 행정행위로서의 '특허'의 경우, 출원이 없는 특허는 무효이다.
- 반면, '법규특허'의 경우 출원(신청)이 필요치 않으나, 이는 법률규정이지 행정행위는 아니라는 점을 주의할 필요가 있다.

2. 성격

경찰허가는 명령적 행위이고, 기속행위의 성질을 갖는다. ➡ 수익적 경찰처분이지만 자연적 자유를 회복시켜준다는 점에서 원칙적으로 기속행위로 본다.

> ⚖ **요지판례** |
> 총포·도검·화약류 등 단속법상 화약류 판매업 및 저장소 설치허가는 성질상 일반적 금지에 대한 해제에 불과하므로 허가권자는 허가신청이 법에서 정한 요건을 구비한 때에는 허가하여야 한다(대판 1996.6.28, 96누3036).

3. 대상

- 허가는 금지해제의 가능성이 있다는 점에서 상대적 금지이다. 또한 허가는 위험예방 차원에서 일단 금지하였다가 위험요소가 사라지면 해제하는 것을 원칙으로 하는 것이므로 예방적 금지라 한다.

▎**절대적·상대적·억제적 금지**
- **절대적 금지**: 어떤 행위자체가 사회적 해악으로 인정되기 때문에 예외 없이 절대적으로 금지되는 것 예 살인, 인신매매, 청소년에게 술·담배판매
- **상대적 금지**: 행위 자체가 해악은 아니지만 그것을 행하는 방법에 따라 사회에 해악을 끼칠 수도 있기 때문에 일단 금지해 두는 것 예 자동차운전
- **억제적 금지**: 행위 자체는 해악으로 인정되지만 예외적으로 특정한 경우 특정인에 한하여 그 행위를 허용하더라도 해악이 없을 것으로 인정되는 것 예 총포·도검의 사용

- 허가는 상대적 금지에 대해서만 가능하며, 절대적 금지의 경우에는 인정되지 않는다. [2018 채용3차]

[2023 승진(실무종합)] 법령에 의한 일반적·절대적 금지를 특정한 경우에 해제하여 적법하게 일정한 행위를 할 수 있게 하는 행정행위를 허가라 한다. (×)

[2018 채용3차] 허가는 허가가 유보된 상대적 금지뿐만 아니라 절대적 금지의 경우에도 인정된다. (×)

[2021 경간] 부작위하명의 유형으로는 절대적 금지와 상대적 금지가 있으며, 청소년에게 술이나 담배 판매금지는 절대적 금지이고, 유흥업소의 영업금지는 상대적 금지에 해당한다. (○)

4. 종류

종류	내용	예시
대인적 허가	• 사람의 주관적 요소를 심사대상으로 하는 허가 • 이전성 ×	운전면허, 의사면허
대물적 허가	• 물건의 객관적 사정에 착안하여 하는 허가 • 이전성 ○	자동차검사
혼합적 허가	• 사람과 물건을 모두 심사대상으로 하는 허가 • 이전제한	총포류제조허가

5. 허가의 기준시점

> **행정기본법 제14조【법 적용의 기준】** ② 당사자의 신청에 따른 처분은 법령등에 특별한 규정이 있거나 처분 당시의 법령등을 적용하기 곤란한 특별한 사정이 있는 경우를 제외하고는 처분 당시의 법령등에 따른다.

신청 후 허가를 결정하기 전에 법령의 변경이 있는 경우에는 원칙적으로 신청시가 아닌 처분시의 법령을 기준으로 허가 여부를 결정한다(통설·판례).

> 🔨 **요지판례 |**
>
> 허가 등의 행정처분은 원칙적으로 처분시의 법령과 허가기준에 의하여 처리되어야 하고 허가신청 당시의 기준에 따라야 하는 것은 아니며, 비록 허가신청 후 허가기준이 변경되었다 하더라도 그 허가관청이 허가신청을 수리하고도 정당한 이유 없이 그 처리를 늦추어 그 사이에 허가기준이 변경된 것이 아닌 이상 변경된 허가기준에 따라서 처분을 하여야 한다(대판 1996.8.20, 95누10877).
>
> [2018 채용3차] 판례에 의하면 허가 여부의 결정기준은 특별한 사정이 없는 한 원칙적으로 신청 당시의 법령에 의한다. (×)

6. 허가의 형식

- 허가는 항상 구체적 처분(행정행위)에 의한다.
- 직접 법령에 의하여 행하여지는 법규허가는 불가능하다.

7. 허가의 효과

(1) 경찰금지의 해제

- 경찰허가는 경찰금지를 해제하여 자연적 자유를 회복시켜 줄 뿐, 다른 법률상의 경찰금지 또는 경찰 외 목적상 제한까지 해제해 주는 것은 아니다. 예 주류판매허가는 주류를 판매할 수 있는 자유를 회복시켜 주는 것이지, 영업시간 제한과 같은 제한까지 해제해 주는 것이 아니다.

[2022 채용2차] 특별한 규정이 없는 한, 허가를 받게 되면 다른 법령상의 제한들도 모두 해제되는 것이 원칙이다. (×)

- 경찰허가에 따른 금지해제의 범위는 관할구역 내에서만 미치는 것이 원칙이다. 그러나 법령의 규정이 있는 경우 또는 허가의 성질상 관할구역 외까지 효과가 미치는 경우도 있다. 예 운전면허
- 허가의 결과로 얻는 경영상 이익은 반사적·부수적 이익에 불과하다(통설·판례). 허가는 자연적 자유의 단순한 금지의 해제에 불과하므로 상대방에게 독점적·배타적 권리를 설정하여 주는 것이 아니기 때문이다.

(2) 무허가행위의 효과

- 허가 대상행위를 허가 없이 행한 경우 경찰상의 강제집행이나 경찰벌의 대상이 된다.
- 다만, 무허가행위 자체의 사법적 효력에는 영향이 없다. 즉, 허가는 대상행위의 적법요건이지 유효요건이 아니다. 예 화약류 양도허가를 받지 않고 화약류를 판매한 경우 양도인은 무허가 판매행위로서 처벌을 받지만, 화약류 양도거래 자체는 유효하고 양수인은 소유권을 취득한다.

[2018 채용3차] 허가는 행위의 유효요건일 뿐, 적법요건은 아니다. (×)
[2022 채용2차] 일반적으로 영업허가를 받지 아니한 상태에서 행한 사법상 법률행위는 유효하다. (○)
[2019 승진(경위)] 허가는 행위의 '적법요건'이지만 '유효요건'은 아니므로, 무허가행위는 강제집행 또는 행정벌의 대상은 되지만, 행위 자체의 법적 효력은 영향을 받지 않는 것이 원칙이다. (○)

⊕ 심화 허가의 갱신

1 의미

- 허가의 갱신은 종전 허가가 동일성을 유지한 채로 지속되는 것을 말한다. ➡ 신규허가가 아니다!
- 갱신에 따른 허가는 종전 허가와 동일성을 유지하므로, 갱신 전 위법사유를 들어 갱신 후 재제조치를 취할 수 있다.

> **요지판례 |**
> ■ 유료직업소개사업의 허가갱신은 허가취득자에게 종전의 지위를 계속 유지시키는 효과를 갖는 것에 불과하고 갱신 후에는 갱신 전의 법위반사항을 불문에 붙이는 효과를 발생하는 것이 아니므로 일단 갱신이 있은 후에도 갱신 전의 법위반사실을 근거로 허가를 취소할 수 있다(대판 1982.7.27, 81누174).
> [2017 경행특채] 유료직업 소개사업의 허가갱신은 허가취득자에게 종전의 지위를 계속 유지시키는 효과를 갖는 것이며 갱신 후에는 갱신 전의 법위반사항을 불문에 붙이는 효과를 발생하는 것이므로, 갱신이 있은 후에는 갱신 전의 법위반사실을 근거로 허가를 취소할 수 없다. (×)

2 허가기간 경과 후의 갱신신청

- 허가기간이 경과한 후에 이루어진 새로운 허가는 신규허가이므로 행정청은 허가요건의 적합 여부를 새로이 판단하여 결정해야 한다.

> **요지판례 |**
> 종전의 허가가 기한의 도래로 실효한 이상 원고가 종전 허가의 유효기간이 지나서 신청한 이 사건 기간연장신청은 그에 대한 종전의 허가처분을 전제로 하여 단순히 그 유효기간을 연장하여 주는 행정처분을 구하는 것이라기보다는 종전의 허가처분과는 별도의 새로운 허가를 내용으로 하는 행정처분을 구하는 것이라고 보아야 할 것이어서, 이러한 경우 허가권자는 이를 새로운 허가신청으로 보아 법의 관계 규정에 의하여 허가요건의 적합 여부를 새로이 판단하여 그 허가 여부를 결정하여야 할 것이다(대판 1995.11.10, 94누11866).
> [2021 경행특채 2차] 종전 허가의 유효기간이 지나서 신청한 기간연장신청은 별도의 새로운 허가를 내용으로 하는 행정처분을 구하는 것이라기 보다는 종전의 허가처분을 전제로 하여 단순히 그 유효기간을 연장하여 주는 행정처분을 구하는 것으로 보아야 한다. (×)

③ **허가에 붙은 기한이 부당하게 짧은 경우**

- 장기계속이 예정되어 있는 허가에 붙은 기한이 그 허가된 사업의 성질상 부당하게 짧은 경우에는 그 기한을 허가조건의 존속기간으로 보아야 한다. ➡ 허가조건의 존속기간으로 보아 준다 하더라도 종기가 도래하기 전에는 반드시 연장에 관한 신청이 있어야 한다.

> **요지판례 |**
> 일반적으로 행정처분에 효력기간이 정하여져 있는 경우에는 그 기간의 경과로 그 행정처분의 효력은 상실되고, 다만 허가에 붙은 기한이 그 허가된 사업의 성질상 부당하게 짧은 경우에는 이를 그 허가 자체의 존속기간이 아니라 그 허가조건의 존속기간으로 보아 그 기한이 도래함으로써 그 조건의 개정을 고려한다는 뜻으로 해석할 수는 있지만, 그와 같은 경우라 하더라도 그 허가기간이 연장되기 위하여는 그 종기가 도래하기 전에 그 허가기간의 연장에 관한 신청이 있어야 하며, 만일 그러한 연장신청이 없는 상태에서 허가기간이 만료하였다면 그 허가의 효력은 상실된다(대판 2007.10.11, 2005두12404). [2017 경행특채]

03 경찰면제

- 법령에 의해 일반적으로 부과하여진 경찰상의 작위·수인·급부의 의무를 특정한 경우에 해제하여 주는 경찰상의 행정행위를 말한다. 예 시험의 면제, 수수료의 일부면제, 납기연기 등
- 경찰면제 역시 의무를 해제하는 행위라는 점에서는 경찰허가와 그 성질은 비슷하지만, 경찰허가가 경찰금지(부작위의무)를 해제하는 것에 반해서 경찰면제는 경찰상의 작위·수인·급부의 의무를 해제하는 행위라는 점에서 구분된다.

주제 4 형성적 행정행위(특허·대리·인가)

01 특허

1. 의의

💡 우리가 흔히 떠올리는 발명품에 대한 특허는 여기서 말하는 강학상의 특허가 아니다.

- 특허는 행정청이 직접 상대방을 위해 새로운 권리, 능력 또는 포괄적 법률관계를 설정하는 설권행위이다.

구분	예시
권리의 설정	• **특허기업의 특허:** 도시가스사업허가, 폐기물처리업허가 • **행정재산 사용허가:** 광업허가, 도로점용허가, 어업면허, 공유수면매립면허
능력의 설정	공법인을 설립하는 행위(주택재건축사업조합 설립인가 등)
포괄적 법률관계	공무원 임용, 귀화허가

[2018 경행특채 2차] 「도시 및 주거환경정비법」에 따른 주택재건축사업조합의 설립인가, 「출입국관리법」에 따른 체류자격 변경허가, 「도로법」에 따른 도로점용허가, 「국적법」에 따른 귀화허가는 모두 강학상 특허에 해당한다. (○)

- 특허는 학문상의 개념이다. 실정법상에서는 허가·면허 등의 표현을 사용하기도 한다.

2. 성질

- 특허는 상대방에게 권리 등을 설정하여 주는 행위인 점에서 형성적 행위이다.
- 특허를 할 것인지 여부는 공익적 관점에서 판단이 필요한 재량행위이다.
- 특허는 출원 등을 요건으로 하는 **쌍방적 행정행위**이다(협력을 요하는 행정행위).
  - ➔ 다만, 법규특허에는 성질상 출원이 요구되지 않는다.

⚖ 요지판례 Ⅰ

- ■ 행정재산의 사용·수익에 대한 허가는 강학상 특허에 해당한다(대판 2015.2.26, 2012두6612). ➔ 단, 행정재산이라 하더라도 공용폐지가 되면 행정재산으로서의 성질을 상실하여 일반재산이 되므로, 그에 대한 공유재산법상의 제한이 소멸되며, 강학상 특허에 해당하는 행정재산의 사용·수익에 대한 허가는 그 효력이 소멸된다. [2021 경행특채 2차]

- ■ 공유수면매립면허는 설권행위인 특허의 성질을 갖는 것이므로 원칙적으로 행정청의 자유재량에 속하는 것이며, 일단 실효된 공유수면매립면허의 효력을 회복시키는 행위도 특단의 사정이 없는 한 새로운 면허부여와 같이 면허 관청의 자유재량에 속한다(대판 1989.9.12, 88누9206).

- ■ 하천의 점용허가권은 특허에 의한 공물사용권의 일종으로서 하천의 관리주체에 대하여 일정한 특별사용을 청구할 수 있는 채권에 지나지 아니하고 대세적 효력이 있는 물권이라 할 수 없다(대판 2015.1.29, 2012두27404). [2020 경행특채 2차]

- ■ 조합설립인가처분은 단순히 사인들의 조합설립행위에 대한 보충행위로서의 성질을 갖는 것에 그치는 것이 아니라 법령상 요건을 갖출 경우 도시정비법상 주택재건축사업을 시행할 수 있는 권한을 갖는 행정주체(공법인)로서의 지위를 부여하는 일종의 설권적 처분의 성격을 갖는다고 보아야 한다(대판 2009.10.15, 2009다10638). [2019 경행특채 2차]

- ■ 귀화허가는 외국인에게 대한민국 국적을 부여함으로써 국민으로서의 법적 지위를 포괄적으로 설정하는 행위에 해당한다. 법무부장관은 귀화신청인이 법률이 정하는 귀화요건을 갖추었다고 하더라도 귀화를 허가할 것인지 여부에 관하여 재량권을 가진다(대판 2010.7.15, 2009두19069).

---

3. 형식

- 특허는 원칙적으로 구체적 처분(행정행위)의 형식으로 이루어진다.
- 예외적으로 직접 법률의 규정에 의한 법규특허도 가능하다.

4. 상대방

특허는 특정인에 대해서만 가능하고, 불특정인에 대한 특허는 행해질 수 없다.

5. 특허와 신청

- 상대방의 출원을 필요요건으로 하는 쌍방적 행정행위이다. 출원 없는 특허는 무효이다.
- 그러나 법규특허는 성질상 출원을 요하지 아니한다.

[2022 채용2차] 강학상 허가와 강학상 특허는 당사자의 신청이 없어도 가능하다는 점에서 공통점이 있다. (×)

ǀ 법규특허
- 법률의 규정에 의해 직접 공법인이 설립되는 것처럼 직접 법률에서 새로운 권리, 능력 또는 포괄적 법률관계를 설정하는 것을 말한다. 예 한국은행법에 따른 한국은행의 설립
- 이러한 법규특허는 '법률'규정에 따른 것이므로 행정행위로서의 특허(강학상 특허)는 아니다.

6. 특허의 효과

- 특허는 상대방에 대해 새로운 독점적 · 배타적인 법률상의 힘을 부여하는 행위로, 이에 의한 지위는 당연히 법적으로 보호받는 이익에 속한다. 따라서 위법하게 특허가 취소된 경우에는 소송 등을 통해 구제받을 수 있다.
- 양립할 수 없는 이중의 특허가 있는 경우 후행의 특허는 무효가 된다.
- 인적 특허의 효과는 일신전속적이므로 이전성이 인정되지 않는다.

> **☑ KEY POINT | 특허와 허가의 비교**
>
> | 허가 | 특허 |
> | --- | --- |
> | • 명령적 행위
• 원칙적 기속행위
• 반사적 이익(경영상 이익)
• 수정허가 가능
• 신청 없이도 가능(무출원허가 가능)
• 법규허가 ✕
• 불특정 다수 ○ | • 형성적 행위
• 원칙적 재량행위
• 법률상 이익
• 수정특허 불가
• 무출원특허 ✕
• 법규특허 ○
• 불특정 다수 ✕ |

02 대리

1. 개념

- 대리란 제3자가 해야 할 일을 행정청이 대신하여 행함으로써 제3자에게 스스로 행한 것과 같은 법적 효과를 발생시키는 행정행위를 말한다.
- 공법상 대리는 행정청이 국민을 대리하는 것을 의미한다. 행정조직 내부에서 행해지는 대리는 여기서 말하는 대리에 해당되지 않는다.
- 공법상 대리는 법정대리를 의미한다.

2. 종류

종류	예시
행정주체에 의한 감독	• 감독청에 의한 공법인의 정관작성 • 공공단체의 임원임명
국가작용의 실효성 확보	체납처분절차상의 압류재산공매처분
조정	토지보상법상 협의 불성립시 토지수용위원회의 재결
타인보호	행려병사자의 유류품매각

3. 효과

국민이 스스로 그 행위를 한 것과 동일한 법적 효과를 발생시킨다.

03 인가

1. 개념

- 제3자의 법률적 행위를 보충하여 그 법률상의 효과를 완성시키는 보충적 행정행위이다. 인가는 공익과 관련 있는 행위에 행정주체의 간섭을 허용함으로써 효력발생을 행정주체의 의사에 종속시키는 것이다.
- 인가는 학문상의 개념이고, 실정법에서는 허가·승인·특허 등으로 표현하기도 한다.

2. 종류

- 비영리법인설립인가, 재단법인의 정관변경허가
- 학교법인의 임원에 대한 감독청의 취임승인, 협동조합 임원선출에 관한 인가
- 특허기업의 양도인가, 토지거래허가구역 내의 토지거래허가

⚖️ 요지판례 |

<인가에 해당한다고 본 사례>

- 관할청의 임원취임승인행위는 사립학교법인의 임원선임행위의 법률상 효력을 완성하게 하는 보충적 법률행위라 할 것이다(대판 2007.12.27, 2005두9651).

- 민법 제45조와 제46조에서 규정한 재단법인의 정관변경 '허가'는 법률상의 표현이 허가로 되어 있기는 하나, 그 성질에 있어 법률행위의 효력을 보충해 주는 것이지 일반적 금지를 해제하는 것이 아니므로, 그 법적 성격은 인가라고 보아야 할 것이다 (대판 1996.5.16, 95누4810).
  [2020 경행특채 2차] 민법 제45조와 제46조에서 말하는 재단법인의 정관변경 "허가"는 그 성질에 있어 일반적 금지를 해제하는 것으로 허가에 해당한다. (×)

- 토지거래허가제에서의 토지거래허가가 규제지역 내의 모든 국민에게 전반적으로 토지거래의 자유를 금지하고 일정한 요건을 갖춘 경우에만 금지를 해제하여 계약체결의 자유를 회복시켜 주는 성질의 것이라고 보는 것은 위 법의 입법취지를 넘어선 지나친 해석이라고 할 것이고, 규제지역 내에서도 토지거래의 자유가 인정되나 다만 위 허가를 허가 전의 유동적 무효 상태에 있는 법률행위의 효력을 완성시켜 주는 인가적 성질을 띤 것이라고 보는 것이 타당하다(대판 1991.12.24, 90다12243). [2019 경행특채 2차]

<인가가 아니라고 본 사례>

- 분양전환승인 중 분양전환가격을 승인하는 부분은 단순히 분양계약의 효력을 보충하여 그 효력을 완성시켜주는 강학상 '인가'에 해당한다고 볼 수 없다(대판 2020.7.23, 2015두48129). ➡ 분양전환승인 중 분양전환가격에 관한 부분은 시장 등이 분양전환에 따른 분양계약의 매매대금 산정의 기준이 되는 분양전환가격의 적정성을 심사하여 그 분양전환가격이 적법하게 산정된 것임을 확인하고 임대사업자로 하여금 승인된 분양전환가격을 기준으로 분양전환을 하도록 하는 처분이다.

---

3. 대상

인가는 법률행위를 대상으로 하고, 사실행위는 대상이 될 수 없다.

[2017 국가직 9급(하)] 인가의 대상이 되는 기본행위는 법률적 행위일 수도 있고, 사실행위일 수도 있다. (×)

4. 형식 및 상대방

- 인가는 구체적 처분(행정행위)의 형식으로 이루어지며, 법규에 의한 인가는 있을 수 없다.
- 인가는 특정인에 대해서만 가능하고, 불특정 다수인에 대한 인가는 불가능하다고 보는 것이 일반적이다.

5. 인가의 효과

(1) 기본행위인 법률행위의 효과 완성

다른 법률관계 당사자의 법률행위의 효과를 완성시킨다. 인가를 받지 않으면 기본 행위는 효력이 발생하지 않는다.

(2) 무인가행위의 효과

- 무인가행위는 무효이다. ➔ 인가는 법률행위의 효력을 발생시키는 효력요건이다.
- 기본행위가 적법하더라도 인가가 무효라면 기본행위는 무인가행위로서 아무런 효력이 생기지 않는다.
- 인가를 받지 않으면 효력 자체가 발생하지 아니하므로 강제집행 또는 처벌의 문제가 발생하지 않는다.

6. 쟁송방법

- 기본행위에 하자가 있는 경우 기본행위를 다투어야 하며, 인가행위를 다툴 수는 없다.
- 보충행위인 인가에만 하자가 있는 경우 그 인가처분에 대해 무효나 취소를 주장할 수 있다.

⚖ 요지판례 |

기본행위인 정관변경 결의가 적법 유효하고 보충행위인 인가처분 자체에만 하자가 있다면 그 인가처분의 무효나 취소를 주장할 수 있지만, 인가처분에 하자가 없다면 기본 행위에 하자가 있다 하더라도 따로 그 기본행위의 하자를 다투는 것은 별론으로 하고 기본행위의 무효를 내세워 바로 그에 대한 행정청의 인가처분의 취소 또는 무효확인을 소구할 법률상의 이익이 없다(대판 1996.5.16, 95누4810). [2019 경행특채 2차]

주제 5 │ 행정행위의 성립과 효력

01 행정행위의 성립요건

1. 내부적 성립요건

- **주체**: 정당한 권한을 행정청이 권한 내에서 정상적인 의사에 따라 행해야 한다.
- **내용**: 명확성, 실현가능성, 법률적합성, 사회적 타당성이 있어야 한다.
- **절차**: 절차가 요구되고 있는 경우 이에 따라야 한다
- **형식**: 법이 정한 형식이 있는 경우 형식을 갖추어야 한다.

2. 외부적 성립요건

- 외부에 표시되어야 한다. 행정청 내부에서 의사결정, 서면작성이 있더라도 행정행위가 성립된 것은 아니다.
- 표시는 공식적인 것이어야 한다. 행정청 내부적 의사결정이 신문에 보도되었더라도 행정청의 의사가 표시된 것은 아니고, 상대방이 행정행위가 있을 것을 공무원을 통해 우연히 알게 되었다 하더라도 행정행위가 성립된 것은 아니다.

⚖ 요지판례 │

■ **행정처분의 성립요건 및 처분의 외부적 성립 여부를 판단하는 기준**

일반적으로 행정처분이 주체·내용·절차와 형식이라는 내부적 성립요건과 외부에 대한 표시라는 외부적 성립요건을 모두 갖춘 경우에는 행정처분이 존재한다고 할 수 있다. 행정처분의 외부적 성립은 행정의사가 외부에 표시되어 행정청이 자유롭게 취소·철회할 수 없는 구속을 받게 되는 시점을 확정하는 의미를 가지므로, 어떠한 처분의 외부적 성립 여부는 행정청에 의해 행정의사가 공식적인 방법으로 외부에 표시되었는지를 기준으로 판단하여야 한다(대판 2017.7.11, 2016두35120).

■ 병무청장이 법무부장관에게 '가수 갑이 공연을 위하여 국외여행허가를 받고 출국한 후 미국 시민권을 취득함으로써 사실상 병역의무를 면탈하였으므로 재외동포 자격으로 재입국하고자 하는 경우 국내에서 취업, 가수활동 등 영리활동을 할 수 없도록 하고, 불가능할 경우 입국 자체를 금지해 달라'고 요청함에 따라 법무부장관이 갑의 입국을 금지하는 결정을 하고, 그 정보를 내부전산망인 '출입국관리정보시스템'에 입력하였으나, 갑에게는 통보하지 않은 사안에서, 위 입국금지결정은 법무부장관의 의사가 공식적인 방법으로 외부에 표시된 것이 아니라 단지 그 정보를 내부전산망인 '출입국관리정보시스템'에 입력하여 관리한 것에 지나지 않으므로, 위 입국금지결정은 항고소송의 대상이 되는 '처분'에 해당하지 않는다(대판 2019.7.11, 2017두38874).

---

02 행정행위의 효력발생요건

- 행정행위는 성립과 동시에 효력을 발생하는 것이 원칙이다(상대방 없는 행정행위).
- 상대방이 있는 행정행위는 원칙적으로 상대방에게 도달됨으로써 효력이 발생한다.

▌도달
도달이란 상대방이 알 수 있는 상태에 두는 것을 의미한다. 상대방이 현실적으로 안 것을 의미하는 것이 아니다.

> ⚖ **요지판례 |**
>
> 면허관청이 운전면허정지처분을 하면서 별지 52호 서식의 통지서에 의하여 면허정지사실을 통지하지 아니하거나 처분집행예정일 7일 전까지 이를 발송하지 아니한 경우에는 특별한 사정이 없는 한 위 관계 법령이 요구하는 절차·형식을 갖추지 아니한 조치로서 그 효력이 없고, 이와 같은 법리는 면허관청이 임의로 출석한 상대방의 편의를 위하여 구두로 면허정지사실을 알렸다고 하더라도 마찬가지이다(대판 1996.6.14, 95누17823).

03 행정행위의 효력

1. 내용적 구속력

구속력이란 유효한 행정행위임을 전제로, 법률행위적 행정행위의 경우 행정청의 표시한 의사의 내용에 따라, 준법률행위적 행정행위의 경우 법령이 정하는 바에 따라 일정한 법적 효과가 발생하여 당사자를 구속하는 실체법상 효력이다. 예 건물철거명령의 경우 상대방에게 그 내용에 따라 철거의무를 발생시키고 처분청도 그 행위의 내용에 구속된다.

2. 공정력

(1) 개념

> **행정기본법 제15조【처분의 효력】** 처분은 권한이 있는 기관이 취소 또는 철회하거나 기간의 경과 등으로 소멸되기 전까지는 유효한 것으로 통용된다. 다만, 무효인 처분은 처음부터 그 효력이 발생하지 아니한다.

▌공정력과 다른 효력과의 관계
- 공정력은 **불가쟁력과는 별개**의 효력이다. 불가쟁력이 발생한 경우에는 공정력은 더 이상 잠정적인 통용력이 아니라 영구적인 통용력으로 바뀐다.
- 집행력은 공정력을 전제로 인정되는 효력이다.

- 행정행위의 성립에 하자가 있는 경우에도 그것이 중대·명백하여 당연무효가 아닌 한, 권한 있는 기관에 의하여 취소되기까지 일응 유효한 것으로 통용되는 힘을 말한다. → 권한 있는 기관: 처분청·감독청·행정심판위원회·행정법원
  [2020 국회직 8급] 공정력이란 행정행위의 위법이 중대명백하여 당연무효가 아닌 한 권한 있는 기관에 의해 취소되기까지는 행정의 상대방이나 이해관계자에게 적법하게 통용되는 힘을 말한다. (×)
- 공정력은 행정행위의 내용이 적법하다는 내용상의 구속력이 아니라 비록 행정행위가 위법하다고 하더라도 무효가 아니라면 절차적으로 일단 준수되어야 한다는 절차적 구속력을 의미한다(다수설). → 예선적 효력이라고도 한다.

(2) 공정력의 한계

- 행정행위로 보기 어려운 법규명령, 행정계약, 사법(私法)행위, 사실행위, 비권력적 행정작용(관리행위)에는 공정력이 인정되지 않는다.
- 행정행위라 하더라도 존재하지 않거나(부존재) 무효인 행정행위에는 공정력이 인정되지 않는다. ➜ 행정행위 중에서 **단순위법**이거나 **부당한 행정행위**에 대해서 공정력 인정!

⊕ 심화 공정력과 선결문제

1 개념

- 선결문제란 행정행위의 위법 여부 또는 효력 유무가 민·형사사건의 본안 재판을 함에 있어 먼저 해결하여야 할 문제가 된 경우를 말한다.

2 민사사건과 공정력

부당이득반환청구와 선결문제 (효력부인문제)	당연무효인 경우	공정력 × ➜ 선결문제가 무효임을 전제로 본안판단 가능
	취소사유인 경우	공정력 ○ ➜ 행정행위의 효력부인 불가(통설·판례)
국가배상청구와 선결문제 (위법성 인정문제)	소극설	• 공정력은 적법성의 추정이다. • 행정사건의 심판권은 행정법원이 배타적으로 관할함으로 인해 민사법원은 행정행위의 위법성에 대한 판단권이 없다.
	적극설 (다수설·판례)	• 공정력은 적법성 추정이 아니라 법적 안정성 때문에 인정되는 통용력에 불과하다. • 민사법원이 위법성을 확인해도 행정행위의 효력을 부정하는 것이 아니므로 공정력에 저촉되지 않는다.

⚖ 요지판례 Ⅰ

<효력부인문제>

- 국세 등의 부과 및 징수처분 등과 같은 행정처분이 당연무효임을 전제로 하여 민사소송을 제기한 때에는 그 행정처분의 당연무효인지의 여부가 선결문제이므로, 법원은 이를 심사하여 그 행정처분의 하자가 중대하고 명백하여 당연무효라고 인정될 경우에는 이를 전제로 하여 판단할 수 있다(대판 1973.7.13, 70다1439). [2019 경행특채 2차]

- 행정처분이 아무리 위법하다고 하여도 그 하자가 중대하고 명백하여 당연무효라고 보아야 할 사유가 있는 경우를 제외하고는 아무도 그 하자를 이유로 무단히 그 효과를 부정하지 못하는 것으로, 이러한 행정행위의 공정력은 판결의 기판력과 같은 효력은 아니지만 그 공정력의 객관적 범위에 속하는 행정행위의 하자가 취소사유에 불과한 때에는 그 처분이 취소되지 않는 한 처분의 효력을 부정하여 그로 인한 이득을 법률상 원인 없는 이득이라고 말할 수 없는 것이다(대판 1994.11.11, 94다28000).
  [2019 경행특채 2차] 국민이 조세부과처분의 위법을 이유로 이미 납부한 세금의 반환을 청구하는 민사소송을 제기한 경우, 과세처분의 하자가 단지 취소할 수 있는 정도에 불과하더라도, 당해 민사법원은 위법한 과세처분의 효력을 직접 상실시켜 납부된 세금의 반환을 명할 수 있다. (×)

<위법성 인정문제>

- 위법한 행정대집행이 완료되면 그 처분의 무효확인 또는 취소를 구할 소의 이익은 없다 하더라도, 미리 그 행정처분의 취소판결이 있어야만, 그 행정처분의 위법임을 이유로 한 손해배상청구를 할 수 있는 것은 아니다(대판 1972.4.28, 72다337).

▌국가배상법 규정
국가배상법 제2조【배상책임】① 국가나 지방자치단체는 공무원이 직무를 집행하면서 고의 또는 과실로 법령을 위반하여 타인에게 손해를 입히면 … 손해배상을 청구할 수 있다.

3 형사사건과 공정력

행정행위의 효력과 선결문제	당연무효인 경우	공정력 × ➡ 형사법원이 직접 무효판단 가능
	취소사유인 경우	공정력 ○ ➡ 형사법원은 스스로 효력 부인 불가
행정행위의 위법성확인과 선결문제	행정행위의 위법성확인은 공정력에 반하지 않으므로 위법성 판단 가능 (통설·판례)	

> **요지판례 Ⅰ**
>
> **<당연무효>**
> ■ 소방시설 등의 설치 또는 유지·관리에 대한 명령이 행정처분으로서 하자가 있어 무효인 경우에는 명령에 따른 의무위반이 생기지 아니하므로 행정형벌을 부과할 수 없다. 담당 소방공무원이 행정처분인 위 명령을 구술로 고지한 것은 행정절차법 제24조를 위반한 것으로 하자가 중대하고 명백하여 당연무효이고, 무효인 명령에 따른 의무위반이 생기지 아니하는 이상 피고인에게 명령 위반을 이유로 소방시설 설치·유지 및 안전관리에 관한 법률 제48조의2 제1호에 따른 행정형벌을 부과할 수 없다(대판 2011.11.10, 2011도11109).
>
> **<취소사유>**
> ■ 연령미달의 결격자인 피고인이 소외인의 이름으로 운전면허시험에 응시, 합격하여 교부받은 운전면허는 당연무효가 아니고 취소되지 않는 한 유효하므로 피고인의 운전행위는 무면허 운전에 해당하지 아니한다(대판 1982.6.8, 80도2646). [2019 경행특채 2차]
>
> **<위법>**
> ■ 토지의 형질을 변경한 자도 아닌 자에 대하여 원상복구의 시정명령이 발하여진 경우 위 원상복구의 시정명령은 위법하다 할 것이다. 처벌을 하기 위하여는 그 처분이나 조치명령이 적법한 것이라야 하므로 시정명령위반죄가 성립될 수 없다(대판 1992.8.18, 90도1709).

3. 존속력(확정력) - 불가쟁력 + 불가변력

(1) 불가쟁력(형식적 존속력 / 형식적 확정력)

1) 의의
비록 하자 있는 행정행위라 할지라도 쟁송절차상의 제소기간을 경과하거나 또는 심급이 끝남으로써 행정행위의 상대방 기타 관계인측에서 더 이상 행정행위의 효력을 다툴 수 없게 되는 효력을 말한다. ➡ 절차법적 효력

2) 효력
- 불가쟁력이 발생한 경우 공정력은 잠정적 통용력에서 영구적인 통용력으로 전환된다.
- 불가쟁력은 행정행위의 상대방이나 이해관계인에 대한 구속력일 뿐, 처분행정청이나 그 밖의 국가기관은 구속하지 않는다. ➡ 불가쟁력이 발생한 행정행위라도 위법함이 발견되면 처분행정청이 취소 또는 철회가 가능하다.
- 무효인 행정행위에는 불가쟁력이 발생하지 않는다. ➡ 무효확인소송을 제기함에 있어 쟁송기간의 제한 ×

🔎 요지판례 l

■ 일반적으로 행정처분이나 행정심판 재결이 불복기간의 경과로 인하여 확정될 경우 그 확정력은, 그 처분으로 인하여 법률상 이익을 침해받은 자가 당해 처분이나 재결의 효력을 더 이상 다툴 수 없다는 의미일 뿐, 더 나아가 판결에 있어서와 같은 기판력이 인정되는 것은 아니어서 그 처분의 기초가 된 사실관계나 법률적 판단이 확정되고 당사자들이나 법원이 이에 기속되어 모순되는 주장이나 판단을 할 수 없게 되는 것은 아니다(대판 2004.7.8, 2002두11288).

[2017 경행특채] 일반적으로 행정심판 재결이 불복기간의 경과로 확정될 경우에는, 그 처분의 기초가 된 사실관계나 법률적 판단이 확정되고 당사자들이나 법원이 이에 기속되어 모순되는 주장이나 판단을 할 수 없다. (×)

■ 제소기간이 이미 도과하여 불가쟁력이 생긴 행정처분에 대하여는 개별 법규에서 변경을 요구할 신청권을 규정하고 있거나 관계 법령의 해석상 그러한 신청권이 인정될 수 있는 등 특별한 사정이 없는 한 국민에게 행정처분의 변경을 구할 신청권이 있다고 할 수 없다(대판 2017.2.9, 2014두43264). [2018 경행특채 2차]

▌기판력 – '확정된 판결'의 효력!

• 확정판결에서 판단된 내용과 동일한 사항이 나중에 문제되었을 때 당사자는 이에 반하여 다시 다툴 수 없고, 어떠한 법원도 이에 모순, 저촉되는 판단을 할 수 없는 기속력을 말한다.

• 사법체계에 있어 법적 안정성의 상징과도 같은 효력이다.

---

(2) 불가변력(실질적 존속력 / 실질적 확정력)

1) 의의

• 일정한 행정행위의 경우 그 행정행위를 행한 처분청이나 상급감독청이라도 하자나 새로운 사정의 발생 등을 이유로 직권으로 자유로이 그 행정행위를 취소·변경하거나 또는 철회시킬 수 없는 구속력을 말한다.

• 불가변력은 행정청에 대한 것이고, 상대방 등 이해관계인에게는 미치지 않는다. 따라서 상대방은 쟁송기간이 경과하지 않은 경우 취소소송 등을 제기할 수 있다.

2) 불가변력이 인정되는 행위 ➡ 모든 행정행위에 불가변력이 인정되는 것이 아니다!

종류	예시
준사법적 행정행위	• 행정심판의 재결 / 특허심판원의 심결 / 토지수용재결 등 • 불가변력이 인정된다고 본다.
확인행위	• 국가시험합격자 결정 / 당선인 결정 / 발명특허 등 • 불가변력이 인정되나, 중대한 공익상 사유가 있는 경우 등에는 예외적으로 취소할 수 있다고 보는것이 다수설이다.
수익적 행정행위	신뢰보호를 위해 취소가 제한되는 것이지 불가변력이 발생하는 것이 아니라고 보는 것이 다수설이다.

3) 효력

- 행정청은 불가변력이 인정되는 행위를 직권으로 자유로이 취소·철회할 수 없다.
- 단, 무효인 행정행위에 대해서는 불가변력이 발생하지 않는다.

☑ KEY POINT ㅣ 불가쟁력과 불가변력의 비교

구분	불가쟁력	불가변력
성질	절차적 효력(형식적 존속력)	실체적 효력(실질적 존속력)
대상	상대방과 이해관계인	처분청과 상급감독기관 등의 행정기관
행정행위의 범위	모든 행정행위	특정의 행정행위
한계	무효인 행정행위에는 인정 ×	
양자의 관계	• 독립·무관(별개의 효력) • 불가쟁력이 발생했다고 불가변력이 발생하는 것 아님 ➡ 직권취소 가능 • 불가변력이 발생했다고 불가쟁력이 발생하는 것 아님 ➡ 쟁송제기 가능	

4. 강제력

(1) 자력집행력

- 행정행위에 의해 부과된 의무를 상대방이 이행하지 않는 경우에 행정청이 법원의 판결을 통하지 않고 스스로 강제력을 발동하여 의무이행을 실현시킬 수 있는 효력을 말한다.
- 사법(私法)관계에는 타력강제를 취하나, 공법관계에서는 행정청 스스로 강제할 수 있는 자력강제를 취한다.

(2) 제재력

- 행정행위의 상대방이 의무를 이행하지 않은 때 그에 대한 제재로 행정벌을 부과하는 효력을 의미한다. ➡ 의무위반에 대한 처벌이라는 심리적 강제를 통한 행정상의 의무이행 강제
- 명시적인 법적 근거가 있어야 한다.

주제 6 행정행위의 하자

01 개설

1. 의미

행정행위의 하자란 행정행위가 성립요건·효력요건 등을 갖추지 못하여 흠이 있는 상태를 말한다. ➡ 행정행위가 **부당**한 경우까지 포함하면 광의의 하자라고 한다.

☑ **KEY POINT** | 하자 있는 행정행위의 종류와 인접개념 비교

부존재	외관 자체가 없는 것		
무효	• 외관은 존재 • 처음부터 효력이 없는 것 • 의사표시 불요	**실효**	• 후발적 사유 • 당연소멸(운전면허를 받은 자의 사망) • 의사표시 불요
취소	• 원시적 하자(형의 이름으로 받은 운전면허) • 취소 전까지는 일단 유효 • 행정청의 취소 의사표시로 소급하여 무효가 됨	**철회**	• 후발적 하자(음주운전으로 인한 면허취소) • 행정청의 철회 의사표시로 장래를 향하여 무효가 됨

▮ **행정행위의 부존재와 무효**
무효인 행정행위는 행정행위의 외형은 갖추고 있는 데 대해서, 행정행위의 부존재는 외형 자체가 존재하지 않는다. 예 행정청이 아닌 명백한 사인의 행위, 행정권의 발동으로 볼 수 없는 행위, 행정기관 내에서 내부적 의사결정 단계에 있는 행위

2. 판단시점

무효인 행정행위, 취소할 수 있는 행정행위를 막론하고 <u>위법판단의 기준시는 처분시</u>이다.

⚖ **요지판례** |

행정소송에서 행정처분의 위법 여부는 행정처분이 있을 때의 법령과 사실상태를 기준으로 하여 판단하여야 하고, 처분 후 법령의 개폐나 사실상태의 변동에 의하여 영향을 받지는 않는다(대판 2002.7.9, 2001두10684).

02 무효인 행정행위와 취소할 수 있는 행정행위

1. 의의

• **무효인 행정행위**: 행정행위의 외형은 갖추고 있으나 처음부터 효력이 발생하지 않는 행정행위를 말한다.

⚖ **요지판례** |

■ 경찰공무원법에 규정되어 있는 경찰관임용 결격사유는 경찰관으로 임용되기 위한 절대적인 소극적 요건으로서 임용 당시 경찰관임용 결격사유가 있었다면 비록 임용권자의 과실에 의하여 임용결격자임을 밝혀내지 못하였다 하더라도 그 임용행위는 당연무효로 보아야 한다(대판 2005.7.28, 2003두469).
[2018 경행특채 2차] 「경찰공무원법」에 규정되어 있는 경찰관임용 결격사유는 경찰관으로 임용되기 위한 절대적인 소극적 요건으로서 임용 당시 경찰관임용 결격사유가 있었다면 비록 임용권자의 과실에 의하여 임용결격자임을 밝혀내지 못하였다 하더라도 그 임용행위는 당연무효로 볼 수 없다. (×)

■ 절차상 또는 형식상 하자로 인하여 무효인 행정처분이 있은 후 행정청이 관계 법령에서 정한 절차 또는 형식을 갖추어 다시 동일한 행정처분을 하였다면 당해 행정처분은 종전의 무효인 행정처분과 관계없이 새로운 행정처분이라고 보아야 한다(대판 2007.12.27, 2006두3933). [2018 경행특채 2차]

- **취소할 수 있는 행정행위**: 행정행위에 원시적 하자가 있음에도 일단 유효인 행위이지만, 취소되면 소급하여 무효가 되는 행위를 말한다.
- 취소는 일단 유효하게 성립한 행정행위의 효력을 소급적으로 소멸시킨다는 점에서, 처음부터 효력을 발생하지 않는 무효와 구별된다.

2. 구별기준(중대 · 명백설)

▌중대성과 명백성
- **중대성**: 법위반의 정도가 중대한 것을 말한다.
- **명백성**: 하자가 외관상 분명한 것을 말한다(통설 · 판례).

- 하자가 중대하고 명백하면 무효이고, 그렇지 아니하면 취소사유라는 견해이다.
- 중대 · 명백설은 당사자의 권리구제보다 법적 안정성을 우선시하는 입장이다. 당사자의 권리구제를 위해서는 위법한 행정행위를 무효로 보는 것이 타당하다.

3. 무효와 취소의 구별실익

구분	무효	취소
공정력	×	○
선결문제	심사 가능함	효력부인 × (위법심사 ○)
존속력, 강제력	×	○
불가쟁력	× (언제든지 다툴 수 있다)	○ (하자승계 논의가 생긴다)
하자승계	○ (하자승계 논의 ×)	• 선행행위와 후행행위가 결합하여 하나의 법률효과를 발생시키는 경우 ➡ 승계 ○ • 각각의 법률효과를 발생시키는 경우 ➡ 원칙적 승계 ×, 예외적 승계 ○
신뢰보호원칙	×	○
쟁송형태	• 무효등확인심판 • 무효등확인소송 • 무효선언을 구하는 의미의 취소소송	• 취소심판 • 취소소송
사정판결, 사정재결	×	○
간접강제	×	○
예외적 행정심판전치주의	×	○
치유와 전환	전환	치유
국가배상청구	국가배상은 행정작용이 위법하기만 하면 인정된다. ➡ **구별실익 없음**	
집행부정지 여부	집행부정지원칙은 무효확인소송에도 준용된다. ➡ **구별실익 없음**	

⊕ 심화 위헌법률에 근거한 처분의 효력

1 문제점

- 법률에 근거해 행정행위가 행해지고 난 후 헌법재판소에 의해 근거가 된 법률에 대해 위헌결정이 내려지면 원래 한 행정행위의 효력이 문제된다.

2 판례의 기본적 입장

- 대법원은 행정처분이 발하여진 후에 그 행정처분의 근거가 된 법률이 위헌으로 결정된 경우, 그 행정처분의 근거가 되는 법률이 헌법에 위반된다는 사유는 특별한 사정이 없는 한 그 행정처분의 취소소송의 전제가 될 수 있을 뿐, 당연무효사유는 아니라고 판시하였다.
- 헌법재판소는 행정처분 자체의 효력이 쟁송기간 경과 후에도 존속 중이고 그 행정처분의 근거가 된 법규가 위헌으로 선고되는 경우, 그 행정처분을 무효로 하더라도 법적 안정성을 크게 해치지 않는 반면에, 그 하자가 중대하여 그 구제가 필요한 경우에는 당연무효사유로 보아 무효확인을 구할 수 있다고 결정하였다.

3 위헌결정이 내려진 후 행정행위가 행해진 경우

- 위헌결정이 내려진 후 헌법재판소에 의해 위헌으로 선언된 법령을 적용하여 처분을 한 경우 그 처분의 효력이 문제되는데, 위헌결정 후 처분의 집행이나 집행력을 유지하기 위한 행위는 허용될 수 없다는 것이 판례의 입장이다.

> ⚖ 요지판례 ㅣ
>
> 위헌결정의 기속력과 헌법을 최고규범으로 하는 법질서의 체계적 요청에 비추어 국가기관 및 지방자치단체는 위헌으로 선언된 법률규정에 근거하여 새로운 행정처분을 할 수 없음은 물론이고, 위헌결정 전에 이미 형성된 법률관계에 기한 후속처분이라도 그것이 새로운 위헌적 법률관계를 생성·확대하는 경우라면 이를 허용할 수 없다. 따라서 조세 부과의 근거가 되었던 법률규정이 위헌으로 선언된 경우, 비록 그에 기한 과세처분이 위헌결정 전에 이루어졌고, 과세처분에 대한 제소기간이 이미 경과하여 조세채권이 확정되었으며, 조세채권의 집행을 위한 체납처분의 근거규정 자체에 대하여는 따로 위헌결정이 내려진 바 없다고 하더라도, 위와 같은 위헌결정 이후에 조세채권의 집행을 위한 새로운 체납처분에 착수하거나 이를 속행하는 것은 더 이상 허용되지 않고, 나아가 이러한 위헌결정의 효력에 위배하여 이루어진 체납처분은 그 사유만으로 하자가 중대하고 객관적으로 명백하여 당연무효라고 보아야 한다(대판 2012.2.16, 2010두10907). [2018 경행특채 2차]

03 하자있는 행정행위의 치유

1. 개념

- 행정행위의 성립 당시에 하자가 있더라도 사후에 보완하면 소급하여 적법한 것으로 보는 것을 의미한다.
- 하자 있는 행정행위의 치유는 행정행위의 성질이나 법치주의의 관점에서 볼 때 원칙적으로 허용될 수 없는 것이고, 예외적으로 행정행위의 무용한 반복을 피하고 당사자의 법적 안정성을 위해 이를 허용하는 때에도 국민의 권리나 이익을 침해하지 않는 범위에서 구체적 사정에 따라 합목적적으로 인정하여야 할 것이다.

- 하자의 치유는 형식·절차상의 하자에 대해서만 인정되고, 내용상 하자에 대해서는 인정되지 않는다. → 무효인 행정행위는 치유될 수 없다.
- 하자의 치유는 취소사유 있는 행정행위에서만 인정되고, 무효인 행정행위에서는 인정되지 않는다. → 무효인 행정행위는 치유될 수 없다.
- 하자의 치유는 행정심판이나 행정소송 등 쟁송제기가 되기 전까지만 가능하다.

> ⚖️ **요지판례 |**
>
> ■ 징계처분이 중대하고 명백한 흠 때문에 당연무효의 것이라면 징계처분을 받은 자가 이를 용인하였다 하여 그 흠이 치료되는 것은 아니다(대판 1989.12.12, 88누8869).
>
> ■ 과세처분시 납세고지서에 과세표준, 세율, 세액의 산출근거 등이 누락된 경우에는 늦어도 과세처분에 대한 불복 여부의 결정 및 불복신청에 편의를 줄 수 있는 상당한 기간 내에 보정행위를 하여야 그 하자가 치유된다 할 것이므로, 과세처분이 있은지 4년이 지나서 그 취소소송이 제기된 때에 보정된 납세고지서를 송달하였다는 사실이나 오랜 기간(4년)의 경과로써 과세처분의 하자가 치유되었다고 볼 수는 없다(대판 1983.7.26, 82누420).

3. 치유의 효과

하자가 치유되면 당해 행정행위는 행위시에 소급하여 처분시부터 적법한 행위가 된다.

> ⚖️ **요지판례 |**
>
> 행정청이 청문서 도달기간을 다소 어겼다 하더라도 영업자가 이에 대하여 이의하지 아니한 채 스스로 청문일에 출석하여 그 의견을 진술하고 변명하는 등 방어의 기회를 충분히 가졌다면 청문서 도달기간을 준수하지 아니한 하자는 치유되었다고 봄이 상당하다(대판 1992.10.23, 92누2844).

04 하자있는 행정행위의 전환

1. 개념

- 행정행위가 본래의 행정행위로서는 무효이나 다른 행정행위로 보면 요건이 충족되는 경우에 다른 행정행위로 보아 그 효력을 유지하려는 것을 의미한다.
- 하자 있는 행정행위의 전환은 무효인 행정행위에 대해서만 인정되고, 취소할 수 있는 행정행위에 대해서는 인정되지 않는다(통설).

💡 결국 하자의 치유는 ① 형식·절차상의 하자가, ② 무효가 아닌 취소 정도의 하자이면서, ③ 쟁송절차가 개시되기 전에 이루어지는 경우에만 가능하다.

2. 요건

- 하자 있는 행정행위와 전환되는 행정행위가 요건·목적·효과 등에서 실질적 공통성이 있어야 한다.
- 전환되는 행정행위의 성립·효력요건을 갖추고 있어야 한다.
- 행정청의 의도에 반하는 것이 아니어야 한다.
- 당사자가 그 전환을 의욕하는 것이어야 한다.
- 상대방 및 제3자의 권익을 침해하지 않아야 한다.

3. 효과

- 행정행위의 전환 자체는 또 다른 하나의 행정행위이다. 전환행위는 처분성이 인정되므로 이해관계인은 이에 대해 항고소송을 제기할 수 있다.
- 종전 행정행위의 발령 당시로 소급하여 효력이 발생한다.

주제 7 행정행위의 취소 · 철회 · 실효

01 행정행위의 취소

> **행정기본법 제18조 【위법 또는 부당한 처분의 취소】** ① 행정청은 위법 또는 부당한 처분의 전부나 일부를 소급하여 취소할 수 있다. 다만, 당사자의 신뢰를 보호할 가치가 있는 등 정당한 사유가 있는 경우에는 장래를 향하여 취소할 수 있다.
> ② 행정청은 제1항에 따라 당사자에게 권리나 이익을 부여하는 처분을 취소하려는 경우에는 취소로 인하여 당사자가 입게 될 불이익을 취소로 달성되는 공익과 비교·형량하여야 한다. 다만, 다음 각 호의 어느 하나에 해당하는 경우에는 그러하지 아니하다.
> 1. 거짓이나 그 밖의 부정한 방법으로 처분을 받은 경우
> 2. 당사자가 처분의 위법성을 알고 있었거나 중대한 과실로 알지 못한 경우

1. 취소의 의미

- 행정행위의 '취소'는 일단 유효하게 성립한 행정행위를 그 행위에 하자가 있음을 이유로 소급하여 효력을 소멸시키는 별도의 행정처분을 의미한다.
- 취소에는 직권취소와 쟁송취소가 있다.

│ 직권취소와 쟁송취소의 관계
직권취소와 쟁송취소는 서로 독립된 개념이다. 취소소송이 진행 중이라도 부과권자는 처분을 직권취소할 수 있다.

> 🔥 **요지판례 │**
>
> ■ 원래 행정처분을 한 처분청은 그 행위에 하자가 있는 경우에는 원칙적으로 별도의 법적 근거가 없더라도 스스로 이를 직권으로 취소할 수 있는 것이고, 행정처분에 대한 법정의 불복기간이 지나면 직권으로도 취소할 수 없게 되는 것은 아니다(대판 1995.9.15, 95누6311).

- 행정처분을 한 처분청은 처분의 성립에 하자가 있는 경우 별도의 법적 근거가 없더라도 직권으로 이를 취소할 수 있다고 봄이 원칙이므로, 국민연금법이 정한 수급요건을 갖추지 못하였음에도 연금 지급결정이 이루어진 경우에는 이미 지급된 급여부분에 대한 환수처분과 별도로 지급결정을 취소할 수 있다(대판 2017.3.30, 2015두43971). [2021 경행특채 2차]

- 행정처분에 하자가 있음을 이유로 처분청이 이를 취소하는 경우에도 그 처분이 국민에게 권리나 이익을 부여하는 이른바 수익적 행정행위인 때에는 그 처분을 취소하여야 할 공익상 필요와 그 취소로 인하여 당사자가 입게 될 기득권과 신뢰보호 및 법률생활안정의 침해 등 불이익을 비교 교량한 후 공익상 필요가 당사자가 입을 불이익을 정당화 할 만큼 강한 경우에 한하여 취소할 수 있으나, 그 처분의 하자가 당사자의 사실은폐나 기타 사위의 방법에 의한 신청행위에 기인한 것이라면 당사자는 그 처분에 의한 이익이 위법하게 취득되었음을 알아 그 취소가능성도 예상하고 있었다고 할 것이므로 그 자신이 위 처분에 관한 신뢰의 이익을 원용할 수 없음은 물론 행정청이 이를 고려하지 아니하였다고 하여도 재량권의 남용이 되지 않는다(대판 1991.4.12, 90누9520). [2021 경행특채 2차]

- 과세관청은 부과의 취소를 다시 취소함으로써 원부과처분을 소생시킬 수는 없고 납세의무자에게 종전의 과세대상에 대한 납부의무를 지우려면 다시 법률에서 정한 부과절차에 좇아 동일한 내용의 새로운 처분을 하는 수밖에 없다(대판 1995.3.10, 94누7027).

  [2021 경행특채 2차] 과세관청은 과세처분의 취소처분이 당연무효의 하자가 없는 한 이를 다시 취소함으로써 원 과세처분을 소생시킬 수 있으며 새로이 법률에서 정한 절차에 따라 동일한 내용의 처분을 다시 할 필요는 없다. (×)

2. 쟁송취소와 직권취소의 비교

구분	쟁송취소	직권취소
취소권자	행정청(행정심판위원회) 또는 행정법원	행정청(처분청·감독청)
사유	**심판**: 위법 + 부당 / **소송**: 위법	위법 + 부당
기간	기간제한 있음	원칙적으로 기간의 제한이 없음
법적 근거	행정심판법·행정소송법	별도의 법적 근거 불요(통설)
절차	심판·소송절차	행정절차법에 따른 처분절차
형식	재결·판결의 형식	행정행위(처분의 형식)
대상	주로 부담적 행정행위·복효적 행정행위 ➡ 취소하는 것이 원칙이다.	주로 수익적·부담적 행정행위 ➡ 수익적 행정행위의 경우 이익형량을 해야 한다.
효과	소급효	침익은 소급효 / 수익은 장래효
범위	**심판**: 적극적 + 소극적 / **소송**: 소극적 변경	적극적 변경
공통점	원시적 하자 / 취소 전까지는 유효 / 취소권을 행사해야

⚖️ 요지판례 ┃

취소소송에 의한 행정처분 취소의 경우에도 수익적 행정처분의 취소 · 철회 제한에 관한 법리가 적용되는지 여부(소극)

수익적 행정처분에 대한 취소권 등의 행사는 기득권의 침해를 정당화할 만한 중대한 공익상의 필요 또는 제3자의 이익보호의 필요가 있는 때에 한하여 허용될 수 있다는 법리는, 처분청이 수익적 행정처분을 직권으로 취소 · 철회하는 경우에 적용되는 법리일 뿐 쟁송취소의 경우에는 적용되지 않는다(대판 2019.10.17, 2018두104). [2021 경행특채 2차]

02 행정행위의 철회

행정기본법 제19조【적법한 처분의 철회】① 행정청은 적법한 처분이 다음 각 호의 어느 하나에 해당하는 경우에는 그 처분의 전부 또는 일부를 장래를 향하여 철회할 수 있다.
1. 법률에서 정한 철회 사유에 해당하게 된 경우
2. 법령등의 변경이나 사정변경으로 처분을 더 이상 존속시킬 필요가 없게 된 경우
3. 중대한 공익을 위하여 필요한 경우
② 행정청은 제1항에 따라 처분을 철회하려는 경우에는 철회로 인하여 당사자가 입게 될 불이익을 철회로 달성되는 공익과 비교 · 형량하여야 한다.

1. 철회의 의미

철회는 적법하게 성립한 행정행위를 후발적 사유로 장래에 향하여 그 효력을 소멸시키는 제도이다. ➡ 철회도 실정법상 취소라고 불리는 경우가 많다.

2. 법적 근거

수익적 행정행위의 철회에 대하여 법률의 근거가 필요한지 문제되나, 판례는 처분청은 별도의 법적 근거가 없더라도 행정행위를 철회할 수 있다고 본다(불요설).

⚖️ 요지판례 ┃

행정행위를 한 처분청은 비록 그 처분 당시에 별다른 하자가 없었고, 또 그 처분 후에 이를 취소할 별도의 법적 근거가 없다 하더라도 원래의 처분을 존속시킬 필요가 없게 된 사정변경이 생겼거나 또는 중대한 공익상의 필요가 발생한 경우에는 그 효력을 상실하게 하는 별개의 행정행위로 이를 취소할 수 있다(대판 1995.6.9, 95누1194). ➡ 취소라는 용어를 쓰고있으나 맥락상 철회를 의미한다.

3. 철회사유

- 행정기본법상 철회사유는 다음과 같다.
  ① **명문규정**: 법률에서 정한 철회 사유에 해당하게 된 경우
  ② **사정변경**: 법령등의 변경이나 사정변경으로 처분을 더 이상 존속시킬 필요가 없게 된 경우
  ③ **공익상 필요**: 중대한 공익을 위하여 필요한 경우
- 이 외에 종래 학설·판례상 인정되던 철회사유는 다음과 같다.
  ① **철회권유보의 부관**: 해당 부관에 유보된 사유가 발생한 경우
  ② **신청이나 동의**: 당사자의 신청이나 동의가 있는 경우
  ③ **의무위반**

4. 철회의 효과

- 장래에 향하여 행정행위의 효력이 소멸하는 것이 원칙이다.
- 예외적으로 별도의 법적 근거가 있는 경우에는 철회의 효과가 소급할 수도 있다. 예를 들어, 특정사업을 위해 보조금을 지급하였는데 다른 용도로 사용한 경우 이미 지급한 보조금의 반환을 청구할 수도 있다.

⚖ 요지판례 |

행정청이 평가인증이 이루어진 이후에 새로이 발생한 사유를 들어 영유아보육법 제30조 제5항에 따라 평가인증을 철회하는 처분을 하면서, 별도의 법적 근거 없이 평가인증의 효력을 과거로 소급하여 상실시킬 수 있는지 여부(원칙적 소극)

행정청이 평가인증을 철회하면서 그 효력을 철회의 효력발생일 이전으로 소급하게 하면, 철회 이전의 기간에 평가인증을 전제로 지급한 보조금 등의 지원이 그 근거를 상실하게 되어 이를 반환하여야 하는 법적 불이익이 발생한다. 이는 장래를 향하여 효력을 소멸시키는 철회가 예정한 법적 불이익의 범위를 벗어나는 것이다. 이처럼 행정청이 평가인증이 이루어진 이후에 새로이 발생한 사유를 들어 영유아보육법 제30조 제5항에 따라 평가인증을 철회하는 처분을 하면서도, 그 평가인증의 효력을 과거로 소급하여 상실시키기 위해서는, 특별한 사정이 없는 한 영유아보육법 제30조 제5항과는 별도의 법적 근거가 필요하다고 봄이 타당하다(대판 2018.6.28, 2015두58195).

---

5. 철회의 제한

▌부담적 행정행위의 철회
부담적 행정행위의 철회는 상대방에게 이익을 가져다 주는 것이므로 자유롭게 철회할 수 있다고 본다.

- 수익적 행정행위의 철회는 상대방의 신뢰를 해할 우려가 있으므로 제한을 받는다. ➡ 비록 상대방의 귀책사유가 있더라도 철회가 아닌 다른 경미한 침해를 가져오는 수단으로도 그 목적을 달성할 수 있는 경우 허용되지 않는다(비례의 원칙).
- 불가변력이 발생한 행정행위는 철회가 제한된다. ➡ 행정심판의 재결
- 제3자효 행정행위의 경우 철회를 요구하는 공익과 상대방의 사익 외에 제3자의 이익도 고려하여야 한다.

6. 철회의 취소

- 부담적 행정행위의 경우 철회의 취소를 부정한다.
- 수익적 행정행위의 경우, 철회의 취소를 긍정한다.

☑ **KEY POINT** | 직권취소와 철회의 비교

구분	직권취소	철회
사유	원시적 하자 예 형 이름으로 받은 운전면허취소	후발적 사유 예 음주운전면허취소
주체	처분청, 감독청(견해대립)	처분청
효력	소급효(수익적 행정행위는 장래효)	장래효
공통점	• 법적 근거 불요(판례) • 신청권 × • 일부취소 · 철회 가능 • 행정행위의 효력 소멸 • 별개의 독립한 행정행위	

03 행정행위의 실효

1. 의의

적법하게 성립한 행정행위가 일정한 사실의 발생에 의하여 당연히 (장래를 향하여) 효력이 소멸되는 것을 행정행위의 실효라 한다. ➡ ① 무효는 처음부터 효력이 발생하지 않으나, 실효는 일단 효력이 발생한 후 사후에 소멸된다. ② 취소와 철회는 행정청의 의사표시가 필요하나, 실효는 행정청의 의사표시와 무관하게 당연히 효력이 소멸한다.

2. 실효사유

사유	예시
대상의 소멸	운전면허를 받은 자의 사망, 자동차가 파괴된 경우 자동차검사합격처분의 실효, 허가영업을 자진폐업하는 경우
부관의 성취	해제조건의 성취, 종기의 도래
목적의 달성	신뢰보호를 위해 취소가 제한되는 것이지 불가변력이 발생하는 것이 아니라고 보는 것이 다수설

▎**해제조건**
일단 발생한 효력을 소멸시키는 조건
예 1개월 내 취업조건 체류허가

▎**정지조건**
일단 정지된 효력을 발생시키는 조건
예 건물준공 조건 영업허가

3. 실효의 효과

행정청의 특별한 의사가 필요 없이, 장래를 향하여 효력이 소멸된다.

주제 8 하자승계

01 의의

- 단계적 행정행위에서 선행행위에 불가쟁력이 발생한 경우 (후행행위를 대상으로 소송에 들어가되) 선행행위의 위법을 후행단계에서 다툴 수 있게 하자는 논의이다.
- 적정행정의 유지에 대한 요청에서 나오는 하자의 승계를 인정하면 국민의 권리를 보호하고 구제하는 범위가 더 넓어진다.
- 후행행위의 하자를 이유로 선행행위를 다투는 것은 하자의 승계문제가 아니다.

⚖ 요지판례 ㅣ

계고처분의 후속절차인 대집행에 위법이 있다고 하더라도, 그와 같은 후속절차에 위법성이 있다는 점을 들어 선행절차인 계고처분이 부적법하다는 사유로 삼을 수는 없다 (대판 1997.2.14, 96누15428).

[2014 경행특채] 계고처분의 후속절차인 대집행에 위법이 있는 경우 그와 같은 후속절차에 위법성이 있다는 점을 들어 선행절차인 계고처분이 부적법하다는 사유로 삼을 수 있다. (×)

---

02 요건

1. 선행행위와 후행행위 모두 처분성을 가질 것

처분성이 없으면 소송제기를 할 수 없으므로 일단 처분성이 인정되어야 한다.

2. 선행행위 위법사유는 취소사유일 것

선행행위가 무효인 경우에는 당연히 하자가 승계되므로 하자승계가 되는지 안 되는지 문제될 여지가 없다. 하자승계는 선행행위가 취소사유일 때 논의되는 것이다.

3. 선행행위에는 불가쟁력이 발생할 것

선행행위의 불가쟁력이 발생하지 않은 경우 선행행위의 위법 여부를 직접 다툴 수 있다.

4. 후행행위에는 고유한 위법사유가 없을 것

후행행위에 고유한 위법사유가 있으면 후행행위를 직접 다투면 된다.

☑ KEY POINT ㅣ 하자승계 요건

구분	선행행위	후행행위
처분성	처분성 인정되어야	처분성 인정되어야
위법사유	• 취소사유 ○ • 무효사유 ×(당연승계)	위법사유 없어야
불가쟁력	불가쟁력 발생해야	–

03 판례의 입장

- 하나의 법률효과의 발생을 목적으로 하는 경우에는 하자의 승계를 긍정한다.
- 별개의 법률효과의 발생을 목적으로 하는 경우에는 하자의 승계를 부정한다.
- 예외적으로 별개의 법률효과를 목적으로 하는 경우에도 하자승계를 긍정한다. ➔ 예측가능성과 수인가능성이 없는 경우

하자승계 부정	하자승계 긍정
• 과세처분과 체납처분 • 신고납세방식 취득세의 신고행위와 징수처분 • 소득금액변통통지와 납세고지(징수처분)	(강제징수절차, 체납처분절차) 독촉 · 압류 · 매각 · 청산
철거명령과 대집행절차	• 계고 · 영장에 의한 통지 · 실행 · 비용징수 • 계고처분과 대집행비용납부명령
• 직위해제처분과 면직처분 • 변상판정과 변상명령 • 보충역편입처분과 공익근무요원소집처분 • 수강거부처분과 수료처분 • 액화석유가스판매사업허가처분과 사업개시신고반려처분 • 토지구획정리사업 시행인가처분과 환지청산금부과처분 • 사업인정과 수용재결 • 사업시행계획과 관리처분계획 • 사업계획승인처분과 도시계획시설변경 및 지적승인고시처분 • 도시계획결정과 수용재결 사이 • 택지개발예정지구의 지정과 택지개발계획승인 사이 • 표준공시지가결정과 개별공시지가결정 • 표준공시지가결정과 과세처분 • 토지등급의 설정 또는 수정처분과 과세처분 • 공인중개사업무정지처분과 중개사무소의 개설등록취소처분 • 국제항공노선 운수권배분 실효처분 및 노선면허거부처분과 노선면허처분	• 선행 독촉처분과 후행 가산금 · 중가산금 징수처분 사이 • 선행 한지의사(일정지역 내에서만 개업 가능한 의사)시험자격인정과 후행 한지의사면허처분 • 선행 안경사국가시험합격무효처분과 안경사면허취소처분 • 귀속재산의 임대처분과 매각처분 • 개별공시지가결정과 개발부담금부과처분 • 암매장 분묘개장명령과 계고처분 • 무효인 조례와 그에 근거한 지방세부과처분
	(별개임에도 하자승계 긍정) • 개별공시지가결정과 과세처분 • 표준공시지가결정과 수용재결 • 친일반민족행위자결정과 독립유공자적용배제자 결정처분

⚖️ 요지판례 Ⅰ

<원칙>

- 선행 직위해제처분의 위법사유를 들어 후행 면직처분의 효력을 다툴 수 없다. 직위해제처분과 직권면직처분은 후자가 전자의 처분을 전제로 한 것이기는 하나 각각 단계적으로 별개의 법률효과를 발생하는 행정처분이어서 선행 직위해제처분의 위법사유가 면직처분에는 승계되지 아니한다 할 것이므로 선행된 직위해제처분의 위법사유를 들어 면직처분의 효력을 다툴 수는 없다(대판 1984.9.11, 84누191).

- 대집행의 계고, 대집행영장에 의한 통지, 대집행의 실행, 대집행에 요한 비용의 납부명령 등은 동일한 행정목적을 달성하기 위하여 단계적인 일련의 절차로 연속하여 행하여지는 것으로서, 서로 결합하여 하나의 법률효과를 발생시키는 것이므로, 후행처분인 대집행영장발부통보처분의 취소를 청구하는 소송에서 선행처분인 계고처분이 위법한 것이기 때문에 그 대집행영장 발부통보처분도 위법한 것이라는 주장을 할 수 있다(대판 1996.2.9, 95누12507).

<예외>

- 선행처분과 후행처분이 서로 독립하여 별개의 법률효과를 목적으로 하는 때에는 선행처분에 불가쟁력이 생겨 그 효력을 다툴 수 없게 된 경우에는 선행처분의 하자가 중대하고 명백하여 당연무효인 경우를 제외하고는 선행처분의 하자를 이유로 후행처분의 효력을 다툴 수 없는 것이 원칙이나, 선행처분과 후행처분이 서로 독립하여 별개의 효과를 목적으로 하는 경우에도 선행처분의 불가쟁력이나 구속력이 그로 인하여 불이익을 입게 되는 자에게 수인한도를 넘는 가혹함을 가져오며, 그 결과가 당사자에게 예측가능한 것이 아닌 경우에는 국민의 재판받을 권리를 보장하고 있는 헌법의 이념에 비추어 선행처분의 후행처분에 대한 구속력은 인정될 수 없다(대판 1994.1.25, 93누8542).

- 甲을 친일반민족행위자로 결정한 친일반민족행위진상규명위원회(이하 '진상규명위원회'라 한다)의 최종발표(선행처분)에 따라 지방보훈지청장이 독립유공자 예우에 관한 법률(이하 '독립유공자법'이라 한다) 적용 대상자로 보상금 등의 예우를 받던 甲의 유가족 乙 등에 대하여 독립유공자법 적용배제자결정(후행처분)을 한 경우, 진상규명위원회가 甲의 친일반민족행위자결정 사실을 통지하지 않아 乙은 후행처분이 있기 전까지 선행처분의 사실을 알지 못하였고, 후행처분인 지방보훈지청장의 독립유공자법 적용배제결정이 자신의 법률상 지위에 직접적인 영향을 미치는 행정처분이라고 생각했을 뿐, 통지를 받지도 않은 진상규명위원회의 친일반민족행위자결정 처분이 자신의 법률상 지위에 영향을 주는 독립된 행정처분이라고 생각하기는 쉽지 않았을 것으로 보여, 乙이 선행처분에 대하여 일제강점하 반민족행위 진상규명에 관한 특별법에 의한 이의신청절차를 밟거나 후행처분에 대한 것과 별개로 행정심판이나 행정소송을 제기하지 않았다고 하여 선행처분의 하자를 이유로 후행처분의 효력을 다툴 수 없게 하는 것은 乙에게 수인한도를 넘는 불이익을 주고 그 결과가 乙에게 예측가능한 것이라고 할 수 없어 선행처분의 후행처분에 대한 구속력을 인정할 수 없으므로 선행처분의 위법을 이유로 후행처분의 효력을 다툴 수 있다(대판 2013.3.14, 2012두6964).

04 하자승계의 효과

- 선행행위의 위법을 후행행위의 위법사유로 주장할 수 있다.
- 취소권자는 선행행위의 위법을 이유로 후행행위를 취소할 수 있다.

주제 9 행정행위의 부관

행정기본법 제17조 【부관】 ① 행정청은 처분에 재량이 있는 경우에는 부관(조건, 기한, 부담, 철회권의 유보 등을 말한다. 이하 이 조에서 같다)을 붙일 수 있다. [2023 채용1차]
② 행정청은 처분에 재량이 없는 경우에는 법률에 근거가 있는 경우에 부관을 붙일 수 있다. [2023 채용1차]
③ 행정청은 부관을 붙일 수 있는 처분이 다음 각 호의 어느 하나에 해당하는 경우에는 그 처분을 한 후에도 부관을 새로 붙이거나 종전의 부관을 변경할 수 있다.
1. 법률에 근거가 있는 경우
2. 당사자의 동의가 있는 경우 [2023 채용1차]
3. 사정이 변경되어 부관을 새로 붙이거나 종전의 부관을 변경하지 아니하면 해당 처분의 목적을 달성할 수 없다고 인정되는 경우
④ 부관은 다음 각 호의 요건에 적합하여야 한다.
1. 해당 처분의 목적에 위배되지 아니할 것
2. 해당 처분과 실질적인 관련이 있을 것
3. 해당 처분의 목적을 달성하기 위하여 필요한 최소한의 범위일 것
　[2023 채용1차] 부관은 해당 처분의 목적에 위배되지 아니하고, 실질적 관련 없을 것을 요건으로 한다. (×)

01 부관 개설

1. 의의

- 행정행위의 효과를 제한 또는 보충하기 위해서 행정기관에 의해서 주된 행정행위에 부가되는 종된 규율을 부관이라고 한다. ➡ 부관은 주된 행정행위의 존재와 효력에 의존하게 된다는 점에서 종속적이다.
　[2023 승진(실무종합)] 부관은 조건·기한·부담·철회권의 유보 등과 같이 주된 처분에 부가되는 종된 규율로서, 주된 처분의 효과를 제한하거나 의무를 부과함으로써 국민의 권리·의무에 영향을 미치는 효과가 있다. (○)
- 부관은 학문적 개념이었으나 최근 행정기본법에서는 부관에서 대하여 규정하여 실정법적 개념이 되었다.

> ⊕ **심화** 구별개념 – 법정부관, 수정부담, 행정행위의 내용상 제한
>
> **1 법정부관**
> - 법정부관은 허가기간이 법정되어 있는 경우와 같이 학문상 부관에 해당하는 내용이 법령에 직접 규정되어 있는 것을 말한다. 예 탐사권의 존속기간은 7년을 넘을 수 없다.
> - 법정부관은 행정청의 의사에 따라 부가되는 것이 아니므로 강학상 부관에 해당하지 아니한다.

- "행정청은 일정한 경우 부관을 부가할 수 있다."는 규정은 법령의 규정 내용이 부관의 부가가능성을 시사하는 것이지 법정부관이 아니다.

  [2021 경간] 법정부관의 경우 처분의 효과제한이 직접 법규에 의하여 부여되는 부관으로서 이는 행정행위 부관과는 구별되는 개념으로 원칙적으로 부관의 개념에 속하지 않는다. (○)

② 수정부담

- 상대방이 신청한 것과는 다르게 행정행위의 내용을 정하는 것을 말한다. 부관이 아니라고 보는 것이 일반적이며, 신청과 다른 내용이 정해진다는 점에서 상대방의 동의가 필요하다고 본다.

  예 행정청에 대해 A를 신청하였는데, 행정청이 B를 부여하는 경우

  [2017 지방직 9급] 학설의 다수견해는 수정부담의 성격을 부관으로 이해한다. (×)

  [2021 경간] 수정부담은 새로운 의무를 부가하는 것이 아니라 상대방이 신청한 것과 다르게 행정행위의 내용을 정하는 부관을 말하며 상대방의 동의가 있어야 효력이 발생한다. (○)

③ 행정행위의 내용상 제한

- 영업구역의 설정처럼 주된 행정행위의 내용 자체를 제한하는 것을 말하며, 부관이 아니다.

2. 기능

- **순기능**: 유연성과 탄력성 보장 ➡ 전면적인 거부를 하였을 사안에서 부관을 부가하여 허가 가능
- **역기능**: 행정편의적인 목적으로 남용

02 종류

1. 조건

- 행정행위 효과의 발생 또는 소멸을 장래 발생이 불확실한 사실에 의존시키는 부관을 조건이라고 한다.
- **정지조건**: 일단 정지된 효력을 발생시키는 조건 예 주차시설 준공을 조건으로 한 영업허가
- **해제조건**: 일단 발생한 효력을 소멸시키는 조건 예 면허일부터 3개월 내에 공사에 착수하지 않으면 그 효력을 잃는 것을 조건으로 한 공유수면매립면허 / 특정 기업에 취업을 조건으로 하는 체류허가의 발급

2. 기한

- 행정행위의 효과의 발생 또는 소멸을 장래 도래할 것이 확실한 사실에 의존시키는 부관을 말한다.

  [2020 경행특채 2차] 기한이란 행정행위효력의 발생·소멸을 장래에 발생 여부가 확실한 사실에 종속시키는 부관을 말한다. (○)

- 기본적으로 시기(시작)와 종기(종료)로 나누어진다.

종류	의미	예시
시기	그 사실이 발생함으로써 행정행위의 효력이 발생	2025.1.1.부터 영업을 허가한다.
종기	그 사실이 발생함으로써 행정행위의 효력이 소멸	2025.1.1.까지 영업을 허가한다.

- 기한이 도래하는 일시가 고정되어 있느냐에 따라 확정기한과 불확정기한으로 나누어진다.

종류	의미	예시
확정기한	도래하는 것도 확실하고 도래하는 일시도 확실한 기한	2099.12.31.까지 연금을 지급한다.
불확정기한	도래하는 것은 확실하나 도래하는 일시는 불확실한 기한	사망시까지 연금을 지급한다.

3. 부담

(1) 의의

행정행위의 주된 내용에 부가하여 그 행정행위의 상대방에게 작위·부작위·급부 등의 의무를 부과하는 부관을 말한다. 예 도로점용허가를 하면서 일정한 점용료 부과, 주택사업계획승인을 하면서 주택진입로 확장의무 부과, 버스사업의 면허를 부여하면서 정유소 정비의무 부과, 사립대학설립을 인가하면서 시설의 보완의무 부과, 영업허가를 하면서 위생복의 착용의무 부과

(2) 성질

- **독립성**: 부담은 독립하여 소송의 대상도 되고 강제집행의 대상도 된다.
- **종속성**: 주된 행정행위가 아무런 효력이 발생하지 않으면 부담도 효력이 발생하지 않고, 주된 행정행위가 실효되면 부담도 실효된다.

  [2021 경간] 부담은 그 자체가 하나의 행정행위이다. 즉, 하명으로서의 성격을 지니기 때문에 분리가 가능하지만, 그 자체가 독립적으로 행정쟁송 및 경찰강제의 대상이 될 수 없다. (×)

💡 부담은 다른 부관과 달리 그 자체가 행정행위로서, 독립적으로 항고소송의 대상이 될 수 있는 것은 부담이 유일하다.

(3) 인접개념과의 비교

1) 조건과의 비교

- 정지조건은 조건의 성취가 있어야 비로소 행정행위의 효력이 발생하지만, 부담부 행정행위는 부담의 이행 없이도 주된 행정행위가 먼저 효력이 발생한다.
- 해제조건은 조건의 성취에 의하여 당연히 행정행위의 효력이 소멸되지만, 부담부 행정행위는 부담불이행으로 당연히 행정행위의 효력을 잃는 것이 아니라 주된 행정행위를 철회함으로써 그 효력이 소멸된다.
- 조건인지 부담인지 애매할 때에는 국민에게 유리하게 부담으로 본다.

  [2021 경간] 부담과 정지조건의 구분이 불분명한 경우에는 최소침해의 원칙에 따라 부담으로 보아야 한다. (○)

2) 기한과의 비교

기한의 도래로 주된 행정행위의 효력이 소멸되거나 발생하지만, 부담은 부담의 의무이행기한이 경과하도록 의무이행이 없으면 주된 행정행위의 철회사유가 된다.

⚖ 요지판례 │

사도개설허가는 사도를 개설할 수 있는 권한의 부여 자체에 주안점이 있는 것이지 공사기간의 제한에 주안점이 있는 것이 아닌 점 등에 비추어 보면 이 사건 사도변경허가처분에 명시된 공사기간은 변경된 허가권자인 보조참가인에 대하여 공사기간을 준수하여 공사를 마치도록 하는 의무를 부과하는 일종의 부담에 불과한 것이지, 사도개설허가 자체의 존속기간(즉, 유효기간)을 정한 것이라 볼 수 없고, 따라서 보조참가인이 이 사건 제1처분의 사도개설허가에서 정해진 공사기간 내에 사도로 준공검사를 받지 못하였다 하더라도, 이를 이유로 행정관청이 새로운 행정처분을 하는 것은 별론으로 하고, 사도개설허가가 당연히 실효되는 것은 아니다(대판 2004. 11.25, 2004두7023).

(4) 부담불이행의 효과

부담불이행은 ① 주된 행정행위 철회사유, ② 부담 강제집행(행정강제의 사유), ③ 단계적 조치 거부(후행 행정행위의 거부사유)로 작용할 수 있다.

(5) 부담의 형식

부담은 행정청이 일방적으로 부가할 수도 있지만 협약의 형식으로 부가할 수도 있다.

⚖ 요지판례 │

수익적 행정처분에 있어서는 법령에 특별한 근거규정이 없다고 하더라도 그 부관으로서 부담을 붙일 수 있고, 그와 같은 부담은 행정청이 행정처분을 하면서 일방적으로 부가할 수도 있지만 부담을 부가하기 이전에 상대방과 협의하여 부담의 내용을 협약의 형식으로 미리 정한 다음 행정처분을 하면서 이를 부가할 수도 있다(대판 2009.2.12, 2005다65500).

(6) 부담에 대한 위법판단 기준시

처분 당시의 법령을 기준으로 하여야 한다는 것이 판례의 입장이다.

⚖ 요지판례 │

행정청이 수익적 행정처분을 하면서 부가한 부담의 위법 여부는 처분 당시 법령을 기준으로 판단하여야 하고, 부담이 처분 당시 법령을 기준으로 적법하다면 처분 후 부담의 전제가 된 주된 행정처분의 근거법령이 개정됨으로써 행정청이 더 이상 부관을 붙일 수 없게 되었다 하더라도 곧바로 위법하게 되거나 그 효력이 소멸하게 되는 것은 아니다(대판 2009.2.12, 2005다65500). [2021 경행특채 2차]

4. 철회권 유보

(1) 의의

- 철회권의 유보는 일정한 사실의 발생시에 행정행위를 철회할 수 있는 권한을 유보하는 부관을 말한다.
- 철회권유보사유가 발생하더라도 행정청의 철회권 행사가 있어야 행정행위의 효력이 소멸된다. 해제조건처럼 자동으로 행정행위의 효력이 소멸되지 않는다.
  - 예 숙박영업허가를 함에 있어 윤락행위를 알선하면 영업허가를 취소한다는 부관을 붙인 경우
- 철회권이 유보된 경우 상대방은 철회가능성을 예견하게 된다.

(2) 법적 근거

법령에 그 규정이 없는 경우라고 하더라도 가능하다.

> **요지판례 |**
>
> 행정행위의 부관으로 유보된 취소권에 의하여 취소할 수 있는 사유는 법령에 그 규정이 없는 경우라고 하더라도 의무위반이 있는 경우, 사정변경이 있는 경우, 좁은 의미의 취소권이 유보된 경우 또는 중대한 공익상의 필요가 발생한 경우 등이다(대판 1984.11.13, 84누269).

(3) 한계

취소(철회)권을 유보한 경우에 있어서도 무조건적으로 취소권을 행사할 수 있는 것이 아니고, 취소를 필요로 할 만한 공익상의 필요가 있는 경우에 한하여 취소권을 행사할 수 있다.

5. 법률효과 일부배제

- 주된 행정행위에 법이 일반적으로 부여하고 있는 법적 효과의 일부를 배제하는 부관을 말한다. 예 공유수면매립준공인가시 대지 일부를 국가소유로 귀속시키는 행위, 택시영업허가시 격일제 운행
- 법령에 명시적 근거가 있는 경우에만 가능하다.
- 법률효과의 일부배제는 일부허가이면서 동시에 일부거부의 성질을 지닌다.

> **요지판례 |**
>
> 행정행위의 부관은 부담의 경우를 제외하고는 독립하여 행정소송의 대상이 될 수 없는 것인바, 행정청이 한 공유수면매립준공인가 중 매립지 일부에 대하여 한 국가귀속처분은 매립준공인가를 함에 있어서 매립의 면허를 받은 자의 매립지에 대한 소유권취득을 규정한 공유수면매립법 제14조의 효과 일부를 배제하는 부관을 붙인 것이므로 이러한 행정행위의 부관에 대하여는 독립하여 행정소송의 대상으로 삼을 수 없다(대판 1991. 12.13, 90누8503).

03 부관의 가능성

1. 법률행위적 vs 준법률행위적 행정행위

(1) 종래의 통설

법률행위적 행정행위에는 부관을 붙일 수 있지만, 준법률행위적 행정행위에는 부관을 붙일 수 없다.

(2) 새로운 견해

- 법률행위적 행정행위라도 귀화허가, 공무원임명행위와 같은 신분설정행위에는 조건·부담을 붙일 수 없다.
- 준법률행위적 행정행위라도 여권의 유효기간처럼 부관을 붙일 수 있는 경우가 있다.

💡 여권은 준법률행위적 행정행위 중 '공증'에 해당한다. → 대한민국 국민임을 공적으로 증명

구분	법률행위적 행정행위	준법률행위적 행정행위
종래의 통설	부관 ○	부관 ×
새로운 견해	부관 ○ - 신분행위는 제외	부관 × + 여권은 ○

2. 재량행위 vs 기속행위

(1) 종래의 통설

재량행위에만 부관을 붙일 수 있고, 기속행위에는 명문규정이 없는 한 부관을 붙일 수 없다. → 식품위생법은 기속행위인 영업허가에 부관을 붙일 수 있다는 취지의 규정을 두고 있다.

▌**식품위생법 제37조 【영업허가 등】**
② 식품의약품안전처장 또는 특별자치시장·특별자치도지사·시장·군수·구청장은 제1항에 따른 영업허가를 하는 때에는 필요한 조건을 붙일 수 있다.

(2) 새로운 견해

기속행위라도 행정행위의 법정요건충족을 장래에 있어서도 확보하기 위한 목적에서 요건충족적 부관을 붙일 수 있다. → **요건충족적 부관**: 당사자의 신청에 경미한 요건의 흠결이 있는 경우 이를 갖출 것을 조건으로 행정행위를 허가하는 것을 말한다.

구분	재량행위	기속행위
전통적 견해	부관 ○	부관 ×(명문규정 있으면 가능)
새로운 견해	부관 ○ - 신분행위는 제외	부관 ×(명문규정 있으면 가능) + 법률요건충족적 부관

04 부관의 한계

1. 법규상 한계

부관은 법령에 근거 없이도 가능하지만, 헌법을 포함한 법령의 규정에 저촉되어서는 안 된다.

⚖ 요지판례 ⏐

지방자치단체장이 도매시장법인의 대표이사에 대하여 위 지방자치단체장이 개설한 농수산물도매시장의 도매시장법인으로 다시 지정함에 있어서 그 지정조건으로 '지정기간 중이라도 개설자가 농수산물 유통정책의 방침에 따라 도매시장법인 이전 및 지정취소 또는 폐쇄 지시에도 일체 소송이나 손실보상을 청구할 수 없다'라는 부관을 붙였으나, 그중 부제소특약에 관한 부분은 당사자가 임의로 처분할 수 없는 공법상의 권리관계를 대상으로 하여 사인의 국가에 대한 공권인 소권을 당사자의 합의로 포기하는 것으로서 허용될 수 없다(대판 1998.8.21, 98두8919).

2. 목적상 한계

부관은 주된 행정행위의 본질적 효력을 해하지 않는 한도의 것이어야 한다.

3. 조리상 한계

부관의 내용은 명확하고 이행가능한 경우이어야 하며, 비례의 원칙 및 평등의 원칙에 적합하여야 한다. 특히 부당결부금지의 원칙이 문제된다.

⚖ 요지판례 ⏐

행정처분과 부관 사이에 실제적 관련성이 있다고 볼 수 없는 경우 공무원이 위와 같은 공법상의 제한을 회피할 목적으로 행정처분의 상대방과 사이에 사법상 계약을 체결하는 형식을 취하였다면 이는 법치행정의 원리에 반하는 것으로서 위법하다(대판 2009.12.10, 2007다63966). ➡ 지방자치단체가 골프장사업계획승인과 관련하여 사업자로부터 기부금을 지급받기로 한 증여계약은, 공무수행과 결부된 금전적 대가로서 그 조건이나 동기가 사회질서에 반하므로 민법 제103조에 의해 무효라고 본 사례 [2020 경행특채 2차]

4. 시간적 한계 – 사후부관의 문제

부관은 행정행위의 발령 당시에 붙이는 것이 원칙인데, 판례는 행정행위를 발령한 이후라도 일정한 경우에는 사후에 부관을 붙이는 것이 가능하다고 본다.

⚖ 요지판례 ⏐

부관의 사후변경은, 법률에 명문의 규정이 있거나 그 변경이 미리 유보되어 있는 경우 또는 상대방의 동의가 있는 경우에 한하여 허용되는 것이 원칙이지만, 사정변경으로 인하여 당초에 부담을 부가한 목적을 달성할 수 없게 된 경우에도 그 목적달성에 필요한 범위 내에서 예외적으로 허용된다(대판 1997.5.30, 97누2627). ➡ 행정청의 동의 ✕
[2021 경행특채 2차]

05 하자있는 부관이 붙은 행정행위의 효력

❚ '중요한 요소'
당해 부관이 없었더라면 행정청이 그 행정행위를 하지 않았을 것이라고 명백히 인정되는 경우를 말한다.

- 부관이 행정행위의 중요한 요소(본질적 요소)인 경우 행정행위가 무효가 된다.
- 부관이 행정행위의 중요한 요소(본질적 요소)가 아닌 경우 부관만 무효로 된다(통설).

⊕심화 하자 있는 부관에 대한 쟁송

① 독립쟁송가능성
- 부관이 위법한 경우 주된 행정행위와 별도로 부관에 대하여 독립적으로 다툴 수 있는지가 문제된다.
- 부관의 독립쟁송가능성 문제라 한다. 소송요건 중 대상적격의 문제이다.
- 부담만이 그 자체가 독립하여 쟁송의 대상이 될 수 있고, 그 이외의 부관은 행정쟁송의 대상이 될 수 없으며 부관부 행정행위 전체를 소의 대상으로 하여야 한다(다수설·판례). ➡ 부담을 제외한 부관만의 취소를 구하는 소송에 대하여 법원은 **각하**하여야 한다.

> **⚖요지판례 ❙**
>
> ■ 행정행위의 부관 중에서도 행정행위에 부수하여 그 행정행위의 상대방에게 일정한 의무를 부과하는 행정청의 의사표시인 부담의 경우에는 다른 부관과는 달리 행정행위의 불가분적인 요소가 아니고 그 존속이 본체인 행정행위의 존재를 전제로 하는 것일 뿐이므로 부담 그 자체로서 행정쟁송의 대상이 될 수 있다(대판 1992.1.21, 91누1264).
> [2020 경행특채 2차] 부담은 그 자체로서 행정쟁송의 대상이 될 수 없다. (×)
>
> ■ 행정행위의 부관은 부담인 경우를 제외하고는 독립하여 행정소송의 대상이 될 수 없는바, 기부채납받은 행정재산에 대한 사용·수익허가에서 공유재산의 관리청이 정한 사용·수익허가의 기간은 그 허가의 효력을 제한하기 위한 행정행위의 부관으로서 이러한 사용·수익허가의 기간에 대해서는 독립하여 행정소송을 제기할 수 없다(대판 2001.6.15, 99두509).
> [2021 경행특채 2차] 공유재산에 대한 40년간의 사용허가신청에 대해 행정청이 20년간 사용허가한 경우에 사용허가기간에 대해서 독립하여 행정소송을 제기할 수 있다. (×)

② 부관에 대한 쟁송의 형태

구분	쟁송의 대상	취소를 요구하는 대상
진정일부취소소송	부관만 독립하여	부관의 취소만 요구
부진정일부취소소송	주된 행정행위 + 부관을 대상으로 삼되,	부관의 취소만 요구

- 부담의 경우에는 진정일부취소소송이 인정되지만, 나머지 부관에 대하여는 진정일부취소소송과 부진정일부취소소송 모두 인정하지 아니한다(판례).
- 위법한 부담 이외의 부관으로 인해 권리를 침해받은 자는 부관부 행정행위 전체의 취소를 구하든지 아니면 행정청에 부관이 없는 처분으로의 변경을 청구한 다음 그것이 거부된 경우에 거부처분취소소송을 제기하여야 한다.

③ 독립취소가능성
- 부관이 위법하다고 판단되는 경우 주된 행정행위와 별도로 부관만 취소할 수 있는지가 문제된다.
- 부담만이 독립하여 취소될 수 있고, 부담 이외의 부관은 독립하여 취소의 대상이 되지 않는다.

⊕ 심화 기부채납

1 기부채납의 성질

- 판례는 기부채납부담과 기부채납을 별개로 본다.
- 기부채납부담은 공법관계로, 기부채납은 사법상의 증여계약이라고 본다.

2 하자있는 기부채납부관과 기부채납의 효력

- **부관구속설**: 부관이 무효이거나 취소·철회되지 않는 한 기부계약의 중요부분에 착오가 있더라도 기부행위만을 취소할 수는 없다.
- **부관무관설**: 원인행위인 부관이 무효이거나 취소·철회되지 않더라도 기부계약의 중요부분에 착오가 있다면 기부행위를 취소할 수 있다.

> ⚖ **요지판례 ｜**
>
> ■ 토지소유자가 토지형질변경행위허가에 붙은 기부채납의 부관에 따라 토지를 국가나 지방자치단체에 기부채납(증여)한 경우, 기부채납의 부관이 당연무효이거나 취소되지 아니한 이상 토지소유자는 위 부관으로 인하여 증여계약의 중요부분에 착오가 있음을 이유로 증여계약을 취소할 수 없다(대판 1999.5.25, 98다53134). [2021 경행특채 2차]
>
> ■ 행정처분에 붙은 부담인 부관이 제소기간의 도과로 확정되어 이미 불가쟁력이 생겼다면 그 하자가 중대하고 명백하여 당연 무효로 보아야 할 경우 외에는 누구나 그 효력을 부인할 수 없을 것이지만, 부담의 이행으로서 하게 된 사법상 매매 등의 법률행위는 부담을 붙인 행정처분과는 어디까지나 별개의 법률행위이므로 그 부담의 불가쟁력의 문제와는 별도로 법률행위가 사회질서 위반이나 강행규정에 위반되는지 여부 등을 따져보아 그 법률행위의 유효 여부를 판단하여야 한다(대판 2009.6.25, 2006다18174). [2020 경행특채 2차]

주제 10 행정지도

01 의의

1. 정의

> **행정절차법 제2조【정의】** 이 법에서 사용하는 용어의 뜻은 다음과 같다.
> 3. "행정지도"란 행정기관이 그 소관 사무의 범위에서 일정한 행정목적을 실현하기 위하여 특정인에게 일정한 행위를 하거나 하지 아니하도록 지도, 권고, 조언 등을 하는 행정작용을 말한다. [2019 채용1차]

2. 기능

- 기존 제도로 해결할 수 없는 영역에서 행정지도는 탄력적인 행정을 수행 가능하게 한다는 점에서 유용하다.
- 행정지도는 강제적 수단이 아니므로 불필요한 마찰·분쟁을 회피하는 작용을 한다.
- 행정지도는 우량품종의 보급 등 새로운 지식을 제공한다.

3. 문제점

- 행정지도는 법적 근거 없이도 가능하므로 그 기준이 불명확하여 법치주의의 한계를 넘을 수 있고, 법률이 없는 영역에서 이루어지는 경우 행정권이 남용될 우려가 있다.
- 형식은 비권력적 사실행위이나, 실질은 강제수단이 될 수 있다.
- 행정지도는 비권력적인 성질이므로 처분성이 부정되어 항고소송의 대상이 되지 않는다.
- 행정지도는 비권력적이므로 따른다 하더라도 자발적으로 한 것이 되어, 국가배상법상 상당인과관계가 부정될 가능성이 크다.

02 종류

종류	의미	예시
조성적 행정지도	질서의 형성을 유도하기 위한 행정지도	장학지도, 중소기업기술지도, 영농지도 등
조정적 행정지도	이해대립을 조정하기 위한 행정지도	노사분쟁의 조절, 투자·수출량의 조절
규제적 행정지도	억제하기 위한 행정지도	물가억제를 위한 지도

03 특성

- 행정지도는 상대방의 임의적 협력을 전제로 하는 것이므로 비권력적 사실행위이다.
  [2023 승진(실무종합)] 행정지도는 일정한 행정목적을 달성하기 위해 상대방인 국민에게 임의적인 협력을 요청하는 비권력적 사실행위를 말한다. (○)
- 특별한 형식을 요하지 않는다. ➡ 문서·구두 모두 가능
- 법적 의무를 부과하는 것이 아니므로 행정지도 그 자체로는 법적 효과가 발생하지 않는다.

04 법적 근거 및 한계

1. 법적 근거

- 조직법적 근거는 필요하다.
- 작용법적 근거는 필요 없다(통설). 상대방의 임의적 결정에 달려 있기 때문이다(비권력적 사실행위). ➡ 최근 규제적 행정지도에는 작용법적 근거가 필요하다는 견해도 있다.

2. 한계

- 행정지도도 행정작용인 이상 법 우위의 원칙이 적용된다.
- 성문법, 불문법, 행정법의 일반원칙을 위반하지 않아야 한다.

05 방식과 절차(행정절차법)

1. 행정지도의 원칙 [2022 채용1차]

행정절차법 제48조【행정지도의 원칙】 ① 행정지도는 그 목적 달성에 필요한 최소한도에 그쳐야 하며(➡ 과잉금지의 원칙), 행정지도의 상대방의 의사에 반하여 부당하게 강요하여서는 아니 된다(➡ 임의성의 원칙). [2019 채용1차]
② 행정기관은 행정지도의 상대방이 행정지도에 따르지 아니하였다는 것을 이유로 불이익한 조치를 하여서는 아니 된다(➡ 불이익조치금지의 원칙).

[2018 경행특채 2차] 행정지도는 그 목적 달성에 필요한 최대한도의 조치를 할 수 있으나, 다만 행정지도의 상대방의 의사에 반하여 부당하게 강요하여서는 아니 된다. (×)

▌**불이익조치금지원칙의 반대해석**
반대해석상 이익제공은 가능하다고 본다. 행정지도의 효과를 높이기 위하여 이익의 제공, 예컨대 자금의 융자·교부지원금지급·정보제공이 따르는 경우가 있다.

2. 행정지도의 방식

행정절차법 제49조【행정지도의 방식】 ① 행정지도를 하는 자는 그 상대방에게 그 행정지도의 취지 및 내용과 신분을 밝혀야 한다. ➡ 행정지도 실명제
② 행정지도가 말로 이루어지는 경우에 상대방이 제1항의 사항을 적은 서면의 교부를 요구하면 그 행정지도를 하는 자는 직무 수행에 특별한 지장이 없으면 이를 교부하여야 한다. ➡ 서면교부 청구권 [2022 채용1차]

[2019 채용1차] 행정지도는 반드시 문서의 형식으로 하여야만 한다. (×)
[2018 경행특채 2차] 행정지도가 말로 이루어지는 경우에 상대방이 서면의 교부를 요구하면 그 행정지도를 하는 자는 반드시 이를 교부하여야 한다. (×)
[2020 경행특채 2차] 행정절차법상 행정지도를 하는 자는 상대방이 서면의 교부를 요구하는 경우 그 행정지도의 내용과 신분을 적으면 되고 취지를 적을 필요는 없다. (×)

행정절차법 제50조【의견제출】 행정지도의 상대방은 해당 행정지도의 방식·내용 등에 관하여 행정기관에 의견제출을 할 수 있다. [2019 채용1차]

[2022 채용1차] 행정지도의 상대방은 해당 행정지도의 방식 내용 등에 관하여 행정기관에 의견제출을 할 수 없다. (×)
[2020 경행특채 2차] 행정절차법상 행정지도는 의견제출과 사전통지절차에 대해 규정하고 있다. (×)

행정절차법 제51조【다수인을 대상으로 하는 행정지도】 행정기관이 같은 행정목적을 실현하기 위하여 많은 상대방에게 행정지도를 하려는 경우에는 특별한 사정이 없으면 행정지도에 공통적인 내용이 되는 사항을 공표하여야 한다. [2018 경행특채 2차]

06 권리구제

• 행정지도는 비권력적 사실행위로서 항고소송의 대상이 되는 처분이 아니다.
• 행정지도는 국가배상법상의 직무행위에는 해당하나, 공무원의 지도행위와 이에 따르는 결과 사이에 인과관계가 인정되기가 어렵다. 그러나 사실상 강제성의 갖는 경우에는 인과성이 인정되어 국가배상책임이 성립할 수도 있다.

🔨 요지판례 |

- 국가배상법이 정한 배상청구의 요건인 '공무원의 직무'에는 권력적 작용만이 아니라 행정지도와 같은 비권력적 작용도 포함되며, 단지 행정주체가 사경제주체로서 하는 활동만 제외되는 것이다(대판 1998.7.10, 96다38971).

  [2020 경행특채 2차] 국가배상법상 직무행위에는 비권력적 사실행위가 포함되지 않으므로 행정지도는 직무행위에 포함되지 않는다. (×)

- 행정지도가 강제성을 띠지 않은 비권력적 작용으로서 행정지도의 한계를 일탈하지 아니하였다면, 그로 인하여 상대방에게 어떤 손해가 발생하였다 하더라도 행정기관은 그에 대한 손해배상책임이 없다(대판 2008.9.25, 2006다18228). [2020 경행특채 2차]

- 교육인적자원부장관의 대학총장들에 대한 이 사건 학칙시정요구는 고등교육법 제6조 제2항, 동법 시행령 제4조 제3항에 따른 것으로서 그 법적 성격은 대학총장의 임의적인 협력을 통하여 사실상의 효과를 발생시키는 행정지도의 일종이지만, 그에 따르지 않을 경우 일정한 불이익조치를 예정하고 있어 사실상 상대방에게 그에 따를 의무를 부과하는 것과 다를 바 없으므로 단순한 행정지도로서의 한계를 넘어 규제적·구속적 성격을 상당히 강하게 갖는 것으로서 헌법소원의 대상이 되는 공권력의 행사라고 볼 수 있다(헌재 2003.6.26, 2002헌마337).

  [2018 경행특채 2차] 교육인적자원부장관(현, 교육부장관)의 학칙시정요구는 대학총장의 임의적인 협력을 통하여 사실상의 효과를 발생시키는 행정지도의 일종이며, 설령 단순한 행정지도로서의 한계를 넘어 규제적·구속적 성격을 갖는다 하더라도 공권력의 행사로 볼 수 없다. (×)

07 행정지도와 위법성 조각

- 위법한 행정지도에 따른 국민의 행위에 대해 형사처벌이 가능한지의 문제로서, 위법한 행정지도를 따라 위법한 행위를 하였을 때 위법성이 조각되는 것은 아닌지가 문제된다.
- 판례는 위법한 행정지도를 따른 국민의 행위는 자발적인 행위라는 이유로 형사처벌의 대상이 된다고 본다.

🔨 요지판례 |

행정관청이 토지거래계약신고에 관하여 공시된 기준지가를 기준으로 매매가격을 신고하도록 행정지도하여 왔고 그 기준가격 이상으로 매매가격을 신고한 경우에는 거래신고서를 접수하지 않고 반려하는 것이 관행화되어 있다 하더라도 이는 법에 어긋나는 관행이라 할 것이므로 그와 같은 위법한 관행에 따라 허위신고행위에 이르렀다고 하여 그 범법행위가 사회상규에 위배되지 않는 정당한 행위라고는 볼 수 없다(대판 1992.4.24, 91도1609).

주제 1 행정절차법

01 행정절차법 개관

1. 의의

- 행정절차법은 헌법 제12조 적법절차원칙에 근거를 두고 제정된 행정절차에 관한 일반법이다.
- 다만, 행정조사나 공법상 계약에 대해서는 별도 규정이 없다. [2018 경행특채 2차]

> ▌행정절차
> 행정절차란 행정청이 행정작용을 할 때 대외적으로 거쳐야 하는 사전절차를 말한다.

2. 기능

- 행정의 민주화, 실질적 법치주의에 기여
- **행정의 능률화**: 불필요한 분쟁을 최소화한다. ➡ 신속화 ✕
- **행정의 적정화**: 많은 정보자료를 획득하여 행정권 행사의 적정성을 도모한다.
- **사법기능 보완**: 분쟁을 줄여 법원의 부담을 완화시킨다.

3. 목적

> **행정절차법 제1조【목적】** 이 법은 행정절차에 관한 공통적인 사항을 규정하여 국민의 행정 참여를 도모함으로써 행정의 공정성·투명성 및 신뢰성을 확보하고 국민의 권익을 보호함을 목적으로 한다.

4. 행정절차법의 기본원칙

> **행정절차법 제4조【신의성실 및 신뢰보호】** ① 행정청은 직무를 수행할 때 신의에 따라 성실히 하여야 한다.
> ② 행정청은 법령등의 해석 또는 행정청의 관행이 일반적으로 국민들에게 받아들여졌을 때에는 공익 또는 제3자의 정당한 이익을 현저히 해칠 우려가 있는 경우를 제외하고는 새로운 해석 또는 관행에 따라 소급하여 불리하게 처리하여서는 아니 된다.
> [2015 경행특채] 행정절차법은 신뢰보호의 원칙은 물론 신의성실의 원칙에 관해 명시적으로 규정하고 있다. (○)
>
> **행정절차법 제5조【투명성】** ① 행정청이 행하는 행정작용은 그 내용이 구체적이고 명확하여야 한다. [2020 경행특채 2차]
> ② 행정작용의 근거가 되는 법령등의 내용이 명확하지 아니한 경우 상대방은 해당 행정청에 그 해석을 요청할 수 있으며, 해당 행정청은 특별한 사유가 없으면 그 요청에 따라야 한다.
> ③ 행정청은 상대방에게 행정작용과 관련된 정보를 충분히 제공하여야 한다.
> [2020 경행특채 2차] 행정절차법은 법령해석요청권과 부당결부금지의 원칙을 규정하고 있다. (✕)

행정절차법 제5조의2【행정업무 혁신】 ① 행정청은 모든 국민이 균등하고 질 높은 행정서비스를 누릴 수 있도록 노력하여야 한다.

② 행정청은 정보통신기술을 활용하여 행정절차를 적극적으로 혁신하도록 노력하여야 한다. 이 경우 행정청은 국민이 경제적·사회적·지역적 여건 등으로 인하여 불이익을 받지 아니하도록 하여야 한다.

③ 행정청은 행정청이 생성하거나 취득하여 관리하고 있는 데이터(정보처리능력을 갖춘 장치를 통하여 생성 또는 처리되어 기계에 의한 판독이 가능한 형태로 존재하는 정형 또는 비정형의 정보를 말한다)를 행정과정에 활용하도록 노력하여야 한다.

④ 행정청은 행정업무 혁신 추진에 필요한 행정적·재정적·기술적 지원방안을 마련하여야 한다.

<본조신설 2022.1.11, 시행 2022.7.12.>

02 정의 및 적용범위

1. 정의

행정절차법 제2조【정의】 이 법에서 사용하는 용어의 뜻은 다음과 같다.

1. "**행정청**"이란 다음 각 목의 자를 말한다.
   가. 행정에 관한 의사를 결정하여 표시하는 국가 또는 지방자치단체의 기관
   나. 그 밖에 법령 또는 자치법규(이하 "법령등"이라 한다)에 따라 행정권한을 가지고 있거나 위임 또는 위탁받은 공공단체 또는 그 기관이나 사인
2. "**처분**"이란 행정청이 행하는 구체적 사실에 관한 법 집행으로서의 공권력의 행사 또는 그 거부와 그 밖에 이에 준하는 행정작용을 말한다.
3. "**행정지도**"란 행정기관이 그 소관 사무의 범위에서 일정한 행정목적을 실현하기 위하여 특정인에게 일정한 행위를 하거나 하지 아니하도록 지도, 권고, 조언 등을 하는 행정작용을 말한다.
4. "**당사자등**"이란 다음 각 목의 자를 말한다.
   가. 행정청의 처분에 대하여 직접 그 상대가 되는 당사자
   나. 행정청이 직권으로 또는 신청에 따라 행정절차에 참여하게 한 이해관계인
5. "**청문**"이란 행정청이 어떠한 처분을 하기 전에 당사자등의 의견을 직접 듣고 증거를 조사하는 절차를 말한다.
6. "**공청회**"란 행정청이 공개적인 토론을 통하여 어떠한 행정작용에 대하여 당사자등, 전문지식과 경험을 가진 사람, 그 밖의 일반인으로부터 의견을 널리 수렴하는 절차를 말한다.
7. "**의견제출**"이란 행정청이 어떠한 행정작용을 하기 전에 당사자등이 의견을 제시하는 절차로서 청문이나 공청회에 해당하지 아니하는 절차를 말한다.
8. "**전자문서**"란 컴퓨터 등 정보처리능력을 가진 장치에 의하여 전자적인 형태로 작성되어 송신·수신 또는 저장된 정보를 말한다.
9. "**정보통신망**"이란 전기통신설비를 활용하거나 전기통신설비와 컴퓨터 및 컴퓨터 이용기술을 활용하여 정보를 수집·가공·저장·검색·송신 또는 수신하는 정보통신체제를 말한다.

2. 적용범위

제1편 경찰행정법

1장

> **행정절차법 제3조【적용 범위】** ① 처분, 신고, 확약, 위반사실 등의 공표, 행정계획, 행정상 입법예고, 행정예고 및 행정지도의 절차(이하 "행정절차"라 한다)에 관하여 다른 법률에 특별한 규정이 있는 경우를 제외하고는 이 법에서 정하는 바에 따른다. <개정 2022.1.11, 시행 2022.7.12.>
> ② 이 법은 다음 각 호의 어느 하나에 해당하는 사항에 대하여는 적용하지 아니한다.
> 1. 국회 또는 지방의회의 의결을 거치거나 동의 또는 승인을 받아 행하는 사항
> 2. 법원 또는 군사법원의 재판에 의하거나 그 집행으로 행하는 사항
> 3. 헌법재판소의 심판을 거쳐 행하는 사항
> 4. 각급 선거관리위원회의 의결을 거쳐 행하는 사항
> 5. 감사원이 감사위원회의의 결정을 거쳐 행하는 사항
> 6. 형사, 행형 및 보안처분 관계 법령에 따라 행하는 사항 ➜ 형사소송법과 같은 절차법 따로 존재!
> 7. 국가안전보장·국방·외교 또는 통일에 관한 사항 중 행정절차를 거칠 경우 국가의 중대한 이익을 현저히 해칠 우려가 있는 사항
> 8. 심사청구, 해양안전심판, 조세심판, 특허심판, 행정심판, 그 밖의 불복절차에 따른 사항
> 9. 「병역법」에 따른 징집·소집, 외국인의 출입국·난민인정·귀화, 공무원 인사 관계 법령에 따른 징계와 그 밖의 처분, … 등 해당 행정작용의 성질상 행정절차를 거치기 곤란하거나 거칠 필요가 없다고 인정되는 사항과 행정절차에 준하는 절차를 거친 사항으로서 대통령령으로 정하는 사항

⚖ 요지판례 ㅣ

국가공무원법상 직위해제를 할 때에는 처분사유 설명서를 교부하도록 하고 처분사유 설명서를 받은 공무원이 그 처분에 불복할 때에는 그 설명서를 받은 날부터 30일 이내에 소청심사청구를 할 수 있도록 하고 있으므로 당해 행정작용의 성질상 행정절차를 거치기 곤란하거나 불필요하다고 인정되는 사항 또는 행정절차에 준하는 절차를 거친 사항에 해당, 처분의 사전통지 및 의견청취 등에 관한 행정절차법의 규정이 별도로 적용되지 아니한다(대판 2014.5.16, 2012두26180). ➜ 공무원 인사관계법령에 의한 처분에 관한 사항이라 하더라도 **전부에 대하여 행정절차법의 적용이 배제되는 것이 아니라**, 성질상 행정절차를 거치기 곤란하거나 불필요하다고 인정되는 처분이나 행정절차에 준하는 절차를 거치도록 하고 있는 처분의 경우에만 행정절차법의 적용이 배제되는 것으로 보아야 한다.

> **▌직위해제**
> 공무원에게 직무를 수행할 수 없는 사유(중·고·능·금·형)가 발생한 경우 공무원의 신분은 보유하나 직위를 부여하지 않음으로써 직무담당을 하지 못하게 하는, 제재적 의미를 가지는 보직의 해제이다. ➜ 직위해제는 징계처분이 아니다!

03 관할 및 협조

1. 관할

> **행정절차법 제6조【관할】** ① 행정청이 그 관할에 속하지 아니하는 사안을 접수하였거나 이송받은 경우에는 지체 없이 이를 관할 행정청에 이송하여야 하고 그 사실을 신청인에게 통지하여야 한다. 행정청이 접수하거나 이송받은 후 관할이 변경된 경우에도 또한 같다.

② 행정청의 관할이 분명하지 아니한 경우에는 해당 행정청을 공통으로 감독하는 상급 행정청이 그 관할을 결정하며, 공통으로 감독하는 상급 행정청이 없는 경우에는 각 상급 행정청이 협의하여 그 관할을 결정한다.

2. 협조

행정절차법 제7조【행정청 간의 협조 등】 ① 행정청은 행정의 원활한 수행을 위하여 서로 협조하여야 한다.
② 행정청은 업무의 효율성을 높이고 행정서비스에 대한 국민의 만족도를 높이기 위하여 필요한 경우 행정협업(다른 행정청과 공동의 목표를 설정하고 행정청 상호 간의 기능을 연계하거나 시설·장비 및 정보 등을 공동으로 활용하는 것을 말한다. 이하 같다)의 방식으로 적극적으로 협조하여야 한다.
③ 행정청은 행정협업을 활성화하기 위한 시책을 마련하고 그 추진에 필요한 행정적·재정적 지원방안을 마련하여야 한다.
④ 행정협업의 촉진 등에 필요한 사항은 대통령령으로 정한다.

04 처분절차

1. 공통절차

(1) 처분기준 설정·공표

▌**운전면허의 취소·정지처분기준**
　도로교통법 시행규칙(행정안전부령) [별표 28]과 같은 경우, 하나의 별표 항목에서 총칙에 해당하는 용어의 정의, 벌점계산방법, 감경에 관한 사항을 비롯하여, 21개 항목의 취소 개별기준, 41개 항목의 정지 개별기준 등 매우 구체적으로 규정하고 있다.

행정절차법 제20조【처분기준의 설정·공표】 ① 행정청은 필요한 처분기준을 해당 처분의 성질에 비추어 되도록 구체적으로 정하여 공표하여야 한다. 처분기준을 변경하는 경우에도 또한 같다.
② 제1항에 따른 처분기준을 공표하는 것이 해당 처분의 성질상 현저히 곤란하거나 공공의 안전 또는 복리를 현저히 해치는 것으로 인정될 만한 상당한 이유가 있는 경우에는 처분기준을 공표하지 아니할 수 있다.
③ 당사자등은 공표된 처분기준이 명확하지 아니한 경우 해당 행정청에 그 해석 또는 설명을 요청할 수 있다. 이 경우 해당 행정청은 특별한 사정이 없으면 그 요청에 따라야 한다.

⚖ 요지판례 ▎

행정청으로 하여금 처분기준을 구체적으로 정하여 공표하도록 한 것은 해당 처분이 가급적 미리 공표된 기준에 따라 이루어질 수 있도록 함으로써 해당 처분의 상대방으로 하여금 결과에 대한 예측가능성을 높이고 이를 통하여 행정의 공정성, 투명성, 신뢰성을 확보하며 행정청의 자의적인 권한행사를 방지하기 위한 것이다(대판 2019.12.13, 2018두41907). ➡ 그러나 처분의 성질상 처분기준을 미리 공표하는 경우 행정목적을 달성할 수 없게 되거나 행정청에 일정한 범위 내에서 재량권을 부여함으로써 구체적인 사안에서 개별적인 사정을 고려하여 탄력적으로 처분이 이루어지도록 하는 것이 오히려 공공의 안전 또는 복리에 더 적합한 경우도 있다. 그러한 경우에는 행정절차법 제20조 제2항에 따라 처분기준을 따로 공표하지 않거나 개략적으로만 공표할 수도 있다.

(2) 처분 이유제시

> **행정절차법 제23조【처분의 이유 제시】** ① 행정청은 처분을 할 때에는 다음 각 호의 어느 하나에 해당하는 경우를 제외하고는 당사자에게 그 근거와 이유를 제시하여야 한다.
> 1. 신청 내용을 모두 그대로 인정하는 처분인 경우
> 2. 단순·반복적인 처분 또는 경미한 처분으로서 당사자가 그 이유를 명백히 알 수 있는 경우
> 3. 긴급히 처분을 할 필요가 있는 경우
> ② 행정청은 제1항 제2호 및 제3호의 경우에 처분 후 당사자가 요청하는 경우에는 그 근거와 이유를 제시하여야 한다.
>
> [2018 경행특채 2차] 행정청이 신청내용을 모두 그대로 인정하는 처분을 하는 경우 당사자에게 그 근거와 이유를 제시하여야 한다. (×)

> ⚖️ **요지판례 Ⅰ**
>
> ■ 일반적으로 당사자가 근거규정 등을 명시하여 신청하는 인·허가 등을 거부하는 처분을 함에 있어 당사자가 그 근거를 알 수 있을 정도로 상당한 이유를 제시한 경우에는 당해 처분의 근거 및 이유를 구체적 조항 및 내용까지 명시하지 않았더라도 그로 말미암아 그 처분이 위법한 것이 된다고 할 수 없다(대판 2002.5.17, 2000두8912). ➡ 행정청이 토지형질변경허가신청을 불허하는 근거규정으로 '도시계획법 시행령 제20조'를 명시하지 아니하고 '도시계획법'이라고만 기재하였으나, 신청인이 자신의 신청이 개발제한구역의 지정 목적에 현저히 지장을 초래하는 것이라는 이유로 구 도시계획법 시행령 제20조 제1항 제2호에 따라 불허된 것임을 알 수 있었던 경우, 그 불허처분이 위법하지 아니하다.
>
> ■ 처분 당시 당사자가 어떠한 근거와 이유로 처분이 이루어진 것인지를 충분히 알 수 있어서 그에 불복하여 행정구제절차로 나아가는 데에 별다른 지장이 없었던 것으로 인정되는 경우에는 처분서에 처분의 근거와 이유가 구체적으로 명시되어 있지 않았다고 하더라도 그로 말미암아 그 처분이 위법한 것으로 된다고 할 수는 없다(대판 2013.11.14, 2011두18571).

(3) 처분의 방식 등

> **행정절차법 제24조【처분의 방식】** ① 행정청이 처분을 할 때에는 다른 법령등에 특별한 규정이 있는 경우를 제외하고는 문서로 하여야 하며, 다음 각 호의 어느 하나에 해당하는 경우에는 전자문서로 할 수 있다. <개정 2022.1.11, 시행 2022.7.12.>
> 1. 당사자등의 동의가 있는 경우
> 2. 당사자가 전자문서로 처분을 신청한 경우
> ② 제1항에도 불구하고 공공의 안전 또는 복리를 위하여 긴급히 처분을 할 필요가 있거나 사안이 경미한 경우에는 말, 전화, 휴대전화를 이용한 문자 전송, 팩스 또는 전자우편 등 문서가 아닌 방법으로 처분을 할 수 있다. 이 경우 당사자가 요청하면 지체 없이 처분에 관한 문서를 주어야 한다. <본조신설 2022.1.11, 시행 2022.7.12.>

▌**처분의 방식**
- 원칙: 문서
- 동의나 신청: 전자문서
- 긴급·경미사안: 말(구두), 전화, 문자, 팩스, 전자우편 등

③ 처분을 하는 문서에는 그 처분 행정청과 담당자의 소속·성명 및 연락처(전화번호, 팩스번호, 전자우편주소 등을 말한다)를 적어야 한다.

[2020 경행특채 2차] 행정청이 처분을 할 때에는 다른 법령등에 특별한 규정이 있는 경우를 제외하고는 당사자등의 동의를 얻어 문서 또는 전자문서로 한다. (×)

행정절차법 제25조【처분의 정정】 행정청은 처분에 오기, 오산 또는 그 밖에 이에 준하는 명백한 잘못이 있을 때에는 직권으로 또는 신청에 따라 지체 없이 정정하고 그 사실을 당사자에게 통지하여야 한다.

행정절차법 제26조【고지】 행정청이 처분을 할 때에는 당사자에게 그 처분에 관하여 행정심판 및 행정소송을 제기할 수 있는지 여부, 그 밖에 불복을 할 수 있는지 여부, 청구절차 및 청구기간, 그 밖에 필요한 사항을 알려야 한다.

⚖ 요지판례 |

소방시설의 시정보완명령을 구두로 고지한 것은 행정절차법 제24조에 위반한 것으로 그 하자가 중대하고 명백하여 위 시정보완명령은 당연무효라고 할 것이고, 무효인 위 시정보완명령에 따른 피고인의 의무위반이 생기지 아니하는 이상 피고인에게 위 시정보완명령에 위반하였음을 이유로 행정형벌을 부과할 수 없다(대판 2011.11.10, 2011도11109).

---

(4) 송달

행정절차법 제14조【송달】 ① 송달은 우편, 교부 또는 정보통신망 이용 등의 방법으로 하되, 송달받을 자(대표자 또는 대리인을 포함한다. 이하 같다)의 주소·거소·영업소·사무소 또는 전자우편주소(이하 "주소등"이라 한다)로 한다. 다만, 송달받을 자가 동의하는 경우에는 그를 만나는 장소에서 송달할 수 있다.

행정절차법 제15조【송달의 효력 발생】 ① 송달은 다른 법령등에 특별한 규정이 있는 경우를 제외하고는 해당 문서가 송달받을 자에게 도달됨으로써 그 효력이 발생한다.
② 제14조 제3항에 따라 정보통신망을 이용하여 전자문서로 송달하는 경우에는 송달받을 자가 지정한 컴퓨터 등에 입력된 때에 도달된 것으로 본다.
③ 제14조 제4항(➡ 공시송달)의 경우에는 다른 법령등에 특별한 규정이 있는 경우를 제외하고는 공고일부터 14일이 지난 때에 그 효력이 발생한다. 다만, 긴급히 시행하여야 할 특별한 사유가 있어 효력 발생 시기를 달리 정하여 공고한 경우에는 그에 따른다.

⚖ 요지판례 |

행정절차법 제14조 제1항은 문서의 송달방법의 하나로 우편송달을 규정하고 있고, 같은 법 제16조 제2항은 외국에 거주 또는 체류하는 자에 대한 기간 및 기한은 행정청이 그 우편이나 통신에 소요되는 일수를 감안하여 정하여야 한다고 규정하고 있는 점 등에 비추어 보면, 공정거래위원회는 국내에 주소·거소·영업소 또는 사무소가 없는 외국사업자에 대하여도 우편송달의 방법으로 문서를 송달할 수 있다(대판 2006.3.24, 2004두11275).

---

2. 수익절차

> **행정절차법 제17조【처분의 신청】** ① 행정청에 처분을 구하는 신청은 문서로 하여야 한다. 다만, 다른 법령등에 특별한 규정이 있는 경우와 행정청이 미리 다른 방법을 정하여 공시한 경우에는 그러하지 아니하다.
> ② 제1항에 따라 처분을 신청할 때 전자문서로 하는 경우에는 행정청의 컴퓨터 등에 입력된 때에 신청한 것으로 본다.
> ③ 행정청은 신청에 필요한 구비서류, 접수기관, 처리기간, 그 밖에 필요한 사항을 게시(인터넷 등을 통한 게시를 포함한다)하거나 이에 대한 편람을 갖추어 두고 누구나 열람할 수 있도록 하여야 한다.
> ④ 행정청은 신청을 받았을 때에는 다른 법령등에 특별한 규정이 있는 경우를 제외하고는 그 접수를 보류 또는 거부하거나 부당하게 되돌려 보내서는 아니 되며, 신청을 접수한 경우에는 신청인에게 접수증을 주어야 한다. 다만, 대통령령으로 정하는 경우에는 접수증을 주지 아니할 수 있다.
> ⑤ 행정청은 신청에 구비서류의 미비 등 흠이 있는 경우에는 보완에 필요한 상당한 기간을 정하여 지체 없이 신청인에게 보완을 요구하여야 한다.
> ⑥ 행정청은 신청인이 제5항에 따른 기간 내에 보완을 하지 아니하였을 때에는 그 이유를 구체적으로 밝혀 접수된 신청을 되돌려 보낼 수 있다.
> ⑦ 행정청은 신청인의 편의를 위하여 다른 행정청에 신청을 접수하게 할 수 있다. 이 경우 행정청은 다른 행정청에 접수할 수 있는 신청의 종류를 미리 정하여 공시하여야 한다.
>
> **행정절차법 제19조【처리기간의 설정·공표】** ① 행정청은 신청인의 편의를 위하여 처분의 처리기간을 종류별로 미리 정하여 공표하여야 한다.
> ② 행정청은 부득이한 사유로 제1항에 따른 처리기간 내에 처분을 처리하기 곤란한 경우에는 해당 처분의 처리기간의 범위에서 한 번만 그 기간을 연장할 수 있다.
> ③ 행정청은 제2항에 따라 처리기간을 연장할 때에는 처리기간의 연장 사유와 처리 예정 기한을 지체 없이 신청인에게 통지하여야 한다.
> ④ 행정청이 정당한 처리기간 내에 처리하지 아니하였을 때에는 신청인은 해당 행정청 또는 그 감독 행정청에 신속한 처리를 요청할 수 있다.

3. 침익절차

> **행정절차법 제21조【처분의 사전 통지】** ① 행정청은 당사자에게 의무를 부과하거나 권익을 제한하는 처분을 하는 경우에는 미리 다음 각 호의 사항을 당사자등에게 통지하여야 한다.
> 1. 처분의 제목
> 2. 당사자의 성명 또는 명칭과 주소
> 3. 처분하려는 원인이 되는 사실과 처분의 내용 및 법적 근거
> 4. 제3호에 대하여 의견을 제출할 수 있다는 뜻과 의견을 제출하지 아니하는 경우의 처리방법
> 5. 의견제출기관의 명칭과 주소
> 6. 의견제출기한
> 7. 그 밖에 필요한 사항

② 행정청은 청문을 하려면 청문이 시작되는 날부터 10일 전까지 제1항 각 호의 사항을 당사자등에게 통지하여야 한다. 이 경우 제1항 제4호부터 제6호까지의 사항은 청문 주재자의 소속·직위 및 성명, 청문의 일시 및 장소, 청문에 응하지 아니하는 경우의 처리방법 등 청문에 필요한 사항으로 갈음한다.
③ 제1항 제6호에 따른 기한은 의견제출에 필요한 기간을 10일 이상으로 고려하여 정하여야 한다.
④ 다음 각 호의 어느 하나에 해당하는 경우에는 제1항에 따른 통지를 하지 아니할 수 있다.
1. 공공의 안전 또는 복리를 위하여 긴급히 처분을 할 필요가 있는 경우
2. 법령등에서 요구된 자격이 없거나 없어지게 되면 반드시 일정한 처분을 하여야 하는 경우에 그 자격이 없거나 없어지게 된 사실이 법원의 재판 등에 의하여 객관적으로 증명된 경우
3. 해당 처분의 성질상 의견청취가 현저히 곤란하거나 명백히 불필요하다고 인정될 만한 상당한 이유가 있는 경우

행정절차법 제22조【의견청취】 ③ 행정청이 당사자에게 의무를 부과하거나 권익을 제한하는 처분을 할 때 제1항(➡ 청문) 또는 제2항(➡ 공청회)의 경우 외에는 당사자등에게 의견제출의 기회를 주어야 한다.
④ 제1항부터 제3항까지의 규정에도 불구하고 제21조 제4항 각 호의 어느 하나에 해당하는 경우와 당사자가 의견진술의 기회를 포기한다는 뜻을 명백히 표시한 경우에는 의견청취를 하지 아니할 수 있다.

⚖ 요지판례 |

■ 거부처분은 당사자의 권익을 침해하는 처분이 아니므로 사전통지의 대상이 아니다. 신청에 따른 처분이 이루어지지 아니한 경우에는 아직 당사자에게 권익이 부과되지 아니하였으므로 특별한 사정이 없는 한 신청에 대한 거부처분이라고 하더라도 직접 당사자의 권익을 제한하는 것은 아니어서 신청에 대한 거부처분을 여기에서 말하는 '당사자의 권익을 제한하는 처분'에 해당한다고 할 수 없는 것이어서 처분의 사전통지 대상이 된다고 할 수 없다(대판 2003.11.28, 2003두674). [2018 경행특채 2차]

■ 퇴직연금의 환수결정은 당사자에게 의무를 과하는 처분이기는 하나, 관련 법령에 따라 당연히 환수금액이 정하여지는 것이므로, 퇴직연금의 환수결정에 앞서 당사자에게 의견진술의 기회를 주지 아니하여도 행정절차법 제22조 제3항이나 신의칙에 어긋나지 아니한다(대판 2000.11.28, 99두5443). [2018 경행특채 2차]

---

05 의견청취 – 청문·공청회·의견제출

1. 청문

(1) 정의

행정절차법 제2조【정의】 이 법에서 사용하는 용어의 뜻은 다음과 같다.
5. "청문"이란 행정청이 어떠한 처분을 하기 전에 당사자등의 의견을 직접 듣고 증거를 조사하는 절차를 말한다.

(2) 청문실시사유

> **행정절차법 제22조【의견청취】** ① 행정청이 처분을 할 때 다음 각 호의 어느 하나에 해당하는 경우에는 청문을 한다. <개정 2022.1.11, 시행 2022.7.12.>
> 1. 다른 법령등에서 청문을 하도록 규정하고 있는 경우
> 2. 행정청이 필요하다고 인정하는 경우
> 3. 다음 각 목의 처분을 하는 경우
>   가. 인허가 등의 취소
>   나. 신분·자격의 박탈
>   다. 법인이나 조합 등의 설립허가의 취소
>
> [2023 채용1차] 행정청이 처분을 할 때 다른 법령등에서 청문을 하도록 규정하고 있는 경우나, 해당 처분의 영향이 광범위하여 널리 의견을 수렴할 필요가 있다고 행정청이 인정하는 경우, 인허가 등의 취소의 처분을 하는 경우, 법인이나 조합 등의 설립허가의 취소의 처분을 하는 경우 청문을 한다. (×)

■ 개정 전 제3호 청문사유
개정 전에는 의견제출기한(10일) 내 당사자등의 신청을 요구했으나, 2022. 1.11. 개정으로 **신청이 없는 경우에도 청문을 하도록** 청문 대상을 확대하였다.

(3) 청문의 사전통지

> **행정절차법 제21조【처분의 사전통지】** ② 행정청은 청문을 하려면 청문이 시작되는 날부터 10일 전까지 제1항 각 호의 사항을 당사자등에게 통지하여야 한다. 이 경우 제1항 제4호부터 제6호까지의 사항은 청문 주재자의 소속·직위 및 성명, 청문의 일시 및 장소, 청문에 응하지 아니하는 경우의 처리방법 등 청문에 필요한 사항으로 갈음한다.
>
> [2020 경행특채 2차] 행정청은 청문을 하려면 청문이 시작되는 날부터 7일 전까지 행정절차법 제21조 제1항 각 호의 사항을 당사자등에게 통지하여야 한다. (×)

■ 제21조 제1항 각 호
1. 처분의 제목
2. 당사자의 성명 또는 명칭과 주소
3. 처분하려는 원인이 되는 사실과 처분의 내용 및 법적 근거
4. 제3호에 대하여 의견을 제출할 수 있다는 뜻과 의견을 제출하지 아니하는 경우의 처리방법
5. 의견제출기관의 명칭과 주소
6. 의견제출기한
7. 그 밖에 필요한 사항

(4) 청문의 주재자

> **행정절차법 제28조【청문 주재자】** ① 행정청은 소속 직원 또는 대통령령으로 정하는 자격을 가진 사람 중에서 청문 주재자를 공정하게 선정하여야 한다.
> ② 행정청은 다음 각 호의 어느 하나에 해당하는 처분을 하려는 경우에는 청문 주재자를 2명 이상으로 선정할 수 있다. 이 경우 선정된 청문 주재자 중 1명이 청문 주재자를 대표한다.
> 1. 다수 국민의 이해가 상충되는 처분
> 2. 다수 국민에게 불편이나 부담을 주는 처분
> 3. 그 밖에 전문적이고 공정한 청문을 위하여 행정청이 청문 주재자를 2명 이상으로 선정할 필요가 있다고 인정하는 처분
> ③ 행정청은 청문이 시작되는 날부터 7일 전까지 청문 주재자에게 청문과 관련한 필요한 자료를 미리 통지하여야 한다.
> ④ 청문 주재자는 독립하여 공정하게 직무를 수행하며, 그 직무 수행을 이유로 본인의 의사에 반하여 신분상 어떠한 불이익도 받지 아니한다.
> ⑤ 제1항 또는 제2항에 따라 선정된 청문 주재자는 「형법」이나 그 밖의 다른 법률에 따른 벌칙을 적용할 때에는 공무원으로 본다.
> ⑥ 제1항부터 제5항까지에서 규정한 사항 외에 청문 주재자의 선정 등에 필요한 사항은 대통령령으로 정한다.

(5) 청문의 방법

> **행정절차법 제30조【청문의 공개】** 청문은 당사자가 공개를 신청하거나 청문 주재자가 필요하다고 인정하는 경우 공개할 수 있다. 다만, 공익 또는 제3자의 정당한 이익을 현저히 해칠 우려가 있는 경우에는 공개하여서는 아니 된다. ➡ 청문은 비공개가 원칙이다!
>
> **행정절차법 제31조【청문의 진행】** ① 청문 주재자가 청문을 시작할 때에는 먼저 예정된 처분의 내용, 그 원인이 되는 사실 및 법적 근거 등을 설명하여야 한다.
> ② 당사자등은 의견을 진술하고 증거를 제출할 수 있으며, 참고인이나 감정인 등에게 질문할 수 있다.
> ③ 당사자등이 의견서를 제출한 경우에는 그 내용을 출석하여 진술한 것으로 본다.
> ④ 청문 주재자는 청문의 신속한 진행과 질서유지를 위하여 필요한 조치를 할 수 있다.
> ⑤ 청문을 계속할 경우에는 행정청은 당사자등에게 다음 청문의 일시 및 장소를 서면으로 통지하여야 하며, 당사자등이 동의하는 경우에는 전자문서로 통지할 수 있다. 다만, 청문에 출석한 당사자등에게는 그 청문일에 청문 주재자가 말로 통지할 수 있다.
>
> **행정절차법 제33조【증거조사】** ① 청문 주재자는 직권으로 또는 당사자의 신청에 따라 필요한 조사를 할 수 있으며, 당사자등이 주장하지 아니한 사실에 대하여도 조사할 수 있다.
> [2020 경행특채 2차] 청문 주재자는 직권으로 또는 당사자의 신청에 따라 필요한 조사를 할 수 있으나 당사자등이 주장하지 아니한 사실에 대하여는 조사할 수 없다. (×)
>
> **행정절차법 제37조【문서의 열람 및 비밀유지】** ① 당사자등은 의견제출의 경우에는 처분의 사전 통지가 있는 날부터 의견제출기한까지, 청문의 경우에는 청문의 통지가 있는 날부터 청문이 끝날 때까지 행정청에 해당 사안의 조사결과에 관한 문서와 그 밖에 해당 처분과 관련되는 문서의 열람 또는 복사를 요청할 수 있다. 이 경우 행정청은 다른 법령에 따라 공개가 제한되는 경우를 제외하고는 그 요청을 거부할 수 없다.
> ⑥ 누구든지 의견제출 또는 청문을 통하여 알게 된 사생활이나 경영상 또는 거래상의 비밀을 정당한 이유 없이 누설하거나 다른 목적으로 사용하여서는 아니 된다.

(6) 청문의 종결 및 결과의 반영

> **행정절차법 제35조【청문의 종결】** ① 청문 주재자는 해당 사안에 대하여 당사자등의 의견진술, 증거조사가 충분히 이루어졌다고 인정하는 경우에는 청문을 마칠 수 있다.
> ② 청문 주재자는 당사자등의 전부 또는 일부가 정당한 사유 없이 청문기일에 출석하지 아니하거나 제31조 제3항에 따른 의견서를 제출하지 아니한 경우에는 이들에게 다시 의견진술 및 증거제출의 기회를 주지 아니하고 청문을 마칠 수 있다.
> ③ 청문 주재자는 당사자등의 전부 또는 일부가 정당한 사유로 청문기일에 출석하지 못하거나 제31조 제3항에 따른 의견서를 제출하지 못한 경우에는 10일 이상의 기간을 정하여 이들에게 의견진술 및 증거제출을 요구하여야 하며, 해당 기간이 지났을 때에 청문을 마칠 수 있다.

④ 청문 주재자는 청문을 마쳤을 때에는 청문조서, 청문 주재자의 의견서, 그 밖의 관계 서류 등을 행정청에 지체 없이 제출하여야 한다.

행정절차법 제35조의2 【청문결과의 반영】 행정청은 처분을 할 때에 제35조 제4항에 따라 받은 청문조서, 청문 주재자의 의견서, 그 밖의 관계 서류 등을 충분히 검토하고 상당한 이유가 있다고 인정하는 경우에는 청문결과를 반영하여야 한다.

2. 공청회

(1) 정의

행정절차법 제2조 【정의】 이 법에서 사용하는 용어의 뜻은 다음과 같다.
6. "공청회"란 행정청이 공개적인 토론을 통하여 어떠한 행정작용에 대하여 당사자등, 전문지식과 경험을 가진 사람, 그 밖의 일반인으로부터 의견을 널리 수렴하는 절차를 말한다.

(2) 공청회 실시사유

행정절차법 제22조 【의견청취】 ② 행정청이 처분을 할 때 다음 각 호의 어느 하나에 해당하는 경우에는 공청회를 개최한다.
1. 다른 법령등에서 공청회를 개최하도록 규정하고 있는 경우
2. 해당 처분의 영향이 광범위하여 널리 의견을 수렴할 필요가 있다고 행정청이 인정하는 경우
3. 국민생활에 큰 영향을 미치는 처분으로서 대통령령으로 정하는 처분에 대하여 대통령령으로 정하는 수(➡ 30명) 이상의 당사자등이 공청회 개최를 요구하는 경우

(3) 공청회 개최의 알림

행정절차법 제38조 【공청회 개최의 알림】 행정청은 공청회를 개최하려는 경우에는 공청회 개최 14일 전까지 다음 각 호의 사항을 당사자등에게 통지하고 관보, 공보, 인터넷 홈페이지 또는 일간신문 등에 공고하는 등의 방법으로 널리 알려야 한다. 다만, 공청회 개최를 알린 후 예정대로 개최하지 못하여 새로 일시 및 장소 등을 정한 경우에는 공청회 개최 7일 전까지 알려야 한다.
1. 제목
2. 일시 및 장소
3. 주요 내용
4. 발표자에 관한 사항
5. 발표신청 방법 및 신청기한
6. 정보통신망을 통한 의견제출
7. 그 밖에 공청회 개최에 필요한 사항

(4) 공청회의 주재자

> **행정절차법 제38조의3【공청회의 주재자 및 발표자의 선정】** ① 행정청은 해당 공청회의 사안과 관련된 분야에 전문적 지식이 있거나 그 분야에 종사한 경험이 있는 사람으로서 대통령령으로 정하는 자격을 가진 사람 중에서 공청회의 주재자를 선정한다. ➡ 청문과 달리 행정청 소속직원은 주재자가 되지 못한다.
> ② 공청회의 발표자는 발표를 신청한 사람 중에서 행정청이 선정한다. 다만, 발표를 신청한 사람이 없거나 공청회의 공정성을 확보하기 위하여 필요하다고 인정하는 경우에는 다음 각 호의 사람 중에서 지명하거나 위촉할 수 있다.
> 1. 해당 공청회의 사안과 관련된 당사자등
> 2. 해당 공청회의 사안과 관련된 분야에 전문적 지식이 있는 사람
> 3. 해당 공청회의 사안과 관련된 분야에 종사한 경험이 있는 사람
> ③ 행정청은 공청회의 주재자 및 발표자를 지명 또는 위촉하거나 선정할 때 공정성이 확보될 수 있도록 하여야 한다.
> ④ 공청회의 주재자, 발표자, 그 밖에 자료를 제출한 전문가 등에게는 예산의 범위에서 수당 및 여비와 그 밖에 필요한 경비를 지급할 수 있다.

(5) 공청회의 진행

> **행정절차법 제39조【공청회의 진행】** ① 공청회의 주재자는 공청회를 공정하게 진행하여야 하며, 공청회의 원활한 진행을 위하여 발표 내용을 제한할 수 있고, 질서 유지를 위하여 발언 중지 및 퇴장 명령 등 행정안전부장관이 정하는 필요한 조치를 할 수 있다.
> ② 발표자는 공청회의 내용과 직접 관련된 사항에 대하여만 발표하여야 한다.
> ③ 공청회의 주재자는 발표자의 발표가 끝난 후에는 발표자 상호간에 질의 및 답변을 할 수 있도록 하여야 하며, 방청인에게도 의견을 제시할 기회를 주어야 한다.

(6) 온라인공청회

> **행정절차법 제38조의2【온라인공청회】** ① 행정청은 제38조에 따른 공청회와 병행하여서만 정보통신망을 이용한 공청회(이하 "온라인공청회"라 한다)를 실시할 수 있다.
> ② 제1항에도 불구하고 다음 각 호의 어느 하나에 해당하는 경우에는 온라인공청회를 단독으로 개최할 수 있다. <신설 2022.1.11, 시행 2022.7.12.>
> 1. 국민의 생명·신체·재산의 보호 등 국민의 안전 또는 권익보호 등의 이유로 제38조에 따른 공청회를 개최하기 어려운 경우
> 2. 제38조에 따른 공청회가 행정청이 책임질 수 없는 사유로 개최되지 못하거나 개최는 되었으나 정상적으로 진행되지 못하고 무산된 횟수가 3회 이상인 경우
> 3. 행정청이 널리 의견을 수렴하기 위하여 온라인공청회를 단독으로 개최할 필요가 있다고 인정하는 경우. 다만, 제22조 제2항 제1호(➡ 다른 법령에서 개최요구) 또는 제3호(➡ 국민생활 큰 영향 미치는 처분으로서 30명 이상 당사자들이 개최요구)에 따라 공청회를 실시하는 경우는 제외한다.
> ③ 행정청은 온라인공청회를 실시하는 경우 의견제출 및 토론 참여가 가능하도록 적절한 전자적 처리능력을 갖춘 정보통신망을 구축·운영하여야 한다.

④ 온라인공청회를 실시하는 경우에는 누구든지 정보통신망을 이용하여 의견을 제출하거나 제출된 의견 등에 대한 토론에 참여할 수 있다.
⑤ 제1항부터 제4항까지에서 규정한 사항 외에 온라인공청회의 실시 방법 및 절차에 관하여 필요한 사항은 대통령령으로 정한다.

(7) 결과의 반영

> **행정절차법 제39조의2 【공청회 및 온라인공청회 결과의 반영】** 행정청은 처분을 할 때에 공청회, 온라인공청회 및 정보통신망 등을 통하여 제시된 사실 및 의견이 상당한 이유가 있다고 인정하는 경우에는 이를 반영하여야 한다.

3. 의견제출(약식청문)

(1) 정의

> **행정절차법 제2조 【정의】** 이 법에서 사용하는 용어의 뜻은 다음과 같다.
> 7. "의견제출"이란 행정청이 어떠한 행정작용을 하기 전에 당사자등이 의견을 제시하는 절차로서 청문이나 공청회에 해당하지 아니하는 절차를 말한다.

(2) 의견제출 기회부여

> **행정절차법 제21조 【처분의 사전 통지】** ③ 제1항 제6호에 따른 기한(➡ 의견제출기한)은 의견제출에 필요한 기간을 10일 이상으로 고려하여 정하여야 한다.
> **행정절차법 제22조 【의견청취】** ③ 행정청이 당사자에게 의무를 부과하거나 권익을 제한하는 처분을 할 때 제1항(➡ 청문) 또는 제2항(➡ 공청회)의 경우 외에는 당사자등에게 의견제출의 기회를 주어야 한다.
> ④ 제1항부터 제3항까지의 규정에도 불구하고 제21조 제4항 각 호의 어느 하나에 해당하는 경우와 당사자가 의견진술의 기회를 포기한다는 뜻을 명백히 표시한 경우에는 의견청취를 하지 아니할 수 있다. ➡ '의견청취'란 청문·공청회·의견제출 모두를 말한다!
> ⑤ 행정청은 청문·공청회 또는 의견제출을 거쳤을 때에는 신속히 처분하여 해당 처분이 지연되지 아니하도록 하여야 한다.
> ⑥ 행정청은 처분 후 1년 이내에 당사자등이 요청하는 경우에는 청문·공청회 또는 의견제출을 위하여 제출받은 서류나 그 밖의 물건을 반환하여야 한다.

> **⚖️ 요지판례 |**
> 행정절차법 제22조 제3항에 따라 행정청이 의무를 부과하거나 권익을 제한하는 처분을 할 때 의견제출의 기회를 주어야 하는 '당사자'는 '행정청의 처분에 대하여 직접 그 상대가 되는 당사자'(구 행정절차법 제2조 제4호)를 의미한다. 그런데 '고시'의 방법으로 불특정 다수인을 상대로 의무를 부과하거나 권익을 제한하는 처분은 성질상 의견제출의 기회를 주어야 하는 상대방을 특정할 수 없으므로, 이와 같은 처분에 있어서까지 구 행정절차법 제22조 제3항에 의하여 그 상대방에게 의견제출의 기회를 주어야 한다고 해석할 것은 아니다(대판 2014.10.27, 2012두7745). [2018 경행특채 2차]

| 제21조 제4항 각 호
1. 공공의 안전 또는 복리를 위하여 **긴급히 처분을 할 필요**가 있는 경우
2. 법령등에서 요구된 자격이 없거나 없어지게 되면 반드시 일정한 처분을 하여야 하는 경우에 그 자격이 없거나 없어지게 된 사실이 **법원의 재판 등에 의하여 객관적으로 증명**된 경우
3. 해당 처분의 성질상 의견청취가 현저히 곤란하거나 명백히 불필요하다고 인정될 만한 상당한 이유가 있는 경우

(3) 의견제출의 방식

> **행정절차법 제27조【의견제출】**① 당사자등은 처분 전에 그 처분의 관할 행정청에 서면이나 말로 또는 정보통신망을 이용하여 의견제출을 할 수 있다.
> ② 당사자등은 제1항에 따라 의견제출을 하는 경우 그 주장을 입증하기 위한 증거자료 등을 첨부할 수 있다.
> ③ 행정청은 당사자등이 말로 의견제출을 하였을 때에는 서면으로 그 진술의 요지와 진술자를 기록하여야 한다.
> ④ 당사자등이 정당한 이유 없이 의견제출기한까지 의견제출을 하지 아니한 경우에는 의견이 없는 것으로 본다.
> [2018 경행특채 2차] 「행정절차법」상 당사자등은 처분 전에 그 처분의 관할 행정청에 서면이나 정보통신망을 이용하여 의견을 제출할 수 있으나, 말로는 할 수 없다. (×)

(4) 제출 의견의 반영

> **행정절차법 제27조의2【제출 의견의 반영 등】**① 행정청은 처분을 할 때에 당사자등이 제출한 의견이 상당한 이유가 있다고 인정하는 경우에는 이를 반영하여야 한다.
> ② 행정청은 당사자등이 제출한 의견을 반영하지 아니하고 처분을 한 경우 당사자등이 처분이 있음을 안 날부터 90일 이내에 그 이유의 설명을 요청하면 서면으로 그 이유를 알려야 한다. 다만, 당사자등이 동의하면 말, 정보통신망 또는 그 밖의 방법으로 알릴 수 있다.

☑ KEY POINT | 청문 · 공청회 · 의견제출 비교

구분	청문	공청회	의견제출
시기	10일 전 통지	• 14일 전 통지 • 7일 전 통지(새로 정할 때)	10일 이상 기간
실시사유	다른 법령에서 청문규정	다른 법령에서 개최규정	청문 및 공청회 안하는 경우
	행정청 필요인정	행정청 필요인정 ➡ 처분영향 광범위	
	침익처분 하는경우 ➡ ① 인·허가취소, ② 신분자격박탈, ③ 설립허가취소	당사자등 요구 ➡ 국민생활 큰 영향, 30인 이상	
공개 여부	• 비공개 원칙 • 신청 or 필요에 의해 공개 可	공개	–
절차의 주재자	소속직원도 가능	소속직원 불가	–
공통점	상당한 이유 있으면 반영하여야 한다.		

06 입법예고 · 행정예고

1. 입법예고

행정절차법 제41조【행정상 입법예고】 ① 법령등을 제정·개정 또는 폐지(이하 "입법"이라 한다)하려는 경우에는 해당 입법안을 마련한 행정청은 이를 예고하여야 한다. 다만, 다음 각 호의 어느 하나에 해당하는 경우에는 예고를 하지 아니할 수 있다.
  1. 신속한 국민의 권리 보호 또는 예측 곤란한 특별한 사정의 발생 등으로 입법이 긴급을 요하는 경우
  2. 상위 법령등의 단순한 집행을 위한 경우
  3. 입법내용이 국민의 권리·의무 또는 일상생활과 관련이 없는 경우
  4. 단순한 표현·자구를 변경하는 경우 등 입법내용의 성질상 예고의 필요가 없거나 곤란하다고 판단되는 경우
  5. 예고함이 공공의 안전 또는 복리를 현저히 해칠 우려가 있는 경우

행정절차법 제42조【예고방법】 ① 행정청은 입법안의 취지, 주요 내용 또는 전문을 다음 각 호의 구분에 따른 방법으로 공고하여야 하며, 추가로 인터넷, 신문 또는 방송 등을 통하여 공고할 수 있다.
  1. 법령의 입법안을 입법예고하는 경우: 관보 및 법제처장이 구축·제공하는 정보시스템을 통한 공고
  2. 자치법규의 입법안을 입법예고하는 경우: 공보를 통한 공고
  ② 행정청은 대통령령을 입법예고하는 경우 국회 소관 상임위원회에 이를 제출하여야 한다.

행정절차법 제43조【예고기간】 입법예고기간은 예고할 때 정하되, 특별한 사정이 없으면 40일(자치법규는 20일) 이상으로 한다.

행정절차법 제45조【공청회】 ① 행정청은 입법안에 관하여 공청회를 개최할 수 있다.

▎**경찰청 소관 국회 상임위원회**
국회 행정안전위원회이다.

2. 행정예고

행정절차법 제46조【행정예고】 ① 행정청은 정책, 제도 및 계획(이하 "정책등"이라 한다)을 수립·시행하거나 변경하려는 경우에는 이를 예고하여야 한다. 다만, 다음 각 호의 어느 하나에 해당하는 경우에는 예고를 하지 아니할 수 있다.
  1. 신속하게 국민의 권리를 보호하여야 하거나 예측이 어려운 특별한 사정이 발생하는 등 긴급한 사유로 예고가 현저히 곤란한 경우
  2. 법령등의 단순한 집행을 위한 경우
  3. 정책등의 내용이 국민의 권리·의무 또는 일상생활과 관련이 없는 경우
  4. 정책등의 예고가 공공의 안전 또는 복리를 현저히 해칠 우려가 상당한 경우
  ② 제1항에도 불구하고 법령등의 입법을 포함하는 행정예고는 입법예고로 갈음할 수 있다.
  ③ 행정예고기간은 예고 내용의 성격 등을 고려하여 정하되, 20일 이상으로 한다.
  ④ 제3항에도 불구하고 행정목적을 달성하기 위하여 긴급한 필요가 있는 경우에는 행정예고기간을 단축할 수 있다. 이 경우 단축된 행정예고기간은 10일 이상으로 한다.

> **행정절차법 제46조의2【행정예고 통계 작성 및 공고】** 행정청은 매년 자신이 행한 행정예고의 실시 현황과 그 결과에 관한 통계를 작성하고, 이를 관보·공보 또는 인터넷 등의 방법으로 널리 공고하여야 한다.
>
> **행정절차법 제47조【예고방법 등】** ① 행정청은 정책등안(案)의 취지, 주요 내용 등을 관보·공보나 인터넷·신문·방송 등을 통하여 공고하여야 한다.

▌경찰통제론과 정보공개제도
정보의 공개는 행정통제의 근본요소가 되기도 한다는 점에서, 공공기관의 정보공개에 관한 법률은 경찰통제론에서 논의되기도 한다.

주제 2 공공기관의 정보공개에 관한 법률

01 정보공개제도

1. 정보공개제도의 의의

- 헌법 제21조는 언론·출판의 자유, 즉 표현의 자유를 규정하고 있는데, 사상 또는 의견의 자유로운 표명은 자유로운 의사의 형성을 전제로 한다.
- 자유로운 의사의 형성은 정보에의 접근이 충분히 보장됨으로써 비로소 가능한 것이며, 그러한 의미에서 정보에의 접근·수집·처리의 자유, 즉 '알 권리'는 표현의 자유와 표리일체의 관계에 있다.
- 이와 같은 국민의 알 권리 보장을 비롯, 국정에 대한 국민 참여와 국정운영 투명성 확보를 위해 공공기관의 정보공개에 관한 법률이 제정되어 있다.

💡 이하 '공공기관의 정보공개에 관한 법률'은 '정보공개법'으로 약칭한다.

2. 목적과 기본원칙

> **정보공개법 제1조【목적】** 이 법은 공공기관이 보유·관리하는 정보에 대한 국민의 공개 청구 및 공공기관의 공개 의무에 관하여 필요한 사항을 정함으로써 국민의 알권리를 보장하고 국정에 대한 국민의 참여와 국정 운영의 투명성을 확보함을 목적으로 한다.
>
> **정보공개법 제3조【정보공개의 원칙】** 공공기관이 보유·관리하는 정보는 국민의 알 권리 보장 등을 위하여 이 법에서 정하는 바에 따라 적극적으로 공개하여야 한다.
> [2015 채용2차] [2015 채용3차] 2017 채용1차] [2017 경간] [2019 승진(경위)]
> [2015 경간] [2018 경채 유사] [2019 승진(경감) 유사] 공공기관이 보유·관리하는 정보는 이 법이 정하는 바에 따라 공개할 수 있다. (×)

3. 정보공개제도의 총괄 등

> **정보공개법 제24조【제도 총괄 등】** ① 행정안전부장관은 이 법에 따른 정보공개제도의 정책 수립 및 제도 개선 사항 등에 관한 기획·총괄 업무를 관장한다.
> ② 행정안전부장관은 위원회가 정보공개제도의 효율적 운영을 위하여 필요하다고 요청하면 공공기관(국회·법원·헌법재판소 및 중앙선거관리위원회는 제외한다)의 정보공개제도 운영실태를 평가할 수 있다.
> ③ 행정안전부장관은 제2항에 따른 평가를 실시한 경우에는 그 결과를 위원회를 거쳐 국무회의에 보고한 후 공개하여야 하며, 위원회가 개선이 필요하다고 권고한 사항에 대해서는 해당 공공기관에 시정 요구 등의 조치를 하여야 한다.

④ 행정안전부장관은 정보공개에 관하여 필요할 경우에 공공기관(국회·법원·헌법재판소 및 중앙선거관리위원회는 제외한다)의 장에게 정보공개 처리 실태의 개선을 권고할 수 있다. 이 경우 권고를 받은 공공기관은 이를 이행하기 위하여 성실하게 노력하여야 하며, 그 조치 결과를 행정안전부장관에게 알려야 한다.

⑤ 국회·법원·헌법재판소·중앙선거관리위원회·중앙행정기관 및 지방자치단체는 그 소속 기관 및 소관 공공기관에 대하여 정보공개에 관한 의견을 제시하거나 지도·점검을 할 수 있다.

[2015 채용3차] 행정안전부장관은 정보공개위원회가 정보공개제도의 효율적 운영을 위하여 필요하다고 요청하면 공공기관(국회·법원·헌법재판소 및 중앙선거관리위원회를 포함한다)의 정보공개제도 운영실태를 평가할 수 있다. (×)

정보공개법 제25조【자료의 제출 요구】 국회사무총장·법원행정처장·헌법재판소사무처장·중앙선거관리위원회사무총장 및 행정안전부장관은 필요하다고 인정하면 관계 공공기관에 정보공개에 관한 자료 제출 등의 협조를 요청할 수 있다.

정보공개법 제26조【국회에의 보고】 ① 행정안전부장관은 전년도의 정보공개 운영에 관한 보고서를 매년 정기국회 개회 전까지 국회에 제출하여야 한다.

② 제1항에 따른 보고서 작성에 필요한 사항은 대통령령으로 정한다.

02 정의 및 적용범위

1. 정의

정보공개법 제2조【정의】 이 법에서 사용하는 용어의 뜻은 다음과 같다.

1. "정보"란 공공기관이 직무상 작성 또는 취득하여 관리하고 있는 문서(전자문서를 포함한다. 이하 같다) 및 전자매체를 비롯한 모든 형태의 매체 등에 기록된 사항을 말한다. [2023 채용1차]

2. "공개"란 공공기관이 이 법에 따라 정보를 열람하게 하거나 그 사본·복제물을 제공하는 것 또는 「전자정부법」 제2조 제10호에 따른 정보통신망(이하 "정보통신망"이라 한다)을 통하여 정보를 제공하는 것 등을 말한다.

3. "공공기관"이란 다음 각 목의 기관을 말한다.
   가. 국가기관
      1) 국회, 법원, 헌법재판소, 중앙선거관리위원회
      2) 중앙행정기관(대통령 소속 기관과 국무총리 소속 기관을 포함한다) 및 그 소속 기관 ➔ 정부조직법 제34조 ⑤ 치안에 관한 사무를 관장하기 위하여 행정안전부장관 소속으로 경찰청을 둔다. / 경찰청은 중앙행정기관이다!
      3) 「행정기관 소속 위원회의 설치·운영에 관한 법률」에 따른 위원회
   나. 지방자치단체 [2017 승진(경위)]
   다. 「공공기관의 운영에 관한 법률」 제2조에 따른 공공기관
   라. 「지방공기업법」에 따른 지방공사 및 지방공단
   마. 그 밖에 대통령령으로 정하는 기관 ➔ 교육기관, 지자체 출자·출연기관, 보조금 받는 사회복지법인 등

💡 **공공기관 운영에 관한 법률상의 공공기관 예시**
- **시장형 공기업:** 한국전력공사, 한국수력원자력, 주식회사 강원랜드 등
- **준시장형 공기업:** 한국조폐공사, 한국마사회, 한국철도공사, 한국도로공사 등
- **기금관리형 준정부기관:** 공무원 연금공단, 국민연금공단, 한국자산관리공사, 한국주택금융공사 등
- **위탁집행형 준정부기관:** 도로교통공단, 한국소비자원, 독립기념관 등
- **기타공공기관:** 한국산업은행, 중소기업은행, 서울대학교병원 등

■ 공공기관의 정보공개에 관한 법률상 공개청구의 대상이 되는 정보란 공공기관이 직무상 작성 또는 취득하여 현재 보유·관리하고 있는 문서에 한정되는 것이기는 하나, 그 문서가 반드시 원본일 필요는 없다(대판 2006.5.25, 2006두3049). [2020 경행특채 2차]

■ 공공기관의 정보공개에 관한 법률에서 말하는 공개대상정보는 정보 그 자체가 아닌 정보공개법 제2조 제1호에서 예시하고 있는 매체 등에 기록된 사항을 의미하고, 공개대상 정보는 원칙적으로 공개를 청구하는 자가 정보공개법 제10조 제1항 제2호에 따라 작성한 정보공개청구서의 기재내용에 의하여 특정되며, 만일 공개청구자가 특정한 바와 같은 정보를 공공기관이 보유·관리하고 있지 않은 경우라면 특별한 사정이 없는 한 해당 정보에 대한 공개거부처분에 대하여는 취소를 구할 법률상 이익이 없다. 이와 관련하여 공개청구자는 그가 공개를 구하는 정보를 공공기관이 보유·관리하고 있을 상당한 개연성이 있다는 점에 대하여 입증할 책임이 있으나, 공개를 구하는 정보를 공공기관이 한때 보유·관리하였으나 후에 그 정보가 담긴 문서들이 폐기되어 존재하지 않게 된 것이라면 그 정보를 더 이상 보유·관리하고 있지 않다는 점에 대한 증명책임은 공공기관에 있다(대판 2013.1.24, 2010두18918). [2018 경행특채 2차] [2020 경행특채 2차]

■ 공공기관의 정보공개에 관한 법률에 의한 정보공개제도는 공공기관이 보유·관리하는 정보를 그 상태대로 공개하는 제도이지만, 전자적 형태로 보유·관리되는 정보의 경우에는, 그 정보가 청구인이 구하는 대로는 되어 있지 않다고 하더라도, 공개청구를 받은 공공기관이 공개청구대상정보의 기초자료를 전자적 형태로 보유·관리하고 있고, 당해 기관에서 통상 사용되는 컴퓨터 하드웨어 및 소프트웨어와 기술적 전문지식을 사용하여 그 기초자료를 검색하여 청구인이 구하는 대로 편집할 수 있으며, 그러한 작업이 당해 기관의 컴퓨터 시스템 운용에 별다른 지장을 초래하지 아니한다면, 그 공공기관이 공개청구대상정보를 보유·관리하고 있는 것으로 볼 수 있고, 이러한 경우에 기초자료를 검색·편집하는 것은 새로운 정보의 생산 또는 가공에 해당한다고 할 수 없다(대판 2010.2.11, 2009두6001).

2. 적용범위

정보공개법 제4조【적용 범위】① 정보의 공개에 관하여는 다른 법률에 특별한 규정이 있는 경우를 제외하고는 이 법에서 정하는 바에 따른다.
② 지방자치단체는 그 소관 사무에 관하여 법령의 범위에서 정보공개에 관한 조례를 정할 수 있다.
③ 국가안전보장에 관련되는 정보 및 보안 업무를 관장하는 기관에서 국가안전보장과 관련된 정보의 분석을 목적으로 수집하거나 작성한 정보에 대해서는 이 법을 적용하지 아니한다. 다만, 제8조 제1항에 따른 정보목록의 작성·비치 및 공개에 대해서는 그러하지 아니한다.

3. 비공개대상정보

> **정보공개법 제9조【비공개대상정보】** ① 공공기관이 보유·관리하는 정보는 공개 대상이 된다. 다만, 다음 각 호의 어느 하나에 해당하는 정보는 공개하지 아니할 수 있다.
> 1. 다른 법률 또는 법률에서 위임한 명령(국회규칙·대법원규칙·헌법재판소규칙·중앙선거관리위원회규칙·대통령령 및 조례로 한정한다)에 따라 비밀이나 비공개 사항으로 규정된 정보 ➡ 총리령·부령은 ✕
>
> > **⚖ 요지판례 |**
> > ■ 법률이 위임한 명령은 정보의 공개에 관하여 법률의 구체적인 위임 아래 제정된 법규명령(위임명령)을 의미한다. 공공기관의 정보공개에 관한 법률 제9조 제1항 제1호 소정의 '법률에 의한 명령'은 법률의 위임규정에 의하여 제정된 대통령령, 총리령, 부령 전부를 의미한다기보다는 정보의 공개에 관하여 법률의 구체적인 위임 아래 제정된 법규명령(위임명령)을 의미한다(대판 2003.12.11, 2003두8395).
> > ■ 국가정보원의 조직·소재지 및 정원에 관한 정보는 공공기관의 정보공개에 관한 법률 제9조 제1항 제1호에서 말하는 '다른 법률에 의하여 비공개사항으로 규정된 정보'에 해당한다(대판 2013.1.24, 2010두18918).
> > ■ 검찰보존사무규칙(행정규칙)을 근거로 비공개할 수 없다. 검찰보존사무규칙은 비록 법무부령으로 되어 있으나, 그중 불기소사건기록 등의 열람·등사에 대하여 제한하고 있는 부분은 위임 근거가 없어 행정기관 내부의 사무처리준칙으로서 행정규칙에 불과하므로, 위 규칙에 의한 열람·등사의 제한을 정보공개법 제9조 제1항 제1호의 '다른 법률 또는 법률에 의한 명령에 의하여 비공개사항으로 규정된 경우'에 해당한다고 볼 수 없다(대판 2004.3.12, 2003두13816).
>
> 2. 국가안전보장·국방·통일·외교관계 등에 관한 사항으로서 공개될 경우 국가의 중대한 이익을 현저히 해칠 우려가 있다고 인정되는 정보
> 3. 공개될 경우 국민의 생명·신체 및 재산의 보호에 현저한 지장을 초래할 우려가 있다고 인정되는 정보
>
> > **⚖ 요지판례 |**
> > 보안관찰법 소정의 보안관찰 관련 통계자료는 비공개대상이다. 보안관찰법 소정의 보안관찰 관련 통계자료는 … 위 정보가 북한정보기관에 의한 간첩의 파견, 포섭, 선전선동을 위한 교두보의 확보 등 북한의 대남전략에 있어 매우 유용한 자료로 악용될 우려가 없다고 할 수 없으므로, 위 정보는 공공기관의 정보공개에 관한 법률 제9조 제1항 제2호 소정의 공개될 경우 국가안전보장·국방·통일·외교관계 등 국가의 중대한 이익을 해할 우려가 있는 정보, 또는 제3호 소정의 공개될 경우 국민의 생명·신체 및 재산의 보호 기타 공공의 안전과 이익을 현저히 해할 우려가 있다고 인정되는 정보에 해당한다(대판 2004.3.18, 2001두8254 전합).
>
> 4. 진행 중인 재판에 관련된 정보와 범죄의 예방, 수사, 공소의 제기 및 유지, 형의 집행, 교정, 보안처분에 관한 사항으로서 공개될 경우 그 직무수행을 현저히 곤란하게 하거나 형사피고인의 공정한 재판을 받을 권리를 침해한다고 인정할 만한 상당한 이유가 있는 정보

⚖ **요지판례 |**

■ 공공기관의 정보공개에 관한 법률 제9조 제1항 제4호의 취지는 … 수사의 방법 및 절차 등이 공개되어 수사기관의 직무수행에 현저한 곤란을 초래할 위험을 막고자 하는 것이다. 수사기록 중의 의견서, 보고문서, 메모, 법률검토, 내사자료 등(이하 '의견서 등'이라고 한다)이 이에 해당하나, 공개청구대상인 정보가 의견서 등에 해당한다고 하여 곧바로 정보공개법 제9조 제1항 제4호에 규정된 비공개대상정보라고 볼 것은 아니고, 의견서 등의 실질적인 내용을 구체적으로 살펴 수사의 방법 및 절차 등이 공개됨으로써 수사기관의 직무수행을 현저히 곤란하게 한다고 인정할 만한 상당한 이유가 있어야만 위 비공개대상정보에 해당한다(대판 2017.9.7, 2017두44558).

■ 법원 이외의 공공기관이 '진행 중인 재판에 관련된 정보'에 해당한다는 사유로 정보공개를 거부하기 위하여는 진행 중인 재판의 심리 또는 재판결과에 구체적으로 영향을 미칠 위험이 있는 정보에 한정된다. 법원 이외의 공공기관이 위 규정이 정한 '진행 중인 재판에 관련된 정보'에 해당한다는 사유로 정보공개를 거부하기 위하여는 반드시 그 정보가 진행 중인 재판의 소송기록 그 자체에 포함된 내용의 정보일 필요는 없으나, 재판에 관련된 일체의 정보가 그에 해당하는 것은 아니고 진행 중인 재판의 심리 또는 재판결과에 구체적으로 영향을 미칠 위험이 있는 정보에 한정된다고 봄이 상당하다(대판 2011.11.24, 2009두19021).

[2021 승진(실무종합)] 민원인이 경찰관서에서 현재 수사 중인 '폭력단체 현황'에 대한 정보공개를 요청한 경우, 국민의 알 권리를 충족시킨다는 차원에서 해당 정보를 공개하여야 한다. (×)

5. 감사 · 감독 · 검사 · 시험 · 규제 · 입찰계약 · 기술개발 · 인사관리에 관한 사항이나 의사결정 과정 또는 내부검토 과정에 있는 사항 등으로서 공개될 경우 업무의 공정한 수행이나 연구 · 개발에 현저한 지장을 초래한다고 인정할 만한 상당한 이유가 있는 정보. 다만, 의사결정 과정 또는 내부검토 과정을 이유로 비공개할 경우에는 제13조 제5항에 따라 통지를 할 때 의사결정 과정 또는 내부검토 과정의 단계 및 종료 예정일을 함께 안내하여야 하며, 의사결정 과정 및 내부검토 과정이 종료되면 제10조에 따른 청구인에게 이를 통지하여야 한다.

⚖ **요지판례 |**

'공개될 경우 업무의 공정한 수행에 현저한 지장을 초래한다고 인정할 만한 상당한 이유가 있는 정보'란 공개될 경우 업무의 공정한 수행이 객관적으로 현저하게 지장을 받을 것이라는 고도의 개연성이 존재하는 경우를 말하고, 이에 해당하는지는 비공개함으로써 보호되는 업무수행의 공정성 등 이익과 공개로 보호되는 국민의 알 권리 보장과 국정에 대한 국민의 참여 및 국정운영의 투명성 확보 등 이익을 비교 · 교량하여 구체적인 사안에 따라 신중하게 판단할 것이다. 그리고 그 판단을 할 때에는 공개청구의 대상이 된 당해 정보의 내용뿐 아니라 그것을 공개함으로써 장래 동종 업무의 공정한 수행에 현저한 지장을 가져올지도 아울러 고려해야 한다(대판 2012.10.11, 2010두18758). ➔ 직무유기 혐의 고소사건에 대한 내부 감사 과정에서 경찰관들에게서 받은 경위서를 공개하라는 고소인 갑의 정보공개신청에 대하여, 위 경위서가 공개될 경우 앞으로 동종 업무 수행에 현저한 지장을 가져올 개연성이 상당하다(비공개대상정보에 해당한다).

6. 해당 정보에 포함되어 있는 성명 · 주민등록번호 등 「개인정보 보호법」 제2조 제1호에 따른 개인정보로서 공개될 경우 사생활의 비밀 또는 자유를 침해할 우려가 있다고 인정되는 정보. 다만, 다음 각 목에 열거한 사항은 제외한다.
가. 법령에서 정하는 바에 따라 열람할 수 있는 정보
나. 공공기관이 공표를 목적으로 작성하거나 취득한 정보로서 사생활의 비밀 또는 자유를 부당하게 침해하지 아니하는 정보
다. 공공기관이 작성하거나 취득한 정보로서 공개하는 것이 공익이나 개인의 권리구제를 위하여 필요하다고 인정되는 정보

라. 직무를 수행한 공무원의 성명·직위

마. 공개하는 것이 공익을 위하여 필요한 경우로서 법령에 따라 국가 또는 지방자치단체가 업무의 일부를 위탁 또는 위촉한 개인의 성명·직업

[2024 채용 1차] 직무를 수행한 공무원의 성명·직위 등 「개인정보 보호법」 제2조 제1호에 따른 개인정보로서 공개될 경우 사생활의 비밀 또는 자유를 침해할 우려가 있다고 인정되는 정보는 공개하지 않을 수 있다. (×)

> ⚖️ **요지판례 Ⅰ**
>
> ■ 불기소처분 기록 중 피의자신문조서 등에 기재된 피의자 등의 인적사항 이외의 진술내용 역시 개인의 사생활의 비밀 또는 자유를 침해할 우려가 인정되는 경우 정보공개법 제9조 제1항 제6호 본문 소정의 **비공개대상에 해당한다**(대판 2012.6.18, 2011두2361). ➡️ '개인식별정보'뿐만 아니라 그 외에 정보의 내용을 구체적으로 살펴 '개인에 관한 사항의 공개로 개인의 내밀한 내용의 비밀 등이 알려지게 되고, 그 결과 인격적·정신적 내면생활에 지장을 초래하거나 자유로운 사생활을 영위할 수 없게 될 위험성이 있는 정보'도 포함된다고 새겨야 한다.
>
> ■ **공무원이 직무와 관련 없이 개인적인 자격으로 간담회·연찬회 등 행사에 참석하고 금품을 수령한 정보는 비공개대상이다.** 공무원이 직무와 관련 없이 개인적인 자격으로 간담회·연찬회 등 행사에 참석하고 금품을 수령한 정보는 공공기관의 정보공개에 관한 법률 제9조 제1항 제6호 단서 (다)목 소정의 '공개하는 것이 공익을 위하여 필요하다고 인정되는 정보'에 해당하지 않는다(대판 2003.12.12, 2003두8050).

7. 법인·단체 또는 개인(이하 "법인등"이라 한다)의 경영상·영업상 비밀에 관한 사항으로서 공개될 경우 법인등의 정당한 이익을 현저히 해칠 우려가 있다고 인정되는 정보. 다만, 다음 각 목에 열거한 정보는 제외한다.

가. 사업활동에 의하여 발생하는 위해로부터 사람의 생명·신체 또는 건강을 보호하기 위하여 공개할 필요가 있는 정보

나. 위법·부당한 사업활동으로부터 국민의 재산 또는 생활을 보호하기 위하여 공개할 필요가 있는 정보

8. 공개될 경우 부동산 투기, 매점매석 등으로 특정인에게 이익 또는 불이익을 줄 우려가 있다고 인정되는 정보

② 공공기관은 제1항 각 호의 어느 하나에 해당하는 정보가 기간의 경과 등으로 인하여 비공개의 필요성이 없어진 경우에는 그 정보를 공개 대상으로 하여야 한다. [2021 승진(실무종합)] [2023 승진(실무종합)]

③ 공공기관은 제1항 각 호의 범위에서 해당 공공기관의 업무 성격을 고려하여 비공개 대상 정보의 범위에 관한 세부 기준(이하 "비공개 세부기준"이라 한다)을 수립하고 이를 정보통신망을 활용한 정보공개시스템 등을 통하여 공개하여야 한다.

④ 공공기관(국회·법원·헌법재판소 및 중앙선거관리위원회는 제외한다)은 제3항에 따라 수립된 비공개 세부 기준이 제1항 각 호의 비공개요건에 부합하는지 3년마다 점검하고 필요한 경우 비공개 세부기준을 개선하여 그 점검 및 개선 결과를 행정안전부장관에게 제출하여야 한다.

03 정보공개청구권자와 공공기관의 의무

1. 청구권자

> **정보공개법 제5조 【정보공개청구권자】** ① 모든 국민은 정보의 공개를 청구할 권리를 가진다. [2015 채용2차] [2018 승진(경위)]
> ② 외국인의 정보공개청구에 관하여는 대통령령으로 정한다. [2013 채용1차] [2017 승진(경위)]
> [2017 승진(경감)] [2018 경채]
> [2015 경간] 외국인도 대통령령이 정하는 바에 의하여 정보공개청구가 가능하다. (○)
>
> **대통령령** 정보공개법 시행령 제3조 【외국인의 정보공개청구】 법 제5조 제2항에 따라 정보공개를 청구할 수 있는 외국인은 다음 각 호의 어느 하나에 해당하는 자로 한다.
> 1. 국내에 일정한 주소를 두고 거주하거나 학술·연구를 위하여 일시적으로 체류하는 사람
> 2. 국내에 사무소를 두고 있는 법인 또는 단체

> **☗ 요지판례 |**
>
> 국민의 정보공개청구는 정보공개법 제9조에 정한 비공개대상정보에 해당하지 아니하는 한 원칙적으로 폭넓게 허용되어야 하지만, 실제로는 해당 정보를 취득 또는 활용할 의사가 전혀 없이 정보공개제도를 이용하여 사회통념상 용인될 수 없는 부당한 이득을 얻으려 하거나, 오로지 공공기관의 담당공무원을 괴롭힐 목적으로 정보공개청구를 하는 경우처럼 권리의 남용에 해당하는 것이 명백한 경우에는 정보공개청구권의 행사를 허용하지 아니하는 것이 옳다(대판 2014.12.24, 2014두9349).

2. 공공기관의 의무

- 행정안전부 정보공개포털(open.go.kr)이 2006년부터 구축되어 운용중이며, 이 포털은 문서목록 약 2억건, 연계기관 3천여개, 연간 이용자 약 700만명에 달할 정도로 상당히 활성화 되어 있다(2018 기준).
- 경찰청 관련 정보도 해당 포털에서 검색·공개청구 할 수 있다.

> **정보공개법 제6조 【공공기관의 의무】** ① 공공기관은 정보의 공개를 청구하는 국민의 권리가 존중될 수 있도록 이 법을 운영하고 소관 관계 법령을 정비하며, 정보를 투명하고 적극적으로 공개하는 조직문화 형성에 노력하여야 한다.
> ② 공공기관은 정보의 적절한 보존 및 신속한 검색과 국민에게 유용한 정보의 분석 및 공개 등이 이루어지도록 정보관리체계를 정비하고, 정보공개 업무를 주관하는 부서 및 담당하는 인력을 적정하게 두어야 하며, 정보통신망을 활용한 정보공개시스템 등을 구축하도록 노력하여야 한다.
> ③ 행정안전부장관은 공공기관의 정보공개에 관한 업무를 종합적·체계적·효율적으로 지원하기 위하여 통합정보공개시스템을 구축·운영하여야 한다.
>
> **정보공개법 제6조의2 【정보공개 담당자의 의무】** 공공기관의 정보공개 담당자(정보공개 청구 대상 정보와 관련된 업무 담당자를 포함한다)는 정보공개 업무를 성실하게 수행하여야 하며, 공개 여부의 자의적인 결정, 고의적인 처리 지연 또는 위법한 공개 거부 및 회피 등 부당한 행위를 하여서는 아니 된다.
>
> **정보공개법 제7조 【정보의 사전적 공개 등】** ① 공공기관은 다음 각 호의 어느 하나에 해당하는 정보에 대해서는 공개의 구체적 범위, 주기, 시기 및 방법 등을 미리 정하여 정보통신망 등을 통하여 알리고, 이에 따라 정기적으로 공개하여야 한다. 다만, 제9조 제1항 각 호의 어느 하나에 해당하는 정보에 대해서는 그러하지 아니하다.
> 1. 국민생활에 매우 큰 영향을 미치는 정책에 관한 정보
> 2. 국가의 시책으로 시행하는 공사 등 대규모 예산이 투입되는 사업에 관한 정보
> 3. 예산집행의 내용과 사업평가 결과 등 행정감시를 위하여 필요한 정보
> 4. 그 밖에 공공기관의 장이 정하는 정보

② 공공기관은 제1항에 규정된 사항 외에도 국민이 알아야 할 필요가 있는 정보를 국민에게 공개하도록 적극적으로 노력하여야 한다.

정보공개법 제8조【정보목록의 작성·비치 등】 ① 공공기관은 그 기관이 보유·관리하는 정보에 대하여 국민이 쉽게 알 수 있도록 정보목록을 작성하여 갖추어 두고, 그 목록을 정보통신망을 활용한 정보공개시스템 등을 통하여 공개하여야 한다. 다만, 정보목록 중 제9조 제1항에 따라 공개하지 아니할 수 있는 정보가 포함되어 있는 경우에는 해당 부분을 갖추어 두지 아니하거나 공개하지 아니할 수 있다.

정보공개법 제8조의2【공개대상 정보의 원문공개】 공공기관 중 중앙행정기관 및 대통령령으로 정하는 기관은 전자적 형태로 보유·관리하는 정보 중 공개대상으로 분류된 정보를 국민의 정보공개 청구가 없더라도 정보통신망을 활용한 정보공개시스템 등을 통하여 공개하여야 한다. [2021 경행특채 2차]

04 정보공개의 절차

1. 정보공개의 청구

정보공개법 제10조【정보공개의 청구방법】 ① 정보의 공개를 청구하는 자(이하 "청구인"이라 한다)는 해당 정보를 보유하거나 관리하고 있는 공공기관에 다음 각 호의 사항을 적은 정보공개 청구서를 제출하거나 말로써 정보의 공개를 청구할 수 있다. ➡ 구두(말)로 하는 것은 가능하나 익명으로는 불가능하다. [2017 승진(경감)] [2018 경행특채 2차] [2023 승진(실무종합)]
1. 청구인의 성명·생년월일·주소 및 연락처 …
2. 청구인의 주민등록번호(본인임을 확인하고 공개 여부를 결정할 필요가 있는 정보를 청구하는 경우로 한정한다)
3. 공개를 청구하는 정보의 내용 및 공개방법
② 제1항에 따라 청구인이 말로써 정보의 공개를 청구할 때에는 담당 공무원 또는 담당 임직원(이하 "담당공무원등"이라 한다)의 앞에서 진술하여야 하고, 담당공무원등은 정보공개 청구조서를 작성하여 이에 청구인과 함께 기명날인하거나 서명하여야 한다.
③ 제1항과 제2항에서 규정한 사항 외에 정보공개의 청구방법 등에 관하여 필요한 사항은 국회규칙·대법원규칙·헌법재판소규칙·중앙선거관리위원회규칙 및 대통령령으로 정한다.
[2019 승진(경감)] [2020 승진(경감)] [2022 채용1차 유사] 정보의 공개를 청구하는 자는 해당 정보를 보유하거나 관리하고 있는 공공기관에 대하여 서면으로만 정보공개를 청구할 수 있다. (×)

정보공개법 제11조의2【반복 청구 등의 처리】 ① 공공기관은 제11조에도 불구하고 제10조 제1항 및 제2항에 따른 정보공개 청구가 다음 각 호의 어느 하나에 해당하는 경우에는 정보공개 청구 대상 정보의 성격, 종전 청구와의 내용적 유사성·관련성, 종전 청구와 동일한 답변을 할 수밖에 없는 사정 등을 종합적으로 고려하여 해당 청구를 종결 처리할 수 있다. 이 경우 종결 처리 사실을 청구인에게 알려야 한다.
1. 정보공개를 청구하여 정보공개 여부에 대한 결정의 통지를 받은 자가 정당한 사유 없이 해당 정보의 공개를 다시 청구하는 경우
2. 정보공개청구가 제11조 제5항에 따라 민원으로 처리되었으나 다시 같은 청구를 하는 경우
[2021 경행특채 2차] 정당한 사유 없이 반복적으로 동일 대상에 대한 정보를 청구하거나 민원 처리에 관한 법률에 따른 민원으로 처리된 정보를 다시 청구하는 공개청구의 남용이 있는 경우 질서위반행위규제법에 따른 과태료 부과처분의 대상이 된다. (×)

2. 공개청구에 대한 결정

(1) 다른 기관 이송 / 민원처리

> 정보공개법 제11조【정보공개 여부의 결정】④ 공공기관은 다른 공공기관이 보유·관리하는 정보의 공개 청구를 받았을 때에는 지체 없이 이를 소관 기관으로 이송하여야 하며, 이송한 후에는 지체 없이 소관 기관 및 이송 사유 등을 분명히 밝혀 청구인에게 문서로 통지하여야 한다.
> ⑤ 공공기관은 정보공개 청구가 다음 각 호의 어느 하나에 해당하는 경우로서 「민원 처리에 관한 법률」에 따른 민원으로 처리할 수 있는 경우에는 민원으로 처리할 수 있다.
> 1. 공개청구된 정보가 공공기관이 보유·관리하지 아니하는 정보인 경우
> 2. 공개청구의 내용이 진정·질의 등으로 이 법에 따른 정보공개청구로 보기 어려운 경우

(2) 결정기한 ➡ 10 + (다음 날) 10

[비교》] 이의신청에 대한 결정기한은 7일 + (다음 날부터) 7일이다.

> 정보공개법 제11조【정보공개 여부의 결정】① 공공기관은 제10조에 따라 정보공개의 청구를 받으면 그 청구를 받은 날부터 10일 이내에 공개 여부를 결정하여야 한다. [2015 경간] [2015 채용2차] [2017 채용1차]
> ② 공공기관은 부득이한 사유로 제1항에 따른 기간 이내에 공개 여부를 결정할 수 없을 때에는 그 기간이 끝나는 날의 다음 날부터 기산하여 10일의 범위에서 공개 여부 결정기간을 연장할 수 있다. 이 경우 공공기관은 연장된 사실과 연장 사유를 청구인에게 지체 없이 문서로 통지하여야 한다. [2012 채용2차] [2021 승진(실무종합)]
> [2023 채용1차] [2017 경간] [2018 경채] [2018 승진(경위)] [2020 승진(경감)] 공공기관은 정보공개의 청구를 받으면 그 청구를 받은 날부터 7일 이내에 공개 여부를 결정하여야 한다. (×)
> [2013 채용1차] 공공기관은 정보공개의 청구를 받으면 그 청구를 받은 날부터 20일 이내에 공개 여부를 결정하여야 한다. 부득이한 사유로 규정된 기간 이내에 공개 여부를 결정할 수 없을 때에는 그 기간이 끝나는 날의 다음 날부터 기산하여 20일의 범위에서 공개 여부 결정기간을 연장할 수 있다. (×)
> [2022 채용1차] [2023 승진(실무종합)] 공공기관은 부득이한 사유로 공공기관의 정보공개에 관한 법률 제11조 제1항에 따른 기간 이내에 공개 여부를 결정할 수 없을 때에는 그 기간이 끝난 날부터 기산하여 10일의 범위에서 공개 여부 결정기간을 연장할 수 있다. 이 경우 공공기관은 연장된 사실과 연장사유를 청구인에게 지체 없이 구두로 통지하여야 한다. (×)

(3) 결정의 통지 및 처리

1) 공개결정

> 정보공개법 제13조【정보공개 여부 결정의 통지】① 공공기관은 제11조에 따라 정보의 공개를 결정한 경우에는 공개의 일시 및 장소 등을 분명히 밝혀 청구인에게 통지하여야 한다.
> ② 공공기관은 청구인이 사본 또는 복제물의 교부를 원하는 경우에는 이를 교부하여야 한다.
> ③ 공공기관은 공개 대상 정보의 양이 너무 많아 정상적인 업무수행에 현저한 지장을 초래할 우려가 있는 경우에는 해당 정보를 일정 기간별로 나누어 제공하거나 사본·복제물의 교부 또는 열람과 병행하여 제공할 수 있다.
> ④ 공공기관은 제1항에 따라 정보를 공개하는 경우에 그 정보의 원본이 더럽혀지거나 파손될 우려가 있거나 그 밖에 상당한 이유가 있다고 인정할 때에는 그 정보의 사본·복제물을 공개할 수 있다.
> [2023 채용1차] 공공기관은 청구인이 사본 또는 복제물의 교부를 원하는 경우에는 이를 교부하여야 한다. (○)

2) 비공개결정

> **정보공개법 제13조【정보공개 여부 결정의 통지】** ⑤ 공공기관은 제11조에 따라 정보의 비공개결정을 한 경우에는 그 사실을 청구인에게 지체 없이 문서로 통지하여야 한다. 이 경우 제9조 제1항 각 호 중 어느 규정에 해당하는 비공개대상 정보인지를 포함한 비공개 이유와 불복의 방법 및 절차를 구체적으로 밝혀야 한다. [2023 승진(실무종합)]

⚖ 요지판례 |

공개청구의 대상이 되는 정보가 이미 다른 사람에게 공개하여 널리 알려져 있다거나 인터넷이나 관보 등을 통하여 공개하여 인터넷검색이나 도서관에서의 열람 등을 통하여 쉽게 알 수 있다는 사정만으로는 소의 이익이 없다거나 비공개결정이 정당화될 수는 없다(대판 2008.11.27, 2005두15694). [2020 경행특채 2차]

3) 부분공개결정

> **정보공개법 제14조【부분 공개】** 공개청구한 정보가 제9조 제1항 각 호의 어느 하나에 해당하는 부분과 공개 가능한 부분이 혼합되어 있는 경우로서 공개 청구의 취지에 어긋나지 아니하는 범위에서 두 부분을 분리할 수 있는 경우에는 제9조 제1항 각 호의 어느 하나에 해당하는 부분을 제외하고 공개하여야 한다.

⚖ 요지판례 |

법원이 행정기관의 정보공개거부처분의 위법 여부를 심리한 결과 공개를 거부한 정보에 비공개사유에 해당하는 부분과 그렇지 않은 부분이 혼합되어 있고, 공개청구의 취지에 어긋나지 않는 범위 안에서 두 부분을 분리할 수 있음을 인정할 수 있을 때에는 공개가 가능한 정보에 국한하여 일부취소를 명할 수 있다(대판 2009.12.10, 2009두12785). ➡ 이러한 정보의 부분 공개가 허용되는 경우란 그 정보의 공개방법 및 절차에 비추어 당해 정보에서 비공개대상정보에 관련된 기술 등을 제외 혹은 삭제하고 나머지 정보만을 공개하는 것이 가능하고 나머지 부분의 정보만으로도 공개의 가치가 있는 경우를 의미한다.

[2020 경행특채 2차] 법원이 행정기관의 정보공개거부처분의 위법 여부를 심리한 결과 공개를 거부한 정보에 비공개사유에 해당하는 부분과 그렇지 아니한 부분이 혼합되어 있고, 공개청구의 취지에 어긋나지 않는 범위 안에서 두 부분을 분리할 수 있음을 인정할 수 있다하여도 공개가 가능한 정보에 국한하여 일부취소를 명할 수는 없다. (×)

4) 전자적 공개

> **정보공개법 제15조 【정보의 전자적 공개】** ① 공공기관은 전자적 형태로 보유·관리하는 정보에 대하여 청구인이 전자적 형태로 공개하여 줄 것을 요청하는 경우에는 그 정보의 성질상 현저히 곤란한 경우를 제외하고는 청구인의 요청에 따라야 한다. [2022 채용1차]
> ② 공공기관은 전자적 형태로 보유·관리하지 아니하는 정보에 대하여 청구인이 전자적 형태로 공개하여 줄 것을 요청한 경우에는 정상적인 업무수행에 현저한 지장을 초래하거나 그 정보의 성질이 훼손될 우려가 없으면 그 정보를 전자적 형태로 변환하여 공개할 수 있다.

⚖ 요지판례 |

■ 국민이 공개방법을 선택하여 공개청구를 한 경우 공공기관은 공개방법을 선택할 재량권이 없다고 해석함이 상당하다(대판 2003.12.12, 2003두8050).

■ 공공기관의 정보공개에 관한 법률은 청구인이 정보공개방법도 아울러 지정하여 정보공개를 청구할 수 있도록 하고 있고, 전자적 형태의 정보를 전자적으로 공개하여 줄 것을 요청한 경우에는 공공기관은 원칙적으로 요청에 응할 의무가 있고, 나아가 비전자적 형태의 정보에 관해서도 전자적 형태로 공개하여 줄 것을 요청하면 재량 판단에 따라 전자적 형태로 변환하여 공개할 수 있도록 하고 있다. 이는 정보의 효율적 활용을 도모하고 청구인의 편의를 제고함으로써 구 정보공개법의 목적인 국민의 알 권리를 충실하게 보장하려는 것이므로, 청구인에게는 특정한 공개방법을 지정하여 정보공개를 청구할 수 있는 법령상 신청권이 있다(대판 2016.11.10, 2016두44674). ➡ 따라서 공공기관이 공개청구의 대상이 된 정보를 공개는 하되, 청구인이 신청한 공개방법 이외의 방법으로 공개하기로 하는 결정을 하였다면, 이는 정보공개청구 중 정보공개방법에 관한 부분에 대하여 일부 거부처분을 한 것이고, 청구인은 그에 대하여 항고소송으로 다툴 수 있다. [2021 경행특채 2차]

3. 비용부담

> **정보공개법 제17조 【비용부담】** ① 정보의 공개 및 우송 등에 드는 비용은 실비의 범위에서 청구인이 부담한다. [2017 승진(경위)] [2018 승진(경위)]
> ② 공개를 청구하는 정보의 사용 목적이 공공복리의 유지·증진을 위하여 필요하다고 인정되는 경우에는 제1항에 따른 비용을 감면할 수 있다.
> ③ 제1항에 따른 비용 및 그 징수 등에 필요한 사항은 국회규칙·대법원규칙·헌법재판소규칙·중앙선거관리위원회규칙 및 대통령령으로 정한다.
> [2013 채용1차 유사] [2015 채용2차 유사] [2017 승진(경감)] [2020 승진(경감)] [2022 채용1차] 정보의 공개 및 우송 등에 드는 비용은 실비의 범위에서 정보공개 청구를 받은 행정청(또는 공공기관)이 부담한다. (×)

4. 제3자가 관련된 정보의 경우

> **정보공개법 제11조 【정보공개 여부의 결정】** ③ 공공기관은 공개청구된 공개대상 정보의 전부 또는 일부가 제3자와 관련이 있다고 인정할 때에는 그 사실을 제3자에게 지체 없이 통지하여야 하며, 필요한 경우에는 그의 의견을 들을 수 있다. [2017 경간]

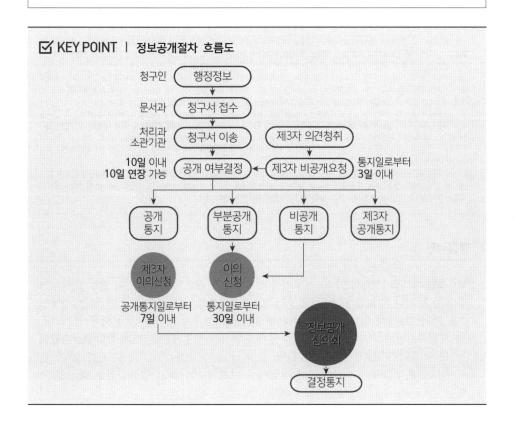

[2019 승진(경감)] 공공기관은 공개청구된 공개대상 정보의 전부 또는 일부가 제3자와 관련이 있다고 인정할 때에는 그 사실을 제3 자에게 지체 없이 통지하여야 하며, 그의 의견을 들어야 한다. (×)
[2019 승진(경위)] 공공기관은 공개청구된 공개대상 정보의 전부 또는 일부가 제3자와 관련이 있다고 인정할 때에는 그 사실을 제3 자에게 3일 이내에 통지하여야 하며, 필요한 경우에는 그의 의견을 들을 수 있다. (×)

정보공개법 제21조【제3자의 비공개 요청 등】 ① 제11조 제3항에 따라 공개청구된 사실을 통지받은 제3자는 그 통지를 받은 날부터 3일 이내에 해당 공공기관에 대하여 자신과 관련된 정보를 공개하지 아니할 것을 요청할 수 있다. [2012 채용2차] [2017 경간] [2021 승진(실무 종합)]
② 제1항에 따른 비공개 요청에도 불구하고 공공기관이 공개 결정을 할 때에는 공개 결정 이유와 공개 실시일을 분명히 밝혀 지체 없이 문서로 통지하여야 하며, 제3자는 해당 공공기관에 문서로 이의신청을 하거나 행정심판 또는 행정소송을 제기할 수 있다. 이 경우 이의신청은 통지를 받은 날부터 7일 이내에 하여야 한다.
③ 공공기관은 제2항에 따른 공개 결정일과 공개 실시일 사이에 최소한 30일의 간격을 두어야 한다.

⚖ 요지판례 |

제3자가 비공개를 요청하였다고 하여 공공기관의 정보공개에 관한 비공개사유에 해당하는 것은 아니다. 제3자와 관련이 있는 정보라고 하더라도 당해 공공기관이 이를 보유·관리하고 있는 이상 정보공개법 제9조 제1항 단서 각 호의 비공개사유에 해당하지 아니하면 정보공개의 대상이 되는 정보에 해당한다고 보아야 할 것이다(대판 2008.9.25, 2008두8680).

☑ KEY POINT | 정보공개절차 흐름도

05 불복구제절차

1. 이의신청

🔍 쉽게 읽기!

§18 ①

사유	시기	종기
비공개 결정	통지받은 날	30일 이내
부분공개 결정	통지받은 날	30일 이내
청구 후 20일 경과, 미결정	청구 후 20일 경과한 날	30일 이내

문서로 이의신청을 할 수 있다.

정보공개법 제18조【이의신청】 ① 청구인이 정보공개와 관련한 공공기관의 비공개 결정 또는 부분 공개 결정에 대하여 불복이 있거나 정보공개 청구 후 20일이 경과하도록 정보공개 결정이 없는 때에는 공공기관으로부터 정보공개 여부의 결정 통지를 받은 날 또는 정보공개 청구 후 20일이 경과한 날부터 30일 이내에 해당 공공기관에 문서로 이의신청을 할 수 있다. [2012 채용2차] [2015 경간] [2015 채용3차] [2017 경간] [2018 채용2차] [2018 경채] [2018 승진(경위)]

② 국가기관등은 제1항에 따른 이의신청이 있는 경우에는 심의회를 개최하여야 한다. 다만, 다음 각 호의 어느 하나에 해당하는 경우에는 심의회를 개최하지 아니할 수 있으며 개최하지 아니하는 사유를 청구인에게 문서로 통지하여야 한다.

1. 심의회의 심의를 이미 거친 사항
2. 단순·반복적인 청구
3. 법령에 따라 비밀로 규정된 정보에 대한 청구

③ 공공기관은 이의신청을 받은 날부터 7일 이내에 그 이의신청에 대하여 결정하고 그 결과를 청구인에게 지체 없이 문서로 통지하여야 한다. 다만, 부득이한 사유로 정하여진 기간 이내에 결정할 수 없을 때에는 그 기간이 끝나는 날의 다음 날부터 기산하여 7일의 범위에서 연장할 수 있으며, 연장사유를 청구인에게 통지하여야 한다. ➡ 7 + (다음 날) 7 [2016 지능범죄] [2018 채용2차]

④ 공공기관은 이의신청을 각하 또는 기각하는 결정을 한 경우에는 청구인에게 행정심판 또는 행정소송을 제기할 수 있다는 사실을 제3항에 따른 결과 통지와 함께 알려야 한다.

[2016 지능범죄] 청구인이 정보공개와 관련한 공공기관의 비공개결정 또는 부분공개결정에 대하여 불복이 있거나 정보공개청구 후 20일이 경과하도록 정보공개결정이 없는 때에는 공공기관으로부터 정보공개 여부의 결정 통지를 받은 날 또는 정보공개청구 후 20일이 경과한 날로부터 30일 이내에 해당 공공기관에 문서 또는 구두로 이의신청을 할 수 있다. (×)

[2018 승진(경감)] [2019 승진(경위)] 유사) 청구인이 정보공개와 관련한 공공기관의 비공개결정 또는 부분공개결정에 대하여 불복이 있거나 정보공개청구 후 20일이 경과하도록 정보공개결정이 없는 때에는 공공기관으로부터 정보공개 여부의 결정 통지를 받은 날 또는 정보공개청구 후 20일이 경과한 날부터 60일 이내에 해당 공공기관에 문서로 이의신청을 할 수 있다. (×)

[2016 채용1차] [2017 경간 유사] 공공기관은 이의신청을 받은 날부터 10일 이내에 그 이의신청에 대하여 결정하고 그 결과를 청구인에게 지체 없이 문서로 통지하여야 한다. 다만, 부득이한 사유로 정하여진 기간 이내에 결정할 수 없을 때에는 그 기간이 끝나는 날의 다음 날부터 기산하여 10일의 범위에서 연장할 수 있으며, 연장 사유를 청구인에게 통지하여야 한다. (×)

[2019 승진(경위)] 공공기관은 이의신청을 받은 날부터 7일 이내에 그 이의신청에 대하여 결정하고 그 결과를 청구인에게 3일 이내에 문서로 통지하여야 한다. (×)

[2017 채용1차] 공공기관은 이의신청을 받은 날부터 7일 이내에 그 이의신청에 대하여 결정하고 그 결과를 청구인에게 지체 없이 문서로 통지하여야 한다. 다만, 부득이한 사유로 정하여진 기간 이내에 결정할 수 없을 때에는 그 기간이 끝나는 날부터 기산하여 7일의 범위에서 연장할 수 있으며, 연장사유를 청구인에게 통지하여야 한다. (×)

2. 행정심판

정보공개법 제19조【행정심판】 ① 청구인이 정보공개와 관련한 공공기관의 결정에 대하여 불복이 있거나 정보공개 청구 후 20일이 경과하도록 정보공개 결정이 없는 때에는 「행정심판법」에서 정하는 바에 따라 행정심판을 청구할 수 있다. 이 경우 국가기관 및 지방자치단체 외의 공공기관의 결정에 대한 감독행정기관은 관계 중앙행정기관의 장 또는 지방자치단체의 장으로 한다. [2012 채용2차] [2017 채용1차] [2018 승진(경감)]

② 청구인은 제18조에 따른 이의신청절차를 거치지 아니하고 행정심판을 청구할 수 있다. [2016 채용1차] [2016 지능범죄] [2017 승진(경감)] [2020 승진(경감)]

③ 행정심판위원회의 위원 중 정보공개 여부의 결정에 관한 행정심판에 관여하는 위원은 재직 중은 물론 퇴직 후에도 그 직무상 알게 된 비밀을 누설하여서는 아니 된다.

④ 제3항의 위원은 「형법」이나 그 밖의 법률에 따른 벌칙을 적용할 때에는 공무원으로 본다.

[2023 채용1차] 청구인은 이의신청 절차를 거치지 아니하고 행정심판을 청구할 수 없다. (×)
[2012 채용2차] [2017 승진(경위)] 유사) 비공개결정에 대해 청구인은 이의신청 또는 행정심판을 청구할 수 있고, 직접 행정소송을 제기할 수 있다. 이때, 청구인이 행정심판을 청구하기 위해서는 반드시 이의신청절차를 거쳐야 한다. (×)

3. 행정소송

정보공개법 제20조【행정소송】 ① 청구인이 정보공개와 관련한 공공기관의 결정에 대하여 불복이 있거나 정보공개청구 후 20일이 경과하도록 정보공개결정이 없는 때에는 「행정소송법」에서 정하는 바에 따라 행정소송을 제기할 수 있다. [2012 채용2차] [2016 채용1차] [2016 지능범죄] [2018 승진(경감)]

② 재판장은 필요하다고 인정하면 당사자를 참여시키지 아니하고 제출된 공개 청구 정보를 비공개로 열람·심사할 수 있다.

③ 재판장은 행정소송의 대상이 제9조 제1항 제2호에 따른 정보 중 국가안전보장·국방 또는 외교관계에 관한 정보의 비공개 또는 부분 공개 결정처분인 경우에 공공기관이 그 정보에 대한 비밀 지정의 절차, 비밀의 등급·종류 및 성질과 이를 비밀로 취급하게 된 실질적인 이유 및 공개를 하지 아니하는 사유 등을 입증하면 해당 정보를 제출하지 아니하게 할 수 있다.

[2018 경행특채 2차] 청구인이 정보공개와 관련하여 공공기관의 처분에 대하여 행정소송을 제기하고자 하는 때에는 먼저 이의신청 및 행정심판을 거치도록 하고 있다. (×)

06 정보공개심의회 · 정보공개위원회

1. 정보공개심의회

(1) 설치

정보공개법 제12조【정보공개심의회】 ① 국가기관, 지방자치단체, 「공공기관의 운영에 관한 법률」 제5조에 따른 공기업 및 준정부기관, 「지방공기업법」에 따른 지방공사 및 지방공단(이하 "국가기관등"이라 한다)은 제11조에 따른 정보공개 여부 등을 심의하기 위하여 정보공개심의회(이하 "심의회"라 한다)를 설치·운영한다. 이 경우 국가기관등의 규모와 업무성격, 지리적 여건, 청구인의 편의 등을 고려하여 소속 상급기관(지방공사·지방공단의 경우에는 해당 지방공사·지방공단을 설립한 지방자치단체를 말한다)에서 협의를 거쳐 심의회를 통합하여 설치·운영할 수 있다.

(2) 구성

> **정보공개법 제12조【정보공개심의회】**② 심의회는 위원장 1명을 포함하여 5명 이상 7명 이하의 위원으로 구성한다.
> ③ 심의회의 위원은 소속 공무원, 임직원 또는 외부 전문가로 지명하거나 위촉하되, 그 중 3분의 2는 해당 국가기관등의 업무 또는 정보공개의 업무에 관한 지식을 가진 외부 전문가로 위촉하여야 한다. 다만, 제9조 제1항 제2호(➡ 국가안전보장·국방·통일·외교관계 등 관련) 및 제4호(➡ 진행 중인 재판, 범죄 예방·수사·공소제기 및 유지 등 관련) 에 해당하는 업무를 주로 하는 국가기관은 그 국가기관의 장이 외부 전문가의 위촉 비율을 따로 정하되, 최소한 3분의 1 이상은 외부 전문가로 위촉하여야 한다.

(3) 위원 및 위원장

> **정보공개법 제12조【정보공개심의회】**④ 심의회의 위원장은 위원 중에서 국가기관등의 장이 지명하거나 위촉한다.
> ⑤ 심의회의 위원에 대해서는 제23조 제4항 및 제5항(➡ 비밀누설 금지의무 및 공무원 의제)을 준용한다.
> ⑥ 심의회의 운영과 기능 등에 관하여 필요한 사항은 국회규칙·대법원규칙·헌법재판소규칙·중앙선거관리위원회규칙 및 대통령령으로 정한다.

2. 정보공개위원회

(1) 설치

> **정보공개법 제22조【정보공개위원회의 설치】**다음 각 호의 사항을 심의·조정하기 위하여 행정안전부장관 소속으로 정보공개위원회(이하 "위원회"라 한다)를 둔다.
> 1. 정보공개에 관한 정책 수립 및 제도 개선에 관한 사항
> 2. 정보공개에 관한 기준 수립에 관한 사항
> 3. 제12조에 따른 심의회 심의결과의 조사·분석 및 심의기준 개선 관련 의견제시에 관한 사항
> 4. 제24조 제2항 및 제3항에 따른 공공기관의 정보공개 운영실태 평가 및 그 결과 처리에 관한 사항
> 5. 정보공개와 관련된 불합리한 제도·법령 및 그 운영에 대한 조사 및 개선권고에 관한 사항
> 6. 그 밖에 정보공개에 관하여 대통령령으로 정하는 사항
>
> [2018 경행특채 2차] 정보공개에 관한 정책 수립 및 제도개선에 관한 사항을 심의·조정하기 위하여 행정안전부장관 소속으로 정보공개위원회를 둔다. (×)

개정·시행 전(2023.11.17. 이전)에는 '국무총리' 소속이었다.

(2) 구성

정보공개법 제23조 【위원회의 구성 등】 ① 위원회는 성별을 고려하여 위원장과 부위원장 각 1명을 포함한 11명의 위원으로 구성한다. ➡ 위원장 1명(비공무원), 부위원장 1명, 일반위원 9명

② 위원회의 위원은 다음 각 호의 사람이 된다. 이 경우 위원장을 포함한 7명은 공무원이 아닌 사람으로 위촉하여야 한다.

1. 대통령령으로 정하는 관계 중앙행정기관의 차관급 공무원이나 고위공무원단에 속하는 일반직공무원
2. 정보공개에 관하여 학식과 경험이 풍부한 사람으로서 행정안전부장관이 위촉하는 사람
3. 시민단체(「비영리민간단체 지원법」 제2조에 따른 비영리민간단체를 말한다)에서 추천한 사람으로서 행정안전부장관이 위촉하는 사람

⑥ 위원회의 구성과 의결절차 등 위원회 운영에 필요한 사항은 대통령령으로 정한다.

[2015 채용3차] 정보공개위원회는 위원장과 부위원장 각 1명을 포함한 9명의 위원으로 구성한다. 이 경우 위원장을 포함한 7명은 공무원이 아닌 사람으로 위촉할 수 있다. (×)
[2013 채용1차] 정보공개위원회는 위원장 1명과 부위원장 2명을 포함한 11명의 위원으로 구성한다. (×)

💡 2022년 2월 기준 정보공개위원은 다음과 같이 구성되어 있다.

순번	직위	이름	소속
1	위원장	육소영	법학교수
2	위촉위원	경건	법학교수
3	위촉위원	김유승	시민단체
4	위촉위원	조상균	법학교수
5	위촉위원	박수정	시민단체
6	위촉위원	이윤재	시민단체
7	위촉위원	정재형	변호사
8	당연위원	국무조정실국무1차장	
9	당연위원	행정안전부 차관	
10	당연위원	법무부 차관	
11	당연위원	기획재정부 제2차관	

(3) 위원 및 위원장

정보공개법 제23조 【위원회의 구성 등】 ③ 위원장·부위원장 및 위원(제2항 제1호의 위원은 제외한다)의 임기는 2년으로 하며, 연임할 수 있다.

④ 위원장·부위원장 및 위원은 정보공개 업무와 관련하여 알게 된 정보를 누설하거나 그 정보를 이용하여 본인 또는 타인에게 이익 또는 불이익을 주는 행위를 하여서는 아니 된다.

⑤ 위원장·부위원장 및 위원 중 공무원이 아닌 사람은 「형법」이나 그 밖의 법률에 따른 벌칙을 적용할 때에는 공무원으로 본다.

[2013 채용1차] 정보공개위원회 위원의 임기는 2년으로 하되, 연임할 수 없다. (×)

제4절 경찰행정의 실효성 확보수단

주제 1 실효성 확보수단 개설

- 행정부가 행정상 의무를 부과하였는데도 국민이 이행하지 않을 경우 행정목적의 실효성을 확보하기 위해 사용하는 수단을 행정의 실효성 확보수단이라 한다.
- 이러한 실효성 확보수단 중 의무가 이행된 것과 같은 상태를 직접 실현시키는 수단을 직접적 의무이행 확보수단이라 하고, 의무가 이행될 때까지 일정한 불이익을 부과하거나 불이행 자체에 대해서 일정한 불이익을 부과함으로써 간접적으로 의무이행을 강제하는 수단을 간접적 의무이행 확보수단이라고 한다.

☑ KEY POINT | 직접적 의무이행 확보수단과 간접적 의무이행 확보수단 [2012 경간]

경찰강제	즉시강제		직접적 의무이행 확보수단
	강제집행	대집행	
		직접강제	
		강제징수	
		이행강제금(집행벌)	간접적 의무이행 확보수단
경찰벌	경찰형벌		
	경찰질서벌		

[2021 승진(실무종합)] 경찰상 강제집행은 경찰하명에 따른 경찰의무의 불이행이 있는 경우에 상대방의 신체 또는 재산이나 주거 등에 실력을 행사하여 경찰상 필요한 상태를 실현하는 작용으로 간접적 의무이행확보 수단이다. (×)

- 시간적 관점에서, 과거의 의무위반에 대하여 제재를 가하는 경찰벌, 현재 벌어지고 있는 급박한 장해상태에 대해 직접 실력을 행사하여 그 장해를 제거하는 즉시강제(의무부과·의무위반을 전제로 하지 않음), 장래를 향하여 의무이행상태를 실현하는 강제집행으로 나누어 볼 수 있다.

☑ KEY POINT | 시간적 관점에 따른 실효성 확보수단

과거	현재	장래
경찰벌	즉시강제	강제집행 • 대집행 • 직접강제 • 이행강제금(집행벌) • 강제징수

[2021 채용1차] 경찰상 강제집행은 장래에 향하여 의무이행을 강제한다는 점에서 과거의 의무위반에 대한 제재인 경찰벌과 구별된다. (○)

- 또한, 전통적으로 논의되던 실효성 확보수단인 경찰강제와 경찰벌 외에, 새로운 의무이행 확보수단으로서 경찰상 공표(명단공개), 관허사업의 제한, 취업제한, 국외여행제한, 공급제한, 과징금 등의 새로운 의무이행 확보수단도 논의되고 있다. ➜ 이러한 새로운 의무이행 확보수단은 모두 간접적 의무이행 확보수단에 속한다. [2020 경간]

주제 2 경찰강제 - 강제집행과 즉시강제

01 경찰상 강제집행

강제집행과 즉시강제의 구분 [2021 채용1차]
- **즉시강제:** 현재 목전 급박한 장해상태에 대해 별도의 의무부과 없이 바로 실력을 행사하는 작용
- **강제집행:** 하명을 통해 의무를 부과하고 그 의무가 이행되지 않는 경우 이루어지는 작용

- 경찰상의 강제집행은 경찰하명(의무부과)에 따르는 의무의 불이행이 있는 경우에 상대방의 신체 또는 재산에 실력을 가하여 의무를 이행시키거나 의무이행이 있는 것과 같은 상태를 실현하는 사실적 경찰작용을 말한다.
- 경찰상 강제집행은 대체적으로 권력적 사실행위의 성질을 가진다. ➜ 단, 이행강제금(집행벌)과 같이 법적행위 성질을 가진 것도 있고, 여러 단계를 거쳐 이루어지는 강제집행 중 일부가 법적행위의 성질을 가진 것도 있다.

• 경찰상 강제집행의 종류로는 대집행·직접강제·이행강제금(집행벌)·강제징수가 있다.

☑ KEY POINT | 강제집행 종류별 대상의무

종류	대상의무
대집행	대체적 작위의무
직접강제	작위의무, 부작위의무, 수인의무
이행강제금(집행벌)	대체적 작위의무(판례), 비대체적 작위의무, 부작위의무, 수인의무
강제징수	금전급부의무

02 대집행

> **행정기본법 제30조 【행정상 강제】** ① 행정청은 행정목적을 달성하기 위하여 필요한 경우에는 법률로 정하는 바에 따라 필요한 최소한의 범위에서 다음 각 호의 어느 하나에 해당하는 조치를 할 수 있다.
>
> 1. 행정대집행: 의무자가 행정상 의무(법령등에서 직접 부과하거나 행정청이 법령등에 따라 부과한 의무를 말한다. 이하 이 절에서 같다)로서 타인이 대신하여 행할 수 있는 의무를 이행하지 아니하는 경우 법률로 정하는 다른 수단으로는 그 이행을 확보하기 곤란하고 그 불이행을 방치하면 공익을 크게 해칠 것으로 인정될 때에 행정청이 의무자가 하여야 할 행위를 스스로 하거나 제3자에게 하게 하고 그 비용을 의무자로부터 징수하는 것 [2024 채용 1차]
> [2022 경간] 경찰상의 강제집행의 실정법적 근거로는 「경찰관 직무집행법」이 유일하다. (×)
>
> **행정대집행법 제2조 【대집행과 그 비용징수】** 법률(법률의 위임에 의한 명령, 지방자치단체의 조례를 포함한다. 이하 같다)에 의하여 직접명령되었거나 또는 법률에 의거한 행정청의 명령에 의한 행위로서 타인이 대신하여 행할 수 있는 행위를 의무자가 이행하지 아니하는 경우 다른 수단으로써 그 이행을 확보하기 곤란하고 또한 그 불이행을 방치함이 심히 공익을 해할 것으로 인정될 때에는 당해 행정청은 스스로 의무자가 하여야 할 행위를 하거나 또는 제삼자로 하여금 이를 하게 하여 그 비용을 의무자로부터 징수할 수 있다.
> [2019 경행특채 2차] 행정청의 명령에 의한 행위뿐만 아니라 법률에 의하여 직접 명령된 행위도 행정대집행의 대상이 된다. (○)

1. 의의 [2018 승진(경위)]

• 대체적 작위의무 위반이 있는 경우 행정청이 의무자가 해야 할 일을 스스로 행하거나(자기집행) 또는 제3자로 하여금 행하게 함으로써(타자집행) 의무의 이행이 있었던 것과 같은 상태를 실현하는 작용을 말한다. 예 무허가 건물의 철거, 불법주차 차량의 견인

• 대집행의 주체는 대집행의 대상이 되는 의무를 명하는 처분을 한 당해 행정청이고, 감독청은 이에 해당하지 않는다. ➡ 제3자에게 위탁하는 타자집행의 경우 제3자는 대집행의 주체가 아니라 행정보조자에 해당한다.
[2022 채용2차] 행정대집행과 행정상 즉시강제는 제3자에 의해 집행될 수 없고 행정청이 직접 행사해야 한다. (×)

• 대집행에 관한 일반법으로 행정대집행법이 있다. [2021 채용1차]
[2020 승진(경감)] 대집행이란 비대체적 작위의무의 불이행이 있는 경우 행정청이 의무자의 작위의무를 스스로 행하거나 또는 제3자로 하여금 이를 행하게 하고 그 비용을 의무자로부터 징수하는 것을 말한다. (×)

2. 요건

(1) 공법상 의무 불이행

법령에서 직접 또는 법령에 근거한 행정행위에 따른 공법상 의무일 것 ➔ 사법상 의무 불이행은 대집행대상이 아니다!

> **⚖ 요지판례 |**
>
> 관계 법령상 행정대집행의 절차가 인정되어 행정청이 행정대집행의 방법으로 건물의 철거 등 대체적 작위의무의 이행을 실현할 수 있는 경우에는 따로 민사소송의 방법으로 그 의무의 이행을 구할 수 없다(대판 2017.4.28, 2016다213916). [2019 경행특채 2차] [2021 경행특채 2차]

(2) 대체적 작위의무

- 대체적 작위의무란 타인이 대신해 줄 수 있는 의무를 말한다. 의무자만이 이행 가능한 전문·기술적 의무, 수인의무, 병역의무는 대체적 작위의무가 아니다.
- 부작위의무(중지의무)는 대집행의 대상이 되지 않는다(직접강제의 대상).

> **⚖ 요지판례 |**
>
> ■ "장례식장의 사용을 중지할 것을 명하며 만일 중지하지 아니하면 대집행하겠다." 는 취지의 대집행계고처분에 따른 장례식장 사용중지의무는 부작위의무로서 대집행의 대상이 될 수 없는 것이다(대판 2005.9.28, 2005두7464).
> ■ 도시공원시설인 매점의 관리청이 그 공동점유자 중의 1인에 대하여 소정의 기간 내에 위 매점으로부터 퇴거하고 이에 부수하여 그 판매 시설물 및 상품을 반출하지 아니할 때에는 이를 대집행하겠다는 내용의 계고처분은 그 주된 목적이 매점의 원형을 보존하기 위하여 점유자가 설치한 불법 시설물을 철거하고자 하는 것이 아니라, 매점에 대한 점유자의 점유를 배제하고 그 점유이전을 받는 데 있다고 할 것인데, 이러한 의무는 그것을 강제적으로 실현함에 있어 직접적인 실력행사가 필요한 것이지 대체적 작위의무에 해당하는 것은 아니어서 직접강제의 방법에 의하는 것은 별론으로 하고 행정대집행법에 의한 대집행의 대상이 되는 것은 아니다(대판 1998. 10.23, 97누157).
>
> [2019 경행특채 2차] 도시공원시설인 매점에 대해서 관리청이 점유자에게 매점으로부터 퇴거하고 이에 부수하여 그 판매 시설물 및 상품을 반출하라고 명한 경우에 행정대집행을 할 수 있다. (×)

(3) 다른 수단으로 이행 확보 곤란(보충성)

불이행된 의무를 다른 수단으로 이행을 확보하기가 곤란하여야 한다. 다른 수단이란 비례원칙상 의무자에 대한 침해가 대집행보다 경미한 수단을 의미한다.

(4) 불이행 방치가 심히 공익을 해할 것

의무의 불이행을 방치함이 심히 공익을 해할 때에만 대집행권 발동이 가능하며, '심히'의 판단시기는 계고시가 기준이 된다.

3. 절차

> 계고(통지) ➡ 통지(통지) ➡ 실행(권력적 사실행위 + 수인하명) ➡ 비용납부명령(하명)

[2021 경간] 대집행의 절차는 계고 → 통지 → 비용의 징수 → 실행 순이다. (×)

(1) 계고

> **행정대집행법 제3조【대집행의 절차】** ① 전조의 규정에 의한 처분(이하 대집행이라 한다)을 하려함에 있어서는 상당한 이행기한을 정하여 그 기한까지 이행되지 아니할 때에는 대집행을 한다는 뜻을 미리 문서로써 계고하여야 한다. 이 경우 행정청은 상당한 이행기한을 정함에 있어 의무의 성질·내용 등을 고려하여 사회통념상 해당 의무를 이행하는 데 필요한 기간이 확보되도록 하여야 한다.

- 계고란 상당한 기간 내에 이행하지 않으면 대집행을 한다는 뜻을 알리는 행위이다.
- 준법률행위적 행정행위(통지)의 성격을 가지며, 행정처분으로서 항고소송의 대상이 된다는 것이 통설 및 판례의 입장이다. ➡ 반복된 계고의 경우 **1차 계고에만 처분성**이 인정되고, 2차·3차의 계고에 대해서는 처분성이 부정된다.

> **⚖ 요지판례 Ⅰ**
>
> 행정대집행법상의 건물철거의무는 제1차 철거명령 및 계고처분으로서 발생하였고, 제2차·제3차의 계고처분은 새로운 철거의무를 부과한 것이 아니고, 다만 대집행 기한의 연기통지에 불과하므로 행정처분이 아니다(대판 1994.10.28, 94누5144). ➡ 따라서 취소소송의 대상이 될 수 없다. [2021 경행특채 2차]

- 계고는 반드시 문서로 하여야 하며, 구두에 의한 계고는 무효이다.
- 철거명령과 계고처분을 1장의 문서로 할 수 있다는 것이 판례의 입장이다.

> **⚖ 요지판례 Ⅰ**
>
> 계고서라는 명칭의 1장의 문서로서 일정기간 내에 위법건축물의 자진철거를 명함과 동시에 그 소정기한 내에 자진철거를 하지 아니할 때에는 대집행할 뜻을 미리 계고한 경우라도 건축법에 의한 철거명령과 행정대집행법에 의한 계고처분은 독립하여 있는 것으로서 각 그 요건이 충족되었다(대판 1992.6.12, 91누13564). ➡ 위 경우, 철거명령에서 주어진 일정기간이 자진철거에 필요한 상당한 기간이라면 그 기간 속에는 계고시에 필요한 '상당한 이행기간'도 포함되어 있다고 보아야 할 것이다.

(2) 통지

> **행정대집행법 제3조【대집행의 절차】** ② 의무자가 전항의 계고를 받고 지정기한까지 그 의무를 이행하지 아니할 때에는 당해 행정청은 대집행영장으로써 대집행을 할 시기, 대집행을 시키기 위하여 파견하는 집행책임자의 성명과 대집행에 요하는 비용의 개산에 의한 견적액을 의무자에게 통지하여야 한다.
> ③ 비상시 또는 위험이 절박한 경우에 있어서 당해 행위의 급속한 실시를 요하여 전2항에 규정한 수속을 취할 여유가 없을 때에는 그 수속을 거치지 아니하고 대집행을 할 수 있다.

- 의무자가 계고를 받고도 의무를 이행하지 않는 경우 대집행영장으로써 대집행을 할 시기, 대집행책임자의 성명, 대집행 비용을 의무자에게 문서로써 알리는 것을 말한다.
- 준법률행위적 행정행위(통지)의 성격을 가지며, 행정처분으로서 항고소송의 대상이 된다는 것이 통설 및 판례의 입장이다.

(3) 실행

> **행정대집행법 제4조【대집행의 실행 등】** ① 행정청(제2조에 따라 대집행을 실행하는 제3자를 포함한다. 이하 이 조에서 같다)은 해가 뜨기 전이나 해가 진 후에는 대집행을 하여서는 아니 된다. 다만, 다음 각 호의 어느 하나에 해당하는 경우에는 그러하지 아니하다.
> 1. 의무자가 동의한 경우
> 2. 해가 지기 전에 대집행을 착수한 경우
> 3. 해가 뜬 후부터 해가 지기 전까지 대집행을 하는 경우에는 대집행의 목적 달성이 불가능한 경우
> 4. 그 밖에 비상시 또는 위험이 절박한 경우
> ② 행정청은 대집행을 할 때 대집행 과정에서의 안전 확보를 위하여 필요하다고 인정하는 경우 현장에 긴급 의료장비나 시설을 갖추는 등 필요한 조치를 하여야 한다.
> ③ 대집행을 하기 위하여 현장에 파견되는 집행책임자는 그가 집행책임자라는 것을 표시한 증표를 휴대하여 대집행시에 이해관계인에게 제시하여야 한다.

- 행정청 스스로 의무자가 해야 할 행위를 하거나 제3자로 하여금 그 의무를 이행시키는 물리력의 행사를 말하며, 대집행책임자는 그가 집행책임자라는 것을 표시한 증표를 휴대하여 대집행시에 이해관계인에게 제시하여야 한다.
- 수인하명과 사실행위가 결합된 권력적 사실행위로 항고소송의 대상이 되는 처분에 해당한다.
- 의무자는 수인의무가 있고 이를 방해하면 공무집행방해죄가 성립될 수 있다.

용산 참사 사건(2009)
- 2009.1. 서울 용산구 한강로 2가에 소재한 철거대상 건물 안에서, 농성 중인 철거민 등을 퇴거시키기 위해 경찰특공대까지 투입되었으나, 그 과정에서 화재가 발생하여 총 7명의 사망자(경찰 1명 포함)를 낸 참사사건이다.
- 이 사건 이후 대집행 과정에서 적법한 공권력 행사의 범위와 한계에 대해 활발한 논의가 이루어 졌고, 이후 서울시는 2013년 '주거시설 등에 대한 행정대집행 인권매뉴얼'을 마련하기도 하였다.

⊕ **심화** 대집행 실행과 실력행사

① **문제점**
- 대집행 실행시 실력행사가 가능한지 여부에 대해 견해대립이 있다.

② **판례**

> 🔍 **요지판례 Ⅰ**
> ■ 건물의 점유자가 철거의무자일 때에는 건물철거의무에 퇴거의무도 포함되어 있는 것이어서 별도로 퇴거를 명하는 집행권원이 필요하지 않다. 행정청이 행정대집행의 방법으로 건물철거의무의 이행을 실현할 수 있는 경우에는 건물철거 대집행 과정에서 부수적으로 건물의 점유자들에 대한 퇴거조치를 할 수 있고, 점유자들이 적법한 행정대집행을 위력을 행사하여 방해하는 경우 형법상 공무집행방해죄가 성립하므로, 필요한 경우에는 '경찰관 직무집행법'에 근거한 위험발생 방지조치 또는 형법상 공무집행방해죄의 범행방지 내지 현행범 체포의 차원에서 경찰의 도움을 받을 수도 있다(대판 2017.4.28, 2016다213916).

* 일반적으로 토지·건물의 명도의무, 퇴거의무는 대집행의 대상이 되지 않는다고 본다(직접강제의 대상).

(4) 비용징수

> **행정대집행법 제5조【비용납부명령서】** 대집행에 요한 비용의 징수에 있어서는 실제에 요한 비용액과 그 납기일을 정하여 의무자에게 <u>문서로써</u> 그 납부를 명하여야 한다.
>
> **행정대집행법 제6조【비용징수】** ① 대집행에 요한 비용은 <u>국세징수법의 예에 의하여</u> 징수할 수 있다.

- 대집행에 소요된 비용은 의무자로부터 이를 징수한다. 실제 대집행에 필요한 비용에 한하여 징수할 수 있다.
- 비용납부명령은 급부하명으로서, 처분성을 가진다.

⚖ 요지판례 |

행정대집행법이 대집행비용의 징수에 관하여 민사소송절차에 의한 소송이 아닌 간이하고 경제적인 특별구제절차를 마련해 놓고 있으므로, 민사소송절차에 의하여 그 비용의 상환을 청구하는 것은 소의 이익이 없어 부적법하다(대판 2011.9.8, 2010다48240).
[2021 경행특채 2차] 행정대집행을 실시하기 위하여 지출한 비용은 민사소송절차에 의하여 그 비용의 상환을 청구할 수 있다. (×)

---

4. 대집행에 대한 구제

(1) 행정쟁송 – 실행완료 전

계고·대집행영장에 의한 통지·대집행 실행·대집행비용납부명령 <u>모두가</u> 행정쟁송의 대상인 처분에 해당한다. ➡ 즉, 대집행 실행이 완료 전에는 행정심판이나 행정소송을 통해 권리를 구제받을 수 있다. 반면, 대집행 실행이 완료된 후에는 소의 이익이 존재하지 않는다.

(2) 손해배상·결과제거청구 – 실행완료 후

대집행이 완료된 후에는 의무자는 대집행의 위법을 이유로 손해배상을 청구할 수 있으며, 결과제거청구권의 성립요건을 충족하는 한 그로 야기된 위법상태를 제거하여 원래의 상태로 회복시켜 줄 것을 청구할 수 있다.

(3) 대집행과 하자승계

- 대집행은 하나의 목적을 위해 진행되는 일련의 과정이므로 하자승계가 긍정된다.
  ➡ 계 – 통 – 실 – 비
- 건물철거명령인 하명과 대집행절차 사이에는 <u>하자승계가 부정된다.</u> 다만, 건물철거명령이 무효인 경우에는 하자승계가 긍정된다.

⚖ 요지판례 |

적법한 건축물에 대한 철거명령은 그 하자가 중대하고 명백하여 당연무효라고 할 것이고, 그 후행행위인 건축물철거 대집행계고처분 역시 당연무효라고 할 것이다(대판 1999.4.27, 97누6780). [2021 경행특채 2차]

---

03 직접강제

> **행정기본법 제30조【행정상 강제】** ① 행정청은 행정목적을 달성하기 위하여 필요한 경우에는 법률로 정하는 바에 따라 필요한 최소한의 범위에서 다음 각 호의 어느 하나에 해당하는 조치를 할 수 있다.
>
> 3. 직접강제: 의무자가 행정상 의무를 이행하지 아니하는 경우 행정청이 의무자의 신체나 재산에 실력을 행사하여 그 행정상 의무의 이행이 있었던 것과 같은 상태를 실현하는 것
>
> **행정기본법 제32조【직접강제】** ① 직접강제는 행정대집행이나 이행강제금 부과의 방법으로는 행정상 의무 이행을 확보할 수 없거나 그 실현이 불가능한 경우에 실시하여야 한다. [2024 채용 1차]
>
> ② 직접강제를 실시하기 위하여 현장에 파견되는 집행책임자는 그가 집행책임자임을 표시하는 증표를 보여 주어야 한다.

1. 의의 [2020 승진(경감)]

- 신체 또는 재산에 실력을 행사하여 행정상 필요한 상태를 실현하는 행정상 강제집행의 수단이다. 예 불법영업장의 폐쇄, 외국인의 강제퇴거, 해산명령 불이행에 따른 해산조치 등
- 작위의무의 불이행뿐만 아니라 부작위의무나 수인의무의 불이행의 경우에도 활용 가능하다.

> **☑ KEY POINT | 대집행과 직접강제 비교**
>
> | 구분 | 대집행 | 직접강제 |
> |------|--------|----------|
> | 의무 | 대체적 작위의무
(중지의무 ×, 부작위의무 ×, 퇴거의무 ×,
명도의무 ×, 인도의무 ×) | 작위 · 부작위 · 수인의무 등
일체의 의무불이행
(중지의무 ○, 부작위의무 ○, 퇴거의무 ○,
명도의무 ○, 인도의무 ○) |
> | 비용부담 | 의무자 | 행정청 |
> | 대체성 | 제3자에게 맡길 수 있음 | 제3자에게 맡길 수 없음 |
> | 예 | 건물철거 | • 외국인강제퇴거
• 영업장폐쇄 |
>
> - 대집행은 행정청이 대체적 작위의무를 의무자의 지위에서 행하는 것이지만(혹은 제3자에게 시킴), 직접강제는 강제를 통하여 의무자로 하여금 작위 · 부작위 · 수인으로 나아가게 하는 것이라는 점에서 차이가 있다.

2. 법적 근거

- 직접강제는 강제집행의 수단 중 가장 강력한 수단으로서 침해적 성격이 강하므로 반드시 법적 근거를 요한다.
- 그동안은 직접강제의 일반법이 없어 식품위생법, 출입국관리법, 집회 및 시위에 관한 법률 등 개별법에 의해 처리되어 왔으나, 2021년 3월 행정기본법이 제정되어 직접강제의 절차 중 공통된 절차를 규정하여 인권침해 가능성을 차단하였다.

3. 한계

가장 강력한 수단이라는 점에서 명시적인 법적 근거가 필요함은 물론, 과잉금지원칙과 보충성 원칙(최후수단으로서의 직접강제)이 준수되어야 한다.

[2018 승진(경위)] 직접강제는 경찰상 의무불이행에 대해 최후의 수단으로서 직접 의무자의 신체나 재산에 실력을 가하여 의무의 이행이 있었던 것과 동일한 상태를 실현하는 작용을 말한다. (○)

4. 권리구제

- 직접강제는 권력적 사실행위이므로 처분성이 인정된다. 다만, 직접강제는 단기간에 종료되어 소의 이익이 부정될 가능성이 크다.
- 국가배상청구가 실효적인 구제수단이 되고, 결과제거청구도 가능하다.

04 이행강제금(집행벌)

> **행정기본법 제30조【행정상 강제】** ① 행정청은 행정목적을 달성하기 위하여 필요한 경우에는 법률로 정하는 바에 따라 필요한 최소한의 범위에서 다음 각 호의 어느 하나에 해당하는 조치를 할 수 있다.
> 2. 이행강제금의 부과: 의무자가 행정상 의무를 이행하지 아니하는 경우 행정청이 적절한 이행기간을 부여하고, 그 기한까지 행정상 의무를 이행하지 아니하면 금전급부의무를 부과하는 것
>
> **행정기본법 제31조【이행강제금의 부과】** ① 이행강제금 부과의 근거가 되는 법률에는 이행강제금에 관한 다음 각 호의 사항을 명확하게 규정하여야 한다. 다만, 제4호 또는 제5호를 규정할 경우 입법목적이나 입법취지를 훼손할 우려가 크다고 인정되는 경우로서 대통령령으로 정하는 경우는 제외한다.
> 1. 부과·징수 주체 / 2. 부과요건 / 3. 부과금액 /
> 4. 부과금액 산정기준 / 5. 연간 부과횟수나 횟수의 상한
> ② 행정청은 다음 각 호의 사항을 고려하여 이행강제금의 부과 금액을 가중하거나 감경할 수 있다.
> 1. 의무 불이행의 동기, 목적 및 결과
> 2. 의무 불이행의 정도 및 상습성
> 3. 그 밖에 행정목적을 달성하는 데 필요하다고 인정되는 사유
> ③ 행정청은 이행강제금을 부과하기 전에 미리 의무자에게 적절한 이행기간을 정하여 그 기한까지 행정상 의무를 이행하지 아니하면 이행강제금을 부과한다는 뜻을 문서로 계고하여야 한다.

| 집회 및 시위에 관한 법률상의 집회 해산조치

- **집시법 제20조【집회 또는 시위의 해산】** ① 관할경찰관서장은 다음 각 호의 어느 하나에 해당하는 집회 또는 시위에 대하여는 상당한 시간 이내에 자진 해산할 것을 요청하고 이에 따르지 아니하면 해산을 명할 수 있다. → 경찰하명
  ② 집회 또는 시위가 제1항에 따른 해산 명령을 받았을 때에는 모든 참가자는 지체 없이 해산하여야 한다. → 작위의무(해산의무) 발생
- **집시법 시행령 제17조【집회 또는 시위의 자진 해산의 요청 등】** 법 제20조에 따라 집회 또는 시위를 해산시키려는 때에는 관할 경찰관서장 또는 관할 경찰관서장으로부터 권한을 부여받은 경찰공무원은 다음 각 호의 순서에 따라야 한다.
  3. 해산명령 및 직접 해산 제2호에 따른 자진 해산 요청에 따르지 아니하는 경우에는 세 번 이상 자진 해산할 것을 명령하고, 참가자들이 해산명령에도 불구하고 해산하지 아니하면 직접 해산시킬 수 있다. → 직접강제

④ 행정청은 의무자가 제3항에 따른 계고에서 정한 기한까지 행정상 의무를 이행하지 아니한 경우 이행강제금의 부과 금액·사유·시기를 문서로 명확하게 적어 의무자에게 통지하여야 한다.

⑤ 행정청은 의무자가 행정상 의무를 이행할 때까지 이행강제금을 반복하여 부과할 수 있다. 다만, 의무자가 의무를 이행하면 새로운 이행강제금의 부과를 즉시 중지하되, 이미 부과한 이행강제금은 징수하여야 한다.

⑥ 행정청은 이행강제금을 부과받은 자가 납부기한까지 이행강제금을 내지 아니하면 국세강제징수의 예 또는 「지방행정제재·부과금의 징수 등에 관한 법률」에 따라 징수한다.

[2024 채용 1차] 행정청은 의무자가 행정상 의무를 이행할 때까지 이행강제금을 반복하여 부과할 수 있으나, 의무자가 의무를 이행하면 이미 부과한 이행강제금을 징수하여서는 안 된다. (×)

1. 의의

- 일정 기한까지 의무를 이행하지 않으면 일정한 금액을 부과한다는 뜻을 미리 계고하여 의무자에게 심리적 압박을 가하는 행정상 강제금으로, 의무자로 하여금 스스로 의무를 이행하게 하는 행정상 강제집행의 수단이다. 집행벌이라고도 한다.
- 이행강제금은 대집행이나 즉시강제와 달리 사실행위가 아니라 행정행위(경찰처분 중 경찰하명)이다.

[2018 승진(경위)] 경찰상 의무를 이행하지 않는 경우에 그 이행을 강제하기 위해 과하는 금전벌을 집행벌이라 한다. (○)

⚖ 요지판례 I

■ 건축법상의 이행강제금은 시정명령의 불이행이라는 과거의 위반행위에 대한 제재가 아니라, 의무자에게 시정명령을 받은 의무의 이행을 명하고 그 이행기간 안에 의무를 이행하지 않으면 이행강제금이 부과된다는 사실을 고지함으로써 의무자에게 심리적 압박을 주어 의무의 이행을 간접적으로 강제하는 행정상의 간접강제 수단에 해당한다(대판 2018.1.25, 2015두35116). ➡ 이러한 이행강제금의 본질상 시정명령을 받은 의무자가 **이행강제금이 부과되기 전에 그 의무를 이행한 경우**에는 비록 시정명령에서 정한 기간을 지나서 이행한 경우라도 **이행강제금을 부과할 수 없다.**

[2020 경행특채 2차] 건축법상 이행강제금은 시정명령의 위반이라는 과거의 위반행위에 대한 제재이다. (×)

■ 이행강제금은 과거의 일정한 법률위반 행위에 대한 제재로서의 형벌이 아니라 장래의 의무이행의 확보를 위한 강제수단일 뿐이어서 범죄에 대하여 국가가 형벌권을 실행한다고 하는 과벌에 해당하지 아니하므로 헌법 제13조 제1항이 금지하는 이중처벌금지의 원칙이 적용될 여지가 없다(헌재 2011.10.25, 2009헌바140).

[2020 경행특채 2차] 이행강제금은 일정한 기한까지 의무를 이행하지 않았을 때에는 일정한 금전적 부담을 과하는 것으로서, 헌법 제13조 제1항이 금지하는 이중처벌금지의 원칙의 적용대상이 된다. (×)

경찰벌	이행강제금(집행벌)
• 과거의 의무위반에 대한 제재 • 반복하여 부과 불가(일사부재리)	• 장래의 의무를 심리적으로 강제하기 위한 것 • 의무이행이 있기까지 반복하여 부과 가능

• 이행강제금은 처벌이 아니므로 법에 정한 범위 안에서 의무이행이 있기까지 반복적으로 부과할 수 있다.
• 경찰벌은 과거에 대한 것이고, 이행강제금은 장래의 의무이행을 확보하기 위한 것이다. 따라서 양자는 병과가 가능하다.

[2022 경간] 형사처벌과 이행강제금을 병과하는 것은 헌법상의 이중처벌금지의 원칙에 위반된다. (×)
[2020 승진(경감)] 집행벌은 반복적으로 부과하는 것도 가능하다. (○)
[2021 경간] 집행벌은 경찰벌과 병과해서 행할 수 없다. (×)
[2021 승진(실무종합)] 집행벌은 의무이행을 위한 강제집행이라는 점에서 의무위반에 대한 제재인 경찰벌과 구별되며, 경찰벌과 병과해서 행할 수 있고, 의무이행될 때까지 반복적으로 부과하는 것도 가능하다. (○)

2. 법적 근거

침익적 강제수단(하명의 성질)이므로 당연히 법적 근거를 요한다. 예 건축법 제80조, 농지법 제62조, 부동산 실권리자명의 등기에 관한 법률 제10조 제4항 등 개별 법률에서 인정

3. 대상

• **전통적 견해**: 대체적 작위의무는 대집행이 가능하므로 이행강제금을 인정할 필요가 없으며, 비대체적 작위의무·부작위의무·수인의무에 한해 이행강제금이 가능하다고 보았다.
• **판례(헌법재판소)**: 대집행과 이행강제금을 선택적으로 활용할 수 있다고 보았다. 즉, 대체적 작위의무도 이행강제금 부과대상이라고 보았다.

⚖ **요지판례 |**

전통적으로 행정대집행은 대체적 작위의무에 대한 강제집행수단으로, 이행강제금은 부작위의무나 비대체적 작위의무에 대한 강제집행수단으로 이해되어 왔으나, 이는 이행강제금제도의 본질에서 오는 제약은 아니며, 이행강제금은 대체적 작위의무의 위반에 대하여도 부과될 수 있다. 현행 건축법상 위법건축물에 대한 이행강제수단으로 대집행과 이행강제금(제83조 제1항)이 인정되고 있는데, 양 제도는 각각의 장·단점이 있으므로 행정청은 개별사건에 있어서 위반내용, 위반자의 시정의지 등을 감안하여 대집행과 이행강제금을 선택적으로 활용할 수 있으며, 이처럼 그 합리적인 재량에 의해 선택하여 활용하는 이상 중첩적인 제재에 해당한다고 볼 수 없다(헌재 2004.2.26, 2001헌바80).

[2010 국가직 9급] 판례에 의하면 이행강제금은 비대체적 작위의무에 대한 불이행을 제재하기 위한 것이기 때문에 대체적 작위의무의 불이행에 대해서는 인정할 수 없다고 본다. (×)
[2020 경행특채 2차] 이행강제금은 대체적 작위의무의 위반에 대하여도 부과될 수 있다. (○)

4. 이행강제금의 처분성

(1) 처분성 부정(농지법)

- 비송사건절차법에 의한 특별한 절차가 마련되어 있는 경우
- 항고소송에 의하지 않는다(처분 ×).

> **⚖ 요지판례 |**
>
> 농지법은 비송사건절차법에 따른 과태료 재판에 준하여 재판을 하도록 정하고 있으므로, 농지법에 따른 이행강제금 부과처분에 불복하는 경우에는 비송사건절차법에 따른 재판절차가 적용되어야 하고, 행정소송법상 항고소송의 대상은 될 수 없다(대판 2019.4.11, 2018두42955).
>
> [2020 경행특채 2차] 이행강제금 부과처분에 대해 비송사건절차법에 의한 특별한 불복절차가 마련되어 있는 경우 이행강제금 부과처분은 항고소송의 대상이 되는 행정처분이 아니다. (○)

(2) 처분성 긍정(건축법)

- 이행강제금 부과에 대한 불복절차규정이 없는 경우
- 항고소송에 의한다(처분 ○).

> **⚖ 요지판례 |**
>
> 건축법 각 규정에 의하면, 이행강제금 부과처분을 받은 자가 이행강제금을 기한 내에 납부하지 아니한 때에는 그 납부를 독촉할 수 있으며, 납부독촉에도 불구하고 이행강제금을 납부하지 않으면 체납절차에 의하여 이행강제금을 징수할 수 있고, 이때 이행강제금 납부의 최초 독촉은 징수처분으로서 항고소송의 대상이 되는 행정처분이 될 수 있다(대판 2009.12.24, 2009두14507).

5. 권리구제

▌**행정기본법 시행 전**
지방세외수입금의 징수 등에 관한 법률에 따라 징수

- 이행강제금을 부과받은 자가 납부하지 않으면 국세강제징수의 예 또는 「지방행정제재·부과금의 징수 등에 관한 법률」에 따라 징수한다.
- 이행강제금 납부의 최초 독촉은 징수처분으로서 항고소송의 대상이 되는 처분이다.

05 강제징수

> **행정기본법 제30조【행정상 강제】** ① 행정청은 행정목적을 달성하기 위하여 필요한 경우에는 법률로 정하는 바에 따라 필요한 최소한의 범위에서 다음 각 호의 어느 하나에 해당하는 조치를 할 수 있다.
> 4. 강제징수: 의무자가 행정상 의무 중 금전급부의무를 이행하지 아니하는 경우 행정청이 의무자의 재산에 실력을 행사하여 그 행정상 의무가 실현된 것과 같은 상태를 실현하는 것

1. 의의

행정법상의 금전급부의무를 불이행하고 있는 경우에 의무자의 재산에 실력을 가하여 의무의 이행이 있었던 것과 같은 상태를 직접적으로 실현하는 행정작용을 말한다. [2018 승진(경위)] [2021 채용1차]

[2021 승진(실무종합)] 강제징수란 국민이 국가 또는 공공단체에 대해 부담하고 있는 공법상의 금전급부의무를 이행하지 않는 경우에 행정청이 강제적으로 의무가 이행된 것과 동일한 상태를 실현하는 작용으로 새로운 의무이행확보 수단이다. (×)

2. 법적근거

일반법으로 국세징수법이 있다. 여러 법률이 공법상 금전급부불이행에 대하여 국세징수법을 준용하고 있어 국세징수법이 행정상 강제징수의 일반법으로서 기능한다.

[2020 승진(경감)] 강제징수의 일반법으로서 「국세징수법」이 있다. (○)

3. 강제징수의 절차 [2021 경간]

| 독촉(통지) ➡ 압류(권력적 사실행위) ➡ 매각(공매, 공법상 대리) ➡ 청산 |

절차		내용	법적 성격
독촉		상당한 이행기간을 정하여 의무의 이행을 최고하고, 그 의무가 이행되지 않을 경우에는 강제징수할 뜻을 알리는 것	통지
체납처분 절차	압류	체납자의 재산을 보전하는 강제적 행위(체납자 재산의 사실상·법률상 처분을 금지)	권력적 사실행위
	매각	체납자의 재산을 금전으로 환가하는 행위	공법상 대리(공매)
	청산	매각대금 등으로 받은 금전을 국세·가산금·체납처분비 등에 배분하는 것	처분성 인정
체납처분중지		매각대상의 추산가액이 체납처분비까지 충당하고 남을 여지가 없을 경우	–
결손처분		• 체납처분결과 배분금액이 체납액에 부족할 때 • 결손처분을 하였더라도 새로 압류할 수 있는 다른 재산 발견시 결손처분취소하고 체납처분을 하여야 한다.	• 체납처분절차의 종료로서의 의미 • 처분성 부정

🏍 요지판례 |

구 국세징수법 제68조는 세무서장이 압류된 재산의 공매를 공고한 때에는 즉시 그 내용을 체납자 등에게 통지하도록 정하고 있다. 이러한 체납자 등에 대한 공매통지는 국가의 강제력에 의하여 진행되는 공매절차에서 체납자 등의 권리 내지 재산상 이익을 보호하기 위하여 법률로 규정한 절차적 요건에 해당하지만, 그 통지를 하지 아니한 채 공매처분을 하였다 하여도 그 공매처분이 당연무효로 되는 것은 아니다(대판 2012.7. 26, 2010다50625).

[2020 경행특채 2차] 국세징수법상 공매통지는 국가의 강제력에 의하여 진행되는 공매절차에서 체납자 등의 권리 내지 재산상 이익을 보호하기 위하여 법률로 규정한 절차적 요건에 해당하기 때문에 그 통지를 하지 아니한 채 공매처분을 한 경우에는 그 공매처분은 당연무효이다. (×)

4. 권리구제 – 행정상 강제징수의 불복에 대하여는 국세기본법에 규정이 있다.

(1) 필요적 전심절차

국세기본법은 필요적 전치절차를 규정하여 동법에 의한 심사청구 또는 심판청구와 그에 대한 결정을 거치지 아니하면 행정소송을 제기할 수 없도록 하고 있다. 체납처분도 세법에 의한 처분이므로 전심절차를 거쳐야 한다.

(2) 행정소송

- 독촉 – 압류 – 매각 – 청산은 모두 처분에 속한다. 다만, 강제집행은 단기간에 종료되어 소의 이익이 부정될 가능성이 크다.
- 이 경우 국가배상청구가 실효적인 구제수단이 되며, 결과제거청구도 가능하다.

5. 하자승계

- 독촉 – 압류 – 매각 – 청산간 하자승계가 긍정된다.
- 단, 과세처분과 강제징수절차 사이에는 하자승계가 부정된다.

06 경찰상 즉시강제

> **행정기본법 제30조【행정상 강제】** ① 행정청은 행정목적을 달성하기 위하여 필요한 경우에는 법률로 정하는 바에 따라 필요한 최소한의 범위에서 다음 각 호의 어느 하나에 해당하는 조치를 할 수 있다.
> 5. 즉시강제: 현재의 급박한 행정상의 장해를 제거하기 위한 경우로서 다음 각 목의 어느 하나에 해당하는 경우에 행정청이 곧바로 국민의 신체 또는 재산에 실력을 행사하여 행정목적을 달성하는 것
> 　가. 행정청이 미리 행정상 의무 이행을 명할 시간적 여유가 없는 경우
> 　나. 그 성질상 행정상 의무의 이행을 명하는 것만으로는 행정목적 달성이 곤란한 경우
> **행정기본법 제33조【즉시강제】** ① 즉시강제는 다른 수단으로는 행정목적을 달성할 수 없는 경우에만 허용되며, 이 경우에도 최소한으로만 실시하여야 한다.
> ② 즉시강제를 실시하기 위하여 현장에 파견되는 집행책임자는 그가 집행책임자임을 표시하는 증표를 보여 주어야 하며, 즉시강제의 이유와 내용을 고지하여야 한다.

1. 의의

┃즉시강제 vs 강제집행
- 즉시강제와 강제집행은 모두 권력적 사실행위이다.
- **즉시강제**는 의무 존재와 불이행을 전제로 하지 않지만, **강제집행**은 의무 존재와 불이행을 전제로 한다.

- 급박한 위험 또는 장해를 제거하기 위하여 미리 의무를 명할 시간적 여유가 없는 경우에 직접 개인의 신체 또는 재산에 실력을 가함으로써 행정목적을 실현하는 행정작용을 말한다. ➔ 경찰상 즉시강제는 의무의 존재와 그 불이행을 전제로 하지 않는다는 점에서, 이를 전제로 하는 경찰상 강제집행과 구분된다. [2024 채용 1차]
- 경찰상 즉시강제는 권력적 사실행위로서 성질을 가지며, 처분성이 긍정된다.

[2021 경간] 강제집행과 즉시강제는 선행의무 불이행을 전제하지 않는다. (×)
[2021 채용1차] 경찰상 강제집행은 경찰하명에 의한 의무의 존재 및 그 불이행을 전제로 한다는 점에서 의무불이행을 전제로 하지 않는 경찰상 즉시강제와 구별된다. (○)

2. 법적 근거

- 행정상 즉시강제(경찰상 즉시강제)는 법적 근거가 반드시 필요하다.

  [2022 채용2차] 즉시강제는 법률의 근거가 없더라도 일반긴급권에 기초하여 행사할 수 있다. (×)

  [2022 경간] 즉시강제는 경찰상의 이행을 확보하기 위한 가장 효과적인 수단이며, 공공의 안녕 또는 질서에 대한 급박한 위해가 존재하는 경우에는 국가는 그 위해를 제거하여 공공의 안녕과 질서를 유지할 자연법적 권리와 의무를 가지므로, 특별한 법률적 근거가 없다 하더라도 경찰상의 즉시강제가 가능하다. (×)

- 개별법에는 감염병의 예방 및 관리에 관한 법률, 마약류 관리에 관한 법률, 식품위생법, 소방기본법 등이 있다. 경찰관의 직무집행과 관련해서는 경찰관 직무집행법이 일반법의 지위를 가진다.

> 예 **경찰관 직무집행법 제4조【보호조치 등】**① 경찰관은 수상한 행동이나 그 밖의 주위 사정을 합리적으로 판단해 볼 때 다음 각 호의 어느 하나에 해당하는 것이 명백하고 응급구호가 필요하다고 믿을 만한 상당한 이유가 있는 사람(이하 "구호대상자"라 한다)을 발견하였을 때에는 보건의료기관이나 공공구호기관에 긴급구호를 요청하거나 경찰관서에 보호하는 등 적절한 조치를 할 수 있다.
> 1. 정신착란을 일으키거나 술에 취하여 자신 또는 다른 사람의 생명·신체·재산에 위해를 끼칠 우려가 있는 사람
>
> [2019 경행특채 2차] 경찰관 직무집행법 제4조 제1항 제1호에서 규정하는 "술에 취하여 자신 또는 다른 사람의 생명·신체·재산에 위해를 끼칠 우려가 있는 사람"에 대한 보호조치는 행정상 즉시강제에 해당한다. (○)

⚖ 요지판례 I

- ■ 경찰관 직무집행법 제4조 제1항 제1호(이하 '이 사건 조항'이라 한다)에서 규정하는 술에 취한 상태로 인하여 자기 또는 타인의 생명·신체와 재산에 위해를 미칠 우려가 있는 피구호자에 대한 보호조치는 경찰 행정상 즉시강제에 해당하므로, 그 조치가 불가피한 최소한도 내에서만 행사되도록 발동·행사 요건을 신중하고 엄격하게 해석하여야 한다(대판 2012.12.13, 2012도11162). [2024 채용 1차]

  [2023 채용1차] 「경찰관 직무집행법」 제4조 제1항 제1호에서 규정하는 술에 취한 상태로 인하여 자기 또는 타인의 생명·신체와 재산에 위해를 미칠 우려가 있는 피구호자에 대한 보호조치는 행정상 강제집행에 해당한다. (×)

- ■ 경찰관 직무집행법 제6조는 "경찰관은 범죄행위가 목전에 행하여지려고 하고 있다고 인정될 때에는 이를 예방하기 위하여 관계인에게 필요한 경고를 하고, 그 행위로 인하여 사람의 생명·신체에 위해를 끼치거나 재산에 중대한 손해를 끼칠 우려가 있어 긴급한 경우에는 그 행위를 제지할 수 있다."라고 정하고 있다. 위 조항 중 경찰관의 제지에 관한 부분은 범죄 예방을 위한 경찰 행정상 즉시강제, 즉 눈앞의 급박한 경찰상 장해를 제거할 필요가 있고 의무를 명할 시간적 여유가 없거나 의무를 명하는 방법으로는 그 목적을 달성하기 어려운 상황에서 의무불이행을 전제로 하지 않고 경찰이 직접 실력을 행사하여 경찰상 필요한 상태를 실현하는 권력적 사실행위에 관한 근거조항이다(대판 2018.12.13, 2016도19417). [2019 경행특채 2차] [2023 채용1차]

  [2022 채용2차] 주택가에서 흉기를 들고 난동을 부리며 경찰관의 중지명령에 항거하는 사람에 대해 전자충격기를 사용하여 강제로 제압하거나, 불법집회로 인한 공공시설의 안전에 대한 위해를 억제하기 위해 최루탄을 사용하는 것, 위험물의 폭발로 인해 매우 긴급한 경우에 위해를 입을 우려가 있는 사람을 억류하거나 피난시키는 것은 즉시강제에 해당한다. (○)

3. 경찰상 즉시강제의 수단

(1) 대인적 강제
- 사람의 신체에 실력을 가하여 행정상 필요한 상태를 실현시키는 수단을 말하며, 대표적으로 감염병의 예방 및 관리에 관한 법률상 감염병환자에 대한 강제 입원 조치가 있다.
- 경찰관 직무집행법상으로는 ① 보호조치(제4조), ② 범죄예방·제지(제6조), ③ 경찰장구의 사용(제10조의2), ④ 분사기 등의 사용(제10조의3), ⑤ 무기의 사용(제10조의4) 등이 있다. [2022 채용1차]

[2021 승진(실무종합)] 해산명령 불이행에 따른 해산조치, 불법영업소의 폐쇄조치, 감염병 환자의 즉각적인 강제격리는 모두 즉시강제에 해당한다. (×)

┃ 불심검문(제3조)
- 경찰관이 거동이 수상한 자를 정지시켜 조사하는 행위를 말한다.
- 불심검문의 성질에 대해서는 행정상 즉시강제로 보는 견해와 행정조사로 보는 견해가 대립한다.

(2) 대물적 강제
- 물건에 실력을 가하여 행정상 필요한 상태를 실현시키는 수단을 말한다.
- 경찰관 직무집행법상으로는 보호조치에 수반하여 이루어지는 무기·흉기·위험물 등에 대한 경찰관서에의 임시영치(제4조 제3항)를 들 수 있다.
- 도로교통법상 교통방해 인공구조물 제거조치(제72조 제2항), 교통방해 주차차량에 대한 견인조치(제35조 제2항)도 그 예이다.

┃ 도로교통법 제72조【도로의 지상 인공구조물 등에 대한 위험방지 조치】
② 경찰서장은 인공구조물 등의 소유자·점유자 또는 관리자의 성명·주소를 알지 못하여 제항에 따른 조치를 명할 수 없을 때에는 스스로 그 인공구조물 등을 제거하는 등 조치를 한 후 보관하여야 한다.

(3) 대가택 강제
- 소유자 또는 관리자의 의사에 불구하고 타인의 가택·영업소 등에 출입 또는 수색하는 수단을 말한다.
- 경찰관 직무집행법상으로는 위험 방지를 위한 토지·건물·배·차 등에 대한 출입(제7조 제1항)을 들 수 있다.

4. 경찰상 즉시강제의 한계

(1) 급박성의 원칙
즉시강제는 단순히 미래에 발생할지 모를 장해를 예견하여 발동하는 것은 불가능하고, 실제 발생한 기존의 장해를 제거하거나 목전에 급박한 장해를 예방하기 위하여 발동되어야 한다.

(2) 소극목적의 원칙
- 급박한 위험의 제거 내지 예방이라는 소극목적을 위해 발동되는 것이다. 즉, 즉시강제는 경찰목적을 위한 것이다.
- 적극적으로 어떠한 새로운 질서를 창조하기 위하여 발동되어서는 안 된다.

(3) 보충성의 원칙
- 행정상 즉시강제는 다른 수단으로 달성될 수 없는 경우에 보충적으로 도입되어야 한다. 목전에 급박한 장해의 제거 내지 예방이 다른 수단으로 달성될 수 있을 경우에는 사용할 수 없다. 例 행정지도로 목적달성 가능한 경우 즉시강제 불가
- 행정상 강제집행이 가능한 경우 행정상 즉시강제는 인정될 수 없다. 즉시강제는 즉각적으로 이루어져서 개인의 신체·재산에 미치는 영향이 매우 크기 때문이다.

⚖ **요지판례 |**

행정강제는 행정상 강제집행을 원칙으로 하며, 법치국가적 요청인 예측가능성과 법적 안정성에 반하고, 기본권 침해의 소지가 큰 권력작용인 행정상 즉시강제는 어디까지나 예외적인 강제수단이라고 할 것이다. 이러한 행정상 즉시강제는 엄격한 실정법상의 근거를 필요로 할 뿐만 아니라, 그 발동에 있어서는 법규의 범위 안에서도 다시 행정상의 장해가 목전에 급박하고, 다른 수단으로는 행정목적을 달성할 수 없는 경우이어야 하며, 이러한 경우에도 그 행사는 필요 최소한도에 그쳐야 함을 내용으로 하는 조리상의 한계에 기속된다(헌재 2002.10.31, 2000헌가12).

(4) 비례의 원칙

행정상 즉시강제의 행사는 필요 최소한도에 그쳐야 하는 조리상의 한계에 기속된다. 예 강제격리로 목적을 달성할 수 있는데 강제입원을 명하는 것, 재산에 대한 위해를 제거하기 위하여 신체를 구속하는 것은 비례원칙 위반이다.

[2020 채용1차] 경찰상 즉시강제시 필요 이상으로 실력을 행사하여 경찰책임자 이외의 자에게 유형력을 행사하는 것은 위법이 된다. (O)

⊕ **심화** 즉시강제와 영장주의

① **문제점**

• 급박성을 본질로 하는 즉시강제의 경우에 헌법상의 영장주의를 적용할 것인지 문제된다. 다수설 및 대법원은 영장제도가 적용되어야 하는 것이 원칙이나, 행정목적 달성을 위하여 불가피한 경우에는 영장주의에 대한 예외가 인정된다고 본다.

[2020 채용1차] 즉시강제의 절차적 한계에 있어서 영장주의의 적용 여부에 대하여 영장필요설이 통설과 판례이다. (×)

| **영장주의**
강제처분을 함에는 원칙적으로 법원 또는 법관의 사전 영장이 필요하다는 원칙으로, 헌법 제12조에 근거를 두고 있다.

② **헌법재판소의 입장** – 영장불요설: 원칙적으로 영장주의 적용 ×

⚖ **요지판례 |**

■ 영장주의가 행정상 즉시강제에도 적용되는지에 관하여는 논란이 있으나, 행정상 즉시강제는 상대방의 임의이행을 기다릴 시간적 여유가 없을 때 하명 없이 바로 실력을 행사하는 것으로서, 그 본질상 급박성을 요건으로 하고 있어 법관의 영장을 기다려서는 그 목적을 달성할 수 없다고 할 것이므로, 원칙적으로 영장주의가 적용되지 않는다고 보아야 할 것이다(헌재 2002.10.31, 2000헌가12).

③ **대법원의 입장** – 절충설: 원칙적으로 영장주의 적용 O, 예외적으로 적용 ×

⚖ **요지판례 |**

■ 사전영장주의는 인신보호를 위한 헌법상의 기속원리이기 때문에 인신의 자유를 제한하는 모든 국가작용의 영역에서 존중되어야 하지만, 헌법 제12조 제3항 단서도 사전영장주의의 예외를 인정하고 있는 것처럼 사전영장주의를 고수하다가는 도저히 행정목적을 달성할 수 없는 지극히 예외적인 경우에는 형사절차에서와 같은 예외가 인정된다(대판 1997.6.13, 96다56115). [2019 경행특채 2차]

5. 경찰상 즉시강제에 대한 구제

(1) 적법한 즉시강제에 대한 구제

즉시강제가 법률에 근거하여 적법하게 행해졌으나 이로 인하여 수인한도를 넘는 특별한 희생이 발생한 경우에는 <u>손실보상을 청구할 수 있다.</u>

(2) 위법한 즉시강제에 대한 구제

- **행정쟁송**: 즉시강제는 권력적 사실행위로서 처분에 해당하므로 원칙적으로 행정쟁송의 대상이 될 수 있으나, 대부분 단기간에 종료되므로 협의의 소의 이익이 부정될 가능성이 높다.

  [2020 채용1차] 경찰상 즉시강제는 권력적 사실행위인 처분이기 때문에 행정쟁송이 가능하다. (○)

  > **⚖ 요지판례 Ⅰ**
  >
  > 행정상의 즉시강제 또는 행정대집행과 같은 사실행위는 그 실행이 완료된 이후에 있어서는 그 행위의 위법을 이유로 하는 손해배상 또는 원상회복의 청구를 하는 것은 몰라도, 그 처분의 취소를 구함은, 권리보호의 이익이 없다(대판 1965.5.31, 65누25).

- **손해배상(국가배상)**: 즉시강제가 국가배상법상의 공무원의 직무상 불법행위를 구성하는 경우에는 당연히 손해배상을 청구할 수 있다.
- **자력구제**: 공무원의 직무상 위법한 즉시강제의 경우에는 정당방위나 긴급피난과 같은 자력구제를 할 수도 있다. ➡ 긴급피난의 경우 위난의 원인은 적법·위법을 불문한다.

  [2020 채용1차] 적법한 즉시강제에 대한 구제로 손실보상을 청구할 수 있으며, 일정한 요건하에서 「형법」상 위법성조각사유에 해당하는 긴급피난도 가능하다. (○)

  > **⚖ 요지판례 Ⅰ**
  >
  > 피고인을 그 의사에 반하여 교통초소로 연행해 갈 권한은 경찰관에게 없는 것이므로, 이러한 강제연행에 항거하는 와중에서 위 공소외인의 멱살을 잡는 등 폭행을 가하였다고 하여도 공무집행방해죄가 성립되지 않는다(대판 1992.2.11, 91도2797).

[주제 3] **경찰벌 – 경찰형벌과 경찰질서벌**

01 경찰벌 개관

1. 의의

경찰벌(행정벌)이란 과거의 의무위반에 대해서 일반통치권에 근거하여 일반사인에 과하는 제재로서의 벌을 말한다. ➡ 과거의 의무위반에 대해서 제재를 가함으로써 행정법규의 실효성을 확보함을 목적으로 하는 것!

▌**경찰관 직무집행법 제11조의2 【손실보상】**

① 국가는 경찰관의 적법한 직무집행으로 인하여 다음 각 호의 어느 하나에 해당하는 손실을 입은 자에 대하여 **정당한 보상**을 하여야 한다.

1. 손실발생의 원인에 대하여 책임이 없는 자가 **생명·신체** 또는 **재산**상의 손실을 입은 경우(손실발생의 원인에 대하여 책임이 없는 자가 경찰관의 직무집행에 자발적으로 협조하거나 물건을 제공하여 생명·신체 또는 재산상의 손실을 입은 경우를 포함한다)
2. 손실발생의 원인에 대하여 책임이 있는 자가 자신의 책임에 상응하는 **정도를 초과하는 생명·신체** 또는 재산상의 손실을 입은 경우

2. 경찰형벌과 경찰질서벌

- 경찰벌은, 경찰상 의무위반에 대해 형벌을 과하는 경찰형벌과 과태료를 과하는 경찰질서벌로 나누어진다. 어떤 행위에 대해 경찰형벌(행정형벌)을 과할 것인지 경찰질서벌(행정질서벌)을 과할 것인지는 입법재량의 문제라는 것이 헌법재판소의 입장이다. ➡ 통상 경미한 범법행위에는 행정질서벌인 과태료가, 직접적으로 행정목적을 침해하는 범법행위에는 행정형벌이 부과된다.
- 경찰형벌은 형벌이므로 죄와 형은 법률로 정한다는 헌법상 원리인 죄형법정주의가 적용되나, 경찰질서벌은 형벌이 아니므로 헌법상의 죄형법정주의가 적용되지는 않는다.

▎경찰형벌의 경찰질서벌화
- 경찰형벌을 받으면 전과가 생기고, 경찰질서벌을 받으면 전과가 생기지 않는다.
- 전과자의 양산을 방지하기 위해 벌금을 과태료로 전환하는 경찰형벌의 경찰질서벌화가 이루어지고 있다. ➡ 경찰질서벌의 경찰형벌화 ✕

☑ KEY POINT │ 경찰형벌과 경찰질서벌 비교

1 차이점

구분	경찰형벌	경찰질서벌
의의	경찰의무 위반에 대해 **형벌부과**	경찰의무 위반에 대해 **과태료부과**
고의·고실	형법상의 형벌이 과해지므로 **형법총칙**이 적용된다. ➡ 고의·과실 필요!	형법상의 형벌이 아니므로 **형법총칙이 적용되지 않는다.** ➡ 고의·과실 불요! (단, 질서위반행위 규제법 대상은 고의·과실 필요)
죄형법정주의	적용된다.	적용되지 않는다.

2 병과가능성
- 병과 가능하다는 것이 대법원의 입장이다.

> **⚖ 요지판례 │**
>
> 행정법상의 질서벌인 과태료의 부과처분과 형사처벌은 그 성질이나 목적을 달리하는 별개의 것이므로 행정법상의 질서벌인 과태료를 납부한 후에 형사처벌을 한다고 하여 이를 일사부재리의 원칙에 반하는 것이라고 할 수는 없다(대판 1996.4.12, 96도158).

☑ KEY POINT │ 경찰벌과 인접개념과의 비교

1 징계벌과의 비교
- 징계벌은 특별신분관계의 질서를 유지하기 위해서 그 내부질서위반자에 대해서 특별권력관계에 근거하여 과하는 제재를 말한다.

구분	경찰벌	징계벌
근거	일반통치권	특별권력관계
목적	사회질서유지	내부질서유지
대상	일반국민	내부질서위반자(공무원)
병과	경찰벌과 징계벌은 병과 가능하다(일사부재리 위반 아니다).	

☑ **집행벌(이행강제금)과 비교**
• 집행벌(이행강제금)은 행정법상 의무불이행이 있는 경우에 장래의 의무이행을 확보하기 위한 강제집행의 수단이다.

구분	경찰벌	집행벌(이행강제금)
성격	일시적 · 과거적 성격	계속적 · 장래적 성격
대상	과거의 의무위반	장래 이행을 강제하기 위한 금전부담
병과	경찰벌과 집행벌은 **병과 가능**하다(일사부재리 위반 아니다).	

02 경찰형벌

1. 의의

▌형벌의 종류
사형 · 징역 · 금고 · 자격상실 · 자격정지 · 벌금 · 구류 · 과료 및 몰수

• 경찰상의 의무위반에 대하여 형벌이 부과되는 벌을 의미하며, 죄형법정주의 원칙상 경찰형벌을 부과하기 위해서는 법적 근거가 필요하다.
• 경찰질서벌의 경우 질서위반행위규제법이라는 일반법이 존재하나, 경찰형벌의 경우에는 따로 일반법이 존재하지 않는다.

2. 형법총칙의 적용

• 경찰형벌을 포함한 행정형벌은 형벌의 일종이므로 원칙적으로 형법총칙의 규정이 적용된다.
• 경찰형벌은 특별한 규정에 의해 형법총칙의 적용이 배제되거나 변형될 수 있다.

구분	일반형벌(형사범)	경찰형벌(행정범)
고의 · 과실	고의 · 과실이 필요하다.	• 고의 · 과실이 필요함이 원칙이다. • 해석에 의해 과실행위 처벌의 뜻이 명확하면 명문 규정 없어도 과실범 처벌 가능하다(판례).
행위자 외 처벌	범죄를 행한 자만을 처벌하는 것이 원칙이다.	범죄행위자 외에도, 종업원 위반행위에 대해 사업주도 처벌하는 것과 같이 행위자 외의 자 처벌규정이 있다(양벌규정).
법인처벌	법인은 형법상의 범죄능력이 없다고 본다.	종업원의 위반행위 등에 대해 법인도 처벌하는 규정이 많다. ➔ 법인에게 벌금부과 가능한 경우가 있다.

3. 과벌절차

(1) 일반과벌절차
경찰형벌은 형사소송법이 정하는 절차(경찰 ➔ 검찰 ➔ 형사법원)에 따르는 것이 원칙이다.

(2) 특별과벌절차 – 통고처분
경찰형벌의 특별과벌절차로서 통고처분절차가 있다.

⊕ 심화 통고처분

① 의의

- 정식형사재판의 전단계로서 행정청이 상대방의 동의를 조건으로 벌금 또는 과료에 상당하는 금액의 납부 등을 통고하는 준사법적 행위 ➜ 징역 ✕, 자유형 ✕
- 여기서 말하는 벌금 또는 과료에 상당하는 금액을 범칙금이라 한다.
- 조세범, 관세범, 출입국관리사범 등에 대해서 인정되고 있다. 경찰에서는 경범죄 처벌법과 도로교통법에 규정되어 있다. ➜ 통고처분권자는 세무서장 · 국세청장 · 관세청장 · 세관장 · **경찰서장**이고, 검사나 법원이 통고처분권자가 되는 것이 아니다.

② 통고처분의 성질

- 통고처분은 행정심판이나 행정소송의 대상으로서의 처분이 아니다.

> 🔑 **요지판례** ┃
> ■ 통고처분은 상대방의 임의의 승복을 그 발효요건으로 하기 때문에 그 자체만으로는 통고이행을 강제하거나 상대방에게 아무런 권리 · 의무를 형성하지 않으므로 행정심판이나 행정소송의 대상으로서의 처분성을 부여할 수 없다(헌재 1998.5.28, 96헌바4). [2018 경행특채 2차]
> ■ 경찰서장의 통고처분은 행정소송의 대상이 되는 행정처분이 아니므로 그 처분의 취소를 구하는 소송은 부적법하다(대판 1995.6.29, 95누4674).

- 경범죄 처벌법이나 도로교통법은 물론, 판례 역시 통고처분을 재량행위로 보고 있다.

> 🔑 **요지판례** ┃
> 통고처분을 할 것인지의 여부는 관세청장 또는 세관장의 재량에 맡겨져 있다고 할 것이고, 따라서 관세청장 또는 세관장이 관세범에 대하여 통고처분을 하지 아니한 채 고발하였다는 것만으로는 그 고발 및 이에 기한 공소의 제기가 부적법하게 되는 것은 아니다(대판 2007.5.11, 2006도1993).

- 통고처분은 재판받을 권리를 침해하지 아니한다.

> 🔑 **요지판례** ┃
> 통고처분에 대하여 이의가 있으면 통고내용을 이행하지 않음으로써 고발되어 형사재판절차에서 통고처분의 위법 · 부당함을 얼마든지 다툴 수 있기 때문에 관세법 제38조 제3항 제2호가 법관에 의한 재판받을 권리를 침해한다든가 적법절차의 원칙에 저촉된다고 볼 수 없다(헌재결 1998.5.28, 96헌바4).

③ 효과

- 통고처분은 공소시효가 중단되는 효력이 있다.
  [2018 경행특채 2차] 「조세범 처벌절차법」에 따른 통고처분이 있는 경우 공소시효의 진행은 중단되지 아니한다. (✕)
- 통고처분을 이행한 경우(범칙금을 납부한 경우) 확정판결과 동일한 효력이 생긴다. [2018 경행특채 2차]

> 🔑 **요지판례** ┃
> 범칙금의 납부에 따라 확정판결에 준하는 효력이 인정되는 범위는 범칙금 통고의 이유에 기재된 당해 범칙행위 자체 및 범칙행위와 동일성이 인정되는 범칙행위에 한정된다. 따라서 범칙행위와 같은 시간과 장소에서 이루어진 행위라 하더라도 범칙행위의 동일성을 벗어난 형사범죄행위에 대하여는 범칙금의 납부에 따라 확정판결에 준하는 일사부재리의 효력이 미치지 아니한다(대판 2012.9.13, 2012도6612). ➜ 피고인이 경범죄 처벌법상 '음주소란' 범칙행위로 범칙금 통고처분을 받아 이를 납부하였는데, 이와 근접한 일시 · 장소에서 위험한 물건인 과도를 들고 피해자를 쫓아가며 "죽여 버린다."고 소리쳐 협박하였다는 내용의 폭력행위 등 처벌에 관한 법률 위반으로 기소된 사안에서, 범칙행위인 '음주소란'과 공소사실인 '흉기휴대협박행위'는 기본적 사실관계가 동일하다고 볼 수 없다는 이유로, 범칙금 납부의 효력이 공소사실에 미치지 않는다고 한 사례

┃ 통고처분의 법적 성격
  통고처분은 행정관청인 경찰서장 등의 행위라는 점에서 형식적 의미의 행정이지만, 내용상으로는 법 위반행위에 대한 과벌절차에 해당하므로 실질적 의미의 사법이라고 본다.
  [2022 채용2차]

┃ 경범죄 처벌법 제7조【통고처분】
  ① 경찰서장, 해양경찰서장, 제주특별자치도지사 또는 철도특별사법경찰대장은 범칙자로 인정되는 사람에 대하여 그 이유를 명백히 나타낸 서면으로 범칙금을 부과하고 이를 납부할 것을 통고할 수 있다.

┃ 도로교통법 제163조【통고처분】
  ① 경찰서장이나 제주특별자치도지사...는 범칙자로 인정하는 사람에 대하여는 이유를 분명하게 밝힌 범칙금 납부통고서로 범칙금을 낼 것을 통고할 수 있다.
  [2022 채용2차]「관세법」상 통고처분 여부는 관세청장의 재량에 맡겨져 있지만, 「경범죄 처벌법」 및 「도로교통법」상 통고처분은 재량의 여지가 없다. (✕)

- 통고처분을 이행하지 아니한 경우(범칙금을 납부하지 아니한 경우), 통고처분은 자동으로 효력을 상실하고 통고처분권자의 고발에 의해 형사소송절차가 개시된다. ➜ 검찰은 통고권자의 고발 없이는 기소할 수 없다.

> **⚖ 요지판례 ㅣ**
> 경찰서장이 범칙행위에 대하여 통고처분을 하였는데 통고처분에서 정한 범칙금 납부기간이 경과하지 아니한 경우, 원칙적으로 즉결심판을 청구할 수 없고, 검사도 동일한 범칙행위에 대하여 공소를 제기할 수 없는지 여부(적극)
> 경찰서장이 범칙행위에 대하여 통고처분을 한 이상, 범칙자의 위와 같은 절차적 지위를 보장하기 위하여 통고처분에서 정한 범칙금 납부기간까지는 원칙적으로 경찰서장은 즉결심판을 청구할 수 없고, 검사도 동일한 범칙행위에 대하여 공소를 제기할 수 없다고 보아야 한다(대판 2020.4.29, 2017도13409).

(3) 즉결심판절차

- 20만원 이하의 벌금·구류·과료에 해당하는 경미한 범죄를 신속·적정하게 심판하기 위한 절차로 즉결심판절차가 있다.
- 즉결심판은 경찰형벌 내지 행정형벌만의 특별과형절차는 아니고, 형사범에도 적용된다. ➜ 즉, 즉결심판은 행정범이나 형사범이나 20만원 이하의 벌금·구류·과료에 해당하는 모든 범죄에 대한 과벌절차이다.

⊕ 심화 즉결심판에 관한 절차법

1 목적 및 대상

> 제1조 【목적】 이 법은 범증이 명백하고 죄질이 경미한 범죄사건을 신속·적정한 절차로 심판하기 위하여 즉결심판에 관한 절차를 정함을 목적으로 한다.
> 제2조 【즉결심판의 대상】 지방법원, 지원 또는 시·군법원의 판사(이하 "판사"라 한다)는 즉결심판절차에 의하여 피고인에게 20만원 이하의 벌금, 구류 또는 과료에 처할 수 있다.

2 즉결심판의 청구

> 제3조 【즉결심판청구】 ① 즉결심판은 관할경찰서장 또는 관할해양경찰서장(이하 "경찰서장"이라 한다)이 관할법원에 이를 청구한다.
> ② 즉결심판을 청구함에는 즉결심판청구서를 제출하여야 하며, 즉결심판청구서에는 피고인의 성명 기타 피고인을 특정할 수 있는 사항, 죄명, 범죄사실과 적용법조를 기재하여야 한다.
> ③ 즉결심판을 청구할 때에는 사전에 피고인에게 즉결심판의 절차를 이해하는 데 필요한 사항을 서면 또는 구두로 알려주어야 한다.
> 제4조 【서류·증거물의 제출】 경찰서장은 즉결심판의 청구와 동시에 즉결심판을 함에 필요한 서류 또는 증거물을 판사에게 제출하여야 한다. ➜ 공소장일본주의의 예외

3 즉결심판의 심리와 재판

> 제5조 【청구의 기각등】 ① 판사는 사건이 즉결심판을 할 수 없거나 즉결심판절차에 의하여 심판함이 적당하지 아니하다고 인정할 때에는 결정으로 즉결심판의 청구를 기각하여야 한다.
> ② 제1항의 결정이 있는 때에는 경찰서장은 지체 없이 사건을 관할지방검찰청 또는 지청의 장에게 송치하여야 한다.
> 제7조 【개정】 ① 즉결심판절차에 의한 심리와 재판의 선고는 공개된 법정에서 행하되, 그 법정은 경찰관서(해양경찰관서를 포함한다) 외의 장소에 설치되어야 한다.

ㅣ 공소장일본주의
검사가 공소를 제기할 때에는 원칙적으로 공소장 하나만을 제출하여야 하고 그 밖에 사건에 관하여 법원에 예단을 생기게 할 수 있는 서류 기타 물건을 첨부하거나 그 내용을 인용하여서는 아니 된다는 원칙이다(형사소송규칙 제118조 제2항).

💡 서울중앙지방법원의 경우 서관 3층에 즉결법정이 설치되어 있다.

제8조【피고인의 출석】 피고인이 기일에 출석하지 아니한 때에는 이 법 또는 다른 법률에 특별한 규정이 있는 경우를 제외하고는 개정할 수 없다.

제8조의2【불출석심판】 ① 벌금 또는 과료를 선고하는 경우에는 피고인이 출석하지 아니하더라도 심판할 수 있다. ➡ 구류를 선고하는 경우는 ✕

② 피고인 또는 즉결심판출석통지서를 받은 자(이하 "피고인등"이라 한다)는 법원에 불출석심판을 청구할 수 있고, 법원이 이를 허가한 때에는 피고인이 출석하지 아니하더라도 심판할 수 있다.

▌자백의 보강법칙과 즉결심판
- 형사소송법 제310조에 따라 피고인의 자백이 그 피고인에게 불이익한 유일한 증거인 경우에는 그 자백을 유죄의 증거로 하지 못한다.
- 단, 이러한 원칙은 정식재판절차에서 적용되는 것이므로, 즉결심판절차에서는 자백이 피고인에게 불리한 유일한 증거인 경우에도 유죄 증거로 할 수 있다고 보는 것이 일반적이다.

  [2020 실무 2] 피고인의 자백이 유일한 증거인 경우에도 유죄의 증거로 할 수 있다. (○)

4 즉결심판의 선고와 정식재판 청구

제11조【즉결심판의 선고】 ① 즉결심판으로 유죄를 선고할 때에는 형, 범죄사실과 적용법조를 명시하고 피고인은 7일 이내에 정식재판을 청구할 수 있다는 것을 고지하여야 한다

⑤ 판사는 사건이 무죄·면소 또는 공소기각을 함이 명백하다고 인정할 때에는 이를 선고·고지할 수 있다.

제14조【정식재판의 청구】 ① 정식재판을 청구하고자 하는 피고인은 즉결심판의 선고·고지를 받은 날부터 7일 이내에 정식재판청구서를 경찰서장에게 제출하여야 한다. 정식재판청구서를 받은 경찰서장은 지체 없이 판사에게 이를 송부하여야 한다. [2020 실무 2]

② 경찰서장은 제11조 제5항의 경우에 그 선고·고지를 한 날부터 7일 이내에 정식재판을 청구할 수 있다. 이 경우 경찰서장은 관할지방검찰청 또는 지청의 검사(이하 "검사"라 한다)의 승인을 얻어 정식재판청구서를 판사에게 제출하여야 한다.

[2020 실무 2] 경찰서장은 판사가 즉결심판 청구기각을 하거나 무죄·면소·공소기각의 선고·고지를 한 경우에 그 결정·선고·고지를 한 날로부터 7일 이내에 정식재판을 청구할 수 있다. (✕)

5 즉결심판의 실효·효력

제15조【즉결심판의 실효】 즉결심판은 정식재판의 청구에 의한 판결이 있는 때에는 그 효력을 잃는다.

제16조【즉결심판의 효력】 즉결심판은 정식재판의 청구기간의 경과, 정식재판청구권의 포기 또는 그 청구의 취하에 의하여 확정판결과 동일한 효력이 생긴다. 정식재판청구를 기각하는 재판이 확정된 때에도 같다.

6 즉결심판에 따른 형의 집행

제18조【형의 집행】 ① 형의 집행은 경찰서장이 하고 그 집행결과를 지체 없이 검사에게 보고하여야 한다.

② 구류는 경찰서유치장·구치소 또는 교도소에서 집행하며 구치소 또는 교도소에서 집행할 때에는 검사가 이를 지휘한다.

03 경찰질서벌

1. 의의

- 과태료가 과해지는 행정벌을 행정질서벌이라고 하며, 그 중에서 경찰법규 위반에 대해서 과해지는 것을 경찰질서벌이라고 한다.
- 경찰질서벌은 형벌이 아니므로 죄형법정주의가 적용되지는 않으나, 국민의 재산권을 침해하는 행위이므로 법률의 근거를 요한다.

例 도로교통법 제160조【과태료】② 다음 각 호의 어느 하나에 해당하는 사람에게
는 20만원 이하의 과태료를 부과한다.
2. 제50조 제1항을 위반하여 동승자에게 좌석안전띠를 매도록 하지 아니한 운전자

2. 법적 근거

(1) 질서위반행위규제법

행정질서벌의 성립요건, 절차 등에 관한 일반법으로서 질서위반행위규제법이 제정
되어 있으며, 이는 과태료부과의 근거법률이 아니라 과태료부과의 요건, 절차, 징
수 등을 정하는 법률이다.

(2) 조례

지방자치법 제34조【조례 위반에 대한 과태료】① 지방자치단체는 조례를 위반한 행
위에 대하여 조례로써 1천만원 이하의 과태료를 정할 수 있다.
② 제1항에 따른 과태료는 해당 지방자치단체의 장이나 그 관할 구역의 지방자치
단체의 장이 부과·징수한다.

例 서울특별시 금연환경 조성 및 간접흡연 피해방지조례 제10조【과태료 부과·징수 등】
① 시장은 제5조 제4항을 위반하여 금연구역에서 흡연을 한 사람은 10만원의 과
태료를 부과·징수한다.
② 제1항에 따른 과태료의 부과·징수 및 이의제기 절차는「질서위반행위규제법」
에 따른다.

주제 4 질서위반행위규제법

01 총칙

1. 목적 및 정의

질서위반행위규제법 제1조【목적】이 법은 법률상 의무의 효율적인 이행을 확보하고 국민
의 권리와 이익을 보호하기 위하여 질서위반행위의 성립요건과 과태료의 부과·징수
및 재판 등에 관한 사항을 규정하는 것을 목적으로 한다. [2018 경간]

질서위반행위규제법 제2조【정의】이 법에서 사용하는 용어의 뜻은 다음과 같다.
1. "질서위반행위"란 법률(지방자치단체의 조례를 포함한다. 이하 같다)상의 의무를
위반하여 과태료를 부과하는 행위를 말한다. 다만, 다음 각 목의 어느 하나에 해당
하는 행위를 제외한다.
　가. 대통령령으로 정하는 사법상·소송법상 의무를 위반하여 과태료를 부과하는
　　　행위
　나. 대통령령으로 정하는 법률에 따른 징계사유에 해당하여 과태료를 부과하는 행
　　　위

2. 적용범위

질서위반행위규제법 제3조【법 적용의 시간적 범위】① 질서위반행위의 성립과 과태료 처분은 행위시의 법률에 따른다. [2024 승진] [2014 승진(경감)]

② 질서위반행위 후 법률이 변경되어 그 행위가 질서위반행위에 해당하지 아니하게 되거나 과태료가 변경되기 전의 법률보다 가볍게 된 때에는 법률에 특별한 규정이 없는 한 변경된 법률을 적용한다. [2024 승진] [2018 경간]

③ 행정청의 과태료 처분이나 법원의 과태료 재판이 확정된 후 법률이 변경되어 그 행위가 질서위반행위에 해당하지 아니하게 된 때에는 변경된 법률에 특별한 규정이 없는 한 과태료의 징수 또는 집행을 면제한다. [2022 채용1차]

[2017 채용1차] 질서위반행위의 성립과 과태료처분은 처분시의 법률에 따른다. (×)

질서위반행위규제법 제4조【법 적용의 장소적 범위】① 이 법은 대한민국 영역 안에서 질서위반행위를 한 자에게 적용한다. [2024 승진]

② 이 법은 대한민국 영역 밖에서 질서위반행위를 한 대한민국의 국민에게 적용한다.

③ 이 법은 대한민국 영역 밖에 있는 대한민국의 선박 또는 항공기 안에서 질서위반행위를 한 외국인에게 적용한다.

[2024 승진] 이 법은 대한민국 영역 밖에 있는 대한민국의 선박 또는 항공기 안에서 질서위반행위를 한 외국인에게는 적용하지 아니한다. (×)

질서위반행위규제법 제5조【다른 법률과의 관계】과태료의 부과·징수, 재판 및 집행 등의 절차에 관한 다른 법률의 규정 중 이 법의 규정에 저촉되는 것은 이 법으로 정하는 바에 따른다.

02 질서위반행위의 성립 등

1. 질서위반행위의 성립

질서위반행위규제법 제6조【질서위반행위 법정주의】법률에 따르지 아니하고는 어떤 행위도 질서위반행위로 과태료를 부과하지 아니한다.

질서위반행위규제법 제7조【고의 또는 과실】고의 또는 과실이 없는 질서위반행위는 과태료를 부과하지 아니한다. ➡ 경찰질서벌의 경우 고의·과실이 요구되지 않는다고 보나, 질서위반행위 규제법 대상은 고의·과실이 필요하다. [2018 채용2차] [2019 승진(경위)] [2022 채용1차]

[2017 채용1차] 고의 또는 과실이 없는 질서위반행위에도 과태료를 부과한다. (×)

질서위반행위규제법 제8조【위법성의 착오】자신의 행위가 위법하지 아니한 것으로 오인하고 행한 질서위반행위는 그 오인에 정당한 이유가 있는 때에 한하여 과태료를 부과하지 아니한다.

[2022 채용1차] 자신의 행위가 위법하지 아니한 것으로 오인하고 행한 질서위반행위는 그 오인에 정당한 이유가 있는 때에도 과태료를 부과한다. (×)

질서위반행위규제법 제9조【책임연령】14세가 되지 아니한 자의 질서위반행위는 과태료를 부과하지 아니한다. 다만, 다른 법률에 특별한 규정이 있는 경우에는 그러하지 아니하다. [2021 승진(실무종합)]

[2018 채용2차] [2018 경간 유사] 19세가 되지 아니한 자의 질서위반행위는 과태료를 부과하지 아니한다. 다만, 다른 법률에 특별한 규정이 있는 경우에는 그러하지 아니한다. (×)

▌형법상 책임능력

· 형법 제9조【형사미성년자】14세 되지 아니한 자의 행위는 벌하지 아니한다.

· 형법 제10조【심신장애인】① 심신장애로 인하여 사물을 변별할 능력이 없거나 의사를 결정할 능력이 없는 자의 행위는 벌하지 아니한다.

② 심신장애로 인하여 전항의 능력이 미약한 자의 행위는 형을 감경할 수 있다.

③ 위험의 발생을 예견하고 자의로 심신장애를 야기한 자의 행위에는 전2항의 규정을 적용하지 아니한다.

질서위반행위규제법 제10조【심신장애】① 심신장애로 인하여 행위의 옳고 그름을 판단할 능력이 없거나 그 판단에 따른 행위를 할 능력이 없는 자의 질서위반행위는 과태료를 부과하지 아니한다. [2018 경간] [2021 경간]
② 심신장애로 인하여 제1항에 따른 능력이 미약한 자의 질서위반행위는 과태료를 감경한다. ➡ 형법과 다름!
③ 스스로 심신장애 상태를 일으켜 질서위반행위를 한 자에 대하여는 제1항 및 제2항을 적용하지 아니한다.

질서위반행위규제법 제11조【법인의 처리 등】① 법인의 대표자, 법인 또는 개인의 대리인·사용인 및 그 밖의 종업원이 업무에 관하여 법인 또는 그 개인에게 부과된 법률상의 의무를 위반한 때에는 법인 또는 그 개인에게 과태료를 부과한다. ➡ 🔍쉽게 읽기!
본인(법인이나 개인)의 대표자·대리인·사용인·종업원이 본인에게 부과된 법률상 의무 위반시 본인에게 과태료 부과한다.

2. 다수인의 질서위반행위 · 수개의 질서위반행위

질서위반행위규제법 제12조【다수인의 질서위반행위 가담】① 2인 이상이 질서위반행위에 가담한 때에는 각자가 질서위반행위를 한 것으로 본다. [2014 승진(경감)] [2017 채용1차]
② 신분에 의하여 성립하는 질서위반행위에 신분이 없는 자가 가담한 때에는 신분이 없는 자에 대하여도 질서위반행위가 성립한다. ➡ 신분범 성립: 비신분자에게도 신분 연결 [2021 경간]
③ 신분에 의하여 과태료를 감경 또는 가중하거나 과태료를 부과하지 아니하는 때에는 그 신분의 효과는 신분이 없는 자에게는 미치지 아니한다. ➡ 감경·가중·미부과: 신분 독립

질서위반행위규제법 제13조【수개의 질서위반행위의 처리】① 하나의 행위가 2 이상의 질서위반행위에 해당하는 경우에는 각 질서위반행위에 대하여 정한 과태료 중 가장 중한 과태료를 부과한다.
② 제1항의 경우를 제외하고 2 이상의 질서위반행위가 경합하는 경우에는 각 질서위반행위에 대하여 정한 과태료를 각각 부과한다. 다만, 다른 법령(지방자치단체의 조례를 포함한다. 이하 같다)에 특별한 규정이 있는 경우에는 그 법령으로 정하는 바에 따른다.

3. 과태료의 산정과 시효

질서위반행위규제법 제14조【과태료의 산정】행정청 및 법원은 과태료를 정함에 있어서 다음 각 호의 사항을 고려하여야 한다. ➡ 할 수 있다. (×)
1. 질서위반행위의 동기·목적·방법·결과
2. 질서위반행위 이후의 당사자의 태도와 정황
3. 질서위반행위자의 연령·재산상태·환경
4. 그 밖에 과태료의 산정에 필요하다고 인정되는 사유

▌형법상 공범
• **형법 제30조【공동정범】** 2인 이상이 공동하여 죄를 범한 때에는 각자를 그 죄의 정범으로 처벌한다.
• **형법 제33조【공범과 신분】** 신분이 있어야 성립되는 범죄에 신분 없는 사람이 가담한 경우에는 그 신분 없는 사람에게도 제30조부터 제32조까지의 규정을 적용한다. 다만, 신분 때문에 형의 경중이 달라지는 경우에 신분이 없는 사람은 무거운 형으로 벌하지 아니한다.

▌형법상 경합범
• **형법 제40조【상상적 경합】** 한 개의 행위가 여러 개의 죄에 해당하는 경우에는 가장 무거운 죄에 대하여 정한 형으로 처벌한다.
• **형법 제38조【경합범과 처벌례】** ① 경합범을 동시에 판결할 때에는 다음 각 호의 구분에 따라 처벌한다.
1. 가장 무거운 죄에 대하여 정한 형이 사형, 무기징역, 무기금고인 경우에는 가장 무거운 죄에 대하여 정한 형으로 처벌한다.
2. 각 죄에 대하여 정한 형이 사형, 무기징역, 무기금고 외의 같은 종류의 형인 경우에는 가장 무거운 죄에 대하여 정한 형의 장기 또는 다액(多額)에 그 2분의 1까지 가중하되 …
3. 각 죄에 대하여 정한 형이 무기징역, 무기금고 외의 다른 종류의 형인 경우에는 병과한다.

질서위반행위규제법 제15조【과태료의 시효】① 과태료는 행정청의 과태료 부과처분이나 법원의 과태료 재판이 확정된 후 5년간 징수하지 아니하거나 집행하지 아니하면 시효로 인하여 소멸한다. [2014 승진(경감)] [2021 승진(실무종합)] [2022 채용1차]
② 제1항에 따른 소멸시효의 중단·정지 등에 관하여는 「국세기본법」 제28조를 준용한다.
[2017 채용1차] [2018 채용2차] [2019 승진(경위)] [2021 경간] 과태료는 행정청의 과태료 부과 처분이나 법원의 과태료 재판이 확정된 후 3년간 징수하지 아니하거나 집행하지 아니하면 시효로 인하여 소멸한다. (×)

03 과태료 부과 및 징수절차

1. 과태료의 부과

질서위반행위규제법 제16조【사전통지 및 의견 제출 등】① 행정청이 질서위반행위에 대하여 과태료를 부과하고자 하는 때에는 미리 당사자(제11조 제2항에 따른 고용주등을 포함한다. 이하 같다)에게 대통령령으로 정하는 사항을 통지하고, 10일 이상의 기간을 정하여 의견을 제출할 기회를 주어야 한다. 이 경우 지정된 기일까지 의견 제출이 없는 경우에는 의견이 없는 것으로 본다. [2019 승진(경위)]
② 당사자는 의견 제출 기한 이내에 대통령령으로 정하는 방법에 따라 행정청에 의견을 진술하거나 필요한 자료를 제출할 수 있다.
③ 행정청은 제2항에 따라 당사자가 제출한 의견에 상당한 이유가 있는 경우에는 과태료를 부과하지 아니하거나 통지한 내용을 변경할 수 있다. [2023 채용1차]
[2018 채용2차] 행정청이 질서위반행위에 대하여 과태료를 부과하고자 하는 때에는 미리 당사자에게 대통령령으로 정하는 사항을 통지하고, 7일 이상의 기간을 정하여 의견을 제출할 기회를 주어야 한다. 이 경우 지정된 기일까지 의견 제출이 없는 경우에는 의견이 없는 것으로 본다. (×)

질서위반행위규제법 제17조【과태료의 부과】① 행정청은 제16조의 의견 제출절차를 마친 후에 서면(당사자가 동의하는 경우에는 전자문서를 포함한다. 이하 이 조에서 같다)으로 과태료를 부과하여야 한다.
② 제1항에 따른 서면에는 질서위반행위, 과태료 금액, 그 밖에 대통령령으로 정하는 사항을 명시하여야 한다.
[2014 승진(경감)] 과태료 부과는 의견 제출절차를 마친 후 서면 또는 구두로 한다. (×)

질서위반행위규제법 제19조【과태료 부과의 제척기간】① 행정청은 질서위반행위가 종료된 날(다수인이 질서위반행위에 가담한 경우에는 최종 행위가 종료된 날을 말한다)부터 5년이 경과한 경우에는 해당 질서위반행위에 대하여 과태료를 부과할 수 없다. [2021 승진(실무종합)]
② 제1항에도 불구하고 행정청은 제36조(➡ 과태료 재판) 또는 제44조(➡ 약식 과태료 재판)에 따른 법원의 결정이 있는 경우에는 그 결정이 확정된 날부터 1년이 경과하기 전까지는 과태료를 정정부과 하는 등 해당 결정에 따라 필요한 처분을 할 수 있다.

▌행정절차법상 의견제출
행정절차법 제21조【처분의 사전 통지】③ 제1항 제6호에 따른 기한(➡의견제출기한)은 의견제출에 필요한 기간을 10일 이상으로 고려하여 정하여야 한다.

2. 과태료의 납부

질서위반행위규제법 제17조의2 【신용카드 등에 의한 과태료의 납부】 ① 당사자는 과태료, 제24조에 따른 가산금, 중가산금 및 체납처분비를 대통령령으로 정하는 과태료 납부 대행기관을 통하여 신용카드, 직불카드 등(이하 "신용카드등"이라 한다)으로 낼 수 있다.

② 제1항에 따라 신용카드등으로 내는 경우에는 과태료 납부대행기관의 승인일을 납부일로 본다.

③ 과태료 납부대행기관은 납부자로부터 신용카드등에 의한 과태료 납부대행 용역의 대가로 납부대행 수수료를 받을 수 있다.

④ 과태료 납부대행기관의 지정 및 운영, 납부대행 수수료에 관한 사항은 대통령령으로 정한다.

질서위반행위규제법 제18조 【자진납부자에 대한 과태료 감경】 ① 행정청은 당사자가 제16조에 따른 의견 제출 기한 이내에 과태료를 자진하여 납부하고자 하는 경우에는 대통령령으로 정하는 바에 따라 과태료를 감경할 수 있다.

② 당사자가 제1항에 따라 감경된 과태료를 납부한 경우에는 해당 질서위반행위에 대한 과태료 부과 및 징수절차는 종료한다. [2023 채용1차]

3. 과태료의 징수

질서위반행위규제법 제24조 【가산금 징수 및 체납처분 등】 ① 행정청은 당사자가 납부기한까지 과태료를 납부하지 아니한 때에는 납부기한을 경과한 날부터 체납된 과태료에 대하여 100분의 3에 상당하는 가산금을 징수한다. [2023 채용1차]

② 체납된 과태료를 납부하지 아니한 때에는 납부기한이 경과한 날부터 매 1개월이 경과할 때마다 체납된 과태료의 1천분의 12에 상당하는 가산금(이하 이 조에서 "중가산금"이라 한다)을 제1항에 따른 가산금에 가산하여 징수한다. 이 경우 중가산금을 가산하여 징수하는 기간은 60개월을 초과하지 못한다.

③ 행정청은 당사자가 제20조 제1항에 따른 기한(➡ 과태료 부과통지 받은 날부터 60일) 이내에 이의를 제기하지 아니하고 제1항에 따른 가산금을 납부하지 아니한 때에는 국세 또는 지방세 체납처분의 예에 따라 징수한다.

질서위반행위규제법 제24조의2 【상속재산 등에 대한 집행】 ① 과태료는 당사자가 과태료 부과처분에 대하여 이의를 제기하지 아니한 채 제20조 제1항에 따른 기한이 종료한 후 사망한 경우에는 그 상속재산에 대하여 집행할 수 있다.

② 법인에 대한 과태료는 법인이 과태료 부과처분에 대하여 이의를 제기하지 아니한 채 제20조 제1항에 따른 기한이 종료한 후 합병에 의하여 소멸한 경우에는 합병 후 존속한 법인 또는 합병에 의하여 설립된 법인에 대하여 집행할 수 있다.

질서위반행위규제법 제24조의3 【과태료의 징수유예 등】 ① 행정청은 당사자가 다음 각 호의 어느 하나에 해당하여 과태료(체납된 과태료와 가산금, 중가산금 및 체납처분비를 포함한다. 이하 이 조에서 같다)를 납부하기가 곤란하다고 인정되면 1년의 범위에서 대통령령으로 정하는 바에 따라 과태료의 분할납부나 납부기일의 연기(이하 "징수유예등"이라 한다)를 결정할 수 있다.

1. 「국민기초생활 보장법」에 따른 수급권자
2. 「국민기초생활 보장법」에 따른 차상위계층 중 다음 각 목의 대상자
   가. 「의료급여법」에 따른 수급권자

나. 「한부모가족지원법」에 따른 지원대상자

다. 자활사업 참여자

3. 「장애인복지법」 제2조 제2항에 따른 장애인

4. 본인 외에는 가족을 부양할 사람이 없는 사람

5. 불의의 재난으로 피해를 당한 사람

6. 납부의무자 또는 그 동거 가족이 질병이나 중상해로 1개월 이상의 장기 치료를 받아야 하는 경우

7. 「채무자 회생 및 파산에 관한 법률」에 따른 개인회생절차개시결정자

8. 「고용보험법」에 따른 실업급여수급자

9. 그 밖에 제1호부터 제8호까지에 준하는 것으로서 대통령령으로 정하는 부득이한 사유가 있는 경우

② 제1항에 따라 징수유예등을 받으려는 당사자는 대통령령으로 정하는 바에 따라 이를 행정청에 신청할 수 있다.

[2021 승진(실무종합)] 행정청은 당사자가 동법 제24조의3 제1항에 따라 과태료를 납부하기가 곤란하다고 인정되면 (　)년의 범위에서 과태료의 분할납부나 납부기일의 연기를 결정할 수 있다. (1)

대통령령 질서위반행위규제법 시행령 제7조의2 【과태료의 징수유예등】 ① 행정청은 법 제24조의3 제1항에 따라 과태료의 분할납부나 납부기일의 연기(이하 "징수유예등"이라 한다)를 결정하는 경우 그 기간을 그 징수유예등을 결정한 날의 다음 날부터 9개월 이내로 하여야 한다. 다만, 그 기간이 만료될 때까지 법 제24조의3 제1항에 따른 징수유예등의 사유가 해소되지 아니하는 경우에는 1회에 한정하여 3개월의 범위에서 그 기간을 연장할 수 있다. [2021 승진(실무종합)]

4. 불복절차

질서위반행위규제법 제20조 【이의제기】 ① 행정청의 과태료 부과에 불복하는 당사자는 제17조 제1항에 따른 과태료 부과 통지를 받은 날부터 60일 이내에 해당 행정청에 서면으로 이의제기를 할 수 있다. [2019 승진(경위)]

② 제1항에 따른 이의제기가 있는 경우에는 행정청의 과태료 부과처분은 그 효력을 상실한다.

③ 당사자는 행정청으로부터 제21조 제3항에 따른 통지를 받기 전까지는 행정청에 대하여 서면으로 이의제기를 철회할 수 있다.

질서위반행위규제법 제21조 【법원에의 통보】 ① 제20조 제1항에 따른 이의제기를 받은 행정청은 이의제기를 받은 날부터 14일 이내에 이에 대한 의견 및 증빙서류를 첨부하여 관할 법원에 통보하여야 한다. 다만, 다음 각 호의 어느 하나에 해당하는 경우에는 그러하지 아니하다.

1. 당사자가 이의제기를 철회한 경우

2. 당사자의 이의제기에 이유가 있어 과태료를 부과할 필요가 없는 것으로 인정되는 경우

② 행정청은 사실상 또는 법률상 같은 원인으로 말미암아 다수인에게 과태료를 부과할 필요가 있는 경우에는 다수인 가운데 1인에 대한 관할권이 있는 법원에 제1항에 따른 이의제기 사실을 통보할 수 있다.

③ 행정청이 제1항 및 제2항에 따라 관할 법원에 통보를 하거나 통보하지 아니하는 경우에는 그 사실을 즉시 당사자에게 통지하여야 한다.

■ 서울특별시 수도조례 및 하수도사용조례에 기한 과태료의 부과 여부 및 그 당부는 최종적으로 질서위반행위규제법에 의한 절차에 의하여 판단되어야 한다고 할 것이므로, 그 과태료 부과처분은 행정청을 피고로 하는 행정소송의 대상이 되는 행정처분이라고 볼 수 없다(대판 2012.10.11, 2011두19369).

■ 행정기관의 과태료 부과처분에 대하여 상대방이 이의를 하여 그 사실이 비송사건절차법에 의한 과태료의 재판을 하여야 할 법원에 통지되면 당초의 행정기관의 부과처분은 그 효력을 상실한다 할 것이다. 따라서 이미 효력을 상실한 피청구인의 과태료 부과처분의 취소를 구하는 이 사건 심판청구는 권리보호의 이익이 없다(헌재 1998. 9.30, 98헌마18). ➡ 과태료에 대한 헌법소원청구도 권리보호이익이 없다.

주제 5 경찰상 조사

01 의의

▌범죄수사와 행정조사
경찰의 수사 역시 일정한 자료나 정보를 수집·정리하는 측면이 있다는 점에서 행정조사와 유사한 측면이 있으나, **수사는** 행정작용이 아니라 형사사법작용의 일환이므로 행정조사기본법이 아닌 형사소송법이 적용된다. [2022 채용2차]

> **행정조사기본법 제2조【정의】** 이 법에서 사용하는 용어의 정의는 다음과 같다.
> 1. "행정조사"란 행정기관이 정책을 결정하거나 직무를 수행하는 데 **필요한 정보나 자료를** 수집하기 위하여 현장조사·문서열람·시료채취 등을 하거나 조사대상자에게 보고요구·자료제출요구 및 출석·진술요구를 행하는 활동을 말한다.

경찰기관이 경찰작용을 적정하고 효과적으로 수행하기 위하여 필요한 자료나 정보를 수집·정리하는 준비적·보조적 수단으로서의 사실행위를 말한다.
[2022 채용2차] 행정조사는 행정기관이 향후 행정작용에 필요한 자료 및 정보를 얻기 위한 준비적·보조적 작용이다. (○)

02 성질

• 경찰조사(행정조사)는 통상 그 자체가 법적 효과를 가져오는 행위는 아니며, 그것은 사실행위이다.
• 그 자체가 독립적인 의미를 갖는다기보다 다른 법적 작용을 위한 준비작용으로서의 성질을 가진다.
• 권력적 조사도 있고 비권력적 조사도 있다.

☑ KEY POINT | 경찰조사와 행정상 즉시강제

구분	경찰조사(행정조사)	행정상 즉시강제
목적	그 자체가 목적이 아니라 일정한 행정작용을 실현시키기 위하여 필요한 자료 및 정보를 수집하는 준비적·보조적 수단	개인의 신체나 재산에 실력을 가하여 행정목적을 구체적·직접적·종국적으로 실현시키는 것
기능	직접적인 실력행사는 할 수 없고, 다만 벌칙에 의한 행정벌 또는 불이익처분에 의하여 행정조사를 수인시킴	직접적인 실력행사를 통하여 스스로 일정한 상태를 실현시킴
급박성	급박성이 개념의 요소가 되지 않음	행위의 급박성이 개념의 요소가 됨
성질	권력적·비권력적 조사작용	권력적 집행작용

03 근거

1. 조직법적 근거

권력적 행정조사, 비권력적 행정조사 모두 조직법적 근거가 필요하다.

[2022 채용2차] 「행정조사기본법」상 조사대상자의 자발적 협조를 얻어 조사를 실시하는 경우에는 법령의 근거를 요하지 아니하며 조직법상의 권한 범위 밖에서도 가능하다. (×)

2. 작용법적 근거

> 행정조사기본법 제5조 【행정조사의 근거】 행정기관은 법령등에서 행정조사를 규정하고 있는 경우에 한하여 행정조사를 실시할 수 있다. 다만, 조사대상자의 자발적인 협조를 얻어 실시하는 행정조사의 경우에는 그러하지 아니하다.

- 권력적 행정조사는 작용법적 근거가 필요하고, 비권력적 행정조사는 작용법적 근거가 필요하지 않다.
- 일반법으로는 행정조사기본법이 있고, 개별법으로는 통계법 제26조, 법인세법 제122조, 소방기본법 제29조 등이 있다. 예 경찰관 직무집행법상 불심검문은 행정조사로 보는 견해와 즉시강제로 보는 견해가 대립한다.

04 종류

구분	종류	예시
성질에 의한 구분	권력적 행정조사 (강제조사)	• 도로교통법상의 운전자에 대한 음주측정 • 소방기본법상의 화재조사 • 식품위생법상의 임검·검사 • 국세징수법상의 체납처분시 질문·검사 등
	비권력적 행정조사 (임의조사)	여론조사, 통계조사 등
대상에 의한 구분	대인적 조사	신체의 수색, 질문, 불심검문(즉시강제로 보는 견해 有)
	대물적 조사	장부·서류의 열람, 시설검사, 물품검사
	대가택 조사	개인의 주거·영업소 등에 대한 출입·검사 등

05 행정조사기본법

1. 기본원칙

> **행정조사기본법 제4조 【행정조사의 기본원칙】** ① 행정조사는 <u>조사목적을 달성하는데 필요한 최소한의 범위</u> 안에서 실시하여야 하며, <u>다른 목적 등을 위하여 조사권을 남용</u>하여서는 아니 된다.
> ② 행정기관은 조사목적에 적합하도록 조사대상자를 선정하여 행정조사를 실시하여야 한다.
> ③ 행정기관은 유사하거나 동일한 사안에 대하여는 공동조사 등을 실시함으로써 <u>행정조사가 중복되지 아니하도록</u> 하여야 한다.
> ④ 행정조사는 법령등의 위반에 대한 처벌보다는 법령등을 준수하도록 유도하는 데 중점을 두어야 한다.
> ⑤ 다른 법률에 따르지 아니하고는 행정조사의 대상자 또는 행정조사의 내용을 공표하거나 직무상 알게 된 비밀을 누설하여서는 아니된다.
> ⑥ 행정기관은 행정조사를 통하여 알게 된 정보를 다른 법률에 따라 내부에서 이용하거나 다른 기관에 제공하는 경우를 제외하고는 원래의 조사목적 이외의 용도로 이용하거나 타인에게 제공하여서는 아니 된다.

2. 행정조사의 방법(행정조사기본법)

(1) 조사계획의 수립

> **행정조사기본법 제6조 【연도별 행정조사운영계획의 수립 및 제출】** ① 행정기관의 장은 <u>매년 12월말까지 다음 연도의 행정조사운영계획을 수립하여 국무조정실장에게 제출</u>하여야 한다. 다만, 행정조사운영계획을 제출해야 하는 행정기관의 구체적인 범위는 대통령령으로 정한다.
> [2020 경행특채 2차] 행정기관의 장은 매년 12월 말까지 다음 연도의 행정조사운영계획을 수립하여 국무총리에게 제출하여야 한다. (×)
>
> **행정조사기본법 제7조 【조사의 주기】** 행정조사는 법령등 또는 행정조사운영계획으로 정하는 바에 따라 정기적으로 실시함을 원칙으로 한다. 다만, 다음 각 호 중 어느 하나에 해당하는 경우에는 <u>수시조사를 할 수 있다.</u>
> 1. 법률에서 수시조사를 규정하고 있는 경우
> 2. 법령등의 위반에 대하여 혐의가 있는 경우
> 3. 다른 행정기관으로부터 법령등의 위반에 관한 혐의를 통보 또는 이첩받은 경우
> 4. 법령등의 위반에 대한 신고를 받거나 민원이 접수된 경우
> 5. 그 밖에 행정조사의 필요성이 인정되는 사항으로서 대통령령으로 정하는 경우

(2) 조사방법

> **행정조사기본법 제9조 【출석·진술 요구】** ① 행정기관의 장이 조사대상자의 출석·진술을 요구하는 때에는 다음 각 호의 사항이 기재된 출석요구서를 발송하여야 한다.
> ② 조사대상자는 지정된 출석일시에 출석하는 경우 업무 또는 생활에 지장이 있는 때에는 행정기관의 장에게 출석일시를 변경하여 줄 것을 신청할 수 있으며, 변경신청을 받은 행정기관의 장은 행정조사의 목적을 달성할 수 있는 범위 안에서 출석일시를 변경할 수 있다.

③ 출석한 조사대상자가 제1항에 따른 출석요구서에 기재된 내용을 이행하지 아니하여 행정조사의 목적을 달성할 수 없는 경우를 제외하고는 조사원은 조사대상자의 1회 출석으로 당해 조사를 종결하여야 한다.

행정조사기본법 제10조【보고요구와 자료제출의 요구】① 행정기관의 장은 조사대상자에게 조사사항에 대하여 보고를 요구하는 때에는 다음 각 호의 사항이 포함된 보고요구서를 발송하여야 한다.

[2019 경행특채 2차] 「행정조사기본법」 제10조는 보고요구와 자료제출의 요구를 규정하고 있는데, 「행정조사기본법」은 이러한 요구에 불응한 자에 대해 과태료를 부과할 수 있는 근거를 두고 있다. (×)

행정조사기본법 제11조【현장조사】① 조사원이 가택·사무실 또는 사업장 등에 출입하여 현장조사를 실시하는 경우에는 행정기관의 장은 다음 각 호의 사항이 기재된 현장출입조사서 또는 법령등에서 현장조사시 제시하도록 규정하고 있는 문서를 조사대상자에게 발송하여야 한다.

② 제1항에 따른 현장조사는 해가 뜨기 전이나 해가 진 뒤에는 할 수 없다. 다만, 다음 각 호의 어느 하나에 해당하는 경우에는 그러하지 아니하다.

1. 조사대상자(대리인 및 관리책임이 있는 자를 포함한다)가 동의한 경우
2. 사무실 또는 사업장 등의 업무시간에 행정조사를 실시하는 경우
3. 해가 뜬 후부터 해가 지기 전까지 행정조사를 실시하는 경우에는 조사목적의 달성이 불가능하거나 증거인멸로 인하여 조사대상자의 법령등의 위반 여부를 확인할 수 없는 경우

③ 제1항 및 제2항에 따라 현장조사를 하는 조사원은 그 권한을 나타내는 증표를 지니고 이를 조사대상자에게 내보여야 한다.

행정조사기본법 제14조【공동조사】① 행정기관의 장은 다음 각 호의 어느 하나에 해당하는 행정조사를 하는 경우에는 공동조사를 하여야 한다.

1. 당해 행정기관 내의 2 이상의 부서가 동일하거나 유사한 업무분야에 대하여 동일한 조사대상자에게 행정조사를 실시하는 경우
2. 서로 다른 행정기관이 대통령령으로 정하는 분야에 대하여 동일한 조사대상자에게 행정조사를 실시하는 경우

행정조사기본법 제15조【중복조사의 제한】① 제7조에 따라 정기조사 또는 수시조사를 실시한 행정기관의 장은 동일한 사안에 대하여 동일한 조사대상자를 재조사하여서는 아니 된다. 다만, 당해 행정기관이 이미 조사를 받은 조사대상자에 대하여 위법행위가 의심되는 새로운 증거를 확보한 경우에는 그러하지 아니하다.

② 행정조사를 실시할 행정기관의 장은 행정조사를 실시하기 전에 다른 행정기관에서 동일한 조사대상자에게 동일하거나 유사한 사안에 대하여 행정조사를 실시하였는지 여부를 확인할 수 있다.

[2020 경행특채 2차] 행정조사를 실시할 행정기관의 장은 행정조사를 실시하기 전에 다른 행정기관에서 동일한 조사대상자에게 동일하거나 유사한 사안에 대하여 행정조사를 실시하였는지 여부를 반드시 확인해야 한다. (×)

(3) 조사실시

행정조사기본법 제17조【조사의 사전통지】① 행정조사를 실시하고자 하는 행정기관의 장은 제9조에 따른 출석요구서, 제10조에 따른 보고요구서·자료제출요구서 및 제11조에 따른 현장출입조사서(이하 "출석요구서등"이라 한다)를 조사개시 7일 전까지 조사대상자에게 서면으로 통지하여야 한다. 다만, 다음 각 호의 어느 하나에 해당하는 경우에는 행정조사의 개시와 동시에 출석요구서등을 조사대상자에게 제시하거나 행정조사의 목적 등을 조사대상자에게 구두로 통지할 수 있다.

대집행의 실행과 비교
- **원칙**: 해가 뜨기 전이나 해가 진 후 대집행 불가
- **예외**: 다음과 같은 경우는 가능
  1. 의무자가 동의한 경우
  2. 해가 지기 전 대집행 착수
  3. 목적 달성 불가능
  4. 비상시 또는 위험이 절박

1. 행정조사를 실시하기 전에 관련 사항을 미리 통지하는 때에는 증거인멸 등으로 행정조사의 목적을 달성할 수 없다고 판단되는 경우
2. 「통계법」 제3조 제2호에 따른 지정통계의 작성을 위하여 조사하는 경우
3. 제5조 단서에 따라 조사대상자의 자발적인 협조를 얻어 실시하는 행정조사의 경우

② 행정기관의 장이 출석요구서등을 조사대상자에게 발송하는 경우 출석요구서등의 내용이 외부에 공개되지 아니하도록 필요한 조치를 하여야 한다.

[2020 경행특채 2차] 행정조사를 실시하고자 하는 행정기관의 장은 출석요구서, 보고요구서 자료제출요구서 및 현장출입조사서를 조사개시 7일 전까지 조사대상자에게 구두로 통지하여야 한다. (×)

[2022 채용2차] 조사대상자의 자발적 협조로 조사가 이루어지는 경우일지라도 행정의 적법성 및 공공성 등을 높이기 위해서 조사목적 등을 반드시 서면으로 통보하여야 한다. (×)

행정조사기본법 제21조【의견제출】 ① 조사대상자는 제17조에 따른 사전통지의 내용에 대하여 행정기관의 장에게 의견을 제출할 수 있다.

② 행정기관의 장은 제1항에 따라 조사대상자가 제출한 의견이 상당한 이유가 있다고 인정하는 경우에는 이를 행정조사에 반영하여야 한다.

행정조사기본법 제24조【조사결과의 통지】 행정기관의 장은 법령등에 특별한 규정이 있는 경우를 제외하고는 행정조사의 결과를 확정한 날부터 7일 이내에 그 결과를 조사대상자에게 통지하여야 한다. [2020 경행특채 2차]

06 행정조사의 한계

- **절차법적 한계**: 행정절차법은 행정조사에 관한 명문규정을 두고 있지 않지만, 행정조사가 처분에 해당하는 경우에는 행정절차법상의 처분 규정을 지켜야 하며, 나아가 적법절차 원칙도 행정조사에 적용된다.
- **조리상 한계**: 행정조사를 실시함에 있어서는 법률유보 원칙, 비례성의 원칙 등 행정법상의 일반원칙을 준수하여야 한다.
- **영장주의**: 비권력적 조사에는 영장주의가 적용되지 않지만, 권력적 조사는 영장주의가 적용된다고 보는 것이 학설의 입장이다. 그러나 판례는 행정조사의 성격이 유지되는 한 영장이 필요하지 않다고 보면서, 다만 행정조사가 범죄수사인 압수 또는 수색에 해당하는 경우에는 영장주의가 적용된다고 본다.

> ⚖️**요지판례 ㅣ**
>
> ■ 우편물 통관검사절차에서 이루어지는 우편물의 개봉, 시료채취, 성분분석 등의 검사는 수출입물품에 대한 적정한 통관 등을 목적으로 한 행정조사의 성격을 가지는 것으로서 수사기관의 강제처분이라고 할 수 없으므로, 압수·수색영장 없이 우편물의 개봉, 시료채취, 성분분석 등 검사가 진행되었다 하더라도 특별한 사정이 없는 한 위법하다고 볼 수 없다(대판 2013.9.26, 2013도7718). → 인천공항세관 우편검사과에서 이 사건 우편물 중에서 시료를 채취하고, 인천공항세관 분석실에서 성분분석을 하는 데에는 검사의 청구에 의하여 법관이 발부한 압수·수색영장이 필요하지 않다고 봄이 상당하다. 원심이 그 채택 증거들을 종합하여 이 사건 공소사실을 유죄로 인정한 것은 정당하다.
> [2019 경행특채 2차]

■ 세관공무원이 통관검사를 위하여 직무상 소지하거나 보관하는 물품을 수사기관에 임의로 제출한 경우에는 비록 소유자의 동의를 받지 않았더라도 수사기관이 강제로 점유를 취득하지 않은 이상 해당 물품을 압수하였다고 할 수 없다. 그러나 마약류 불법거래 방지에 관한 특례법 제4조 제1항에 따른 조치의 일환으로 특정한 수출입 물품을 개봉하여 검사하고 그 내용물의 점유를 취득한 행위는 위에서 본 수출입물품에 대한 적정한 통관 등을 목적으로 조사를 하는 경우와는 달리, 범죄수사인 압수 또는 수색에 해당하여 사전 또는 사후에 영장을 받아야 한다(대판 2017.7.18, 2014도8719). ➡ 위와 같은 활동은 수사기관이 처음부터 구체적인 범죄사실에 대한 증거수집을 목적으로 한 압수·수색인데도 사전 또는 사후에 영장을 발부받지 않았으므로 영장주의를 위반한 것이며, 위법한 압수·수색으로 취득한 증거인 압수물·압수조서와 압수물에 대한 감정서 등은 모두 증거능력이 없고 나머지 증거만으로는 공소사실을 인정하기 부족하므로 범죄의 증명이 없다고 판단하여 무죄를 선고한 원심판결은 정당하다.

07 행정조사에 대한 구제

1. 행정조사가 위법한 경우

- **행정쟁송**: 권력적 행정조사는 권력적 사실행위이므로 처분에 해당하나, 단기간에 종료되는 행정조사의 경우 협의의 소의 이익이 부정될 가능성이 높다.
- **국가배상**: 위법한 행정조사가 종료하여 취소소송의 제기가 불가능한 경우 국가배상이 실효적이다.

⚖ 요지판례 Ⅰ
세무조사결정은 납세의무자의 권리·의무에 직접 영향을 미치는 공권력의 행사에 따른 행정작용으로서 항고소송의 대상이 된다(대판 2011.3.10, 2009두23617).

2. 행정조사가 적법한 경우

손실보상: 적법한 행정조사에 대하여는 손실보상을 청구할 수 있으며, 행정조사기본법도 손실보상에 관한 규정을 두고 있다(시료채취의 경우).

■ **행정조사기본법 제12조【시료채취】** ② 행정기관의 장은 제1항에 따른 시료채취로 조사대상자에게 손실을 입힌 때에는 대통령령으로 정하는 절차와 방법에 따라 그 손실을 보상하여야 한다.

⊕ 심화 위법한 행정조사에 기초한 행정처분

① 견해의 대립
- 행정처분의 기초가 된 행정조사가 위법한 경우, ① 절차의 적법성 보장을 근거로 위법한 행정조사에 기초한 행정처분은 위법하다는 견해와, ② 행정조사와 행정행위는 별개 작용이므로 행정조사가 위법하다고 하여 행정처분이 곧바로 위법하다고는 할 수 없다는 견해가 있다.

② 판례
⚖ 요지판례 Ⅰ
- 국세기본법 제81조의5가 정한 세무조사대상 선정사유가 없음에도 세무조사대상으로 선정하여 과세자료를 수집하고 과세처분을 하는 것은 위법하다(대판 2014.6.26, 2012두911).

- 세무조사가 과세자료의 수집 또는 신고내용의 정확성 검증이라는 본연의 목적이 아니라 부정한 목적을 위하여 행하여진 것이라면 이는 세무조사에 중대한 위법사유가 있는 경우에 해당하고 이러한 세무조사에 의하여 수집된 과세자료를 기초로 한 과세처분 역시 위법하다 (대판 2016.12.15, 2016두47659). [2019 경행특채 2차]
- 음주운전 여부에 대한 조사 과정에서 운전자 본인의 동의를 받지 아니하고 법원의 영장도 없이 한 혈액채취 조사 결과를 근거로 한 운전면허 정지·취소처분은 도로교통법 제44조 제3항을 위반한 것으로서 특별한 사정이 없는 한 위법한 처분으로 볼 수밖에 없다(대판 2016.12.27, 2014두46850).

주제 6 새로운 실효성 확보수단

01 과징금

1. 의의

행정법상의 의무를 위반한 자로부터 일정한 금전적 이익을 박탈함으로써 간접적으로 의무이행을 확보하려는 제재수단이다.

[2023 채용1차] 과징금은 원칙적으로 행정법상의 의무를 위반한 자에 대하여 당해 위반행위로 얻게 된 경제적 이익을 박탈하기 위한 목적으로 부과하는 금전적인 제재이다. (○)

2. 과태료와의 비교

구분	과태료	과징금
성질	의무위반에 대한 벌(질서벌)	의무이행 확보수단(제재 + 부당이득환수)
불복	질서위반행위규제법	행정심판법, 행정소송법
처분성	부정됨(행정소송대상 ×)	인정됨(행정소송대상)
쟁송제기시	과태료 효력상실(처분 ×)	과징금 효력유지(집행부정지원칙)
기준	가벌성	예상수익

02 가산세·가산금

- **가산세**: 세법에서 규정하는 의무의 성실한 이행을 확보하기 위하여 세법에 따라 산출한 세액에 가산하여 징수하는 금액으로서 본래의 조세채무와는 별개로 부과되는 세금을 말한다. 예 납세자가 정당한 사유 없이 세법상 규정된 법정신고기간 내 신고하지 아니하는 경우 부과되는 가산세
- **가산금**: 국세를 납부기한까지 납부하지 아니한 경우에 국세징수법에 따라 고지세액에 가산하여 징수하는 금액과 납부기한이 지난 후 일정 기한까지 납부하지 아니한 경우에 그 금액에 다시 가산하여 징수하는 금액 ➡ 일종의 **지연이자**

[2023 채용1차] 가산세는 개별 세법이 과세의 적정을 기하기 위하여 정한 의무의 이행을 확보할 목적으로 그 의무 위반에 대하여 세금의 형태로 가하는 행정상 제재이다. (○)

03 경찰상 공표(명단공개)

행정법상의 의무위반이나 불이행에 대하여 그 성명이나 위반사실을 일반에게 공표함으로써 국민일반에게 경계심을 불러일으킴과 동시에 상대방의 명예·신용의 저하라는 간접적·심리적 강제에 의하여 의무이행을 확보하려는 간접적 실효성 확보수단이다. 예 공직자윤리법 제8조의2(허위 재산 등록 공직자에 대해 공표), 국세징수법 제114조(고액·상습체납자의 명단 공개), 아동·청소년의 성보호에 관한 법률 제49조(등록정보의 공개)

04 공급거부

• 행정법상의 의무를 위반한 자에 대하여 행정상의 급부나 재화의 공급을 거부하여 생활의 어려움을 줌으로써 간접적으로 의무이행을 확보하기 위한 제도이다. 예 단수·단전
• 법치행정의 원리(법률유보원칙), 과잉금지원칙은 물론, 특히 부당결부금지원칙에 위반하여서는 안 된다.

05 관허사업 제한

행정법상의 의무를 위반하거나 불이행한 자에 대해 각종 인·허가를 거부·정지·철회할 수 있게 함으로써 의무불이행에 대한 제재적 처분을 가하는 한편, 행정법상 의무의 준수 또는 이행을 확보하기 위한 간접적 강제수단이다.

제5절 경찰구제

주제 1 행정심판법

01 행정심판

• 행정심판이란 행정상 법률관계에 대한 분쟁에 대하여 행정기관에 시정을 구하는 절차를 말한다.
• 행정심판은 분쟁해결의 성질을 갖는다는 면에서 실질적으로 사법작용, 행정기관에 시정을 구한다는 면에서 형식적으로는 행정작용이다. 행정의 자기통제, 국민의 권리보호 기능을 한다. 행정소송에 비해 신속하고 저비용이라는 점에서 효율적이다.

02 행정심판의 종류

> **행정심판법 제5조【행정심판의 종류】** 행정심판의 종류는 다음 각 호와 같다.
> 1. 취소심판: 행정청의 위법 또는 부당한 처분을 취소하거나 변경하는 행정심판
> 2. 무효등확인심판: 행정청의 처분의 효력 유무 또는 존재 여부를 확인하는 행정심판
> 3. 의무이행심판: 당사자의 신청에 대한 행정청의 위법 또는 부당한 거부처분이나 부작위에 대하여 일정한 처분을 하도록 하는 행정심판 ➡ 부작위위법확인심판 ✕
>
> [2018 경행특채 2차] 「행정심판법」은 당사자심판을 청구할 수 있는 자는 행정소송의 경우와 동일하게 행정처분의 법률관계에 대한 법률상 이익이 있어야 한다고 규정하고 있다. (✕)

☑ KEY POINT | 행정심판 종류별 주요사항 비요

구분	취소심판	무효등확인심판	의무이행심판
인용재결	• 처분취소·변경재결 • 처분변경명령재결	유효·무효·실효· 존재·부존재확인 재결	• 처분재결 • 처분명령재결
청구기간	청구기간 ○	청구기간 ✕	• 거부처분 ○ • 부작위 ✕
집행부정지원칙 (집행정지신청)	집행부정지 ○	집행부정지 ○	집행부정지 ✕
사정재결	사정재결 ○	사정재결 ✕	사정재결 ○

■ 사정재결(제44조)
심판청구가 이유 있어 인용재결을 하는것이 타당함에도, 이를 인용하면 공공복리에 크게 위배되는 경우에는 심판청구를 기각하는 재결을 말한다.

03 행정심판의 요건 ① - 행정심판의 대상

1. 심판대상

> **행정심판법 제2조【정의】** 이 법에서 사용하는 용어의 뜻은 다음과 같다.
> 1. "처분"이란 행정청이 행하는 구체적 사실에 관한 법집행으로서의 공권력의 행사 또는 그 거부, 그 밖에 이에 준하는 행정작용을 말한다.
> 2. "부작위"란 행정청이 당사자의 신청에 대하여 상당한 기간 내에 일정한 처분을 하여야 할 법률상 의무가 있는데도 처분을 하지 아니하는 것을 말한다.
>
> **행정심판법 제3조【행정심판의 대상】** ① 행정청의 처분 또는 부작위에 대하여는 다른 법률에 특별한 규정이 있는 경우 외에는 이 법에 따라 행정심판을 청구할 수 있다.

■ 열기주의와 개괄주의
• **열기주의**: 원칙적으로 모든 사항을 금지하고 예외적으로 허용되는 사항만 따로 나열하는 원칙
• **개괄주의**: 원칙적으로 모든 사항을 허용하되 예외적으로 허용되지 않는 사항만 따로 나열하는 원칙

• 행정심판법은 처분의 내용이나 종류를 정하고 있지 않기 때문에 열기주의가 아닌 개괄주의를 채택하고 있는 것으로 해석된다.
• 행정심판에서는 위법뿐만 아니라 부당도 심판대상이 된다.

2. 심판 제외대상

> **행정심판법 제3조【행정심판의 대상】** ② 대통령의 처분 또는 부작위에 대하여는 다른 법률에서 행정심판을 청구할 수 있도록 정한 경우 외에는 행정심판을 청구할 수 없다.

> **행정심판법 제51조【행정심판 재청구의 금지】** 심판청구에 대한 재결이 있으면 그 재결 및 같은 처분 또는 부작위에 대하여 다시 행정심판을 청구할 수 없다.
>
> [2018 경행특채 2차] 개별 법률에 특별규정이 없는 경우에 행정심판 청구에 대한 재결이 있으면 그 재결 및 같은 처분 또는 부작위에 대하여 다시 행정심판을 청구할 수 있다. (×)

- 대통령의 처분 또는 부작위에 대하여 다른 법률에서 행정심판을 청구할 수 있도록 정한 예로는 공무원에 대한 징계에 대해 소청심사위원회에서 심사할 수 있도록 한 것이 있다.
- 재결이 있는 경우에도 그 재결, 그리고 그 재결의 대상이 된 처분·부작위는 다시 행정심판의 대상으로 삼을 수 없다.
- 이 외에도 통고처분, 검사의 불기소처분처럼 다른 구제절차가 마련되어 있는 경우에는 행정심판의 대상이 되지 않는다.

04 행정심판의 요건 ② – 청구인과 피청구인

1. 청구인

(1) 청구인 능력·적격

> **행정심판법 제13조【청구인 적격】** ① 취소심판은 처분의 취소 또는 변경을 구할 법률상 이익이 있는 자가 청구할 수 있다. 처분의 효과가 기간의 경과, 처분의 집행, 그 밖의 사유로 소멸된 뒤에도 그 처분의 취소로 회복되는 법률상 이익이 있는 자의 경우에도 또한 같다.
> ② 무효등확인심판은 처분의 효력 유무 또는 존재 여부의 확인을 구할 법률상 이익이 있는 자가 청구할 수 있다.
> ③ 의무이행심판은 처분을 신청한 자로서 행정청의 거부처분 또는 부작위에 대하여 일정한 처분을 구할 법률상 이익이 있는 자가 청구할 수 있다.
>
> **행정심판법 제14조【법인이 아닌 사단 또는 재단의 청구인 능력】** 법인이 아닌 사단 또는 재단으로서 대표자나 관리인이 정하여져 있는 경우에는 그 사단이나 재단의 이름으로 심판청구를 할 수 있다

- 심판청구인이란 행정심판청구를 제기하는 자를 말하고, 청구인능력이란 일반적으로 청구인이 될 수 있는 능력을, 그리고 청구인적격이란 당해 사건에서 심판청구인이 되어 재결을 받을 수 있는 법적 자격을 말한다.
- 청구인능력·적격이 없는 자가 제기한 심판청구는 부적법한 것으로 각하된다.

(2) 선정대표자

> **행정심판법 제15조【선정대표자】** ① 여러 명의 청구인이 공동으로 심판청구를 할 때에는 청구인들 중에서 3명 이하의 선정대표자를 선정할 수 있다.
> ② 청구인들이 제1항에 따라 선정대표자를 선정하지 아니한 경우에 위원회는 필요하다고 인정하면 청구인들에게 선정대표자를 선정할 것을 권고할 수 있다.
> ③ 선정대표자는 다른 청구인들을 위하여 그 사건에 관한 모든 행위를 할 수 있다. 다만, 심판청구를 취하하려면 다른 청구인들의 동의를 받아야 하며, 이 경우 동의받은 사실을 서면으로 소명하여야 한다.

④ 선정대표자가 선정되면 다른 청구인들은 그 선정대표자를 통해서만 그 사건에 관한 행위를 할 수 있다.

⑤ 선정대표자를 선정한 청구인들은 필요하다고 인정하면 선정대표자를 해임하거나 변경할 수 있다. 이 경우 청구인들은 그 사실을 지체 없이 위원회에 서면으로 알려야 한다.

'당사자 아닌 자'를 선정대표자로 선정한 행위는 무효라는 것이 판례의 입장이다.

(3) 청구인의 대리인

행정심판법 제18조【대리인의 선임】① 청구인은 법정대리인 외에 다음 각 호의 어느 하나에 해당하는 자를 대리인으로 선임할 수 있다.
1. 청구인의 배우자, 청구인 또는 배우자의 사촌 이내의 혈족
2. 청구인이 법인이거나 제14조에 따른 청구인 능력이 있는 법인이 아닌 사단 또는 재단인 경우 그 소속 임직원
3. 변호사
4. 다른 법률에 따라 심판청구를 대리할 수 있는 자
5. 그 밖에 위원회의 허가를 받은 자

행정심판법 제18조의2【국선대리인】① 청구인이 경제적 능력으로 인해 대리인을 선임할 수 없는 경우에는 위원회에 국선대리인을 선임하여 줄 것을 신청할 수 있다.
② 위원회는 제1항의 신청에 따른 국선대리인 선정 여부에 대한 결정을 하고, 지체 없이 청구인에게 그 결과를 통지하여야 한다. 이 경우 위원회는 심판청구가 명백히 부적법하거나 이유 없는 경우 또는 권리의 남용이라고 인정되는 경우에는 국선대리인을 선정하지 아니할 수 있다.

2. 피청구인

(1) 피청구인 적격

행정심판법 제17조【피청구인의 적격 및 경정】① 행정심판은 처분을 한 행정청(의무이행심판의 경우에는 청구인의 신청을 받은 행정청)을 피청구인으로 하여 청구하여야 한다. 다만, 심판청구의 대상과 관계되는 권한이 다른 행정청에 승계된 경우에는 권한을 승계한 행정청을 피청구인으로 하여야 한다.

행정청의 권한이 위임 또는 위탁된 경우에는 위임 또는 위탁을 받은 자가 피청구인이 된다(수임청, 수탁청). ➜ 권한이전이 없는 권한의 대리의 경우에는 피대리관청이 피청구인!

(2) 피청구인의 경정

행정심판법 제17조【피청구인의 적격 및 경정】② 청구인이 피청구인을 잘못 지정한 경우에는 위원회는 직권으로 또는 당사자의 신청에 의하여 결정으로써 피청구인을 경정할 수 있다.
③ 위원회는 제2항에 따라 피청구인을 경정하는 결정을 하면 결정서 정본을 당사자(종전의 피청구인과 새로운 피청구인을 포함한다. 이하 제6항에서 같다)에게 송달하여야 한다.

④ 제2항에 따른 결정이 있으면 종전의 피청구인에 대한 심판청구는 취하되고 종전의 피청구인에 대한 행정심판이 청구된 때에 새로운 피청구인에 대한 행정심판이 청구된 것으로 본다. ➡ 피청구인 경정으로 청구기간이 도과되는 것을 막기 위함

⑤ 위원회는 행정심판이 청구된 후에 제1항 단서의 사유가 발생하면 직권으로 또는 당사자의 신청에 의하여 결정으로써 피청구인을 경정한다. 이 경우에는 제3항과 제4항을 준용한다.

⑥ 당사자는 제2항 또는 제5항에 따른 위원회의 결정에 대하여 결정서 정본을 받은 날부터 7일 이내에 위원회에 이의신청을 할 수 있다.

☑ KEY POINT | 행정심판과 행정소송의 피청구인 변경

구분	행정심판법	행정소송법
처음 잘못 제기	직권 또는 신청	신청
중간에 바뀜	직권 또는 신청	직권 또는 신청
효과	처음 제기하였을 때 제기한 것으로 본다.	

(3) 피청구인의 대리인

행정심판법 제18조 【대리인의 선임】② 피청구인은 그 소속 직원 또는 제1항 제3호부터 제5호까지의 어느 하나에 해당하는 자를 대리인으로 선임할 수 있다. ➡ 피청구인(행정청은) ① 소속직원, ② 변호사, ③ 다른 법률에 따라 대리 가능한 자, ④ 위원회 허가를 받은 자를 대리인으로 선임 가능

3. 참가인

(1) 의의 및 종류

- 심판결과에 이해관계 있는 제3자나 행정청은 해당 심판청구에 대한 의결이 있기 전까지 심판참가를 할 수 있는데, 이때 참가하는 자를 참가인이라 한다. ➡ 여기서 말하는 이해관계는 사실상, 경제상 또는 감정상의 이해관계가 아니라 **법률상의 이해관계**를 가리킨다(대판 1997.12.26, 96다51714).
- 이러한 참가에는 ① 이해관계가 있는 제3자의 참가신청에 따라 위원회의 허가가 있는 경우 참가인이 되는 허가에 의한 참가(제20조), ② 위원회가 먼저 이해관계 있는 제3자에게 참가를 요구하고 그 제3자가 결정하여 참가인이 되는 요구에 의한 참가(제21조)가 있다.

(2) 참가인의 지위

행정심판법 제22조 【참가인의 지위】① 참가인은 행정심판 절차에서 당사자가 할 수 있는 심판절차상의 행위를 할 수 있다.

05 행정심판의 요건 ③ - 심판청구의 기간

1. 의의

> **행정심판법 제27조 【심판청구의 기간】** ① 행정심판은 처분이 있음을 알게 된 날부터 90일 이내에 청구하여야 한다.
> ② 청구인이 천재지변, 전쟁, 사변, 그 밖의 불가항력으로 인하여 제1항에서 정한 기간에 심판청구를 할 수 없었을 때에는 그 사유가 소멸한 날부터 14일 이내에 행정심판을 청구할 수 있다. 다만, 국외에서 행정심판을 청구하는 경우에는 그 기간을 30일로 한다.
> ③ 행정심판은 처분이 있었던 날부터 180일이 지나면 청구하지 못한다. 다만, 정당한 사유가 있는 경우에는 그러하지 아니하다.
> ④ 제1항과 제2항의 기간은 불변기간으로 한다.
> ⑤ 행정청이 심판청구 기간을 제1항에 규정된 기간보다 긴 기간으로 잘못 알린 경우 그 잘못 알린 기간에 심판청구가 있으면 그 행정심판은 제1항에 규정된 기간에 청구된 것으로 본다.
> ⑥ 행정청이 심판청구 기간을 알리지 아니한 경우에는 제3항에 규정된 기간에 심판청구를 할 수 있다.
> ⑦ 제1항부터 제6항까지의 규정은 무효등확인심판청구와 부작위에 대한 의무이행심판청구에는 적용하지 아니한다.
> [2019 경행특채 2차] 행정청이 심판청구의 기간을 알리지 아니한 경우에는 처분이 있었던 날부터 180일 이내에 행정심판을 청구할 수 있다. (O)
> [2019 경행특채 2차] 취소심판의 경우와 달리 무효등확인심판과 의무이행심판의 경우에는 심판청구의 기간에 제한이 없다. (×)

■ 불변기간
- 임의로 신축할 수 없도록 법률로 정해져 있는 기간을 불변기간이라고 한다.
- 행정심판법 제27조에서는 '안 날'과 관련한 규정은 불변기간이고, '있은 날'과 관련한 규정은 불변기간이 아니다.

- 행정심판은 처분이 있음을 알게 된 날부터 90일, 있은 날부터 180일 중 먼저 도래하는 기간 내에 제기하여야 하는데, 이는 행정법관계의 신속한 확정을 위한 것이다.
- 준수 여부는 직권조사사항이고, 어느 하나라도 경과하면 행정심판청구는 부적법 각하된다.

2. 안 날로부터 90일

- 당사자가 통지·공고 기타의 방법에 의하여 당해 처분이 있었다는 사실을 현실적으로 안 날을 의미하고, 추상적으로 알 수 있었던 날을 의미하는 것은 아니다.
- 다만, 처분을 기재한 서류가 당사자의 주소에 송달되는 등으로 사회통념상 처분이 있음을 당사자가 알 수 있는 상태에 놓여진 때에는 반증이 없는 한 그 처분이 있음을 알았다고 추정할 수는 있다(대판 1995.11.24, 95누11535).

3. 있었던 날부터 180일

상대방이 있는 행정처분에 있어서는 달리 특별한 규정이 없는 한 그 처분을 하였음을 상대방에게 고지하여야 그 효력이 발생한다고 할 것이어서 위의 행정처분이 있은 날이라 함은 위와 같이 그 행정처분의 효력이 발생한 날을 말한다(대판 1977.11.22, 77누195).

06 행정심판의 청구

1. 서면주의

(1) 원칙

> **행정심판법 제28조 【심판청구의 방식】** ① 심판청구는 서면으로 하여야 한다. [2024 채용 1차]
> ② 처분에 대한 심판청구의 경우에는 심판청구서에 다음 각 호의 사항이 포함되어야 한다.
> 1. 청구인의 이름과 주소 또는 사무소(주소 또는 사무소 외의 장소에서 송달받기를 원하면 송달장소를 추가로 적어야 한다)
> 2. 피청구인과 위원회
> 3. 심판청구의 대상이 되는 처분의 내용
> 4. 처분이 있음을 알게 된 날
> 5. 심판청구의 취지와 이유
> 6. 피청구인의 행정심판 고지 유무와 그 내용
> ③ 부작위에 대한 심판청구의 경우에는 제2항 제1호·제2호·제5호의 사항과 그 부작위의 전제가 되는 신청의 내용과 날짜를 적어야 한다.

☑ KEY POINT | 행정심판과 행정소송의 서면주의 비교

구분	청구	심리	결론
심판	완화된 서면	구술 or 서면	서면
소송	서면	구술	서면

(2) 완화된 서면주의

행정심판청구는 엄격한 형식을 요하지 아니하는 서면행위이므로 당해 행정청에 그 처분의 취소나 변경을 구하는 취지의 서면을 제출하였다면 서면의 표제나 형식 여하에 불구하고 행정심판청구로 봄이 옳다(대판 1999.6.22, 99두2772).

⚖ 요지판례 |

■ 비록 제목이 '진정서'로 되어 있고, 재결청의 표시, 심판청구의 취지 및 이유, 처분을 한 행정청의 고지의 유무 및 그 내용 등 행정심판법 제28조 제2항 소정의 사항들을 구분하여 기재하고 있지 아니하여 행정심판청구서로서의 형식을 다 갖추고 있다고 볼 수는 없으나, 피청구인인 처분청과 청구인의 이름과 주소가 기재되어 있고, 청구인의 기명이 되어 있으며, 문서의 기재 내용에 의하여 심판청구의 대상이 되는 행정처분의 내용과 심판청구의 취지 및 이유, 처분이 있은 것을 안 날을 알 수 있는 경우, 위 문서에 기재되어 있지 않은 재결청, 처분을 한 행정청의 고지의 유무 등의 내용과 날인 등의 불비한 점은 보정이 가능하므로 위 문서를 행정처분에 대한 행정심판청구로 보는 것이 옳다(대판 2000.6.9, 98두2621).

■ 한국교원대학교로부터 제명처분을 당한 학생의 어머니가 청구인과 피청구인의 표시, 심판청구취지 및 이유 등을 구분하여 기재하지 아니하고 작성자의 서명, 날인이 없는 학사제명취소 신청서는 원고의 어머니가 원고의 대리인으로서 심판청구를 하고 있다고 보아야 할 것이며, … 행정심판청구는 엄격한 형식을 요하지 아니하는 서면행위이어서 어느 것이나 그 보정이 가능한 것이므로, 결국 위 학사제명취소신청서는 행정소송의 전치 요건인 행정심판청구서로서 원고는 적법한 행정심판청구를 한 것으로 보아야 할 것이다(대판 1990.6.8, 90누851).

2. 심판청구서의 제출 및 처리

(1) 청구인의 심판청구서 제출

> 행정심판법 제23조 【심판청구서의 제출】 ① 행정심판을 청구하려는 자는 제28조에 따라 심판청구서를 작성하여 피청구인이나 위원회에 제출하여야 한다. 이 경우 피청구인의 수만큼 심판청구서 부본을 함께 제출하여야 한다. → 선택주의
> ② 행정청이 제58조에 따른 고지를 하지 아니하거나 잘못 고지하여 청구인이 심판청구서를 다른 행정기관에 제출한 경우에는 그 행정기관은 그 심판청구서를 지체 없이 정당한 권한이 있는 피청구인에게 보내야 한다.
> [2024 채용 1차] 심판청구는 서면으로 하여야 하며, 심판청구서를 작성하여 피청구인 또는 행정심판위원회에 제출하여야 한다. (O)

(2) 피청구인의 심판청구서 처리

1) 심판청구서·답변서의 송부

🔍 쉽게 읽기!
§24
• CASE 1. 피청구인이 / 심판청구서를 / 직접 접수받거나 다른 행정청르부터 송부받은 경우 / 10일 이내에 위원회에 보내야 한다. / 무엇을? 심판청구서 + 답변서를
• CASE 2. 피청구인이 / 심판청구서를 / 위원회로부터 송부받은 경우 / 10일 이내에 위원회에 보내야 한다. / 무엇을? 답변서를

> 행정심판법 제24조 【피청구인의 심판청구서 등의 접수·처리】 ① 피청구인이 제23조 제1항(→ 직접 접수받은 경우)·제2항(→ 다른 행정청이 접수받아 피청구인에게 송부한 경우) 또는 제26조 제1항(→ 위원회가 접수받아 피청구인에게 부본 송부한 경우)에 따라 심판청구서를 접수하거나 송부받으면 10일 이내에 심판청구서(제23조 제1항·제2항의 경우만 해당된다)와 답변서를 위원회에 보내야 한다. 다만, 청구인이 심판청구를 취하한 경우에는 그러하지 아니하다.
> ② 피청구인은 처분의 상대방이 아닌 제3자가 심판청구를 한 경우에는 지체 없이 처분의 상대방에게 그 사실을 알려야 한다. 이 경우 심판청구서 사본을 함께 송달하여야 한다.

2) 직권취소

> 행정심판법 제25조 【피청구인의 직권취소등】 ① 제23조 제1항·제2항 또는 제26조 제1항에 따라 심판청구서를 받은 피청구인은 그 심판청구가 이유 있다고 인정하면 심판청구의 취지에 따라 직권으로 처분을 취소·변경하거나 확인을 하거나 신청에 따른 처분(이하 이 조에서 "직권취소등"이라 한다)을 할 수 있다. 이 경우 서면으로 청구인에게 알려야 한다.
> ② 피청구인은 제1항에 따라 직권취소등을 하였을 때에는 청구인이 심판청구를 취하한 경우가 아니면 제24조 제1항 본문에 따라 심판청구서·답변서를 보낼 때 직권취소등의 사실을 증명하는 서류를 위원회에 함께 제출하여야 한다.

행정심판이 제기된 경우 행정심판위원회가 판단하는 것이 원칙이지만 그 전에 처분청에게 스스로 잘못된 처분을 시정할 기회를 주는 것이다. ➡ 이는 원처분의 단순한 변경일 뿐 행정심판으로서의 재결은 아니다(직권취소).

(3) 위원회의 심판청구서 접수 · 처리

> **행정심판법 제26조【위원회의 심판청구서 등의 접수 · 처리】** ① 위원회는 제23조 제1항에 따라 심판청구서를 받으면 지체 없이 피청구인에게 심판청구서 부본을 보내야 한다.
> ② 위원회는 제24조 제1항 본문에 따라 피청구인으로부터 답변서가 제출되면 답변서 부본을 청구인에게 송달하여야 한다.

3. 심판청구의 취하

> **행정심판법 제42조【심판청구 등의 취하】** ① 청구인은 심판청구에 대하여 제7조 제6항 또는 제8조 제7항에 따른 의결이 있을 때까지 서면으로 심판청구를 취하할 수 있다.
> ② 참가인은 심판청구에 대하여 제7조 제6항 또는 제8조 제7항에 따른 의결이 있을 때까지 서면으로 참가신청을 취하할 수 있다.
> ③ 제1항 또는 제2항에 따른 취하서에는 청구인이나 참가인이 서명하거나 날인하여야 한다.

심판청구를 철회하는 청구인의 일방적 의사표시로, 이로 인해 심판청구가 처음부터 없었던 것으로 본다.

4. 심판청구의 효과

- **청구인**: 행정심판법에 의해 보장되고 있는 권리를 갖게 된다.
- **처분**: 심판청구는 처분의 효력이나 그 집행 또는 절차의 속행에 영향을 주지 아니한다(집행부정지의 원칙, 행정심판법 제30조 제1항).
- **위원회**: 행정심판위원회는 심리 · 재결해야 할 의무가 생긴다.

07 가구제

1. 집행정지

> **행정심판법 제30조【집행정지】** ① 심판청구는 처분의 효력이나 그 집행 또는 절차의 속행에 영향을 주지 아니한다. ➡ 원칙: 집행부(不)정지
> ② 위원회는 처분, 처분의 집행 또는 절차의 속행 때문에 중대한 손해가 생기는 것을 예방할 필요성이 긴급하다고 인정할 때에는 직권으로 또는 당사자의 신청에 의하여 처분의 효력, 처분의 집행 또는 절차의 속행의 전부 또는 일부의 정지(이하 "집행정지"라 한다)를 결정할 수 있다. 다만, 처분의 효력정지는 처분의 집행 또는 절차의 속행을 정지함으로써 그 목적을 달성할 수 있을 때에는 허용되지 아니한다. ➡ 예외: 집행정지 [2024 채용 1차]

③ 집행정지는 공공복리에 중대한 영향을 미칠 우려가 있을 때에는 허용되지 아니한다.
④ 위원회는 집행정지를 결정한 후에 집행정지가 공공복리에 중대한 영향을 미치거나 그 정지사유가 없어진 경우에는 직권으로 또는 당사자의 신청에 의하여 집행정지 결정을 취소할 수 있다.

(1) 집행정지의 요건

구분	내용
적극적 요건	① **심판청구의 계속**: 심판청구가 행정심판위원회에 계속되어 있어야 한다.
	② **집행정지대상인 처분의 존재**: 집행이 완료된 경우에는 집행정지가 인정되지 않는다. 거부처분·부작위도 처분이 존재하지 아니하므로 집행정지 대상이 되지 않는다.
	③ **중대한 손해발생 가능성**: 집행을 정지하지 않으면 중대한 손해가 발생할 가능성이 있어야 한다.
	④ **긴급한 필요**: 재결을 기다릴 수 없을 만큼 긴급해야 한다.
소극적 요건	공공복리에 중대한 영향을 미칠 우려가 있으면 허용되지 아니한다.

(2) 집행정지의 효력
- 행정심판위원회는 처분의 효력이나 그 집행, 절차의 속행의 전부 또는 일부를 정지할 수 있다.
- 처분의 효력정지는 처분의 집행 또는 절차의 속행을 정지함으로써 그 목적을 달성할 수 있을 때에는 허용되지 아니한다.

2. 가처분

행정심판법 제31조【임시처분】 ① 위원회는 처분 또는 부작위가 위법·부당하다고 상당히 의심되는 경우로서 처분 또는 부작위 때문에 당사자가 받을 우려가 있는 중대한 불이익이나 당사자에게 생길 급박한 위험을 막기 위하여 임시지위를 정하여야 할 필요가 있는 경우에는 직권으로 또는 당사자의 신청에 의하여 임시처분을 결정할 수 있다.
③ 제1항에 따른 임시처분은 제30조 제2항에 따른 집행정지로 목적을 달성할 수 있는 경우에는 허용되지 아니한다.

08 행정심판의 심리

1. 심리기일의 지정

> **행정심판법 제38조【심리기일의 지정과 변경】** ① 심리기일은 위원회가 직권으로 지정한다.
> ② 심리기일의 변경은 직권으로 또는 당사자의 신청에 의하여 한다.
> ③ 위원회는 심리기일이 변경되면 지체 없이 그 사실과 사유를 당사자에게 알려야 한다.
> ④ 심리기일의 통지나 심리기일 변경의 통지는 서면으로 하거나 심판청구서에 적힌 전화, 휴대전화를 이용한 문자전송, 팩시밀리 또는 전자우편 등 간편한 통지 방법(이하 "간이통지방법"이라 한다)으로 할 수 있다.

심리란 분쟁의 대상이 되는 사실관계·법률관계에 대해 당사자와 관계자의 주장을 듣고 증거자료를 수집·조사하는 절차를 말한다.

1. 심리의 범위

(1) 불고불리의 원칙

> **행정심판법 제47조【재결의 범위】** ① 위원회는 심판청구의 대상이 되는 처분 또는 부작위 외의 사항에 대하여는 재결하지 못한다.

(2) 불이익변경금지의 원칙

> **행정심판법 제47조【재결의 범위】** ② 위원회는 심판청구의 대상이 되는 처분보다 청구인에게 불리한 재결을 하지 못한다.

(3) 법률문제·사실문제

행정심판의 심리에서는 법률문제와 사실문제를 심리할 수 있다.

(4) 재량문제

행정심판은 행정소송과 다르게 위법뿐만 아니라 당·부당의 문제도 심리할 수 있다.

3. 심리의 절차 및 방법

(1) 당사자주의(대심주의)의 원칙

- 행정심판법은 심판청구의 당사자들이 공격·방어방법을 제출하고 심리를 진행하는 당사자주의적 구조를 취하고 있다.
- 행정심판에서 처분청은 기본적 사실관계의 동일성이 인정되는 사유만 처분사유로 추가할 수 있다.

> **▌요건심리와 본안심리**
> - **요건심리(형식적 심리):** 행정심판 제기요건(당사자 능력·적격, 대상 적격, 청구기간 등)을 충족하고 있는지 심리하는 것 ➡ 미충족된 경우로서 보정이 불가능하면 각하
> - **본안심리(실질적 심리):** 처분의 위법 또는 부당여부를 심리하는 것 ➡ 주장이 이유 있으면 인용, 없으면 각하

⚖ 요지판례 Ⅰ

행정처분의 취소를 구하는 항고소송에서 처분청은 당초 처분의 근거로 삼은 사유와 기본적 사실관계가 동일성이 있다고 인정되는 한도 내에서만 다른 사유를 추가 또는 변경할 수 있는데, 이는 행정심판 단계에서도 그대로 적용된다(대판 2014.5.16, 2013두26118).

(2) 직권심리주의 가미

행정심판법 제39조【직권심리】위원회는 필요하면 당사자가 주장하지 아니한 사실에 대하여도 심리할 수 있다.

(3) 구술심리 · 서면심리

행정심판법 제40조【심리의 방식】① 행정심판의 심리는 구술심리나 서면심리로 한다. 다만, 당사자가 구술심리를 신청한 경우에는 서면심리만으로 결정할 수 있다고 인정되는 경우 외에는 구술심리를 하여야 한다.

(4) 위원 발언 등 비공개

행정심판법 제41조【발언 내용 등의 비공개】위원회에서 위원이 발언한 내용이나 그 밖에 공개되면 위원회의 심리 · 재결의 공정성을 해칠 우려가 있는 사항으로서 대통령령으로 정하는 사항은 공개하지 아니한다.

[대통령령] 행정심판법 시행령 제29조【비공개 정보】법 제41조에서 "대통령령으로 정하는 사항"이란 다음 각 호의 어느 하나에 해당하는 사항을 말한다.
1. 위원회(소위원회와 전문위원회를 포함한다)의 회의에서 위원이 발언한 내용이 적힌 문서
2. 심리 중인 심판청구사건의 재결에 참여할 위원의 명단
3. 제1호 및 제2호에서 규정한 사항 외에 공개할 경우 위원회의 심리 · 재결의 공정성을 해칠 우려가 있다고 인정되는 사항으로서 총리령으로 정하는 사항

(5) 위법 · 부당 여부 판단시점

행정심판에 있어서 행정처분의 위법 · 부당 여부는 원칙적으로 처분시를 기준으로 판단하여야 할 것이나, 재결 당시까지 제출된 모든 자료를 종합하여 처분 당시 존재하였던 객관적 사실을 확정하고 그 사실에 기초하여 처분의 위법 · 부당 여부를 판단할 수 있다(대판 2001.7.27, 99두5092).

09 행정심판의 재결

1. 재결의 의의 및 성질

- 행정심판의 청구에 대하여 행정심판위원회가 행하는 최종적인 판단의 표시를 말한다.
- 준법률행위적 행정행위인 확인행위로서, 법원의 판결과 비슷하다는 점에서 준사법행위의 성질을 갖는다.

2. 재결의 기간

> **행정심판법 제45조【재결 기간】** ① 재결은 제23조에 따라 피청구인 또는 위원회가 심판청구서를 받은 날부터 60일 이내에 하여야 한다. 다만, 부득이한 사정이 있는 경우에는 위원장이 직권으로 30일을 연장할 수 있다.
> ② 위원장은 제1항 단서에 따라 재결 기간을 연장할 경우에는 재결 기간이 끝나기 7일 전까지 당사자에게 알려야 한다.

3. 재결의 방식

> **행정심판법 제46조【재결의 방식】** ① 재결은 서면으로 한다. [2023 채용1차]
> ② 제1항에 따른 재결서에는 다음 각 호의 사항이 포함되어야 한다.
> 1. 사건번호와 사건명 / 2. 당사자·대표자 또는 대리인의 이름과 주소
> 3. 주문 / 4. 청구의 취지 / 5. 이유 / 6. 재결한 날짜
> ③ 재결서에 적는 이유에는 주문 내용이 정당하다는 것을 인정할 수 있는 정도의 판단을 표시하여야 한다.

4. 재결의 구분(종류)

(1) 각하재결

위원회는 심판청구가 적법하지 아니하면 그 심판청구를 각하한다(제43조 제1항). ➡ 부적법, 각하

(2) 기각재결

위원회는 심판청구가 이유가 없다고 인정하면 그 심판청구를 기각한다(제43조 제2항). ➡ 이유 없음, 기각 [2023 채용1차]

(3) 인용재결

> **행정심판법 제43조【재결의 구분】** ③ 위원회는 취소심판의 청구가 이유가 있다고 인정하면 처분을 취소 또는 다른 처분으로 변경하거나 처분을 다른 처분으로 변경할 것을 피청구인에게 명한다.
> ④ 위원회는 무효등확인심판의 청구가 이유가 있다고 인정하면 처분의 효력 유무 또는 처분의 존재 여부를 확인한다.
> ⑤ 위원회는 의무이행심판의 청구가 이유가 있다고 인정하면 지체 없이 신청에 따른 처분을 하거나 처분을 할 것을 피청구인에게 명한다.

▌행정심판에서의 조정
- 신속한 분쟁해결 등을 위해 행정심판에서도 조정절차가 인정된다.
- 행정심판법 제43조의2【조정】① 위원회는 당사자의 권리 및 권한의 범위에서 당사자의 동의를 받아 심판청구의 신속하고 공정한 해결을 위하여 조정을 할 수 있다. 다만, 그 조정이 공공복리에 적합하지 아니하거나 해당 처분의 성질에 반하는 경우에는 그러하지 아니하다.

▌행정심판 절차별 서면·구술
- 청구: (완화된) 서면
- 심리: 서면 또는 구술
- 재결: 서면

💡 기각재결, 즉 위원회가 처분이 적법하다고 판단하였더라도, 처분청은 당해 처분을 직권으로 취소·변경할 수 있다. = 기각재결에는 기속력이 인정되지 않는다!

행정심판의 종류	재결의 종류	주문형식
취소심판	취소재결	피청구인이 2022.1.1. 청구인에게 한 영업허가취소처분은 이를 취소한다.
	변경재결	피청구인이 2022.1.1. 청구인에게 한 영업허가취소처분은 이를 3월의 영업정지처분으로 변경한다.
	변경명령재결	피청구인이 2022.1.1. 청구인에 대하여 한 3월의 영업정지처분을 2월의 영업정지에 갈음하는 과징금부과처분으로 변경하라.
무효등확인심판	유·무효확인재결	피청구인이 2022.1.1. 청구인에게 한 영업허가취소처분은 이를 무효임을 확인한다.
	존재·부존재 확인재결	청구인이 피청구인에게 납부하여야 할 과징금은 100만원을 초과하여서는 존재하지 않음을 확인한다.
	실효확인재결	피청구인이 2022.1.1. 청구인 소유의 OO부동산에 대하여 한 수용재결이 실효되었음을 확인한다.
의무이행심판	처분재결	청구인이 피청구인에게 정보공개이행을 청구한 정보 중 △△을 공개한다.
	처분(이행)명령재결	피청구인은 청구인이 정보공개이행을 청구한 정보 중 △△을 공개하라.

(4) 사정재결

▌**사정재결의 주문례**
청구인의 청구를 기각한다. 다만, 피청구인이 2022.1.1. 청구인에게 한 △△처분은 위법하다.

▌**상당한 구제방법**
원칙적으로 사정재결로 인해 청구인이 받는 피해 전체이며, 금전을 통한 배상 또는 피해제거시설의 설치 등 다른 적절한 방법 등을 말한다.

> **행정심판법 제44조【사정재결】**① 위원회는 심판청구가 이유가 있다고 인정하는 경우에도 이를 인용하는 것이 공공복리에 크게 위배된다고 인정하면 그 심판청구를 기각하는 재결을 할 수 있다. 이 경우 위원회는 재결의 주문에서 그 처분 또는 부작위가 위법하거나 부당하다는 것을 구체적으로 밝혀야 한다. [2022 채용2차]
> [2024 채용2차]
> ② 위원회는 제1항에 따른 재결을 할 때에는 청구인에 대하여 상당한 구제방법을 취하거나 상당한 구제방법을 취할 것을 피청구인에게 명할 수 있다.
> ③ 제1항과 제2항은 무효등확인심판에는 적용하지 아니한다.
> [2022 채용2차] 무효등확인심판에서는 사정재결을 할 수 없다. (○)

- 행정심판위원회는 심판청구가 이유 있다고 인정할 경우 인용하는 것이 원칙이나, 이를 인용하는 것이 공공복리에 크게 위배된다고 인정하면 그 심판청구를 기각하는 재결을 할 수 있는데, 이를 사정재결이라 한다. 기각재결의 일종이다.
  [2022 채용2차] 사정재결은 인용재결의 일종이다. (×)
- 공익과 사익의 합리적인 조정을 도모하기 위하여 예외적으로 인정하는 것이다.
- 사정재결은 무효등확인심판에서는 인정되지 아니한다. ➡ 취소심판, 의무이행심판에서는 인정된다.

5. 재결에 대한 불복

> **행정심판법 제51조【행정심판 재청구의 금지】**심판청구에 대한 재결이 있으면 그 재결 및 같은 처분 또는 부작위에 대하여 다시 행정심판을 청구할 수 없다.

재결에 대해 불복이 있으면 행정소송을 제기하여야 하는데, 원처분주의 원칙상 원처분을 대상으로 하여야 한다.

10 재결의 효력

> **행정심판법 제48조 【재결의 송달과 효력 발생】** ① 위원회는 지체 없이 당사자에게 재결서의 정본을 송달하여야 한다. 이 경우 중앙행정심판위원회는 재결 결과를 소관 중앙행정기관의 장에게도 알려야 한다.
> ② 재결은 청구인에게 제1항 전단에 따라 <u>송달되었을 때에 그 효력이 생긴다.</u>
> [2023 채용1차] 위원회는 지체 없이 당사자에게 재결서의 등본을 송달 하여야 하며, 재결서가 청구인에게 발송되었을 때에 그 효력이 생긴다. (×)

- 재결도 행정행위이므로 내용적 구속력, 공정력, 형식적 존속력(불가쟁력), 실질적 존속력(불가변력) 등의 효력이 인정된다.
- 그러나 행정심판법에서는 기속력과 직접처분 및 간접강제에 관한 규정만을 두고 있다.
- 한편, 취소재결·변경재결과 처분재결에는 해석상 형성력이 발생한다고 본다.

1. 형성력

- 처분을 취소하는 재결이 있으면 당해 처분은 행정청의 별도의 처분이 없더라도 처분시에 소급하여 효력이 소멸되는데, 이를 형성력이라 한다. 형성력에는 대세적 효력(제3자효)이 인정된다.

> **⚖ 요지판례 |**
>
> 행정심판 재결의 내용이 처분청에게 처분의 취소를 명하는 것이 아니라 행정심판위원회가 스스로 처분을 취소하는 것일 때에는 그 재결의 형성력에 의하여 당해 처분은 별도의 행정처분을 기다릴 것 없이 당연히 취소되어 소멸되는 것이다(대판 1998.4.24, 97누17131).

- 행정심판위원회가 처분청의 처분을 스스로 취소하는 것일 때에는 당해 행정처분은 별도의 행정처분을 기다릴 것 없이 당연히 취소되어 소멸되는 것이므로 그 결과통보는 항고소송의 대상이 되는 행정처분에 해당하지 않는다.

> **⚖ 요지판례 |**
>
> - 행정심판위원회로부터 "처분청의 공장설립 변경신고 수리처분을 취소한다."는 내용의 형성적 재결을 송부받은 처분청이 당해 처분의 상대방에게 재결결과를 통보하면서 공장설립변경신고 수리시 발급한 확인서를 반납하도록 요구한 것은 사실의 통지에 불과하고 항고소송의 대상이 되는 새로운 행정처분이라고 볼 수 없다(대판 1997.5.30, 96누14678).
> - 당해 취소재결은 형성재결임이 명백하므로, 위 회사에 대한 의약품제조품목허가처분은 당해 취소재결에 의하여 당연히 취소·소멸되었고, 그 이후에 다시 위 허가처분을 취소한 당해 처분은 당해 취소재결의 당사자가 아니어서 그 재결이 있었음을 모르고 있는 위 회사에게 위 허가처분이 취소·소멸되었음을 확인하여 알려주는 의미의 사실 또는 관념의 통지에 불과할 뿐 위 허가처분을 취소·소멸시키는 새로운 형성적 행위가 아니므로 항고소송의 대상이 되는 처분이라고 할 수 없다(대판 1998.4.24, 97누17131). ➔ 형성적 재결의 결과통보는 항고소송의 대상이 아니다.

행정행위의 일반적 효력

- **내용적 구속력**: 행정행위의 내용을 따라야 하는 구속력
- **공정력**: 권한있는 기관이 취소하기 전까지 유효한 것으로 통용되는 힘
- **형식적 존속력(불가쟁력)**: 제소기간 도과·심급 종료로 더 이상 다툴 수 없는 힘
- **실질적 존속력(불가변력)**: 처분청 스스로도 자유롭게 변경할 수 없는 힘

정로환 사건

- 1972년경부터 동성제약은 '동성정로환'을 시판하여 시장 인지도가 높은 상황이었다.
- 1996년. 보건복지부장관이 보령제약에게 '보령정로환' 의약품제조품목허가처분을 하였다.
- 이에 처분 상대방인 보령제약이 아닌, 동성제약이 위 허가처분에 대하여 행정심판을 제기하였다.
- 행정심판위원회가 이에 대하여 인용재결을 하자 보건복지부장관이 위 행정심판의 당사자가 아닌 보령제약에게 '의약품제조품목허가처분 취소처분'을 하였다.

2. 기속력

(1) 의의

> **행정심판법 제49조 【재결의 기속력 등】** ① 심판청구를 인용하는 재결은 피청구인과 그 밖의 관계 행정청을 기속한다.

- 기속력이라 함은 피청구인인 행정청이나 관계 행정청이 인용재결의 취지에 따라야 함을 의미한다.
- 기속력은 인용재결에만 인정되고, 각하재결·기각재결에서는 인정되지 아니한다. 따라서 기각재결을 받은 이후에도 처분청은 자신이 한 원처분을 직권취소할 수 있다.

> **⚖ 요지판례 |**
>
> 행정심판의 재결은 피청구인인 행정청을 기속하는 효력을 가지므로 재결청이 취소심판의 청구가 이유 있다고 인정하여 처분청에 처분을 취소할 것을 명하면 처분청으로서는 재결의 취지에 따라 처분을 취소하여야 하지만, 나아가 재결에 판결에서와 같은 기판력이 인정되는 것은 아니어서 재결이 확정된 경우에도 처분의 기초가 된 사실관계나 법률적 판단이 확정되고 당사자들이나 법원이 이에 기속되어 모순되는 주장이나 판단을 할 수 없게 되는 것은 아니다(대판 2015.11.27, 2013다6759).
>
> [2021 경행특채 2차] 재결이 확정되면 기판력이 인정되므로 처분의 기초가 된 사실관계나 법률적 판단이 확정되고 당사자들이나 법원은 이에 기속되어 모순되는 주장이나 판단을 할 수 없다. (×)

(2) 기속력의 내용

1) 반복금지의무(소극적 부작위의무)

- 행정청은 동일한 사실관계 아래에서 동일내용의 처분을 해서는 안 된다.
- 동일성은 처분 당시 기본적 사실관계를 기준으로 판단하며, 기본적 사실관계가 다르다면 다시 동일한 처분을 하는 것은 허용된다.

2) 재처분의무(적극적 작위의무)

> **행정심판법 제49조 【재결의 기속력 등】** ② 재결에 의하여 취소되거나 무효 또는 부존재로 확인되는 처분이 당사자의 신청을 거부하는 것을 내용으로 하는 경우에는 그 처분을 한 행정청은 재결의 취지에 따라 다시 이전의 신청에 대한 처분을 하여야 한다.
> ③ 당사자의 신청을 거부하거나 부작위로 방치한 처분의 이행을 명하는 재결이 있으면 행정청은 지체 없이 이전의 신청에 대하여 재결의 취지에 따라 처분을 하여야 한다.
> ④ 신청에 따른 처분이 절차의 위법 또는 부당을 이유로 재결로써 취소된 경우에는 제2항을 준용한다.

- 당사자의 신청을 거부한 처분에 대하여,
  ① 취소재결(거부처분을 취소한다)
  ② 무효재결(거부처분이 무효임을 확인한다)
  ③ 부존재 확인재결(거부처분이 존재하지 아니함을 확인한다)
  ④ 이행(처분)명령재결(신청에 대해 ○○처분을 이행하라) 이 있는 경우 당해 행정청은 그러한 재결의 취지에 따라 신청에 대한 재처분을 해야하며,

⑤ 절차위법·부당으로 취소된 경우, 재결의 취지에 따라 절차 위법을 시정·보완하여 다시 재처분을 하여야 한다.

- 당사자의 신청에 대해 행정청이 부작위로 방치해 두고 있는 경우 이행명령재결이 있는 경우에도 마찬가지이다.

3) 공고·고시·통지의무

> **행정심판법 제49조【재결의 기속력 등】** ⑤ 법령의 규정에 따라 공고하거나 고시한 처분이 재결로써 취소되거나 변경되면 처분을 한 행정청은 지체 없이 그 처분이 취소 또는 변경되었다는 것을 공고하거나 고시하여야 한다.
> ⑥ 법령의 규정에 따라 처분의 상대방 외의 이해관계인에게 통지된 처분이 재결로써 취소되거나 변경되면 처분을 한 행정청은 지체 없이 그 이해관계인에게 그 처분이 취소 또는 변경되었다는 것을 알려야 한다.

4) 결과제거의무

명문 규정은 없으나, 해석상 행정청은 당초 처분에 의해 초래된 위법상태를 제거해야 할 의무를 부담한다고 본다.

(3) 기속력의 범위

1) 주관적 범위

피청구인인 행정청뿐만 아니라 그 밖의 관계 행정청까지 미친다.

2) 객관적 범위

재결의 주문 및 이유에서 판단된 구체적 위법사유에 미친다. 절차나 형식에 위법이 있는 경우 이를 보완하면 동일한 내용의 처분을 할 수 있다.

> **⚖ 요지판례 |**
> 재결의 기속력은 재결의 주문 및 그 전제가 된 요건사실의 인정과 판단, 즉 처분 등의 구체적 위법사유에 관한 판단에만 미친다고 할 것이고, 종전 처분이 재결에 의하여 취소되었다 하더라도 종전 처분시와는 다른 사유를 들어서 처분을 하는 것은 기속력에 저촉되지 않는다(대판 2005.12.9, 2003두7705). [2023 채용1차]

3) 시간적 범위

위법성 판단시점은 처분시이므로 처분시의 위법사유를 반복해서는 안 된다. 즉, 처분시 이후의 새로운 법률관계나 사실관계에는 기속력이 미치지 않는다.

(4) 기속력 확보수단 – 직접처분 + 간접강제(행정소송은 간접강제만)

① 직접처분

> **행정심판법 제50조【위원회의 직접 처분】** ① 위원회는 피청구인이 제49조 제3항(➡ 이행명령재결)에도 불구하고 처분을 하지 아니하는 경우에는 당사자가 신청하면 기간을 정하여 서면으로 시정을 명하고 그 기간에 이행하지 아니하면 직접 처분을 할 수 있다. 다만, 그 처분의 성질이나 그 밖의 불가피한 사유로 위원회가 직접 처분을 할 수 없는 경우에는 그러하지 아니하다. [2021 경행특채 2차]

② 위원회는 제1항 본문에 따라 직접 처분을 하였을 때에는 그 사실을 해당 행정청에 통보하여야 하며, 그 통보를 받은 행정청은 위원회가 한 처분을 자기가 한 처분으로 보아 관계 법령에 따라 관리 · 감독 등 필요한 조치를 하여야 한다. ➡ 위원회가 관리 · 감독하는 것이 아님!

- 의무이행심판에 따른 이행명령재결의 경우에만 인정되며, 당해 행정청이 처분을 한 경우에는 직접처분을 할 수는 없다.

  [2019 경행특채 2차] 피청구인이 처분의 이행을 명하는 재결에도 불구하고 처분을 하지 않는다고 해서 행정심판위원회가 직접처분을 할 수는 없다. (×)

  [2021 경행특채 2차] 피청구인이 거부처분을 취소하는 재결의 취지에 따라 다시 이전의 신청에 대한 처분을 하지 아니하는 경우에 행정심판위원회는 직접처분을 할 수 있다. (×)

② 간접강제

▌재처분의무에 따른 처분
- 거부처분에 대하여 취소 · 무효 · 부존재확인 · 이행명령재결 있는 경우
- 절차위법 · 부당으로 취소된 경우
- 신청에 대해 부작위로 방치라는 경우로서 이행명령재결 있는 경우

> 행정심판법 제50조의2 【위원회의 간접강제】 ① 위원회는 피청구인이 제49조 제2항(제49조 제4항에서 준용하는 경우를 포함한다) 또는 제3항에 따른 처분(➡ 재처분의무에 따른 처분)을 하지 아니하면 청구인의 신청에 의하여 결정으로 상당한 기간을 정하고 피청구인이 그 기간 내에 이행하지 아니하는 경우에는 그 지연기간에 따라 일정한 배상을 하도록 명하거나 즉시 배상을 할 것을 명할 수 있다. [2019 경행특채 2차] [2021 경행특채 2차]
> ② 위원회는 사정의 변경이 있는 경우에는 당사자의 신청에 의하여 제1항에 따른 결정의 내용을 변경할 수 있다.
> ③ 위원회는 제1항 또는 제2항에 따른 결정을 하기 전에 신청 상대방의 의견을 들어야 한다.
> ④ 청구인은 제1항 또는 제2항에 따른 결정에 불복하는 경우 그 결정에 대하여 행정소송을 제기할 수 있다.
> ⑤ 제1항 또는 제2항에 따른 결정의 효력은 피청구인인 행정청이 소속된 국가 · 지방자치단체 또는 공공단체에 미치며, 결정서 정본은 제4항에 따른 소송제기와 관계없이 「민사집행법」에 따른 강제집행에 관하여는 집행권원과 같은 효력을 가진다. 이 경우 집행문은 위원장의 명에 따라 위원회가 소속된 행정청 소속 공무원이 부여한다.

▌집행권원
국가의 강제력에 의해 실현될 청구권의 존재와 범위를 표시하고 집행력이 부여된 공정증서를 말한다(확정판결문 등). ➡ 집행할 수 있는 권리를 가진 증서

11 행정심판위원회

1. 의의

행정심판위원회는 심판청구사항에 대하여 행정심판청구를 수리하여 재결할 권한을 가지는 합의제 행정청이다.

2. 종류

(1) 해당 행정청 소속 행정심판위원회

> 행정심판법 제6조 【행정심판위원회의 설치】 ① 다음 각 호의 행정청 또는 그 소속 행정청(행정기관의 계층구조와 관계없이 그 감독을 받거나 위탁을 받은 모든 행정청을 말하되, 위탁을 받은 행정청은 그 위탁받은 사무에 관하여는 위탁한 행정청의 소속 행정청으로 본다. 이하 같다)의 처분 또는 부작위에 대한 행정심판의 청

구(이하 "심판청구"라 한다)에 대하여는 다음 각 호의 행정청에 두는 행정심판위원회에서 심리·재결한다.

1. 감사원, 국가정보원장, 그 밖에 대통령령으로 정하는 대통령 소속기관의 장
2. 국회사무총장·법원행정처장·헌법재판소사무처장 및 중앙선거관리위원회사무총장
3. 국가인권위원회, 그 밖에 지위·성격의 독립성과 특수성 등이 인정되어 대통령령으로 정하는 행정청

(2) 국민권익위원회 소속 중앙행정심판위원회

행정심판법 제6조【행정심판위원회의 설치】 ② 다음 각 호의 행정청의 처분 또는 부작위에 대한 심판청구에 대하여는 「부패방지 및 국민권익위원회의 설치와 운영에 관한 법률」에 따른 **국민권익위원회**(이하 "국민권익위원회"라 한다)에 두는 **중앙행정심판위원회**에서 심리·재결한다.

1. 제1항에 따른 행정청 외의 국가행정기관의 장 또는 그 소속 행정청
2. 특별시장·광역시장·특별자치시장·도지사·특별자치도지사(특별시·광역시·특별자치시·도 또는 특별자치도의 교육감을 포함한다. 이하 "시·도지사"라 한다) 또는 특별시·광역시·특별자치시·도·특별자치도(이하 "시·도"라 한다)의 의회(의장, 위원회의 위원장, 사무처장 등 의회 소속 모든 행정청을 포함한다)
3. 「지방자치법」에 따른 지방자치단체조합 등 관계 법률에 따라 국가·지방자치단체·공공법인 등이 공동으로 설립한 행정청. 다만, 제3항 제3호에 해당하는 행정청은 제외한다.

④ 제2항 제1호에도 불구하고 대통령령으로 정하는 국가행정기관 소속 특별지방행정기관(➜ 법무부 및 대검찰청 소속 특별지방행정기관)의 장의 처분 또는 부작위에 대한 심판청구에 대하여는 해당 행정청의 직근 상급행정기관에 두는 행정심판위원회에서 심리·재결한다. ➜ 고등검찰청 행정심판위원회, 지방교정청 행정심판위원회

[2024 채용 1차] 시·도경찰청장의 처분 또는 부작위에 대한 행정심판의 청구에 대해서는 경찰청에 두는 행정심판위원회에서 심리·재결한다. (×)

(3) 시·도지사 소속 행정심판위원회

행정심판법 제6조【행정심판위원회의 설치】 ③ 다음 각 호의 행정청의 처분 또는 부작위에 대한 심판청구에 대하여는 시·도지사 소속으로 두는 행정심판위원회에서 심리·재결한다.

1. 시·도 소속 행정청
2. 시·도의 관할구역에 있는 시·군·자치구의 장, 소속 행정청 또는 시·군·자치구의 의회(의장, 위원회의 위원장, 사무국장, 사무과장 등 의회 소속 모든 행정청을 포함한다)
3. 시·도의 관할구역에 있는 둘 이상의 지방자치단체(시·군·자치구를 말한다)·공공법인 등이 공동으로 설립한 행정청

(4) 특별행정심판위원회

- 공무원의 징계처분: 소청심사위원회(국가공무원법·지방공무원법)
- 국세(관세)에 대한 처분: 조세심판원(국세기본법)

▎경찰청장 등의 처분
경찰청장, 시·도경찰청장, 경찰서장이 행한 행정처분에 대한 행정심판은 국민권익위원회에 두는 **중앙행정심판위원회**의 관할이다.

▎지방자치단체 관련 처분
- 경기도지사의 처분, 경기도 교육감의 처분, 서울특별시 의회의 처분 ➜ 중앙행정심판위원회
- 동작구청장의 처분 ➜ 서울특별시 행정심판위원회
- 고양시장의 처분 ➜ 경기도행정심판위원회

- **토지수용**: 중앙토지수용위원회(공익사업을 위한 토지 등의 취득 및 보상에 관한 법률)

3. 구성 및 회의(행정심판법 제7조, 제8조 및 제9조)

구분	각급 행정심판위원회	중앙행정심판위원회
구성	위원장 1명을 포함 50명 이내의 위원	위원장 1명을 포함 70명 이내의 위원(상임위원은 4명 이내)
위원장	• 해당 행정심판위원회가 소속된 행정청(서울시장) • 시·도지사 소속 행정심판위원회에서는 위원장을 공무원이 아닌 자로 정할 수 있다.	국민권익위원회의 부위원장 중 1명
위원	• **소속 공무원인 위원**: 재직하는 동안 • **위촉된 위원**: 2년, 2차에 한하여 연임 가능	• **상임위원**: 3년, 1차에 한하여 연임 가능 – 대통령 임명 • **비상임위원**: 2년, 2차에 한하여 연임 가능 – 국무총리 위촉
직무대행	• 위원장이 사전에 지명한 위원 • 지명한 공무원인 위원(직무등급이 높은 위원 > 재직기간이 긴 위원 > 연장자)	상임위원(재직기간이 긴 위원 > 연장자 순)
회의	• 위원장 + 위원장이 회의마다 지정하는 8명의 위원(위촉한 위원 6명 이상으로 하되, 위원장이 공무원이 아닌 경우에는 5명 이상으로 한다) • 구성원의 과반수의 출석 + 출석위원 과반수의 찬성	• 위원장, 상임위원, 비상임위원을 포함하여 총 9명 • 4명의 위원으로 구성된 소위원회 둘 수 있음(자동차 운전면허 사건) ➡ 둔다. (×) • 구성원의 과반수의 출석 + 출석위원 과반수의 찬성

주제 2 행정소송법 1 – 취소소송의 요건

01 행정소송 개관

1. 행정소송의 의의

- 행정소송이란 행정법상의 법률관계에 관한 분쟁에 대하여 당사자 또는 이해관계인의 쟁송제기에 의하여 법이 정한 기관이 이를 심리·판단하는 재판절차를 말한다.
- 행정소송은 위법여부를 판단하며, 부당(재량)의 문제에 대해서는 판단하지 못한다.
  ➡ 행정심판은 위법·부당 모두 가능!

2. 행정소송의 분류 [2022 채용1차]

> **행정소송법 제3조【행정소송의 종류】** 행정소송은 다음의 네가지로 구분한다.
> 1. 항고소송: 행정청의 처분등이나 부작위에 대하여 제기하는 소송
> 2. 당사자소송: 행정청의 처분등을 원인으로 하는 법률관계에 관한 소송 그 밖에 공법 상의 법률관계에 관한 소송으로서 그 법률관계의 한쪽 당사자를 피고로 하는 소송
> 3. 민중소송: 국가 또는 공공단체의 기관이 법률에 위반되는 행위를 한 때에 직접 자 기의 법률상 이익과 관계없이 그 시정을 구하기 위하여 제기하는 소송
> 4. 기관소송: 국가 또는 공공단체의 기관상호간에 있어서의 권한의 존부 또는 그 행사 에 관한 다툼이 있을 때에 이에 대하여 제기하는 소송. 다만, 헌법재판소법 제2조의 규정에 의하여 헌법재판소의 관장사항으로 되는 소송은 제외한다.
>
> **행정소송법 제4조【항고소송】** 항고소송은 다음과 같이 구분한다.
> 1. 취소소송: 행정청의 위법한 처분등을 취소 또는 변경하는 소송
> 2. 무효등 확인소송: 행정청의 처분등의 효력 유무 또는 존재여부를 확인하는 소송
> 3. 부작위위법확인소송: 행정청의 부작위가 위법하다는 것을 확인하는 소송

(1) 주관적 소송과 객관적 소송
- **주관적 소송**: 소송제기자의 개인적인 권익구제를 직접 목적으로 하는 소송 ➡ 행정 심판, 행정소송(항고소송, 당사자소송)
- **객관적 소송**: 법규적용의 객관적인 적법성 또는 공익의 실현을 직접 목적으로 하 는 소송 ➡ 민중소송, 기관소송

(2) 항고소송과 당사자소송
- **항고소송**: 이미 행하여진 처분의 위법을 주장함으로써 그의 시정(취소·변경)을 구하는 소송
- **당사자소송**: 서로 대립되는 당사자 사이에 법률상의 분쟁이 있는 경우에 그 분쟁 의 해결을 구하는 소송

(3) 민중소송과 기관소송
- **민중소송**: 법규의 위법한 적용을 시정하기 위하여 일반 민중 또는 선거인에게 소 송의 제기를 인정한 경우의 소송
- **기관소송**: 법규적용의 적정성을 확보하기 위하여 공법상의 기관(국가·공공단체 등)이 당사자가 되어 그들 사이의 분쟁을 해결하기 위한 소송

3. 행정소송의 한계

(1) 사법 본질상의 한계
- **구체적 사건성의 한계**: 법률상 이익에 관한 구체적인 법적 분쟁이 아니면 행정소 송의 대상이 되지 않는다는 것을 말한다. 따라서 추상적으로 법령의 효력을 다투 는 것은 허용되지 않으나, 법령 그 자체가 직접 국민의 권리·의무를 침해하는 경우에는 항고소송의 대상이 된다(처분적 조례).
- **법률상 이익의 한계**: 반사적 이익의 침해의 경우 소송의 대상이 되지 못한다.
- **단순한 사실관계 확인**: 권력적 사실행위는 소송의 대상이 될 수 있으나, 단순한 사 실관계의 존부 등의 문제는 행정소송의 대상이 되지 아니한다.

- **통치행위**: 사법심사가 제한된다(사법자제설). 단, 헌법재판소는 통치행위가 국민의 기본권을 직접 침해하는 경우에는 헌법재판소의 심판대상으로 삼는다.
- **국회의원 징계**: 사법심사의 대상이 아니지만(헌법 제64조), 지방의회의원에 대한 징계처분은 소송의 대상이 된다.

(2) 권력분립 본질상의 한계

- **의무이행소송**: 법원이 행정청에 일정한 처분을 할 것을 명하거나 또는 법원이 행정청을 대신해 어떠한 처분을 행하는 형태의 소송을 말하며, 판례는 부정한다.

> **⚖ 요지판례 |**
>
> 검사에게 압수물 환부를 이행하라는 청구는 행정청의 부작위에 대하여 일정한 처분을 하도록 하는 의무이행소송으로 현행 행정소송법상 허용되지 아니한다(대판 1995.3.10, 94누14018).

- **예방적 부작위소송**: 행정청이 일정한 처분을 하지 못하도록 미리 그 부작위를 구하는 소송을 말하며 판례는 부정적이다.

> **⚖ 요지판례 |**
>
> 건축건물의 준공처분을 하여서는 아니 된다는 내용의 부작위를 구하는 청구는 행정소송에서 허용되지 아니하는 것이므로 부적법하다(대판 1987.3.24, 86누182).

- **작위의무확인소송**: 행정청에게 일정한 작위의무가 있음의 확인을 구하는 소송을 말하며 판례는 부정적이다.

> **⚖ 요지판례 |**
>
> 피고 국가보훈처장 등에게, … 독립기념관 전시관의 해설문, 전시물 중 잘못된 부분을 고쳐 다시 전시 및 배치할 의무가 있음의 확인을 구하는 청구는 작위의무확인소송으로서 항고소송의 대상이 되지 아니한다(대판 1990.11.23, 90누3553).

02 취소소송의 요건 ① - 관할

▮ 취소소송의 요건
• 관할준수
• 대상적격
• 당사자적격(원고적격과 피고적격)
• 협의의 소의 이익
• 청구기간 준수
• 전치절차 거칠 것(필요적인 경우)

> **행정소송법 제9조 【재판관할】** ① 취소소송의 제1심관할법원은 피고의 소재지를 관할하는 행정법원으로 한다.
>
> ② 제1항에도 불구하고 다음 각 호의 어느 하나에 해당하는 피고에 대하여 취소소송을 제기하는 경우에는 대법원소재지를 관할하는 행정법원에 제기할 수 있다.
> 1. 중앙행정기관, 중앙행정기관의 부속기관과 합의제행정기관 또는 그 장
> 2. 국가의 사무를 위임 또는 위탁받은 공공단체 또는 그 장
>
> ③ 토지의 수용 기타 부동산 또는 특정의 장소에 관계되는 처분등에 대한 취소소송은 그 부동산 또는 장소의 소재지를 관할하는 행정법원에 이를 제기할 수 있다.

03 취소소송의 요건 ② - 행정소송의 대상

☑ **KEY POINT** | **소송요건** - 법원이 본안심리에 들어가기에 앞서 갖추어져 있어야 하는 요건

1 본안판단을 받기 위해서는 소송요건을 갖추어야 한다.
- 소송요건이 갖추어져 있는 상태를 '적법한 소송'이라고 하며 이 경우 법원은 본안판단으로 넘어가고, 소송요건이 갖추어져 있지 않은 상태를 '부적법한 소송'이라고 하며 이 경우 법원은 각하판결을 내린다.
- 소송중간에라도 소의 이익의 흠결 등 소송요건이 결여되면 부적법 각하된다.

2 소송요건의 존부는 사실심 변론종결시를 기준으로 한다.
- 판례는 제소시에는 요건을 갖추지 못하였더라도 사실심 변론종결시까지 요건을 구비하면 치유를 인정하기도 한다(필요적 행정심판전치의 경우).

3 소송요건을 갖추었는지는 법원의 직권조사사항이다.
- 소송요건을 갖추었는지는 법원의 직권조사사항이나, 불분명하면 원고가 입증책임을 진다.

- 행정소송법은 전체 46개 조문 중 제9조에서 제34조까지 **대부분의 내용이 취소소송에 관한 것**이고, 무효등확인소송과 부작위위법 확인소송, 당사자소송 등 다른 유형의 소송에서 취소소송에 관한 규정을 준용하는 방식을 취하고 있다. ➔ 즉, 취소소송이 행정소송의 가장 대표적인 형태라고 보아도 무방하다.
- 따라서 이하에서도 취소소송을 중심으로 설명을 진행하기로 한다.

1. 행정소송의 대상

> **행정소송법 제2조【정의】**① 이 법에서 사용하는 용어의 정의는 다음과 같다.
> 1. "처분등"이라 함은 행정청이 행하는 구체적 사실에 관한 법집행으로서의 공권력의 행사 또는 그 거부와 그 밖에 이에 준하는 행정작용(이하 "처분"이라 한다) 및 행정심판에 대한 재결을 말한다.

- 행정소송의 대상은 '① 처분', '② 처분에 준하는 행정작용' 그리고 '③ 행정심판에 대한 재결'이다.
- 행정소송에 있어서 행정처분의 존부는 직권조사사항이다.
- 어떠한 처분이 법령상 근거가 있는지, 행정절차법에서 정한 처분절차를 준수하였는지 등은 소송요건 심사단계에서 고려할 요소가 아니다.

⚖ **요지판례** |

■ 행정청의 어떤 행위가 항고소송의 대상이 될 수 있는지의 문제는 추상적·일반적으로 결정할 수 없고, 관련 법령의 내용과 취지, 그 행위의 주체·내용·형식·절차, 그 행위와 상대방 등 이해관계인이 입는 불이익과의 실질적 견련성, 그리고 법치행정의 원리와 당해 행위에 관련한 행정청 및 이해관계인의 태도 등을 참작하여 **개별적으로 결정하여야 한다**(대판 2010.11.18, 2008두167).

■ 어떠한 처분에 법령상 근거가 있는지, 행정절차법에서 정한 처분절차를 준수하였는지는 본안에서 당해 처분이 적법한가를 판단하는 단계에서 고려할 요소이지, 소송요건 심사단계에서 고려할 요소가 아니다(대판 2020.1.16, 2019다264700).

2. 처분

(1) 행정청이 행하는

법원이나 국회의 기관도 행정에 관한 의사를 외부적으로 표시할 수 있는 한도 내에서는 행정청에 해당할 수 있다. 지방의회도 지방의회의원을 징계할 때에는 행정청

에 해당할 수 있다. ➡ 행정소송법상 행정청의 개념은 조직법상의 의미가 아니라 기능적 의미이다.

> **⚖ 요지판례 ㅣ**
>
> ■ 어떤 행위가 상대방의 권리를 제한하는 행위라 하더라도 행정청 또는 그 소속기관이나 권한을 위임받은 공공단체 등의 행위가 아닌 한 이를 행정처분이라고 할 수 없다(대판 2014.12.24, 2010두6700).
>
> ■ 지방의회를 대표하고 의사를 정리하며 회의장 내의 질서를 유지하고 의회의 사무를 감독하며 위원회에 출석하여 발언할 수 있는 등의 직무권한을 가지는 지방의회 의장에 대한 불신임의결은 의장으로서의 권한을 박탈하는 행정처분의 일종으로서 항고소송의 대상이 된다(대결 1994.10.11, 94두23).
> [2018 경행특채 2차] 지방의회 의장에 대한 불신임의결은 행정처분으로 볼 수 없으므로 항고소송의 대상이 되지 아니한다. (×)
>
> ■ 형사소송법에 의하면 검사가 공소를 제기한 사건은 기본적으로 법원의 심리대상이 되고 피의자 및 피고인은 수사의 적법성 및 공소사실에 대하여 형사소송절차를 통하여 불복할 수 있는 절차와 방법이 따로 마련되어 있으므로 검사의 공소제기가 적법절차에 의하여 정당하게 이루어진 것이냐의 여부에 관계없이 검사의 공소에 대하여는 형사소송절차에 의하여서만 이를 다툴 수 있고 행정소송의 방법으로 공소의 취소를 구할 수는 없다(대판 2000.3.28, 99두11264).

(2) 구체적 사실에 관한

통상은 특정인의 특정한 사건에 대한 규율을 의미하나, 불특정 다수인을 대상으로 하더라도 구체적 사건을 규율하는 일반처분도 행정처분에 해당한다고 본다.

> **⚖ 요지판례 ㅣ**
>
> 구 청소년보호법에 따른 청소년유해매체물 결정 및 고시처분은 당해 유해매체물의 소유자 등 특정인만을 대상으로 한 행정처분이 아니라 일반 불특정 다수인을 상대방으로 하여 일률적으로 표시의무, 포장의무, 청소년에 대한 판매·대여 등의 금지의무 등 각종 의무를 발생시키는 행정처분이다(대판 2007.6.14, 2004두619).

(3) 법집행으로서의(법적행위) ↔ 사실행위

1) 국민의 권리·의무와 직접 관계있는 행위

어떠한 처분의 근거나 법적인 효과가 행정규칙에 규정되어 있는 경우에도 국민의 권리·의무에 직접 영향을 미치는 행위라면 항고소송의 대상이 되는 행정처분에 해당한다.

> **⚖ 요지판례 ㅣ**
>
> ■ 항고소송의 대상이 되는 행정처분이라 함은 원칙적으로 행정청의 공법상 행위로서 특정 사항에 대하여 법규에 의한 권리의 설정 또는 의무의 부담을 명하거나 기타 법률상 효과를 발생하게 하는 등으로 일반 국민의 권리·의무에 직접 영향을 미치는 행위를 가리키는 것이지만, 어떠한 처분의 근거나 법적인 효과가 행정규칙에 규정되어 있다고 하더라도, 그 처분이 행정규칙의 내부적 구속력에 의하여 상대방에

게 권리의 설정 또는 의무의 부담을 명하거나 기타 법적인 효과를 발생하게 하는 등으로 그 상대방의 권리·의무에 직접 영향을 미치는 행위라면, 이 경우에도 항고소송의 대상이 되는 행정처분에 해당한다(대판 2002.7.26, 2001두3532).

■ 행정규칙에 의한 '불문경고조치'가 비록 법률상의 징계처분은 아니지만 위 처분을 받지 아니하였다면 차후 다른 징계처분이나 경고를 받게 될 경우 징계감경사유로 사용될 수 있었던 표창공적의 사용가능성을 소멸시키는 효과와 1년 동안 인사기록카드에 등재됨으로써 그 동안은 장관표창이나 도지사표창 대상자에서 제외시키는 효과 등이 있으므로 항고소송의 대상이 되는 행정처분에 해당한다(대판 2002.7.26, 2001두3532).

2) 내부적 행위

상급행정기관의 하급행정기관에 대한 승인·동의·지시 등은 행정기관 상호 간의 내부행위로서 국민의 권리·의무에 직접 영향을 미치는 것이 아니므로 항고소송의 대상이 되는 행정처분에 해당하지 않는다.

☆요지판례 Ⅰ

■ 상급행정청이나 타행정청의 지시나 통보, 권한의 위임이나 위탁은 항고소송의 대상이 되는 행정처분이 아니다(대판 2013.2.28, 2012두22904).

■ 경찰공무원법, 경찰공무원 승진임용 규정 등에 의하면 시험승진후보자명부에 등재된 자가 승진임용되기 전에 정직 이상의 징계처분을 받은 경우에는 임용권자 또는 임용제청권자가 위 징계처분을 받은 자를 시험승진후보자명부에서 삭제하도록 되어 있는바, 이처럼 시험승진후보자명부에서의 삭제행위는 결국 그 명부에 등재된 자에 대한 승진 여부를 결정하기 위한 행정청 내부의 준비과정에 불과하고, 그 자체가 어떠한 권리나 의무를 설정하거나 법률상 이익에 직접적인 변동을 초래하는 별도의 행정처분이 된다고 할 수 없다(대판 1997.11.14, 97누7325).
[2022 채용2차] OO지구대에 근무하는 순경 甲이 승진후보자명부에 등재된 후 경장으로 승진임용되기 전에 정직 3개월의 징계처분을 받아 임용권자가 순경 甲을 승진후보자명부에서 삭제함으로써 순경 甲이 승진임용의 대상에서 제외되었다면, 임용권자의 승진후보자명부에서의 삭제 행위 그 자체는 행정처분에 해당한다. (×)

■ 운전면허 행정처분처리대장상 벌점의 배점은 행정처분이 아니다. 운전면허 행정처분처리대장상 벌점의 배점은 자동차운전면허의 취소, 정지처분의 기초자료로 제공하기 위한 것이고 그 배점 자체만으로는 아직 국민에 대하여 구체적으로 어떤 권리를 제한하거나 의무를 명하는 등 법률적 규제를 하는 효과를 발생하는 요건을 갖춘 것이 아니어서 그 무효확인 또는 취소를 구하는 소송의 대상이 되는 행정처분이라고 할 수 없다(대판 1994.8.12, 94누2190).

■ 이 사건 정부기본계획은 4대강 정비사업과 그 주변 지역의 관련 사업을 체계적으로 추진하기 위하여 수립한 종합계획이자 '4대강 살리기 사업'의 기본방향을 제시하는 계획으로서, 이는 행정기관 내부에서 사업의 기본방향을 제시하는 것일 뿐, 국민의 권리·의무에 직접 영향을 미치는 것은 아니라고 할 것이어서 행정처분에 해당하지 아니한다(대판 2015. 12. 10. 2012두7486).
[2022채용 2차] 경찰청장의 횡단보도 설치 기본계획 수립은 행정청이 행하는 구체적 사실에 관한 법 집행으로서 공권력의 행사 또는 그 거부와 그 밖에 이에 준하는 행정작용에 해당한다. (×)

▌경찰공무원 승진임용 규정 제36조 【시험승진후보자 명부의 작성 등】
③ 임용권자나 임용제청권자는 시험승진후보자 명부에 기록된 사람이 승진임용되기 전에 **정직 이상의 징계처분**을 받은 경우에는 시험승진후보자 명부에서 그 사람을 제외하여야 한다.

---

(4) 공권력의 행사

행정청이 공권력의 주체라는 우월적 지위에서 행하는 고권적 작용(헌재 2001.3.21, 99헌마139)을 공권력의 행사라고 하며, 따라서 행정청이 행하는 사법(私法)작용이나 공법상 계약은 처분성이 부정된다.

① **문제점**
- 선행처분과 후속처분이 서로 연관되어 있는 경우, 선행처분과 후속처분 중 어떤 것이 항고소송의 대상이 되는 것인지 문제될 수 있다.

② **판례**

> ⚖ **요지판례 |**
>
> ■ 선행처분의 주요 부분을 실질적으로 변경하는 내용으로 후속처분을 한 경우에 선행처분은 특별한 사정이 없는 한 그 효력을 상실하지만, 후행처분이 있었다고 하여 일률적으로 선행처분이 존재하지 않게 되는 것은 아니고 선행처분의 내용 중 일부만을 소폭 변경하는 정도에 불과한 경우에는 선행처분이 소멸한다고 볼 수 없다(대판 2012.12.13, 2010두20782).
> [2019 경행특채 2차]
> ■ 기존의 행정처분(0시부터 8시까지 제한)을 변경하는 내용의 행정처분이 뒤따르는 경우(0시부터 10시까지 제한), 후속처분이 종전처분을 완전히 대체하는 것이거나 주요 부분을 실질적으로 변경하는 내용인 경우에는 특별한 사정이 없는 한 종전처분은 효력을 상실하고 후속처분만이 항고소송의 대상이 되지만, 후속처분의 내용이 종전처분의 유효를 전제로 내용 중 일부만을 추가 · 철회 · 변경하는 것이고 추가 · 철회 · 변경된 부분이 내용과 성질상 나머지 부분과 불가분적인 것이 아닌 경우(= 가분적인 경우)에는, 후속처분에도 불구하고 종전처분이 여전히 항고소송의 대상이 된다(대판 2015.11.19, 2015두295). ➔ 종전처분이 소멸하여 그 효력을 다툴 법률상 이익이 없게 되었다는 취지의 피고 동대문구청장의 항변은 이유 없다.
> [2019 경행특채 2차] 후속처분이 종전처분의 유효를 전제로 그 내용 중 일부만을 추가 · 철회 · 변경하는 것이고 그 추가 · 철회 · 변경된 부분이 나머지 부분과 불가분적인 것인 경우에는 후속처분에도 불구하고 종전처분이 여전히 항고소송의 대상이 된다고 보아야 한다. (×)

▌선 · 후행처분 관련 판례 정리
1. 선행처분(종전처분)이 대상
   - 후행처분이 선행처분 내용 중 일부만 소폭 변경시
   - 후행처분이 선행처분 일부만 추가 · 철회 · 변경＋추가 · 철회 · 변경된 부분이 선행처분과 가분적일 것
2. 후행처분이 대상
   - 선행처분 내용을 실질적으로 변경하는 후행처분의 경우
   - 후행처분이 선행처분을 완전히 대체하는 경우

3. 그 거부

- 국민의 적극적 신청행위에 대하여 행정청이 그 신청에 따른 행위를 하지 않겠다고 거부한 행위가 항고소송의 대상이 되는 행정처분에 해당하는 것이라고 하려면,
  ① 신청한 행위가 공권력의 행사 또는 이에 준하는 행정작용이어야 하고,
  ② 거부행위가 신청인의 법률관계에 어떤 변동을 일으키는 것이어야 하며,
  ③ 국민에게 그 행위발동을 요구할 법규상 또는 조리상의 신청권이 있어야 한다.

> ⚖ **요지판례 |**
>
> **<법률관계 변동>**
>
> ■ '신청인의 법률관계에 어떤 변동을 일으키는 것'이라는 의미는 신청인의 실체상의 권리관계에 직접적인 변동을 일으키는 것은 물론, 그렇지 않다 하더라도 신청인이 실체상의 권리자로서 권리를 행사함에 중대한 지장을 초래하는 것도 포함한다(대판 2007.10.11, 2007두1316).
>
> ■ 상수원 수질보전을 위하여 필요한 지역 내 토지의 매수신청에 대한 거부가 처분인지 여부(적극)
> 위 규정에 따른 매수신청에 대하여 유역환경청장 등이 매수거절의 결정을 할 경우 토지 등의 소유자로서는 재산권에 대한 제한을 피할 수 없게 되는데, 위 매수거절을 항고소송의 대상이 되는 행정처분으로 보지 않는다면 달리 이에 대하여는 다툴 방법이 없게 되는 점 등에 비추어 보면, 유역환경청장 등의 매수거부행위는 공권력의 행사 또는 이에 준하는 행정작용으로서 항고소송의 대상이 되는 행정처분에 해당한다고 봄이 상당하다(대판 2009.9.10, 2007두20638).

<신청권>

- 거부처분의 처분성을 인정하기 위한 전제요건이 되는 신청권의 존부는 구체적 사건에서 신청인이 누구인가를 고려하지 않고 관계 법규의 해석에 의하여 일반 국민에게 그러한 신청권을 인정하고 있는가를 살펴 추상적으로 결정되는 것이고, 신청인이 그 신청에 따른 단순한 응답을 받을 권리를 넘어서 신청의 인용이라는 만족적 결과를 얻을 권리를 의미하는 것은 아니다. 따라서 국민이 어떤 신청을 한 경우에 그 신청의 근거가 된 조항의 해석상 행정발동에 대한 개인의 신청권을 인정하고 있다고 보여지면 그 거부행위는 항고소송의 대상이 되는 처분으로 보아야 할 것이고, 구체적으로 그 신청이 인용될 수 있는가 하는 점은 본안에서 판단하여야 할 사항인 것이다(대판 1996.6.11, 95누12460). ➡ 신청의 인용이라는 만족적 결과를 얻을 권리가 없다는 이유로 거부행위의 처분성을 부인하면 안 된다.

- 피해자의 의사와 무관하게 주민등록번호가 유출된 경우에는 조리상 주민등록번호의 변경을 요구할 신청권을 인정함이 타당하고, 구청장의 주민등록번호 변경신청 거부행위는 항고소송의 대상이 되는 행정처분에 해당한다(대판 2017.6.15, 2013두2945). [2022 채용2차]

4. 그 밖에 이에 준하는 행정작용

(1) 권력적 사실행위

- 권력적 사실행위의 경우에는 처분성이 긍정된다. 예 강제격리·강제철거
- 비권력적 사실행위의 경우에는 처분성이 부정된다. 예 경찰관의 교통사고조사서

> **⚖ 요지판례 Ⅰ**
>
> 교도소장이 수형자 갑을 '접견내용 녹음·녹화 및 접견시 교도관 참여대상자'로 지정한 행위는 수형자의 구체적 권리·의무에 직접적 변동을 가져오는 행정청의 공법상 행위로서(공권력적 사실행위) 항고소송의 대상이 되는 '처분'에 해당한다(대판 2014.2.13, 2013두20899).

(2) 처분적 법령

조례가 집행행위의 개입 없이도 그 자체로서 직접 국민의 구체적인 권리·의무나 법적 이익에 영향을 미치는 등의 법률상 효과를 발생하는 경우 그 조례는 항고소송의 대상이 되는 행정처분에 해당한다(대판 1996.9.20, 95누8003).

5. 재결 – 재결도 합의제 행정청인 행정심판위원회의 준사법적 행위로서 처분이다!

> **행정소송법 제19조【취소소송의 대상】** 취소소송은 처분등을 대상으로 한다. 다만, 재결취소소송의 경우에는 재결 자체에 고유한 위법이 있음을 이유로 하는 경우에 한한다.

▌원처분중심주의의 예시

• A가 구청의 영업취소처분에 대해 행정심판을 통해 불복했으나 행정심판위원회에서 재결을 받고, 다시 불복하기 위하여 행정소송을 제기한다고 할 때,

• 그 행정소송의 대상은 원처분인 구청의 영업취소처분이 되어야 하고, 행정심판위원회의 재결이 되어서는 안 된다.

• 다만, 행정심판위원회가 위 재결을 함에 있어 서면재결원칙을 위반한 것과 같은 재결 자체의 고유한 위법이 있는 경우에는 재결인 행정심판위원회의 재결을 행정소송의 대상으로 삼을 수 있다.

(1) 원처분중심주의

원처분중심주의란 행정심판에서 재결을 받은 후 소송으로 불복할 때 원처분을 대상으로 한다는 원칙이다.

(2) 재결이 대상이 되는 경우

1) 재결 자체

• 재결 자체에 고유한 위법이 있는 경우에는 행정심판 후 이어지는 행정소송에서 원처분이 아닌 재결을 행정소송의 대상으로 삼을 수 있다. ➔ 기각재결은 원처분이 정당하다고 유지한 것에 지나지 않으므로 재결 자체의 고유 위법이 인정되기 어렵다(원처분을 유지하는 기각재결은 고유 위법이 인정되기 어렵다는 것이지 기각재결에 고유 위법이 절대적으로 인정될 수 없다는 의미는 아니다).

• 여기서 '재결 자체에 고유한 위법'이란 원처분에는 없고 재결에만 있는 재결청의 권한 또는 구성의 위법, 재결의 절차나 형식의 위법, 내용의 위법 등을 뜻하고, 그중 내용의 위법에는 위법·부당하게 인용재결을 한 경우가 해당한다(대판 1997.9.12, 96누14661).

⚖ 요지판례 Ⅰ

■ 항고소송은 원칙적으로 당해 처분을 대상으로 하나, 당해 처분에 대한 재결 자체에 고유한 주체, 절차, 형식 또는 내용상의 위법이 있는 경우에 한하여 그 재결을 대상으로 할 수 있다고 해석되므로, 징계협의자에 대한 감봉 1월의 징계처분을 견책으로 변경한 소청결정 중 그를 견책에 처한 조치는 재량권의 남용 또는 일탈로서 위법하다는 사유는 소청결정 자체에 고유한 위법을 주장하는 것으로 볼 수 없어 소청결정의 취소사유가 될 수 없다(대판 1993.8.24, 93누5673). [2019 경행특채 2차]

■ 행정심판청구가 부적법하지 않음에도 각하한 재결은 심판청구인의 실체심리를 받을 권리를 박탈한 것으로서 원처분에 없는 고유한 하자가 있는 경우에 해당하고, 따라서 위 재결은 취소소송의 대상이 된다(대판 2001.7.27, 99두2970).

■ 이른바 복효적 행정행위, 특히 제3자효를 수반하는 행정행위에 대한 행정심판청구에 있어서 그 청구를 인용하는 내용의 재결로 인하여 비로소 권리이익을 침해받게 되는 자는 그 인용재결에 대하여 다툴 필요가 있고, 그 인용재결은 원처분과 내용을 달리하는 것이므로 그 인용재결의 취소를 구하는 것은 원처분에는 없는 재결에 고유한 하자를 주장하는 셈이어서 당연히 항고소송의 대상이 된다(대판 2001.5.29, 99두10292).

■ 행정처분에 대한 행정심판의 재결에 이유모순의 위법이 있다는 사유는 재결처분 자체에 고유한 하자로서 재결처분의 취소를 구하는 소송에서는 그 위법사유로서 주장할 수 있으나, 원처분의 취소를 구하는 소송에서는 그 취소를 구할 위법사유로서 주장할 수 없다(대판 1996.2.13, 95누8027).

---

2) 형성적 재결의 경우

취소재결과 같은 형성재결이 있는 경우에는 원처분은 행정청의 별도 처분이 없어도 처분시에 소급하여 효력이 소멸(형성력)하므로, 이 경우에는 재결만이 행정소송의 대상이 된다.

> ⚖ **요지판례 |**
>
> 행정심판위원회 스스로가 직접 당해 사업계획승인처분을 취소하는 형성적 재결을 한 경우에는 그 재결 외에 그에 따른 행정청의 별도의 처분이 있지 않기 때문에 재결 자체를 쟁송의 대상으로 할 수밖에 없다(대판 1997.12.23, 96누10911).

⊕ **심화** 변경명령재결과 행정소송의 대상

① **사안의 개요**

- 2002.12.26. 전주시 완산구청장은 A에게 **3개월 영업정지처분**('당초처분')을 함
- 2003.3.6. 행정심판위원회는 '**3개월 영업정지처분을 2개월 영업정지에 갈음하는 과징금부과처분으로 변경하라**'는 변경명령재결을 함
- 2003.3.13. 전주시 완산구청장은 A에게 '**3개월 영업정지처분을 과징금 560만원으로 변경한다**'는 처분('변경처분')을 함
- 2003.6.12. A는 변경처분인 과징금 부과처분에 대해 취소소송을 제기함

② **대법원의 판단(대판 2007.4.27, 2004두9302)** [2020 경행특채 2차]

- 변경처분에 의하여 당초처분은 소멸하는 것이 아니고 당초부터 유리하게 변경된 내용의 처분으로 존재하는 것이다. ➔ 2002.12.26.부터 '과징금 560만원 부과처분'으로 존재하는 것이다.
- 변경처분에 의하여 유리하게 변경된 내용의 행정제재가 위법하다 하여 그 취소를 구하는 경우, 그 취소소송의 대상은 변경된 내용의 당초처분이지 변경처분이 아니다. ➔ 취소소송의 대상은 2002.12.26.자 과징금 560만원 부과처분이다.
- 제소기간의 준수 여부도 변경처분이 아닌 변경된 내용의 당초처분을 기준으로 판단하여야 한다.
- 변경된 내용의 당초처분, 즉 2002.12.26.자 과징금 560만원 부과처분에 대한 취소소송은 재결서 정본을 송달받은 날(2003.3.10.)부터 90일이 경과한 이후인 2003.6.12. 제기되었으므로 이 사건 소가 부적법하다고 판단한 원심판결은 정당하다. ➔ 부적법 각하

[2019 경행특채 2차] 변경처분에 의하여 유리하게 변경된 내용의 행정제재가 위법하다는 이유로 그 취소를 구하는 경우 취소소송의 대상은 변경된 내용의 당초처분이지 변경처분은 아니고, 제소기간의 준수 여부도 변경처분이 아닌 변경된 내용의 당초처분을 기준으로 판단하여야 한다. (○)

---

3) 개별법에서 재결주의를 채택하고 있는 경우

- 특허심판원의 심결, 감사원의 재심의판정, 중앙노동위원회의 재심판정, 해양사고심재결 등의 경우 해당 법률에서 재결주의를 채택하고 있다.
- 이와 같이 개별법률이 재결주의를 정하는 경우에 결과적으로 행정심판절차가 필요적인 전심절차로 된다(헌재결 2001.6.28, 2000헌바77).

---

04 취소소송의 요건 ③ – 당사자

1. 당사자

(1) 의미

- 취소소송의 당사자란 원고와 피고를 말하며, 원고는 행정청의 위법한 처분의 취소를 주장하는 자이고, 피고는 처분이 적법함을 주장하는 자이다.
- 법원은 직권으로 소송당사자를 확정하여 심리를 진행하여야 한다.

(2) 당사자능력

당사자능력이란 소송상 당사자가 될 수 있는 능력을 말하며, 자연인, 법인, 법인격 없는 사단·재단도 대표자 또는 관리인이 있으면 당사자능력이 인정된다.

> **⚖ 요지판례 |**
>
> 도롱뇽은 천성산 일원에 서식하고 있는 도롱뇽목 도롱뇽과에 속하는 양서류로서 자연물인 도롱뇽 또는 그를 포함한 자연 그 자체로서는 이 사건을 수행할 당사자능력을 인정할 수 없다(대결 2006.6.2, 2004마1148·1149).

(3) 당사자적격

구체적 사건에서 당사자가 될 수 있는 자격을 말한다. 원고가 될 수 있는 자격을 원고적격, 피고가 될 수 있는 자격을 피고적격이라 한다.

2. 원고적격

> **행정소송법 제12조【원고적격】** 취소소송은 처분등의 취소를 구할 법률상 이익이 있는 자가 제기할 수 있다. …

(1) 의의

- 구체적 소송사건에서 원고가 될 수 있는 자격을 의미한다. 취소소송의 원고적격은 소송요건의 하나이므로 사실심 변론종결시는 물론 상고심에서도 존속하여야 하고, 이를 흠결하면 부적법한 소가 된다.
- 행정처분의 직접 상대방이 아니라 하더라도 원고적격이 인정될 수 있다.

> **⚖ 요지판례 |**
>
> 행정처분의 직접 상대방이 아닌 제3자라 하더라도 당해 행정처분으로 인하여 법률상 보호되는 이익을 침해당한 경우에는 그 처분의 취소나 무효확인을 구하는 행정소송을 제기하여 그 당부의 판단을 받을 자격, 즉 원고적격이 있다(대판 2007.4.12, 2004두7924).

▌법률상 보호이익설
권리까지는 이르지 못하였더라도 법률이 보호하고 있는 이익을 침해받은 자에게도 원고적격을 인정하나, 반사적 이익은 제외한다는 견해이다.

(2) 법률상 이익의 이미

행정소송법 제12조가 말하는 법률상 이익의 의미에 대해 권리구제설, 법률상 보호이익설, 소송상 보호가치이익설, 적법성보장설 등 견해가 대립하나, 통설 및 판례는 법률상 보호이익설의 입장으로 평가된다.

> **⚖ 요지판례 |**
>
> 법률상 이익이라 함은 당해 처분의 근거법률 및 관련법규에 의하여 보호되는 직접적이고 구체적인 이익이 있는 경우를 가리키며, 간접적이거나 사실적·경제적 이해관계를 가지는 데 불과한 경우는 포함되지 아니한다(대판 2001.9.28, 99두8565).

⊕ 심화 법률상 이익의 확대(원고적격의 확대)

1 근거법률의 범위 확대

- 예컨대 어떤 처분의 직접적 근거법률이 아니더라도, 당해 처분과 불가분적 관계가 있는 법률도 근거법률이 될 수 있다고 판시하여 근거법률의 범위를 확대하였다.

> **⚖ 요지판례 |**
>
> 납골당설치허가처분의 허가조건을 성취하거나 그 처분의 목적을 달성하기 위한 산림형질변경허가와 환경영향평가의 근거법규는 납골당설치허가처분에 대한 관련 처분들의 근거법규이고, 그 환경영향평가대상지역 안에 거주하는 주민들은 위 처분의 무효확인이나 취소를 구할 원고적격이 있다(대판 2004.12.9, 2003두12073).

- 또한, 종래의 근거법률만을 고려하던 태도에서 벗어나, 근거법률 외에 관계법률까지도 고려하고 있다.

> **⚖ 요지판례 |**
>
> 법률상 보호되는 이익은 당해 처분의 근거 법규 및 관련 법규에 의하여 보호되는 개별적 · 직접적 · 구체적 이익이 있는 경우를 말하고, 공익보호의 결과로 국민 일반이 공통적으로 가지는 일반적 · 간접적 · 추상적 이익과 같이 사실적 · 경제적 이해관계를 갖는 데 불과한 경우는 여기에 포함되지 아니한다. … 당해 처분의 근거 법규 또는 관련 법규에서 명시적으로 당해 이익을 보호하는 명문의 규정이 없더라도 근거 법규 및 관련 법규의 합리적 해석상 그 법규에서 행정청을 제약하는 이유가 순수한 공익의 보호만이 아닌 개별적 · 직접적 · 구체적 이익을 보호하는 취지가 포함되어 있다고 해석되는 경우까지를 말한다(대판 2015.7.23, 2012두19496 · 19502).

- 나아가 예외적이기는 하지만 헌법상 기본권까지 고려하는 듯 한 판례도 있다(단, 이를 적극적으로 인정한 판례는 없다고 본다).

> **⚖ 요지판례 |**
>
> 헌법 제35조 제1항에서 정하고 있는 환경권에 관한 규정만으로는 그 권리의 주체 · 대상 · 내용 · 행사방법 등이 구체적으로 정립되어 있다고 볼 수 없다. 환경영향평가대상지역 밖에 거주하는 주민에게 헌법상의 환경권에 근거하여 공유수면매립면허처분의 무효확인을 구할 원고적격이 없다(대판 2006.3.16, 2006두330).

2 경업자소송의 경우

- 경업자소송이란 기존업자가 신규업자에 대한 인가나 허가에 대해 다투는 소송을 말한다.
- 기존업자가 특허업자이면 원고적격을 인정하고, 기존업자가 허가업자인 경우에는 원고적격을 부정한다. 다만, 예외적으로 거리제한 규정 등을 통해 허가업자의 이익도 보호하고 있는 경우에는 원고적격을 인정한다.

> **⚖ 요지판례 |**
>
> \<특허 – 원고적격 긍정사안\>
> - 기존의 시외버스운송사업자인 乙 회사에 다른 시외버스운송사업자 甲 회사에 대한 시외버스운송사업계획 변경인가 처분의 취소를 구할 법률상 이익이 있다(대판 2010.6.10, 2009두10512).
> - 동일한 사업구역 내의 동종의 사업용 화물자동차면허대수를 늘리는 보충인가처분에 대하여 기존업자에게 그 취소를 구할 법률상 이익이 있다(대판 1992.7.10, 91누9107).

<허가 - 원고적격 부정사안>

■ 숙박업구조변경허가처분을 받은 건물의 인근에서 여관을 경영하는 자들에게 그 처분의 무효확인 또는 취소를 구할 소익이 없다(대판 1990.8.14, 89누7900).

■ 한의사 면허는 경찰금지를 해제하는 명령적 행위(강학상 허가)에 해당하고, 한약조제시험을 통하여 약사에게 한약조제권을 인정함으로써 한의사들의 영업상 이익이 감소되었다고 하더라도 이러한 이익은 사실상의 이익에 불과하므로 약사들에 대한 합격처분의 무효확인을 구하는 당해 소는 원고적격이 없는 자들이 제기한 소로서 부적법하다(대판 1998.3.10, 97누4289).

<허가 - 예외적 원고적격 긍정사안>

■ 주류제조면허는 재정허가의 일종으로서는 일반적 금지의 해제로 자유의 회복일 뿐 새로운 권리의 설정은 아니지만 일단 이 주류제조업의 면허를 얻은 자의 이익은 단순한 사실상의 반사적 이익에만 그치는 것이 아니고 주세법의 규정에 따라 보호되는 이익이다(대판 1989.12.22, 89누46).

■ 주유소 거리제한으로 인하여 기존업자가 받는 이익은 법적으로 보호되는 이익이다(대판 1974.11.26, 74누110).

■ 담배 일반소매인의 지정기준으로서 일반소매인의 영업소 간에 일정한 거리제한을 두고 있는 것은 담배산업 전반의 건전한 발전 도모라는 공익목적을 달성하고자 함과 동시에 일반소매인의 경영상 이익을 보호하는 데에도 그 목적이 있다고 보이므로, 일반소매인으로 지정되어 영업을 하고 있는 기존업자의 신규 일반소매인에 대한 이익은 단순한 사실상의 반사적 이익이 아니라 법률상 보호되는 이익이라고 해석함이 상당하다(대판 2008.3.27, 2007두23811).

비교» 구내소매인과 일반소매인 사이에서는 구내소매인의 영업소와 일반소매인의 영업소 간에 거리제한을 두지 아니하므로, 기존 일반소매인의 신규 구내소매인에 대한 이익은 법률상 보호되는 이익이 아니라 단순한 사실상의 반사적 이익이라고 해석함이 상당하므로, 기존 일반소매인은 신규 구내소매인 지정처분의 취소를 구할 원고적격이 없다(대판 2008.4.10, 2008두402).

3 경원자소송의 경우

- 경원자소송이란 인허가 등의 수익적 행정처분을 신청한 여러 명이 서로 경쟁관계에 있어서 한쪽에 대한 허가가 다른 쪽에 대한 불허가가 될 수밖에 없는 경우에서 허가 등의 처분을 받지 못한 자가 제기하는 소송을 말한다.

요지판례 |

법학전문대학원 설치인가 신청을 한 41개 대학들은 2,000명이라는 총 입학정원을 두고 그 설치인가 여부 및 개별 입학정원의 배정에 관하여 서로 경쟁관계에 있고 이 사건 각 처분이 취소될 경우 원고의 신청이 인용될 가능성도 배제할 수 없으므로, 원고가 이 사건 각 처분의 상대방이 아니라도 그 처분의 취소 등을 구할 당사자적격이 있다(대판 2009.12.10, 2009두8359).

4 인인소송의 경우

- 특정인에게 혐오시설의 설치를 허가하는 처분에 대하여 인근주민이 다투는 소송을 말한다. 과거 판례는 반사적 이익으로 보았으나, 현재는 그 규제의 목적이 인근주민의 이익을 보호하는 데도 있다고 보아 법적 이익으로 인정하고 있다.
- 행정처분의 직접 상대방이 아닌 자로서 그 처분에 의하여 자신의 환경상 이익이 침해받거나 침해받을 우려가 있다는 이유로 취소나 무효확인을 구하는 제3자는, 자신의 환경상 이익이 그 처분의 근거 법규 또는 관련 법규에 의하여 개별적 · 직접적 · 구체적으로 보호되는 이익, 즉 법률상 보호되는 이익임을 입증하여야 원고적격이 인정된다(대판 2009.9.24, 2009두2825).

요지판례 |

■ 환경상 침해를 받으리라고 예상되는 영향권의 범위가 구체적으로 규정되어 있는 경우에는, 그 영향권 내의 주민들에 대하여는 특단의 사정이 없는 한 환경상 이익에 대한 침해 또는 침해 우려가 있는 것으로 사실상 추정되어 법률상 보호되는 이익으로 인정됨으로써 원고적격이 인정되며, 그 영향권 밖의 주민들은 당해 처분으로 인하여 그 처분 전과 비교하여 수인한도를 넘는 환경피해를 받거나 받을 우려가 있다는 자신의 환경상 이익에 대한 침해 또는 침해 우려가 있음을 입증하여야만 법률상 보호되는 이익으로 인정되어 원고적격이 인정된다(대판 2009.9.24, 2009두2825).

■ 환경상 이익에 대한 침해 또는 침해 우려가 있는 것으로 사실상 추정되어 원고적격이 인정되는 사람에는 환경상 침해를 받으리라고 예상되는 영향권 내의 주민들을 비롯하여 그 영향권 내에서 농작물을 경작하는 등 현실적으로 환경상 이익을 향유하는 사람도 포함된다. 그러나 단지 그 영향권 내의 건물·토지를 소유하거나 환경상 이익을 일시적으로 향유하는 데 그치는 사람은 포함되지 않는다(대판 2009.9.24, 2009두2825).

■ 상수원보호구역 설정의 근거가 되는 수도법 제5조 제1항 및 동 시행령 제7조 제1항이 보호하고자 하는 것은 상수원의 확보와 수질보전일 뿐이고, 그 상수원에서 급수를 받고 있는 지역주민들이 가지는 상수원의 오염을 막아 양질의 급수를 받을 이익은 직접적이고 구체적으로는 보호하고 있지 않음이 명백하여 위 지역주민들이 가지는 이익은 상수원의 확보와 수질보호라는 공공의 이익이 달성됨에 따라 반사적으로 얻게 되는 이익에 불과하므로 지역주민들에 불과한 원고들에게는 위 상수원보호구역변경처분의 취소를 구할 법률상의 이익이 없다(대판 1995.9.26, 94누14544).

■ 국방부 민·군 복합형 관광미항(제주해군기지) 사업시행을 위한 해군본부의 요청에 따라 제주특별자치도지사가 절대보존지역이던 서귀포시 강정동 해안변지역에 관하여 절대보존지역을 변경(축소)하고 고시한 사안에서, 절대보존지역의 유지로 지역주민회와 주민들이 가지는 주거 및 생활환경상 이익은 지역의 경관 등이 보호됨으로써 반사적으로 누리는 것일 뿐 근거법규 또는 관련법규에 의하여 보호되는 개별적·직접적·구체적 이익이라고 할 수 없으므로, 지역주민회 등은 위 처분을 다툴 원고적격이 없다(대판 2012.7.5, 2011두13187).

3. 피고적격

행정소송법 제13조 【피고적격】 ① 취소소송은 다른 법률에 특별한 규정이 없는 한 그 처분등을 행한 행정청을 피고로 한다. 다만, 처분등이 있은 뒤에 그 처분등에 관계되는 권한이 다른 행정청에 승계된 때에는 이를 승계한 행정청을 피고로 한다.
② 제1항의 규정에 의한 행정청이 없게 된 때에는 그 처분등에 관한 사무가 귀속되는 국가 또는 공공단체를 피고로 한다.

(1) 원칙 – 처분청

처분청이란 의사를 결정하여 표시할 수 있는 기관을 의미한다. 논리상 권리·의무의 귀속주체인 행정주체가 피고가 되어야 할 것이나, 소송수행의 편의상 처분청을 피고로 규정한 것이다.

(2) 사안별 피고적격

1) 권한의 위임·위탁

권한의 위임·위탁은 권한의 일부를 다른 행정청에 실질적으로 이전하는 것이므로, 처분도 수임·수탁청 명의로 하게 된다. 따라서 수임청·수탁청이 피고가 된다.

2) 권한의 대리

- 대리는 행정청이 자신의 권한을 다른 기관으로 하여금 행사하게 하는 것으로, 대리청은 원칙적으로 피대리청을 위한 것임을 표시하며 직무를 수행한다. 따라서 피대리청이 피고가 된다.
- 단, 대리관계임에도 불구하고 대리관청이 대리관계를 밝히지 않고 자신의 명의로 처분을 하였다면 수임기관이 피고가 된다.

⚖ 요지판례 ㅣ

■ 대리권을 수여받은 데 불과하여 그 자신의 명의로는 행정처분을 할 권한이 없는 행정청의 경우 대리관계를 밝힘이 없이 그 자신의 명의로 행정처분을 하였다면 그에 대하여는 처분명의자인 당해 행정청이 항고소송의 피고가 되어야 하는 것이 원칙이다(대결 2006.2.23, 2005부4).

■ 비록 대리관계를 명시적으로 밝히지는 아니하였다 하더라도 처분명의자가 피대리 행정청 산하의 행정기관으로서 실제로 피대리 행정청으로부터 대리권한을 수여받아 피대리 행정청을 대리한다는 의사로 행정처분을 하였고 처분명의자는 물론 그 상대방도 그 행정처분이 피대리 행정청을 대리하여 한 것임을 알고서 이를 받아들인 예외적인 경우에는 피대리 행정청이 피고가 되어야 한다(대결 2006.2.23, 2005부4).

---

3) 내부위임

- 내부위임은 권한의 일부가 내부적으로 위임된 것에 불과하여 위임청 명의로 처분을 해야 하기 때문에 위임기관이 피고가 되는 것이 원칙이다.
- 단, 내부위임임에도 불구하고 수임기관이 자신의 명의로 처분을 하였다면 수임기관이 피고가 된다. ➡ 국민 입장에서는 내부위임이 있었는지를 알 수 없기 때문이다.

⚖ 요지판례 ㅣ

상급행정청으로부터 내부위임을 받은 데 불과한 하급행정청이 권한 없이 한 행정처분에 대한 행정소송의 피고적격(= 하급행정청)
행정처분의 취소 또는 무효확인을 구하는 행정소송은 다른 법률에 특별한 규정이 없는 한 그 처분을 행한 행정청을 피고로 하여야 하며, 행정처분을 행할 적법한 권한 있는 상급행정청으로부터 내부위임을 받은 데 불과한 하급행정청이 권한 없이 행정처분을 한 경우에도 실제로 그 처분을 행한 하급행정청을 피고로 하여야 할 것이지 그 처분을 행할 적법한 권한 있는 상급행정청을 피고로 할 것이 아니다(대판 1991.2.22, 90누5641).
➡ 부산직할시장의 산하기관인 부산직할시 금강공원 관리사업소장이 한 공단사용료 부과처분에 대하여 가사 위 사업소장이 부산직할시로부터 단순히 내부위임만을 받은 경우라 하더라도 이의 취소를 구하는 소송은 위 금강공원 관리사업소장을 피고로 하여야 한다고 본 사례

---

4) 공무수탁사인

공무수탁사인은 행정주체이면서 행정청으로서의 지위를 가지므로 항고소송의 피고(행정청 지위에서)는 물론 당사자소송의 피고(행정주체 지위에서)가 된다.

5) 처분청과 통지한 자가 다른 경우

처분청이 피고가 된다.

6) 지방의회의원에 대한 징계의결

지방의회의원에 대한 징계의결, 의장에 대한 불신임의결을 하는 경우에 지방의회가 행정청이 되고, 지방의회가 피고가 된다.

| 국회의원 징계
법원에 제소할 수 없다(헌법 제64조 제4항).

7) 대통령이 임명권자인 국가공무원에 대한 징계처분

> **국가공무원법 제16조【행정소송과의 관계】** ② 제1항에 따른 행정소송(➡ 징계에 대해 소청을 거친 후 하는 행정소송)을 제기할 때에는 대통령의 처분 또는 부작위의 경우에는 소속 장관(대통령령으로 정하는 기관의 장을 포함한다. 이하 같다)을, 중앙선거관리위원회위원장의 처분 또는 부작위의 경우에는 중앙선거관리위원회사무총장을 각각 피고로 한다.
>
> **경찰공무원법 제34조【행정소송의 피고】** 징계처분, 휴직처분, 면직처분, 그 밖에 의사에 반하는 불리한 처분에 대한 행정소송은 경찰청장 또는 해양경찰청장을 피고로 한다. 다만, 제7조 제3항 및 제4항에 따라 임용권을 위임한 경우에는 그 위임을 받은 자를 피고로 한다.

국가공무원법에 따라 대통령이 임명권자인 국가공무원에 대한 징계처분에 대한 행정소송은 소속 장관이 피고가 되나, 경찰공무원의 경우 경찰공무원법에 따라 징계처분에 대한 행정소송의 피고는 경찰청장이 된다.

☑ KEY POINT ｜ 피고적격 정리

구분	피고
위임 · 위탁	수임청 · 수탁청
내부위임	위임청(수임청 명의로 한 경우 수임청)
대리	피대리청(대리청 명의로 한 경우 대리청)
처분청과 통지한 자가 다른 경우	처분청
지방의회의원 징계	지방의회
대통령의 공무원 징계	소속장관 / 경찰공무원은 경찰청장
대법원장	법원행정처장
국회의장	국회사무총장
헌법재판소장	헌법재판소사무처장
처분 후 권한승계	승계한 행정청
처분 후 처분청 없어지는 경우	사무가 귀속되는 국가 또는 공공단체

---

4. 피고의 경정

(1) 의의

소송 중간에 피고를 바꿔주는 것을 피고경정이라 한다. 이는 소송이 각하되는 것보다 피고의 경정을 허용하는 것이 제소기간과 관련하여 원고에게 유리하기 때문이다.

(2) 종류

1) 피고를 잘못 지정한 경우

> **행정소송법 제14조【피고경정】** ① 원고가 피고를 잘못 지정한 때에는 법원은 원고의 신청에 의하여 결정으로써 피고의 경정을 허가할 수 있다.
> ② 법원은 제1항의 규정에 의한 결정의 정본을 새로운 피고에게 송달하여야 한다.
> ③ 제1항의 규정에 의한 신청을 각하하는 결정에 대하여는 즉시항고할 수 있다.
> ④ 제1항의 규정에 의한 결정이 있은 때에는 새로운 피고에 대한 소송은 처음에 소를 제기한 때에 제기된 것으로 본다.
> ⑤ 제1항의 규정에 의한 결정이 있은 때에는 종전의 피고에 대한 소송은 취하된 것으로 본다.

｜즉시항고
- 법원의 (판결이 아닌) 결정에 대해 일정기간 내 하는 불복신청을 말한다.
- 행정소송법은 즉시항고기간을 명시하지 않고 있으나, 민사소송법이 준용되어 결정일로부터 7일 이내 해야 한다고 본다.

- 피고의 잘못지정에 대한 원고의 고의·과실 유무는 불문하며, 제소시를 기준으로 판단한다.
- 피고를 잘못 지정한 경우에는 원고의 신청에 의한다.

2) 권한승계 또는 행정청이 없게 된 때

> **행정소송법 제14조【피고경정】** ⑥ 취소소송이 제기된 후에 제13조 제1항 단서(➡ 권한승계) 또는 제13조 제2항(➡ 없어진 때)에 해당하는 사유가 생긴 때에는 법원은 당사자의 신청 또는 직권에 의하여 피고를 경정한다. 이 경우에는 제4항 및 제5항의 규정을 준용한다.

(3) 피고경정 시한

> **⚖ 요지판례 ｜**
> 행정소송법 제14조에 의한 피고경정은 사실심 변론종결에 이르기까지 허용되는 것으로 해석하여야 할 것이고, 굳이 제1심 단계에서만 허용되는 것으로 해석할 근거는 없다 (대결 2006.2.23, 2005부4).

｜사실심 변론종결시
- 사실심은 사실관계 판단과 법리판단을 모두 하는 심급이고, 법률심은 사실관계 판단은 하지 않고 법리판단만 하는 심급을 말한다.
- 통상 3심으로 이루어지는 우리나라의 심급제에서, 1심과 2심은 사실심이고, 3심(대법원)은 법률심이다.
- 따라서 사실심 변론종결시란 통상 2심의 변론이 종결되는 시점을 말한다.

(4) 결정

구분	행정심판법	행정소송법
처음 잘못 제기	직권 또는 신청	신청
중간에 바뀜	직권 또는 신청	직권 또는 신청
효과	처음 제기하였을 때 제기한 것으로 본다.	

5. 소송참가

(1) 의의

- 소송참가란 타인 간의 소송 계속 중에 그 소송의 결과에 따라 법률상 이익에 영향을 받게 되는 제3자가 자기의 이익을 위해 그 소송절차에 가입하는 것을 말한다.
- 제3자의 소송참가와 행정청의 소송참가가 있다.

(2) 제3자의 소송참가

> **행정소송법 제16조【제3자의 소송참가】** ① 법원은 소송의 결과에 따라 권리 또는 이익의 침해를 받을 제3자가 있는 경우에는 당사자 또는 제3자의 신청 또는 직권에 의하여 결정으로써 그 제3자를 소송에 참가시킬 수 있다.
> ② 법원이 제1항의 규정에 의한 결정을 하고자 할 때에는 미리 당사자 및 제3자의 의견을 들어야 한다.
> ③ 제1항의 규정에 의한 신청을 한 제3자는 그 신청을 각하한 결정에 대하여 즉시항고할 수 있다.

제3자의 소송참가는 제3자효 있는 행정행위에서 특히 의미를 가지며, 제3자의 소송참가가 인정되는 것은 취소판결의 효력이 제3자에게 미치기 때문이다.

> **■ 행정소송법 제29조【취소판결등의 효력】**
> ① 처분등을 취소하는 확정판결은 제3자에 대하여도 효력이 있다.

(3) 행정청의 소송참가

> **행정소송법 제17조【행정청의 소송참가】** ① 법원은 다른 행정청을 소송에 참가시킬 필요가 있다고 인정할 때에는 당사자 또는 당해 행정청의 신청 또는 직권에 의하여 결정으로써 그 행정청을 소송에 참가시킬 수 있다.
> ② 법원은 제1항의 규정에 의한 결정을 하고자 할 때에는 당사자 및 당해 행정청의 의견을 들어야 한다.

05 취소소송의 요건 ④ - 협의의 소의 이익

> **행정소송법 제12조【원고적격】** 취소소송은 처분등의 취소를 구할 법률상 이익이 있는 자가 제기할 수 있다. 처분등의 효과가 기간의 경과, 처분등의 집행 그 밖의 사유로 인하여 소멸된 뒤에도 그 처분등의 취소로 인하여 회복되는 법률상 이익이 있는 자의 경우에는 또한 같다.

1. 의의

- 행정소송법 제12조 전문을 원고적격에 관한 규정, 후문을 협의의 소의 이익에 관한 규정으로 해석하는 것이 다수설이다. 단, 판례는 양자를 엄밀히 구분하지 않는 것으로 평가된다.
- 권리보호의 필요(소의 이익)는 소송요건으로, 직권조사사항이다.

2. 처분효과의 소멸과 소의 이익

- 처분의 효과가 소멸되었거나 이미 종료가 된 경우에는, 소송을 통해 해당 처분을 다툴 이유가 없어 일반적으로는 소익 이익이 부정된다. ➡ 각하
- 다만, 그 처분 등의 취소로 회복되는 법률상 이익이 있는 경우에는 소의 이익이 긍정될 수도 있다. ➡ 본안판단에 나아감

<원칙적인 경우>

■ 피고 서울종로경찰서장이 심각한 교통 불편을 줄 것이 명백하다는 이유로 이 사건 집회 및 시위를 금지한다고 통고한 이 사건 처분은 기간의 경과로 그 효과가 소멸하였으므로 이를 취소하더라도 원상회복이 불가능하고, 원고와 피고 사이에서 이 사건 처분과 같은 사유로 위법한 처분이 반복될 위험성이 있어 그 위법성을 확인하거나 불분명한 법률문제를 해명할 필요가 있다고 보기 어렵다. 따라서 이 사건 처분은 그 취소를 구할 이익이 없어 부적법하다(대판 2018.4.12, 2017두67834).

■ 처분청이 당초의 운전면허 취소처분을 신뢰보호의 원칙과 형평의 원칙에 반하는 너무 무거운 처분으로 보아 이를 철회하고 새로이 265일간의 운전면허 정지처분을 하였다면, 당초의 처분인 운전면허 취소처분은 철회로 인하여 그 효력이 상실되어 더 이상 존재하지 않는 것이고 그 후의 운전면허 정지처분만이 남아 있는 것이라 할 것이며, 한편 존재하지 않는 행정처분을 대상으로 한 취소소송은 소의 이익이 없어 부적법하다(대판 1997.9.26, 96누1931).

■ 대집행계고처분 취소소송의 변론종결 전에 대집행영장에 의한 통지절차를 거쳐 사실행위로서 대집행의 실행이 완료된 경우에는 행위가 위법한 것이라는 이유로 손해배상이나 원상회복 등을 청구하는 것은 별론으로 하고 처분의 취소를 구할 법률상 이익은 없다(대판 1993.6.8, 93누6164).

■ 건축허가에 기하여 이미 건축공사를 완료하였다면 그 건축허가처분의 취소를 구할 이익이 없다 할 것이고, 이와 같이 건축허가처분의 취소를 구할 이익이 없게 되는 것은 건축허가처분의 취소를 구하는 소를 제기하기 전에 건축공사가 완료된 경우뿐 아니라 소를 제기한 후 사실심 변론종결일 전에 건축공사가 완료된 경우에도 마찬가지이다(대판 2007.4.26, 2006두18409).

■ 현역병입영대상자로 병역처분을 받은 자가 그 취소소송중 모병에 응하여 현역병으로 자진 입대한 경우, 그 처분의 위법을 다툴 실제적 효용 내지 이익이 없으므로 소의 이익이 없다(대판 1998.9.8, 98두9165). [2018 경행특채 2차]

<소의 이익이 인정되는 경우>

■ 국가공무원법상 직위해제처분의 무효확인 또는 취소소송 계속 중 정년을 초과하여 직위해제처분의 무효확인 또는 취소로 공무원 신분을 회복할 수는 없다고 할지라도, 그 무효확인 또는 취소로 직위해제일부터 직권면직일까지 기간에 대한 감액된 봉급 등의 지급을 구할 수 있는 경우에는 직위해제처분의 무효확인 또는 취소를 구할 법률상 이익이 있다(대판 2014.5.16, 2012두26180).

■ **고등학교에서 퇴학처분을 당한 후 고등학교졸업학력검정고시에 합격한 경우, 퇴학처분의 취소를 구할 소의 이익 유무(적극)** 고등학교졸업이 대학입학자격이나 학력인정으로서의 의미밖에 없다고 할 수 없으므로 고등학교졸업 학력검정고시에 합격하였다 하여 고등학교 학생으로서의 신분과 명예가 회복될 수 없는 것이니 퇴학처분을 받은 자로서는 퇴학처분의 위법을 주장하여 그 취소를 구할 소송상의 이익이 있다(대판 1992.7.14, 91누4737).

06 취소소송의 요건 ⑤ - 심판청구의 기간

> **행정소송법 제20조 【제소기간】** ① 취소소송은 처분등이 있음을 안 날부터 90일 이내에 제기하여야 한다. 다만, 제18조 제1항 단서에 규정한 경우(➡ 필요적 전치가 적용되는 경우)와 그 밖에 행정심판청구를 할 수 있는 경우 또는 행정청이 행정심판청구를 할 수 있다고 잘못 알린 경우에 행정심판청구가 있은 때의 기간은 재결서의 정본을 송달받은 날부터 기산한다.
> ② 취소소송은 처분등이 있은 날부터 1년(제1항 단서의 경우는 재결이 있은 날부터 1년)을 경과하면 이를 제기하지 못한다. 다만, 정당한 사유가 있는 때에는 그러하지 아니하다.
> ③ 제1항의 규정에 의한 기간은 불변기간으로 한다.

▌ 행정심판의 경우(제27조)
• 알게 된 날부터 90일 ➡ 불변기간
• 있었던 날부터 180일 ➡ 불변기간 ×

1. 의의

• 제소기간이란 소송을 제기할 수 있는 기간을 의미한다.
• '안 날'은 불변기간이고, '있은 날'은 불변기간이 아니다.
• 안 날로부터 90일, 있은 날로부터 1년 중 어느 하나라도 도과되면 부적법 각하된다.
• 제소기간 준수 여부는 직권조사사항이다.

2. 행정심판을 거치지 않은 경우 – 처분이 기준

(1) 안 날로부터 90일

• 처분이 있음을 안 날이라 함은 당사자가 통지·공고 기타의 방법을 통하여 당해 처분이 있었다는 사실을 현실적으로 안 날을 의미하고, 추상적으로 알 수 있었던 날을 의미하는 것은 아니다.
• 처분이 있음을 안 날이라 함은 처분이 있었다는 사실을 현실적으로 안 날을 의미하는 것이지, 처분의 위법 여부를 인식한 날을 말하는 것이 아니다.

[2021 경행특채 2차] 국세기본법상 심판청구에 대한 재조사 결정에 따른 처분청의 처분에 대해서 심판청구를 거쳐서 그 결정의 통지를 받은 경우에 그 통지를 받은 날부터 90일 이내에 행정소송을 제기하여야 한다. (○)

> ⊕ **심화** 공고 등으로 처분이 이루어진 경우와 '안 날'
>
> 1 **불특정인에 대한 공고**
> • 공고가 효력을 발생하는 날에 알았다고 보아야 한다.
>
> > 🔖 **요지판례 |**
> > ■ 통상 고시 또는 공고에 의하여 행정처분을 하는 경우에는 그 처분의 상대방이 불특정 다수인이고 그 처분의 효력이 불특정 다수인에게 일률적으로 적용되는 것이므로, 그 행정처분에 이해관계를 갖는 자가 고시 또는 공고가 있었다는 사실을 현실적으로 알았는지 여부에 관계없이 고시가 효력을 발생하는 날 행정처분이 있음을 알았다고 보아야 한다(대판 2007.6.14, 2004두619).
> > ■ 인터넷 웹사이트에 대하여 구 청소년보호법에 따른 청소년유해매체물 결정 및 고시처분을 한 사안에서, 위 결정은 이해관계인이 고시가 있었음을 알았는지 여부에 관계없이 관보에 고시됨으로써 효력이 발생하고, 그가 위 결정을 통지받지 못하였다는 것이 제소기간을 준수하지 못한 것에 대한 정당한 사유가 될 수 없다(대판 2007.6.14, 2004두619).

② 특정인에 대한 공고
• 현실적으로 안 날에 알았다고 보아야 한다.

> ⚖️ 요지판례 │
> ■ 행정소송법 제20조 제1항 소정의 제소기간 기산점인 '처분이 있음을 안 날'이라 함은 당사자가 통지, 공고 기타의 방법에 의하여 당해 처분이 있었다는 사실을 현실적으로 안 날을 의미하는바, 특정인에 대한 행정처분을 주소불명 등의 이유로 송달할 수 없어 관보·공보·게시판·일간신문 등에 공고한 경우에는, 공고가 효력을 발생하는 날에 상대방이 그 행정처분이 있음을 알았다고 볼 수는 없고, 상대방이 당해 처분이 있었다는 사실을 현실적으로 안 날에 그 처분이 있음을 알았다고 보아야 한다(대판 2006.4.28, 2005두14851).

(2) 있은 날로부터 1년

처분이 있은 날부터 1년 내에 취소소송을 제기하여야 하는 바, 정당한 사유가 있는 때에는 1년이 경과하였더라도 취소소송을 제기할 수 있다.

3. 행정심판을 거친 경우 – 재결이 기준

재결서 정본을 송달받은 날부터 90일, 재결이 있는 날로부터 1년 내에 취소소송을 제기하여야 한다.

> ⚖️ 요지판례 │
> ■ 행정소송법 제20조 제1항에서 말하는 '행정심판'은 행정심판법에 따른 일반행정심판과 이에 대한 특례로서 다른 법률에서 사안의 전문성과 특수성을 살리기 위하여 특히 필요하여 일반행정심판을 갈음하는 특별한 행정불복절차를 정한 경우의 특별행정심판(행정심판법 제4조)을 뜻한다(대판 2014.4.24, 2013두10809).
> [2020 경행특채 2차] 취소소송은 처분 등이 있음을 안 날부터 90일 이내에 제기하여야 하는데, 행정심판청구를 할 수 있는 경우에 행정심판청구가 있은 때의 기간은 재결서의 정본을 송달받은 날부터 기산하며, 여기서 말하는 '행정심판'은 행정심판법에 따른 일반행정심판만을 의미한다. (×)
> ■ 행정소송법 제20조 제1항은 '취소소송은 처분 등이 있음을 안 날부터 90일 이내에 제기하여야 하나 행정청이 행정심판청구를 할 수 있다고 잘못 알린 경우에 행정심판청구가 있은 때의 기간은 재결서의 정본을 송달받은 날부터 기산한다'고 규정하고 있는데, 위 규정의 취지는 불가쟁력이 발생하지 않아 적법하게 불복청구를 할 수 있었던 처분 상대방에 대하여 행정청이 법령상 행정심판청구가 허용되지 않음에도 행정심판청구를 할 수 있다고 잘못 알린 경우에, 잘못된 안내를 신뢰하여 부적법한 행정심판을 거치느라 본래 제소기간 내에 취소소송을 제기하지 못한 자를 구제하려는 데에 있다(대판 2012.9.27, 2011두27247). ➡ 이미 제소기간이 지남으로써 불가쟁력이 발생하여 불복청구를 할 수 없었던 경우라면 그 이후에 행정청이 행정심판청구를 할 수 있다고 잘못 알렸다고 하더라도 그 때문에 처분 상대방이 적법한 제소기간 내에 취소소송을 제기할 수 있는 기회를 상실하게 된 것은 아니므로 이러한 경우에 잘못된 안내에 따라 청구된 행정심판 재결서 정본을 송달받은 날부터 다시 취소소송의 제소기간이 기산되는 것은 아니다. [2021 경행특채 2차]

💡 2011두27247 판결의 이해
불가쟁력이 발생하여 더 이상 불복청구를 할 수 없는 처분에 대하여 행정청의 잘못된 안내가 있었다고 하여 처분 상대방의 불복청구 권리가 새로이 생겨나거나 부활한다고 볼 수는 없기 때문이다.

■ 행정처분이 있음을 안 날부터 90일을 넘겨 행정심판을 청구하였다가 부적법하다는 이유로 각하재결을 받은 후 재결서를 송달받은 날부터 90일 내에 원래의 처분에 대하여 취소소송을 제기한 경우, 취소소송의 제소기간을 준수한 것으로 볼 수 없다(대판 2011.11.24, 2011두18786).

[2020 경행특채 2차] 처분이 있음을 안 날부터 90일을 넘겨 청구한 부적법한 행정심판청구에 대한 재결이 있은 후 재결서를 송달받은 날부터 90일 이내에 원래의 처분에 대하여 취소소송을 제기하면 취소소송은 제소기간을 준수한 것으로 본다. (×)

4. 위헌결정이 있는 경우

⚖️ 요지판례 ┃

■ 행정소송법 제20조가 제소기간을 규정하면서 '처분 등이 있은 날' 또는 '처분 등이 있음을 안 날'을 각 제소기간의 기산점으로 삼은 것은 그때 비로소 적법한 취소소송을 제기할 객관적 또는 주관적 여지가 발생하기 때문이므로, 처분 당시에는 취소소송의 제기가 법제상 허용되지 않아 소송을 제기할 수 없다가 위헌결정으로 인하여 비로소 취소소송을 제기할 수 있게 된 경우, 객관적으로는 '위헌결정이 있은 날', 주관적으로는 '위헌결정이 있음을 안 날' 비로소 취소소송을 제기할 수 있게 되어 이때를 제소기간의 기산점으로 삼아야 한다(대판 2008.2.1, 2007두20997). [2020 경행특채 2차]

5. 준용

- **무효등확인소송**: 애초에 처분 자체가 무효이므로 제소기간의 제한을 받지 않는다.
  [2020 경행특채 2차]
- **부작위위법확인소송**: 행정청의 부작위 상태는 계속 진행 중인 것이므로 성질상 제소기간의 제한을 받지 않는다. 단, 행정심판을 거친 경우에는 제소기간규정이 준용된다.
- **당사자소송**: 제소기간의 제한이 없다. 다만, 당사자소송에 관하여 개별법에 제소기간이 정하여져 있는 경우 그 기간은 불변기간으로 한다(행정소송법 제41조).

▶ **무효선언 의미의 취소소송**
실질은 무효확인소송이나, 형식적으로는 취소소송의 틀을 가지고 있는 이상 제소기간의 제한을 받는다(대판 1987.6.9, 87누219).

⚖️ 요지판례 ┃

■ 하자 있는 행정처분을 놓고 이를 무효로 볼 것인지 아니면 단순히 취소할 수 있는 처분으로 볼 것인지는 동일한 사실관계를 토대로 한 법률적 평가의 문제에 불과하고, 행정처분의 무효확인을 구하는 소에는 특단의 사정이 없는 한 그 취소를 구하는 취지도 포함되어 있다고 보아야 하는 점 등에 비추어 볼 때, 동일한 행정처분에 대하여 무효확인의 소를 제기하였다가 그 후 그 처분의 취소를 구하는 소를 추가적으로 병합한 경우, 주된 청구인 무효확인의 소가 적법한 제소기간 내에 제기되었다면 추가로 병합된 취소청구의 소도 적법하게 제기된 것으로 봄이 상당하다(대판 2005.12.23, 2005두3554). [2021 경행특채 2차]

■ 부작위위법확인의 소는 부작위상태가 계속되는 한 그 위법의 확인을 구할 이익이 있다고 보아야 하므로 원칙적으로 제소기간의 제한을 받지 않는다. 그러나 행정심판 등 전심절차를 거친 경우에는 행정소송법 제20조가 정한 제소기간 내에 부작위위법확인의 소를 제기하여야 한다(대판 2009.7.23, 2008두10560). [2021 경행특채 2차]

07 취소소송의 요건 ⑥ - 행정심판 전치주의

1. 임의적 전치주의 원칙

> **행정소송법 제18조【행정심판과의 관계】** ① 취소소송은 법령의 규정에 의하여 당해 처분에 대한 행정심판을 제기할 수 있는 경우에도 이를 거치지 아니하고 제기할 수 있다. …

- 행정심판의 전치란 사인이 행정소송을 제기함에 앞서서 먼저 행정심판을 거치도록 하는 것을 말한다. '행정심판'은 행정심판법상의 행정심판에 한정되지 않는다.
- 행정소송법은 임의적 전치주의를 원칙으로 하고 있다.

2. 필요적 전치주의

> **행정소송법 제18조【행정심판과의 관계】** ① … 다만, 다른 법률에 당해 처분에 대한 행정심판의 재결을 거치지 아니하면 취소소송을 제기할 수 없다는 규정이 있는 때에는 그러하지 아니하다.
>
> 예 **도로교통법 제142조【행정소송과의 관계】** 이 법에 따른 처분으로서 해당 처분에 대한 행정소송은 행정심판의 재결을 거치지 아니하면 제기할 수 없다.
>
> 예 **국가공무원법 제16조【행정소송과의 관계】** ① 제75조에 따른 처분, 그 밖에 본인의 의사에 반한 불리한 처분이나 부작위에 관한 행정소송은 소청심사위원회의 심사·결정을 거치지 아니하면 제기할 수 없다.

┃ 소청제도와 소청심사위원회
- 소청제도는 공무원의 징계처분 등에 대한 재심사의 청구라는 점에서 **특별행정심판의 일종**으로, 특별한 규정이 없는 한 소청에도 행정심판법이 적용된다.
- **소청심사위원회**는 행정기관 소속 공무원의 징계처분 등에 대한 소청을 심사·결정하기 위해 인사혁신처에 두는 준사법적 합의제 의결기관이자 합의제 행정관청이다.

- 국가공무원법, 지방공무원법, 도로교통법, 국세기본법 등 개별 법률에서 예외적으로 필요적 행정심판 전치주의 입장을 취하는 경우가 있다.
- 예외적 행정심판전치의 경우 행정심판을 거쳤는지는 소송요건으로서 직권조사사항이다.

3. 필요적 전치주의의 완화

(1) 행정심판 제기는 하되 재결을 거칠 필요가 없는 경우

> **행정소송법 제18조【행정심판과의 관계】** ② 제1항 단서의 경우에도 다음 각호의 1에 해당하는 사유가 있는 때에는 행정심판의 재결을 거치지 아니하고 취소소송을 제기할 수 있다.
> 1. 행정심판청구가 있은 날로부터 60일이 지나도 재결이 없는 때
> 2. 처분의 집행 또는 절차의 속행으로 생길 중대한 손해를 예방하여야 할 긴급한 필요가 있는 때
> 3. 법령의 규정에 의한 행정심판기관이 의결 또는 재결을 하지 못할 사유가 있는 때
> 4. 그 밖의 정당한 사유가 있는 때

(2) 행정심판 제기 없이 취소소송 제기할 수 있는 경우

> **행정소송법 제18조【행정심판과의 관계】** ③ 제1항 단서의 경우에 다음 각 호의 1에 해당하는 사유가 있는 때에는 행정심판을 제기함이 없이 취소소송을 제기할 수 있다.

1. 동종사건에 관하여 이미 행정심판의 기각재결이 있은 때
2. 서로 내용상 관련되는 처분 또는 같은 목적을 위하여 단계적으로 진행되는 처분중 어느 하나가 이미 행정심판의 재결을 거친 때
3. 행정청이 사실심의 변론종결 후 소송의 대상인 처분을 변경하여 당해 변경된 처분에 관하여 소를 제기하는 때
4. 처분을 행한 행정청이 행정심판을 거칠 필요가 없다고 잘못 알린 때
④ 제2항 및 제3항의 규정에 의한 사유는 이를 소명하여야 한다.

- **소명**: 법관에게 '이정도면 확실한 것 같다'는 추측을 얻게 하는 정도의 증거를 드는 것
- **증명**: 법관에게 '이정도면 확실하다' 는 확신을 들게 하는 정도의 증거로 사실을 명백히 하는 것

4. 적용범위

- 취소소송, 부작위위법확인소송에 적용된다.
- 무효등확인소송에는 적용되지 않는다.
- 당사자소송에도 적용되지 않는다. ➡ 행정심판은 항고심판의 형식만 있음!
- 처분 당사자 아닌 제3자가 제기하는 경우에도 행정심판전치주의가 적용된다(대판 1989.5.9, 88누5150).

5. 판단시기

행정심판전치주의의 요건을 충족하였는지의 여부는 사실심 변론종결시를 기준으로 한다. [2018 경행특채 2차]

> ⚖ **요지판례 Ⅰ**
>
> 산업재해보상보험법상의 보험급여처분에 대한 행정소송은 심사 및 재심사의 2단계 전심절차를 거친 연후에 제기하도록 되어 있으나 행정심판전치주의의 근본취지가 행정청에게 반성의 기회를 부여하고 행정청의 전문지식을 활용하는데 있는 것이므로 제소 당시에 비록 전치요건을 구비하지 못한 위법이 있다 하여도 사실심 변론종결 당시까지 그 전치요건을 갖추었다면 그 흠결의 하자는 치유되었다고 볼 것이다(대판 1987.9.22, 87누176).

주제 3 | 행정소송법 2 – 취소소송의 본안

01 집행정지와 가처분

1. 집행정지

(1) 집행부정지의 원칙

> **행정소송법 제23조【집행정지】** ① 취소소송의 제기는 처분등의 효력이나 그 집행 또는 절차의 속행에 영향을 주지 아니한다.

(2) 예외적 집행정지

■ 행정심판과의 비교
- 행정심판법은 집행정지의 적극적 요건으로서 '중대한 손해가 생기는 것을 예방할 필요성이 긴급하다고 인정할 때'라고 규정하고 있다.
- 반면 행정소송법은 '회복하기 어려운 손해를 예방하기 위하여 긴급한 필요'라고 규정하고 있음을 주의할 필요가 있다.

> **행정소송법 제23조 【집행정지】** ② 취소소송이 제기된 경우에 처분등이나 그 집행 또는 절차의 속행으로 인하여 생길 회복하기 어려운 손해를 예방하기 위하여 긴급한 필요가 있다고 인정할 때에는 본안이 계속되고 있는 법원은 당사자의 신청 또는 직권에 의하여 처분등의 효력이나 그 집행 또는 절차의 속행의 전부 또는 일부의 정지(이하 "집행정지"라 한다)를 결정할 수 있다. 다만, 처분의 효력정지는 처분등의 집행 또는 절차의 속행을 정지함으로써 목적을 달성할 수 있는 경우에는 허용되지 아니한다.
> ③ 집행정지는 공공복리에 중대한 영향을 미칠 우려가 있을 때에는 허용되지 아니한다.
> ④ 제2항의 규정에 의한 집행정지의 결정을 신청함에 있어서는 그 이유에 대한 소명이 있어야 한다.

1) 적극적 요건

① 적법한 본안소송의 계속

- 본안소송의 제기와 동시에 신청하거나 제기된 후에 신청하여야 하여야 하며, 이 때의 본안소송은 적법한 것이어야 한다.

  [2018 경행특채 2차] 집행정지는 행정처분의 집행부정지원칙의 예외로 인정되는 것이므로 본안청구의 적법과는 상관이 없기 때문에 적법한 본안소송의 계속을 요건으로 하지 않는다. (×)

- 판례는 본안과 마찬가지로 법률상 이익이 있을 것도 요구하고 있다.

🔥 요지판례 Ⅰ

■ 행정처분의 집행정지는 행정처분 집행부정지의 원칙에 대한 예외로서 인정되는 일시적인 응급처분이라 할 것이므로 집행정지결정을 하려면 이에 대한 본안소송이 법원에 제기되어 계속 중임을 요건으로 하는 것이므로 집행정지결정을 한 후에라도 본안소송이 취하되어 소송이 계속하지 아니한 것으로 되면 집행정지결정은 당연히 그 효력이 소멸되는 것이고 별도의 취소조치를 필요로 하는 것이 아니다(대판 1975. 11.11, 75누97).

■ 행정처분에 대한 효력정지신청을 구함에 있어서도 이를 구할 법률상 이익이 있어야 하는바, 이 경우 법률상 이익이라 함은 그 행정처분으로 인하여 발생하거나 확대되는 손해가 당해 처분의 근거 법률에 의하여 보호되는 직접적이고 구체적인 이익과 관련된 것을 말하는 것이고 단지 간접적이거나 사실적·경제적 이해관계를 가지는 데 불과한 경우는 여기에 포함되지 않는다(대결 2000.10.10, 2000무17). [2018 경행특채 2차]

---

② 처분 등의 존재: 효력 등을 정지시킬 대상이 되는 처분이 존재해야 한다. 단, 거부처분은 대상이 될 수 없다는 것이 통설·판례의 입장이다.

> **요지판례 |**
>
> ■ 신청에 대한 거부처분의 효력을 정지하더라도 거부처분이 없었던 것과 같은 상태, 즉 거부처분이 있기 전의 신청시의 상태로 되돌아가는 데에 불과하고 행정청에게 신청에 따른 처분을 하여야 할 의무가 생기는 것이 아니므로, 거부처분의 효력정지는 그 거부처분으로 인하여 신청인에게 생길 손해를 방지하는 데 아무런 보탬이 되지 아니하여 그 효력정지를 구할 이익이 없다(대결 1995.6.21, 95두26). [2019 경행특채 2차]
>
> ■ 교도소장이 접견을 불허한 처분에 대하여 효력정지를 한다 하여도 이로 인하여 위 교도소장에게 접견의 허가를 명하는 것이 되는 것도 아니고 또 당연히 접견이 되는 것도 아니어서 접견허가거부처분에 의하여 생길 회복할 수 없는 손해를 피하는 데 아무런 보탬도 되지 아니하니 접견허가거부처분의 효력을 정지할 필요성이 없다(대결 1991.5.2, 91두15).

③ **회복하기 어려운 손해예방의 필요**: '회복하기 어려운 손해'란, 금전보상이 불가능한 경우 내지는 금전보상으로는 사회관념상 행정처분을 받은 당사자가 참고 견딜 수 없거나 참고 견디기가 현저히 곤란한 경우의 유형·무형의 손해를 일컫는다.

> **요지판례 |**
>
> 현역병입영처분의 효력이 정지되지 아니한 채 본안소송이 진행된다면 특례보충역으로 방위산업체에 종사하던 신청인은 입영하여 다시 현역병으로 복무하지 않을 수 없는 결과 병역의무를 중복하여 이행하는 셈이 되어 불이익을 입게 되고 상당한 정신적 고통을 받게 될 것이므로 이는 사회관념상 '회복하기 어려운 손해'에 해당된다(대결 1992.4.29, 92두7).

④ **긴급한 필요**
- 긴급한 필요란 회복하기 어려운 손해의 발생이 임박하여 본안판결을 기다릴 여유가 없음을 의미한다.
- 회복하기 어려운 손해예방의 필요와 긴급한 필요는 함께 검토하는 것이 판례의 태도이다.

> **요지판례 |**
>
> 사업여건의 악화 및 막대한 부채비율로 인하여 외부자금의 신규차입이 사실상 중단된 상황에서 285억원 규모의 과징금을 납부하기 위하여 무리하게 외부자금을 신규차입하게 되면 주거래은행과의 재무구조개선약정을 지키지 못하게 되어 사업자가 중대한 경영상의 위기를 맞게 될 것으로 보이는 경우, 그 과징금납부명령의 처분으로 인한 손해는 효력정지 내지 집행정지의 적극적 요건인 '회복하기 어려운 손해'에 해당하고, 신청인의 손해가 회복하기 어려운 것인 이상 신청인에게는 이를 예방하기 위한 긴급한 필요도 있다고 할 것이다(대결 2001.10.10, 2001무29).

▌5대 정유사 군납유류 담합사건
- 5개 정유사(SK에너지, GS칼텍스, S-오일, 현대오일뱅크, 인천정유)사 군납유류 입찰 과정에서 사전 담합을 한 사건으로, 이러한 담합행위에 대해 공정거래위원회는 합계 총 1,901억원의 과징금 부과처분을 하였다.
- 방위사업청은 별도로 이들 정유사를 상대로 손해배상소송을 제기하여 2013년 1,355억원의 손해배상금을 국고로 환수하였다.
- 실제 이 과정에서 집행정지를 신청했던 인천정유는 회사정리절차에 들어갔다가 추후 SK그룹에 인수되어 SK인천정유가 되었다(현재는 SK에너지에 합병).

2) 소극적 요건

① **공공복리에 중대한 영향을 미칠 우려가 없을 것**: 여기서 말하는 '공공복리'는 그 처분의 집행과 관련된 구체적이고도 개별적인 공익을 말한다(대결 1999.12.20, 99무42). [2018 경행특채 2차]

② **본안의 이유 없음이 명백하지 아니할 것** ➡ 명문 규정은 없다.: 명문 규정은 없으나 집행정지신청의 남용방지 필요에 따라 소극적 요건으로 파악하는 것이 타당하다(다수설·판례).

(3) 적용순서

> **행정소송법 제23조【집행정지】** ② … 다만, 처분의 효력정지는 처분등의 집행 또는 절차의 속행을 정지함으로써 목적을 달성할 수 있는 경우에는 허용되지 아니한다.

- 처분의 집행정지, 절차의 속행정지로 목적을 달성할 수 있는 경우에는 처분의 효력정지는 허용되지 않는다.
- 처분의 효력정지란 처분의 공정력·존속력 등을 정지함으로써 처분을 존재하지 아니하는 상태로 두는 것이다.

⚖️ 요지판례 |

산업기능요원 편입 당시 지정업체의 해당 분야에 종사하지 아니하였음을 이유로 한 산업기능요원편입취소처분에 대한 집행정지의 경우, 이러한 손해에 대한 예방은 그 처분의 효력을 정지하지 아니하더라도 그 후속절차로 이루어지는 현역병입영처분이나 공익근무요원소집처분 절차의 속행을 정지함으로써 달성할 수가 있으므로, 산업기능요원편입취소처분에 대한 집행정지로서는 그 후속절차의 속행정지만이 가능하고 그 처분 자체에 대한 효력정지는 허용되지 아니한다(대결 2000.1.8, 2000무35).

---

(4) 집행정지의 효력

> **행정소송법 제23조【집행정지】** ⑥ 제30조 제1항의 규정(➡ 당사자와 관계행정청에 대한 기속력)은 제2항의 규정에 의한 집행정지의 결정에 이를 준용한다.

(4) 불복

비교≫ 질서위반행위 규제법 제38조【항고】① 당사자와 검사는 과태료 재판에 대하여 즉시항고를 할 수 있다. 이 경우 항고는 집행정지의 효력이 있다.

> **행정소송법 제23조【집행정지】** ⑤ 제2항의 규정에 의한 집행정지의 결정 또는 기각의 결정에 대하여는 즉시항고할 수 있다. 이 경우 집행정지의 결정에 대한 즉시항고에는 결정의 집행을 정지하는 효력이 없다.

2. 가처분

- 가처분이라고 함은 금전 이외의 특정한 급부를 목적으로 하는 청구권의 집행보전을 도모하거나 다툼이 있는 권리관계에 관하여 임시의 지위를 정함을 목적으로 하는 가구제제도이다.
- 행정심판법은 임시처분(가처분)에 관한 규정이 있으나, 행정소송법은 이에 관한 규정이 없다.

- 민사집행법상 가처분을 준용할 수 있는지가 문제되는데, ① 권리구제 실효성 관점에서 긍정하는 견해와 ② 권력분립 관점에서 부정하는 견해가 대립한다. 판례는 부정한다. 단, 당사자소송의 경우에는 집행정지에 관한 규정이 준용되지 않음을 이유로 긍정한다. → 항고소송은 부정, 당사자소송은 긍정 [2019 경행특채 2차]

> **⚖ 요지판례 |**
> ■ 항고소송의 대상이 되는 행정처분의 효력이나 집행 혹은 절차속행 등의 정지를 구하는 신청은 행정소송법상 집행정지신청의 방법으로서만 가능할 뿐 민사소송법상 가처분의 방법으로는 허용될 수 없다(대결 2009.11.2, 2009마596).
> ■ 당사자소송에 대하여는 행정소송법 제23조 제2항의 집행정지에 관한 규정이 준용되지 아니하므로(행정소송법 제44조 제1항 참조), 이를 본안으로 하는 가처분에 대하여는 행정소송법 제8조 제2항에 따라 민사집행법상 가처분에 관한 규정이 준용되어야 한다(대결 2015.8.21, 2015무26).

02 위법판단의 기준시점

1. 문제점

처분 등이 이루어진 뒤에 당해 처분 등의 근거가 된 법령이나 사실상태에 변동이 있는 경우 어느 시점을 기준으로 위법을 판단할 것인지가 문제된다.

2. 학설 · 판례

처분 당시의 법령 및 사실상태를 기준으로 하여야 한다는 처분시설이 통설 · 판례의 입장이다.

> **⚖ 요지판례 |**
> 행정소송에서 행정처분의 위법 여부는 행정처분이 행하여졌을 때의 법령과 사실상태를 기준으로 하여 판단하여야 하고, 처분 후 법령의 개폐나 사실상태의 변동에 의하여 영향을 받지는 않는다(대판 2007.5.11, 2007두1811).

▌각종 판단기준시점
1. 처분시
   - 허가의 기준시(처분 당시의 법령)
   - 행정행위의 위법판단 기준시
   - 행정심판의 위법판단 기준시
   - 행정소송의 위법판단 기준시
2. 판결시(사실심 변론종결시)
   - 기판력
   - 사정판결의 필요성
   - 부작위위법확인소송 위법판단 기준시

03 행정소송의 심리

1. 심리의 원칙

- 심리란 판결을 하기 위한 기초가 될 소송자료를 수집하는 절차를 말하는데, 이러한 심리의 방식에 관한 원칙으로는 소송주도권을 당사자에게 부여하는 당사자주의와 법원에 부여하는 직권주의가 있다.
- 행정소송법은 당사자주의를 원칙으로 하되, 직권심리주의를 가미하고 있다.

▌당사자주의 세부원칙
- **처분권주의**: 소송의 개시 · 심판대상의 결정 · 소송의 종결 등을 당사자의 의사에 맡기는 주의
- **변론주의**: 재판의 기초가 되는 자료의 수집 · 제출을 당사자의 책임으로 하는 원칙으로, 주장 · 입증과 관련된 문제

> **행정소송법 제25조【행정심판기록의 제출명령】** ① 법원은 당사자의 신청이 있는 때에는 결정으로써 재결을 행한 행정청에 대하여 행정심판에 관한 기록의 제출을 명할 수 있다.
> ② 제1항의 규정에 의한 제출명령을 받은 행정청은 지체 없이 당해 행정심판에 관한 기록을 법원에 제출하여야 한다.
> **행정소송법 제26조【직권심리】** 법원은 필요하다고 인정할 때에는 직권으로 증거조사를 할 수 있고, 당사자가 주장하지 아니한 사실에 대하여도 판단할 수 있다.

2. 심리의 범위

(1) 불고불리의 원칙

- 원고의 소제기가 없는 사건에 대하여 재판할 수 없고 당사자의 청구범위를 넘어서 심리·재판할 수 없는바, 이를 불고불리의 원칙이라 한다.

(2) 요건심리

- 소송요건을 구비하였는지 여부를 심리하는 것을 말한다.
- 법원의 직권조사사항으로 소송요건을 갖추지 못하면 부적법 각하된다.

> **🔨 요지판례 Ⅰ**
> ■ 어떠한 처분에 법령상 근거가 있는지, 행정절차법에서 정한 처분절차를 준수하였는지는 본안에서 당해 처분이 적법한가를 판단하는 단계에서 고려할 요소이지, 소송요건 심사단계에서 고려할 요소가 아니다(대판 2016.8.30, 2015두60617).
> ■ 행정소송에 있어서 처분청의 처분권한 유무는 직권조사사항이 아니다(대판 1997.6.19, 95누8669 전합).

(3) 본안심리

청구의 인용·기각 여부를 판단하기 위하여 심리하는 것을 본안심리라고 한다.

(4) 법률문제와 사실문제

법원은 법률문제·사실문제에 대해 심리할 수 있다.

(5) 재량행위

<비교》 행정심판의 경우에는 재량의 당·부당에 대해서도 심사할 수 있다.

재량의 당·부당에 대해서는 심사할 수 없고, 재량권의 일탈·남용에 대해서는 심사할 수 있다.

3. 주장책임과 입증책임

(1) 주장책임

행정소송에서도 변론주의가 기본구조이므로 당사자에게는 주장책임이 있다.

요지판례 Ⅰ

행정소송에 있어서 직권주의가 가미되어 있다고 하여도 여전히 변론주의를 기본구조로 하는 이상 행정처분의 위법을 들어 그 취소를 청구함에 있어서는 직권조사사항을 제외하고는 그 취소를 구하는 자가 위법사유에 해당하는 구체적인 사실을 먼저 주장하여야 한다(대판 2000.3.23, 98두2768).

(2) 입증책임

- 어떤 사실의 존부가 확정되지 않은 경우에 당사자 중 누구에게 불이익을 돌릴 것인가가 문제되는데, 이를 입증책임의 분배라 한다.
- 자기에게 유리한 요건사실에 관하여 입증책임을 진다고 보는 법률요건분류설이 통설·판례이다.

요지판례 Ⅰ

- 직권조사사항에 관하여도 그 사실의 존부가 불명한 경우에는 입증책임의 원칙이 적용되어야 할 것인바, 본안판결을 받는다는 것 자체가 원고에게 유리하다는 점에 비추어 직권조사사항인 소송요건에 대한 입증책임은 원고에게 있다(대판 1997.7.25, 96다39301).
- 민사소송법 규정이 준용되는 행정소송에서 증명책임은 원칙적으로 민사소송 일반 원칙에 따라 당사자 간에 분배되고, 항고소송의 경우에는 그 특성에 따라 처분의 적법성을 주장하는 피고에게 그 적법사유에 대한 증명책임이 있다(대판 2017.7.11, 2015두2864).
- 항고소송에 있어서 당해 행정처분의 적법성에 대한 증명책임은 원칙적으로 그 행정처분의 적법을 주장하는 처분청에 있지만, 행정청이 주장하는 당해 행정처분의 적법성에 관하여 합리적으로 수긍할 수 있는 정도로 증명이 된 경우에는 그와 상반되는 예외적인 사정에 대한 주장과 증명은 상대방이 증명할 책임을 진다고 봄이 타당하다(대판 2013.1.10, 2011두7854).
- 행정처분의 당연무효를 구하는 소송에 있어서 그 무효를 구하는 사람에게 그 행정처분에 존재하는 하자가 중대하고 명백하다는 것을 주장·입증할 책임이 있다(대판 1984.2.28, 82누154). ➡ 무효확인소송에서는 원고가 처분이 무효라는 것을 입증해야 한다.

04 처분사유의 추가·변경

1. 의의

처분의 근거로 삼지 않았던 사유를 행정쟁송의 단계에서 추가하거나 변경하는 것을 처분사유의 추가·변경이라 한다.

☑ KEY POINT | 인접 개념과의 구분

구분	하자치유	처분변경으로 인한 소변경	처분사유 추가·변경
개념	절차·형식(내용 ×)	행정청이 소송 중 처분변경	실체적 적법성 확보
시기	쟁송제기 전	사실심 변론종결시	사실심 변론종결시
조문	×	○	×
특징	예외적으로 인정	신청, 안 날 60일	기본적 사실관계 동일성

2. 허용 여부

행정소송법에는 이에 대하여 아무런 규정을 두고 있지 않으나, 판례는 '기본적 사실관계의 동일성'이 인정되면 처분사유의 추가·변경이 허용된다고 본다.

⚖ 요지판례 |

행정처분의 취소를 구하는 항고소송에서, 처분청은 당초 처분의 근거로 삼은 사유와 기본적 사실관계가 동일하다고 인정되는 한도 내에서만 다른 사유를 추가 또는 변경할 수 있다. 이러한 기본적 사실관계의 동일성 유무는 처분사유를 법률적으로 평가하기 이전의 구체적 사실에 착안하여, 그 기초인 사회적 사실관계가 기본적인 점에서 동일한지에 따라 결정되므로, 추가 또는 변경된 사유가 처분 당시에 이미 존재하고 있었다거나 당사자가 그 사실을 알고 있었다고 하여 당초의 처분사유와 동일성이 있다고 할 수 없다(대판 2018.4.12, 2014두5477).

3. 한계

(1) 시간적 한계

사실심 변론종결시까지만 허용된다(대판 1999.8.20, 98두17043).

(2) 내용적 한계

처분청이 처분 당시에 적시한 구체적 사실을 변경하지 아니하는 범위 내에서 단지 그 처분의 근거법령을 추가·변경하는 것은 가능하나, 처분의 근거법령을 변경하는 것이 종전 처분과 동일성을 인정할 수 없는 별개의 처분을 하는 것과 다름없는 경우에는 허용될 수 없다.

⚖ 요지판례 |

<긍정한 사례>

외국인 갑이 법무부장관에게 귀화신청을 하였으나 법무부장관이 심사를 거쳐 '품행 미단정'을 불허사유로 국적법상의 요건을 갖추지 못하였다며 신청을 받아들이지 않는 처분을 하였는데, 법무부장관이 갑을 '품행 미단정'이라고 판단한 이유에 대하여 제1심 변론절차에서 자동차관리법위반죄로 기소유예를 받은 전력 등을 고려하였다고 주장하였다가 원심 변론절차에서 불법 체류한 전력이 있다는 추가적인 사정까지 고려하였다고 주장한 사안에서, 법무부장관이 원심에서 추가로 제시한 불법 체류전력 등의 제반 사정은 처분사유의 근거가 되는 기초 사실 내지 평가요소에 지나지 않으므로, 추가로 주장할 수 있다(대판 2018.12.13, 2016두31616)

<부정한 사례>

■ 정보공개거부처분사유인 공공기관의 정보공개에 관한 법률 제9조 제1항 제4호 및 제6호의 사유는 새로이 추가된 같은 항 제5호의 사유와 기본적 사실관계의 동일성이 없다(대판 2003.12.11, 2001두8827). ➡ 민주사회를 위한 변호사모임이 법무부장관을 상대로 전직 대통령 아들의 사면관련 정보를 공개요구한 사안

■ 군사시설보호구역 밖의 토지에 주유소를 설치·경영하도록 하기 위한 석유판매업허가를 함에 있어서 관할 부대장의 동의를 얻어야 할 법령상의 근거가 없음에도 그 동의가 없다는 이유로 한 불허가처분에 대한 소송에서, 당해 토지가 탄약창에 근접한 지점에 위치하고 있다는 사실을 불허가사유로 추가하는 것은 허용되지 않는다 (대판 1991.11.8, 91누70).

┃ 공공기관의 정보공개에 관한 법률 제9조 제1항
- **제4호**: 진행중 재판, 범죄 예방·수사·공소제기 및 유지 등 관련 정보
- **제6호**: 개인 사생활 비밀 등 침해 우려 정보
- **제5호**: 검사·감독·시험 등 의사결정과정 또는 내부검토과정 관련 정보

주제 4 | 행정소송법 3 – 취소소송의 판결

01 판결 개설

1. 판결의 의의

- 법원이 구체적인 사건에 대한 법적 판단을 선언하는 행위를 판결이라 한다.
- 행정소송의 경우 행정소송법에 판결의 절차에 관한 특별한 규정이 없으므로 민사소송의 예에 따른다.

2. 판결의 종류

분류	종류	의미
소송판결	소 각하	• 소송요건이 결여된 부적법한 소에 대해서 심리를 거부하는 판결이다. • 소 제기 후에 소송요건이 소멸된 경우에도 각하판결을 한다. • 소 각하판결을 받은 후 다시 소송요건을 갖추어 소가 제기되면 법원은 심리하여야 한다.
본안판결	청구기각	• 원고의 청구가 이유 없을 때 원고의 청구를 기각한다. • **사정판결**: 원고의 청구가 이유 있는 경우에도 예외적으로 공익을 고려해 기각판결을 할 수 있다. 청구기각판결의 일종이다.
	청구인용	원고의 청구가 이유 있다고 인정하여 그 청구의 전부 또는 일부를 인용하는 판결이다.

3. 판결에 대한 불복

(1) 상소(항소와 상고)

- 제1심 법원의 판결에 대해서는 항소심에 항소할 수 있다.
- 항소심의 판결에 대하여는 대법원에 상고할 수 있다.

(2) 항고 · 재항고

- 행정소송에서도 결정이나 명령에 대하여 불복이 있으면 항고할 수 있다.
- 항고법원의 결정 및 명령에 대하여 대법원에 재항고할 수 있다.

(3) 재심청구

1) 당사자의 재심청구

- 재심이란 확정된 종국판결에 재심사유에 해당하는 중대한 흠이 있는 경우에 그 판결의 취소와 이미 종결되었던 사건의 재심사를 구하는 것을 말한다.
- 행정소송법에는 재심에 관해 특별히 규정하고 있지 않으므로 민사소송법 규정에 따라 재심청구를 할 수 있다(행정소송법 제8조 제2항, 민사소송법 제451조 제1항).

2) 제3자의 재심청구

> **행정소송법 제31조【제3자에 의한 재심청구】** ① 처분등을 취소하는 판결에 의하여 권리 또는 이익의 침해를 받은 제3자는 자기에게 책임없는 사유로 소송에 참가하지 못함으로써 판결의 결과에 영향을 미칠 공격 또는 방어방법을 제출하지 못한 때에는 이를 이유로 확정된 종국판결에 대하여 재심의 청구를 할 수 있다.
> ② 제1항의 규정에 의한 청구는 확정판결이 있음을 안 날로부터 30일 이내, 판결이 확정된 날로부터 1년 이내에 제기하여야 한다.
> ③ 제2항의 규정에 의한 기간은 불변기간으로 한다.

행정소송법은 취소판결에 대한 '제3자의 재심청구'에 관하여 특별히 규정하고 있다.

02 사정판결

1. 의의

| **직권으로 사정판결이 가능한지 여부** 명문 규정은 없으나, 판례는 당사자 (통상 처분청)의 신청이 없더라도 **직권으로 사정판결을 하는 것이 가능하다**는 입장이다(대판 1992.2.14, 90누9032).

법원은 원고의 청구가 이유 있는 경우에도 예외적으로 공익을 고려해 기각판결을 할 수 있는데 그러한 기각판결을 사정판결이라고 한다. ➡ 청구가 이유 있으면 인용판결을 하는 것이 원칙이므로 사정판결은 극히 엄격한 요건하에 제한적으로 이루어져야 한다.

2. 요건

> **행정소송법 제28조【사정판결】** ① 원고의 청구가 이유있다고 인정하는 경우에도 처분등을 취소하는 것이 현저히 공공복리에 적합하지 아니하다고 인정하는 때에는 법원은 원고의 청구를 기각할 수 있다. 이 경우 법원은 그 판결의 주문에서 그 처분등이 위법함을 명시하여야 한다.

원고의 청구가 이유 있을 것, 그리고 원고의 청구를 인용하는 것이 현저히 공공복리에 적합하지 아니할 것을 그 요건으로 한다.

⚖ 요지판례 ǀ

전남대 법학전문대학원도 120명의 입학생을 받아들여 교육을 하고 있는데 인가처분이 취소되면 그 입학생들이 피해를 입을 수 있는 점, 전남대에 대한 이 사건 인가처분을 취소하고 다시 심의하는 것은 무익한 절차의 반복에 그칠 것으로 보이는 점 등을 종합하여, 전남대에 대한 이 사건 인가처분을 이유로 취소하는 것은 현저히 공공복리에 적합하지 아니하다고 인정하여 사정판결을 한다(대판 2009.12.10, 2009두8359).

---

3. 판단시점 및 입증책임

- 사정판결을 하는 경우 처분의 위법성은 처분시를 기준으로 하나, 사정판결의 필요성 판단은 판결시(변론종결시)를 기준으로 한다.
- 사정판결의 필요성에 대한 주장·입증의 책임은 행정청이 부담한다.

4. 효과

> 행정소송법 제28조【사정판결】② 법원이 제1항의 규정에 의한 판결을 함에 있어서는 미리 원고가 그로 인하여 입게 될 손해의 정도와 배상방법 그 밖의 사정을 조사하여야 한다.
> ③ 원고는 피고인 행정청이 속하는 국가 또는 공공단체를 상대로 손해배상, 제해시설의 설치 그 밖에 적당한 구제방법의 청구를 당해 취소소송등이 계속된 법원에 병합하여 제기할 수 있다.

- 사정판결이 있으면 원고의 청구는 기각된다. ➡ 사정판결도 기각판결이므로 당연히 원고가 항소할 수 있다.
- 사정판결이 있다 하더라도 당해 처분이 적법하게 되는 것이 아니라 공공복리를 위하여 위법성을 가진 채로 그 효력을 지속하는 것이므로 사정판결의 소송비용은 승소자인 피고가 부담한다.
- 법원은 판결의 주문에서 그 처분 등이 위법함을 명시하고, 원고가 그로 인하여 입게 될 손해의 정도와 배상방법, 그 밖의 사정을 미리 조사하는 등으로 원고의 국가배상청구 등 다른 구제가 용이하도록 해 주어야 한다.

5. 준용

취소소송에서 사정판결에 대해 규정하고 있으며, 그 외 다른 소송유형(무효등확인소송, 부작위위법확인소송, 당사자소송)에는 사정판결이 허용되지 않는다.

비교》 행정심판의 경우에는 취소심판과 의무이행심판에서 사정재결이 가능하다(무효등확인심판 ✕).

03 판결의 효력

1. 불가변력(자박력)

판결이 일단 확정되면 법원 스스로도 판결을 취소·변경할 수 없다. ➡ 선고법원에 대한 효력

2. 불가쟁력(형식적 확정력)

제소기간이 경과되거나 모든 심급을 다 거쳐 다툰 경우 당사자는 더 이상 판결을 다툴 수 없다. ➡ 소송당사자에 대한 효력

3. 형성력

(1) 의의

인용판결의 경우에만 인정되는 효력으로서, 판결로 인해 법률관계의 발생·변경·소멸을 가져오는 효력을 말한다.

(2) 내용

1) 형성효

행정처분을 취소한다는 확정판결이 있으면 그 취소판결의 형성력에 의하여 당해 행정처분의 취소나 취소통지 등의 별도의 절차를 요하지 아니하고 당연히 취소의 효과가 발생하는 효력을 말한다.

| 경정처분
당초 과세처분에 오류가 있는 경우 당초 과세처분을 취소하지 않고 당초 과세처분을 전제로 이를 바로잡는 처분

🔥**요지판례 l**

- 과세처분을 취소하는 판결이 확정되면 그 과세처분은 처분시에 소급하여 소멸하므로 그 뒤에 과세관청에서 그 과세처분을 경정하는 경정처분을 하였다면 이는 존재하지 않는 과세처분을 경정한 것으로서 그 하자가 중대하고 명백한 당연무효의 처분이다(대판 1989.5.9, 88다카16096).

- 인가·허가 등 수익적 행정처분을 신청한 여러 사람이 서로 경원관계에 있어서 한 사람에 대한 허가 등 처분이 다른 사람에 대한 불허가 등으로 귀결될 수밖에 없을 때 허가 등 처분을 받지 못한 사람은 신청에 대한 거부처분의 직접 상대방으로서 원칙적으로 자신에 대한 거부처분의 취소를 구할 원고적격이 있고, (허가거부처분에 대한) 취소판결이 확정되는 경우 판결의 직접적인 효과로 경원자에 대한 허가 등 처분이 취소되거나 효력이 소멸되는 것은 아니더라도 행정청은 취소판결의 기속력에 따라 판결에서 확인된 위법사유를 배제한 상태에서 취소판결의 원고와 경원자의 각 신청에 관하여 처분요건의 구비 여부와 우열을 다시 심사하여야 할 의무가 있다(대판 2015.10.29, 2013두27517).

  [2021 경행특채 2차] 수익적 행정처분을 신청한 여러 사람이 서로 경원관계에 있어서 한 사람에 대한 허가 처분이 다른 사람에 대한 불허가로 귀결될 수밖에 없을 때 허가 처분을 받지 못한 사람의 신청에 대한 거부처분의 취소판결이 확정되는 경우 행정청은 취소판결의 기속력에 따라 경원자에 대한 수익적 처분을 취소하여야 할 의무가 있다. (×)

2) 소급효

취소판결이 확정되면 과거로 소급해 처분이 없었던 것과 같은 상태가 된다. ➡ 취소된 처분을 전제로 한 처분들도 원칙적으로 소급하여 소멸한다.

> **⚖ 요지판례 ㅣ**
>
> **운전면허취소처분을 받은 후 자동차를 운전하였으나 위 취소처분이 행정쟁송절차에 의하여 취소된 경우, 무면허운전의 성립 여부(소극)**
>
> 피고인이 행정청으로부터 자동차 운전면허취소처분을 받았으나 나중에 그 행정처분 자체가 행정쟁송절차에 의하여 취소되었다면, 위 운전면허취소처분은 그 처분시에 소급하여 효력을 잃게 되고, 피고인은 위 운전면허취소처분에 복종할 의무가 원래부터 없었음이 후에 확정되었다고 봄이 타당할 것이고, 행정행위에 공정력의 효력이 인정된다고 하여 행정소송에 의하여 적법하게 취소된 운전면허취소처분이 단지 장래에 향하여서만 효력을 잃게 된다고 볼 수는 없다(대판 1999.2.5, 98도4239).

3) 대세효(제3자효)

> **행정소송법 제29조 【취소판결등의 효력】** ① 처분등을 취소하는 확정판결은 제3자에 대하여도 효력이 있다.

여기서 제3자는 모든 자를 의미한다. 제3자의 재판청구권을 침해할 수 있으므로 소송참가 및 재심청구에 관해 규정하고 있다(행정소송법 제31조).

> **⚖ 요지판례 ㅣ**
>
> 행정처분을 취소하는 확정판결이 제3자에 대하여도 효력이 있다고 하더라도 일반적으로 판결의 효력은 주문에 포함한 것에 한하여 미치는 것이니 그 취소판결 자체의 효력으로써 그 행정처분을 기초로 하여 새로 형성된 제3자의 권리까지 당연히 그 행정처분 전의 상태로 환원되는 것이라고는 할 수 없고, 단지 취소판결의 존재와 취소판결에 의하여 형성되는 법률관계를 소송당사자가 아니었던 제3자라 할지라도 이를 용인하지 않으면 아니 된다는 것을 의미하는 것에 불과하다(대판 1986.8.19, 83다카2022).

4. 기속력

(1) 의의

> **행정소송법 제30조 【취소판결등의 기속력】** ① 처분등을 취소하는 확정판결은 그 사건에 관하여 당사자인 행정청과 그 밖의 관계행정청을 기속한다.

• 기속력은 행정청과 그 밖의 관계 행정청이 확정판결의 취지에 따라야 하는 효력을 말한다. ➡ 기속력은 행정기관에 대한 효력이다.

• 기속력은 인용판결에만 인정된다. 기각판결의 경우 기속력이 인정되지 않으므로 행정청은 판결의 취지(처분이 적법하다)를 따르지 않고 직권취소도 가능하다.

(2) 내용

1) 반복금지의무(소극적 부작위의무)

취소소송에서 인용판결이 확정되면 행정청은 동일한 사실관계 아래에서 동일한 당사자에 대하여 동일한 내용의 처분 등을 반복해서는 안 된다. → 동일사유 여부는 '기본적 사실관계에 있어 동일성'을 기준으로 판단한다.

2) 재처분의무(적극적 작위의무)

> **행정소송법 제30조【취소판결등의 기속력】** ② 판결에 의하여 취소되는 처분이 당사자의 신청을 거부하는 것을 내용으로 하는 경우에는 그 처분을 행한 행정청은 판결의 취지에 따라 다시 이전의 신청에 대한 처분을 하여야 한다.
> ③ 제2항의 규정은 신청에 따른 처분이 절차의 위법을 이유로 취소되는 경우에 준용한다.
> [2015 경행특채] 판결에 의하여 취소되는 처분이 당사자의 신청을 거부하는 것을 내용으로 하는 경우에는 그 처분을 행한 행정청은 판결의 취지에 따라 다시 이전의 신청에 대한 처분을 할 수 있다. (×)

- 판결에 의하여 취소되는 처분이 당사자의 신청을 거부하는 것을 내용으로 하는 경우에는 그 처분을 행한 행정청은 판결의 취지에 따라 다시 이전의 신청에 대한 처분을 하여야 한다.
- 반드시 원고가 신청한 대로 재처분을 하여야 하는 것을 의미하는 것은 아니다.
- 새로운 처분사유가 기존 처분사유와 기본적 사실관계에서 동일하지 않거나, 처분이 절차나 형식의 하자를 이유로 취소된 경우 판결의 취지에 따라 위법사유를 보완한 후 동일내용의 처분을 하는 것은 기속력에 반하지 않는다.

⚖ 요지판례 ⅼ

■ 행정처분의 위법 여부는 행정처분이 행하여진 때의 법령과 사실을 기준으로 판단하므로, 확정판결의 당사자인 처분 행정청은 종전 처분 후에 발생한 새로운 사유를 내세워 다시 처분을 할 수 있고, 새로운 처분의 처분사유가 종전 처분의 처분사유와 기본적 사실관계에서 동일하지 않은 다른 사유에 해당하는 이상, 처분사유가 종전 처분 당시 이미 존재하고 있었고 당사자가 이를 알고 있었더라도 이를 내세워 새로이 처분을 하는 것은 확정판결의 기속력에 저촉되지 않는다(대판 2016.3.24, 2015두48235). [2021 경행특채 2차]

■ 주민 등의 도시관리계획 입안 제안을 거부한 처분에 대하여 법원이 취소하는 판결이 확정되고, 그 이후 행정청이 새로운 이익형량을 하여 주민 등의 입안 제안된 내용과는 달리 도시관리계획을 수립한 경우, 새로운 도시관리계획이 취소판결의 기속력에 위반된다고 단정할 수는 없다(대판 2020.6.25, 2019두56135). → 행정청에게 부여된 재량을 고려하면, 행정청이 다시 새로운 이익형량을 하여 적극적으로 도시관리계획을 수립하였다면 취소판결의 기속력에 따른 재처분의무를 이행한 것이라고 보아야 한다.

---

3) 결과제거의무

기속력에 원상회복의무(결과제거의무, 위법상태제거의무)가 포함되는지에 대해 명문근거는 없지만 판례는 이를 인정하고 있다.

⚖ 요지판례 |

어떤 행정처분을 위법하다고 판단하여 취소하는 판결이 확정되면 행정청은 취소판결의 기속력에 따라 그 판결에서 확인된 위법사유를 배제한 상태에서 다시 처분을 하거나 그 밖에 위법한 결과를 제거하는 조치를 할 의무가 있다(대판 2020.6.25, 2019두57404).

[2021 경행특채 2차]

(3) 기속력의 범위

1) 주관적 범위

기속력은 당사자인 행정청과 그 밖의 모든 관계 행정청에도 미친다.

2) 객관적 범위

- 판결의 주문뿐만 아니라 그 전제가 되는 처분 등의 구체적 위법사유에 관한 이유 중의 판단에 대하여도 인정된다.
- 판결의 결론과 직접 관계없는 방론이나 간접사실의 판단에는 미치지 아니한다.

⚖ 요지판례 |

행정소송법 제30조 제1항에 의하여 인정되는 취소소송에서 처분 등을 취소하는 확정판결의 기속력은 주로 판결의 실효성 확보를 위하여 인정되는 효력으로서 판결의 주문뿐만 아니라 그 전제가 되는 처분 등의 구체적 위법사유에 관한 이유 중의 판단에 대하여도 인정된다(대판 2001.3.23, 99두5238).

3) 시간적 범위

기속력은 처분 당시까지 존재하던 사유에 대하여만 미치고 그 이후에 생긴 사유에는 미치지 아니한다. 따라서 처분 이후에 발생한 새로운 법령 및 사실상태의 변동을 이유로 동일한 내용의 처분을 하는 것은 기속력에 반하지 않는다.

⚖ 요지판례 |

행정소송법 제30조 제2항의 규정에 의하면 행정청의 거부처분을 취소하는 판결이 확정된 경우에는 그 처분을 행한 행정청이 판결의 취지에 따라 이전의 신청에 대하여 재처분할 의무가 있으나, 이 때 확정판결의 당사자인 처분 행정청은 그 행정소송의 사실심 변론종결 이후 발생한 새로운 사유를 내세워 다시 이전의 신청에 대한 거부처분을 할 수 있고 그러한 처분도 위 조항에 규정된 재처분에 해당된다고 할 것이다. … 피신청인이 재처분을 부당하게 지연하면서 확정판결의 기속력을 잠탈하기 위하여 인위적으로 새 거부처분 사유를 만들어 낸 것은 아니라면, 결국 새 거부처분은 행정소송법 제30조 제2항에 규정된 유효한 재처분에 해당한다 할 것이다(대결 2004.1.15, 2002무30).

[2021 경행특채 2차] 거부처분을 취소하는 판결이 확정된 경우에 행정청은 사실심 변론종결 이후 발생한 새로운 사유를 내세워 다시 이전의 신청에 대한 거부처분을 할 수 있지만, 재처분을 부당하게 지연하면서 확정판결의 기속력을 잠탈하기 위하여 인위적으로 새 거부처분 사유를 만들어 낸 것이라면 유효한 재처분이 아니다. (○)

(4) 기속력 위반

1) 효력

기속력에 위반한 행정행위는 당연무효이다.

> ⚖ **요지판례 |**
>
> 확정판결의 당사자인 처분행정청이 그 행정소송의 사실심 변론종결 이전의 사유를 내세워 다시 확정판결과 저촉되는 행정처분을 하는 것은 허용되지 않는 것으로서 이러한 행정처분은 그 하자가 중대하고도 명백한 것이어서 당연무효라 할 것이다(대판 1990. 12.11, 90누3560).

2) 기속력 확보수단 – 간접강제

┃ 간접강제 주문례

1. 피신청인 교육부장관은 이 결정 정본을 받은 날로부터 14일 이내에 신청인에 대하여 당원 2018구**** 부동산처분허가신청거부처분취소사건의 확정판결의 취지에 따른 무조건적 허가처분을 하지 않을 때에는 신청인에 대하여 위 기간이 마치는 다음날부터 처분시까지 1일 금 5,000,000원의 비율에 의한 금원을 지급하라.
2. 소송비용은 피신청인의 부담으로 한다.

> **행정소송법 제34조【거부처분취소판결의 간접강제】** ① 행정청이 제30조 제2항의 규정에 의한 처분(➡ 재차분의무에 따른 처분)을 하지 아니하는 때에는 제1심수소법원은 당사자의 신청에 의하여 결정으로써 상당한 기간을 정하고 행정청이 그 기간내에 이행하지 아니하는 때에는 그 지연기간에 따라 일정한 배상을 할 것을 명하거나 즉시 손해배상을 할 것을 명할 수 있다.

- 행정청이 재처분의무에 따른 처분을 하지 않고 있는 경우 판결의 실효성 확보를 위해 법원은 일정한 배상을 할 것을 명할 수 있는데, 이를 간접강제라고 한다.
- 간접강제결정에 기한 배상금은 확정판결의 취지에 따른 재처분의 지연에 대한 제재나 손해배상이 아니고, 재처분의 이행에 관한 심리적 강제수단에 불과한 것으로 보아야 한다(판례).

> ⚖ **요지판례 |**
>
> 행정소송법 제34조 소정의 간접강제결정에 기한 배상금은 거부처분취소판결이 확정된 경우 그 처분을 행한 행정청으로 하여금 확정판결의 취지에 따른 재처분의무의 이행을 확실히 담보하기 위한 것으로서, 이는 확정판결의 취지에 따른 재처분의 지연에 대한 제재나 손해배상이 아니고 재처분의 이행에 관한 심리적 강제수단에 불과한 것으로 보아야 하므로, 특별한 사정이 없는 한 간접강제결정에서 정한 의무이행기한이 경과한 후에라도 확정판결의 취지에 따른 재처분의 이행이 있으면 배상금을 추심함으로써 심리적 강제를 꾀할 목적이 상실되어 처분상대방이 더 이상 배상금을 추심하는 것은 허용되지 않는다(대판 2004.1.15, 2002두2444).

(5) 준용규정

- 기속력은 무효등확인소송, 부작위위법확인소송, 당사자소송에 준용된다.
- 간접강제는 부작위위법확인소송에만 준용된다. 무효등확인소송, 당사자소송에는 준용되지 아니한다.

5. 기판력(실질적 확정력)

(1) 의의

- 기판력이란 판결이 확정되면 이후 동일사항에 대하여 당사자는 판결의 내용과 모순되는 주장을 할 수 없고(반복금지), 법원도 일사부재리의 원칙에 따라 이에 저촉되는 판단을 할 수 없는 효력(모순금지)을 말한다. ➜ 기판력은 형식적 확정력을 전제로 한다. = 판결 확정을 전제로 한다.
- 기판력은 분쟁의 반복과 서로 모순되는 재판을 방지하고 법적 안정성을 도모하기 위해 인정되는 효력으로서, 법원과 당사자에 대한 효력이다.

(2) 법적 근거

기판력에 관해 행정소송법에 명문규정은 없으나, 취소소송도 재판인 이상 당연히 행정소송법 제8조 제2항 및 민사소송법 제216조, 제218조에 따라 기판력이 발생한다고 본다.

(3) 기판력이 인정되는 판결

기판력은 인용판결뿐만 아니라 기각판결에도 인정된다.

> **⚖ 요지판례 |**
> 과세처분취소청구를 기각하는 판결이 확정되면 그 처분이 적법하다는 점에 관하여 기판력이 생기고 그 후 원고가 다시 이를 무효라 하여 그 무효확인을 소구할 수는 없는 것이어서, 과세처분의 취소소송에서 청구가 기각된 확정판결의 기판력은 그 과세처분의 무효확인을 구하는 소송에도 미친다(대판 1996.6.25, 95누1880).

(4) 기판력의 범위

1) 주관적 범위

- 소송의 당사자와 당사자와 동일시할 수 있는 승계인(상속인)에게만 미치고, 제3자에게는 미치지 않는다.
- 행정청을 피고로 하는 취소소송에 있어서의 기판력은 당해 처분이 귀속하는 국가 또는 공공단체에 미친다. ➜ 취소소송에서는 소송수행의 편의상 행정청을 피고로 하는 것에 불과하기 때문에 판결의 기판력은 권리·의무의 주체인 국가나 공공단체에 미치는 것이다.

2) 객관적 범위

- 판결의 주문에 표시된 사항에 대해서만 효력이 생긴다.

판결	주문례	기판력의 범위
인용판결	피고가 2022.1.1. 원고에 대하여 한 ○○처분을 취소한다.	당해 처분이 위법하다는 점에 기판력이 생긴다.
기각판결	원고의 청구를 기각한다.	당해 처분이 적법하다는 점에 기판력이 생긴다.
사정판결	원고의 청구를 기각한다. 다만, 피고가 2022.1.1. 원고에게 한 ○○처분은 위법하다.	당해 처분이 위법하다는 점에 기판력이 생긴다.

▌불가쟁력(형식적 확정력)

- 제소기간이 경과하거나 심급이 종료되어 행정행위의 상대방 기타 관계인이 더 이상 행정행위의 효력을 다툴 수 없는 절차적 효력을 말한다.
- 한편, 수익적 행정행위나 재결에 대해 처분청 스스로 자유롭게 변경할 수 없는 실체적 효력을 **불가변력(실질적 확정력)**이라고 한다.
- 법원의 판결 확정에 대해 인정되는 실질적 확정력, 즉 기판력은 위와 같이 행정행위에서 인정되는 실질적 확정력과는 서로 다른 의미임을 유의하여야 한다.

▌각하판결의 경우

- 각하판결은 그 판결에서 확정한 소송요건의 흠결에 관하여 기판력이 발생한다.
- 다만, 각하판결에 동일한 소송물에 대하여 다시 소를 제기할 수 없는 기판력이 인정되는 것은 아니다. ➜ 즉, 소송요건의 흠결을 보완하여(가능한 경우) 다시 소를 제기할 수 있다!

- 판결이유에는 기판력이 발생하지 않는다. 기판력을 과도하게 넓히면 국민의 재판청구권을 침해할 우려가 있기 때문이다

3) 시간적 범위

- 기판력은 사실심 변론종결시(판결시)를 기준으로 하여 발생한다. 사실심 변론종결(판결시) 이후의 사유에 대하여는 기판력이 발생하지 않는다.
- 당사자는 변론종결시까지 소송자료를 제출할 수 있고, 법원도 변론종결시까지 소송에 나타난 자료를 기초로 하여 종국판결을 행하기 때문이다. 즉, 그 시점까지 제출된 사안에 대하여는 법원의 판단을 받았다는 의미에서 기판력이 발생한다.

(5) 기판력의 작용관계

- **동일**: 전소와 소송물이 동일한 경우
- **모순**: 전소와 소송물이 모순되는 경우 예 원고 소유임을 확인한다는 전소에서 패소한 후 피고 소유가 아님을 확인한다는 소를 제기하는 경우
- **선결문제**: 전소의 소송물이 후소의 선결문제가 되는 경우 예 과세처분에 대한 취소소송에서 패소한 후 민사소송으로 부당이득반환을 청구하는 경우

⚖ 요지판례 |

전소와 후소의 소송물이 동일하지 아니하여도 전소의 기판력 있는 법률관계가 후소의 선결적 법률관계가 되는 때에는 전소의 판결의 기판력이 후소에 미쳐 후소의 법원은 전에 한 판단과 모순되는 판단을 할 수 없다(대판 2000.2.25, 99다55472).

[2015 경행특채] 전소와 후소의 소송물이 동일하지 않다고 하더라도 전소의 기판력 있는 법률관계가 후소의 선결적 법률관계가 되는 때에는 전소의 판결의 기판력이 후소에 미쳐 후소의 법원은 전에 한 판단과 모순되는 판단을 할 수 없다. (○)

---

(6) 기판력의 발생효과

- 기판력이 발생한 사유에 대하여 소송물이 같은 소송을 제기하면 부적법 각하된다.
- 기판력이 발생하였는지는 직권조사사항이다.
- 기각판결의 기판력이 발생하였더라도 처분청은 직권으로 처분을 취소할 수 있다. 쟁송취소와 직권취소는 서로 관련이 없기 때문이다.

☑ KEY POINT | 기판력과 기속력 비교

구분	기판력	기속력
의의	형식적 확정력이 발생된 법원의 판결에 대해서 법원은 동일한 소송물 범위 내에서 종전의 판단과 모순·저촉된 판단을 할 수 없으며, 소송당사자도 그에 반하는 주장을 하지 못한다.	소송당사자인 행정청과 관계 행정청으로 하여금 판결의 취지에 따라 행동할 실체법적 의무를 지는 효력
근거	법적 안정성	법적 안정성 + 법률적합성 담보
성질	소송법상 구속력	실체법상 구속력(특수효력설)

범위	• 주관적 범위: 소송당사자 및 그 승계인 • 객관적 범위: 판결주문(표시된 계쟁처분의 위법 또는 적법성 일반) • 시간적 범위: 사실심 변론종결시(판결시)	• 주관적 범위: 당사자인 행정청과 관계 행정청 • 객관적 범위: 판결주문과 판결이유 중에 설시된 개개의 위법사유 • 시간적 범위: 처분시
판결	인용판결 + 기각판결 모두 인정	인용판결에만 인정
내용	소송당사자뿐만 아니라 법원도 판결내용과 모순·저촉되는 판단을 할 수 없다.	반복금지효, 재처분의무, 결과제거의무(통설)

주제 5 행정소송법 4 - 다른 유형의 행정소송

01 다른 유형의 항고소송

1. 무효등확인소송

> **행정소송법 제35조 【무효등 확인소송의 원고적격】** 무효등 확인소송은 처분등의 효력 유무 또는 존재 여부의 확인을 구할 법률상 이익이 있는 자가 제기할 수 있다.

무효등확인소송이란 행정청의 처분 등의 효력 유무 또는 존재 여부를 확인하는 소송을 말한다. ➡ 무효인 처분도 그 외관은 존재하므로 처분의 상대방은 무효임을 공적으로 확인받을 필요가 있다.

2. 부작위위법확인소송

> **행정소송법 제36조 【부작위위법확인소송의 원고적격】** 부작위위법확인소송은 처분의 신청을 한 자로서 부작위의 위법의 확인을 구할 법률상 이익이 있는 자만이 제기할 수 있다.

부작위위법확인소송은 행정청이 상대방의 신청에 대하여 상당한 기간 내에 일정한 처분을 해야 할 의무가 있음에도 불구하고 이를 방치하고 있는 경우에 행정청의 부작위가 위법하다는 것을 확인하는 소송이다.

| **항고소송의 종류(제3조)**
• **취소소송**: 행정청의 위법한 처분등을 취소 또는 변경하는 소송
• **무효등 확인소송**: 행정청의 처분등의 효력 유무 또는 존재 여부를 확인하는 소송
• **부작위위법확인소송**: 행정청의 부작위가 위법하다는 것을 확인하는 소송

3. 항고소송의 비교

구분	취소소송	무효등확인소송	부작위위법확인소송
의의	행정청의 위법한 처분 등을 취소 또는 변경하는 소송	행정청의 처분 등의 효력 유무 또는 존재 여부를 확인하는 소송	행정청의 부작위가 위법하다는 것을 확인하는 소송
성질	형성소송	준항고소송 (실질적 확인소송, 형식적 항고소송)	확인소송

제소기간	○	×	• 원칙 × • 행정심판을 거친 경우 적용 ○
예외적·필요적 전치주의	○	×	○ (의무이행심판)
소의 변경	○	○	○
처분변경으로 인한 소의 변경	○	○	×
집행부정지의 원칙 및 예외적 집행정지 (제23조)	○	○	×
사정판결	○	×	×
기속력	○	○	○
간접강제	○	×	○
공통점	• 주관적 소송에 해당함 • 피고적격, 피고의 경정, 공동소송, 제3자의 소송참가, 행정청의 소송참가 • 재판관할 • 소의 변경 • 행정심판기록의 제출명령(제25조), 직권심리(제26조) • 확정판결의 대세적 효력(제29조), 제3자에 의한 재심청구(제31조) • 판결의 기속력		

02 당사자소송

1. 의의

> **행정소송법 제3조 【행정소송의 종류】** 행정소송은 다음의 네가지로 구분한다.
> 2. 당사자소송: 행정청의 처분등을 원인으로 하는 법률관계에 관한 소송 그 밖에 공법상의 법률관계에 관한 소송으로서 그 법률관계의 한쪽 당사자를 피고로 하는 소송

2. 구별개념

• **항고소송**은 행정주체가 우월한 지위에서 갖는 공권력의 행사 또는 불행사로 인한 분쟁의 해결을 위한 것이라면, **당사자소송**은 그러한 공권력의 행사 등으로 생긴 법률관계에 관한 소송, 그 밖에 대등한 당사자간의 공법상의 권리·의무에 관한 소송이다.
• **민사소송**은 사법상의 법률관계를 대상으로 한다는 점에서, 공법상의 법률관계(공권·공의무관계)를 대상으로 하는 **당사자소송**과 다르다.

> **⚖ 요지판례 |**
>
> ■ 광주민주화운동관련자 보상 등에 관한 법률에 의거하여 관련자 및 유족들이 갖게 되는 보상 등에 관한 권리는 법률이 특별히 인정하고 있는 공법상의 권리라고 하여야 할 것이므로 그에 관한 소송은 당사자소송에 의하여야 할 것이며 보상금 등의 지급에 관한 법률관계의 주체는 대한민국이다(대판 1992.12.24, 92누3335).
>
> ■ 지방소방공무원이 소속 지방자치단체를 상대로 초과근무수당의 지급을 구하는 소송을 제기하는 경우 당사자소송에 따라야 한다(대판 2013.3.28, 2012다102629).

3. 항고소송과의 비교

구분	취소	무효	부작위	당사자소송
취소소송의 대상(제19조)	O	O	O	X
피고적격(제13조)	O	O	O	X
제소기간의 제한(제20조)	O	X	O (행정심판 거친 경우)	X
행정심판임의주의 및 예외적 행정심판전치주의(제18조)	O	X	O(의)	X
집행부정지의 원칙 및 예외적 집행정지(제23조)	O	O	X	X
소의 변경(제21조)	O	O	O	O
처분변경으로 인한 소의 변경(제22조)	O	O	X	O
사정판결(제28조)	O	X	X	X
확정판결의 대세적 효력[제3자효](제29조)	O	O	O	X
제3자에 의한 재심청구 (제31조)	O	O	O	X
판결의 기속력(제30조)	O	O	O	O
판결의 간접강제(제34조)	O	X	O	X
공통점	• 재판관할(제9조) • 관련청구소송의 이송·병합(제10조) • 피고의 경정(제14조) • 공동소송(제15조) • 제3자의 소송참가(제16조) • 행정청의 소송참가(제17조) • 소의 변경(제21조) • 행정심판기록의 제출명령(제25조) • 직권심리(제26조) • 판결의 기속력(제30조)			

03 객관적 소송

행정소송법 제3조【행정소송의 종류】행정소송은 다음의 네가지로 구분한다.
    3. 민중소송: 국가 또는 공공단체의 기관이 법률에 위반되는 행위를 한 때에 직접 자기의 법률상 이익과 관계없이 그 시정을 구하기 위하여 제기하는 소송
    4. 기관소송: 국가 또는 공공단체의 기관상호간에 있어서의 권한의 존부 또는 그 행사에 관한 다툼이 있을 때에 이에 대하여 제기하는 소송. 다만, 헌법재판소법 제2조의 규정에 의하여 헌법재판소의 관장사항으로 되는 소송은 제외한다.
행정소송법 제45조【소의 제기】민중소송 및 기관소송은 법률이 정한 경우에 법률에 정한 자에 한하여 제기할 수 있다. ➡ 열기주의!

1. 객관적 소송의 의의

- 객관적 소송이란 행정작용의 적법성 보장을 목적으로 하는 소송을 말한다.
- 객관적 소송은 개인의 법률상 이익과는 관계없이 행정기관의 위법행위를 시정하기 위한 소송이므로 법률상 쟁송에 해당하지 않는다. 한편 법률상 쟁송이란 구체적 사건성과 법령의 적용에 의한 해결가능성이 있는 분쟁을 말한다.

2. 민중소송

민중소송이란 국가 또는 공공단체의 기관이 법률에 위반되는 행위를 한 때에 직접 자기의 법률상 이익과 관계없이 그 시정을 구하기 위하여 제기하는 소송이다. 예 공직선거법상 선거소송과 당선소송 / 국민투표법상 국민투표무효소송 / 지방자치법상 주민소송 / 주민투표법상 주민투표소송 등

3. 기관소송

국가 또는 공공단체의 기관 상호 간에 있어서 권한의 존부 또는 그 행사에 대한 다툼이 있을 때 제기하는 소송을 말한다. 예 지방의회 재의결에 대해 자치단체장이 제소하는 경우 / 감독청의 재의요구명령에 따라 지방의회의결에 대해 자치단체장이 제소하는 경우 / 감독청의 제소지시에 따라 지방의회의결에 대해 자치단체장이 제소하는 경우 / 교육위원회와 시·도의회의 월권을 이유로 교육감이 대법원에 제소하는 경우

주제 6 행정상 손해전보

01 국가배상

1. 국가배상청구권 개설

- 국가배상청구권이란 공무원의 직무상 불법행위로 손해를 받은 국민이 국가 또는 공공단체에 대하여 그 손해의 배상을 청구할 수 있는 권리를 말한다.
- 국가배상제도는 공무원의 직무상 불법행위로 피해를 입은 피해자를 구제해 주는 기능 외에 제재기능 및 위법행위 억제기능이 있다(헌재 2015.4.30, 2013헌바395).

2. 국가배상청구권의 주체

> 국가배상법 제7조【외국인에 대한 책임】이 법은 외국인이 피해자인 경우에는 해당 국가와 상호 보증이 있을 때에만 적용한다.

💡 **상호 보증?**
너희가 해주면 우리도 해주고 너희가 안해주면 우리도 안해준다.

⚖️ **요지판례 Ⅰ**

우리나라와 외국 사이에 국가배상청구권의 발생요건이 현저히 균형을 상실하지 아니하고 외국에서 정한 요건이 우리나라에서 정한 그것보다 전체로서 과중하지 아니하여 중요한 점에서 실질적으로 거의 차이가 없는 정도라면 국가배상법 제7조가 정하는 상호 보증의 요건을 구비하였다고 봄이 타당하다. 그리고 상호 보증은 외국의 법령, 판례 및 관례 등에 의하여 발생요건을 비교하여 인정되면 충분하고 반드시 당사국과의 조약이 체결되어 있을 필요는 없으며, 당해 외국에서 구체적으로 우리나라 국민에게 국가배상청구를 인정한 사례가 없더라도 실제로 인정될 것이라고 기대할 수 있는 상태이면 충분하다(대판 2015.6.11, 2013다208388).

[2022 채용2차] 외국인이 피해자인 경우 국가배상청구권은 해당 국가와 상호 보증이 있을 때에만 인정되므로, 그 상호 보증은 외국의 법령, 판례 및 관례 등에 의한 발생요건을 비교하여 인정되는 것이 아니라 반드시 당사국과의 조약이 체결되어 있어야 한다. (×)

3. 국가배상청구권의 내용

(1) 공무원의 직무상 불법행위로 인한 국가배상

> 헌법 제29조 ① 공무원의 직무상 불법행위로 손해를 받은 국민은 법률이 정하는 바에 의하여 국가 또는 공공단체에 정당한 배상을 청구할 수 있다. 이 경우 공무원 자신의 책임은 면제되지 아니한다.
>
> 국가배상법 제2조【배상책임】① 국가나 지방자치단체는 공무원 또는 공무를 위탁받은 사인(이하 "공무원"이라 한다)이 직무를 집행하면서 고의 또는 과실로 법령을 위반하여 타인에게 손해를 입히거나, 자동차손해배상 보장법에 따라 손해배상의 책임이 있을 때에는 이 법에 따라 그 손해를 배상하여야 한다. 다만, … [2018 경행특채 2차]

🔍 **쉽게 읽기!**
§2 ① 본문: 국가나 지방자치단체는 / 공무원이 / 직무집행하면서 / 고의 · 과실로 / 위법하게 / 타인에게 손해를 입힌 때 / 국가배상법에 따라 / 손해를 배상하여야 한다.

1) 공무원

국가배상법 제2조 소정의 '공무원'이라 함은 국가공무원법이나 지방공무원법에 의하여 공무원으로서의 신분을 가진 자에 국한하지 않고, 널리 공무를 위탁받아 실질적으로 공무에 종사하고 있는 일체의 자를 가리키는 것으로서, 공무의 위탁이 일시적이고 한정적인 사항에 관한 활동을 위한 것이어도 달리 볼 것은 아니다(대판 2001.1.5, 98다39060).

공무원 긍정	공무원 부정
• 별정우체국장, 선장 • 국회의원, 법관, 헌재 재판관, 검사 • 집행관 • 향토예비군, 방범대원, 카투사 • 군 운전업무 종사자 • 교통할아버지, 통장, 청원경찰 • 수협	• 자진하여 협력하는 사인 • 의용소방대원 • 시영버스운전수

2) 직무집행

- 국가배상청구의 요건인 '공무원의 직무'에는 권력적 작용만이 아니라 비권력적 작용도 포함되며 단지 행정주체가 사경제주체로서 하는 활동만 제외된다(대판 2001.1.5, 98다39060).
- 행위자의 행위가 실질적으로 직무행위가 아니거나 주관적으로 공무집행의 의사가 없었다 할지라도 외관상 객관적으로 공무원의 직무행위로 보여지는 경우라면 직무상 불법행위라고 보아야 한다(외형설).

▌권력작용 · 비권력적용 · 국고작용
- **권력작용**: 행정주체가 국민에 대해 우월한 지위에서 하는 공권력 발동 작용 예 경찰하명과 같은 일반적인 명령 · 강제
- **비권력작용**: 행정주체가 국민과 대등한 지위에서 행하는 작용 예 공기업 경영 · 관리(관리작용), 행정지도
- **국고작용**: 행정주체가 사경제주체가 되어 사인과 대등한 지위에서 법률관계를 형성하는 작용 예 행정에 필요한 물품구입

> **요지판례 |**
>
> 국가배상법 제2조 제1항의 '직무를 집행함에 당하여'라 함은 직접 공무원의 직무집행행위이거나 그와 밀접한 관련이 있는 행위를 포함하고, 이를 판단함에 있어서는 행위 자체의 외관을 객관적으로 관찰하여 공무원의 직무행위로 보여질 때에는 비록 그것이 실질적으로 직무행위가 아니거나 또는 행위자로서는 주관적으로 공무집행의 의사가 없었다고 하더라도 그 행위는 공무원이 '직무를 집행함에 당하여' 한 것으로 보아야 한다(대판 2005.1.14, 2004다26805).

3) 고의 · 과실

과실은 경과실 · 중과실을 불문하며 과실 여부는 직무를 담당하는 평균적 공무원을 기준으로 하여 객관적인 주의의무를 결여하였는지 판단한다(과실의 객관화, 추상적 과실).

> **요지판례 |**
>
> ■ 전투경찰대원이 시위진압 과정에서 최루탄사용에 대한 안전수칙을 지키지 아니하고 시위대 정면을 향하여 최루탄을 발사하여 불법시위 참가자가 실명하였다면, 전투경찰대원의 직무집행상의 과실로 인한 국가배상책임이 인정된다(광주지법 1999.7.1, 98가합6079) → 최루탄을 발사한 **전투경찰대원이 특정되지** 아니하였으나 국가배상책임을 인정한 사례 [2022 경간]

■ 어떠한 행정처분이 후에 항고소송에서 취소되었다고 할지라도 그 기판력에 의하여 당해 행정처분이 곧바로 공무원의 고의 또는 과실로 인한 것으로서 불법행위를 구성한다고 단정할 수는 없는 것이고, 그 행정처분의 담당공무원이 보통 일반의 공무원을 표준으로 하여 볼 때 객관적 주의의무를 결하여 그 행정처분이 객관적 정당성을 상실하였다고 인정될 정도에 이른 경우에 국가배상법 제2조 소정의 국가배상책임의 요건을 충족하였다고 봄이 상당할 것이다(대판 2000.5.12, 99다70600). ➜ 이때에 객관적 정당성을 상실하였는지 여부는 피침해이익의 종류 및 성질, 침해행위가 되는 행정처분의 태양 및 그 원인, 행정처분의 발동에 대한 피해자측의 관여의 유무, 정도 및 손해의 정도 등 제반 사정을 종합하여 손해의 전보책임을 국가 또는 지방자치단체에게 부담시켜야 할 실질적인 이유가 있는지 여부에 의하여 판단하여야 한다.

4) 법령위반(위법성)

- 행위가 법에 위반된다는 성질을 위법성이라고 하며, 판례의 주류는 행위위법성설로 평가된다.

⚖ 요지판례 ┃

<위법성 판단기준 – 행위위법설>

국가배상책임은 공무원의 직무집행이 법령에 위반한 것임을 요건으로 하는 것으로서, 공무원의 직무집행이 법령이 정한 요건과 절차에 따라 이루어진 것이라면 특별한 사정이 없는 한 이는 법령에 적합한 것이고 그 과정에서 개인의 권리가 침해되는 일이 생긴다고 하여 그 법령적합성이 곧바로 부정되는 것은 아니라고 할 것이다(대판 1997.7.25, 94다2480). ➜ 불법시위를 진압하는 경찰관들의 직무집행이 법령에 위반한 것이라고 하기 위하여는 그 시위진압이 불필요하거나 또는 불법시위의 태양 및 시위 장소의 상황 등에서 예측되는 피해 발생의 구체적 위험성의 내용에 비추어 시위진압의 계속 수행 내지 그 방법 등이 현저히 합리성을 결하여 이를 위법하다고 평가할 수 있는 경우이어야 할 것이다.

[2024 채용 1차] 경찰관의 직무집행이 법령이 정한 요건과 절차에 따라 이루어진 것이라면 특별한 사정이 없는 한 이는 법령에 적합한 것이고 그 과정에서 개인의 권리가 침해되었다고 하여 그 법령적합성이 곧바로 부정되는 것은 아니다. (○)
[2024 채용 1차] 시위진압이 불필요하거나 또는 불법시위의 태양 및 시위 장소의 상황 등에서 예측되는 피해 발생의 구체적 위험성의 내용에 비추어 시위진압의 계속 수행 내지 그 방법 등이 현저히 합리성을 결하였다면 경찰관의 직무집행이 법령에 위반한 것이라고 할 수 있다. (○)

<위법성 인정한 사례>

■ 국가배상책임에 있어서 공무원의 가해행위는 '법령에 위반한' 것이어야 하고, 법령위반이라 함은 엄격한 의미의 법령 위반뿐만 아니라 인권존중, 권력남용금지, 신의성실, 공서양속 등의 위반도 포함하여 널리 그 행위가 객관적인 정당성을 결여하고 있음을 의미한다(대판 2009.12.24, 2009다70180). ➜ 원고로 하여금 팬티를 벗고 가운을 입도록 한 다음 손으로 그 위를 두드리는 방식으로 한 신체검사는 공무원이 직무집행을 함에 있어 적정성 및 피해의 최소성, 과잉금지의 원칙을 위배하여 헌법 제12조가 보장하는 원고의 신체의 자유를 침해하였다고 봄이 상당하다고 판단하였다(원고 국가배상청구 인용).

- 공무원의 부작위를 이유로 국가배상책임을 인정하기 위한 요건으로서 '법령 위반'이란 엄격하게 형식적 의미의 법령에 명시적으로 공무원의 작위의무가 규정되어 있는데도 이를 위반하는 경우만을 의미하는 것은 아니고, 인권존중·권력남용금지·신의성실과 같이 공무원으로서 마땅히 지켜야 할 준칙이나 규범을 지키지 않고 위반한 경우를 포함하여 널리 객관적인 정당성이 없는 행위를 한 경우를 포함한다(대판 2022.7.14, 2017다290538).

  [2024 채용 1차] 경찰관의 부작위를 이유로 한 국가배상책임을 인정하기 위한 요건으로서의 '법령 위반'이란 형식적 의미의 법령에 명시적으로 공무원의 작위의무가 규정되어 있는데도 이를 위반하는 경우를 의미하며, 인권존중·권력남용금지·신의성실과 같이 공무원으로서 마땅히 지켜야 할 준칙이나 규범을 지키지 않고 위반한 경우는 포함하지 않는다. (×)

- 성폭력범죄의 처벌 및 피해자보호 등에 관한 법률 제21조는 성폭력범죄의 수사 또는 재판을 담당하거나 이에 관여하는 공무원에 대하여 피해자의 인적사항과 사생활의 비밀을 엄수할 직무상 의무를 부과하고 있고, 이는 주로 성폭력범죄 피해자의 명예와 사생활의 평온을 보호하기 위한 것이므로, 성폭력범죄의 수사를 담당하거나 수사에 관여하는 경찰관이 위와 같은 직무상 의무에 반하여 피해자의 인적사항 등을 공개 또는 누설하였다면 국가는 그로 인하여 피해자가 입은 손해를 배상하여야 한다(대판 2008.6.12, 2007다64365).

- 수사기관은 수사 등 직무를 수행할 때에 헌법과 법률에 따라 국민의 인권을 존중하고 공정하게 하여야 하며 실체적 진실을 발견하기 위하여 노력하여야 할 법규상 또는 조리상의 의무가 있고, 특히 피의자가 소년 등 사회적 약자인 경우에는 수사과정에서 방어권 행사에 불이익이 발생하지 않도록 더욱 세심하게 배려할 직무상 의무가 있다. 따라서 경찰관은 피의자의 진술을 조서화하는 과정에서 조서의 객관성을 유지하여야 하고, 고의 또는 과실로 위 직무상 의무를 위반하여 피의자신문조서를 작성함으로써 피의자의 방어권이 실질적으로 침해되었다고 인정된다면, 국가는 그로 인하여 피의자가 입은 손해를 배상하여야 한다(대판 2020.4.29, 2015다224797).

  → 성폭력범죄의 소년 피의자들이 경찰의 피의자신문조서 작성시 직무상 의무 위반을 이유로 국가배상책임을 구한 사건 / 사법경찰관 작성 제1회 피의자신문조서에서 범행을 자백하였다가 이후 부인하였는데, 사법경찰관이 위 제1회 피의자신문조서를 작성함에 있어 문답을 바꾸어 장문단답의 실제 신문내용을 단문장답으로 기재함으로써 피의자가 자발적으로 구체적인 자백진술을 한 것처럼 작성했다.

- 윤락녀들이 윤락업소에 감금된 채로 윤락을 강요받으면서 생활하고 있음을 쉽게 알 수 있는 상황이었음에도, 경찰관이 이러한 감금 및 윤락강요행위를 제지하거나 윤락업주들을 체포·수사하는 등 필요한 조치를 취하지 아니하고 오히려 업주들로부터 뇌물을 수수하며 그와 같은 행위를 방치한 것은 경찰관의 직무상 의무에 위반하여 위법하므로 국가는 이로 인한 정신적 고통에 대하여 위자료를 지급할 의무가 있다(대판 2004.9.23, 2003다49009).

- 가해자가 피해자를 살해하기 직전까지 오랜 기간에 걸쳐 원한을 품고 집요하게 피해자를 괴롭혀 왔고, 이후에도 피해자의 생명·신체에 계속 위해를 가할 것이 명백하여 피해자의 신변이 매우 위험한 상태에 있어 피해자가 살해되기 며칠 전 범죄신고와 함께 신변보호를 요청하고 가해자를 고소한 경우, 범죄신고와 함께 신변보호 요청을 받은 파출소 소속 경찰관들이나 고소장 접수에 따라 피해자를 조사한 지방경찰청 담당경찰관은 사태의 심각성을 깨달아 수사를 신속히 진행하여 가해자의 소재를 파악하는 등 조치를 취하고, 피해자에 대한 범죄의 위험이 일상적인 수준으로 감소할 때까지 피해자의 신변을 특별히 보호해야 할 의무가 있다(대판 1998.5.26, 98다11635).

<위법성 인정하지 않은 사례>

- 범죄의 예방·진압 및 수사는 경찰관의 직무에 해당하며 그 직무행위의 구체적 내용이나 방법 등이 경찰관의 전문적 판단에 기한 합리적인 재량에 위임되어 있으므로, 경찰관이 구체적 상황하에서 그 인적·물적 능력의 범위 내에서의 적절한 조치라는 판단에 따라 범죄의 진압 및 수사에 관한 직무를 수행한 경우 … 그것이 객관적 정당성을 상실하여 현저하게 불합리하다고 인정되지 않는다면 그와 다른 조치를 취하지 아니한 부작위를 내세워 국가배상책임의 요건인 법령 위반에 해당한다고 할 수 없다(대판 2008.4.24, 2006다32132).

- 경찰관이 교통법규 등을 위반하고 도주하는 차량을 순찰차로 추적하는 직무를 집행하는 중에 그 도주차량의 주행에 의하여 제3자가 손해를 입었다고 하더라도 그 추적이 당해 직무 목적을 수행하는 데에 불필요하다거나 또는 도주차량의 도주의 태양 및 도로교통상황 등으로부터 예측되는 피해발생의 구체적 위험성의 유무 및 내용에 비추어 추적의 개시·계속 혹은 추적의 방법이 상당하지 않다는 등의 특별한 사정이 없는 한 그 추적행위를 위법하다고 할 수는 없다(대판 2000.11.10, 2000다26807·26814).

> ■ **시위진압과정에서 발생한 화염병 피해에 대해 위법성을 부정한 사례**
> - 경찰 시위진압에 대항하여 시위자가 던진 화염병에 의해 화재가 발생하였음을 이유로, 손해를 입은 주민이 국가배상청구소송을 제기하였다.
> - 이에 대해 대법원은 비록 경찰이 만약의 화재에 대비하여 소방차를 주변에 대기시키지 않았더라도, 시위진압 방법 등이 현저히 합리성을 결한 것은 아니라고 하면서 위법성을 부정하였다(대판 1997.7.25, 94다2480). [2022 경간]

- 공무원의 행위가 형사책임은 인정되지 않는다 하더라도, 이와 별개로 국가배상책임은 긍정될 수 있다.

⚖ 요지판례 |

형사상 범죄를 구성하지 아니하는 침해행위라고 하더라도 그것이 민사상 불법행위를 구성하는지 여부는 형사책임과 별개의 관점에서 검토하여야 한다. 경찰관이 범인을 제압하는 과정에서 총기를 사용하여 범인을 사망에 이르게 한 경우, 경찰관이 총기사용에 이르게 된 동기나 목적, 경위 등을 고려하여 형사사건에서 무죄판결이 확정되었더라도 당해 경찰관의 과실의 내용과 그로 인하여 발생한 결과의 중대함에 비추어 민사상 불법행위책임이 인정된다(대판 2008.2.1, 2006다6713).

5) 타인에 대한 손해발생

가해행위와 상당인과관계가 인정되는 일체의 손해를 말하며, 적극적 손해·소극적 손해·정신적 손해를 모두 포함한다.

6) 직무행위와 손해발생 사이의 상당인과관계

그러한 행위가 없었더라면 그러한 결과(손해발생)가 발생하지 않았을 것이라고 일반적으로 인정되는 경우라면 인과관계가 인정된다고 본다.

⚖ 요지판례 |

유흥주점에 감금된 채 윤락을 강요받으며 생활하던 여종업원들이 유흥주점에 화재가 났을 때 미처 피신하지 못하고 유독가스에 질식해 사망한 경우, 소방공무원이 위 유흥주점에 대하여 화재 발생 전 실시한 소방점검 등에서 구 소방법상 방염 규정 위반에 대한 시정조치 및 화재 발생시 대피에 장애가 되는 잠금장치의 제거 등 시정조치를 명하지 않은 직무상 의무위반은 현저히 불합리한 경우에 해당하여 위법하고, 이러한 직무상 의무위반과 위 사망의 결과 사이에 상당인과관계가 존재한다(대판 2008.4.10, 2005다48994).

(2) 영조물의 설치·관리상의 하자로 인한 국가배상

▌국가배상법상 영조물
- 통상 **영조물**이란 행정주체가 공적 목적으로 제공한 인적·물적 종합시설을 말한다. 예 관공서청사·국공립학교교사·도서관 등
- 한편, 도로나 하천과 같은 경우에는 일반적으로는 영조물이 아니라 행정주체가 공적 목적으로 제공한 물적 설비, 즉 '**공물**'이라고 설명된다.
- 따라서 국가배상법상의 영조물은 본래적 의미의 영조물이라기보다는 공물에 해당한다고 본다(통설).

> **국가배상법 제5조 【공공시설 등의 하자로 인한 책임】** ① 도로·하천, 그 밖의 공공의 영조물의 설치나 관리에 하자가 있기 때문에 타인에게 손해를 발생하게 하였을 때에는 국가나 지방자치단체는 그 손해를 배상하여야 한다. 이 경우 제2조 제1항 단서(➡ 이중배상금지), 제3조 및 제3조의2(➡ 배상기준 및 공제액)를 준용한다.
> ② 제1항을 적용할 때 손해의 원인에 대하여 책임을 질 자가 따로 있으면 국가나 지방자치단체는 그 자에게 구상할 수 있다.

1) 의의
- 영조물 자체에 객관적 안정성이 결여되었다면 영조물 관리자에 고의·과실이 없을지라도 국가배상책임을 부담한다(통설).
- 영조물의 설치·관리상의 하자로 인한 국가배상책임은 과실을 요하지 않는 무과실책임이라는 점에서 공무원의 직무상 불법행위로 인한 국가배상책임과 차이가 있다.

2) 요건
① 공공의 영조물
- 도로와 같은 인공공물뿐 아니라 하천과 같은 자연공물도 영조물이다. 건물과 같은 부동산뿐 아니라 동산도 영조물이고, 경찰견·경찰마와 같은 동물도 영조물이다.
  [2022 경간]「국가배상법」제5조에 따라 도로나 하천은 물론 경찰견도 영조물에 포함된다. (○)
- 개인 소유물이라도(사유물이라도) 국가가 관리하고 있다면 영조물이 될 수 있다.

> **⚖ 요지판례 Ⅰ**
> ■ 국가배상법 제5조 제1항 소정의 '공공의 영조물'이라 함은 국가 또는 지방자치단체에 의하여 특정 공공의 목적에 공여된 유체물 내지 물적 설비를 말하며, 국가 또는 지방자치단체가 소유권, 임차권 그 밖의 권한에 기하여 관리하고 있는 경우뿐만 아니라 사실상의 관리를 하고 있는 경우도 포함된다(대판 1998.10.23, 98다17381). [2018 경행특채 2차]
> ■ 경찰공무원이 낙석사고 현장 주변 교통정리를 위하여 사고현장 부근으로 순찰차를 운전하고 가다가 산에서 떨어진 대형 낙석이 순찰차를 덮쳐 사망한 경우, 사망이 지방자치단체의 도로에 관한 설치·관리상 하자로 인하여 발생하였다고 본 원심판단은 정당하다(대판 2011.3.10, 2010다85942).

② 설치·관리상의 하자
- 여기서 말하는 하자는 영조물이 통상의 용법에 따라 통상 갖추어야 할 객관적인 안전성을 결여한 것을 말한다(객관설, 판례의 기본적 입장).

⚖ 요지판례 |

고등학교 3학년 학생이 교사의 단속을 피해 담배를 피우기 위하여 3층 건물 화장실 밖의 난간을 지나다가 실족하여 사망한 경우, 학교 관리자에게 그와 같은 이례적인 사고가 있을 것을 예상하여 복도나 화장실 창문에 난간으로의 출입을 막기 위하여 출입금지장치나 추락위험을 알리는 경고표지판을 설치할 의무가 있다고 볼 수는 없으므로 학교시설의 설치·관리상의 하자가 없다(대판 1997.5.16, 96다54102).

　• 완전무결할 정도의 고도의 안전성을 의미하는 것은 아니다.

⚖ 요지판례 |

■ 영조물의 설치 및 관리에 있어서 항상 완전무결한 상태를 유지할 정도의 고도의 안전성을 갖추지 아니하였다고 하여 영조물의 설치 또는 관리에 하자가 있다고 단정할 수 없는 것이고, 영조물의 설치자 또는 관리자에게 부과되는 방호조치의무는 영조물의 위험성에 비례하여 사회통념상 일반적으로 요구되는 정도의 것을 의미하므로 영조물인 도로의 경우도 다른 생활필수시설과의 관계나 그것을 설치하고 관리하는 주체의 재정적, 인적, 물적 제약 등을 고려하여 그것을 이용하는 자의 상식적이고 질서 있는 이용방법을 기대한 상대적인 안전성을 갖추는 것으로 족하다(대판 2002.8.23, 2002다9158). ➡ 갑이 차량을 운전하여 지방도 편도 1차로를 진행하던 중 커브 길에서 중앙선을 침범하여 반대편 도로를 벗어나 도로 옆 계곡으로 떨어져 동승자인 을이 사망한 사안에서, 방호울타리를 설치하지 않았다고 하여 그 하자가 있다고 보기 어렵다고 한 사례 [2021 경행특채 2차]
■ 교차로의 진행방향 신호기의 정지신호가 단선으로 소등되어 있는 상태에서 그대로 진행하다가 다른 방향의 진행 신호에 따라 교차로에 진입한 차량과 충돌한 경우, 신호기의 적색신호가 소등된 기능상 결함이 있었다는 사정만으로 신호기의 설치 또는 관리상의 하자를 인정할 수 없다(대판 2000.2.25, 99다54004).
■ 가변차로에 설치된 두 개의 신호등에서 서로 모순되는 신호가 들어오는 오작동이 발생하였고 그 고장이 현재의 기술수준상 부득이한 것이라고 가정하더라도 그와 같은 사정만으로 손해발생의 예견가능성이나 회피가능성이 없어 영조물의 하자를 인정할 수 없는 경우라고 단정할 수 없다(대판 2001.7.27, 2000다56822). ➡ 즉, 하자를 인정할 수 있다.
[2021 소방직 9급] 가변차로에 설치된 두 개의 신호기에서 서로 모순되는 신호가 들어오는 고장으로 인하여 사고가 발생한 경우, 그 고장이 현재의 기술수준상 부득이한 것으로 예방할 방법이 없는 것이라면 손해발생의 예견가능성이나 회피가능성이 없어 영조물의 하자를 인정할 수 없다. (×)

　• 단, 기능적 하자도 하자이다.

⚖ 요지판례 |

■ 김포공항에서 발생하는 소음 등으로 인근 주민들이 입은 피해는 사회통념상 수인한도를 넘는 것으로서 김포공항의 설치·관리에 하자가 있다(대판 2005.1.27, 2003다49566). [2021 경행특채 2차]
■ 매향리 사격장에서 발생하는 소음 등으로 지역 주민들이 입은 피해는 사회통념상 참을 수 있는 정도를 넘는 것으로서 사격장의 설치 또는 관리에 하자가 있다(대판 2004.3.12, 2002다14242).

- **자연공물**: 자연상태에서 생성된 것을 공적 목적에 제공하는 것을 말한다.
- **인공공물**: 인위적으로 공물을 생성하여 공적 목적에 제공하는 것을 말한다.

- 자연공물은 인공공물에 비해 하자 인정이 어렵다.

⚖ 요지판례 ㅣ

■ 하천 관리주체로서는 익사사고의 위험성이 있는 모든 하천구역에 대해 위험관리를 하는 것은 불가능하므로, 당해 하천의 현황과 이용 상황, 과거에 발생한 사고 이력 등을 종합적으로 고려하여 하천구역의 위험성에 비례하여 사회통념상 일반적으로 요구되는 정도의 방호조치의무를 다하였다면 하천의 설치·관리상의 하자를 인정할 수 없다(대판 2014.1.23, 2013다211865). ➡ 수련회에 참석한 미성년자 갑이 유원지 옆 작은 하천을 가로질러 수심이 깊은 맞은 편 바위 쪽으로 이동한 다음 바위 위에서 하천으로 다이빙을 하며 놀다가 익사한 사안

■ 국가하천 주변에 체육공원이 있어 다양한 이용객이 왕래하는 곳으로서 과거 동종 익사사고가 발생하고, 또한 그 주변 공공용물로부터 사고지점인 하천으로의 접근로가 그대로 존치되어 있기 때문에 이를 이용한 미성년자들이 하천에 들어가 물놀이를 할 수 있는 상황이라고 한다면, 특별한 사정이 없는 한 그 사고지점인 하천으로의 접근을 막기 위하여 방책을 설치하는 등의 적극적 방호조치를 취하지 아니한 채 하천 진입로 주변에 익사사고의 위험을 경고하는 표지판을 설치한 것만으로는 국가하천에서 성인에 비하여 사리 분별력이 떨어지는 미성년자인 아이들의 익사사고를 방지하기 위하여 그 관리주체로서 사회통념상 일반적으로 요구되는 정도의 방호조치의무를 다하였다고 할 수는 없다(대판 2010.7.22, 2010다33354).

---

③ **상당인과관계 인정될 것**: 다른 자연적 사실이나 제3자의 행위 또는 피해자의 행위와 경합하여 손해가 발생하였더라도 영조물의 설치·관리상의 하자가 공동원인의 하나가 된 이상 그 손해는 영조물의 설치·관리상의 하자에 의하여 발생한 것이라고 보아야 한다.

⚖ 요지판례 ㅣ

소음 등을 포함한 공해 등의 위험지역으로 이주하여 들어가서 거주하는 경우와 같이 위험의 존재를 인식하면서 그로 인한 피해를 용인하며 접근한 것으로 볼 수 있는 경우에, 그 피해가 직접 생명이나 신체에 관련된 것이 아니라 정신적 고통이나 생활방해의 정도에 그치고 그 침해행위에 고도의 공공성이 인정되는 때에는, 위험에 접근한 후 실제로 입은 피해 정도가 위험에 접근할 당시에 인식하고 있었던 위험의 정도를 초과하는 것이거나 위험에 접근한 후에 그 위험이 특별히 중대하였다는 등의 특별한 사정이 없는 한 가해자의 면책을 인정하여야 하는 경우도 있을 수 있을 것이다(대판 2005.1.27, 2003다49566). ➡ 일반인이 공해 등의 위험지역으로 이주하여 거주하는 경우라고 하더라도 위험에 접근할 당시에 그러한 위험이 존재하는 사실을 정확하게 알 수 없는 경우가 많고, 그 밖에 위험에 접근하게 된 경위와 동기 등의 **여러 가지 사정을 종합하여 그와 같은 위험의 존재를 인식하면서 굳이 위험으로 인한 피해를 용인하였다고 볼 수 없는 경우에는 손해배상책임을 부정할 것이 아니라 손해배상액의 산정에 있어 형평의 원칙상 과실상계에 준하여 감액사유로 고려하는 것이 상당하다.** [2021 경행특채 2차]

---

④ **손해가 발생할 것**

3) 면책사유 – 불가항력

- 예측가능성 및 회피가능성이 없는 불가항력적인 재해에 대해서는 책임을 물을 수 없다.

⚖️ 요지판례 |

- 하천정비기본계획 등에서 정한 계획홍수량 및 계획홍수위를 충족하여 하천이 관리되고 있다면 당초부터 계획홍수량 및 계획홍수위를 잘못 책정하였다거나 그 후 이를 시급히 변경해야 할 사정이 생겼음에도 불구하고 이를 해태하였다는 등의 특별한 사정이 없는 한, 그 하천은 용도에 따라 통상 갖추어야 할 안전성을 갖추고 있다고 봄이 상당하다(대판 2007.9.21, 2005다65678). [2021 경행특채 2차]

- 100년 발생빈도의 강우량을 기준으로 책정된 계획홍수위를 초과하여 600년 또는 1,000년 발생빈도의 강우량에 의한 하천의 범람은 예측가능성 및 회피가능성이 없는 불가항력적인 재해로서 그 영조물의 관리청에게 책임을 물을 수 없다(대판 2003. 10.23, 2001다48057).

- 집중호우로 제방도로가 유실되면서 그 곳을 걸어가던 보행자가 강물에 휩쓸려 익사한 경우, 사고 당일의 집중호우가 50년 빈도의 최대강우량에 해당한다는 사실만으로 불가항력에 기인한 것으로 볼 수 없으므로 제방도로의 설치·관리상의 하자가 인정된다(대판 2000.5.26, 99다53247)

- 예산부족은 참작사유에는 해당할 수 있으나 절대적인 면책사유는 아니다.

4. 비용부담자 등의 책임

국가배상법 제6조【비용부담자 등의 책임】 ① 제2조·제3조 및 제5조에 따라 국가나 지방자치단체가 손해를 배상할 책임이 있는 경우에 공무원의 선임·감독 또는 영조물의 설치·관리를 맡은 자와 공무원의 봉급·급여, 그 밖의 비용 또는 영조물의 설치·관리 비용을 부담하는 자가 동일하지 아니하면 그 비용을 부담하는 자도 손해를 배상하여야 한다.
② 제1항의 경우에 손해를 배상한 자는 내부관계에서 그 손해를 배상할 책임이 있는 자에게 구상할 수 있다.

🔍 쉽게 읽기!

§6 ①: 국가나 지방자치단체가 국가배상책임이 있는 경우

- (공무원 책임 관련) 공무원 선임·감독자와 / 공무원 급여비용 부담하는 자가 / 동일하지 않으면
- (영조물 책임 관련) 영조물 설치관리 맡은자와 / 영조물 설치·관리비용 부담하는 자가 / 동일하지 않으면 비용을 부담하는 자도 손해배상책임이 있다.

⚖️ 요지판례 |

- 지방자치단체장이 교통신호기를 설치하여 그 관리권한이 도로교통법 규정에 의하여 관할 지방경찰청장에게 위임되어 지방자치단체 소속 공무원과 지방경찰청 소속 공무원이 합동근무하는 교통종합관제센터에서 그 관리업무를 담당하던 중 위 신호기가 고장난 채 방치되어 교통사고가 발생한 경우, 국가배상법 제2조 또는 제5조에 의한 배상책임을 부담하는 것은 지방경찰청장이 소속된 국가가 아니라, 그 권한을 위임한 지방자치단체장이 소속된 지방자치단체라고 할 것이나, 국가배상법 제6조 제1항은 같은 법 제2조, 제3조 및 제5조의 규정에 의하여 국가 또는 지방자치단체가 손해를 배상할 책임이 있는 경우에 공무원의 선임·감독 또는 영조물의 설치·관리를 맡은 자와 공무원의 봉급·급여 기타의 비용 또는 영조물의 설치·관리의 비용을 부담하는 자가 동일하지 아니한 경우에는 그 비용을 부담하는 자도 손해

를 배상하여야 한다고 규정하고 있으므로 교통신호기를 관리하는 지방경찰청장 산하 경찰관들에 대한 봉급을 부담하는 국가도 국가배상법 제6조 제1항에 의한 배상책임을 부담한다(대판 1999.6.25, 99다11120). ➡ 사무의 귀속주체로서 책임은 지방자치단체가, 비용부담자로서 책임은 국가(경찰)가 부담한다.

[2019 경행특채 2차] 지방자치단체의 장이 지방자치단체의 사무로서 교통신호기를 설치하고 그 관리권한을 관할 지방경찰청장에게 위임한 경우에, 「국가배상법」 제5조(공공시설 등의 하자로 인한 책임)에 의한 배상책임을 부담하는 것은 국가라고 할 것이나 지방자치단체도 「국가배상법」 제6조 제1항 소정의 비용부담자로서 배상책임을 부담한다. (×)

■ 국가가 국가하천의 유지·보수비용의 일부를 해당 시·도에 보조금으로 지급하였다면, 국가와 해당 시·도는 각각 국가배상법 제6조 제1항에 규정된 영조물의 설치·관리 비용을 부담하는 자로서 손해를 배상할 책임이 있다. 이와 같이 국가가 사무의 귀속주체 및 보조금 지급을 통한 실질적 비용부담자로서, 해당 시·도가 구 하천법 제59조 단서에 따른 법령상 비용부담자로서 각각 책임을 중첩적으로 지는 경우에는 국가와 해당 시·도 모두가 국가배상법 제6조 제2항 소정의 궁극적으로 손해를 배상할 책임이 있는 자에 해당한다(대판 2015.4.23, 2013다211834). ➡ 국가하천의 유지·보수 사무가 지방자치단체의 장에게 위임된 경우, 지방자치단체의 장은 국가기관의 지위에서 그 사무를 처리하는 것이므로, 국가는 국가배상법 제5조 제1항에 따라 영조물의 설치·관리 사무의 귀속주체로서 국가하천의 관리상 하자로 인한 손해를 배상하여야 한다. [2021 경행특채 2차]

💡 2013다211834

• 하천유지·보수사무 귀속주체로서 책임자: 대한민국
• 하천유지·보수사무 비용부담자로서 책임자: 대한민국 / 지방자치단체

5. 공무원의 책임

(1) 국가와 지방자치단체가 배상책임을 지는 이유(국가배상책임의 본질)

대위책임설	공무원의 위법한 행위는 수권범위를 넘어서는 것이므로 국가의 행위가 될 수 없지만, 피해자인 국민을 두텁게 보호하기 위해 국가·지방자치단체가 공무원을 대신하여 책임을 지는 것이라는 견해
자기책임설	공무원은 국가기관이므로 그 행위의 효과는 위법 여부와 무관하게 국가에 귀속되는 것이고, 국가배상책임은 국가 자신의 책임이라는 견해
절충설 (판례)	• 공무원의 경과실로 인한 행위는 기관행위성을 유지하므로 자기책임이지만, 고의 또는 중과실로 인한 행위는 기관행위로 볼 수 없어 대위책임이라는 견해 • 다만, 고의·중과실로 인한 위법행위라 하더라도 직무행위의 외형을 갖추고 있을 때는 국가의 자기책임성이 인정됨

(2) 외부적 책임(선택적 청구권)

1) 관련 규정

공무원 자신의 외부적 책임에 대하여 국가배상법은 명시적 규정은 없으나, 헌법 제29조 제1항 단서("~ 이 경우 공무원 자신의 책임은 면제되지 아니한다.")를 공무원의 외부적 책임 부담 근거로 볼 수 있는지 문제된다.

2) 선택적 청구 가부에 대한 견해의 대립

선택적 청구 긍정설	자기책임설에 의할 경우
선택적 청구 부정설	대위책임설에 의할 경우
절충설 (제한적 긍정설)	경과실의 경우 선택적 청구권 부정, 고의·중과실의 경우 선택적 청구권 긍정

⚖️ 요지판례 |

공무원이 직무수행 중 불법행위로 타인에게 손해를 입힌 경우, 공무원 개인의 손해배상책임 유무(= 제한적 긍정설)

공무원이 직무수행 중 불법행위로 타인에게 손해를 입힌 경우에 국가 등이 국가 배상책임을 부담하는 외에 공무원 개인도 고의 또는 중과실이 있는 경우에는 손해배상책임을 진다고 할 것이지만, 공무원에게 경과실뿐인 경우에는 공무원 개인은 손해배상책임을 부담하지 아니한다(대판 1996.2.15, 95다38677).

[2018 경행특채 2차] 공무원이 직무수행 중 불법행위로 타인에게 손해를 입힌 경우에 국가 등이 국가배상책임을 부담하는 외에 공무원 개인도 고의가 있는 경우에만 불법행위로 인한 손해배상책임을 부담한다. (×)

(3) 내부적 책임(구상권)

> **국가배상법 제2조【배상책임】** ② 제1항 본문의 경우에 공무원에게 고의 또는 중대한 과실이 있으면 국가나 지방자치단체는 그 공무원에게 구상할 수 있다.

⚖️ 요지판례 |

국가 또는 지방자치단체의 산하 공무원에 대한 구상권 행사의 범위

중대한 과실로 인하여 법령에 위반하여 타인에게 손해를 가함으로써 국가 또는 지방자치단체가 손해배상을 부담하고, 제반사정을 참작하여 손해의 공평한 부담이라는 견지에서 신의칙상 상당하다고 인정된다는 한도 내에서만 당해 공무원에 대하여 구상권을 행사할 수 있다고 봄이 상당하다(대판 1991.5.10, 91다6764).

6. 배상결정 전치주의 - 임의적

> **국가배상법 제9조【소송과 배상신청의 관계】** 이 법에 따른 손해배상의 소송은 배상심의회 (이하 "심의회"라 한다)에 배상신청을 하지 아니하고도 제기할 수 있다.
>
> **국가배상법 제10조【배상심의회】** ① 국가나 지방자치단체에 대한 배상신청사건을 심의하기 위하여 법무부에 본부심의회를 둔다. 다만, 군인이나 군무원이 타인에게 입힌 손해에 대한 배상신청사건을 심의하기 위하여 국방부에 특별심의회를 둔다.
> ② 본부심의회와 특별심의회는 대통령령으로 정하는 바에 따라 지구심의회를 둔다.
> ③ 본부심의회와 특별심의회와 지구심의회는 법무부장관의 지휘를 받아야 한다.

7. 국가배상청구권의 양도 등 금지 및 소멸시효

(1) 양도 · 압류 금지

> **국가배상법 제4조【양도 등 금지】** 생명 · 신체의 침해로 인한 국가배상을 받을 권리는 양도하거나 압류하지 못한다.

(2) 소멸시효

> **국가배상법 제8조【다른 법률과의 관계】** 국가나 지방자치단체의 손해배상책임에 관하여는 이 법에 규정된 사항 외에는 민법에 따른다. 다만, 민법 외의 법률에 다른 규정이 있을 때에는 그 규정에 따른다.

위 국가배상법 준용규정에 따라 민법 및 국가재정법 관련 규정이 적용되어, 결론적으로 국가배상청구권은 안 날로부터 3년, 불법행위가 있은 날로부터 5년의 소멸시효가 적용된다.

> ⚖ **요지판례 |**
>
> ■ 불법구금 상태에서 고문을 당한 후 간첩방조 등의 범죄사실로 유죄판결을 받고 형 집행을 당한 사람에 대하여 국가배상책임이 인정되고, 국가의 소멸시효 완성 항변은 신의성실의 원칙에 반하는 권리남용으로서 허용될 수 없다(대판 2011.1.13, 2009다103950).
>
> ■ 수사과정에서 불법구금이나 고문을 당한 사람이 공판절차에서 유죄 확정판결을 받고 수사관들을 직권남용, 감금 등 혐의로 고소하였으나 검찰에서 '혐의 없음' 결정을 받은 경우, 재심절차에서 무죄판결이 확정될 때까지는 국가를 상대로 불법구금이나 고문을 원인으로 한 손해배상청구를 할 것을 기대할 수 없는 장애사유가 있었다고 보아야 할 것이다(대판 2019.1.31, 2016다258148). ➡ 이와 같은 경우에는 무죄판결이 확정될 때까지 소멸시효가 진행하지 않는다.

7. 이중배상금지

> **헌법 제29조** ② 군인·군무원·경찰공무원 기타 법률이 정하는 자가 전투·훈련 등 직무집행과 관련하여 받은 손해에 대하여는 법률이 정하는 보상 외에 국가 또는 공공단체에 공무원의 직무상 불법행위로 인한 배상은 청구할 수 없다.
>
> **국가배상법 제2조【배상책임】** ① … 다만, 군인·군무원·경찰공무원 또는 예비군대원이 전투·훈련 등 직무 집행과 관련하여 전사·순직하거나 공상을 입은 경우에 본인이나 그 유족이 다른 법령에 따라 재해보상금·유족연금·상이연금 등의 보상을 지급받을 수 있을 때에는 이 법 및 민법에 따른 손해배상을 청구할 수 없다.

🔍 **쉽게 읽기!**
§2 ① 단서: 군인·군무원·경찰공무원·예비군대원은 / 전사·순직·공상 입은 경우 / 국가배상청구를 할 수 없다. / 어떤 경우? 다른 법령에 따라 보상을 지급받을 수 있을 때

(1) 군인·군무원·경찰공무원 또는 예비군대원이

> ⚖ **요지판례 |**
>
> **<군인 등에 해당하는 경우>** ➡ 이중배상금지원칙 적용되는 경우(국가배상청구 불가)
>
> 전투경찰순경은 헌법 제29조 제2항 및 제2조 제1항 단서 중의 '경찰공무원'에 해당한다(헌재 1996.6.13, 94헌마118). [2019 경행특채 2차] [2022 경간]

<군인 등에 해당하지 않는 경우> → 이중배상금지원칙 적용되지 않는 경우(**국가배상청구 가능**)

■ 현역병으로 입영하여 경비교도로 전임 임용된 자는 국가배상법 제2조 제1항 단서의 군인 등에 해당하지 않는다(대판 1998.2.10, 97다45914). [2019 경행특채 2차]

■ 공익근무요원은 국가배상법 제2조 제1항 단서의 규정에 의하여 국가배상법상 손해배상청구가 제한되는 군인·군무원·경찰공무원 또는 향토예비군대원에 해당한다고 할 수 없다(대판 1997.3.28, 97다4036).

(2) 전투·훈련 등 직무 집행과 관련하여 전사·순직·공상

⚖ 요지판례 |

■ 경찰서지서의 숙직실은 국가배상법 제2조 제1항 단서에서 말하는 전투·훈련에 관련된 시설이라고 볼 수 없으므로 위 숙직실에서 순직한 경찰공무원의 유족들은 국가배상법 제2조 제1항 본문에 의하여 국가배상법 및 민법의 규정에 의한 손해배상을 청구할 권리가 있다(대판 1979.1.30, 77다2389).

■ 경찰공무원이 낙석사고 현장 주변 교통정리를 위하여 사고현장 부근으로 순찰차를 운전하고 가다가 산에서 떨어진 대형 낙석이 순찰차를 덮쳐 사망하자 지방자치단체가 국가배상법 제2조 제1항 단서에 따른 면책을 주장한 사안에서, 전투·훈련 또는 이에 준하는 직무집행뿐만 아니라 '일반 직무집행'에 관하여도 국가나 지방자치단체의 배상책임을 제한하는 것이라고 해석하여, 위 면책 주장을 받아들인 원심판단은 정당하다(대판 2011.3.10, 2010다85942).
[2019 경행특채 2차] [2022 경간] 경찰공무원이 전투·훈련 등 직무집행과 관련하여 순직을 한 경우에는 전투·훈련 또는 이에 준하는 직무집행뿐만 아니라 일반 직무집행에 관하여도 국가나 지방자치단체의 배상책임이 제한된다. (○)

(3) 다른 법령에 따른 보상

⚖ 요지판례 |

■ 군인·군무원·경찰공무원 또는 향토예비군대원이 전투·훈련 등 직무집행과 관련하여 공상을 입는 등의 이유로 보훈보상자법이 정한 보훈보상대상자 요건에 해당하여 보상금 등 보훈급여금을 지급받을 수 있을 때에는 국가배상법 제2조 제1항 단서에 따라 국가를 상대로 국가배상을 청구할 수 없다(대판 2017.2.3, 2015두60075).

■ 전투·훈련 등 직무집행과 관련하여 공상을 입은 군인 등이 먼저 국가배상법에 따라 손해배상금을 지급받은 다음 구 국가유공자법이 정한 보상금 등 보훈급여금의 지급을 청구하는 경우 피고로서는 다음과 같은 사정에 비추어 국가배상법에 따라 손해배상을 받았다는 사정을 들어 보상금 등 보훈급여금의 지급을 거부할 수 없다고 보아야 한다(대판 2017.2.3, 2014두40012).
[2019 경행특채 2차] 전투·훈련 등 직무집행과 관련하여 공상을 입은 군인이 「국가배상법」에 따라 손해배상금을 지급받은 다음에 「국가유공자 등 예우 및 지원에 관한 법률」이 정한 보훈급여금의 지급을 청구하는 경우, 국가는 「국가배상법」에 따라 손해배상을 받았다는 사정을 들어 보훈급여금의 지급을 거부할 수 있다. (×)

■ 경찰공무원인 피해자가 구 공무원연금법의 규정에 따라 공무상 요양비를 지급받는 것은 국가배상법 제2조 제1항 단서에서 정한 '다른 법령의 규정'에 따라 보상을 지급받는 것에 해당하지 않는다. 군인연금법이 국가배상법 제2조 제1항 단서에서 정한 '다른 법령'에 해당한다고 하여 공무원연금법도 군인연금법과 동일하게 취급되어야 하는 것은 아니다(대판 2019.5.30, 2017다16174).

02 손실보상

- 국가나 지방자치단체가 공공의 필요를 위해 적법한 공권력 행사로 사인에게 특별한 희생을 가한 경우 공적 부담 앞의 평등이라는 이념에 기초하여 해 주는 보상이다.
- 손실보상에 관한 일반법은 없으나, 경찰행정 영역의 경우 경찰관 직무집행법에 손실보상에 관한 근거규정이 도입되어 있다.

┃ 손실보상의 대상

- 손실보상의 헌법적 근거인 헌법 제23조 제3항이 재산권 보장에 관한 규정이고, 대표적인 손실보상에 관한 법률이 '공익사업을 위한 토지 등의 취득 및 보상에 관한 법률'이라는 점에서 손실보상은 일반적으로 재산권에 대한 침해를 대상으로 한다고 본다.
- 다만, **경찰관 직무집행법 제11조의2**는, 경찰관의 적법한 직무집행으로 재산상 손실 뿐만 아니라 생명·신체에 손실을 입은 경우도 손실보상의 대상으로 하고 있다.

☑ **KEY POINT** ┃ **손해배상과 손실보상의 비교**

구분	손해배상	손실보상
이념	개인주의(도의적 책임)	단체주의(사회적 공평부담)
원인	위법 / 과실책임주의	적법 / 무과실책임주의
법	헌법 제29조 / 국가배상법	헌법 제23조 제3항 / 일반법 없음
대상	재산·생명·신체(압류 불가)	(일반적으로) 재산
공통점	사후적·실체적·금전적 구제	

제2장 경찰행정법 각론

제1절 국가경찰과 자치경찰의 조직 및 운영에 관한 법률

주제 1 경찰의 기본조직과 직무범위

01 경찰의 기본조직

> **경찰법 제1조【목적】** 이 법은 경찰의 민주적인 관리·운영과 효율적인 임무수행을 위하여 경찰의 기본조직 및 직무 범위와 그 밖에 필요한 사항을 규정함을 목적으로 한다.
> [2015 채용3차] [2018 채용2차] [2024 승진]
> [2015 경간] '경찰관 직무집행법' 제1조는 국가경찰의 민주적인 관리·운영과 효율적인 임무수행을 위하여 국가경찰의 직무 범위와 그 밖에 필요한 사항을 규정함을 목적으로 한다. (×)

💡 이하 '국가경찰과 자치경찰의 조직 및 운영에 관한 법률'은 '경찰법'으로 약칭한다.

- 과거 우리나라 경찰의 조직은 중앙집권적 국가경찰이었으나, 2020.12.22. 경찰법이 국가경찰과 자치경찰의 조직 및 운영에 관한 법률로 전부 개정되면서 자치경찰제가 전면 도입되었다.

▎자치경찰 도입이유
기존의 국가경찰체계만으로는 지역 주민들의 다양한 치안수요 대응에 한계가 있다는 판단하에, 자치경찰체를 도입하여 지역 맞춤형 치안서비스를 제공하기 위한 것이다.

▲ 국가경찰과 자치경찰의 지휘체계도

- 국가경찰과 자치경찰의 조직 및 운영에 관한 법률은 경찰의 사무를 ① 국가경찰사무, ② 자치경찰사무, ③ 수사사무로 나누고, 각 사무별로 지휘체계를 달리하였다.

사무유형	지휘·감독권자
국가경찰사무 (정보·보안·외사 등)	경찰청장

자치경찰사무 (생활안전, 교통, 경비 및 학교폭력·가정폭력 등 일부 수사)	시·도지사 소속 시·도자치경찰위원회
수사경찰 사무 (형사소송법에 따른 경찰수사)	국가수사본부장

- 행정안전부장관 소속으로 두는 경찰청의 장(경찰청장)이 중앙경찰관청이 된다.
- 시·도에 두는 시·도 경찰청의 장(시·도 경찰청장)은 국가경찰사무를 수행하는 범위에서는 국가의 경찰행정청의 지위를, 자치경찰사무를 수행하는 범위에서 자치경찰행정청의 지위를 가진다는 점에서 시·도 경찰청장은 이중적 지위를 가진다고 본다.
- 시·도 경찰청장 소속으로 두는 경찰서의 장(경찰서장)은 하급 지방경찰관청이 된다.
- 경찰집행기관은 국가경찰행정청의 명을 받아 국가경찰사무를 수행하는 경우에는 국가경찰의 경찰집행기관, 자치경찰행정청의 명을 받아 자치경찰사무를 수행하는 경우에는 자치경찰의 경찰집행기관의 성격을 갖는다고 볼 수 있다.

▌경찰집행기관
소속 경찰관청의 명의 받아 경찰에 관한 국가의사를 집행하는 기관(순경에서 치안총감까지 전 경찰공무원)

💡 자치경찰제 도입으로 경찰 신분이 지방공무원으로 바뀌는 것은 아니고 국가경찰공무원의 신분은 그대로 유지한다.

> ⊕ **심화 자치경찰제 시행에 따른 재정지원과 예산**
>
> **경찰법 제34조 【자치경찰사무에 대한 재정적 지원】** 국가는 지방자치단체가 이관받은 사무를 원활히 수행할 수 있도록 인력, 장비 등에 소요되는 비용에 대하여 재정적 지원을 하여야 한다. [2022 경간] [2024 승진]
>
> **경찰법 제35조 【예산】** ① 자치경찰사무의 수행에 필요한 예산은 시·도자치경찰위원회의 심의·의결을 거쳐 시·도지사가 수립한다. 이 경우 시·도자치경찰위원회는 경찰청장의 의견을 들어야 한다.
> ② 시·도지사는 자치경찰사무 담당 공무원에게 조례에서 정하는 예산의 범위에서 재정적 지원 등을 할 수 있다. [2022 경간]
> ③ 시·도의회는 관련 예산의 효율적인 관리를 위하여 의결로써 자치경찰사무에 대해 시·도자치경찰위원장의 출석 및 자료 제출을 요구할 수 있다. [2022 경간]
> [2022 경간] 자치경찰사무의 수행에 필요한 예산은 관할 시·도경찰청장의 의견을 들어 시·도자치경찰위원회의 심의·의결을 거쳐 시·도지사가 수립한다. (×)

02 국가경찰사무와 자치경찰사무

1. 국가경찰사무

> **경찰법 제3조 【경찰의 임무】** 경찰의 임무는 다음 각 호와 같다.
> 1. 국민의 생명·신체 및 재산의 보호
> 2. 범죄의 예방·진압 및 수사
> 3. 범죄피해자 보호
> 4. 경비·요인경호 및 대간첩·대테러 작전 수행
> 5. 공공안녕에 대한 위험의 예방과 대응을 위한 정보의 수집·작성 및 배포
> 6. 교통의 단속과 위해의 방지
> 7. 외국 정부기관 및 국제기구와의 국제협력
> 8. 그 밖에 공공의 안녕과 질서유지
>
> **경찰법 제4조 【경찰의 사무】** ① 경찰의 사무는 다음 각 호와 같이 구분한다.
> 1. 국가경찰사무: 제3조에서 정한 경찰의 임무를 수행하기 위한 사무. 다만, 제2호의 자치경찰사무는 제외한다.

경찰법은 경찰법 제3조(경찰관 직무집행법 제2조와 실질적으로 동일)에 규정된 경찰의 기본임무 중, 자치경찰사무를 제외한 나머지 임무를 수행하기 위한 사무를 국가경찰사무로 규정하는 방식을 취하고 있다. ➡ 대체로 국가의 존립·안위에 필요한 **정보·보안·외사** 등 전국적 규모이거나 통일적인 처리를 해야 하는 사무가 국가경찰사무가 된다.

2. 자치경찰사무

경찰법 제4조【경찰의 사무】 ① 경찰의 사무는 다음 각 호와 같이 구분한다.
  2. 자치경찰사무: 제3조에서 정한 경찰의 임무 범위에서 관할 지역의 생활안전·교통·경비·수사 등에 관한 다음 각 목의 사무
    가. 지역 내 주민의 생활안전 활동에 관한 사무
      1) 생활안전을 위한 순찰 및 시설의 운영
      2) 주민참여 방범활동의 지원 및 지도
      3) 안전사고 및 재해·재난 시 긴급구조지원
      4) 아동·청소년·노인·여성·장애인 등 사회적 보호가 필요한 사람에 대한 보호 업무 및 가정폭력·학교폭력·성폭력 등의 예방
      5) 주민의 일상생활과 관련된 사회질서의 유지 및 그 위반행위의 지도·단속. 다만, 지방자치단체 등 다른 행정청의 사무는 제외한다.
      6) 그 밖에 지역주민의 생활안전에 관한 사무
    나. 지역 내 교통활동에 관한 사무
      1) 교통법규 위반에 대한 지도·단속
      2) 교통안전시설 및 무인 교통단속용 장비의 심의·설치·관리
      3) 교통안전에 대한 교육 및 홍보
      4) 주민참여 지역 교통활동의 지원 및 지도
      5) 통행 허가, 어린이 통학버스의 신고, 긴급자동차의 지정 신청 등 각종 허가 및 신고에 관한 사무
      6) 그 밖에 지역 내의 교통안전 및 소통에 관한 사무
    다. 지역 내 다중운집 행사 관련 혼잡 교통 및 안전 관리
    라. 다음의 어느 하나에 해당하는 수사사무
      1) 학교폭력 등 소년범죄
      2) 가정폭력, 아동학대 범죄
      3) 교통사고 및 교통 관련 범죄
      4)「형법」제245조에 따른 공연음란 및「성폭력범죄의 처벌 등에 관한 특례법」제12조에 따른 성적 목적을 위한 다중이용장소 침입행위에 관한 범죄
      5) 경범죄 및 기초질서 관련 범죄
      6) 가출인 및「실종아동등의 보호 및 지원에 관한 법률」제2조 제2호에 따른 실종아동등 관련 수색 및 범죄
② 제1항 제2호 가목부터 다목까지의 자치경찰사무에 관한 구체적인 사항 및 범위 등은 대통령령으로 정하는 기준에 따라 시·도조례로 정한다.
③ 제1항 제2호 라목의 자치경찰사무에 관한 구체적인 사항 및 범위 등은 대통령령으로 정한다. ➡ 이에 따라 대통령령인 '자치경찰사무와 시·도자치경찰위원회의 조직 및 운영 등에 관한 규정 제3조(수사 관련 자치경찰사무의 범위 등)'에서 상세히 규정

[2022 채용2차] 교통법규 위반에 대한 지도·단속, 교통안전시설 및 무인 교통단속용 장비의 심의·설치·관리 등 지역 내 교통활동에 관한 사무는 자치경찰사무에 포함된다. (○)
[2022 채용2차] 학교폭력 등 소년범죄, 가정폭력, 아동학대 범죄,「형법」제245조에 따른 공연음란 및「성폭력범죄의 처벌 등에 관한 특례법」제11조에 따른 공중밀집 장소에서의 추행행위에 관한 범죄는 자치경찰사무에 포함된다. (×)
[2022 채용2차] 지역 내 주민의 생활안전 활동에 관한 사무, 지역 내 교통활동에 관한 사무, 지역 내 다중운집 행사 관련 혼잡 교통 및 안전 관리의 자치경찰사무에 관한 구체적인 사항 및 범위 등은 대통령령으로 정하는 기준에 따라 시·도조례로 정한다. (○)

국가경찰이 대테러·첨단범죄 등 전국적 치안업무를 담당한다면, 자치경찰은 생활안전, 교통, 여성·청소년 등 지역 밀착형 치안업무를 담당한다.

■ 중앙행정기관
정부조직법에 의해 설치된 부·처·청을 말하며, 국가행정사무를 담당하기 위하여 설치된 행정기관으로서 그 관할권의 범위가 전국에 미치는 기관을 말한다.

💡 '본청'이라고도 불리는 경찰청은 서울시 서대문구에 소재하고 있으며, 2020년 기준 경찰공무원 정원 1,163명(부속기관 제외), 예산액 약 11조원(전체예산)에 이르는 거대 기관이다.

주제 2 | 경찰청과 국가수사본부

01 경찰청

> **정부조직법 제34조 【행정안전부】** ⑤ 치안에 관한 사무를 관장하기 위하여 행정안전부장관 소속으로 경찰청을 둔다.
> ⑥ 경찰청의 조직·직무범위 그 밖에 필요한 사항은 따로 법률로 정한다.
>
> **경찰법 제12조 【경찰의 조직】** 치안에 관한 사무를 관장하게 하기 위하여 행정안전부장관 소속으로 경찰청을 둔다. [2015 채용3차]

경찰청은 치안에 관한 사무를 관장하는 중앙행정기관이다.

1. 경찰청장

(1) 경찰청장의 지위

1) 임명

💡 2023년 현재 경찰청장(치안총감, 윤희근) 2022.7.5. 국가경찰위원회의 동의를 얻었고, 2022.7.8. 국회 인사청문회를 거쳤다(단, 보고서 채택은 불발) 이후 행정안전부장관 제청으로 국무총리를 거쳐 2020.7.24. 대통령이 임명하였다.

> **경찰법 제14조 【경찰청장】** ① 경찰청에 경찰청장을 두며, 경찰청장은 치안총감으로 보한다.
> ② 경찰청장은 국가경찰위원회의 동의를 받아 행정안전부장관의 제청으로 국무총리를 거쳐 대통령이 임명한다. 이 경우 국회의 인사청문을 거쳐야 한다.
> [2013 채용2차] [2016 경간]
> [2015 채용2차] 경찰청장은 국가경찰위원회의 동의를 받아 국무총리의 제청으로 대통령이 임명한다. 이 경우 국회의 인사청문을 거쳐야 한다. (×)
> [2018 채용2차] 경찰청장은 행정안전부장관의 동의를 받아 국무총리를 거쳐 대통령이 임명한다. 이 경우 국회의 인사청문을 거쳐야 한다. (×)
> [2018 승진(경위)] 경찰청장은 국회의 동의를 받아 행정안전부장관의 제청으로 국무총리를 거쳐 대통령이 임명한다. (×)
> [2015 채용3차] 경찰청장은 국가경찰위원회의 추천을 받아 행정안전부장관을 거쳐 대통령이 임명한다. (×)
> [2012 경간] 「국가경찰과 자치경찰의 조직 및 운영에 관한 법률」상 경찰청장의 임명절차는 ① 국가경찰 위원회의 추천 → ② 행정안전부장관 제청 → ③ 국무총리 경유 → ④ 대통령이 임명한다. (×)

2) 임기

> **경찰법 제14조 【경찰청장】** ④ 경찰청장의 임기는 2년으로 하고, 중임할 수 없다.
> [2013 채용2차] [2015 채용2차] [2016 경간] [2018 채용2차] [2018 승진(경위)] [2020 채용1차]

3) 직무대행

■ 중임할 수 없다.
임기가 끝난 후 다른 사람이 경찰청장에 임명되었다가 다시 임명될 수 없다. ➡ '연임할 수 없다'는 것은 임기가 끝난 후 바로 이어서 다시 임명될 수 없다는 뜻 예) 국가경찰위원회 위원

> **경찰법 제15조 【경찰청 차장】** ② 차장은 경찰청장을 보좌하며, 경찰청장이 부득이한 사유로 직무를 수행할 수 없을 때에는 그 직무를 대행한다. ➡ 협의의 법정대리!

4) 경찰청장에 대한 탄핵

> **경찰법 제14조【경찰청장】** ⑤ 경찰청장이 직무를 집행하면서 헌법이나 법률을 위배하였을 때에는 국회는 탄핵 소추를 의결할 수 있다. [2013 채용2차] [2016 경간]
> [2018 승진(경위)] 경찰청장이 헌법이나 법률을 위반했을 때 국회에서 탄핵소추를 의결할 수 있다고 인정되나, 현행 「국가경찰과 자치경찰의 조직 및 운영에 관한 법률」에는 국회의 탄핵소추 의결권이 명기되어 있지 아니하다. (×)
> [2015 채용2차] 경찰청장이 직무를 집행하면서 대통령의 지시를 위배하였을 때에는 국회는 탄핵소추를 의결할 수 있다. (×)
> [2020 채용2차] 임기는 2년이 보장되나, 직무 수행 중 헌법이나 법률을 위배하였을 때에는 국회는 탄핵할 수 있다. (×)
>
> **국회법 제134조【소추의결서의 송달과 효과】** ① 탄핵소추가 의결되었을 때에는 의장은 지체 없이 소추의결서 정본을 법제사법위원장인 소추위원에게 송달하고, 그 등본을 헌법재판소, 소추된 사람과 그 소속 기관의 장에게 송달한다.
> ② 소추의결서가 송달되었을 때에는 소추된 사람의 권한 행사는 정지되며, 임명권자는 소추된 사람의 사직원을 접수하거나 소추된 사람을 해임할 수 없다.
>
> **헌법재판소법 제53조【결정의 내용】** ① 탄핵심판청구가 이유 있는 경우에는 헌법재판소는 피청구인을 해당 공직에서 파면하는 결정을 선고한다.
> ② 피청구인이 결정 선고 전에 해당 공직에서 파면되었을 때에는 헌법재판소는 심판청구를 기각하여야 한다.

국회에서 탄핵소추가 의결되면, 이후 헌법재판소에서 탄핵심판절차가 개시된다.

(2) 경찰청장의 권한

1) 국가경찰사무 총괄권 등

> **경찰법 제14조【경찰청장】** ③ 경찰청장은 국가경찰사무를 총괄하고 경찰청 업무를 관장하며 소속 공무원 및 각급 경찰기관의 장을 지휘·감독한다. [2015 채용2차] [20118 승진(경위)]
>
> **경찰법 제28조【시·도경찰청장】** ③ 시·도경찰청장은 국가경찰사무에 대해서는 경찰청장의 지휘·감독을 … 받아 관할구역의 소관 사무를 관장하고 소속 공무원 및 소속 경찰기관의 장을 지휘·감독한다.

2) 제한적 수사사무 지휘

> **경찰법 제14조【경찰청장】** ⑥ 경찰청장은 경찰의 수사에 관한 사무의 경우에는 개별 사건의 수사에 대하여 구체적으로 지휘·감독할 수 없다. 다만, 국민의 생명·신체·재산 또는 공공의 안전 등에 중대한 위험을 초래하는 긴급하고 중요한 사건의 수사에 있어서 경찰의 자원을 대규모로 동원하는 등 통합적으로 현장 대응할 필요가 있다고 판단할 만한 상당한 이유가 있는 때에는 제16조에 따른 국가수사본부장을 통하여 개별 사건의 수사에 대하여 구체적으로 지휘·감독할 수 있다.
> ⑦ 경찰청장은 제6항 단서에 따라 개별 사건의 수사에 대한 구체적 지휘·감독을 개시한 때에는 이를 국가경찰위원회에 보고하여야 한다.
> ⑧ 경찰청장은 제6항 단서의 사유가 해소된 경우에는 개별 사건의 수사에 대한 구체적 지휘·감독을 중단하여야 한다.
> ⑨ 경찰청장은 제16조에 따른 국가수사본부장이 제6항 단서의 사유가 해소되었다고 판단하여 개별 사건의 수사에 대한 구체적 지휘·감독의 중단을 건의하는 경우 특별한 이유가 없으면 이를 승인하여야 한다.

🔍 쉽게 읽기!
- §14 ⑥ 본문: 경찰청장은 / 수사에 대해 / 구체적 지휘·감독 할 수 없다.
- §14 ⑥ 단서: 단, 긴급·중요사건 통합대응 필요 있을 때 / 구체적 지휘·감독 할 수 있다. / 누구를 통해? **국가수사본부장!**
- §14 ⑦~⑨: 경찰청장은 / 구체적 지휘감독 했으면 ➡ 보고 사유가 해소되면 ➡ 중단 국수본 중단건의 있으면 ➡ 승인

⑩ 제6항 단서에서 규정하는 긴급하고 중요한 사건의 범위 등 필요한 사항은 대통령령으로 정한다.

> ⊕ **심화** 국가경찰과 자치경찰의 조직 및 운영에 관한 법률 제14조 제10항에 따른 긴급하고 중요한 사건의 범위 등에 관한 규정 [시행 2021.1.1.] [대통령령 제31350호, 2020.12.31. 제정]
>
> **제1조【목적】** 이 영은 「국가경찰과 자치경찰의 조직 및 운영에 관한 법률」 제14조 제10항에 따라 경찰청장이 구체적으로 지휘·감독할 수 있는 긴급하고 중요한 사건의 범위와 그 수사지휘의 방식을 정하는 것을 목적으로 한다.
>
> **제2조【긴급하고 중요한 사건의 범위 등】** ① 「국가경찰과 자치경찰의 조직 및 운영에 관한 법률」(이하 "법"이라 한다) 제14조 제6항 단서에 따른 긴급하고 중요한 사건은 다음 각 호의 어느 하나에 해당하는 사건 및 이와 직접적인 관련이 있는 사건으로 한다.
> 1. 전시·사변 또는 이에 준하는 국가 비상사태가 발생하거나 발생이 임박하여 전국적인 치안유지가 필요한 사건
> 2. 재난, 테러 등이 발생하여 공공의 안전에 대한 급박한 위해나 범죄로 인한 피해의 급속한 확산을 방지하기 위해 신속한 조치가 필요한 사건
> 3. 국가중요시설의 파괴·기능마비, 대규모 집단의 폭행·협박·손괴·방화 등에 대하여 경찰의 자원을 대규모로 동원할 필요가 있는 사건
> 4. 전국 또는 일부 지역에서 연쇄적·동시다발적으로 발생하거나 광역화된 범죄에 대하여 경찰력의 집중적인 배치, 경찰 각 기능의 종합적 대응 또는 국가기관·지방자치단체·공공기관과의 공조가 필요한 사건
>
> ② 경찰청장은 법 제14조 제6항 단서에 따라 개별 사건의 수사에 대해 구체적 지휘·감독을 하려는 경우에는 그 필요성 등을 신중하게 판단해야 한다.
>
> **제3조【수사지휘의 방식】** ① 경찰청장은 법 제14조 제6항 단서에 따라 국가수사본부장에게 개별 사건의 수사에 대한 구체적 지휘를 하는 경우에는 서면으로 지휘해야 한다.
> ② 경찰청장은 제1항에도 불구하고 서면 지휘가 불가능하거나 현저히 곤란한 경우에는 구두나 전화 등 서면 외의 방식으로 지휘할 수 있다. 이 경우 사후에 신속하게 서면으로 지휘내용을 송부해야 한다.

과거에는 경찰청장의 수사지휘를 따로 제한하지 않았으나, 국가수사본부 신설·자치경찰 시행 관련 경찰법이 개정되면서 경찰청장의 개별 사건에 대한 구체적 수사지휘가 금지되었다. ➡ 국가수사본부가 맡는 경찰 수사업무의 독립성·중립성을 보호하기 위한 것!

🔍 **참고 국수본 출범이후 실제 수사지휘 사례**
- 2021년 5월, 김창룡 당시 경찰청장이 남구준 당시 국가수사본부장에게 대북전단 살포사건에 대한 엄중 수사를 지시하면서 위법 논란이 발생한 바 있다.
- 경찰청은 '접경지역 주민들의 생명·신체에 대한 위해 우려로 경찰청장으로서 일반적 지휘권에 근거해 내린 지시'라고 해명하였다.
- 그러나 위 수사지휘는 맥락상 '관련자들을 당장 잡아들이라' 등 개별 사건에 대한 구체적 수사지휘로 보일 수 있다는 비판이 있었다.

3) 자치경찰사무 관여

① 비상사태 등 전국적 치안유지를 위한 경찰청장의 지휘·명령

경찰법 제32조【비상사태 등 전국적 치안유지를 위한 경찰청장의 지휘·명령】① 경찰청장은 다음 각 호의 경우에는 제2항에 따라 자치경찰사무를 수행하는 경찰공무원(제주특별자치도의 자치경찰공무원을 포함한다)을 직접 지휘·명령할 수 있다.

1. 전시·사변, 천재지변, 그 밖에 이에 준하는 국가 비상사태, 대규모의 테러 또는 소요사태가 발생하였거나 발생할 우려가 있어 전국적인 치안유지를 위하여 긴급한 조치가 필요하다고 인정할 만한 충분한 사유가 있는 경우

2. 국민안전에 중대한 영향을 미치는 사안에 대하여 다수의 시·도에 동일하게 적용되는 치안정책을 시행할 필요가 있다고 인정할 만한 충분한 사유가 있는 경우

3. 자치경찰사무와 관련하여 해당 시·도의 경찰력으로는 국민의 생명·신체·재산의 보호 및 공공의 안녕과 질서유지가 어려워 경찰청장의 지원·조정이 필요하다고 인정할 만한 충분한 사유가 있는 경우

② 경찰청장은 제1항에 따른 조치가 필요한 경우에는 시·도자치경찰위원회에 자치경찰사무를 담당하는 경찰공무원을 직접 지휘·명령하려는 사유 및 내용 등을 구체적으로 제시하여 통보하여야 한다. [2022 경간]

③ 제2항에 따른 통보를 받은 시·도자치경찰위원회는 정당한 사유가 없으면 즉시 자치경찰사무를 담당하는 경찰공무원에게 경찰청장의 지휘·명령을 받을 것을 명하여야 하며, 제1항에 규정된 사유에 해당하지 아니한다고 인정하면 시·도자치경찰위원회의 의결을 거쳐 경찰청장에게 그 지휘·명령의 중단을 요청할 수 있다.

④ 경찰청장이 제1항에 따라 지휘·명령을 하는 경우에는 국가경찰위원회에 즉시 보고하여야 한다. 다만, 제1항 제3호의 경우에는 미리 국가경찰위원회의 의결을 거쳐야 하며 긴급한 경우에는 우선 조치 후 지체 없이 국가경찰위원회의 의결을 거쳐야 한다. [2022 경간]

⑤ 제4항에 따라 보고를 받은 국가경찰위원회는 제1항에 규정된 사유에 해당하지 아니한다고 인정하면 그 지휘·명령을 중단할 것을 의결하여 경찰청장에게 통보할 수 있다.

⑥ 경찰청장은 제1항에 따라 지휘·명령할 수 있는 사유가 해소된 때에는 경찰공무원에 대한 지휘·명령을 즉시 중단하여야 한다.

⑦ 시·도자치경찰위원회는 제1항 제3호에 해당하는 경우 의결로 지원·조정의 범위·기간 등을 정하여 경찰청장에게 지원·조정을 요청할 수 있다. [2022 경간]

⑧ 경찰청장은 제주특별자치도경찰청의 관할구역에서 제1항의 지휘·명령권을 제주특별자치도경찰청장에게 위임할 수 있다.

[2020 채용2차] 소속 공무원뿐만 아니라 제주특별자치도의 자치경찰공무원도 언제나 직접 지휘·명령할 수 있다. (×)

[2022 경간] 경찰청장이 비상사태 등 전국적 치안유지를 위한 지휘·명령을 하는 경우에는 국가경찰위원회에 즉시 보고하여야 하지만, 국민안전에 중대한 영향을 미치는 사안에 대하여 다수의 시·도에 동일하게 적용되는 치안정책을 시행할 필요가 있다고 인정할 만한 충분한 사유가 있는 경우에는 미리 국가경찰위원회의 의결을 거쳐야 하며 긴급한 경우에는 우선 조치 후 지체 없이 국가경찰위원회의 의결을 거쳐야 한다. (×)

> 🔍 **쉽게 읽기!**
> - **§32 ①**: 경찰청장은 / 자치경찰사무 수행 경찰공무원을 / 직접 지휘·명령할 수 있다. / 언제?
>   - 전국적 치안유지
>   - 여러·시·도 동일적용 치안정책
>   - 경찰청 지원 필요
> - **§32 ②~⑤**
>   **경찰청장은,**
>   - 자치경찰위원회에는 통보
>   - 국가경찰위원회에는 보고
>   **자치경찰위원회는,**
>   - 경찰청장 지휘 받을 것 명하거나
>   - 의결로 경찰청장에게 중단요청
>   **국가경찰위원회는,**
>   의결로 경찰청장에게 중단통보

- 경찰법 개정으로 국가경찰사무와 자치경찰사무별로 경찰 지휘체계가 이원화 되었으나, 예외적인 긴급사태 발생하는 경우 등에는 경찰청장이 자치경찰사무를 수행하는 경찰공무원을 직접 지휘·명령할 수 있는 가능성을 열어두었다.

② 예산 관련 의견제출권

> **경찰법 제35조【예산】** ① 자치경찰사무의 수행에 필요한 예산은 시·도자치경찰위원회의 심의·의결을 거쳐 시·도지사가 수립한다. 이 경우 시·도자치경찰위원회는 경찰청장의 의견을 들어야 한다.

(3) 경찰청장의 의무

① 자치사무 평가결과 반영의무

> **경찰법 제30조【경찰서장】** ④ 시·도자치경찰위원회는 정기적으로 경찰서장의 자치경찰사무 수행에 관한 평가결과를 경찰청장에게 통보하여야 하며 경찰청장은 이를 반영하여야 한다.

② 치안 연구개발 지원의무

> **경찰법 제33조【치안에 필요한 연구개발의 지원 등】** ① 경찰청장은 치안에 필요한 연구·실험·조사·기술개발(이하 "연구개발사업"이라 한다) 및 전문인력 양성 등 치안분야의 과학기술진흥을 위한 시책을 마련하여 추진하여야 한다.
> ② 경찰청장은 연구개발사업을 효율적으로 추진하기 위하여 다음 각 호의 어느 하나에 해당하는 기관 또는 단체 등과 협약을 맺어 연구개발사업을 실시하게 할 수 있다.
> 1. 국공립 연구기관
> 2. 「특정연구기관 육성법」 제2조에 따른 특정연구기관
> 3. 「과학기술분야 정부출연연구기관 등의 설립·운영 및 육성에 관한 법률」에 따라 설립된 과학기술분야 정부출연연구기관
> 4. 「고등교육법」에 따른 대학·산업대학·전문대학 및 기술대학
> 5. 「민법」이나 다른 법률에 따라 설립된 법인으로서 치안분야 연구기관 또는 법인 부설 연구소
> 6. 「기초연구진흥 및 기술개발지원에 관한 법률」 제14조의2 제1항에 따라 인정받은 기업부설연구소 또는 기업의 연구개발전담부서
> 7. 그 밖에 대통령령으로 정하는 치안분야 관련 연구·조사·기술개발 등을 수행하는 기관 또는 단체
> ③ 경찰청장은 제2항 각 호의 기관 또는 단체 등에 대하여 연구개발사업을 실시하는 데 필요한 경비의 전부 또는 일부를 출연하거나 보조할 수 있다.
> ④ 제2항에 따른 연구개발사업의 실시와 제3항에 따른 출연금의 지급·사용 및 관리 등에 필요한 사항은 대통령령으로 정한다.

2. 경찰청 차장

💡 2024.1.27. 경찰청 차장으로 김수환 치안정감이 임명되었다.

> **경찰법 제15조【경찰청 차장】** ① 경찰청에 차장을 두며, 차장은 치안정감으로 보한다.
> ② 차장은 경찰청장을 보좌하며, 경찰청장이 부득이한 사유로 직무를 수행할 수 없을 때에는 그 직무를 대행한다. [2016 경간] ➜ 보좌기관(×) / 보조기관(○)

3. 경찰청 하부조직

(1) 본부 · 국 · 부 · 과

> **경찰법 제17조 【하부조직】** ① 경찰청의 하부조직은 본부 · 국 · 부 또는 과로 한다.
> ② 경찰청장 · 차장 · 국가수사본부장 · 국장 또는 부장 밑에 정책의 기획이나 계획의 입안 및 연구 · 조사를 통하여 그를 직접 보좌하는 담당관을 둘 수 있다.
> ③ 경찰청의 하부조직의 명칭 및 분장 사무와 공무원의 정원은 「정부조직법」 제2조 제4항 및 제5항을 준용하여 대통령령 또는 행정안전부령으로 정한다. ➜ 대통령령: 경찰청과 그 소속기관 직제 / 행정안전부령: 경찰청과 그 소속기관 직제 시행규칙

- 1차장
- 1본부: 국가수사본부
- 9국: 생활안전국 · 교통국 · 경비국 · 공공안녕정보국 · 외사국 / 수사국 · 형사국 · 사이버수사국 · 안보수사국
- 10관: 기획조정관, 경무인사기획관, 수사기획조정관, 과학수사관리관 …

(2) 소속기관(부속기관)

> **대통령령** **경찰청과 그 소속기관 직제 제2조 【소속기관】** ① 경찰청장의 관장사무를 지원하기 위하여 경찰청장 소속으로 경찰대학 · 경찰인재개발원 · 중앙경찰학교 및 경찰수사연수원을 둔다.
> ② 경찰청장의 관장사무를 지원하기 위하여 … 경찰청장 소속의 책임운영기관으로 경찰병원을 둔다.
> [2020 실무 1] 경찰청장의 관장사무를 지원하기 위하여 경찰청장 소속하에 경찰대학, 경찰인재개발원, 중앙경찰 학교, 경찰수사연수원 및 국립과학수사연구원을 둔다. (×)

💡 **국립과학수사연구원(National Forensic Service)**
우리가 흔히 '국과수'로 부르는 국립과학수사연구권은 경찰청 소속이 아닌 행정안전부 소속기관이다.

02 국가수사본부

1. 국가수사본부

> **경찰법 제16조 【국가수사본부장】** ① 경찰청에 국가수사본부를 두며, 국가수사본부장은 치안정감으로 보한다.

경찰법 개정에 따라 경찰사무가 국가경찰사무, 자치경찰사무, 수사사무로 분리되면서, 수사 독립성과 수사역량 제고를 위해 수사사무를 총괄하기 위해 경찰청 산하에 설치된 조직이다.

2. 국가수사본부장

(1) 국가수사본부장의 지위

1) 임기

> **경찰법 제16조 【국가수사본부장】** ③ 국가수사본부장의 임기는 2년으로 하며, 중임할 수 없다.
> ④ 국가수사본부장은 임기가 끝나면 당연히 퇴직한다.

국가수사본부장은 수사사무의 독립성 보장을 위해 임기만료로 당연퇴직하게 된다. ➜ 즉, 임기만료 후 경찰청장으로 영전할 수 없다.

💡 초대(1대)국가수사본부장은 남구준 치안정감이며, 2021.2.26. 임기를 개시하여 2023.2.25. 임기만료로 당연퇴직하였다. 한편 그대 국가 수사본부장은 외부영입방식으로 임용하고자 하였으나, 우여곡절 끝에 우종수 경기남부청장이 2023.3.29. 임명되었다.

2) 국가수사본부장의 외부영입

① 자격요건

> **경찰법 제16조【국가수사본부장】** ⑥ 국가수사본부장을 경찰청 외부를 대상으로 모집하여 임용할 필요가 있는 때에는 다음 각 호의 자격을 갖춘 사람 중에서 임용한다.
> 1. 10년 이상 수사업무에 종사한 사람 중에서 「국가공무원법」 제2조의2에 따른 고위공무원단에 속하는 공무원, 3급 이상 공무원 또는 총경 이상 경찰공무원으로 재직한 경력이 있는 사람
> 2. 판사·검사 또는 변호사의 직에 10년 이상 있었던 사람
> 3. 변호사 자격이 있는 사람으로서 국가기관, 지방자치단체, 「공공기관의 운영에 관한 법률」 제4조에 따른 공공기관(이하 "국가기관등"이라 한다)에서 법률에 관한 사무에 10년 이상 종사한 경력이 있는 사람
> 4. 대학이나 공인된 연구기관에서 법률학·경찰학 분야에서 조교수 이상의 직이나 이에 상당하는 직에 10년 이상 있었던 사람
> 5. 제1호부터 제4호까지의 경력 기간의 합산이 15년 이상인 사람

② 결격요건

경찰공무원법상 결격사유
총 10가지 결격사유가 있으며, 대략 ① 외국인이나 복수국적자, ② 법적 능력에 문제가 있는 경우, ③ 범죄와 관련이 있는경우(특히 공무원범죄나 성범죄), ④ 파면이나 해임의 징계전력이 있는 경우가 있다. ➔ 자세한 내용은 경찰공무원법 부분 참조

> **경찰법 제16조【국가수사본부장】** ⑦ 국가수사본부장을 경찰청 외부를 대상으로 모집하여 임용하는 경우 다음 각 호의 어느 하나에 해당하는 사람은 국가수사본부장이 될 수 없다.
> 1. 「경찰공무원법」 제8조 제2항 각 호의 결격사유에 해당하는 사람
> 2. 정당의 당원이거나 당적을 이탈한 날부터 3년이 지나지 아니한 사람
> 3. 선거에 의하여 취임하는 공직에 있거나 그 공직에서 퇴직한 날부터 3년이 지나지 아니한 사람
> 4. 제6항 제1호에 해당하는 공무원 또는 제6항 제2호의 판사·검사의 직에서 퇴직한 날로부터 1년이 지나지 아니한 사람
> 5. 제6항 제3호에 해당하는 사람으로서 국가기관등에서 퇴직한 날로부터 1년이 지나지 아니한 사람

3) 국가수사본부장에 대한 탄핵

> **경찰법 제16조【국가수사본부장】** ⑤ 국가수사본부장이 직무를 집행하면서 헌법이나 법률을 위배하였을 때에는 국회는 탄핵 소추를 의결할 수 있다.
> [2022 승진(실무종합)] 국가수사본부장이 직무를 집행하면서 헌법이나 법률을 위배하였더라도 국회는 탄핵 소추를 의결할 수 없다. (×)

(2) 국가수사본부장의 권한

> **경찰법 제16조【국가수사본부장】** ② 국가수사본부장은 「형사소송법」에 따른 경찰의 수사에 관하여 각 시·도경찰청장과 경찰서장 및 수사부서 소속 공무원을 지휘·감독한다. [2022 승진(실무종합)]

01 시·도경찰청

1. 시·도경찰청

> **경찰법 제13조【경찰사무의 지역적 분장기관】** 경찰의 사무를 지역적으로 분담하여 수행하게 하기 위하여 특별시·광역시·특별자치시·도·특별자치도(이하 "시·도"라 한다)에 시·도경찰청을 두고, 시·도경찰청장 소속으로 경찰서를 둔다. [2014 승진(경위)]
> [2015 채용3차] 이 경우 인구, 행정구역, 면적, 지리적 특성, 교통 및 그 밖의 조건을 고려하여 시·도에 2개의 시·도경찰청을 둘 수 있다. [2018 채용2차]
> [2019 채용2차] 경찰청의 사무를 지역적으로 분담하여 수행하게 하기 위해 경찰청장 소속으로 시도경찰청을 두고, 시·도경찰청장 소속으로 경찰서를 둔다. (×)

💡 2024년 현재 서울·부산·대구·인천·광주·대전·울산 등 전국에 총 18개 시·도경찰청이 설치되어 있다. 특히 경기도의 경우 '경기도북부경찰청'과 '경기도남부경찰청' 2개의 시·도경찰청이 설치되어 있다.

국가경찰사무, 자치경찰사무, 수사사무의 3개 경찰사무의 지역적 분장기관으로 광역자치단체별로 설치되어 있다. ➜ 즉, 시·도경찰청이 자치경찰사무만 수행하는 것이 아니다!

2. 시·도경찰청장

(1) 임명

> **경찰법 제28조【시·도경찰청장】** ① 시·도경찰청에 시·도경찰청장을 두며, 시·도경찰청장은 치안정감·치안감 또는 경무관으로 보한다.
> ②「경찰공무원법」제7조에도 불구하고 시·도경찰청장은 경찰청장이 시·도자치경찰위원회와 협의하여 추천한 사람 중에서 행정안전부장관의 제청으로 국무총리를 거쳐 대통령이 임용한다. [2022 승진(실무종합)] ➜ **경찰공무원법 제7조:** 총경 이상 경찰공무원 / 경찰청장 추천 / 행정안전부장관 제청 / 국무총리 거쳐 / 대통령 임명

(2) 지휘·감독관계

> **경찰법 제28조【시·도경찰청장】** ③ 시·도경찰청장은 국가경찰사무에 대해서는 경찰청장의 지휘·감독을, 자치경찰사무에 대해서는 시·도자치경찰위원회의 지휘·감독을 받아 관할구역의 소관 사무를 관장하고 소속 공무원 및 소속 경찰기관의 장을 지휘·감독한다. 다만, 수사에 관한 사무에 대해서는 국가수사본부장의 지휘·감독을 받아 관할구역의 소관 사무를 관장하고 소속 공무원 및 소속 경찰기관의 장을 지휘·감독한다.
> ④ 제3항 본문의 경우 시·도자치경찰위원회는 자치경찰사무에 대해 심의·의결을 통하여 시·도경찰청장을 지휘·감독한다. 다만, 시·도자치경찰위원회가 심의·의결할 시간적 여유가 없거나 심의·의결이 곤란한 경우 대통령령으로 정하는 바에 따라 시·도자치경찰위원회의 지휘·감독권을 시·도경찰청장에게 위임한 것으로 본다.
> [2024 승진] 시·도자치경찰위원회는 자치경찰사무에 대해 심의·의결을 통하여 시·도경찰청장을 지휘·감독한다. 다만, 시·도자치경찰위원회가 심의·의결할 시간적 여유가 없거나 심의·의결이 곤란한 경우 대통령령으로 정하는 바에 따라 시·도자치경찰위원회의 지휘·감독권을 경찰청장에게 위임한 것으로 본다. (×)

🔍 **쉽게 읽기!**
§28 ③: 시·도경찰청장은 / 관할구역의 / 소관사무를 관장하고 소속 공무원 및 소속 경찰기관 장을 지휘·감독한다. / 누구의 지휘·감독으로?
• **국가경찰사무:** 경찰청장
• **자치경찰사무:** 자치경찰위원회
• **수사사무:** 국가수사본부장

대통령령 자치경찰사무와 시·도자치경찰위원회의 조직 및 운영 등에 관한 규정 제19조 【자치경찰사무 지휘·감독권의 위임】 법 제28조 제4항 단서에 따라 시·도자치경찰위원회는 자치경찰사무에 대한 지휘·감독이 실시간으로 이루어질 수 있도록 미리 경찰청장과 협의하여 시·도경찰청장에게 위임되는 자치경찰사무 지휘·감독권의 범위 및 위임 절차 등을 시·도자치경찰위원회의 의결을 거쳐 정해야 한다.

3. 시·도경찰청차장

경찰법 제29조 【시·도경찰청 차장】 ① 시·도경찰청에 차장을 둘 수 있다. ➡ **비교》** 경찰청에 차장을 '두며' …
② 차장은 시·도경찰청장을 보좌하여 소관 사무를 처리하고 시·도경찰청장이 부득이한 사유로 직무를 수행할 수 없을 때에는 그 직무를 대행한다. [2022 승진(실무종합)]

02 경찰서

1. 경찰서

💡 2023년 기준 전국에 총 259개의 경찰서가 설치되어 있다.

경찰법 제13조 【경찰사무의 지역적 분장기관】 경찰의 사무를 지역적으로 분담하여 수행하게 하기 위하여 특별시·광역시·특별자치시·도·특별자치도(이하 "시·도"라 한다)에 시·도경찰청을 두고, 시·도경찰청장 소속으로 경찰서를 둔다.

2. 경찰서장

경찰법 제30조 【경찰서장】 ① 경찰서에 경찰서장을 두며, 경찰서장은 경무관, 총경 또는 경정으로 보한다. [2012 채용2차] [2013 채용2차] [2014 승진(경위)]
② 경찰서장은 시·도경찰청장의 지휘·감독을 받아 <u>관할구역의 소관 사무를 관장하고 소속 공무원을 지휘·감독한다.</u>
③ 경찰서장 소속으로 지구대 또는 파출소를 두고, 그 설치기준은 치안수요·교통·지리 등 관할구역의 특성을 고려하여 행정안전부령으로 정한다. 다만, 필요한 경우에는 출장소를 둘 수 있다.
④ 시·도자치경찰위원회는 정기적으로 경찰서장의 자치경찰사무 수행에 관한 평가 결과를 경찰청장에게 통보하여야 하며 경찰청장은 이를 반영하여야 한다.

03 지역경찰관서

1. 지구대 · 파출소 · 출장소

(1) 소속과 설치

> **경찰법 제30조【경찰서장】** ③ 경찰서장 소속으로 지구대 또는 파출소를 두고, 그 설치기준은 치안수요 · 교통 · 지리 등 관할구역의 특성을 고려하여 행정안전부령으로 정한다. 다만, 필요한 경우에는 출장소를 둘 수 있다.
> [2019 채용2차] 경찰서장 소속으로 지구대 또는 파출소를 두고, 그 설치기준은 치안수요 · 교통 · 지리 등 관할구역의 특성을 고려하여 대통령령으로 정한다. (×)
>
> **대통령령** **경찰청과 그 소속기관 직제 제43조【지구대 등】** ① 시 · 도경찰청장은 경찰서 장의 소관사무를 분장하기 위하여 행정안전부령으로 정하는 바에 따라 경찰청장의 승인을 받아 지구대 또는 파출소를 둘 수 있다.
> ② 시 · 도경찰청장은 제1항에 따른 사무분장이 임시로 필요한 경우에는 출장소를 둘 수 있다. [2020 실무 1]
> ③ 지구대 · 파출소 및 출장소의 명칭 · 위치 및 관할구역과 그 밖에 필요한 사항은 시 · 도경찰청장이 정한다.
> [2020 실무 1] 경찰서장은 자신의 소관사무를 분장하기 위하여 행정안전부령이 정하는 바에 따라 시도경찰청장의 승인을 얻어 지구대 또는 파출소를 둘 수 있다. (×)
> [2020 실무 1] 지구대 · 파출소 및 출장소의 명칭 · 위치 및 관할구역과 기타 필요한 사항은 관할 경찰서장이 정한다. (×)
>
> **예규** **지역경찰의 조직 및 운영에 관한 규칙 제4조【설치 및 폐지】** ① 시 · 도경찰청장은 인구, 면적, 행정구역, 교통 · 지리적 여건, 각종 사건사고 발생 등을 고려하여 경찰서의 관할구역을 나누어 지역경찰관서를 설치한다. ➡ 지역경찰관서: 지구대 및 파출소를 말한다(출장소 ×, 치안센터 ×).
> [2014 승진(경위)] 경찰서장은 인구, 면적, 행정구역, 교통 · 지리적 여건, 각종 사건사고 발생 등을 고려하여 경찰서의 관할구역을 나누어 지역경찰관서(지구대 및 파출소)를 설치한다. (×)
>
> **훈령** **경찰청과 그 소속기관 조직 및 정원관리 규칙 제10조【지구대, 파출소 및 출장소】** ① 시 · 도경찰청장이 지구대 또는 파출소를 설치하고자 할 때에는 별표1 제4호에 준한 서류를 첨부하여 경찰청장에게 승인을 요청하여야 한다.
> ③ 시 · 도경찰청장은 임시로 필요한 때에는 출장소를 둘 수 있으며, 출장소를 설치한 때에는 경찰청장에게 보고하여야 한다.

지역경찰관서 등 설치권자
- 지역경찰관서(지구대 · 파출소): 시도청장+경찰청장 승인
- 출장소: 시도청장 + 경찰청장 보고

(2) 지역경찰관서의 장

> **예규** **지역경찰의 조직 및 운영에 관한 규칙 제5조【지역경찰관서장】** ① 지역경찰관서의 사무를 통할하고 소속 지역경찰을 지휘 · 감독하기 위해 지역경찰관서에 지구대장 및 파출소장(이하 "지역경찰관서장"이라 한다)을 둔다.
>
> **훈령** **경찰청과 그 소속기관 조직 및 정원관리 규칙 제10조【지구대, 파출소 및 출장소】** ② 지구대장은 경정 또는 경감, 파출소장은 경정 · 경감 또는 경위로 한다.
> ④ 출장소장은 경위 또는 경사로 한다.

경찰관서장 계급

경찰청장	치안총감
시 · 도청장	치안정감 · 치안감 · 경무관
경찰서장	경무관 · 총경 · 경정
지구대장	경정 · 경감
파출소장	경정 · 경감 · 경위
출장소장	경위 · 경사

(3) 지역경찰관서의 폐지

> **훈령** **경찰청과 그 소속기관 조직 및 정원관리 규칙 제10조【지구대, 파출소 및 출장소】** ⑤ 시 · 도경찰청장이 지구대 또는 파출소를 폐지하거나 명칭 · 위치 및 관할구역을 변경하였을 때에는 경찰청장에게 보고하여야 한다.

2. 치안센터

> **예규** 지역경찰의 조직 및 운영에 관한 규칙 제10조【설치 및 폐지】① 시·도경찰청장은 지역치안을 효율적으로 수행하기 위하여 지역경찰관서장 소속하에 치안센터를 설치할 수 있다.
>
> **훈령** 경찰청과 그 소속기관 조직 및 정원관리 규칙 제10조의2【치안센터】① 시·도경찰청장은 지역치안을 효율적으로 수행하기 위하여 치안센터를 둘 수 있다.
> ② 치안센터의 운영에 관한 사항은 지역경찰 조직 및 운영에 관한 규칙이 정하는 바에 따른다.

주제 4 경찰위원회

01 국가경찰위원회

국가경찰위원회는 국가경찰행정에 관한 주요 정책에 대한 심의·의결을 통해, 경찰이 민주적으로 경찰권을 행사할 수 있도록 하고 정치적 중립성을 지킬 수 있도록 하는, 행정안전부 소속 합의제 경찰의결기관이다.

[2017 채용2차] 국가경찰위원회는 경찰의 민주주의와 정치적 중립성을 보장하기 위하여 경찰청에 설치한 독립적 심의·의결 기구이다. (×)
[2018 승진(경위)] 국가경찰위원회는「국가경찰과 자치경찰의 조직 및 운영에 관한 법률」에 근거를 두고 설치된 기관으로, 행정안전부 소속 합의제 심의·의결기관이다. (○)

1. 국가경찰위원회의 설치 및 구성

> **경찰법 제7조【국가경찰위원회의 설치】**① 국가경찰행정에 관하여 제10조 제1항 각 호의 사항을 심의·의결하기 위하여 행정안전부에 국가경찰위원회를 둔다.
> ② 국가경찰위원회는 위원장 1명을 포함한 7명의 위원으로 구성하되, 위원장 및 5명의 위원은 비상임으로 하고, 1명의 위원은 상임으로 한다. [2010 경간] [2018 승진(경위)] [2017 실무 1] [2018 실무 1] [2020 채용1차]
> ③ 제2항에 따른 위원 중 상임위원은 정무직으로 한다.
> [2012 경간] 국가경찰위원회는 위원장 1인을 포함한 7인의 상임위원으로 구성된다. (×)
> [2012 채용1차] 국가경찰위원회는 위원장 1인을 포함하여 9인의 위원으로 구성된다. (×)
> [2013 채용1차] 국가경찰위원회는 위원장 1명을 포함한 9명의 위원으로 구성하되, 위원장 및 7명의 위원은 비상임으로 하고, 1명의 위원은 상임으로 한다. 위원장은 정무직으로 한다. (×)
> [2016 경간] [2020 승진(경감)] 국가경찰위원회는 위원장 1명을 포함한 7명의 위원으로 구성하되, 위원장 및 5명의 위원은 상임으로 하고, 1명의 위원은 비상임으로 한다. (×)
> [2017 승진(경위)] 국가경찰위원회는 위원장 1명을 포함한 7명의 위원으로 구성하되, 6명의 위원은 비상임으로 하고, 위원장은 상임으로 한다. (×)
> [2017 채용2차] [2022 경간] 국가경찰위원회는 위원장 1명을 포함한 7명의 위원으로 구성되며 위원장 및 1명의 위원은 상임으로 하고, 5명의 위원은 비상임으로 한다. (×)

💡 2023년 6월 기준 국가경찰위원회 위원은 다음과 같이 구성되어 있다.

순번	직위	성명	성별	직업
1	위원장	김호철	남	변호사
2	상임위원	박경민	남	상임위원
3	위원	김연태	남	법전원 교수
4	위원	최응렬	남	경찰행정학과 교수
5	위원	김민문정	여	여성단체대표
6	위원	박록삼	남	신문사 우리사주 조합장
7	위원	하주희	여	변호사

2. 국가경찰위원회의 위원과 위원장

(1) 임명

> **경찰법 제8조【국가경찰위원회 위원의 임명 및 결격사유 등】** ① 위원은 행정안전부장관의 제청으로 국무총리를 거쳐 대통령이 임명한다. [2013 채용2차] [2016 경간] [2017 채용1차] [2020 승진(경위)]
> ② 행정안전부장관은 위원 임명을 제청할 때 경찰의 정치적 중립이 보장되도록 하여야 한다.
> [2012 채용1차] 국가경찰위원회 위원은 국무총리의 제청으로 대통령이 임명한다. (×)
> [2018 승진(경위)] [2020 승진(경감)] 국가경찰위원회 위원은 경찰청장의 제청으로 행정안전부장관을 거쳐 대통령이 임명한다. (×)
> [2021 승진(실무종합)] 행정안전부장관은 위원 임명을 동의할 때, 경찰의 정치적 중립이 보장되도록 하여야 한다. (×)
>
> **대통령령** **국가경찰위원회 규정 제2조【위원장】** ① 위원장은 위원회를 대표하며, 위원회의 사무를 총괄한다.
> ② 위원장은 비상임위원 중에서 호선한다.
> ③ 위원장이 사고가 있을 때에는 상임위원, 위원 중 연장자순으로 위원장의 직무를 대리한다. [2017 경간] [2018 실무 1]
> [2014 채용2차] 위원과 위원장은 행정안전부장관의 제청으로 국무총리를 거쳐 대통령이 임명한다. (×)

| 호선
보통 선거권과 피선거권이 일치하는 비교적 소규모 회의체에서 특별한 요식행위 없이 선거를 하는 방법

(2) 위원의 자격과 결격사유

> **경찰법 제8조【국가경찰위원회 위원의 임명 및 결격사유 등】** ③ 위원 중 2명은 법관의 자격이 있는 사람이어야 한다. [2012 채용1차] [2018 승진(경위)] [2020 승진(경위)]
> ④ 위원은 특정 성(性)이 10분의 6을 초과하지 아니하도록 노력하여야 한다.
> ⑤ 다음 각 호의 어느 하나에 해당하는 사람은 위원이 될 수 없으며, 위원이 다음 각 호의 어느 하나에 해당하는 경우에는 당연퇴직한다. [2020 승진(경위)]
> 1. 정당의 당원이거나 당적을 이탈한 날부터 3년이 지나지 아니한 사람 [2012 경간]
> 2. 선거에 의하여 취임하는 공직에 있거나 그 공직에서 퇴직한 날부터 3년이 지나지 아니한 사람
> 3. 경찰, 검찰, 국가정보원 직원 또는 군인의 직에 있거나 그 직에서 퇴직한 날부터 3년이 지나지 아니한 사람 [2013 채용1차] [2014 채용2차] [2016 경간] [2020 채용1차]
> 4. 「국가공무원법」제33조 각 호(➜ 국가공무원법상의 결격사유)의 어느 하나에 해당하는 사람. 다만, 「국가공무원법」제33조 제2호 및 제5호에 해당하는 경우에는 같은 법 제69조 제1호 단서에 따른다.
> ⑥ 위원에 대해서는 「국가공무원법」제60조(➜ 비밀엄수의무) 및 제65조(➜ 정치운동금지)를 준용한다.
> [2017 채용1차] 위원 중 3명은 법관의 자격이 있는 사람이어야 한다. (×)
> [2012 경간] 당적을 이탈한 다음 날로부터 3년이 경과되지 아니한 자는 국가경찰위원이 될 수 없다. (×)
> [2018 승진(경감)] 경찰, 검찰, 국가정보원 직원 또는 군인의 직에서 퇴직한 날부터 3년이 지나지 아니한 사람은 위원으로 선임될 수 없다. (○)
> [2017 승진(경위)] [2018 채용3차] [2021 승진(실무종합)] 경찰, 검찰, 법관, 국가정보원 직원 또는 군인의 직에서 퇴직한 날부터 3년이 지나지 아니한 사람은 위원이 될 수 없다. (×)
> [2019 채용2차] 「국가경찰과 자치경찰의 조직 및 운영에 관한 법률」제8조에 따를 때 국가경찰위원회 위원은 「국가공무원법」상 비밀엄수의무와 정치운동금지의무를 진다. (○)

| 성평등 규정(6/10 비초과)
• 초과 않도록 노력하여야 한다: 국가경찰위원회, 자치경찰위원회
• 초과하지 아니해야 한다: 징계위원회, (청단위)인권위원회

(3) 위원의 지위

1) 임기와 신분보장

🔍 쉽게 읽기!

§9 ② 면직 관련: 위원은 / 중대한 신체상 또는 정신상의 장애로 직무를 수행할 수 없게 된 경우에만 / 본인이 싫어도 면직할 수 있는데 / 그 경우에도 위원회 의결이 있어야 한다.

> **경찰법 제9조【국가경찰위원회 위원의 임기 및 신분보장】** ① 위원의 임기는 3년으로 하며, 연임할 수 없다. 이 경우 보궐위원의 임기는 전임자 임기의 남은 기간으로 한다. [2013 채용1차] [2017 채용1차] [2018 채용3차] [2020 채용1차] [2020 승진(경감)]
> ② 위원은 중대한 신체상 또는 정신상의 장애로 직무를 수행할 수 없게 된 경우를 제외하고는 그 의사에 반하여 면직되지 아니한다. [2012 경간] [2013 채용1차]
> [2014 채용2차] [2017 승진(경위)]
> [2016 경간] [2017 실무 1] [2018 승진(경감)] 위원의 임기는 3년으로 하며, 연임할 수 있다. (×)
> [2022 경간] 위원의 임기는 3년으로 하며, 연임할 수 있다. 이 경우 보궐위원의 임기는 전임자 임기의 남은 기간으로 한다. (×)
> [2012 채용1차] 국가경찰위원회 위원의 임기는 2년이며 연임할 수 없다. (×)
>
> **대통령령** **국가경찰위원회 규정 제4조【위원의 면직】** ① 법 제9조 제2항에 따라 위원이 중대한 심신상의 장애로 직무를 수행할 수 없게 되어 면직하는 경우에는 위원회의 의결이 있어야 한다.
> ② 제1항의 의결요구는 위원장 또는 행정안전부장관이 한다.

2) 예우

> **대통령령** **국가경찰위원회 규정 제3조【위원의 예우등】** ① 위원중 상임이 아닌 위원에게는 예산의 범위안에서 수당과 여비를 지급할 수 있다.
> ② 상임위원은 정무직으로 한다.
> [2018 실무 1] 상임위원은 별정직으로 한다. (×)
> [2020 승진(경감)] 위원장은 정무직으로 한다. (×)
> [2020 승진(경위)] 위원회는 위원장 1명을 포함한 7명의 위원으로 구성하되, 위원장 및 5명의 위원은 비상임으로 하고, 1명의 위원은 상임으로 하며, 위원장은 정무직으로 한다. (×)

❚ 정무직
선출직 공무원과 정치적으로 임명되는 특별한 특수경력직 고위공무원을 말한다.

3. 국가경찰위원회의 회의

(1) 심의 · 의결사항

> **경찰법 제10조【국가경찰위원회의 심의 · 의결 사항 등】** ① 다음 각 호의 사항은 국가경찰위원회의 심의 · 의결을 거쳐야 한다.
> 1. 국가경찰사무에 관한 인사, 예산, 장비, 통신 등에 관한 주요정책 및 경찰 업무 발전에 관한 사항 [2023 채용1차]
> 2. 국가경찰사무에 관한 인권보호와 관련되는 경찰의 운영 · 개선에 관한 사항 [2023 채용1차]
> 3. 국가경찰사무 담당 공무원의 부패 방지와 청렴도 향상에 관한 주요 정책사항 [2017 채용2차]
> 4. 국가경찰사무 외에 다른 국가기관으로부터의 업무협조 요청에 관한 사항 [2018 채용3차]
> 5. 제주특별자치도의 자치경찰에 대한 경찰의 지원 · 협조 및 협약체결의 조정 등에 관한 주요 정책사항 [2018 실무 1] [2023 채용1차]
> 6. 제18조에 따른 시 · 도자치경찰위원회 위원 추천, 자치경찰사무에 대한 주요 법령 · 정책 등에 관한 사항, 제25조 제4항에 따른 시 · 도자치경찰위원회 의결에 대한 재의 요구에 관한 사항
> 7. 제2조에 따른 시책 수립에 관한 사항

8. 제32조에 따른 비상사태 등 전국적 치안유지를 위한 경찰청장의 지휘 · 명령에 관한 사항

9. 그 밖에 행정안전부장관 및 경찰청장이 중요하다고 인정하여 국가경찰위원회의 회의에 부친 사항

[2023 채용1차] 지방행정과 치안행정의 업무조정에 관한 사항은 국가경찰위원회의 심의 · 의결 사항이다. (×)
[2012 채용1차] 국가경찰위원회의 심의 · 의결사항에는 국가경찰 임무와 관련하여 다른 국가기관으로부터의 업무협조 요청에 관한 사항도 포함된다. (×)
[2017 승진(경위)] [2018 승진(경감)] 국가경찰 임무와 관련된 다른 국가기관으로부터의 업무협조 요청에 관한 사항은 국가경찰위원회의 심의 · 의결을 거쳐야 한다. (×)

대통령령 국가경찰위원회 규정 제5조 【심의 · 의결사항의 구체적 범위】 ① 법 제10조 제1항 제1호의 범위는 다음과 같다.

1. 경찰청 소관 법령과 행정규칙의 제정 · 개정 및 폐지에 관한 사항
2. 경찰공무원의 채용 · 승진 등 인사운영 기준에 관한 사항
3. 경찰공무원에 대한 교육 및 복지 증진에 관한 사항
4. 경찰복제 및 경찰장비에 관한 사항
5. 경찰정보통신 개발 및 운영에 관한 사항
6. 경찰조직 및 예산 편성 등에 관한 사항
7. 경찰 중 · 장기 발전계획에 관한 사항
8. 그 밖에 위원회가 경찰 주요정책 및 경찰 업무 발전에 필요하다고 인정하는 사항

② 법 제10조 제1항 제2호의 범위는 다음 각호와 같다.

1. 국민의 권리 · 의무와 직접 관계되는 경찰행정 및 수사절차
2. 경찰행정과 관련되는 과태료 · 범칙금 기타 벌칙에 관한 사항
3. 경찰행정과 관련되는 국민의 부담에 관한 사항

대통령령 국가경찰위원회 규정 제9조 【의견청취등】 ① 위원장은 위원회의 심의를 위하여 필요한 경우에는 관계공무원 또는 관계전문가의 출석 · 발언이나 자료의 제출을 요구할 수 있다.

② 위원장은 위원회의 심의를 위하여 필요한 경우에는 관계 경찰공무원에게 필요한 사항의 보고를 요구할 수 있으며, 그 관계 경찰공무원은 성실히 이에 응하여야 한다.

(2) 의결정족수

경찰법 제11조 【국가경찰위원회의 운영 등】 ② 국가경찰위원회의 회의는 재적위원 과반수의 출석과 출석위원 과반수의 찬성으로 의결한다. [2016 경간] [2017 실무 1] [2022 경간]

[2017 승진(경위) 유사] [2017 채용2차] 국가경찰위원회의 회의는 재적위원 과반수의 출석과 재적위원 과반수의 찬성으로 의결한다. (×)

(3) 의결사항에 대한 재의

자치경찰위원회의 재의
- 시 · 도지사가 의결사항이 적정하지 아니하다 판단한 때
- 행정안전부장관 · 경찰청장은 의결이 법령위반 · 공익 현저히 저해 판단한 때 시 · 도지사에게 재의을 요구하게 할 수 있다.

> **경찰법 제10조【국가경찰위원회의 심의 · 의결 사항 등】** ② 행정안전부장관은 제1항에 따라 심의 · 의결된 내용이 적정하지 아니하다고 판단할 때에는 재의를 요구할 수 있다. [2012 채용2차] [2014 채용2차]
> [2017 실무 1] [2017 경간] 경찰청장은 위원회에서 심의 · 의결된 내용이 적정하지 아니하다고 판단할 때에는 재의를 요구할 수 있다. (×)

> **대통령령 국가경찰위원회 규정 제6조【재의요구】** ① 법 제10조 제2항에 따라 행정안전부장관이 재의를 요구하는 경우에는 의결한 날부터 10일이내에 재의요구서를 위원회에 제출하여야 한다.
> ② 위원장은 재의요구가 있는 경우에는 그 요구를 받은 날부터 7일이내에 회의를 소집하여 다시 의결하여야 한다.
> [2010 경간] 국가경찰위원회의 의결사항에 대한 행정안전부장관의 재의요구는 의결한 날로 7일 이내에 하여야 하고, 위원회는 재의요구를 받은 날부터 10일 이내에 재의결하여야 한다. (×)

4. 국가경찰위원회의 운영

(1) 회의의 개최 등

자치경찰위원회의 회의
- 정기회의: 월 1회 이상
- 임시회의:
  - 위원장이 필요 인정
  - 위원 2명 이상이 필요 인정
  - 시 · 도지사가 필요 인정

> **대통령령 국가경찰위원회 규정 제7조【회의】** ① 위원회의 회의는 정기회의와 임시회의로 구분한다.
> ② 정기회의는 특별한 사유가 있는 경우를 제외하고는 매월 2회 위원장이 소집한다. [2017 경간]
> ③ 위원장은 필요한 경우 임시회의를 소집할 수 있으며, 위원 3인이상과 행정안전부장관 또는 경찰청장은 위원장에게 임시회의의 소집을 요구할 수 있다. [2012 채용1차] [2017 경간] [2021 승진(실무종합)] ➜ 임시회의 소집권: 위원장 / 위원장에 대한 임시회의 소집요구권: 위원 3인이상, 행정안전부장관, 경찰청장
> ④ 제3항의 규정에 의한 임시회의소집 요구가 있는 경우에는 위원장은 특별한 사유가 없는 한 회의를 소집하여야 한다.

(2) 위원회의 사무

> **경찰법 제11조【국가경찰위원회의 운영 등】** ① 국가경찰위원회의 사무는 경찰청에서 수행한다.
> [2022 경간] 국가경찰위원회의 사무는 자체에서 수행한다. (×)
> [2018 승진(경감)] 국가경찰위원회는 경찰의 정치적 중립 보장과 중요 정책에 대한 민주적 결정을 위해 설치된 기구로서 행정안전부에 두고, 위원회의 사무도 행정안전부에서 수행한다. (×)

> **대통령령 국가경찰위원회 규정 제8조【간사】** ① 위원회에 간사 1인을 두되, 간사는 경찰청 소속 과장급 경찰공무원 중에서 경찰청장이 지명한다.
> ② 간사는 위원장의 명을 받아 다음 사항을 처리한다.
> 1. 의안의 작성
> 2. 회의진행에 필요한 준비
> 3. 회의록 작성과 보관
> 4. 기타 위원회의 사무

> **대통령령 국가경찰위원회 규정 제11조【운영세칙】** 이 영에 규정된 사항 외에 위원회의 운영을 위하여 필요한 사항은 위원회의 의결을 거쳐 위원장이 정한다.
> [2021 승진(실무종합)] 국가경찰위원회 규정에 규정된 사항 외에 위원회의 운영을 위하여 필요한 사항은 위원회의 의결을 거쳐 행정안전부장관이 정한다. (×)

02 시·도자치경찰위원회

> **경찰법 제18조【시·도자치경찰위원회의 설치】** ② 시·도자치경찰위원회는 합의제 행정 기관으로서 그 권한에 속하는 업무를 독립적으로 수행한다. [2022 채용1차] [2024 채용1차]

시·도자치경찰위원회는 시·도경찰청의 자치경찰사무를 관장하는 경찰위원회로서, 지방행정과 치안행정의 연계성을 확보하고 지역 특성에 적합한 치안 서비스를 제공하기 위한 핵심적인 역할을 하는 합의제 행정기관이다.

1. 시·도자치경찰위원회의 설치 및 구성

> **경찰법 제18조【시·도자치경찰위원회의 설치】** ① 자치경찰사무를 관장하게 하기 위하여 특별시장·광역시장·특별자치시장·도지사·특별자치도지사(이하 "시·도지사"라 한다) 소속으로 시·도자치경찰위원회를 둔다. 다만, 제13조 후단에 따라 시·도에 2개의 시·도경찰청을 두는 경우 시·도지사 소속으로 2개의 시·도자치경찰위원회를 둘 수 있다. [2010 경간]
> ③ 제1항 단서에 따라 2개의 시·도자치경찰위원회를 두는 경우 해당 시·도자치경찰위원회의 명칭, 관할구역, 사무분장, 그 밖에 필요한 사항은 대통령령으로 정한다.
>
> **경찰법 제19조【시·도자치경찰위원회의 구성】** ① 시·도자치경찰위원회는 위원장 1명을 포함한 7명의 위원으로 구성하되, 위원장과 1명의 위원은 상임으로 하고, 5명의 위원은 비상임으로 한다. [2024 채용1차] [2021 채용1차] ➔ 즉, 2명은 상임, 5명은 비상임 **비교》** **국가경찰위원회**: 위원장 비상임 / 상임 1명, 비상임 6명
> ② 위원은 특정 성(性)이 10분의 6을 초과하지 아니하도록 노력하여야 한다.
> ③ 위원 중 1명은 인권문제에 관하여 전문적인 지식과 경험이 있는 사람이 임명될 수 있도록 노력하여야 한다. [2022 채용1차]

2. 시·도자치경찰위원회의 위원과 위원장

(1) 임명

> **경찰법 제20조【시·도자치경찰위원회 위원의 임명 및 결격사유】** ① 시·도자치경찰위원회 위원은 다음 각 호의 사람을 시·도지사가 임명한다. [2021 채용1차]
> 1. 시·도의회가 추천하는 2명
> 2. 국가경찰위원회가 추천하는 1명
> 3. 해당 시·도 교육감이 추천하는 1명
> 4. 시·도자치경찰위원회 위원추천위원회가 추천하는 2명
> 5. 시·도지사가 지명하는 1명
> ③ 시·도자치경찰위원회 위원장은 위원 중에서 시·도지사가 임명하고, 상임위원은 시·도자치경찰위원회의 의결을 거쳐 위원 중에서 위원장의 제청으로 시·도지사가 임명한다. 이 경우 위원장과 상임위원은 지방자치단체의 공무원으로 한다.
> ⑧ 그 밖에 위원의 임명방법 등에 관하여 필요한 사항은 대통령령으로 정하는 기준에 따라 시·도조례로 정한다.
> [2024 승진] 시·도자치경찰위원회 위원장은 위원 중에서 시·도지사가 임명하고, 상임위원은 시·도자치경찰위원회의 의결을 거쳐 위원 중에서 시·도경찰청장의 제청으로 시·도지사가 임명한다. (×)
> [2021 채용1차] 위원장은 비상임위원 중에서 호선하고, 상임위원은 시·도자치경찰위원회의 의결을 거쳐 위원 중에서 위원장의 제청으로 시·도지사가 임명한다. 이 경우 위원장과 상임위원은 지방자치단체의 공무원으로 한다. (×)

▌**국가경찰위원회 위원임명**
행정안전부장관 제청 ➔ 국무총리 거쳐 ➔ 대통령이 임명

▌**국가경찰위원회 위원장**
비상임위원 중에서 호선

▌**국가경찰위원회 상임위원**
정무직으로 한다.

⊕심화 시·도자치경찰위원회 위원추천위원회

1 의의

- 시·도자치경찰위원회가 더욱 민주적이고 지역실정에 맞는 시·도자치경찰위원으로 구성될 수 있도록, 시·도자치경찰위원 중 2명을 추천할 권한을 갖는 위원회이다. ➡ 위원을 추천하는 위원회!

2 설치 및 구성

> **경찰법 제21조【시·도자치경찰위원회 위원추천위원회】** ① 시·도자치경찰위원회 위원 추천을 위하여 시·도지사 소속으로 시·도자치경찰위원회 위원추천위원회를 둔다.
> ② 시·도지사는 시·도자치경찰위원회 위원추천위원회에 각계각층의 관할 지역주민의 의견이 수렴될 수 있도록 위원을 구성하여야 한다.
> ③ 시·도자치경찰위원회 위원추천위원회 위원의 수, 자격, 구성, 위원회 운영 등에 관하여 필요한 사항은 대통령령으로 정한다.

> **대통령령 자치경찰위원회 조직운영규정 제5조【시·도자치경찰위원회 위원추천위원회의 구성】** ① 법 제21조 제1항에 따른 시·도자치경찰위원회 위원추천위원회(이하 "추천위원회"라 한다)는 시·도자치경찰위원회 위원을 추천할 때마다 위원장 1명을 포함하여 5명의 위원으로 구성한다.
> ② 추천위원회 위원(이하 "추천위원"이라 한다)은 시·도지사가 다음 각 호에 해당하는 사람을 임명하거나 위촉하며, 추천위원회 위원장은 추천위원 중에서 호선한다.
> 1. 「지방자치법 시행령」 제103조 제1항에 따라 각 시·도별로 두는 시·군·자치구의회의 의장 전부가 참가하는 지역협의체가 추천하는 1명
> 2. 「지방자치법 시행령」 제103조 제1항에 따라 각 시·도별로 두는 시장·군수·자치구의 구청장 전부가 참가하는 지역협의체가 추천하는 1명
> 3. 재직 중인 경찰공무원이 아닌 사람 중에서 경찰청장이 추천하는 1명
> 4. 시·도경찰청의 소재지를 관할하는 지방법원장이 추천하는 1명
> 5. 시·도 본청 소속 기획 담당 실장[경기도북부자치경찰위원회의 경우에는 행정(2)부지사 밑에 두는 기획 담당 실장을 말한다]
> ③ 제2항 제1호 및 제2호에도 불구하고 세종특별자치시와 제주특별자치도의 추천위원은 해당 시·도 의회 및 해당 시·도 교육감이 각각 1명씩 추천한다.

3 추천위원회의 회의

> **대통령령 자치경찰위원회 조직운영규정 제8조【추천위원회의 회의】** ① 추천위원회 위원장은 시·도지사 또는 추천위원 3분의 1 이상이 요청하거나 추천위원회 위원장이 필요하다고 인정하는 경우 추천위원회의 회의를 소집하고 그 의장이 된다.
> ② 추천위원회는 재적위원 과반수의 찬성으로 의결한다. ➡ 재적과반 출석, 출석과반 찬성 아님!
> ③ 추천위원회 위원장은 회의를 소집하려면 회의 개최 3일 전까지 회의의 일시·장소 및 안건 등을 각 추천위원에게 알려야 한다. 다만, 긴급한 사정이나 그 밖의 부득이한 사유가 있는 경우에는 그렇지 않다.
> ④ 추천위원회의 회의는 공개하지 않는다.

> **대통령령 자치경찰위원회 조직운영규정 제10조【비밀엄수의 의무 등】** ① 추천위원 또는 추천위원이었던 사람은 직무상 알게 된 비밀을 누설하거나 심사와 관련된 개인 의견을 외부에 공표해서는 안 된다.

(2) 위원의 자격요건

> **경찰법 제20조【시·도자치경찰위원회 위원의 임명 및 결격사유】** ② 시·도자치경찰위원회 위원은 다음 각 호의 어느 하나에 해당하는 자격을 갖추어야 한다.
> 1. 판사·검사·변호사 또는 경찰의 직에 5년 이상 있었던 사람
> 2. 변호사 자격이 있는 사람으로서 국가기관등에서 법률에 관한 사무에 5년 이상 종사한 경력이 있는 사람
> 3. 대학이나 공인된 연구기관에서 법률학·행정학 또는 경찰학 분야의 조교수 이상의 직이나 이에 상당하는 직에 5년 이상 있었던 사람
> 4. 그 밖에 관할 지역주민 중에서 지방자치행정 또는 경찰행정 등의 분야에 경험이 풍부하고 학식과 덕망을 갖춘 사람
> ③ 시·도자치경찰위원회 위원장은 위원 중에서 시·도지사가 임명하고, 상임위원은 시·도자치경찰위원회의 의결을 거쳐 위원 중에서 위원장의 제청으로 시·도지사가 임명한다. 이 경우 위원장과 상임위원은 지방자치단체의 공무원으로 한다.
> ④ 위원은 정치적 중립을 지켜야 하며, 권한을 남용하여서는 아니 된다. [2022 채용1차]
> ⑤ 공무원이 아닌 위원에 대해서는 「지방공무원법」 제52조(➡ 비밀엄수의무) 및 제57조(➡ 정치운동금지)를 준용한다.
> ⑥ 공무원이 아닌 위원은 그 소관 사무와 관련하여 형법이나 그 밖의 법률에 따른 벌칙을 적용할 때에는 공무원으로 본다. [2024 승진]
>
> [2021 채용1차] 시·도 자치경찰위원회 위원 중 2명은 법관의 자격이 있는 사람이어야 한다. (×)
> [2024 승진] [2022 채용1차] 시·도자치경찰위원회의 공무원이 아닌 위원에 대해서는 국가공무원법 제55조 및 제57조를 준용한다. (×)
> [2024 승진] 공무원이 아닌 위원은 그 소관 사무와 관련하여 형법이나 그 밖의 법률에 따른 벌칙을 적용할 때에는 공무원으로 본다. (○)

▌국가경찰위원회 위원자격
7명 중 2명에게 법관자격 요구하는 것 외에 다른 자격요건 ×

▌외부영입 국가수사본부장 자격
1. 10년 이상 수사업무 종사한 ① 고위공무원, ② 3급 이상 공무원, ③ 총경이상 경찰
2. 10년 이상 판사·검사·변호사
3. 10년 이상 국가기관 법률사무 종사자
4. 10년 이상 조교수 이상
5. 위 1.~4. 경력합계 15년 이상

(3) 위원의 결격사유

> **경찰법 제20조【시·도자치경찰위원회 위원의 임명 및 결격사유】** ⑦ 다음 각 호의 어느 하나에 해당하는 사람은 위원이 될 수 없다. 위원이 각 호의 어느 하나에 해당한 경우에는 당연퇴직한다.
> 1. 정당의 당원이거나 당적을 이탈한 날부터 3년이 지나지 아니한 사람
> 2. 선거에 의하여 취임하는 공직에 있거나 그 공직에서 퇴직한 날부터 3년이 지나지 아니한 사람
> 3. 경찰, 검찰, 국가정보원 직원 또는 군인의 직에 있거나 그 직에서 퇴직한 날부터 3년이 지나지 아니한 사람
> 4. 국가 및 지방자치단체의 공무원(국립 또는 공립대학의 조교수 이상의 직에 있는 사람은 제외한다. 이하 이 조에서 같다)이거나 공무원이었던 사람으로서 퇴직한 날부터 3년이 지나지 아니한 사람. 다만, 제20조 제3항 후단에 따라 위원장과 상임위원이 지방자치단체의 공무원이 된 경우에는 당연퇴직하지 아니한다.
> 5. 「지방공무원법」 제31조 각 호(➡ 지방공무원법상의 결격사유)의 어느 하나에 해당하는 사람. 다만, 「지방공무원법」 제31조 제2호 및 제5호에 해당하는 경우에는 같은 법 제61조 제1호 단서에 따른다.
>
> [2024 승진] 경찰, 검찰, 국가정보원직원 또는 군인의 직에 있거나 그 직에서 퇴직한 날부터 3년이 지나지 아니한 사람은 위원이 될 수 없다. (○)

(4) 위원의 지위

1) 임기와 신분보장

┃ 국가경찰위원회 임기 등
- 임기 3년, 연임 불가
- 보궐위원 임기는 전임자 잔여기간
  (전임자 잔여임기 1년 미만시 연임
  가능 규정 없음!!)
- 중대한 신체·정신장애 제외 의사
  에 반한 면직 불가

> **경찰법 제23조【시·도자치경찰위원회 위원의 임기 및 신분보장】** ① 시·도자치경찰위원회 위원장과 위원의 임기는 3년으로 하며, 연임할 수 없다.
> ② 보궐위원의 임기는 전임자 임기의 남은 기간으로 하되, 전임자의 남은 임기가 1년 미만인 경우 그 보궐위원은 제1항에도 불구하고 한 차례만 연임할 수 있다.
> ③ 위원은 중대한 신체상 또는 정신상의 장애로 직무를 수행할 수 없게 된 경우를 제외하고는 그 의사에 반하여 면직되지 아니한다.

2) 예우

> **경찰법 제26조【시·도자치경찰위원회의 운영 등】** ③ 시·도자치경찰위원회의 위원 중 공무원이 아닌 위원에게는 예산의 범위에서 직무활동에 필요한 비용 등을 지급할 수 있다.
>
> **대통령령** **자치경찰위원회 조직운영규정 제16조【위원의 수당 등】** ① 시·도자치경찰위원회에 출석한 공무원이 아닌 위원에게는 법 제26조 제3항에 따라 예산의 범위에서 상임위원에 준하여 수당과 여비, 그 밖에 필요한 경비를 지급할 수 있다.
> ② 제1항에 따른 수당 등의 지급기준은 시·도의 조례로 정한다.

3. 시·도자치경찰위원회의 회의

(1) 소관사무와 심의·의결사항

┃ 자치경찰위원회 소관사무 분류
- **제1유형**: 자치경찰의 정책수립 및
  운영 ➡ 제1호~제6호까지
- **제2유형**: 자치경찰의 통제 ➡ 제7
  호~제12호까지
- **제3유형**: 국가경찰과의 협의·조
  정 ➡ 제13호~제16호

> **경찰법 제24조【시·도자치경찰위원회의 소관사무】** ① 시·도자치경찰위원회의 소관사무는 다음 각 호로 한다.
> 1. 자치경찰사무에 관한 목표의 수립 및 평가
> 2. 자치경찰사무에 관한 인사, 예산, 장비, 통신 등에 관한 주요정책 및 그 운영지원
> 3. 자치경찰사무 담당 공무원의 임용, 평가 및 인사위원회 운영
> 4. 자치경찰사무 담당 공무원의 부패 방지와 청렴도 향상에 관한 주요 정책 및 인권침해 또는 권한남용 소지가 있는 규칙, 제도, 정책, 관행 등의 개선
> 5. 제2조에 따른 시책 수립
> 6. 제28조 제2항에 따른 시·도경찰청장의 임용과 관련한 경찰청장과의 협의, 제30조 제4항에 따른 평가 및 결과 통보
> 7. 자치경찰사무 감사 및 감사의뢰
> 8. 자치경찰사무 담당 공무원의 주요 비위사건에 대한 감찰요구
> 9. 자치경찰사무 담당 공무원에 대한 징계요구
> 10. 자치경찰사무 담당 공무원의 고충심사 및 사기진작
> 11. 자치경찰사무와 관련된 중요사건·사고 및 현안의 점검
> 12. 자치경찰사무에 관한 규칙의 제정·개정 또는 폐지
> 13. 지방행정과 치안행정의 업무조정과 그 밖에 필요한 협의·조정
> 14. 제32조에 따른 비상사태 등 전국적 치안유지를 위한 경찰청장의 지휘·명령에 관한 사무

15. 국가경찰사무·자치경찰사무의 협력·조정과 관련하여 경찰청장과 협의

16. 국가경찰위원회에 대한 심의·조정 요청

17. 그 밖에 시·도지사, 시·도경찰청장이 중요하다고 인정하여 시·도자치경찰위원회의 회의에 부친 사항에 대한 심의·의결

② 시·도자치경찰위원회의 업무와 관련하여 시·도지사는 정치적 목적이나 개인적 이익을 위해 관여하여서는 아니 된다.

[2023 승진(실무종합)] 국가경찰사무·자치경찰사무의 협력·조정과 관련하여 시·도경찰청장과 협의는 시·도자치경찰위원회의 소관사무에 해당한다. (×)

경찰법 제25조【시·도자치경찰위원회의 심의·의결사항 등】 ① 시·도자치경찰위원회는 제24조의 사무에 대하여 심의·의결한다.

경찰법 제26조【시·도자치경찰위원회의 운영 등】 ② 시·도자치경찰위원회는 회의 안건과 관련된 이해관계인이 있는 경우 그 의견을 듣거나 회의에 참석하게 할 수 있다.

대통령령 **자치경찰위원회 조직운영규정 제14조【의견 청취 등】** ① 시·도자치경찰위원회 위원장은 시·도자치경찰위원회의 심의를 위하여 필요한 경우에는 관계 공무원 또는 관계 전문가의 출석·발언이나 자료의 제출을 요구할 수 있다.
② 시·도자치경찰위원회에 출석한 관계 공무원 또는 관계 전문가에 대하여는 예산의 범위에서 수당과 여비를 지급할 수 있다. 다만, 공무원이 소관 업무와 직접적으로 관련되어 출석하는 경우에는 지급하지 않는다.

(2) 의결정족수

경찰법 제25조【시·도자치경찰위원회의 심의·의결사항 등】 ② 시·도자치경찰위원회의 회의는 재적위원 과반수의 출석과 출석위원 과반수의 찬성으로 의결한다. ➡ 국가경찰위원회와 동일

(3) 의결사항에 대한 재의

경찰법 제25조【시·도자치경찰위원회의 심의·의결사항 등】 ③ 시·도지사는 제1항에 관한 시·도자치경찰위원회의 의결이 적정하지 아니하다고 판단할 때에는 재의를 요구할 수 있다. [2024 채용 1차]
④ 위원회의 의결이 법령에 위반되거나 공익을 현저히 해친다고 판단되면 행정안전부장관은 미리 경찰청장의 의견을 들어 국가경찰위원회를 거쳐 시·도지사에게 제3항의 재의를 요구하게 할 수 있고, 경찰청장은 국가경찰위원회와 행정안전부장관을 거쳐 시·도지사에게 재의를 요구하게 할 수 있다.
⑤ 시·도자치경찰위원회의 위원장은 재의요구를 받은 날부터 7일 이내에 회의를 소집하여 재의결하여야 한다. 이 경우 재적위원 과반수의 출석과 출석위원 3분의 2 이상의 찬성으로 전과 같은 의결을 하면 그 의결사항은 확정된다.
➡ 국가경찰위원회의 경우 가중된 정족수로 같은 의결시 의결사항 확정된다는 규정이 없음!

[2024 채용 1차] 경찰청장은 시·도자치경찰위원회의 의결이 적정하지 아니하다고 판단되면 국가경찰위원회와 행정안전부장관을 거쳐 시·도지사에게 재의를 요구하게 할 수 있다. (×)

🔍 **쉽게 읽기!**
- §25 ③: 시·도지사는 / 의결이 적정하지 않다고 판단할 때 / (직접) 재의를 요구할 수 있다.
- §25 ④: 의결이 법령위반·공익 현저히 해친다고 판단할 때 / 시·도지사에게 / 재의를 요구하게 할 수 있다. / 누가·어떻게?
  - 행정안전부장관이: 경찰청장 의견 ➡ 국가경찰위원회 거쳐서
  - 경찰청장이: 국가경찰위원회와 행정안전부장관 거쳐서

4. 시 · 도자치경찰위원회의 운영

(1) 위원장의 직무

▌국가경찰위원회의 정기회
 매월 2회(2회 이상 ×)

> **경찰법 제22조【시 · 도자치경찰위원회 위원장의 직무】** ① 시 · 도자치경찰위원회 위원장은 시 · 도자치경찰위원회를 대표하고 회의를 주재하며 시 · 도자치경찰위원회의 의결을 거쳐 업무를 수행한다.
> ② 시 · 도자치경찰위원회 위원장이 부득이한 사유로 직무를 수행할 수 없을 때에는 상임위원, 시 · 도자치경찰위원회 위원 중 연장자순으로 그 직무를 대행한다. ➡ 국가경찰위원회 위원장의 경우와 거의 유사!

(2) 회의의 개최 등

▌국가경찰위원회의 임시회
 • 소집권: 필요한 경우 위원장이
 • 소집요구권: ① 위원 3인 이상, ② 행정안전부장관, ③ 경찰청장

> **경찰법 제26조【시 · 도자치경찰위원회의 운영 등】** ① 시 · 도자치경찰위원회의 회의는 정기적으로 개최하여야 한다. 다만 위원장이 필요하다고 인정하는 경우, 위원 2명 이상이 요구하는 경우 및 시 · 도지사가 필요하다고 인정하는 경우에는 임시회의를 개최할 수 있다.
> ④ 그 밖에 시 · 도자치경찰위원회의 운영 등에 필요한 사항은 대통령령으로 정하는 기준에 따라 시 · 도조례로 정한다.
>
> **대통령령 자치경찰위원회 조직운영규정 제13조【시 · 도자치경찰위원회의 회의】** ① 시 · 도자치경찰위원회 위원장은 법 제26조 제1항에 따라 정기회의와 임시회의를 소집 · 개최한다. 이 경우 정기회의는 특별한 사유가 있는 경우를 제외하고는 월 1회 이상 소집 · 개최한다.
> ② 시 · 도자치경찰위원회 위원장은 회의를 소집하려면 회의 개최 3일 전까지 회의의 일시 · 장소 및 안건 등을 위원에게 알려야 한다. 다만, 긴급한 사정이나 그 밖의 부득이한 사유가 있는 경우에는 그렇지 않다.
> ③ 시 · 도자치경찰위원회는 회의록을 작성하고, 회의의 내용 및 결과와 출석한 위원의 성명을 적어야 한다.
> ④ 제3항의 회의록에는 위원장과 출석한 위원이 서명 · 날인해야 한다.
> ⑤ 시 · 도자치경찰위원회는 회의의 효율적 운영을 위하여 필요한 경우 서면으로 심의 · 의결하거나 원격영상회의 방식으로 할 수 있다. 이 경우 서면으로 심의 · 의결할 수 있는 대상과 원격영상회의의 운영 등에 관한 사항은 해당 시 · 도의 조례로 정한다.
> ⑥ 제5항에 따라 시 · 도자치경찰위원회의 회의를 원격영상회의 방식으로 하는 경우 해당 회의에 참석한 위원은 동일한 회의장에 출석한 것으로 본다.

(3) 위원회의 사무

> **경찰법 제27조【사무기구】** ① 시 · 도자치경찰위원회의 사무를 처리하기 위하여 시 · 도자치경찰위원회에 필요한 사무기구를 둔다.
> ② 사무기구에는 「지방자치단체에 두는 국가공무원의 정원에 관한 법률」에도 불구하고 대통령령으로 정하는 바에 따라 경찰공무원을 두어야 한다.
> ③ 제주특별자치도에는 「제주특별자치도 설치 및 국제자유도시 조성을 위한 특별법」 제44조 제3항에도 불구하고 같은 법 제6조 제1항 단서에 따라 이 법 제27조 제2항을 우선하여 적용한다.

④ 사무기구의 조직·정원·운영 등에 관하여 필요한 사항은 경찰청장의 의견을 들어 대통령령으로 정하는 기준에 따라 시·도조례로 정한다.

> **대통령령** **자치경찰위원회 조직운영규정 제17조【운영규정】** 이 영에서 정한 사항 외에 시·도자치경찰위원회의 운영 등에 필요한 사항은 시·도의 조례로 정한다. ➡ 국가경찰위원회의 경우에는 위원회 의결 거쳐 위원장이 정함

> **대통령령** **자치경찰위원회 조직운영규정 제18조【사무기구】** ① 법 제27조 제1항에 따른 시·도자치경찰위원회 사무기구의 조직에 관한 사항은 「지방자치단체의 행정기구와 정원기준 등에 관한 규정」에 따른다.
> ② 사무기구의 장은 시·도자치경찰위원회 위원장의 명을 받아 소관 사무를 처리하고 소속 직원을 지휘·감독한다.
> ③ 법 제27조 제2항에 따라 사무기구에 두는 경찰공무원의 시·도별 정원과 계급별 정원은 「시·도자치경찰위원회에 두는 경찰공무원의 정원에 관한 규정」에 따르며, 사무기구에 두는 경찰공무원은 경찰청 소속 공무원으로 충원해야 한다.

제2절 경찰공무원법

주제 1 경찰공무원 개설

01 공무원

> **헌법 제7조** ① 공무원은 국민전체에 대한 봉사자이며, 국민에 대하여 책임을 진다.
> ② 공무원의 신분과 정치적 중립성은 법률이 정하는 바에 의하여 보장된다.

1. 공무원의 개념

- 국가 또는 지방자치단체에 의하여 임명되어 그 공무에 종사하는 자를 공무원이라 한다.
- 공무원은 국민 전체의 봉사자의 지위에 있으므로 공무원의 근무관계에서는 사법상의 근무관계와는 다른 일정한 공법적 특수성이 인정되고 있다.

> **⚖ 요지판례 |**
> 공무원은 공직자인 동시에 국민의 한 사람이기도 하므로 국민 전체에 대한 봉사자로서의 지위와 기본권을 향유하는 기본권주체로서의 지위라는 이중적 지위를 가지는바, 공무원이라고 하여 기본권이 무시되거나 경시되어서는 안 되지만, 공무원의 신분과 지위의 특수성상 공무원에 대해서는 일반 국민에 비해 보다 넓고 강한 기본권 제한이 가능하게 된다(헌재 2012.3.29, 2010헌마97).

2. 공무원의 종류

(1) 국가공무원과 지방공무원

- 국가공무원은 보통 국가에 의하여 임명되고 국가의 사무를 집행하며 국가로부터 보수를 받는 공무원을 말한다.
- 지방공무원은 지방자치단체에 의해 임명되고 지방자치단체의 사무를 담당하며 지방자치단체로부터 보수를 받는 공무원을 말한다.

(2) 국가공무원법상의 공무원 분류

▌국가공무원법에 따른 경찰공무원 분류
국가공무원법상 경찰공무원은 실적주의·신분보장 및 정년이 보장되는 '경력직공무원'이면서 그 중에서도 '특정직공무원'으로 분류된다. → 특수경력직공무원이 아님을 주의!

국가공무원법 제2조 【공무원의 구분】 ① 국가공무원(이하 "공무원"이라 한다)은 경력직공무원과 특수경력직공무원으로 구분한다.
② "경력직공무원"이란 실적과 자격에 따라 임용되고 그 신분이 보장되며 평생 동안(근무기간을 정하여 임용하는 공무원의 경우에는 그 기간 동안을 말한다) 공무원으로 근무할 것이 예정되는 공무원을 말하며, 그 종류는 다음 각 호와 같다.
1. 일반직공무원: 기술·연구 또는 행정 일반에 대한 업무를 담당하는 공무원
2. 특정직공무원: 법관, 검사, 외무공무원, 경찰공무원, 소방공무원, 교육공무원, 군인, 군무원, 헌법재판소 헌법연구관, 국가정보원의 직원, 경호공무원과 특수 분야의 업무를 담당하는 공무원으로서 다른 법률에서 특정직공무원으로 지정하는 공무원
③ "특수경력직공무원"이란 경력직공무원 외의 공무원을 말하며, 그 종류는 다음 각 호와 같다.
1. 정무직공무원
   가. 선거로 취임하거나 임명할 때 국회의 동의가 필요한 공무원
   나. 고도의 정책결정 업무를 담당하거나 이러한 업무를 보조하는 공무원으로서 … 정무직으로 지정하는 공무원
2. 별정직공무원: 비서관·비서 등 보좌업무 등을 수행하거나 특정한 업무 수행을 위하여 법령에서 별정직으로 지정하는 공무원

▌경찰 관련 정무직공무원
- 소청심사위원회 위원장(국가공무원법 제9조 제3항)
- 국가경찰위원회 상임위원(경찰법 제3항)
  비교≫ 시·도자치경찰위원회의 위원장과 상임위원: 지방자치단체의 공무원으로 한다(경찰법 제20조 제3항).

💡 자치경찰제 시행 이후로도, 시·도경찰청, 경찰서, 지구대 등에서 근무하는 경찰공무원의 소속만 국가에서 시·도자치단체로 변경될 뿐 국가공무원(국가직) 신분은 유지된다.

02 경찰공무원

1. 경찰공무원과 경찰공무원법

(1) 경찰공무원

경찰공무원이란 일반적으로 경찰공무원법에 의해 임용되어 경찰관 직무집행법에 따른 직무를 수행하는 공무원을 말한다.

(2) 경찰공무원법과 국가공무원법의 관계

경찰공무원법 제1조 【목적】 이 법은 경찰공무원의 책임 및 직무의 중요성과 신분 및 근무조건의 특수성에 비추어 그 임용, 교육훈련, 복무, 신분보장 등에 관하여 「국가공무원법」에 대한 특례를 규정함을 목적으로 한다.

경찰공무원법 제1조에 따라, 경찰공무원법과 국가공무원법은 특별법과 일반법의 관계에 있다고 본다. ➡ **경찰공무원법은 특별법, 국가공무원법은 일반법.** 따라서 임용, 교육훈련, 복무, 신분보장 등에 관하여 경찰공무원법을 우선 적용하고, 경찰공무원법에 명시적 규정이 없는 사항에 대해 국가공무원법을 적용한다.

[2012 채용3차] 국가공무원법과 경찰공무원법은 일반법과 특별법의 관계이다. (○)

2. 경찰공무원의 분류

경찰공무원법은 경찰공무원을 ① 자격이나 교육정도 등을 기준으로 한 상·하 구분을 통해 권한과 책임·보수 등에 차이를 두는 **계급제**(사람중심, 수직적 분류)와, ② 담당하는 직무와 그 처리능력을 기준으로 보직을 달리하는 **경과제**(직무중심, 수평적 분류)로 분류하고 있다.

(1) 계급제

> **경찰공무원법 제3조【계급 구분】** 경찰공무원의 계급은 다음과 같이 구분한다.
> 치안총감 / 치안정감 / 치안감 / 경무관 ➡ 경찰조직 최상위계급, **경찰 수뇌부**
> 총경 / 경정 / 경감 / 경위 ➡ 경찰조직의 중추적 역할, **중견경찰간부**
> 경사 / 경장 / 순경 ➡ 국민과 가장 밀접한 임무를 수행하는 경찰의 뿌리, **치안실무자**

계급제는 경찰공무원이 가지는 개인적 특성, 즉 학력·경력·자격을 기준으로 하여, 유사한 개인적 특성을 가진 경찰공무원을 여러 범주와 집단으로 구분하여 계층을 수직적으로 구분하는 것을 말한다.

예 지구대장으로 근무하고 있던 A경감이 경정으로 승진하면서 수사능력을 인정받아 경찰서 수사과장으로 발령받은 경우 A경감의 분류는 다음과 같이 변경된다.

계급	보직
경감	지구대장
경정	경찰서 수사과장

🔍 참고 경찰의 계급과 역할

계급	계급장	계급장의 의미	업무
순경		• 하단의 태극장은 만물의 근원으로서 대한민국과 국민을 상징 • 무궁화 봉오리는 무궁화 꽃으로 피어날 수 있는 희망과 가능성을 표현	• 일선 지구대와 경찰서·기동대 등에서 치안실무자 • 국민과 가장 밀접한 임무 수행
경장			
경사			
경위		• 대한민국과 국민을 상징하는 태극장을 감싸고 있는 무궁화는 조직 내 중추적 위치에 있는 중견경찰간부를 의미 • 경찰조직의 중간 위치에서 국가를 수호하고 국민에게 봉사하는 경찰임무를 가장 능동적으로 수행하는 경찰조직의 중심	• 지구대 순찰팀장 파출소장 • 경찰서 계장급 • 경찰청, 시·도경찰청 실무자
경감			• 지구대장 • 경찰서 계장 및 팀장 • 경찰청, 시·도경찰청 반장
경정			• 경찰서 과장 • 경찰청, 시·도경찰청 계장
총경			• 경찰서장 • 경찰청, 시·도경찰청 과장

경무관		• 중앙에 태극장을 배치한 무궁화의 둘레에 같은 무궁화 5개를 5각으로 연결하여 하나의 큰 무궁화를 만들고 이는 경찰조직의 최상위 계급을 표현 • 5각은 '충·신·용·의·인' 다섯가지의 경찰이 지향하는 가치개념을 의미 • 위로는 국가와 국민을 받들고, 아래로는 경찰조직을 이끌어 나가는 경찰의 수뇌부를 의미	• 시·도경찰청 차장 • 서울·부산·경기·인천 등 시·도청부장 • 경찰청 심의관 • 경찰수사연수원장
치안감			• 시·도경찰청장 • 경찰교육원장 • 중앙경찰학교장 • 경찰청국장
치안정감			• 경찰청 차장 • 서울·부산·경기·인천경찰청장 • 국가수사본부장 • 경찰대학장
치안총감			경찰청장

(2) 경과제

> **경찰공무원법 제4조 【경과 구분】** ① 경찰공무원은 그 직무의 종류에 따라 경과에 의하여 구분할 수 있다.
> ② 경과의 구분에 필요한 사항은 대통령령으로 정한다.
> [2012 채용3차] 경찰공무원은 그 직무의 종류에 따라 경과에 의하여 구분할 수 있으며, 경과의 구분에 필요한 사항은 행정안전부령으로 정한다. (×)

1) 경과의 의미

경과는 개개인 경찰공무원의 특성과 자격, 능력 그리고 경력을 활용하기 위해 수평적으로 분류하는 것을 말한다.

2) 경과의 종류와 부여대상

> **대통령령 경찰공무원 임용령 제3조 【경과】** ① 총경 이하 경찰공무원에게 부여하는 경과는 다음 각 호와 같다. 다만, 제2호와 제3호의 경과는 경정 이하 경찰공무원에게만 부여한다.
> 1. 일반경과
> 2. 수사경과
> 3. 안보수사경과
> 4. 특수경과 – 항공경과 / 정보통신경과
> ⑤ 경과별 직무의 종류 및 전과 등에 관하여 필요한 사항은 행정안전부령으로 정한다.
>
> **행정안전부령 경찰공무원 임용령 시행규칙 제19조 【경과별 직무의 종류】** 경찰공무원의 경과별 직무의 종류는 다음 각 호와 같다.
> 1. **일반경과**는 기획·감사·경무·생활안전·교통·경비·작전·정보·외사나 그 밖에 수사경과·안보수사경과 및 특수경과에 속하지 아니하는 직무
> 2. **수사경과**는 범죄수사에 관한 직무
> 3. **안보수사경과**는 안보경찰에 관한 직무
> 4. **특수경과** 중 항공경과는 경찰항공기의 운영·관리에 관한 직무, 정보통신경과는 경찰정보통신의 운영·관리에 관한 직무

▮ 계급제와 경과제의 목적
• **계급제**: 경찰공무원을 상하로 구분하여 권한, 책임, 보수 등에 차이를 두기 위한 것
• **경과제**: 개인의 능력·적성·자격 등을 효율적으로 활용하기 위한 것

- 경과는 총경 이하의 경찰공무원에게 부여한다. ➡ 즉, 경무관 이상에게는 부여되지 않는다.
- 단, 수사와 안보수사경과는 경정 이하 경찰공무원에게 부여한다.

3) 경과의 부여시기

> **대통령령** **경찰공무원 임용령 제3조【경과】** ② 임용권자(제4조 제1항부터 제6항까지의 규정에 따라 임용권의 위임을 받은 자를 포함한다. 이하 같다) 또는 임용제청권자「경찰공무원법」(이하 "법"이라 한다) 제7조 제1항에 따른 추천이 필요한 경우에는 경찰청장을 포함한다. 이하 같다)는 경찰공무원을 신규채용 할 때에 경과를 부여해야 한다. [2022 승진(실무종합)]
>
> **행정안전부령** **경찰공무원 임용령 시행규칙 제22조【경과부여】** 신규채용된 경찰공무원에게는 일반경과를 부여한다. 다만, 수사, 안보수사, 항공, 정보통신분야로 채용된 경찰공무원에게는 임용예정 직위의 업무와 관련된 경과를 부여한다.

🔍 쉽게 읽기!

§3 ②: 임용권자 / 또는 임용제청권자는 / 경과를 부여해야 한다. / 언제? 신규채용할 때

4) 전과

> **대통령령** **경찰공무원 임용령 제2조【정의】** 이 영에서 "전과"란 경과를 변경하는 것을 말한다.
>
> **행정안전부령** **경찰공무원 임용령 시행규칙 제27조【전과의 유형】** ① 전과는 일반경과에서 수사경과·안보수사경과 또는 특수경과로의 전과만 인정한다. 다만, 정원감축 등 경찰청장이 정하는 사유가 있는 경우 안보수사경과·수사경과 또는 정보통신경과에서 일반경과로의 전과를 인정할 수 있다.
> ② 제1항에도 불구하고 경과가 신설 또는 폐지되는 경우에는 다음 각 호에 따른 전과를 인정할 수 있다.
> 1. 경과가 신설되는 경우: 일반경과·수사경과·안보수사경과 또는 특수경과에서 신설되는 경과로의 전과
> 2. 경과가 폐지되는 경우: 폐지되는 경과에서 일반경과·수사경과·안보수사경과 또는 특수경과로의 전과
>
> **행정안전부령** **경찰공무원 임용령 시행규칙 제28조【전과의 대상자 및 제한】** ① 제27조 제1항에 따른 전과는 다음 각 호의 어느 하나에 해당하는 사람에 대해서만 인정한다.
> 1. 현재 경과보다 다른 경과에서 더욱 발전할 수 있다고 인정되는 사람
> 2. 정원감축, 직제개편 등 부득이한 사유로 기존 경과를 유지하기 어려워진 사람
> 3. 전과하려는 경과와 관련된 자격증을 소지한 사람
> 4. 전과하려는 경과와 관련된 분야의 시험에 합격한 사람
> ② 제1항에도 불구하고 다음 각 호의 어느 하나에 해당하는 사람은 제27조 제1항에 따른 전과를 할 수 없다.
> 1. 현재 경과를 부여받고 1년이 지나지 아니한 사람
> 2. 특정한 직무분야에 근무할 것을 조건으로 채용된 경찰공무원으로서 채용 후 5년이 지나지 아니한 사람

- 즉, 원칙적으로 전과는 수사·안보수사·특수에서 일반으로만 가능하다.
- 다만, 본인이 속했던 경과가 폐지되는 경우 일반으로 전과가 가능한 경우가 있을 수 있다.

5) 경과의 폐지 · 병합과 신설

> **대통령령** 경찰공무원 임용령 제3조【경과】④ 경찰청장은 전시 · 사변 또는 이에 준하는 비상사태가 발생한 경우에는 경과의 일부를 폐지 또는 병합하거나 신설할 수 있다.

⊕ 심화 수사경과제

1 도입배경
- 수사부서에 근무하는 경찰공무원들의 과도한 업무와 위험노출, 부족한 지원 등으로 수사관련 부서의 근무기피 경향이 심화되었다.
- 이에 수사부서의 근무여건을 개선하고, 수사전문성 제고와 종합적인 수사전문인력 양성을 목적으로 수사경찰을 일반경찰과 분리하여 별도로 선발 · 교육 · 승진체계를 마련하는 인사제도인 수사경과제를 2005년 도입하였다.

2 주요내용
① 적용부서 및 배치

> **훈령** 수사경찰 인사운영규칙 제3조【수사경찰 근무부서 등】① 이 규칙이 적용되는 수사경찰의 근무부서는 다음 각 호와 같다. [2021 경간]
> 1. 경찰청 수사기획조정관의 업무지휘를 받고 있는 경찰관서의 수사부서
> 2. 경찰청 수사국장의 업무지휘를 받고 있는 경찰관서의 수사부서
> 3. 경찰청 형사국장의 업무지휘를 받고 있는 경찰관서의 수사부서
> 4. 경찰청 사이버수사국장의 업무지휘를 받고 있는 경찰관서의 수사부서
> 5. 경찰청 과학수사관리관의 업무지휘를 받고 있는 경찰관서의 수사부서
> 6. 경찰청 안보수사국장의 업무지휘를 받고 있는 경찰관서의 수사부서
> 7. 경찰청 생활안전국장의 업무지휘를 받고 있는 경찰관서의 지하철범죄 및 생활질서사범 수사부서
> 8. 경찰교육기관의 수사직무 관련 학과
> 9. 국립과학수사연구원 등 직제상 정원에 경찰공무원이 포함되어 있는 정부기관 내 수사관련 부서
> 10. 「국가공무원법」 제32조의4 및 「경찰공무원임용령」 제30조 규정에 따른 파견부서 중 수사직무관련 부서
> 11. 기타 경찰청장이 특별한 필요에 따라 지정하는 부서
>
> **훈령** 수사경찰 인사운영규칙 제5조【수사경과자의 보직관리】수사경과자는 제3조 제1항의 부서에 배치한다. 다만, 수사경과자의 수가 해당부서의 정원을 초과하는 경우에는 그 외의 부서에 배치할 수 있다.

② 선발원칙

> **훈령** 수사경찰 인사운영규칙 제10조【선발의 원칙】① 수사업무 수행을 위한 업무역량, 전문성 등을 고려하여 경정 이하의 경찰공무원을 대상으로 수사경과자를 선발한다.
> ② 수사경과자의 선발인원은 수사경찰의 전문성 확보와 인사운영의 효율성 등을 고려하여 수사부서 총 정원의 1.5배의 범위 내에서 경찰청장이 정한다.

③ 유효기간과 갱신

훈령 **수사경찰 인사운영규칙 제14조【수사경과의 유효기간 및 갱신】** ① 수사경과 유효기간은 수사경과를 부여일 또는 갱신일로부터 5년으로 한다.
② 수사경과자는 수사경과 유효기간 내에 다음 각 호의 어느 하나에 해당하는 방법으로 언제든지 수사경과를 갱신할 수 있다. 다만, 휴직 등 경찰청장이 정하는 사유로 수사경과 갱신을 할 수 없는 경우에는 그 연기를 받을 수 있다.
1. 경찰청장이 지정하는 수사 관련 직무교육 이수. 이 경우 사이버교육을 포함한다.
2. 수사경과 갱신을 위한 시험에 합격

④ 수사경과의 해제

훈령 **수사경찰 인사운영규칙 제15조【해제사유 등】** ① 다음 각 호의 어느 하나에 해당하는 경우에는 수사경과를 해제하여야 한다.
1. 직무와 관련한 청렴의무위반·인권침해 또는 부정청탁에 따른 직무수행으로 징계처분을 받은 경우
2. 5년간 연속으로 제3조 제1항 외의 부서에서 근무하는 경우
3. 제14조에 따른 유효기간 내에 갱신이 되지 않은 경우
② 다음 각 호의 어느 하나에 해당하는 경우에는 수사경과를 해제할 수 있다.
1. 제1항 제1호 외의 사유로 징계처분을 받은 경우
2. 인권침해, 편파수사를 이유로 다수의 진정을 받는 등 공정한 수사업무 수행을 기대하기 곤란한 경우
3. 수사업무 능력·의욕이 현저하게 부족한 경우
4. 수사경과 해제를 희망하는 경우
④ 제2항 제3호의 '수사업무 능력·의욕이 현저하게 부족한 경우'에는 다음 각 호의 어느 하나에 해당하는 사유를 포함한다.
1. 2년간 연속으로 정당한 사유없이 제3조 제1항 외의 부서에서 근무하는 경우(… 파견 기간 및 … 휴직의 기간은 위 기간에 산입하지 아니한다)
2. 제6조 제1항 본문에 따라 수사부서 근무자로 선발되었음에도 정당한 사유없이 수사부서 전입을 기피하는 경우
3. 제6조 제2항에 따른 인사내신서를 제출하지 않거나 부실기재하여 제출한 경우
[2019 승진(경위)] [2020 승진(경감)] 인권침해, 편파수사 등에 관한 시비로 사건관계인으로부터 수시로 진정을 받는 경우 수사경과를 해제하여야 한다. (×)
[2020 승진(경감)] 5년간 연속으로 비수사부서에 근무하는 경우 수사경과를 해제하여야 한다. (○)
[2019 승진(경위)] 2년간 연속으로 수사부서 전입을 기피하는 경우 수사경과를 해제하여야 한다. (×)

주제 2 경찰공무원 근무관계의 발생

01 개설

경찰공무원법 제2조【정의】 이 법에서 사용하는 용어의 정의는 다음과 같다.
1. "임용"이란 신규채용·승진·전보·파견·휴직·직위해제·정직·강등·복직·면직·해임 및 파면을 말한다.
[2011 채용2차] 경찰공무원의 임용이란 신규채용·승진·전보·파견을 말하고, 휴직·직위해제·정직·강등·복직·면직·해임 및 파면은 임용의 개념에 포함되지 아니한다. (×)

경찰공무원 근무관계의 발생(성립)이란 특정인에게 경찰공무원으로서의 신분을 부여하여 근무관계를 설정하는 행위를 말한다.

- 통상 '임용'을 신규채용의 의미로 많이 사용하나, 경찰공무원법상 '임용'은 신규채용을 포함하여, 계급이나 보직에 변동을 가져오는 일체의 사항이 모두 포함된다.
- 같은 맥락에서 징계처분 중 계급이나 보직에 변동을 가져오지 않는 **감봉, 견책**이 임용의 정의에서 제외되어 있는 것을 확인할 수 있다.

02 임용의 요건

1. 자격요건(적극적 요건)

> **경찰공무원법 제8조【임용자격 및 결격사유】** ① 경찰공무원은 신체 및 사상이 건전하고 품행이 방정한 사람 중에서 임용한다.
>
> **경찰공무원법 제10조【신규채용】** ① 경정 및 순경의 신규채용은 공개경쟁시험으로 한다.
> ② 경위의 신규채용은 다음 각 호의 어느 하나에 해당하는 사람 중에서 한다.
> 1. 경찰대학을 졸업한 사람
> 2. 대통령령으로 정하는 자격을 갖추고 공개경쟁시험으로 선발된 사람(이하 "**경위공개경쟁채용시험합격자**"라 한다)으로서 교육훈련을 마치고 정하여진 시험에 합격한 사람
> ③ 다음 각 호의 어느 하나에 해당하는 경우에는 경력 등 응시요건을 정하여 같은 사유에 해당하는 다수인을 대상으로 경쟁의 방법으로 채용하는 시험(이하 "**경력경쟁채용시험**"이라 한다)으로 경찰공무원을 신규채용할 수 있다. 다만, 다수인을 대상으로 시험을 실시하는 것이 적당하지 아니하여 대통령령으로 정하는 경우에는 다수인을 대상으로 하지 아니한 시험으로 경찰공무원을 채용할 수 있다.
> 1. 「국가공무원법」 제70조 제1항 제3호의 사유로 퇴직하거나 같은 법 제71조 제1항 제1호의 휴직 기간 만료로 **퇴직한** 경찰공무원을 퇴직한 날부터 **3년**(「공무원 재해보상법」에 따른 공무상 질병 또는 부상으로 인한 휴직의 경우에는 5년) 이내에 퇴직 시에 재직한 계급의 경찰공무원으로 재임용하는 경우
> 2. 공개경쟁시험으로 임용하는 것이 부적당한 경우에 임용예정 직무에 관련된 **자격증** 소지자를 임용하는 경우
> 3. 임용예정직에 상응하는 근무경력 또는 연구경력이 있거나 **전문지식**을 가진 사람을 임용하는 경우
> 4. 「국가공무원법」에 따른 5급 공무원의 공개경쟁채용시험이나 「사법시험법」(2009년 5월 28일 법률 제9747호로 폐지되기 전의 것을 말한다)에 따른 **사법시험**에 합격한 사람을 경정 이하의 경찰공무원으로 임용하는 경우
> 5. 섬, 외딴곳 등 특수지역에서 근무할 사람을 임용하는 경우
> 6. 외국어에 능통한 사람을 임용하는 경우
> 7. 제주특별자치도의 자치경찰공무원(이하 "자치경찰공무원"이라 한다)을 그 계급에 상응하는 경찰공무원으로 임용하는 경우
> 8. 「국가경찰과 자치경찰의 조직 및 운영에 관한 법률」 제16조에 따라 경찰청 외부를 대상으로 모집하여 국가수사본부장을 임용하는 경우

💡 **경찰공무원법 제10조 제3항**은 제1항의 '공채'에 대비하여 '경채'라고 부르는 채용시험으로, 항공, 경찰특공대, 교향악단, 외국어특기(베트남어, 러시아어, 아랍어 등), 사이버수사, 무도특기, 의료, 법학, 세무회계, 경찰행정 등 매우 다양한 분야에서 시행되고 있다.

공무원, 그중에서도 특히 경찰공무원을 포함한 경력직공무원의 경우에는 일정한 자격요건을 갖추어야 하며, 그 자격의 검증은 시험성적·근무성적 그 밖의 능력의 실증에 따라 행한다.

⊕ 심화 부정행위자에 대한 조치

1 당해 시험의 정지 · 무효 · 취소 + 향후 응시제한사유

경찰공무원법 제11조【부정행위자에 대한 제재】 ① 경찰청장 또는 해양경찰청장은 경찰공무원의 신규채용시험(경위공개경쟁채용시험을 포함한다. 이하 같다), 승진시험 또는 그 밖의 시험에서 다른 사람에게 대신하여 응시하게 하는 행위 등 대통령령으로 정하는 부정행위를 한 사람에 대하여 대통령령으로 정하는 바에 따라 해당 시험의 정지·무효 또는 합격 취소 처분을 할 수 있다.

② 제1항에 따른 처분을 받은 사람에 대해서는 처분이 있은 날부터 5년의 범위에서 대통령령으로 정하는 기간 동안 신규채용시험, 승진시험 또는 그 밖의 시험의 응시자격을 정지한다.

③ 경찰청장 또는 해양경찰청장은 제1항에 따른 처분(시험의 정지는 제외한다)을 할 때에는 미리 그 처분 내용과 사유를 당사자에게 통지하여 소명할 기회를 주어야 한다. [2015 채용1차]
[2020 채용1차]
[2019 채용1차] 경찰청장은 경찰공무원의 채용시험 또는 경찰간부후보생 공개경쟁선발시험에서 부정행위를 한 응시자에 대하여는 해당 시험을 정지 또는 무효로 하고, 그 처분이 있은 날부터 3년간 시험응시자격을 정지한다. (×)

경찰공무원법 제11조의2【채용비위 관련자의 합격 등 취소】 ① 경찰청장 또는 해양경찰청장은 누구든지 경찰공무원의 채용과 관련하여 대통령령으로 정하는 비위를 저질러 유죄판결이 확정된 경우에는 그 비위 행위로 인하여 채용시험에 합격하거나 임용된 사람에 대하여 대통령령으로 정하는 바에 따라 합격 또는 임용을 취소할 수 있다.

② 경찰청장 또는 해양경찰청장은 제1항에 따른 취소 처분을 하기 전에 미리 그 내용과 사유를 당사자에게 통지하고 소명할 기회를 주어야 한다.

③ 제1항에 따른 취소 처분은 합격 또는 임용 당시로 소급하여 효력이 발생한다.

대통령령 **경찰공무원 임용령 제46조【부정행위자에 대한 조치】** ① 경찰공무원의 채용시험 또는 경찰간부후보생 공개경쟁선발시험에서 다음 각 호의 어느 하나에 해당하는 행위를 한 사람에 대해서는 해당 시험을 정지 또는 무효로 하거나 합격을 취소하고, 그 처분이 있은 날부터 5년간 이 영에 따른 시험에 응시할 수 없게 한다.
1. 다른 수험생의 답안지를 보거나 본인의 답안지를 보여주는 행위
2. 대리 시험을 의뢰하거나 대리로 시험에 응시하는 행위
3. 통신기기, 그 밖의 신호 등을 이용하여 해당 시험 내용에 관하여 다른 사람과 의사소통하는 행위
4. 부정한 자료를 가지고 있거나 이용하는 행위
5. 병역, 가점 등 시험에 관한 증명서류에 거짓 사실을 적거나 그 서류를 위조·변조하여 시험결과에 부당한 영향을 주는 행위
6. 체력검사나 실기시험에 영향을 미칠 목적으로 인사혁신처장이 정하여 고시하는 금지약물을 복용하거나 금지방법을 사용하는 행위
7. 그 밖에 부정한 수단으로 본인 또는 다른 사람의 시험결과에 영향을 미치는 행위
경찰청장 또는 해양경찰청장은 경찰공무원의 채용시험 또는 경찰간부후보생 공개경쟁선발시험에서 부정행위를 한 응시자에 대하여는 해당 시험을 정지 또는 무효로 하고, 그 처분이 있은 날부터 5년간 시험응시자격을 정지한다.

2 당해 시험의 정지 · 무효

대통령령 **경찰공무원 임용령 제46조【부정행위자에 대한 조치】** ② 경찰공무원의 채용시험 또는 경찰간부후보생 공개경쟁선발시험에서 다음 각 호의 어느 하나에 해당하는 행위를 한 사람에 대해서는 그 시험을 정지하거나 무효로 한다.
1. 시험 시작 전에 시험문제를 열람하는 행위
2. 시험 시작 전 또는 종료 후에 답안을 작성하는 행위
3. 허용되지 아니한 통신기기 또는 전자계산기를 가지고 있는 행위
4. 그 밖에 시험의 공정한 관리에 영향을 미치는 행위로서 시험실시기관의 장이 시험의 정지 또는 무효 처리기준으로 정하여 공고한 행위

2. 능력요건(소극적 요건)

(1) 결격사유

🔍 **쉽게 읽기!**

§8 ②: 경찰공무원 임용결격자는 다음과 같은 사람들이다.

- **제1유형(제1호~제2호)**: 국적 관련 문제가 있는자들 / 외국인, 복수국적자
- **제2유형(제3호~제4호)**: 자유로운 법률행위에 제한이 걸린자들 / 피성년후견, 피한정후견, 파산선고
- **제3유형(제5호~제6호)**: 일반범죄 저지른 자 / 자격정지 이상 형 선고 or 유예기간 중 ➡ 따라서 벌금 · 구류 · 과료는 괜찮다!
- **제4유형(제7호~제9호)**: 비난가능성이 매우 높은 특수한 범죄 저지른 자 / 공무원범죄, 성폭력범죄, 미성년자 성범죄
- **제5유형(제10호)**: 파면 · 해임된 전직 공무원

경찰공무원법 제8조【임용자격 및 결격사유】 ② 다음 각 호의 어느 하나에 해당하는 사람은 경찰공무원으로 임용될 수 없다. [2012 채용1차] [2016 채용1차]

1. 대한민국 국적을 가지지 아니한 사람 ➡ 외국인
2. 「국적법」 제11조의2 제1항에 따른 복수국적자
3. 피성년후견인 또는 피한정후견인
4. 파산선고를 받고 복권되지 아니한 사람
5. 자격정지 이상의 형을 선고받은 사람 ➡ 사형 · 징역 · 금고 · 자격상실
6. 자격정지 이상의 형의 선고유예를 선고받고 그 유예기간 중에 있는 사람
7. 공무원으로 재직기간 중 직무와 관련하여 「형법」 제355조 및 제356조에 규정된 죄(➡ 횡령 · 배임)를 범한 자로서 300만원 이상의 벌금형을 선고받고 그 형이 확정된 후 2년이 지나지 아니한 사람 ➡ 공 · 삼 · 이
8. 「성폭력범죄의 처벌 등에 관한 특례법」 제2조에 규정된 죄를 범한 사람으로서 100만원 이상의 벌금형을 선고받고 그 형이 확정된 후 3년이 지나지 아니한 사람 ➡ 성 · 일 · 삼
9. 미성년자에 대한 다음 각 목의 어느 하나에 해당하는 죄를 저질러 형 또는 치료감호가 확정된 사람(집행유예를 선고받은 후 그 집행유예기간이 경과한 사람을 포함한다) ➡ 이 자는 아예 불가능!
   가. 「성폭력범죄의 처벌 등에 관한 특례법」 제2조에 따른 성폭력범죄
   나. 「아동 · 청소년의 성보호에 관한 법률」 제2조 제2호에 따른 아동 · 청소년 대상 성범죄
10. 징계에 의하여 파면 또는 해임처분을 받은 사람 [2011 채용2차]

[2020 채용2차] 공무원으로 재직기간 중 직무와 관련하여 「형법」 제355조(횡령, 배임) 및 제356조(업무상의 횡령과 배임)에 규정된 죄를 범한 사람으로서 300만원 이상의 벌금형을 선고받고 그 형이 확정된 후 2년이 지난 사람은 경찰공무원 임용결격자에 해당한다. (×)
[2021 경간] '성폭력범죄의 처벌 등에 관한 특례법'에 규정된 죄를 범한 후 100만원의 벌금형을 선고받고 그 형이 확정된 후 2년이 지난 사람은 경찰공무원 임용결격자에 해당한다. (○)
[2018 승진(경감)] 징계에 의하여 해임의 처분을 받았더라도 그 후 3년이 경과하였다면 경찰공무원에 임용될 수 있다. (×)
[2021 경간] 징계로 해임처분을 받은 때로부터 3년이 지난 사람은 경찰공무원 임용결격자에 해당한다. (○)

(2) 결격사유의 판단시기

공무원관계는 국가의 임용이 있는 때 설정되므로, 임용결격사유가 있는지 여부는 채용후보자명부에 등록한 때가 아니라 임용 당시를 기준으로 판단하여야 한다는 것이 판례의 입장이다.

⚖️ **요지판례 |**

공무원관계설정시점 및 공무원임용결격사유가 있는지 여부의 판단기준 국가공무원법에 규정되어 있는 공무원임용결격사유는 공무원으로 임용되기 위한 절대적인 소극적 요건으로서 공무원관계는 국가공무원법 제38조, 공무원임용령 제11조의 규정에 의한 채용후보자 명부에 등록한 때가 아니라 국가의 임용이 있는 때에 설정되는 것이므로 공무원임용결격사유가 있는지의 여부는 채용후보자 명부에 등록한 때가 아닌 임용 당시에 시행되던 법률을 기준으로 하여 판단하여야 한다(대판 1987.4.14, 86누459).

(3) 능력요건 흠결의 효과

- 결격사유에 해당하는 자에 대한 공무원 임용행위는 당연무효이고, 그러한 임용에 국가의 과실이 있다 하더라도 마찬가지이다.
- 단, 결격사유 있는 공무원의 행위는 사실상 공무원이론에 따라 유효한 것으로 보아야 한다.

> **사실상 공무원이론**
> 공무원으로 될 수 없는 자가 사실상 공무원으로 재직한 경우에 국민과의 관계에서는 공무집행의 신뢰를 강조하여 그 노무제공의 효력을 유효로 인정하자는 이론

> ### 요지판례 |
>
> **국가의 과실에 의한 공무원임용결격자의 임용행위의 효력** 임용당시 공무원임용결격사유가 있었다면 비록 국가의 과실에 의하여 임용결격자임을 밝혀내지 못하였다 하더라도 그 임용행위는 당연무효로 보아야 한다(대판 1987.4.14, 86누459). ➡ 공무원연금법에 의한 퇴직금은 적법한 공무원으로서의 근로고용관계가 성립되어 근무하다가 퇴직하는 경우에 지급되는 것이고, 당연무효인 임용결격자에 대한 임용행위에 의하여서는 공무원의 신분을 취득하거나 근로고용관계가 성립될 수 없는 것이므로 임용결격자가 공무원으로 임용되어 사실상 근무하여 왔다고 하더라도 그러한 피임용자는 위 법률소정의 퇴직금청구를 할 수 **없다.**
>
> [2022 채용2차] 경찰공무원 임용 당시 임용결격사유가 있었더라도 국가의 과실에 의해 임용결격자임을 밝혀내지 못했다면, 그 임용행위는 당연무효로 볼 수 없다. (×)

03 임용권자

1. 원칙적인 공무원의 임용권자

> **헌법 제78조** 대통령은 헌법과 법률이 정하는 바에 의하여 공무원을 임면한다.
>
> **국가공무원법 제32조 【임용권자】** ③ 대통령은 대통령령으로 정하는 바에 따라 제1항에 따른 임용권의 일부를 소속 장관에게 위임할 수 있으며, 소속 장관은 대통령령으로 정하는 바에 따라 제2항에 따른 임용권의 일부와 대통령으로부터 위임받은 임용권의 일부를 그 보조기관 또는 소속 기관의 장에게 위임하거나 재위임할 수 있다.

- 헌법상 공무원의 임용은 헌법과 법률이 정하는 바에 의하여 대통령이 행한다. 즉, 행정부 소속의 공무원의 경우 국가공무원은 행정부수반인 대통령이, 지방공무원의 경우 지방자치단체의 장이 임용하는 것이 원칙이다.
- 그러나 국가공무원법은 임용권의 위임을 인정하고 있고, 이에 따라 경찰공무원법에 근거하여 많은 경우 경찰청장 등이 임용권을 행사한다.

2. 경찰공무원법상의 임용권자

(1) 대통령 · 경찰청장

> **경찰공무원법 제7조【임용권자】** ① 총경 이상 경찰공무원은 경찰청장 또는 해양경찰청장의 추천을 받아 행정안전부장관 또는 해양수산부장관의 제청으로 국무총리를 거쳐 대통령이 임용한다. 다만, 총경의 전보, 휴직, 직위해제, 강등, 정직 및 복직은 경찰청장 또는 해양경찰청장이 한다. [2012 경간] [2014 채용2차] [2017 경간] [2017 승진(경감)] [2020 채용1차] [2022 승진(실무종합)] [2023 채용1차]
> ② 경정 이하의 경찰공무원은 경찰청장 또는 해양경찰청장이 임용한다. 다만, 경정으로의 신규채용, 승진임용 및 면직은 경찰청장 또는 해양경찰청장의 제청으로 국무총리를 거쳐 대통령이 한다. [2011 채용2차] [2023 채용1차]
> [2019 채용1차] 총경 이상의 경찰공무원은 경찰청장의 제청으로 국무총리를 거쳐 대통령이 임용한다. (×)
> [2016 지능범죄] 경찰청 소속 총경 이상의 경찰공무원은 행정안전부장관의 추천으로 국무총리를 거쳐 대통령이 임용한다. (×)
> [2023 채용1차] 총경의 전보, 휴직, 직위해제, 강등, 정직 및 복직은 행정안전부장관 또는 해양수산부장관이 임용한다. (×)
> [2015 경간] 총경의 전보 · 휴직 · 직위해제 · 정직 및 복직은 경찰청장이 행한다. (○)
> [2016 지능범죄] 경정 이하 경찰공무원은 경찰청장이 임용한다. 다만, 경정으로의 신규채용, 승진임용 및 면직은 경찰청장의 제청으로 행정안전부장관을 거쳐 대통령이 한다. (×)
> [2012 경간] 경정 승진임용의 인사권자는 경찰청장이다. (×)

가장 기초가 되는 경찰공무원법에 대한 임용권 행사의 모습이다.

☑ KEY POINT | 가장 기초적인 경찰공무원의 임용권 행사모습

구분	원칙	예외
총경 이상	경찰청장 추천 ➡ 행정안전부장관 제청 ➡ 국무총리 거쳐 ➡ 대통령이	총경의 강 · 정 · 복 · 전 · 휴 · 직: 경찰청장이
경정 이하	경찰청장이	경정으로의 신 · 승 · 면: 경찰청장 제청 ➡ 국무총리 거쳐 ➡ 대통령이

[2012 경간] 원칙적으로 총경 이상의 임용권자는 대통령, 경정 이하의 임용권자는 경찰청장이다. (○)

(2) 경찰청장의 위임에 따른 임용권자

1) 위임의 원칙

> **경찰공무원법 제7조【임용권자】** ③ 경찰청장은 대통령령으로 정하는 바에 따라 경찰공무원의 임용에 관한 권한의 일부를 특별시장 · 광역시장 · 도지사 · 특별자치시장 또는 특별자치도지사(이하 "시 · 도지사"라 한다), 국가수사본부장, 소속 기관의 장, 시 · 도경찰청장에게 위임할 수 있다. 이 경우 시 · 도지사는 위임받은 권한의 일부를 대통령령으로 정하는 바에 따라 「국가경찰과 자치경찰의 조직 및 운영에 관한 법률」 제18조에 따른 시 · 도자치경찰위원회(이하 "시 · 도자치경찰위원회"라 한다), 시 · 도경찰청장에게 다시 위임할 수 있다. [2017 승진(경감)] [2016 지능범죄] [2023 채용1차]
> ④ 해양경찰청장은 대통령령으로 정하는 바에 따라 경찰공무원의 임용에 관한 권한의 일부를 소속 기관의 장, 지방해양경찰관서의 장에게 위임할 수 있다.
> ⑤ 경찰청장, 해양경찰청장 또는 제3항 및 제4항에 따라 임용권을 위임받은 자는 행정안전부령 또는 해양수산부령으로 정하는 바에 따라 소속 경찰공무원의 인사기록을 작성 · 보관하여야 한다.
> [2019 채용1차] 경찰청장은 경찰공무원의 임용에 관한 권한의 일부를 소속기관 등의 장에게 위임할 수 없다. (×)

제청이 들어가는 임명

- **경찰청장**: 국가경찰위원회 동의 ➡ 행정안전부장관 제청 ➡ 국무총리 거쳐 ➡ 대통령이 임명(인사청문회 필요)
- **시 · 도경찰청장**: 경찰청장과 자치경찰위원회 협의로 추천 ➡ 행정안전부장관 제청 ➡ 국무총리 거쳐 ➡ 대통령이 임명
- **국가경찰위원회 위원**: 행정안전부장관 제청 ➡ 국무총리 거쳐 ➡ 대통령이 임명
- **자치경찰위원회 상임위원**: 위원회 의결 ➡ 위원장 제청 ➡ 시 · 도지사가 임명

🔍 쉽게 읽기!

§7 ③
- (1차) **경찰청장**은 / 임용권 일부를 / 위임할 수 있다. / 누구에게?
  - 소속기관장
  - 시 · 도경찰청장
  - 시 · 도지사
  - 국가수사본부장
- (2차) **시도지사**는 / 위임받은 권한 일부를 / 다시 위임할 수 있다. / 누구에게?
  - 시 · 도자치경찰위원회
  - 시 · 도경찰청장

- **1차 수임자**: 경찰청장의 임용권 위임의 모습은 실로 매우 복잡한 것이 사실이나, 우선 경찰공무원법 제7조 제3항이 경찰의 사무별로 ① 국가경찰사무와 관련해서는 (경찰청장) 소속 기관의 장 및 시·도경찰청장에게, ② 자치경찰사무와 관련해서는 시·도지사에게, ③ 수사사무와 관련해서는 국가수사본부장을 각각 1차적인 수임자로 하고 있다는 점을 먼저 숙지할 필요가 있다. ➡ 법에 이렇게 사무별로 구분하여 명시된 것은 아니지만 맥락상 그렇다는 정도로 이해!
- **2차 수임자**: 한편, ② 자치경찰사무와 관련해서 경찰청장으로부터 임용권을 위임받은 시·도지사는 다시 시·도자치경찰위원회나 시·도경찰청장에게 위임할 수 있다.

2) 구체적인 위임의 내용 1. - 자치경찰 관련 임용권(자치경찰사무)

> **대통령령** **경찰공무원 임용령 제4조【임용권의 위임 등】** ① 경찰청장은 법 제7조 제3항 전단에 따라 특별시장·광역시장·특별자치시장·도지사 또는 특별자치도지사(이하 "시·도지사"라 한다)에게 해당 특별시·광역시·특별자치시·도 또는 특별자치도(이하 "시·도"라 한다)의 자치경찰사무를 담당하는 경찰공무원[「국가경찰과 자치경찰의 조직 및 운영에 관한 법률」 제18조 제1항에 따른 시·도자치경찰위원회(이하 "시·도자치경찰위원회"라 한다), 시·도경찰청 및 경찰서(지구대 및 파출소는 제외한다)에서 근무하는 경찰공무원을 말한다] 중 경정의 전보·파견·휴직·직위해제 및 복직에 관한 권한과 경감 이하의 임용권(신규채용 및 면직에 관한 권한은 제외한다)을 위임한다.
> ④ 제1항에 따라 임용권을 위임받은 시·도지사는 법 제7조 제3항 후단에 따라 경감 또는 경위로의 승진임용에 관한 권한을 제외한 임용권을 시·도자치경찰위원회에 다시 위임한다.
> ⑤ 제4항에 따라 임용권을 위임받은 시·도자치경찰위원회는 시·도지사와 시·도경찰청장의 의견을 들어 그 권한의 일부를 시·도경찰청장에게 다시 위임할 수 있다.
> ⑥ 제3항 및 제5항에 따라 임용권을 위임받은 시·도경찰청장은 소속 경감 이하 경찰공무원에 대한 해당 경찰서 안에서의 전보권을 경찰서장에게 다시 위임할 수 있다.
> ⑧ 시·도자치경찰위원회는 임용권을 행사하는 경우에는 시·도경찰청장의 추천을 받아야 한다.
> ⑨ 시·도경찰청장 및 경찰서장은 지구대장 및 파출소장을 보직하는 경우에는 시·도자치경찰위원회의 의견을 사전에 들어야 한다. [2022 승진(실무종합)]
> [2022 채용2차] 자치경찰사무를 담당하는 ○○경찰서 소속 경위 乙의 경감으로의 승진임용을 시·도지사가 하므로, 경위 乙에 대한 휴직이나 복직도 시·도지사가 한다. (×)

🔍 쉽게 읽기!
- §4 ①: 경찰청장은 / 시·도지사에게 / 자치사무담당 경찰공무원 중 / 다음과 같은 임용권을 위임한다. / 구체적으로 어떤?
  경정의 견·복·전·휴·직
  경감 이하 임용권(신·면 제외)
- §4 ④: (경찰청장으로부터) 임용권 위임받은 / 시·도지사는 / 시·도자치경찰위원회에 / 다시 위임한다. / 구체적으로 어떤?
  경감 또는 경위로의 승진임용에 관한 권한을 제외한 임용권
- §4 ⑤: (시·도지사로부터) 임용권 위임받은 / 시·도자치경찰위원회는 / 시·도경찰청장에게 / 다시 위임할 수 있다. / 어떻게?
  시·도지사와 시·도경찰청장 의견 들어서

🔍 쉽게 읽기!
- §4 ⑥: (경찰청장 또는 시·도자치경찰위원회로부터) 임용권 위임받은 / 시·도경찰청장은 / 경찰서장에게 / 다시 위임할 수 있다. / 구체적으로 어떤?
  경감 이하의 해당 경찰서 안에서의 전보권을

☑ KEY POINT | 자치경찰사무를 담당하는 경찰공무원에 대한 임용권의 위임

1 자치경찰사무를 담당하는 경찰공무원의 범위
- 시 · 도자치경찰위원회에서 근무하는 경찰공무원
- 시 · 도경찰청에서 근무하는 경찰공무원
- 경찰서에서 근무하는 경찰공무원
- 지구대 및 파출소에서 근무하는 경찰공무원은 제외!

《주의》 지구대 · 파출소 근무자는 국가경찰사무를 담당하는 것으로 인정된다.

2 위임의 모습

위임자	수임자	위임대상 (자치경찰사무를 담당하는 경찰공무원의 임용권 중)	기속성
경찰청장이	시 · 도지사에게	• 경정의 견 · 복 · 전 · 휴 · 직 • 경감 이하 임용권(신 · 면 제외)	위임한다.
시 · 도지사가	시 · 도자치경찰위원회에	(위임받은 임용권 중) 경감 · 경위로의 승진임용권 제외한 나머지 임용권을	위임한다.
시 · 도자치경찰위원회가	시 · 도경찰청장에게	(위임받은 임용권 중) 일부를 ➡ 시 · 도지사 및 시 · 도경찰청장 의견을 들어야 함!	위임할 수 있다.
시 · 도경찰청장은	경찰서장에게	경감 이하의 해당 경찰서 안에서의 전보권을	위임할 수 있다.

3) 구체적인 위임의 내용 2. - 국가수사본부 관련(수사경찰사무)

> **대통령령** 경찰공무원 임용령 제4조【임용권의 위임 등】② 경찰청장은 법 제7조 제3항 전단에 따라 국가수사본부장에게 국가수사본부 안에서의 경정 이하에 대한 전보권을 위임한다.
> ⑦ 경찰청장은 수사부서에서 총경을 보직하는 경우에는 국가수사본부장의 추천을 받아야 한다.

4) 구체적인 위임의 내용 3. - 기타 소속기관 관련(국가경찰사무 관련)

《주의》 시 · 도경찰청은 경찰청과 그 소속기관 직제 제2조에 따른 경찰청장 소속기관이 아니다! 다만, 경찰청장의 임용권 위임과 관련하여서는 시 · 도경찰청장이 포함됨을 유의하여야 한다.

> **대통령령** 경찰공무원 임용령 제4조【임용권의 위임 등】③ 경찰청장은 법 제7조 제3항 전단에 따라 경찰대학 · 경찰인재개발원 · 중앙경찰학교 · 경찰수사연수원 · 경찰병원 및 시 · 도경찰청(이하 "소속기관등"이라 한다)의 장에게 그 소속 경찰공무원 중 경정의 전보 · 파견 · 휴직 · 직위해제 및 복직에 관한 권한과 경감 이하의 임용권을 위임한다.
> ⑩ 소속기관등의 장은 경감 또는 경위를 신규채용하거나 경위 또는 경사를 승진시키려면 미리 경찰청장의 승인을 받아야 한다.
> [2020 채용1차] 임용권을 위임받은 소속기관등의 장은 경감 또는 경위를 신규채용하거나 경사 또는 경장을 승진시키려면 미리 경찰청장의 승인을 받아야 한다. (×)
> [2022 채용2차] 국가경찰사무를 담당하는 ○○경찰서 소속 경사 丙에 대한 정직처분은 소속 기관장인 ○○경찰서장이 행하지만, 그 처분에 대한 행정소송의 피고는 경찰청장이다. (×)

5) 위임에도 불구하고 경찰청장은 …

> 대통령령 **경찰공무원 임용령 제4조【임용권의 위임 등】** ⑪ 제1항부터 제6항까지의 규정에도 불구하고 경찰청장은 경찰공무원의 정원 조정, 승진임용, 인사교류 또는 파견을 위하여 필요한 경우에는 임용권을 행사할 수 있다. [2015 경간] [2020 채용1차]

⊕ 심화 경찰공무원 인사위원회

1 설치

> **경찰공무원법 제5조【경찰공무원인사위원회의 설치】** ① 경찰공무원의 인사에 관한 중요 사항에 대하여 경찰청장 또는 해양경찰청장의 자문에 응하게 하기 위하여 경찰청과 해양경찰청에 경찰공무원인사위원회(이하 "인사위원회"라 한다)를 둔다.

2 심의사항

> **경찰공무원법 제6조【인사위원회의 기능】** 인사위원회는 다음 각 호의 사항을 심의한다.
> 1. 경찰공무원의 인사행정에 관한 방침과 기준 및 기본계획
> 2. 경찰공무원의 인사에 관한 법령의 제정·개정 또는 폐지에 관한 사항
> 3. 그 밖에 경찰청장 또는 해양경찰청장이 인사위원회의 회의에 부치는 사항

3 구성

> 대통령령 **경찰공무원 임용령 제9조【경찰공무원인사위원회의 구성】** ① 법 제5조에 따른 경찰공무원인사위원회(이하 "인사위원회"라 한다)는 위원장을 포함하여 5명 이상 7명 이하의 위원으로 구성한다.
> ② 인사위원회의 위원장은 경찰청 인사담당국장이 되고, 위원은 경찰청 소속 총경 이상 경찰공무원 중에서 경찰청장이 각각 임명한다.
> [2012 경간] 경찰공무원 인사위원회는 5인 이상 7인 이하로 구성되고, 위원은 경찰청 소속 총경 이상의 경찰관 중에서 경찰청장이 임명하며 위원장은 경찰청 차장이 된다. (×)

4 회의

> 대통령령 **경찰공무원 임용령 제11조【회의】** ① 위원장은 인사위원회의 회의를 소집하고 그 의장이 된다.
> ② 회의는 재적위원 과반수의 찬성으로 의결한다.

---

04 임명절차

1. 채용후보자

(1) 채용후보자 등록

> 대통령령 **경찰공무원 임용령 제17조【채용후보자의 등록】** ① 법 제10조에 따른 공개경쟁채용시험, 경찰간부후보생 공개경쟁선발시험 및 경력경쟁채용시험등에 합격한 사람은 행정안전부령으로 정하는 바에 따라 임용권자 또는 임용제청권자에게 채용후보자 등록을 해야 한다.

② 제1항에 따른 채용후보자 등록을 하지 아니한 사람은 경찰공무원으로 임용될 의사가 없는 것으로 본다.

> **행정안전부령** 경찰공무원 임용령 시행규칙 제40조【채용후보자 등록】① 영 제17조에 따라 채용후보자 등록을 하려는 사람은 별지 제18호서식에 따른 채용후보자 등록원서에 정해진 서류를 첨부하여 지정된 기한까지 임용권자 또는 임용제청권자에게 등록하여야 한다.

(2) 채용후보자 명부

1) 채용후보자 명부의 작성

> **경찰공무원법 제12조【채용후보자 명부 등】** ① 경찰청장 또는 해양경찰청장(제7조 제3항 및 제4항에 따라 임용권을 위임받은 자를 포함한다)은 신규채용시험에 합격한 사람(경찰대학을 졸업한 사람과 경위공개경쟁채용시험합격자를 포함한다, 이하 이 조에서 같다)을 대통령령으로 정하는 바에 따라 **성적 순위에 따라** 채용후보자 명부에 등재하여야 한다.
> ② 경찰공무원의 신규채용은 제1항에 따른 채용후보자 명부의 등재 순위에 따른다. 다만, 채용후보자가 경찰교육기관에서 신임교육을 받은 경우에는 그 교육성적 순위에 따른다.
> ⑥ 제1항에 따른 채용후보자 명부의 작성 및 운영에 필요한 사항은 대통령령으로 정한다.
>
> **대통령령** 경찰공무원 임용령 제18조【채용후보자 명부의 작성】① 법 제12조 제1항에 따른 채용후보자 명부는 임용예정계급별로 작성하되, 채용후보자의 서류를 심사하여 임용 적격자만을 등재한다.
> ② 임용권자 또는 임용제청권자는 제1항에 따른 채용후보자 명부에의 등재 여부를 본인에게 알려야 한다.
> ③ 채용후보자 명부의 유효기간은 2년으로 하되, 경찰청장은 필요에 따라 1년의 범위에서 그 기간을 연장할 수 있다.

2) 채용후보자 명부의 유효기간

> **경찰공무원법 제12조【채용후보자 명부 등】** ③ 제1항에 따른 채용후보자 명부의 유효기간은 2년의 범위에서 대통령령으로 정한다. 다만, 경찰청장 또는 해양경찰청장은 필요에 따라 1년의 범위에서 그 기간을 연장할 수 있다.
> ④ 다음 각 호의 어느 하나에 해당하는 기간은 제3항에 따른 기간에 넣어 계산하지 아니한다.
> 1. 신규채용시험에 합격한 사람이 채용후보자 명부에 등재된 이후 그 유효기간 내에 「병역법」에 따른 **병역 복무**를 위하여 군에 입대한 경우(대학생 군사훈련 과정 이수자를 포함한다)의 의무복무 기간
> 2. 그 밖에 대통령령으로 정하는 사유로 임용되지 못한 기간
> ⑤ 경찰청장 또는 해양경찰청장은 채용후보자 명부의 유효기간을 연장하기로 결정한 경우에는 그 사실을 공고하여야 한다.
>
> **대통령령** 경찰공무원 임용령 제18조【채용후보자 명부의 작성】③ 채용후보자 명부의 유효기간은 2년으로 하되, 경찰청장은 필요에 따라 1년의 범위에서 그 기간을 연장할 수 있다

3) 결원발생시의 처리

> **경찰공무원법 제12조【채용후보자 명부 등】** ⑦ 임용권자는 경찰공무원의 결원을 보충할 때 채용후보자 명부 또는 승진후보자 명부에 등재된 후보자 수가 결원 수보다 적고, 인사행정 운영상 특히 필요하다고 인정할 때에는 그 결원된 계급에 관하여 다른 임용권자가 작성한 자치경찰공무원의 신규임용후보자 명부 또는 승진후보자 명부를 해당 기관의 채용후보자 명부 또는 승진후보자 명부로 보아 해당 자치경찰공무원을 임용할 수 있다. 이 경우 임용권자는 그 자치경찰공무원의 임용권자와 협의하여야 한다.

(3) 임용 또는 임용제청의 유예

> **대통령령 경찰공무원 임용령 제18조의2【임용 또는 임용제청의 유예】** ① 임용권자 또는 임용제청권자는 채용후보자 명부에 등재된 채용후보자가 다음 각 호의 어느 하나에 해당하는 경우에는 채용후보자 명부의 유효기간의 범위에서 기간을 정하여 임용 또는 임용제청을 유예할 수 있다. 다만, 유예기간 중이라도 그 사유가 소멸한 경우에는 임용 또는 임용제청을 할 수 있다. [2023 승진(실무종합)]
> 1. 「병역법」에 따른 병역복무를 위하여 징집 또는 소집되는 경우
> 2. 학업을 계속하는 경우
> 3. 6개월 이상의 장기요양이 필요한 질병이 있는 경우
> 4. 임신하거나 출산한 경우
> 5. 그 밖에 임용 또는 임용제청의 유예가 부득이하다고 인정되는 경우
> ② 제1항에 따른 임용 또는 임용제청의 유예를 원하는 사람은 해당 사유를 증명할 수 있는 자료를 첨부하여 임용권자 또는 임용제청권자가 정하는 기간 내에 신청해야 한다. 이 경우 원하는 유예기간을 분명하게 적어야 한다.
> [2022 채용2차] 순경 채용후보자 명부에 등재된 채용후보자 丙이 학업을 계속하고자 이를 증명할 수 있는 자료를 첨부하여 임용권자가 정하는 기간 내에 원하는 유예기간을 적어 신청할 경우, 임용권자는 채용후보자 명부의 유효기간 범위에서 기간을 정하여 임용을 유예해야 한다. (×)

(4) 채용후보자의 자격상실

> **대통령령 경찰공무원 임용령 제19조【채용후보자의 자격상실】** 채용후보자가 다음 각 호의 어느 하나에 해당하는 경우에는 채용후보자로서의 자격을 상실한다. [2018 승진(경위)]
> 1. 채용후보자가 임용 또는 임용제청에 응하지 아니한 경우
> 2. 채용후보자로서 받아야 할 교육훈련에 응하지 아니한 경우
> 3. 채용후보자로서 받은 교육훈련성적이 수료점수에 미달되는 경우
> 4. 채용후보자로서 교육훈련을 받는 중에 퇴학처분을 받은 경우. 다만, 질병 등 교육훈련을 계속할 수 없는 불가피한 사정으로 퇴학처분을 받은 경우는 제외한다.

💡 2018년도 국정감사 자료에 따르면, 2014~2018년 기간 중 중앙경찰학교 교육 중 중도탈락자는 105명에 이른다고 하며, 그중 부정행위나 형사처벌 등으로 이루어진 퇴교조치도 28명에 이른다고 한다.

〈2014~2018년 퇴교조치〉

사유	인원
형사입건	8
시험 중 부정행위	2
학습평가 점수미달	6
감점초과	1
기타 부적격자 등	11

💡 현장실습 포함 9개월간의 중앙경찰학교 교육기간을 마친 후, 현장에 배치되어 1년의 시보임용기간을 거치게 된다.

⚖ 요지판례 Ⅰ

■ 동기생 B의 사격점수를 높이기 위하여 B의 사격표적지를 훼손함으로써 중앙경찰학교의 교칙을 위반한 중앙경찰학교 신임 순경 A(제267기)에 대한 중앙경찰학교장의 퇴교처분은, 사회 통념상 현저하게 타당성을 잃을 정도로 재량권의 범위를 일탈한 것으로서 위법한 처분이라고 할 수는 없다(대전고등법원 2012.7.12, 2012누35).

■ 2011.4.30. 중앙경찰학교 신임순경 제267기로 입교한 원고가 2011.10.15. 03:30경 승객을 태워 출발하려던 택시의 조수석 앞 문짝을 발로 1회 걷어차 손괴하여 경찰에서 조사받자, 이는 중앙경찰학교 교칙 위반임을 이유로 내려진 중앙경찰학교장의 퇴교처분은 사회 통념상 현저하게 타당성을 잃을 정도로 재량권의 범위를 일탈한 것으로서 위법한 처분이라고 할 수는 없다(청주지방법원 2012.6.28, 2011구합2731).

2. 시보임용

(1) 의의

• 시보임용제도는 경찰관으로서의 적격성을 보유하고 있는지를 확인하기 위해, 그리고 경찰 실무를 습득하기 위해 일정기간 동안 시험보직을 명하게 하는 제도로서, 이 기간 중에는 **신분보장이 이루어지지 아니한다.** [2011 채용1차]

[2011 채용1차] 시보임용제도의 기간 중에는 신분보장을 받지 않는다. (○)
[2012 채용1차] 시보임용은 시험으로 알아내지 못한 점을 검토해보고 직무를 감당할 능력이 있는가를 알아보는데 그 목적이 있다. (○)

• 단, 이미 교육과정 중 실무교육을 충분히 이수하였거나 이미 실무경험을 갖추고 있는 자들은 시보임용을 거치지 아니한다.

경찰공무원법 제13조【시보임용】 ④ 다음 각 호의 어느 하나에 해당하는 경우에는 시보임용을 거치지 아니한다. [2012 채용1차] [2013 채용2차] [2016 채용2차] [2017 채용1차] [2018 실무 1] [2019 채용1차]

1. 경찰대학을 졸업한 사람 또는 경위공개경쟁채용시험합격자로서 정하여진 교육훈련을 마친 사람을 경위로 임용하는 경우
2. 경찰공무원으로서 대통령령으로 정하는 상위계급으로의 승진에 필요한 자격 요건을 갖추고 임용예정 계급에 상응하는 공개경쟁 채용시험에 합격한 사람을 해당 계급의 경찰공무원으로 임용하는 경우
3. 퇴직한 경찰공무원으로서 퇴직시에 재직하였던 계급의 채용시험에 합격한 사람을 재임용하는 경우
4. 자치경찰공무원을 그 계급에 상응하는 경찰공무원으로 임용하는 경우

[2017 채용1차] 자치경찰공무원을 그 계급에 상응하는 경찰공무원으로 임용하는 경우에는 시보임용을 거쳐야 한다. (×)
[2022 승진(실무종합)] 「경찰공무원법」상 자치경찰공무원을 그 계급에 상응하는 경찰공무원으로 임용할 때에는 시보임용을 거친다. (×)

---

(2) 시보임용기간

> **경찰공무원법 제13조【시보임용】** ① 경정 이하의 경찰공무원을 신규 채용할 때에는 <u>1년간 시보로 임용하고, 그 기간이 만료된 다음 날에 정규 경찰공무원으로 임용한다.</u> [2015 채용1차] [2018 실무 1]
> ② 휴직기간, 직위해제기간 및 징계에 의한 정직처분 또는 감봉처분을 받은 기간은 제1항에 따른 시보임용기간에 산입하지 아니한다. ➡ 예컨대 6개월간 휴직을 한 경우 정규 임용일자가 6개월만큼 늦춰진다. [2012 채용3차] [2016 채용2차]
>
> [2012 채용1차] [2013 채용2차] [2014 채용2차] [2016 채용2차] 경정 이하의 경찰공무원을 신규채용할 때에는 1년간 시보로 임용하고, 그 기간이 만료된 날에 정규 경찰공무원으로 임용한다. (×)
> [2011 채용2차] [2014 채용2차 유사] 휴직기간, 직위해제기간 및 징계에 의한 감봉처분 또는 견책처분을 받은 기간은 시보임용 기간에 산입하지 아니한다. (×)
> [2018 실무 1] 시보(試補)로 임용하는 기간은 1년(단, 휴직기간, 직위해제기간 및 징계에 의한 감봉처분 또는 견책처분을 받은 기간 제외)으로 하고, 그 기간이 만료된 다음 날에 정규 경찰공무원으로 임용한다. (×)

(3) 지도·감독 및 교육훈련

> **[대통령령] 경찰공무원 임용령 제20조【시보임용경찰공무원】** ① 임용권자 또는 임용제청권자는 시보임용 기간 중에 있는 경찰공무원(이하 "시보임용경찰공무원"이라 한다)의 근무사항을 항상 지도·감독하여야 한다. [2024 승진]
>
> [2016 지능범죄] 임용권자 또는 임용제청권자는 시보임용기간 중의 경찰공무원에 대하여 근무사항을 항상 지도·감독할 수 있다. (×)
>
> **[대통령령] 경찰공무원 임용령 제21조【시보임용경찰공무원 등에 대한 교육훈련】** ① 임용권자 또는 임용제청권자는 시보임용경찰공무원 또는 시보임용예정자에게 일정 기간 교육훈련(실무수습을 포함한다)을 시킬 수 있다. 이 경우 시보임용예정자에게 교육훈련을 받는 기간 동안 예산의 범위에서 임용예정계급의 1호봉에 해당하는 봉급의 80퍼센트에 해당하는 금액 등을 지급할 수 있다.
> ② 임용권자 또는 임용제청권자는 시보임용예정자가 제1항에 따른 교육훈련성적이 만점의 60퍼센트 미만이거나 생활기록이 극히 불량할 때에는 시보임용을 하지 아니할 수 있다.

(4) 면직

> **경찰공무원법 제13조【시보임용】** ③ 시보임용기간 중에 있는 경찰공무원이 근무성적 또는 교육훈련성적이 불량할 때에는 「국가공무원법」 제68조 및 이 법 제28조(➡ 신규채용)에도 불구하고 면직시키거나 면직을 제청할 수 있다. ➡ 즉, 시보임용기간 중에는 신분보장이 되지 않는다. [2016 채용2차]
>
> **[대통령령] 경찰공무원 임용령 제20조【시보임용경찰공무원】** ② 임용권자 또는 임용제청권자는 시보임용경찰공무원이 다음 각 호의 어느 하나에 해당하여 정규 경찰공무원으로 임용하는 것이 부적당하다고 인정되는 경우에는 제3항에 따른 정규임용심사위원회의 심사를 거쳐 해당 시보임용경찰공무원을 면직시키거나 면직을 제청할 수 있다.
> 1. 징계사유에 해당하는 경우
> 2. 제21조 제1항에 따른 교육훈련성적이 만점의 60퍼센트 미만이거나 생활기록이 극히 불량한 경우

징계 개요

중징계	
파면	신분박탈
해임	신분박탈
강등	• 1계급 아래로 • 3개월 정직
정직	1~3개월 정직
경징계	
감봉	1~3개월 보수 1/3 감액
견책	훈계 및 경고

국가공무원법 제68조【의사에 반한 신분조치】
공무원은 형의 선고, 징계처분 또는 이 법에서 정하는 사유에 따르지 아니하고는 본인의 의사에 반하여 휴직·강임 또는 면직을 당하지 아니한다.

제1 평정요소와 제2 평정요소(경찰공무원 승진임용 규정 제7조 제2항)

1. 제1 평정요소
   - 경찰업무 발전에 대한 기여도
   - 포상실적
   - 기타 행정안전부령으로 정하는 평정 요소
2. 제2 평정요소
   - 근무실적
   - 직무수행능력
   - 직무수행태도

3. 「경찰공무원 승진임용 규정」 제7조 제2항에 따른 제2 평정요소의 평정점이 만점의 50퍼센트 미만인 경우

[2012 채용1차] 시보임용 중에 있는 경찰공무원은 근무성적이나 교육훈련성적이 현저히 불량하고, 앞으로 경찰공무원으로 근무하기에 부적당한 때에는 징계절차를 거쳐야만 면직시킬 수 있다. (×)

[2024 승진] [2016 지능범죄] 임용권자 또는 임용제청권자는 시보임용경찰공무원이 징계사유에 해당하는 경우에만 정규 경찰공무원으로 임용함이 부적당하다고 인정되므로 정규임용심사위원회의 심사를 거쳐 당해 시보임용경찰공무원을 면직시키거나 면직을 제청할 수 있다. (×)

[2024 승진] [2018 실무 1] [2020 실무 1] 임용권자 또는 임용제청권자는 시보임용 경찰공무원의 교육훈련성적이 만점의 60퍼센트 미만 또는 근무성적 평정 제2평정 요소의 평정점이 만점의 50퍼센트 미만에 해당하여 정규 경찰공무원으로 임용하는 것이 부적당하다고 인정되는 경우 정규임용심사위원회의 심사를 거쳐 해당 시보임용 경찰공무원을 면직시키거나 면직을 제청하여야 한다. (×)

행정안전부령 **경찰공무원 임용령 시행규칙 제10조 【정규임용심사】** ③ 시보임용경찰공무원의 면직 또는 면직제청에 따른 동의의 절차는 해당 징계위원회의 파면 의결에 관한 절차를 준용한다.

[2024 승진] 「경찰공무원 임용령 시행규칙」 제10조 제3항에서는 "시보임용 경찰공무원의 면직 또는 면직제청에 따른 동의의 절차는 해당 징계위원회의 해임 의결에 관한 절차를 준용한다."고 규정되어 있다. (×)

시보임용경찰공무원을 면직시킬 때는 정규임용심사위원회의 심사를 거쳐야 한다.
[2010 승진(경위)]

(5) 정규임용과 정규임용심사위원회

대통령령 **경찰공무원 임용령 제20조 【시보임용경찰공무원】** ③ 시보임용경찰공무원을 정규 경찰공무원으로 임용하는 경우 그 적부를 심사하게 하기 위하여 임용권자 또는 임용제청권자 소속으로 정규임용심사위원회를 둔다. [2016 지능범죄]
④ 정규임용심사위원회의 구성 및 운영에 필요한 사항은 행정안전부령으로 정한다.

[2016 지능범죄] 정규임용심사위원회의 구성 및 운영에 관하여 필요한 사항은 경찰청 훈령으로 정한다. (×)

행정안전부령 **경찰공무원 임용령 시행규칙 제9조 【정규임용심사위원회】** ① 「경찰공무원 임용령」(이하 "영"이라 한다) 제20조 제3항에 따른 정규임용심사위원회(이하 "위원회"라 한다)는 위원장 1명을 포함한 위원 5명 이상 7명 이하로 구성한다.
② 위원장은 위원 중 가장 계급이 높은 경찰공무원이 된다. 다만, 가장 계급이 높은 경찰공무원이 둘 이상인 경우 그 중 해당 계급에 승진임용된 날이 가장 빠른 경찰공무원이 된다.
③ 위원은 소속 경감 이상 경찰공무원 중에서 위원회가 설치된 기관의 장이 임명하되, 심사대상자보다 상위 계급자로 한다.
④ 위원회는 재적위원 3분의 2 이상 출석과 출석위원 과반수 찬성으로 의결한다. ➡ 소청심사위원회와 의결정족수가 동일하다!
⑤ 이 규칙에서 정한 사항 외에 위원회의 운영에 필요한 사항은 위원회의 의결을 거쳐 위원장이 정한다.

05 임용의 형식 및 효력발생시기

1. 임용의 형식

(경찰)공무원의 임용은 임용장 또는 임용통지서의 교부에 의하는 것이 일반적이며, 이러한 임용장 등의 교부는 임용의 효력요건이 아니라 기존 임용행위를 형식적으로 증명·표시하는 선언적·공증적 효력밖에 없다는 것이 통설이 입장이다.

2. 효력발생시기

대통령령 **경찰공무원 임용령 제5조【임용시기】** ① 경찰공무원은 임용장이나 임용통지서에 적힌 날짜에 임용된 것으로 보며, 임용일자를 소급해서는 아니 된다. [2022 경간]

② 사망으로 인한 면직은 사망한 다음 날에 면직된 것으로 본다.

③ 임용일자는 그 임용장이 피임용자에게 송달되는 기간 및 사무인계에 필요한 기간을 참작하여 정하여야 한다.

[2023 승진(실무종합)] 경찰공무원은 임용장이나 임용통지서에 적힌 날짜에 임용된 것으로 보며, 임용일자를 소급해서는 아니 된다. 사망으로 인한 면직은 사망한 날에 면직된 것으로 본다. (×)

[2011 채용2차] [2017 승진(경감)] 경찰공무원은 임용장이나 임용통지서에 적힌 날짜에 임용된 것으로 보며, 사망으로 인한 면직은 사망한 날에 면직된 것으로 본다. (×)

[2022 경간] 경찰공무원의 사망으로 인한 면직은 사망한 다음 날에 면직된 것으로 본다. (○)

[2015 채용1차] 경찰공무원은 임용장 또는 임용통지서에 기재된 일자에 임용된 것으로 보지만, 사망으로 인한 면직은 사망한 다음 날에 면직된 것으로 본다고 경찰공무원법에 명시되어 있다. (×)

대통령령 **경찰공무원 임용령 제6조【임용시기의 특례】** 제5조 제1항에도 불구하고 다음 각 호의 어느 하나에 해당하는 경우에는 다음 각 호의 구분에 따른 일자에 임용된 것으로 본다.

1. 법 제19조 제1항 제2호에 따라 전사하거나 순직한 사람을 다음 각 목의 어느 하나에 해당하는 날을 임용일자로 하여 특별승진임용하는 경우

   가. 재직 중 사망한 경우: 사망일의 전날

   나. 퇴직 후 사망한 경우: 퇴직일의 전날

2. 삭제

[2022 경간] 경찰공무원이 재직 중 전사하거나 순직한 경우로서 특별승진 임용하는 경우에는 사망한 날을 임용일자로 본다. (×)

주제 3 │ 경찰공무원 근무관계의 변동

- 공무원관계의 변경이란 공무원으로서의 신분은 유지하면서 공무원관계의 내용을 일시적 또는 영구적으로 변경하는 것을 말한다.
- 일반 공무원의 공무원관계 변경사유로는 승진, 전과, 전직, 전보, 전입·전출, 파견, 인사교류, 겸임, 복직·휴직, 정직, 직위해제, 강임, 감봉 등이 있다. ➡ 강임과 전직은 경찰공무원에게는 적용되지 않는다.

01 승진

1. 승진의 개념 및 성격

경찰공무원법 제15조【승진】 ① 경찰공무원은 바로 아래 하위계급에 있는 경찰공무원 중에서 근무성적평정, 경력평정, 그 밖의 능력을 실증하여 승진임용한다. 다만, 해양경찰청장을 보하는 경우 치안감을 치안총감으로 승진임용할 수 있다.

대통령령 **경찰공무원 승진임용 규정 제3조【승진임용의 구분】** 경찰공무원의 승진임용은 심사승진임용·시험승진임용 및 특별승진임용으로 구분한다. [2022 채용1차]

처분(행정기본법)
행정청이 구체적 사실에 관하여 행하는 법 집행으로서 공권력의 행사 또는 그 거부와 그 밖에 이에 준하는 행정작용을 말한다.

- 승진이란 동일 직렬 내의 상위직급에 임용되는 것을 말하며, 이러한 승진은 경찰공무원의 법적 지위에 변동을 가져오는 것이므로 처분에 해당한다.
- 승진임용에 있어서의 기본 원칙은 능력의 실증, 즉 실적주의에 따른다.

2. 승진대상

(1) 승진임용 예정 인원의 결정

> **대통령령** 경찰공무원 승진임용 규정 제4조 【승진임용 예정 인원 결정】 ④ 「경찰공무원법」(이하 "법"이라 한다) 제15조 제2항 단서에 따라 경정 이하 경사 이상 계급으로의 승진은 승진심사에 의한 승진(이하 "심사승진"이라 한다)과 승진시험에 의한 승진(이하 "시험승진"이라 한다)을 병행할 수 있다. 이 경우 승진임용 예정 인원은 다음 각 호의 방법에 따라 정한다.
> 1. 계급별로 전체 승진임용 예정 인원에서 제3항에 따른 특별승진임용 예정 인원을 뺀 인원의 70퍼센트를 심사승진임용 예정 인원으로, 30퍼센트를 시험승진임용 예정 인원으로 한다. 다만, 제1항 단서에 따라 특수분야의 승진임용 예정 인원을 정하는 경우에는 본문에 따른 심사승진임용 예정 인원의 비율과 시험승진임용 예정 인원의 비율을 다르게 정할 수 있다. [2020 실무 1]
> 2. 제1호에도 불구하고 승진심사를 하기 전에 승진시험을 실시한 경우에 그 최종 합격자 수가 시험승진임용 예정 인원보다 적을 때에는 심사승진임용 예정 인원에 그 부족한 인원을 더하여 심사승진임용 예정 인원을 산정한다.

부칙규정에 따른 적용특례
- 2024년 6월 30일까지: 50% 심사승진, 50% 시험승진
- 2025년 6월 30일까지: 60% 심사승진, 40% 시험승진

(2) 승진임용이 제한되는 경찰공무권

경찰공무원법 제15조 【승진】 ④ 경찰공무원의 승진에 필요한 계급별 최저근무연수, 승진 제한에 관한 사항, 그 밖에 승진에 관하여 필요한 사항은 대통령령으로 정한다.

> **대통령령** 경찰공무원 승진임용 규정 제6조 【승진임용의 제한】 ① 다음 각 호의 어느 하나에 해당하는 경찰공무원은 승진임용될 수 없다.
> 1. 징계의결 요구, 징계처분, 직위해제, 휴직(생략) 또는 시보임용 기간 중에 있는 사람
> 2. 징계처분의 집행이 끝난 날부터 다음 각 목의 구분에 따른 기간(생략)이 지나지 않은 사람
> 가. 강등·정직: 18개월
> 나. 감봉: 12개월
> 다. 견책: 6개월
> 3. 징계에 관하여 경찰공무원과 다른 법령을 적용받는 공무원으로 재직하다가 경찰공무원으로 임용된 사람으로서, 종전의 신분에서 징계처분을 받고 그 징계처분의 집행이 끝난 날부터 다음 각 목의 구분에 따른 기간이 지나지 아니한 사람
> 가. 강등: 18개월
> 나. 근신·영창 또는 그 밖에 이와 유사한 징계처분: 6개월
> 4. 법 제30조 제3항에 따라 계급정년이 연장된 사람

《주의》 제2호의 기간에 6개월이 추가되는 경우
- 국가공무원법상 징계부가금 부가 대상이 되는 사유(금품·향응수수)로 인한 징계처분을 받은 경우
- 소극행정에 따른 징계처분을 받은 경우
- 음주운전(측정불응 포함)에 따른 징계처분을 받은 경우
- 성폭력, 성희롱 및 성매매에 따른 징계처분을 받은 경우

경찰징계의 종류

중징계	
파면	신분박탈
해임	신분박탈
강등	• 1계급 아래로 • 3개월 정직
정직	1~3개월 정직
경징계	
감봉	1~3개월 보수 1/3 감액
견책	훈계 및 경고

② 제1항에 따라 승진임용 제한기간 중에 있는 사람이 다시 징계처분을 받은 경우 승진임용 제한기간은 전(前) 처분에 대한 승진임용 제한기간이 끝난 날부터 계산하고, 징계처분으로 승진임용 제한기간 중에 있는 사람이 휴직하는 경우 징계처분에 따른 남은 승진임용 제한기간은 복직일부터 계산한다.

③ 경찰공무원이 징계처분을 받은 후 해당 계급에서 다음 각 호의 포상을 받은 경우에는 제1항 제2호 및 제3호에 따른 승진임용 제한기간의 2분의 1을 단축할 수 있다.

1. 훈장
2. 포장
3. 모범공무원 포상
4. 대통령표창 또는 국무총리표창
5. 제안이 채택·시행되어 받은 포상

[2022 채용1차] 경찰공무원 승진임용 규정 제6조 제1항 제2호에 따르면 소극행정으로 감봉에 해당하는 징계처분을 받은 경찰공무원은 징계처분의 집행이 끝난 날부터 18개월이 지나지 아니하면 심사승진임용이 될 수 없다. (○)

[2022 채용2차] 위법·부당한 처분과 직접적 관계없이 50만원의 향응을 받아 감봉 1개월의 징계처분을 받은 경감 丁이 그 징계처분을 받은 후 해당 계급에서 경찰청장 표창을 받은 경우(그 외 일체의 포상을 받은 사실 없음)에는 징계처분의 집행이 끝난 날부터 18개월이 지나면 승진임용될 수 있다. (○)

(3) 승진소요 최저근무연수

> **[대통령령]** 경찰공무원 승진임용 규정 제5조【승진소요 최저근무연수】① 경찰공무원이 승진하려면 다음 각 호의 구분에 따른 기간 동안 해당 계급에 재직하여야 한다.
> 1. 총경: 3년 이상
> 2. 경정 및 경감: 2년 이상
> 3. 경위, 경사, 경장 및 순경: 1년 이상
>
> [2012 채용1차] 순경, 경장, 경사의 승진소요 최저근무연수는 각각 6년, 7년, 8년이다. (×)
>
> ② 휴직 기간, 직위해제 기간, 징계처분 기간 및 제6조 제1항 제2호에 따른 승진임용 제한기간은 제1항의 기간에 포함하지 않는다. 다만, 다음 각 호의 기간은 제1항의 기간에 포함한다. ➡ 다음 각 호의 기간: ① 임신·출산 또는 공상 등으로 인한 휴직기간, ② 직위해제가 무효 또는 취소된 경우 등

3. 승진의 종류 – 심사·시험·특별·근속

경찰공무원의 승진방법에는 심사승진, 시험승진, 특별승진, 근속승진이 있다. [2012 채용1차]

(1) 심사승진 – 경무관 이하

1) 승진대상자 명부의 작성

> **경찰공무원법 제15조【승진】** ② 경무관 이하 계급으로의 승진은 승진심사에 의하여 한다. 다만, 경정 이하 계급으로의 승진은 대통령령으로 정하는 비율에 따라 승진시험과 승진심사를 병행할 수 있다.
> ③ 총경 이하의 경찰공무원에 대해서는 대통령령으로 정하는 바에 따라 계급별로 승진대상자 명부를 작성하여야 한다.
>
> **[대통령령]** 경찰공무원 승진임용 규정 제11조【승진대상자 명부의 작성】① 총경 이하 경찰공무원에 대한 승진대상자 명부는 다음 각 호의 구분에 따른 경찰기관의 장(이하 "승진대상자명부작성자"라 한다)이 **계급별로 작성한다.**

💡 **총경 이하의 경찰공무원에 대해서만 승진대상자명부가 작성된다?**

- 이는 총경이 경무관으로 승진하는 것 까지는 심사승진으로 가능하다는 의미이다.
- 경무관이 치안감으로, 치안감이 치안정감으로, 치안정감이 치안총감으로 승진하는 것은 대통령의 정무판단에 따라 이루어진다고 이해할 수 있다.

⑤ 승진대상자명부작성자는 필요한 경우 승진대상자 명부를 경과별 또는 특수분야별로 작성할 수 있다.

⑥ 승진대상자 명부는 매년 1월 1일을 기준으로 작성한다. 다만, 경무관 및 총경으로의 승진대상자 명부는 매년 11월 1일을 기준으로 작성한다.

2) 승진심사위원회의 승진후보자 심사·선발

> **경찰공무원법 제17조【승진심사위원회】** ① 제15조 제2항에 따른 승진심사를 위하여 경찰청과 해양경찰청에 중앙승진심사위원회를 두고, 경찰청·해양경찰청·시·도경찰청과 대통령령으로 정하는 경찰기관·지방해양경찰관서에 보통승진심사위원회를 둔다.
>
> ② 제1항에 따라 설치된 승진심사위원회는 제15조 제3항에 따라 작성된 승진대상자 명부의 선순위자(같은 조 제2항 단서에 따른 승진시험에 합격된 승진후보자는 제외한다) 순으로 승진시키려는 **결원의 5배수의 범위**에 있는 사람 중에서 승진후보자를 심사·선발한다.
>
> ③ 승진심사위원회의 구성·관할 및 운영에 필요한 사항은 대통령령으로 정한다.

승진심사위원회는 위와 같이 승진후보자를 선발한 후 선발된 후보자들에 대해서, 승진될 계급에서 직무를 수행할 능력과 동료·민원인 등의 평가를 반영하여 승진심사를 진행한다(경찰공무원 승진임용 규정 제22조, 제22조의2).

3) 승진심사 결과보고

> 대통령령 **경찰공무원 승진임용 규정 제23조【승진심사 결과의 보고 등】** ① 승진심사위원회는 승진심사를 마쳤을 때에는 지체 없이 다음 각 호의 서류를 작성하여 중앙승진심사위원회의 경우에는 경찰청장에게, 보통승진심사위원회의 경우에는 그 위원회가 설치된 경찰기관의 장에게 보고해야 한다.
> 1. 승진심사 의결서
> 2. 승진심사 종합평가서
> 3. 승진임용예정자로 선발된 사람의 명부

4) 심사승진후보자 명부의 작성

- **승진대상자 명부**: 승진심사위원회의 승진심사 전에 작성
- **심사승진후보자 명부**: 승진심사위원회의 승진심사 후에 작성

> 대통령령 **경찰공무원 승진임용 규정 제24조【심사승진후보자 명부의 작성】** ① 임용권자나 임용제청권자는 승진심사위원회에서 승진임용예정자로 선발된 사람에 대하여 심사승진후보자 명부를 작성하여야 한다.
>
> ③ 임용권자나 임용제청권자는 심사승진후보자 명부에 기록된 사람이 승진임용되기 전에 정직 이상의 징계처분을 받은 경우에는 심사승진후보자 명부에서 그 사람을 제외하여야 한다. [2022 승진(실무종합)]
>
> [2012 채용3차] 임용권자 또는 임용제청권자는 심사승진후보자명부에 등재된 자가 승진임용되기 전에 정직 이상의 징계처분을 받은 경우에는 심사승진후보자명부에서 이를 삭제할 수 있다. (×)

5) 승진임용

> **대통령령** 경찰공무원 승진임용 규정 제25조【승진후보자의 승진임용 등】① 경찰공무원의 승진임용 시 심사승진후보자와 시험승진후보자가 있을 경우에 승진임용 인원의 70퍼센트를 심사승진후보로, 30퍼센트를 시험승진후보자로 한다.
> ② 심사승진임용은 제24조에 따른 심사승진후보자 명부에 기록된 순서에 따라 결원이 있을 때마다 수시로 한다.

⊕ 심화 승진심사위원회

1 승진심사위원회

- 승진심사를 위하여 **경찰청 · 소속기관등**(경찰대학 · 경찰인재개발원 · 중앙경찰학교 · 경찰수사연수원 · 경찰병원 및 시 · 도경찰청) 및 **경찰서**에 두는 비상설 의결기관을 말한다.

2 중앙승진심사위원회 – 경찰청

> **대통령령** 경찰공무원 승진임용 규정 제15조【중앙승진심사위원회의 구성】① 법 제17조 제1항에 따른 중앙승진심사위원회(이하 "중앙승진심사위원회"라 한다)는 위원장을 포함한 **5명 이상 7명 이하의 위원**으로 구성한다.
> ② 경무관으로의 승진심사를 위하여 구성되는 중앙승진심사위원회 회의에 부칠 사항을 사전에 심의하기 위하여 중앙승진심사위원회에 복수의 승진심의위원회를 둘 수 있으며, 각각의 승진심의위원회는 위원장을 포함한 **5명 이상 7명 이하의 위원**으로 구성한다.
> ④ 제1항 및 제2항의 위원은 회의 소집일 전에 승진심사대상자보다 상위계급인 경찰공무원 중에서 경찰청장이 임명하되, 제2항에 따라 승진심의위원회를 두는 경우 중앙승진심사위원회 위원은 승진심의위원회 위원 중에서 임명한다.
> ⑤ 위원장은 위원 중 최상위계급 또는 선임인 경찰공무원이 된다.
> ⑥ 제1항 · 제2항 · 제4항 및 제5항에서 규정한 사항 외에 승진심의위원회의 운영에 필요한 사항은 행정안전부령으로 정한다.

3 보통승진심사위원회 – 경찰청 · 소속기관등 · 경찰서

> **대통령령** 경찰공무원 승진임용 규정 제16조【보통승진심사위원회의 구성】① 법 제17조 제1항에 따른 보통승진심사위원회(이하 "보통승진심사위원회"라 한다)는 **경찰청 · 소속기관등 및 경찰서**에 둔다.
> ② 보통승진심사위원회는 위원장을 포함한 **5명 이상 7명 이하**의 위원으로 구성한다.
> ③ 보통승진심사위원회 위원은 그 보통승진심사위원회가 설치된 경찰기관의 장이 승진심사대상자보다 상위계급인 **경위 이상** 소속 경찰공무원 중에서 임명하며, 위원장은 위원 중 최상위계급 또는 선임인 경찰공무원이 된다.
> ④ 제3항에도 불구하고 시 · 도경찰청 및 경찰서에 두는 **보통승진심사위원회 위원 중 2명**은 승진심사대상자보다 상위계급인 경위 이상 소속 경찰공무원 중에서 「국가경찰과 자치경찰의 조직 및 운영에 관한 법률」 제18조 제1항에 따른 시 · 도자치경찰위원회의 추천을 받아 그 보통심사위원회가 설치된 경찰기관의 장이 임명한다.

4 승진심사위원회의 관할

> **대통령령** 경찰공무원 승진임용 규정 제17조【승진심사위원회의 관할】① 승진심사위원회는 다음 각 호의 구분에 따라 경찰공무원의 승진심사를 관할한다. 다만, 경찰청장은 승진예정 인원 등을 고려하여 부득이할 때에는 제2호의 승진심사 중 경찰서의 보통승진심사위원회에서 실시할 경위 이하 계급으로의 승진심사를 시 · 도경찰청의 보통승진심사위원회에서 하게 할 수 있다.

1. **총경 이상 계급으로의 승진심사**: 중앙승진심사위원회
2. **경정 이하 계급으로의 승진심사**: 해당 경찰관이 소속한 경찰기관의 보통승진심사위원회 (제3호의 경우는 제외한다)
3. **경찰서 소속 경찰공무원의 경감 이상 계급으로의 승진심사**: 시·도경찰청 보통승진심사위원회

⑤ **승진심사위원회의 회의**

> **대통령령** **경찰공무원 승진임용 규정 제18조【승진심사위원회의 회의】** ① 중앙승진심사위원회의 회의는 경찰청장이 소집하며, 보통승진심사위원회의 회의는 해당 경찰기관의 장이 경찰청장 (경찰서 보통승진심사위원회 회의의 경우 시·도경찰청장을 말한다)의 승인을 받아 소집한다.
> ② 승진심사위원회의 회의는 재적위원 과반수의 찬성으로 의결한다.
> ③ 승진심사위원회의 회의는 비공개로 한다.

(2) 승진시험 - 경정 이하

승진시험으로 진급할 수 있는 최대 계급은 경정이라는 의미이다.

> **경찰공무원법 제15조【승진】** ② 경무관 이하 계급으로의 승진은 승진심사에 의하여 한다. 다만, 경정 이하 계급으로의 승진은 대통령령으로 정하는 비율에 따라 승진시험과 승진심사를 병행할 수 있다.
> [2012 채용1차] 시험으로 승진할 수 있는 계급은 총경까지이다. (×)
>
> **대통령령** **경찰공무원 승진임용 규정 제36조【시험승진후보자 명부의 작성 등】** ① 임용권자나 임용제청권자는 시험에 합격한 사람에 대하여 각 계급별로 승진후보자 명부를 작성하되, 제33조 제3항 또는 제33조의2 제2항에 따른 합산성적 고득점자순으로 작성하여야 한다.
> ② 시험승진임용은 제1항에 따른 시험승진후보자 명부에 기록된 순서에 따른다.
> ③ 임용권자나 임용제청권자는 시험승진후보자 명부에 기록된 사람이 승진임용되기 전에 정직 이상의 징계처분을 받은 경우에는 시험승진후보자 명부에서 그 사람을 제외하여야 한다.
> [2022 채용1차] 임용권자나 임용제청권자는 시험승진후보자 명부에 기록된 사람이 승진임용되기 전에 감봉 이상의 징계처분을 받은 경우에는 시험승진후보자 명부에서 그 사람을 제외하여야 한다. (×)

(3) 특별승진

▌**국가공무원법 제40조의4 제1항**
- **제1호**: 청렴하고 투철한 봉사 정신으로 직무에 모든 힘을 다하여 공무 집행의 공정성을 유지하고 깨끗한 공직 사회를 구현하는 데에 다른 공무원의 귀감이 되는 자
- **제2호**: 직무수행 능력이 탁월하여 행정 발전에 큰 공헌을 한 자
- **제3호**: 제안의 채택·시행으로 국가 예산을 절감하는 등 행정 운영 발전에 뚜렷한 실적이 있는 자
- **제4호**: 재직 중 공적이 특히 뚜렷한 자가 명예퇴직할 때

> **경찰공무원법 제19조【특별유공자 등의 특별승진】** ① 경찰공무원으로서 다음 각 호의 어느 하나에 해당되는 사람에 대하여는 제15조에도 불구하고 1계급 특별승진시킬 수 있다. 다만, 경위 이하의 경찰공무원으로서 모든 경찰공무원의 귀감이 되는 공을 세우고 전사하거나 순직한 사람에 대하여는 2계급 특별승진 시킬 수 있다.
> 1. 「국가공무원법」 제40조의4 제1항 제1호부터 제4호까지의 규정 중 어느 하나에 해당되는 사람
> 2. 전사하거나 순직한 사람
> 3. 직무 수행 중 현저한 공적을 세운 사람
> ② 특별승진의 요건과 그 밖에 필요한 사항은 대통령령으로 정한다.
> [2013 채용2차] 경감 이상의 경찰공무원으로서 모든 경찰공무원의 귀감이 되는 공을 세우고 전사하거나 순직한 사람에 대하여는 2계급 특별승진 시킬 수 있다. (×)
> [2020 실무 1] [2022 경간] 모든 경찰관의 귀감이 되는 공을 세우고 전사하거나 순직한 경위 이하 경찰공무원은 2계급 특별승진 시킬 수 있다. (○)

대통령령 경찰공무원 승진임용 규정 제39조 【특별승진의 실시】 경찰공무원의 특별승진은 경찰청장이 특히 필요하다고 인정하는 경우에 수시로 실시할 수 있다.

경찰공무원법 제15조의2 [전사·순직한 승진후보자의 승진] 제18조 제1항에 따른 승진후보자 명부에 등재된 사람이 승진임용 전에 전사하거나 순직한 경우에는 그 사망일 전날을 승진일로 하여 승진 예정 계급으로 승진한 것으로 본다.

(4) 근속승진

경찰공무원법 제16조 【근속승진】 ① 경찰청장 또는 해양경찰청장은 제15조 제2항에도 불구하고 해당 계급에서 다음 각 호의 기간 동안 재직한 사람을 경장, 경사, 경위, 경감으로 각각 근속승진임용할 수 있다. 다만, 인사교류 경력이 있거나 주요 업무의 추진 실적이 우수한 공무원 등 경찰행정 발전에 기여한 공이 크다고 인정되는 경우에는 대통령령으로 정하는 바에 따라 그 기간을 단축할 수 있다.
[2015 채용1차]
1. 순경을 경장으로 근속승진임용하려는 경우: 해당 계급에서 **4년 이상 근속자**
2. 경장을 경사로 근속승진임용하려는 경우: 해당 계급에서 **5년 이상 근속자**
3. 경사를 경위로 근속승진임용하려는 경우: 해당 계급에서 **6년 6개월 이상 근속자**
4. 경위를 경감으로 근속승진임용하려는 경우: 해당 계급에서 **8년 이상 근속자**
 [2012 채용1차] 일정한 계급에서 일정기간 근무하면 승진임용 제한사유에 해당하지 않는 한 경정까지 승진할 수 있다. (×)
 [2020 채용1차] 경장을 경사로 근속승진임용하려는 경우에는 해당 계급에서 6년 이상 근속자이어야 한다. (×)
 [2013 채용2차] 경사를 경위로 근속승진임용하려는 경우 해당 계급에서 7년 6월 이상 근속을 요한다. (×)

대통령령 경찰공무원 승진임용 규정 제26조 【근속승진】 ① 법 제16조에 따른 근속승진(이하 "근속승진"이라 한다) 기간은 제5조 제2항부터 제8항까지의 규정에 따른 승진소요 최저근무연수의 계산 방법에 따라 계산한다.
② 법 제16조 제1항 각 호 외의 부분 단서에 따라 다음 각 호의 경찰공무원을 근속승진임용하는 경우에는 해당 각 호의 구분에 따른 기간을 근속승진 기간에서 단축할 수 있다.
1. 「공무원임용령」 제48조 제1항 제1호에 따른 인사교류 기간 중에 있거나 인사교류 경력이 있는 경찰공무원: 인사교류 기간의 2분의 1에 해당하는 기간
2. 국정과제 등 주요 업무의 추진실적이 우수한 경찰공무원이나 적극행정 수행 태도가 돋보인 경찰공무원: 1년
③ 제2항 제2호에 따라 근속승진 기간을 단축하는 경찰공무원의 인원수는 인사혁신처장이 제한할 수 있다.
④ 임용권자는 경감으로의 근속승진임용을 위한 심사를 할 때에는 연도별로 합산하여 해당 기관의 근속승진 대상자의 100분의 50에 해당하는 인원수(소수점 이하가 있는 경우에는 1명을 가산한다)를 초과하여 근속승진임용할 수 없다.
[2020 실무 1]
⑤ 임용권자는 제4항 전단에 따라 심사를 실시하려는 경우 근속승진임용일 20일 전까지 해당 기관의 근속승진 대상자 및 근속승진임용 예정 인원을 경찰청장에게 보고해야 한다.
⑥ 임용권자는 인사의 원활한 운영을 위하여 필요하다고 인정되는 경우에는 경위 재직기간별로 승진대상자 명부를 구분하여 작성할 수 있다.
⑦ 제1항부터 제6항까지에서 규정한 사항 외에 근속승진 방법, 그 밖에 인사운영에 필요한 사항은 경찰청장이 정한다.

💡 근속승진으로 진급할 수 있는 최대 계급은 경감이다.

┃ 승진소요 최저근무연수의 계산
해당 계급에서의 재직기간 – 휴직기간 – 직위해제기간 – 징계처분기간 – 승진임용 제한기간(강등·정직: 18개월 / 감봉 12개월 / 견책 6개월 + 징계부가금부과대상·소극행정·음주운전 및 측정거부·성 관련 징계처분 시 6개월)

4. 대우공무원제도

(1) 의의

> **대통령령** 경찰공무원 승진임용 규정 제43조 【대우공무원의 선발 등】 ① 임용권자나 임용제청권자는 소속 경찰공무원 중 해당 계급에서 제5조에 따른 승진소요 최저근무연수 이상 근무하고 승진임용 제한 사유가 없는 근무실적 우수자를 바로 위 계급의 대우공무원(이하 "대우공무원"이라 한다)으로 선발할 수 있다.
> ② 대우공무원 선발에 필요한 사항은 행정안전부령으로 정한다.
> ③ 대우공무원에게는 「공무원수당 등에 관한 규정」에서 정하는 바에 따라 수당을 지급할 수 있다.

대우공무원제도란 인사 적체에 따른 경찰공무원들의 불만을 해소하기 위해 대우 직책을 주고 그에 상응하는 보수를 수당으로 지급하는 제도로서, 경찰공무원에 대해서는 2009년부터 시행되었다.

(2) 선발필요 근무기간

> **행정안전부령** 경찰공무원 승진임용 규정 시행규칙 제35조 【대우공무원 선발을 위한 근무기간】 ① 영 제43조 제1항에 따라 대우공무원으로 선발되기 위해서는 영 제5조 제1항에 따른 승진소요 최저근무연수가 지난 총경 이하 경찰공무원으로서 해당 계급에서 다음 각 호의 구분에 따른 기간 동안 근무하여야 한다. 다만, 국정과제를 담당하여 높은 성과를 내거나 적극적인 업무수행으로 경찰공무원의 업무행태 개선에 기여하는 등 직무수행능력이 탁월하고 경찰행정 발전에 공헌을 했다고 경찰청장 또는 소속기관등의 장이 인정하는 경우에는 그 기간을 1년 단축할 수 있다.
> 1. 총경·경정: 7년 이상
> 2. 경감 이하: 4년 이상
>
> [2016 경간] 대우공무원은 총경 이하의 경찰공무원으로서 해당 계급에서 5년 이상 근무한 사람을 대상으로 선발한다. (×)

(3) 선발절차 및 시기

> **행정안전부령** 경찰공무원 승진임용 규정 시행규칙 제36조 【대우공무원의 선발 절차 및 시기】 ① 임용권자나 임용제청권자는 매월 말 5일 전까지 대우공무원 발령일을 기준으로 대우공무원 선발요건을 충족하는 대상자를 결정하여야 하고, 그 다음 달 1일에 일괄하여 대우공무원으로 발령하여야 한다. [2016 경간]
> ② 제1항에 따른 대우공무원 발령사항은 인사기록카드에 적어야 한다.

(4) 수당지급

> **대통령령** 경찰공무원 승진임용 규정 제43조 【대우공무원의 선발 등】③ 대우공무원에게는 「공무원수당 등에 관한 규정」에서 정하는 바에 따라 수당을 지급할 수 있다.
> [2016 경간]
>
> **행정안전부령** 경찰공무원 승진임용 규정 시행규칙 제37조 【대우공무원수당의 지급】① 대우공무원으로 선발된 경찰공무원에게는 「공무원수당 등에 관한 규정」에 따라 대우공무원수당을 지급한다.
> ② 대우공무원이 징계 또는 직위해제 처분을 받거나 휴직하여도 대우공무원수당은 계속 지급한다. 다만, 「공무원수당 등에 관한 규정」에서 정하는 바에 따라 대우공무원수당을 줄여 지급한다.
> ③ 대우공무원의 선발 또는 수당 지급에 중대한 착오가 발생한 경우 임용권자 또는 임용제청권자는 이를 정정하여 대우공무원 발령을 하고 대우공무원수당을 소급하여 지급할 수 있다.
> [2016 경간] 징계 또는 직위해제처분을 받은 경우 대우공무원수당을 감액하여 지급하나, 휴직한 경우에는 지급하지 아니한다. (×)

(5) 대우공무원 자격상실

> **행정안전부령** 경찰공무원 승진임용 규정 시행규칙 제38조 【대우공무원의 자격 상실】대우공무원이 다음 각 호의 어느 하나에 해당하는 경우 그 해당일에 대우공무원의 자격은 별도 조치 없이 당연히 상실된다. [2016 경간]
> 1. 상위계급으로 승진임용되는 경우: 승진임용일
> 2. 강등되는 경우: 강등일

---

02 휴직

1. 의의 및 종류

- 휴직이란 경찰공무원으로서의 신분을 보유하게 하면서 직무담임을 일시적으로 해제하는 것을 말한다.
- 휴직에는 임용권자가 직권으로 휴직을 명하는 직권휴직과 공무원 본인의 의사에 따라 휴직을 명하는 의원휴직이 있다.

2. 직권휴직의 사유와 기간

> **국가공무원법 제71조 【휴직】**① 공무원이 다음 각 호의 어느 하나에 해당하면 임용권자는 본인의 의사에도 불구하고 휴직을 명하여야 한다. [2015 경간] [2017 승진(경감)]
> 1. 신체·정신상의 장애로 장기 요양이 필요할 때 ➡ 휴직기간은 **1년 이내**로 하되, 부득이한 경우 1년의 범위에서 연장할 수 있다.
>   단, 다음과 같은 공무상 질병 또는 부상으로 인한 휴직기간은 **3년 이내**로 하되, 의학적 소견 등을 고려하여 대통령령등으로 정하는 바에 따라 **2년의 범위에서 연장**할 수 있다.
>   (ⅰ) 공무원 재해보상법 제22조 제1항에 따른 요양급여 지급 대상 부상 또는 질병
>   (ⅱ) 산업재해보상보험법 제40조에 따른 요양급여 결정 대상 질병 또는 부상
> 2. 삭제 <1978.12.5.>

▮ 공무원수당 등에 관한 규정 제6조의2(대우공무원수당)
- 대우공무원으로 선발된 사람에게는 예산의 범위에서 해당 공무원 월봉급액의 4.1퍼센트를 대우공무원수당으로 지급할 수 있다.
- 다만, 대우공무원수당과 월봉급액을 합산한 금액이 상위직급으로 승진 시의 월봉급액을 초과할 경우에는 해당 직급 월봉급액과 상위 직급 월봉급액의 차액을 대우공무원수당으로 지급한다.

▮ 공상휴직에 대한 경찰공무원법상 특칙(2024. 8. 14. 시행)
- 경찰공무원법 제29조 【공상경찰공무원 등의 휴직기간】① 경찰공무원이 「공무원 재해보상법」에 해당하는 직무를 수행하다가 「국가공무원법」 제72조 제1호 각 목의 어느 하나에 해당하는 공무상 질병 또는 부상을 입어 휴직하는 경우 그 휴직기간은 같은 조 제1호 단서에도 불구하고 5년 이내로 하되, 의학적 소견 등을 고려하여 대통령령으로 정하는 바에 따라 3년의 범위에서 연장할 수 있다.

3. 「병역법」에 따른 병역 복무를 마치기 위하여 징집 또는 소집된 때 ➡ 휴직기간은 그 복무기간이 끝날 때까지로 한다.
4. 천재지변이나 전시·사변, 그 밖의 사유로 생사 또는 소재가 불명확하게 된 때 ➡ 휴직 기간은 **3개월 이내**로 한다.
5. 그 밖에 법률의 규정에 따른 의무를 수행하기 위하여 직무를 이탈하게 된 때 ➡ 휴직 기간은 그 **복무기간**이 끝날 때까지로 한다.
6. 「공무원의 노동조합 설립 및 운영 등에 관한 법률」제7조에 따라 노동조합 전임자로 종사하게 된 때 ➡ 휴직기간은 그 **전임기간**으로 한다.

[2021 채용1차] 임용권자는 신체·정신상의 장애로 장기 요양이 필요한 자에게 직위를 부여하지 아니할 수 있다. (×)
[2020 승진(경감)] 국가공무원법상 공무원이 천재지변이나 전시·사변, 그 밖의 사유로 생사 또는 소재가 불명확하게 된 때의 휴직기간은 3개월 이내로 한다. (○)

경찰공무원법 제29조 【공상경찰공무원 등의 휴직기간】① 경찰공무원이 「공무원 재해보상법」제5조 제1호 각 목에 해당하는 직무를 수행하다가 「국가공무원법」제72조 제1호 각 목의 어느 하나에 해당하는 공무상 질병 또는 부상을 입어 휴직하는 경우 그 휴직기간은 같은 조 제1호 단서에도 불구하고 5년 이내로 하되, 의학적 소견 등을 고려하여 대통령령으로 정하는 바에 따라 3년의 범위에서 연장할 수 있다. <신설 2024.2.13.>
② 「국가공무원법」제71조 제1항 제4호의 사유로 인한 경찰공무원의 휴직기간은 같은 법 제72조 제3호에도 불구하고 법원의 실종선고를 받는 날까지로 한다.

3. 의원휴직의 사유와 기간

국가공무원법 제71조 【휴직】② 임용권자는 공무원이 다음 각 호의 어느 하나에 해당하는 사유로 휴직을 원하면 휴직을 명할 수 있다. 다만, 제4호의 경우에는 대통령령으로 정하는 특별한 사정이 없으면 휴직을 명하여야 한다. [2015 경간]
1. 국제기구, 외국 기관, 국내외의 대학·연구기관, 다른 국가기관 또는 대통령령으로 정하는 민간기업, 그 밖의 기관에 임시로 채용될 때 ➡ 휴직기간은 그 **채용 기간**으로 한다. 다만, 민간기업이나 그 밖의 기관에 채용되면 **3년** 이내로 한다.
2. 국외 유학을 하게 된 때 ➡ **3년** 이내로 하되, 부득이한 경우에는 **2년의 범위**에서 연장할 수 있다.
3. 중앙인사관장기관의 장이 지정하는 연구기관이나 교육기관 등에서 연수하게 된 때 ➡ 휴직기간은 **2년** 이내로 한다.
4. 만 8세 이하 또는 초등학교 2학년 이하의 자녀를 양육하기 위하여 필요하거나 여성공무원이 임신 또는 출산하게 된 때 ➡ 휴직기간은 자녀 1명에 대하여 **3년** 이내로 한다.
5. 조부모, 부모(배우자의 부모를 포함한다), 배우자, 자녀 또는 손자녀를 부양하거나 돌보기 위하여 필요한 경우. 다만, 조부모나 손자녀의 돌봄을 위하여 휴직할 수 있는 경우는 본인 외에 돌볼 사람이 없는 등 대통령령등으로 정하는 요건을 갖춘 경우로 한정한다. ➡ 휴직기간은 **1년** 이내로 하되, 재직기간 중 **총 3년**을 넘을 수 없다.
6. 외국에서 근무·유학 또는 연수하게 되는 배우자를 동반하게 된 때 ➡ **3년** 이내로 하되, 부득이한 경우에는 **2년의 범위**에서 연장할 수 있다.
7. 대통령령등으로 정하는 기간 동안 재직한 공무원이 직무 관련 연구과제 수행 또는 자기개발을 위하여 학습·연구 등을 하게 된 때 ➡ 휴직기간은 **1년** 이내로 한다.

[2022 승진(실무종합)] 「국가공무원법」상 임용권자는 공무원이 중앙인사관장기관의 장이 지정하는 연구기관이나 교육기관 등에서 연수하게 된 때에는 공무원의 의사에도 불구하고 휴직을 명하여야 한다. (×)
[2019 승진(경위)] 중앙인사관장기관의 장이 지정하는 연구기관이나 교육기관등 에서 연수하게 된 때 휴직기간은 3년 이내로 한다. (×)
[2018 승진(경감)] 대통령령 등으로 정하는 기간 동안 재직한 공무원이 직무 관련 연구과제 수행 또는 자기개발을 위하여 학습·연구 등을 하게 된 때의 휴직기간은 2년 이내로 한다. (×)

☑ **KEY POINT** | 직권휴직사유와 의원휴직사유

	직권휴직		의원휴직	
성격	사유 발생시 임용권자가 직무담임 일시해제		사유 발생시 본인 의사에 따라 직무담임 일시해제	
사유 및 기간	노동조합 전임자	그 기간	외국근무 배우자 동반	3년 + 2
	병역복무	그 기간	국외유학	3년 + 2
	법률상 의무수행	그 기간	• 8세 이하·초2 이하 • 양육 또는 임신·출산	3년(1명당)
	신체·정신 장애로 장기요양	• 1년 • 공상 3년 (요양 +2), (경찰은 5년 + 3)	국제기구 등 임시채용	• 채용기간 • 민간 3년
	천재지변 등으로 생사불명	• 3개월 • 경찰은 실종 선고 받는 날	교육기관 등 연수	2년
			가족부양·돌봄	1년(총 3년)
			자기개발 위한 학습·연수	1년

4. 휴직의 효력

(1) 기본적 효력

> **국가공무원법 제73조 【휴직의 효력】** ① 휴직 중인 공무원은 신분은 보유하나 직무에 종사하지 못한다.
> ② 휴직 기간 중 그 사유가 없어지면 30일 이내에 임용권자 또는 임용제청권자에게 신고하여야 하며, 임용권자는 지체 없이 복직을 명하여야 한다.
> ③ 휴직 기간이 끝난 공무원이 30일 이내에 복귀 신고를 하면 당연히 복직된다.
> [2020 승진(경감)] 휴직 기간 중 그 사유가 없어지면 지체 없이 임용권자 또는 임용제청권자에게 신고하여야 하며, 임용권자는 30일 이내에 복직을 명하여야 한다. (×)

휴직이란 직위해제와 달리 제재적 성격이 없고 복직이 보장된다.

(2) 직권면직

> **국가공무원법 제70조 【직권 면직】** ① 임용권자는 공무원이 다음 각 호의 어느 하나에 해당하면 직권으로 면직시킬 수 있다.
> 4. 휴직기간이 끝나거나 휴직사유가 소멸된 후에도 직무에 복귀하지 아니하거나 직무를 감당할 수 없을 때

(3) 승진소요 최저근무연수 미포함

휴직기간은 승진소요 최저근무연수에 포함하지 않는다. 단, 임신·출산 또는 공상 등으로 인한 휴직기간은 포함한다(경찰공무원 승진임용 규정 제5조 제2항).

Q 참고 휴직기간 중의 봉급

> **공무원보수규정 제28조 【휴직기간 중의 봉급 감액】** ① 「국가공무원법」 제71조 제1항 제1호에 따라 휴직한 공무원에게는 다음 각 호의 구분에 따라 봉급(외무공무원의 경우에는 휴직 직전의 봉급을 말한다. 이하 이 조에서 같다)의 일부를 지급한다. 다만, 공무상 질병 또는 부상으로 휴직한 경우에는 그 기간 중 봉급 전액을 지급한다.
> 1. 휴직 기간이 1년 이하인 경우: 봉급의 70퍼센트
> 2. 휴직 기간이 1년 초과 2년 이하인 경우: 봉급의 50퍼센트
> ② 외국유학 또는 1년 이상의 국외연수를 위하여 휴직한 공무원에게는 그 기간 중 봉급의 50퍼센트를 지급할 수 있다. 이 경우 교육공무원을 제외한 공무원에 대한 지급기간은 2년을 초과할 수 없다.
> ④ 제1항 및 제2항에 규정되지 않은 휴직의 경우에는 봉급을 지급하지 아니한다.

- 공상휴직: 100%
- 신체 · 정신장애로 인한 장기요양: 50~70%
- 외국유학 · 국외연수: 50%

03 직위해제

1. 의의 및 성격

- 직위해제란 공무원에게 직무를 수행할 수 없는 사유가 발생한 경우 공무원의 신분은 보유하나 직위를 부여하지 않음으로써 직무담당을 하지 못하게 하는, 제재적 의미를 가지는 보직의 해제이다. [2021 승진(실무종합)]
- 휴직과는 달리 복직이 보장되지 않는다. [2020 승진(경위)]
- 직위해제처분은 징계처분이 아니다.

⚖ 요지판례 ㅣ

- 직위해제는 징벌적 제재인 징계와는 그 성질을 달리하는 것이어서 어느 사유로 인하여 징계를 받았다 하더라도 그것이 직위해제사유로 평가될 수 있다면 이를 이유로 새로이 직위해제를 할 수도 있는 것이다(대판 1992.7.28, 91다30729).
- 직위해제처분은 공무원에 대하여 불이익한 처분이긴 하나 징계처분과 같은 성질의 처분이라고는 볼 수 없으므로 동일한 사유에 대한 직위해제처분이 있은 후 다시 해임처분이 있었다 하여 일사부재리의 법리에 어긋난다고 할 수 없다(대판 1984.2.28, 83누489).

2. 직위해제사유

고위공무원단?

국가공무원법 제2조의2에서 규정하고 있으며, 중앙행정기관의 실장·국장급이라고 보면 된다.

국가공무원법 제73조의3【직위해제】 ① 임용권자는 다음 각 호의 어느 하나에 해당하는 자에게는 직위를 부여하지 아니할 수 있다. [2012 실무 1] [2015 경간] [2015 채용2차] [2017 승진(경감)]

1. 삭제 <1973.2.5.>
2. 직무수행 능력이 부족하거나 근무성적이 극히 나쁜 자 [2023 채용1차]
3. 파면·해임·강등 또는 정직(➡ 중징계)에 해당하는 징계 의결이 요구 중인 자
4. 형사 사건으로 기소된 자(약식명령이 청구된 자는 **제외**한다) [2023 채용1차]
5. 고위공무원단에 속하는 일반직공무원으로서 제70조의2 제1항 제2호부터 제5호까지의 사유로 적격심사를 요구받은 자
6. 금품비위, 성범죄 등 대통령령으로 정하는 비위행위로 인하여 감사원 및 검찰·경찰 등 수사기관에서 조사나 수사 중인 자로서 비위의 정도가 중대하고 이로 인하여 정상적인 업무수행을 기대하기 현저히 어려운 자 [2022 승진(실무종합)]

⑤ 공무원에 대하여 제1항 제2호의 직위해제 사유와 같은 항 제3호·제4호 또는 제6호의 직위해제 사유가 경합(競合)할 때에는 같은 항 제3호·제4호 또는 제6호의 직위해제 처분을 하여야 한다.

[2020 승진(경위)] 파면·해임·강등·정직 또는 감봉에 해당하는 징계 의결이 요구 중인 자는 직위해제대상이다. (×)
[2021 채용1차] 임용권자는 형사사건으로 기소된 자(약식명령이 청구된 자를 포함한다)에게 직위를 부여하지 아니할 수 있다. (×)

국가공무원법 제70조의2 제1항
- **제2호:** 근무성적평정에서 최하위 등급의 평정을 총 2년 이상 받은 때
- **제3호:** 정당한 사유 없이 직위를 부여받지 못한 기간이 총 1년에 이른 때

국가공무원법 제70조의2 제1항
- **제4호:** 다음 두가지에 모두 해당될 때. (i) 근무성적평정에서 최하위 등급을 1년 이상 받은 사실이 있는 경우, (ii) 정당한 사유 없이 6개월 이상 직위를 부여받지 못한 사실이 있는 경우
- **제5호:** 조건부 적격자가 교육훈련을 이수하지 아니하거나 연구과제를 수행하지 아니한 때

3. 직위해제의 효력

(1) 기본적 효력

국가공무원법 제73조의3【직위해제】 ② 제1항에 따라 직위를 부여하지 아니한 경우에 그 사유가 소멸되면 임용권자는 지체 없이 직위를 부여하여야 한다.

③ 임용권자는 제1항 제2호에 따라 직위해제된 자에게 **3개월의 범위에서 대기를 명한다.** [2023 채용1차]

④ 임용권자 또는 임용제청권자는 제3항에 따라 대기 명령을 받은 자에게 능력 회복이나 근무성적의 향상을 위한 **교육훈련 또는 특별한 연구과제의 부여 등 필요한 조치**를 하여야 한다.

[2021 채용1차] 국가공무원법 제73조의3 제1항에 따라 직위를 부여하지 아니한 경우에 그 직위해제 사유가 소멸되면 임용권자는 직위를 부여할 수 있다. (×)
[2023 채용1차] 제73조의3 제1항에 따라 직위를 부여하지 아니한 경우에 그 사유가 소멸되면 임용권자는 7일 이내에 직위를 부여할 수 있다. (×)
[2020 승진(경위)] [2021 채용1차] 임용권자는 직무수행능력이 부족하거나 근무성적이 극히 나쁜 사유로 직위해제된 자에게 3개월 범위에서 대기를 명한다. (○)
[2022 채용2차] 중징계 의결이 요구 중인 경찰공무원 甲에 대해 직위해제처분을 할 경우, 임용권자는 3개월의 범위 내에서 대기를 명하고 능력 회복이나 근무성적의 향상을 위한 교육훈련 또는 특별한 연구과제의 부여 등 필요한 조치를 하여야 한다. (×)
[2020 실무 1] 임용권자 또는 임용제청권자는 직무수행능력이 부족하거나 근무성적이 극히 나빠 직위해제되어 대기명령을 받은 자에게 능력 회복이나 근무성적의 향상을 위한 교육훈련 또는 특별한 연구과제의 부여 등 필요한 조치를 하여야 한다. (○)

(2) 직권면직

국가공무원법 제70조【직권 면직】 ① 임용권자는 공무원이 다음 각 호의 어느 하나에 해당하면 직권으로 면직시킬 수 있다.

5. 제73조의3 제3항에 따라 대기 명령을 받은 자가 그 기간에 능력 또는 근무성적의 향상을 기대하기 어렵다고 인정된 때

[2021 승진(실무종합)] 직무수행능력이 부족하여 직위해제를 한 경우 대기명령 기간 중 근무성적의 향상을 기대하기 어렵다고 인정될 때에는 징계위원회의 동의를 얻어 임용권자가 직권면직시킬 수 있다. (○)

(3) 승진소요 최저근무연수 미포함

직위해제기간은 승진소요 최저근무연수에 포함하지 않는다. 단, 일정한 예외가 있다.

승진소요 최저근무연수
- 총경: 3년 이상
- 경정 및 경감: 2년 이상
- 경위·경사·경장·순경: 1년 이상

> **대통령령** **경찰공무원 승진임용 규정 제5조【승진소요 최저근무연수】** ② 휴직 기간, 직위해제기간, 징계처분 기간 및 제6조 제1항 제2호에 따른 승진임용 제한기간은 제1항의 기간(➡ 승진소요 최저근무연수)에 포함하지 않는다. 다만, 다음 각 호의 기간은 제1항의 기간에 포함한다.
> 2. 다음 각 목의 어느 하나에 해당하는 경우에 그 직위해제 기간
>   가. 「국가공무원법」 제73조의3 제1항 제3호(➡ 중징계의결요구)에 따라 직위해제처분을 받은 사람에 대한 징계 의결 요구에 대하여 관할 징계위원회가 징계하지 아니하기로 의결한 경우와 해당 직위해제처분의 사유가 된 징계처분이 소청심사위원회의 결정 또는 법원의 판결에 따라 무효 또는 취소로 확정된 경우
>   나. 「국가공무원법」 제73조의3 제1항 제4호(➡ 형사사건기소)에 따라 직위해제처분을 받은 사람의 처분 사유가 된 형사사건이 법원의 판결에 따라 무죄로 확정된 경우
>   다. 「국가공무원법」 제73조의3 제1항 제6호(➡ 금품비위·성범죄 등 감사원·수사기관 조사·수사)에 따라 직위해제처분을 받은 사람의 처분사유가 된 비위행위(이하 "비위행위"라 한다)가 1) 및 2)에 모두 해당하는 경우 ➡ 1) 비위행위에 대한 징계절차와 관련 징계의결 요구하지 않기로 하거나, 소청이나 법원판결로 무효·취소 확정된 경우 2) 비위행위에 대한 조사·수사 결과가 형사사건에 해당하지 않거나 불송치·불기소·무죄확정
>
> [2021 승진(실무종합)] 직위해제기간은 원칙적으로 승진소요 최저근무연수에 포함되지 않으나, 파면·해임·강등 또는 정직에 해당하는 징계 의결 요구로 직위해제된 사람에 대하여 관할 징계위원회가 징계하지 아니하기로 의결한 경우 등은 승진소요 최저근무연수에 포함된다. (○)

> **⊕ 심화** **직위해제기간 중의 봉급**
>
> **공무원보수규정 제29조【직위해제기간 중의 봉급 감액】** 직위해제된 사람에게는 다음 각 호의 구분에 따라 봉급(외무공무원의 경우에는 직위해제 직전의 봉급을 말한다. 이하 이 조에서 같다)의 일부를 지급한다.
> 1. 「국가공무원법」 제73조의3 제1항 제2호(➡ 직무수행 능력부족·근무성적 불량) … 에 따라 직위해제된 사람: 봉급의 80퍼센트
> 2. 「국가공무원법」 제73조의3 제1항 제5호(➡ 고위공무원단 적격심사)에 따라 직위해제된 사람: 봉급의 70퍼센트. 다만, 직위해제일부터 3개월이 지나도 직위를 부여받지 못한 경우에는 그 3개월이 지난 후의 기간 중에는 봉급의 40퍼센트를 지급한다.
> 3. 「국가공무원법」 제73조의3 제1항 제3호(➡ 중징계)·제4호(➡ 형사사건기소)·제6호(➡ 금품비위·성범죄 등 수사·조사) … 의 규정에 따라 직위해제된 사람: 봉급의 50퍼센트. 다만, 직위해제일부터 3개월이 지나도 직위를 부여받지 못한 경우에는 그 3개월이 지난 후의 기간 중에는 봉급의 30퍼센트를 지급한다.
>
> [2021 승진(실무종합)] 국가공무원법 제73조의3 제1항 제5호(고위공무원단에 속하는 일반직공무원으로서 제70조의 2 제1항 제2호부터 제5호까지의 사유로 적격심사를 요구받은 자)에 따라 직위해제된 사람이 직위해제일부터 3개월이 지나도 직위를 부여받지 못한 경우에는 그 3개월이 지난 후의 기간 중에는 봉급의 50퍼센트를 지급한다. (×)
> [2020 실무 1] 「국가공무원법」 제73조의3 제1항 제3호·제4호 또는 제6호에 따라 직위해제된 사람에게는 봉급의 50퍼센트를 지급하고, 다만 직위해제일로부터 3개월이 지나도 직위를 부여받지 못한 경우에는 그 3개월이 지난 후의 기간 중에는 봉급의 40퍼센트를 지급한다. (×)

04 전보

1. 의의

> **경찰공무원법 제2조【정의】** 이 법에서 사용하는 용어의 정의는 다음과 같다.
> 2. "전보"란 경찰공무원의 동일 직위 및 자격 내에서의 근무기관이나 부서를 달리하는 임용을 말한다.

동일 직위 및 자격 내에서의 근무기관이나 부서를 변경하는 것으로서 계급의 변경 없이 보직이 변경되는 것을 말한다.

2. 전보의 제한

> **대통령령 경찰공무원 임용령 제27조【전보의 제한】** ① 임용권자 또는 임용제청권자는 소속 경찰공무원이 해당 직위에 임용된 날부터 1년 이내(감사업무를 담당하는 경찰공무원의 경우에는 2년 이내)에 다른 직위에 전보할 수 없다. 다만, 다음 각 호의 어느 하나에 해당하는 경우에는 그러하지 아니하다. ➡ 아래 각 호의 경우에는 전보가 가능하다.
> 1. 직제상 최저단위인 보조기관 또는 보좌기관 내에서 전보하는 경우
> 2. 경찰청과 소속기관등 또는 소속기관등 상호간의 교류를 위하여 전보하는 경우
> 3. 기구의 개편, 직제 또는 정원의 변경으로 해당 경찰공무원을 전보하는 경우
> 4. 승진임용된 경찰공무원을 전보하는 경우
> 5. 전문직위로 경찰공무원을 전보하는 경우
> 6. 징계처분을 받은 경우
> 7. 형사사건에 관련되어 수사기관에서 조사를 받고 있는 경우
> 8. 경찰공무원으로서의 품위를 크게 손상하는 비위로 인한 감사 또는 조사가 진행 중이어서 해당 직위를 유지하는 것이 부적절하다고 판단되는 경찰공무원을 전보하는 경우
> 9. 경찰기동대 등 경비부서에서 정기적으로 교체하는 경우
> 10. 교육훈련기관의 교수요원으로 보직하는 경우
> 11. 시보임용 중인 경우
> 12. 신규채용된 경찰공무원을 해당 계급의 보직관리기준에 따라 전보하는 경우 및 이와 관련한 전보의 경우
> 13. 감사담당 경찰공무원 가운데 부적격자로 인정되는 경우
> 14. 경정 이하의 경찰공무원을 배우자 또는 직계존속이 거주하는 시·군·자치구 지역의 경찰기관으로 전보하는 경우
> 15. 임신 중인 경찰공무원 또는 출산 후 1년이 지나지 않은 경찰공무원의 모성보호, 육아 등을 위하여 필요한 경우
> ② 법 제22조 제2항에 따른 교육훈련기관의 교수요원으로 임용된 사람은 그 임용일부터 1년 이상 3년 이하의 범위에서 경찰청장이 정하는 기간 안에는 다른 직위에 전보할 수 없다. 다만, 기구의 개편, 직제·정원의 변경이나 교육과정의 개편 또는 폐지가 있거나 교수요원으로서 부적당하다고 인정될 때에는 그렇지 않다.
> ③ 법 제10조 제3항 제5호(➡ 섬, 외딴곳 등 특수지역에서 근무할 사람을 임용)에 따라 채용된 경찰공무원은 그 채용일부터 5년의 범위에서 경찰청장이 정하는 기간(휴직기간, 직위해제기간 및 정직기간은 포함하지 않는다) 안에는 채용조건에 해당하는 기관 또는 부서 외의 기관 또는 부서로 전보할 수 없다.
>
> [2012 실무 1] 정보담당 경찰공무원 가운데 부적격자로 인정되는 경우는 「경찰공무원임용령」상 전보제한 예외사유에 해당한다. (×)
> [2018 승진(경감)] 감사업무를 담당하는 경찰공무원은 부적격자로 인정되는 경우가 아닌 한 해당 직위에 임용된 날부터 3년 이내에는 다른 직위에 전보할 수 없다. (×)

05 기타 근무관계 변동사유

전과	경과를 변경하는 것. 원칙적으로 일반경과에서 수사·안보수사경과·특수경과로의 전과만 인정
파견	경찰공무원을 국가기관, 공공단체, 국내외 교육기관이나 연구기관 등에 파견하는 것
복직	휴직, 직위해제 또는 정직(강등에 따른 정직을 포함) 중에 있는 경찰공무원을 직위에 복귀시키는 것
강등	(중징계의 하나) 관리의 계급이나 등급이 일방적으로 낮아지는 것
정직	(중징계의 하나) 일정기간 그 직무에서 종사하지 못하게 하는 것
전직	(경찰공무원에게 적용 ×) 직렬을 달리하는 임용
강임	(경찰공무원에게 적용 ×) 공무원을 현재보다 낮은 직급으로 임명하는 것

주제 4 경찰공무원 근무관계의 소멸

- 공무원관계의 소멸이란 공무원의 신분을 상실하여 공무원으로서의 법적 지위를 완전히 상실하는 것을 말한다.
- 경찰공무원법상 근무관계 소멸사유로는 퇴직(당연퇴직, 정년퇴직), 면직(직권면직, 의원면직) 등이 있다.

01 당연퇴직

1. 당연퇴직의 개념 및 성격

- 당연퇴직이란 임용권자의 처분에 의해서가 아니라 일정한 사유의 발생으로 별도의 행위를 요하지 않고 당연히 공무원관계가 소멸하는 경우를 말한다.
- 당연퇴직 사유가 발생하면 실무에서는 퇴직발령의 통보를 하는데, 이러한 퇴직발령의 통보는 관념의 통지에 그치는 것으로 항고소송의 대상인 처분이 아니라는 것이 판례의 입장이다.

> ⚖ **요지판례** |
>
> 당연퇴직의 경우에는 결격사유가 있어 법률상 당연퇴직되는 것이지 공무원관계를 소멸시키기 위한 별도의 행정처분을 요하지 아니한다 할 것이며 위와 같은 사유의 발생으로 당연퇴직의 인사발령이 있었다 하여도 이는 퇴직사실을 알리는 이른바 관념의 통지에 불과하여 행정소송의 대상이 되지 아니한다(대판 1992.1.21, 91누2687).

2. 당연퇴직의 사유

(1) 결격사유의 발생

> **경찰공무원법 제27조【당연퇴직】** 경찰공무원이 제8조 제2항 각 호의 어느 하나(➡ 임용결격사유)에 해당하게 된 경우에는 당연히 퇴직한다. 다만, 제8조 제2항 제4호는 파산선고를 받은 사람으로서 「채무자 회생 및 파산에 관한 법률」에 따라 신청기한 내에 면책신청을 하지 아니하였거나 면책불허가 결정 또는 면책 취소가 확정된 경우만 해당하고, 제8조 제2항 제6호는 「형법」 제129조부터 제132조까지, 「성폭력범죄의 처벌 등에 관한 특례법」 제2조, 「아동·청소년의 성보호에 관한 법률」 제2조 제2호 및 직무와 관련하여 「형법」 제355조 또는 제356조에 규정된 죄를 범한 사람으로서 자격정지 이상의 형의 선고유예를 받은 경우만 해당한다. [2012 채용3차]

☑ KEY POINT | 경찰공무원의 임용결격과 당연퇴직 비교

구분	임용결격	당연퇴직
제1유형 (국적 관련)	외국인	좌동
	복수국적자	좌동
제2유형 (능력 관련)	피성년후견인·피한정후견인	좌동
	파산선고 받고 복권되지 않은 자	파산선고 받았더라도, • 신청기한 내 면책신청 안했거나 • 면책불허가·면책취소 확정의 경우에만 해당
제3유형 (일반범죄)	자격정지 이상 형 선고	좌동
	자격정지 이상 형 선고유예기간 중	선고유예 받았더라도 해당 범죄가 • 뇌물범죄 • 성폭력범죄 • 아동·청소년대상 성범죄 • 재직 중 공금횡령·배임의 경우에만 해당
제4유형 (특수범죄)	• 공무원 재직 중 횡령·배임으로 • 300만원 이상 벌금형 선고받고 • 확정 후 2년 미경과자	좌동
	• 성폭력범죄로 • 100만원 이상 벌금형 선고받고 • 확정 후 3년 미경과자	좌동
	미성년자 성범죄, 아동·청소년대상 성범죄	좌동
제5유형 (징계처분)	파면·해임	좌동

[2018 실무 1] 파산선고를 받은 사람으로서 「채무자 회생 및 파산에 관한 법률」에 따라 신청기한 내에 면책신청한 사람은 당연퇴직대상이다. (×)
[2018 승진(경감)] 경찰공무원으로서 자격정지 이상의 형의 선고유예를 받고 그 선고유예기간 중에 있는 자는 당연퇴직된다. (×)

┃ 임용결격·당연퇴직 관련 헌법재판소의 최근 결정

• 헌재 2022.12.22. 선고 2020헌가8(피성년후견 위헌결정): 국가공무원법상 피성년후견이 개시된 국가공무원을 당연퇴직시키는 규정은 공무담임권 침해로 위헌이다.

• 헌재 2022.11.24. 선고 2020헌마1181(미성년자 성범죄 헌법불합치 결정): 국가공무원법상 아동에게 성적 수치심을 주는 성희롱 등 행위로 형 선고받아 확정된 자를 국가공무원 임용 결격사유로 하는 규정은 공무담임권 침해로 위헌이다 (개정시한 2024. 5. 31.)

• 위와 같은 헌재 결정에 따라 경찰공무원법상 유사한 규정도 개정될 가능성이 있으나, 2023. 6. 현재 기준 아직 개정되지 않고 있는 상태이다.

☆ 요지판례 ㅣ

직위해제 중에 자격정지 이상의 형의 선고유예를 받아 당연퇴직된 경찰공무원에게 임용권자가 복직처분을 한 상태에서 선고유예기간이 경과된 경우, 경찰공무원의 신분이 회복되는지 여부(소극) 직위해제처분은 형사사건으로 기소되는 등 국가공무원법에서 정하는 귀책사유가 있을 때 당해 공무원에게 직위를 부여하지 아니하는 처분이고, 복직처분은 직위해제사유가 소멸되었을 때 직위해제된 공무원에게 국가공무원법 제73조의2 제2항의 규정에 의하여 다시 직위를 부여하는 처분일 뿐, 이들 처분들이 공무원의 신분을 박탈하거나 설정하는 처분은 아닌 것이므로, 임용권자가 임용결격사유의 발생 사실을 알지 못하고 직위해제되어 있던 중 임용결격사유가 발생하여 당연퇴직된 자에게 복직처분을 하였다고 하더라도 이 때문에 그 자가 공무원의 신분을 회복하는 것은 아니다(대판 1997.7.8, 96누4275).

(2) 정년에의 도달

경찰공무원법 제30조 【정년】 ① 경찰공무원의 정년은 다음과 같다. [2017 채용1차]

1. 연령정년: 60세
2. 계급정년
   치안감: 4년
   경무관: 6년
   총경: 11년
   경정: 14년

② 징계로 인하여 강등(경감으로 강등된 경우를 포함한다)된 경찰공무원의 계급정년은 제1항 제2호에도 불구하고 다음 각 호에 따른다. [2012 경간]

1. 강등된 계급의 계급정년은 강등되기 전 계급 중 가장 높은 계급의 계급정년으로 한다.
2. 계급정년을 산정할 때에는 강등되기 전 계급의 근무연수와 강등 이후의 근무연수를 합산한다.

③ 수사, 정보, 외사, 안보, 자치경찰사무 등 특수 부문에 근무하는 경찰공무원으로서 대통령령으로 정하는 바에 따라 지정을 받은 사람은 총경 및 경정의 경우에는 4년의 범위에서 대통령령으로 정하는 바에 따라 제1항 제2호에 따른 계급정년을 연장할 수 있다.

④ 경찰청장 또는 해양경찰청장은 전시·사변이나 그 밖에 이에 준하는 비상사태에서는 2년의 범위에서 제1항 제2호에 따른 계급정년을 연장할 수 있다. 이 경우 경무관 이상의 경찰공무원에 대해서는 행정안전부장관 또는 해양수산부장관과 국무총리를 거쳐 대통령의 승인을 받아야 하고, 총경·경정의 경찰공무원에 대해서는 국무총리를 거쳐 대통령의 승인을 받아야 한다.

⑤ 경찰공무원은 그 정년이 된 날이 1월에서 6월 사이에 있으면 6월 30일에 당연퇴직하고, 7월에서 12월 사이에 있으면 12월 31일에 당연퇴직한다. [2012 경간] [2020 채용1차]

⑥ 제1항 제2호에 따른 계급정년을 산정할 때 제주특별자치도의 자치경찰공무원으로 근무한 경력이 있는 경찰공무원의 경우에는 그 계급에 상응하는 자치경찰공무원으로 근무한 연수를 산입한다.

[2012 경간] 계급정년은 치안감 4년, 경무관 6년, 총경 12년, 경정 14년이다. (×)
[2020 채용1차] 경찰청장 또는 해양경찰청장은 전시·사변이나 그 밖에 이에 준하는 비상사태에서는 2년의 범위에서 계급정년을 연장할 수 있다. 이 경우 치안감의 경찰공무원에 대하여는 행정안전부장관 또는 해양수산부장관과 국무총리를 거쳐 대통령의 승인을 받아야 하고, 경무관·총경·경정의 경찰공무원에 대하여는 국무총리를 거쳐 대통령의 승인을 받아야 한다. (×)
[2022 경간] 경찰청장은 전시·사변이나 그 밖에 이에 준하는 비상사태에서는 2년의 범위에서 동법에 따른 계급정년을 연장할 수 있고, 이 경우 총경 이상의 경찰공무원에 대하여는 행정안전부장관과 국무총리를 거쳐 대통령의 승인을 받아야 한다. (×)

ㅣ 예ㅣ 총경으로 5년 근무하던 중, 경정으로 강등당한 경우
- 강등되기 전 가장 높은계급은 총경: 11년의 계급정년 적용
- 근무연수 합산: 강등되기 전 계급인 총경으로 5년을 근무하였으므로, 강등된 이후 계급인 경정으로 6년을 근무하면 계급정년에 다다르게 된다.

02 면직

1. 의의

면직이란 특별한 행위에 의하여 공무원관계가 소멸되는 것을 말하며, 그 종류로는 의원면직과 강제면직(일방적 면직)으로 구분된다.

2. 의원면직

(1) 개념

- 공무원 자신의 사직의사에 의하여 공무원관계를 소멸시키는 행위를 말한다. 권고사직, 명예퇴직은 의원면직에 해당된다.
- 의원면직행위는 공무원 본인의 신청을 요건으로 하는 쌍방적 행정행위이므로 공무원의 사의표시만으로 공무원관계가 소멸하는 것은 아니고 **면직처분**(임명권자의 수리, 승인)이 있어야 한다.

> **🔥 요지판례 Ⅰ**
>
> 경찰공무원인 원고가 사직원을 제출하였다고 하더라도 임용권자에 의하여 사직원이 수리되어 면직되지 아니한 상태에 있는 한 원고의 위와 같은 행위는 공무원으로서 소속상관의 허가 없이 직장을 이탈한 것이다(대판 1991.11.12, 91누3666) ➡ 경찰서 수사과 형사계 반장이 검찰의 뇌물수수사건 수사를 피하기 위하여 제출한 사직원이 수리되지 아니한 상태에서 3개월여 동안 출근하지 아니한 경우, 직장이탈을 이유로 한 파면처분이 재량권의 남용 또는 일탈에 해당하지 않는다고 본 사례

(2) 사직의 의사표시

- 의원면직은 공무원의 자유로운 사의표시를 전제로 하는 것이므로, 상사 등의 강요에 의하여 의사결정의 자유가 박탈된 상태하에서 사직원의 제출이 이루어진 경우 면직처분은 위법한 것으로 취소 또는 무효사유가 된다.
- 한편 판례는 의원면직의 경우에는 비진의표시에 관한 민법 제107조가 준용되지 않는다고 한다.

▌ 민법 제107조(진의 아닌 의사표시)
- 의사표시는 표의자가 진의아님을 알고 한 것이라도 그 효력이 있다.
- 그러나 상대방이 표의자의 진의아님을 알았거나 이를 알 수 있었을 경우에는 무효로 한다.

- 공무원이 감사기관이나 상급관청 등의 강박에 의하여 사직서를 제출한 경우, 그 강박의 정도와 당해 사직서에 터잡은 면직처분의 효력 사직서의 제출이 감사기관이나 상급관청 등의 강박에 의한 경우에는 그 정도가 의사결정의 자유를 박탈할 정도에 이른 것이라면 그 의사표시가 무효로 될 것이고 그렇지 않고 의사결정의 자유를 제한하는 정도에 그친 경우라면 그 성질에 반하지 아니하는 한 의사표시에 관한 민법 제110조(➡ 사기나 강박에 의한 의사표시는 취소할 수 있다)의 규정을 준용하여 그 효력을 따져보아야 할 것이나, 감사담당 직원이 당해 공무원에 대한 비리를 조사하는 과정에서 사직하지 아니하면 징계파면이 될 것이고 또한 그렇게 되면 퇴직금 지급상의 불이익을 당하게 될 것이라는 등의 강경한 태도를 취하였다고 할지라도 그 취지가 단지 비리에 따른 객관적 상황을 고지하면서 사직을 권고·종용한 것에 지나지 않고 위 공무원이 그 비리로 인하여 징계파면이 될 경우 퇴직금 지급상의 불이익을 당하게 될 것 등 여러 사정을 고려하여 사직서를 제출한 경우라면 그 의사결정이 의원면직처분의 효력에 영향을 미칠 하자가 있었다고는 볼 수 없다(대판 1997.12.12, 97누13962).

- **공무원이 사직의 의사표시를 하여 의원면직된 경우, 그 사직의 의사표시에 민법 제107조가 준용되는지 여부(소극)** 공무원이 사직의 의사표시를 하여 의원면직처분을 하는 경우 그 사직의 의사표시는 그 법률관계의 특수성에 비추어 외부적·객관적으로 표시된 바를 존중하여야 할 것이므로, 비록 사직원제출자의 내심의 의사가 사직할 뜻이 아니었다고 하더라도 진의 아닌 의사표시에 관한 민법 제107조는 그 성질상 사직의 의사표시와 같은 사인의 공법행위에는 준용되지 아니하므로 그 의사가 외부에 표시된 이상 그 의사는 표시된 대로 효력을 발한다(대판 1997.12.12, 97누13962).

- **일괄사표의 제출과 선별수리의 형식으로 이루어진 공무원에 대한 의원면직처분의 효력(유효)** 일괄사표를 제출하였다가 선별수리하는 형식으로 의원면직되었다고 하더라도 공무원들이 임용권자 앞으로 일괄사표를 제출한 경우 그 사직원의 제출은 제출 당시 임용권자에 의하여 수리 또는 반려 중 어느 하나의 방법으로 처리되리라는 예측이 가능한 상태에서 이루어진 것으로서 그 사직원에 따른 의원면직은 그 의사에 반하지 아니하고, 비록 사직원제출자의 내심의 의사가 사직할 뜻이 아니었다 하더라도 그 의사가 외부에 객관적으로 표시된 이상 그 의사는 표시된 대로 효력을 발하는 것이며, 민법 제107조는 그 성질상 사인의 공법행위에 적용되지 아니하므로 사직원 제출을 받아들여 의원면직처분한 것을 당연무효라고 할 수 없다(대판 1992.8.14, 92누909). ➡ 국가보위비상대책위원회(사회정화위원회) 법원공무원 해직사건

3. 강제면직

(1) 개념

공무원 본인의 의사에 관계없이 임용권자의 일방적 의사에 의하여 공무원관계를 소멸시키는 행위를 말하며, 이에는 징계면직과 직권면직이 있다.

(2) 징계면직

공무원의 신분을 박탈하는 징계수단으로서, 공무원법상의 의무위반에 대한 징계로서 내려지는 파면과 해임을 말한다.

(3) 직권면직

1) 의미

직권면직이란 법령으로 정해진 일정한 사유에 해당한 경우에 임용권자가 직권으로 공무원의 신분을 박탈하는 것을 내용으로 하는 처분을 말한다.

2) 직권면직사유

> **경찰공무원법 제28조【직권면직】** ① 임용권자는 경찰공무원이 다음 각 호의 어느 하나에 해당될 때에는 직권으로 면직시킬 수 있다. [2017 실무 1] [2022 승진(실무종합)] [2024 승진]
> 1. 「국가공무원법」 제70조 제1항 제3호부터 제5호까지의 규정 중 어느 하나에 해당될 때
> 2. 경찰공무원으로는 부적합할 정도로 직무 수행능력이나 성실성이 현저하게 결여된 사람으로서 대통령령으로 정하는 사유에 해당된다고 인정될 때
> 3. 직무를 수행하는 데에 위험을 일으킬 우려가 있을 정도의 성격적 또는 도덕적 결함이 있는 사람으로서 대통령령으로 정하는 사유에 해당된다고 인정될 때
> 4. 해당 경과에서 직무를 수행하는 데 필요한 자격증의 효력이 상실되거나 면허가 취소되어 담당 직무를 수행할 수 없게 되었을 때
> ② 제1항 제2호·제3호 또는 「국가공무원법」 제70조 제1항 제5호의 사유로 면직시키는 경우에는 제32조에 따른 징계위원회의 동의를 받아야 한다.
>
> [2012 실무 1] 휴직기간의 만료 또는 휴직사유가 소멸된 후에도 직무에 복직하지 아니하거나 직무를 감당할 수 없을 때는 직위해제 사유에 해당한다. (×)
> [2019 승진(경위)] '휴직기간이 끝나거나 휴직사유가 소멸된 후에도 직무에 복귀하지 아니하거나 직무를 감당할 수 없을 때'는 직권면직을 위해 징계위원회 동의가 필요한 경우에 해당한다. (×)
>
> **대통령령** **경찰공무원 임용령 제47조【직권면직사유】** ① 법 제28조 제1항 제2호에서 "대통령령으로 정하는 사유"란 다음 각 호의 경우를 말한다.
> 1. 지능 저하 또는 판단력 부족으로 경찰업무를 감당할 수 없는 경우
> 2. 책임감의 결여로 직무수행에 성의가 없고 위험한 직무를 고의로 기피하거나 포기하는 경우
> ② 법 제28조 제1항 제3호에서 "대통령령으로 정하는 사유"란 다음 각 호의 경우를 말한다.
> 1. 인격장애, 알코올·약물중독 그 밖의 정신장애로 인하여 경찰업무를 감당할 수 없는 경우
> 2. 사행행위 또는 재산의 낭비로 인한 채무과다, 부정한 이성관계 등 도덕적 결함이 현저하여 타인의 비난을 받는 경우

국가공무원법 제70조 제1항
- 제3호: 직제와 정원의 개폐 또는 예산의 감소 등에 따라 폐직 또는 과원이 되었을 때
- 제4호: 휴직기간이 끝나거나 휴직사유가 소멸된 후에도 직무에 복귀하지 아니하거나 직무를 감당할 수 없을 때
- 제5호: 직위해제에 따라 대기 명령을 받은 자가 그 기간에 능력 또는 근무성적의 향상을 기대하기 어렵다고 인정된 때

☑ KEY POINT | 직권면직사유

구분	사유
객관적 사유 (징계위원회 동의 불필요)	• 폐직 또는 과원(제1-3호) • 휴직 후 직무 미복귀(제1-4호) • 필수자격·면허취소(제5호)
주관적 사유 (징계위원회 동의 필요) [2011 채용2차] [2022 채용1차]	• 직위해제 대기명령자 능력 등 향상 기대불가(제1-5호) • 능력·성실성 결여(제2호) – 지능저하·판단력 부족 – 직무수행 성의 ×, 위험직무 고의기피·포기 • 성격적·도덕적 결함(제3호) – 인격장애, 알코올 중독 등 – 도박·이성문제

3) 효력발생

> 경찰공무원법 제28조【직권면직】③ 「국가공무원법」 제70조 제1항 제4호의 사유로 인한 직권면직일은 휴직기간의 만료일이나 휴직 사유의 소멸일로 한다.

- 면직통지서에 기재된 일자에 면직의 효과가 발생한다.
- 휴직 후 직무 미복귀로 인한 직권면직일은 휴직기간 만료일이나 휴직사유 소멸일이 된다.

⚖ 요지판례 |

임용 중 면직의 경우에는 면직발령장 또는 면직통지서에 기재된 일자에 면직의 효과가 발생하여 그날 영시(00 : 00)부터 공무원의 신분을 상실한다(대판 1985.12.24, 85누531).

☑ KEY POINT | 직권휴직 · 직위해제 · 직권면직 · 당연퇴직 비교 [2020 실무 1]

	직권휴직	직위해제	직권면직	당연퇴직
성격	• 근무관계 **변동**사유 • 사유 발생시 임용권자가 직무담임 일시해제	• 근무관계 **변동**사유 • 사유 발생시 임용권자가 직무담임 일시해제 + 제재적 의미	• 근무관계 **소멸**사유 • 임용권자 의사에 의해 공무원관계 소멸	• 근무관계 **소멸**사유 • 사유 발생시 당연히 공무원관계 소멸
사유	• **노동조합** 전임자 • **병역**복무 • 법률상 **의무**수행 • 신체 · 정신 **장애**로 장기요양 • **천재지변** 등으로 생사불명	• **중징계** 의결요구 중 • **고위공무원** 적격심사 • 직무수행 **능력**부족 · 근무성적 불량 • **금품비위** · 성범죄 등 감사원 · 수사기관 조사 · 수사 • **형사사건** 기소(약식제외)	• **폐직** · 과원 • **휴직** 종료 후 미복귀 • 직무필요 자격증 효력상실 · 면허취소 • **성격** 또는 도덕적 결함 • 직위해제 **대기** 중 근무성적 향상 기대 × • 직무 수행능력 · 성실성 현저한 **결여**	• 외국인 • 복수국적 • 피성년후견 · 피한정후견 • 파산 후 복권불가 • 자격정지 이상 형선고 • 자격정지 이상 선고유예(뇌물 · 성범죄 · 아동청소년 · 공금횡령) • 공무원 횡령배임 – 300만 – 2년 • 성폭력 – 100만 – 3년 • 미성년아동청소년 성범죄
효과	• 신분보유 • 직무종사 불가 • 복직보장	• 신분보유 • 직무종사 불가 • 복직보장 ×	신분박탈	신분박탈

주제 5 경찰공무원의 권리

01 기본적 인권

- 경찰공무원은 국민으로서의 지위도 가지고 있으므로 기본권의 향유 주체가 될 수 있다. 다만, 공무원의 신분을 가짐으로 인하여 기본권 행사에 여러 가지 제약을 받을 수 있다.
- 단, 경찰공무원이 국가기관의 일부로서 직무수행을 하는 영역에서는 기본권의 주체가 될 수 없다.

> ⚖️ **요지판례 |**
>
> 경찰공무원은 기본권의 주체가 아니라 국민 모두에 대한 봉사자로서 공공의 안전 및 질서유지라는 공익을 실현할 의무가 인정되는 기본권의 수범자라 할 것인바, 검사가 발부한 형집행장에 의하여 검거된 벌금미납자의 신병에 관한 업무는 국가 조직영역 내에서 수행되는 공적 과제 내지 직무영역에 대한 것으로 이와 관련해서 청구인은 국가기관의 일부 또는 그 구성원으로서 공법상의 권한을 행사하는 공권력 행사의 주체일 뿐, 기본권의 주체라 할 수 없으므로 이 사건에서 청구인에게 헌법소원을 제기할 청구인적격을 인정할 수 없다(헌재 2009.3.24, 2009헌마118). ➡️ (형소법 개정 전 사안) 경찰은 범죄의 수사에 있어서만 검사 지휘를 받음에도 불구하고, 형이 확정된 벌금미납자를 경찰서에 유치장에 인치하라는 검사의 인치지휘는 법적 근거가 없는 위법한 지휘로서 경찰관인 청구인의 기본권을 침해한 것이라고 주장한 사례

02 신분상 권리

1. 일반공무원과 공통으로 갖는 권리

(1) 신분보유권

> **헌법 제7조** ② 공무원의 신분과 정치적 중립성은 법률이 정하는 바에 의하여 보장된다.
>
> **국가공무원법 제68조 【의사에 반한 신분 조치】** 공무원은 형의 선고, 징계처분 또는 이 법에서 정하는 사유에 따르지 아니하고는 본인의 의사에 반하여 휴직·강임 또는 면직을 당하지 아니한다.
>
> **경찰공무원법 제13조 【시보임용】** ③ 시보임용기간 중에 있는 경찰공무원이 근무성적 또는 교육훈련성적이 불량할 때에는 「국가공무원법」 제68조 및 이 법 제28조(➡️ 신규채용)에도 불구하고 면직시키거나 면직을 제청할 수 있다.
>
> **경찰공무원법 제36조 【「국가공무원법」과의 관계】** ① … 치안총감과 치안정감에 대해서는 「국가공무원법」 제68조 본문을 적용하지 아니한다.
>
> [2022 승진(실무종합)] 「경찰공무원법」상 모든 계급의 경찰공무원은 형의 선고, 징계처분 또는 「국가공무원법」 및 「경찰공무원법」에 정하는 사유에 따르지 아니하고는 본인의 의사에 반하여 휴직·강임 또는 면직을 당하지 아니한다. (×)

이러한 신분보유권(신분보장권)은 원칙상 직업공무원, 즉 경력직공무원에 한하여 인정된다. ➡️ 단, 시보임용 중인 자, 치안총감, 치안정감은 신분보장이 되지 않는다.

 경찰공무원은 경력직 중에서도 특정직공무원이다. ➡️ 특수경력직 ×

(2) 직위보유권

자신에게 부여된 일정한 직위를 보유하는 권리로서 법정사유에 의하지 아니하고는 직위를 해제당하지 않을 권리, 그리고 직위해제가 된 경우에도 그 사유가 소멸된 때에는 지체 없이 직위를 부여받을 권리를 말한다.

(3) 직무집행권

경찰공무원은 자기가 담당하는 직무를 집행할 권리가 있으며, 이를 방해하면 형법상 공무집행방해죄를 구성한다.

(4) 소청제기권 · 쟁송청구권

경찰공무원법 제34조 【행정소송의 피고】
징계처분, 휴직처분, 면직처분, 그 밖에 의사에 반하는 불리한 처분에 대한 행정소송은 경찰청장 또는 해양경찰청장을 피고로 한다. 다만, 제7조 제3항 및 제4항에 따라 임용권을 위임한 경우에는 그 위임을 받은 자를 피고로 한다.

경찰공무원은 위법 · 부당한 처분 등에 의하여 신분상의 불이익을 입은 경우 소청 · 행정쟁송(행정심판 · 행정소송)을 제기하여 구제받을 수 있다. ➡ 단, 쟁송청구권의 경우 일반 국민에게도 인정된다는 점에서 (경찰)공무원의 고유한 권리라고 보기는 어렵다.

(5) 노동법상의 권리 ✕

> **헌법 제33조** ② 공무원인 근로자는 법률이 정하는 자에 한하여 단결권 · 단체교섭권 및 단체행동권을 가진다.
>
> **국가공무원법 제66조 【집단 행위의 금지】** ① 공무원은 노동운동이나 그 밖에 공무 외의 일을 위한 집단 행위를 하여서는 아니 된다. 다만, 사실상 노무에 종사하는 공무원은 예외로 한다.
>
> **공무원의 노동조합 설립 및 운영 등에 관한 법률 제6조 【가입 범위】** ① 노동조합에 가입할 수 있는 사람의 범위는 다음 각 호와 같다.
> 1. 일반직공무원
> 2. 특정직공무원 중 외무영사직렬 · 외교정보기술직렬 외무공무원, 소방공무원 및 교육공무원(다만, 교원은 제외한다)
> 3. 별정직공무원
> 4. 제1호부터 제3호까지의 어느 하나에 해당하는 공무원이었던 사람으로서 노동조합 규약으로 정하는 사람

💡 **경찰공무원 노조?**
- 2021.1.5. 공무원노조법이 개정되면서, 공무원노조 가입가능 공무원의 직급제한(6급)을 폐지하고, 특정직공무원 중 소방공무원과 교육공무원의 노조가입을 허용하였으나, 경찰공무원은 여전히 노조가입 허용대상에 포함되지 않는다.
- 다만, 공무원직장협의회의 설립 · 운영에 관한 법률에 근거한 직장협의회는 기관별로 일부 설립되어 있고, 이들을 주축으로 경찰공무원노조 설립 시도는 꾸준히 계속되고 있다.

2. 경찰공무원의 특수한 권리

(1) 제복착용권

> **경찰공무원법 제26조 【복제 및 무기 휴대】** ① 경찰공무원은 제복을 착용하여야 한다.
> ③ 경찰공무원의 복제에 관한 사항은 행정안전부령 또는 해양수산부령으로 정한다.
> [2012 채용3차] 경찰공무원의 복제에 관한 사항은 대통령령으로 정한다. (✕)

제복착용은 권리인 동시에 의무의 성질을 갖는다.

(2) 장구사용권

> **경찰관 직무집행법 제10조의2【경찰장구의 사용】** ① 경찰관은 다음 각 호의 직무를 수행하기 위하여 필요하다고 인정되는 상당한 이유가 있을 때에는 그 사태를 합리적으로 판단하여 필요한 한도에서 경찰장구를 사용할 수 있다.
> ② 제1항에서 "경찰장구"란 경찰관이 휴대하여 범인 검거와 범죄 진압 등의 직무 수행에 사용하는 수갑, 포승, 경찰봉, 방패 등을 말한다.

(3) 무기휴대 · 사용권

> **경찰공무원법 제26조【복제 및 무기 휴대】** ② 경찰공무원은 직무 수행을 위하여 필요하면 무기를 휴대할 수 있다. ➡ 무기 '휴대'의 법적 근거 [2015 채용3차]
> [2018 실무 2]「국가경찰과 자치경찰의 조직 및 운영에 관한 법률」은 경찰공무원은 직무수행을 위하여 필요한 때에는 무기를 휴대할 수 있다고 규정하고 있다. (×)
> **경찰관 직무집행법 제10조의4【무기의 사용】** ① 경찰관은 범인의 체포, 범인의 도주 방지, 자신이나 다른 사람의 생명·신체의 방어 및 보호, 공무집행에 대한 항거의 제지를 위하여 필요하다고 인정되는 상당한 이유가 있을 때에는 그 사태를 합리적으로 판단하여 필요한 한도에서 무기를 사용할 수 있다. ➡ 무기 '사용'의 법적 근거
> ② 제1항에서 "무기"란 사람의 생명이나 신체에 위해를 끼칠 수 있도록 제작된 권총·소총·도검 등을 말한다.
> [2012 채용3차] 무기휴대에 관해서는 경찰관 직무집행법에 규정되어 있고, 무기사용에 관해서는 경찰공무원법에 규정되어 있다. (×)

03 재산상 권리

1. 보수청구권

(1) 의의

> **대통령령** **공무원보수규정 제1조【목적】** 이 영은 「국가공무원법」, … 「경찰공무원법」 … 에 따라 국가공무원의 보수에 관한 사항을 규정함을 목적으로 한다.
>
> **대통령령** **공무원보수규정 제4조【정의】** 이 영에서 사용하는 용어의 뜻은 다음과 같다.
> 1. "보수"란 봉급과 그 밖의 각종 수당을 합산한 금액을 말한다. 다만, 연봉제 적용대상 공무원은 연봉과 그 밖의 각종 수당을 합산한 금액을 말한다.
> 2. "봉급"이란 직무의 곤란성과 책임의 정도에 따라 직책별로 지급되는 기본급여 또는 직무의 곤란성과 책임의 정도 및 재직기간 등에 따라 계급(직무등급이나 직위를 포함한다. 이하 같다)별, 호봉별로 지급되는 기본급여를 말한다.
> 3. "수당"이란 직무여건 및 생활여건 등에 따라 지급되는 부가급여를 말한다.
>   예 자녀가 있는 경찰공무원에게 지급되는 양육수당

(2) 성질

- 근로의 대가로서 반대급부의 성질과 생활보장적 의미도 함께 가진다는 견해(절충설)가 다수설이다.
- 보수청구권은 공무원관계에서 발생하는 공법상의 권리로서, 그에 관한 분쟁은 행정소송인 당사자소송의 방법으로 해결되어야 한다.

(3) 효력

- 보수청구권은 공권이므로, 이를 양도하거나 포기할 수 없다는 것이 일반적이다.
- 공무원의 보수는 생활수단적인 성격도 가지므로 압류를 함에는 일정한 제한이 있는바, 보수금액의 2분의 1을 초과하지 못하는 것이 원칙이다(국세징수법 제33조).
- 보수청구권의 소멸시효는 국가재정법에 근거하여 5년으로 보는 견해와 민법에 근거하여 3년으로 보는 견해가 대립하나, 판례는 3년설을 취하는 것으로 평가된다.

(4) 부정수령시 가산징수

> **국가공무원법 제47조【보수에 관한 규정】** ③ 제1항에 따른 보수를 거짓이나 그 밖의 부정한 방법으로 수령한 경우에는 수령한 금액의 5배의 범위에서 가산하여 징수할 수 있다.

2. 연금청구권

(1) 의미

연금이란 공무원이 일정한 기간 근무하고 퇴직 또는 사망하였거나 공무로 인한 부상이나 질병으로 퇴직 또는 사망한 경우에 공무원 또는 그 유족에 지급되는 급여를 말한다.

(2) 급여의 결정

> **공무원연금법 제28조【급여】** 공무원의 퇴직 · 사망 및 비공무상 장해에 대하여 다음 각 호에 따른 급여를 지급한다.
> 1. 퇴직급여
>   가. 퇴직연금
>   나. 퇴직연금일시금
>   ...
> 2. 퇴직유족급여
> 3. 비공무상 장해급여
> 4. 퇴직수당
>
> **공무원연금법 제29조【급여사유의 확인 및 급여의 결정】** ① 각종 급여는 그 급여를 받을 권리를 가진 사람의 신청에 따라 인사혁신처장의 결정으로 (공무원연금)공단이 지급한다. ...
> ② 제1항에 따른 급여의 결정에 관한 인사혁신처장의 권한은 대통령령으로 정하는 바에 따라 공단에 위탁할 수 있다.

┃ 공법상 당사자소송

- 4가지 행정소송(항 · 당 · 민 · 기) 중 하나로서, 행정청의 처분 등을 원인으로 하는 법률관계에 관한 소송 그 밖에 공법상의 법률관계에 관한 소송으로서 그 법률관계의 한쪽 당사자를 피고로 하는 소송을 말한다.
- 당사자소송은 대등한 당사자 사이의 권리관계를 다툰다는 점에서 민사소송과 본질적 차이는 없으나, 공법상 법률관계를 소송 대상으로 한다는 점에서 민사소송과 차이가 있다.

(3) 효력

> **공무원연금법 제39조【권리의 보호】** ① 급여를 받을 권리는 양도, 압류하거나 담보로 제공할 수 없다. 다만, 연금인 급여를 받을 권리는 대통령령으로 정하는 금융회사에 담보로 제공할 수 있고, 「국세징수법」, 「지방세징수법」, 그 밖의 법률에 따른 체납처분의 대상으로 할 수 있다.
>
> **공무원연금법 제88조【시효】** ① 이 법에 따른 급여를 받을 권리는 급여의 사유가 발생한 날부터 5년간 행사하지 아니하면 시효로 인하여 소멸한다.

3. 실비변상청구권

> **국가공무원법 제48조【실비 변상 등】** ① 공무원은 보수 외에 대통령령등으로 정하는 바에 따라 직무 수행에 필요한 실비변상을 받을 수 있다. ➡ 여비 · 식비 · 숙박비 · 수사활동비 등
> ② 공무원이 소속 기관장의 허가를 받아 본래의 업무 수행에 지장이 없는 범위에서 담당 직무 외의 특수한 연구과제를 위탁받아 처리하면 그 보상을 지급받을 수 있다.
> ③ 제1항 및 제2항에 따른 실비 변상이나 보상을 거짓이나 그 밖의 부정한 방법으로 수령한 경우에는 수령한 금액의 5배의 범위에서 가산하여 징수할 수 있다.

4. 실물대여청구권

> 〔훈령〕 **경찰공무원 지급품에 관한 규정 제2조【급대여품의 구분】** 급대여품을 개인피복 · 공용피복 및 장구로 각각 구분한다.
>
> 〔훈령〕 **경찰공무원 지급품에 관한 규정 제3조【구입처】** 급대여품은 경찰청에서 구입 지급한다. 다만, 맞춤피복, 특수피복 및 긴급을 요하는 대여품 등을 지급할 때에는 수요부서별로 필요한 예산을 배정하여 자체구입하게 할 수 있다.
>
> 〔훈령〕 **경찰공무원 지급품에 관한 규정 제4조【급 · 대여품의 지급】** ① 급 · 대여품은 사용기간이 만료되기 전에 지급함이 원칙이나 소요기준, 소모율 등을 참작하여 지급수량 및 사용기간을 변경할 수 있다.
> ② 개인피복은 1인당 피복비예산 범위내에서 개인별로 선택한 희망품목으로 지급할 수 있다.

5. 보상청구권

> **경찰공무원법 제21조【보훈】** 경찰공무원으로서 전투나 그 밖의 직무 수행 또는 교육훈련 중 사망한 사람(공무상 질병으로 사망한 사람을 포함한다) 및 부상(공무상의 질병을 포함한다)을 입고 퇴직한 사람과 그 유족 또는 가족은 「국가유공자 등 예우 및 지원에 관한 법률」 또는 「보훈보상대상자 지원에 관한 법률」에 따라 예우 또는 지원을 받는다.

┃ 이중배상금지(국가공무원법 제2조 제1항)
군인 · 군무원 · 경찰공무원 등이 직무집행과 관련하여 전사 · 순직하거나 공상을 입은 경우 다른 법령에 따라 보상을 지급받을 수 있을 때에는 국가배상청구를 할 수 없다는 원칙

⊕ 심화 공무원 재해보상법

① 입법목적 및 적용대상

> **공무원 재해보상법 제1조【목적】** 이 법은 공무원의 공무로 인한 부상·질병·장해·사망에 대하여 적합한 보상을 하고, 공무상 재해를 입은 공무원의 재활 및 직무복귀를 지원하며, 재해예방을 위한 사업을 시행함으로써 공무원이 직무에 전념할 수 있는 여건을 조성하고, 공무원 및 그 유족의 복지 향상에 이바지함을 목적으로 한다.
>
> **공무원 재해보상법 제3조【정의】** ① 이 법에서 사용하는 용어의 뜻은 다음과 같다.
> 1. "공무원"이란 공무에 종사하는 다음 각 목의 어느 하나에 해당하는 사람을 말한다.
>   가. 「국가공무원법」, 「지방공무원법」, 그 밖의 법률에 따른 공무원. 다만, 군인과 선거에 의하여 취임하는 공무원은 제외한다.

② 위험직무순직공무원

> **공무원 재해보상법 제3조【정의】** ① 이 법에서 사용하는 용어의 뜻은 다음과 같다.
> 4. "위험직무순직공무원"이란 생명과 신체에 대한 고도의 위험을 무릅쓰고 직무를 수행하다가 재해(災害)를 입고 그 재해가 직접적인 원인이 되어 사망한 공무원을 말한다.
>
> **공무원 재해보상법 제5조【위험직무순직공무원의 요건에 해당하는 재해】** 위험직무순직공무원의 요건에 해당하는 재해는 다음 각 호의 어느 하나에 해당하는 재해를 말한다.
> 1. 경찰공무원이 다음 각 목의 직무를 수행하다가 입은 재해
>   가. 범인 또는 피의자의 체포
>   나. 「경찰관 직무집행법」 제2조 제3호에 따른 경비, 주요 인사 경호 및 대간첩·대테러 작전 수행
>   다. 「경찰관 직무집행법」 제2조 제5호에 따른 교통 단속과 교통 위해의 방지
>   라. 긴급신고 처리를 위한 현장 출동, 범죄예방·인명구조·재산보호 등을 위한 순찰 활동, 해양오염 확산 방지
> 8. 「형사소송법」 제197조(➡ 경사·경장·순경) 및 제245조의9(➡ 사법경찰관리 직무 행하는 검찰청 직원) 에 따른 사법경찰관리나 「사법경찰관리의 직무를 수행할 자와 그 직무범위에 관한 법률」 제3조부터 제5조까지의 규정에 따른 사법경찰관리(➡ 교정시설·출입국관리시설·산림청·식약처 등의 단속공무원)가 범죄의 수사·단속 또는 범인이나 피의자를 체포하다가 입은 재해

③ 급여의 종류 및 청구

> **공무원 재해보상법 제8조【급여】** 이 법에 따른 급여는 다음 각 호와 같다.
> 1. 요양급여 / 2. 재활급여 / 3. 장해급여 / 4. 간병급여 / 5. 재해유족급여 / 6. 부조급여
>
> **공무원 재해보상법 제9조【급여의 청구 및 결정】** ① 제8조에 따른 급여를 받으려는 사람은 인사혁신처장에게 급여를 청구하여야 한다.

④ 급여의 시효

> **공무원 재해보상법 제54조【시효】** ① 이 법에 따른 급여를 받을 권리는 그 급여의 사유가 발생한 날부터 요양급여·재활급여·간병급여·부조급여는 3년간, 그 밖의 급여는 5년간 행사하지 아니하면 시효로 인하여 소멸한다.
> ② 이 법에 따른 환수금 및 그 밖의 징수금을 환수하거나 징수할 인사혁신처장 및 지방자치단체의 장의 권리는 환수 및 징수 사유가 발생한 날부터 5년간 행사하지 아니하면 시효로 인하여 소멸한다.
>
> [2021 승진(실무종합)] 「공무원 재해보상법」에 따른 급여를 받을 권리는 그 급여의 사유가 발생한 날부터 요양급여 재활급여 간병급여 부조급여는 5년간, 그 밖의 급여는 3년간 행사하지 아니하면 시효로 인하며 소멸한다. (×)

주제 6 경찰공무원의 의무

01 일반적 의무

1. 선서의무

> **국가공무원법 제55조【선서】** 공무원은 취임할 때에 <u>소속 기관장 앞에서 대통령령등으로</u> 정하는 바에 따라 선서하여야 한다. 다만, 불가피한 사유가 있으면 <u>취임 후에</u> 선서하게 할 수 있다. [2018 채용3차]

> **선서문(국가공무원 복무규정)**
> 나는 대한민국 공무원으로서 헌법과 법령을 준수하고, 국가를 수호하며, 국민에 대한 봉사자로서 임무를 성실히 수행할 것을 엄숙히 선서합니다.

2. 성실의무

> **국가공무원법 제56조【성실 의무】** 모든 공무원은 법령을 준수하며 성실히 직무를 수행하여야 한다.
> [2020 승진(경위)] '성실 의무'는 공무원의 기본적 의무로서 모든 의무의 원천이 되므로 법률에 명시적 규정이 없다. (×)

- 성실의무는 공무원의 의무 중 가장 기본적인 의무로서, 다른 의무의 원천이 되는 의무이다.
  [2012 경간] 경찰공무원법상 성실의 의무는 공무원의 기본적 의무로서 모든 의무의 원천이 된다. (×)
- 성실의무는 정치적 · 윤리적 의무에 불과한 것이 아니라 법적 의무이다. 다만, 성실의무위반은 반드시 법령위반을 전제로 하지 않는다. ➡ 실정법을 위반한 것이 아니어도 성실의무위반으로 인정될 수 있다.

> **⚖ 요지판례 |**
> 성실의무는 공무원에게 부과된 가장 기본적인 중요한 의무로서 최대한으로 공공의 이익을 도모하고 그 불이익을 방지하기 위하여 전인격과 양심을 바쳐서 성실히 직무를 수행하여야 하는 것을 그 내용으로 한다(대판 1989.5.23, 88누3161).

02 직무상 의무

1. 국가공무원법상 직무상 의무

(1) 법령준수의무

공무원은 법령을 준수하여야 하는바(국가공무원법 제56조), 이는 법치주의에 근거한 직무수행의 가장 기본적인 의무이다.

(2) 복종의무

1) 의의

> **국가공무원법 제57조【복종의 의무】** 공무원은 직무를 수행할 때 <u>소속 상관의 직무상 명령에</u> 복종하여야 한다.

> **경찰법 제6조 【직무수행】** ① 경찰공무원은 상관의 지휘·감독을 받아 직무를 수행하고, 그 직무수행에 관하여 서로 협력하여야 한다.
>
> ② 경찰공무원은 구체적 사건수사와 관련된 제1항의 지휘·감독의 적법성 또는 정당성에 대하여 이견이 있을 때에는 이의를 제기할 수 있다. [2018 경채]
>
> [2017 채용2차] 복종의 의무와 관련하여, 「경찰공무원법」은 국가경찰공무원이 구체적 사건수사와 관련된 상관의 적법성 또는 정당성에 대하여 이견이 있을 때에는 이의를 제기할 수 있다고 규정하고 있다. (×)
>
> [2019 승진(경감)] '복종의 의무와 관련하여 국가경찰공무원은 구체적 사건수사와 관련하여 상관의 지휘·감독의 적법성 또는 정당성에 대하여 이견이 있을 때에는 이의를 제기할 수 있다.'는 것은 국가공무원법상 의무에 관한 설명이다. (×)

- '소속상관'이라 함은 신분상의 상관이 아니라 직무상의 상관을 말한다.
- 직무상의 명령에는 직무집행에 직접 관계되는 것뿐만 아니라, 간접적으로 직무에 관계되는 공무원에 사생활까지 규율할 수 있다. ➡ 복장·용모·음주금지 등에 대한 규율도 가능하다.
- 단, 직무의 성질상 독립성이 보장된 공무원의 직무수행에는 복종의무가 인정되지 않는다. 예 법관

2) 복종의무의 한계

- 상관의 직무명령이 범죄를 구성하는 등 그 위법성이 중대·명백한 경우는 물론 그에 이르지 않더라도 위법성이 명백한 경우에는 그러한 명령을 받은 공무원은 그에 대한 복종을 거부할 수 있으며, 또한 거부할 의무가 있다고 보는 것이 일반적이다. ➡ 반면, 상관의 명령이 단순히 부당한 명령에 불과하다면 계층질서상 복종해야 한다고 본다.
- 상관의 명령이 위법함을 알고도 복종하였으면 그에 대한 책임을 져야 한다.

> ⚖ **요지판례 |**
>
> ■ **상관의 위법 내지 불법한 명령과 하관의 복종의무** 공무원이 그 직무를 수행함에 있어 상관은 하관에 대하여 범죄행위 등 위법한 행위를 하도록 명령할 직권이 없는 것이고, 하관은 소속상관의 적법한 명령에 복종할 의무는 있으나 그 명령이 참고인으로 소환된 사람에게 가혹행위를 가하라는 등과 같이 명백한 위법 내지 불법한 명령인 때에는 이는 벌써 직무상의 지시명령이라 할 수 없으므로 이에 따라야 할 의무는 없다(대판 1988.2.23, 87도2358). ➡ 설령 경찰 특히 대공수사단 직원은 상관의 명령에 절대 복종하여야 한다는 것이 불문율로 되어 있다 할지라도 국민의 기본권인 신체의 자유를 침해하는 고문행위 등이 금지되어 있는 우리의 국법질서에 비추어 볼 때 그와 같은 불문율이 있다는 것만으로는 고문치사와 같이 중대하고도 명백한 위법명령에 따른 행위가 정당한 행위에 해당하거나 강요된 행위로서 적법행위에 대한 기대가능성이 없는 경우에 해당하게 되는 것이라고는 볼 수 없다.
>
> ■ 상관의 적법한 직무상 명령에 따른 행위는 정당행위로서 형법 제20조에 의하여 그 위법성이 조각된다고 할 것이나, 상관의 위법한 명령에 따라 범죄행위를 한 경우에는 상관의 명령에 따랐다고 하여 부하가 한 범죄행위의 위법성이 조각될 수는 없다(대판 1997.4.17, 96도3376 전합).

■ 박종철 군 고문치사 사건

1987.1.14. 치안본부 대공분실(남영동)에서 서울대 언어학과 3학년 박종철 군이 물고문으로 사망한 사건이다. 남영동 대공분실은 경찰의 과거사 청산 사업의 일환으로 현재 경찰청 남영동 인권센터로 운영되고 있다. 2023년 6월, 민주인권기념관으로 변경·개관할 예정이다.

3) 직무명령의 경합

둘 이상의 상관으로부터 서로 모순되는 직무명령을 받았을 경우에는 행정조직의 계층제적 구조를 고려하면 직근상관의 명령에 복종해야 한다.

(3) 직무전념의무

1) 직장이탈금지

국가공무원법 제58조【직장 이탈 금지】① 공무원은 소속 상관의 허가 또는 정당한 사유가 없으면 직장을 이탈하지 못한다. [2015 채용2차] [2017 채용2차] [2017 경간] [2018 실무 1] [2020 실무 1]
② 수사기관이 공무원을 구속하려면 그 소속 기관의 장에게 미리 통보하여야 한다. 다만, 현행범은 그러하지 아니하다.
[2018 채용3차] 공무원은 소속 기관장의 허가 또는 정당한 사유가 없으면 직장을 이탈하지 못한다. (×)
[2020 승진(경위)] 「국가공무원법」상 수사기관이 현행범으로 체포한 공무원을 구속하려면 그 소속 기관의 장에게 미리 통보하여야 한다. (×)

⚖ 요지판례 |

경찰서 수사과 형사계 반장이 검찰의 뇌물수수사건 수사를 피하기 위하여 제출한 사직원이 수리되지 아니한 상태에서 3개월여 동안 출근하지 아니한 경우, 직장이탈을 이유로 한 파면처분은 재량권의 남용 또는 일탈에 해당하지 않는다(대판 1991.11.12, 91누3666).

2) 영리업무 및 겸직금지

국가공무원법 제64조【영리 업무 및 겸직 금지】① 공무원은 공무 외에 영리를 목적으로 하는 업무에 종사하지 못하며 소속 기관장의 허가 없이 다른 직무를 겸할 수 없다. [2012 승진(경위)] [2016 채용1차] [2016 실무 1] [2017 채용2차] [2019 승진(경감)]
② 제1항에 따른 영리를 목적으로 하는 업무의 한계는 대통령령등으로 정한다.
[2012 채용3차] [2018 실무 1] 공무원은 공무 외에 영리를 목적으로 하는 업무에 종사하지 못하며 소속 상관의 허가 없이 다른 직무를 겸할 수 없다. (×)

⚖ 요지판례 |

공무원으로서 겸직이 금지되는 영리업무는 영리적인 업무를 공무원이 스스로 경영하여 영리를 추구함이 현저한 업무를 의미하고 공무원이 여관을 매수하여 임대하는 행위는 영리업무에 종사하는 경우라고 할 수 없다(대판 1982.9.14, 82누46).

(4) 친절·공정의무

국가공무원법 제59조【친절·공정의 의무】공무원은 국민 전체의 봉사자로서 친절하고 공정하게 직무를 수행하여야 한다.

친절·공정의 의무는 단순한 윤리적·도덕적 의무가 아니라 법적 의무이다. ➡ 위반하면 징계 등의 사유가 된다. [2017 경간]

(5) 종교중립의무

> **국가공무원법 제59조의2【종교중립의 의무】** ① 공무원은 종교에 따른 차별 없이 직무를 수행하여야 한다. [2023 승진(실무종합)]
> ② 공무원은 소속 상관이 제1항에 위배되는 직무상 명령을 한 경우에는 이에 따르지 아니할 수 있다.
> [2018 승진(경감)] '공무원은 종교에 따른 차별 없이 직무를 수행하여야 하며, 소속 상관이 이에 위배되는 직무상 명령을 한 경우에는 따르지 아니할 수 있다'는 것은 국가공무원의 의무 중 신분상 의무에 해당한다. (×)
> [2018 경채] [2019 승진(경감)] 「국가공무원법」상 공무원은 종교에 따른 차별 없이 직무를 수행하여야 하며, 소속 상관이 종교중립의무에 위배되는 직무상 명령을 한 경우에는 이를 따르지 아니하여야 한다. (×)

2. 경찰공무원법상 직무상 의무 [20119 채용2차]

(1) 거짓보고 및 직무유기 금지의무

> **경찰공무원법 제24조【거짓보고 등의 금지】** ① 경찰공무원은 직무에 관하여 거짓으로 보고나 통보를 하여서는 아니 된다.
> ② 경찰공무원은 직무를 게을리하거나 유기해서는 아니 된다.
> [2012 경간] 거짓보고금지의무는 국가공무원법상의 의무는 아니며 경찰공무원법상 의무에 속하는 것이다. (○)

(2) 지휘권남용 금지의무

> **경찰공무원법 제25조【지휘권 남용 등의 금지】** 전시·사변, 그 밖에 이에 준하는 비상사태이거나 작전수행 중인 경우 또는 많은 인명 손상이나 국가재산 손실의 우려가 있는 위급한 사태가 발생한 경우, 경찰공무원을 지휘·감독하는 사람은 정당한 사유 없이 그 직무 수행을 거부 또는 유기하거나 경찰공무원을 지정된 근무지에서 진출·퇴각 또는 이탈하게 하여서는 아니 된다. [2022 승진(실무종합)]

(3) 제복착용의무

> **경찰공무원법 제26조【복제 및 무기 휴대】** ① 경찰공무원은 제복을 착용하여야 한다.
> ② 경찰공무원은 직무 수행을 위하여 필요하면 무기를 휴대할 수 있다.
> ③ 경찰공무원의 복제에 관한 사항은 행정안전부령(➔ 경찰복제에 관한 규칙) 또는 해양수산부령으로 정한다.

3. 경찰공무원 복무규정상 직무상 의무

(1) 기본강령

💡 **경찰공무원 복무규정 기본강령**
- 사명: 공공안녕 질서유지
- 성실·**청렴**: 성실·청렴
- 단결: 긍지·한마음 한뜻
- 규율: 준수·복종·존경·존중
- 정신: 호국·봉사·정의
- 책임: 소임완수 결과책임

비교》 경찰헌장 5대 덕목
- 공정한 **경찰**: 양심, 법
- 의로운 **경찰**: 정의
- 깨끗한 **경찰**: 검소
- 친절한 **경찰**: 존중, 봉사
- 근면한 **경찰**: 전문지식, 성실

> **대통령령** **경찰공무원 복무규정 제3조【기본강령】** 경찰공무원은 다음의 기본강령에 따라 복무해야 한다.
> 1. 경찰사명: 경찰공무원은 국가와 민족을 위하여 충성과 봉사를 다하며, 국민의 생명·신체 및 재산을 보호하고, 공공의 안녕과 질서를 유지함을 그 사명으로 한다.
> 2. 경찰정신: 경찰공무원은 국민의 수임자로서 일상의 직무수행에 있어서 국민의 자유와 권리를 존중하는 호국·봉사·정의의 정신을 그 바탕으로 삼는다.

3. 규율: 경찰공무원은 법령을 준수하고 직무상의 명령에 복종하며, 상사에 대한 존경과 부하에 대한 존중으로써 규율을 지켜야 한다.

4. 단결: 경찰공무원은 주어진 사명을 다하기 위하여 긍지를 가지고 한마음 한뜻으로 굳게 뭉쳐 임무수행에 모든 역량을 기울여야 한다.

5. 책임: 경찰공무원은 창의와 노력으로써 소임을 완수하여야 하며, 직무수행의 결과에 대하여 책임을 진다.

6. 성실 · 청렴: 경찰공무원은 성실하고 청렴한 생활태도로써 국민의 모범이 되어야 한다.

[2017 승진(경위)] 경찰공무원의 기본강령으로 제1호에 경찰사명, 제2호에 경찰정신, 제3호에 규율, 제4호에 책임, 제5호에 단결, 제6호에 성실 · 청렴을 규정하고 있다. (×)

[2018 채용2차] '경찰공무원은 주어진 사명을 다하기 위하여 긍지를 가지고 한마음 한뜻으로 굳게 뭉쳐 임무수행에 모든 역량을 기울여야 한다.'는 것은 「경찰공무원 복무규정」상 기본강령 중 경찰사명에 대한 것이다. (×)

(2) 경찰공무원의 복무 등

대통령령 경찰공무원 복무규정 제8조【지정장소외에서의 직무수행금지】경찰공무원은 상사의 허가를 받거나 그 명령에 의한 경우를 제외하고는 직무와 관계없는 장소에서 직무수행을 하여서는 아니 된다. [2015 채용2차]

대통령령 경찰공무원 복무규정 제9조【근무시간중 음주금지】경찰공무원은 근무시간 중 음주를 하여서는 아니된다. 다만, 특별한 사정이 있는 경우에는 예외로 하되, 이 경우 주기가 있는 상태에서 직무를 수행하여서는 아니 된다. [2015 채용2차]

대통령령 경찰공무원 복무규정 제10조【민사분쟁에의 부당개입금지】경찰공무원은 직위 또는 직권을 이용하여 부당하게 타인의 민사분쟁에 개입하여서는 아니 된다. [2017 승진(경위)] [2022 승진(실무종합)]

대통령령 경찰공무원 복무규정 제11조【상관에 대한 신고】경찰공무원은 신규채용 · 승진 · 전보 · 파견 · 출장 · 연가 · 교육훈련기관에의 입교 기타 신분관계 또는 근무관계 또는 근무관계의 변동이 있는 때에는 소속상관에게 신고를 하여야 한다.

대통령령 경찰공무원 복무규정 제12조【보고 및 통보】경찰공무원은 치안상 필요한 상황의 보고 및 통보를 신속 · 정확 · 간결하게 하여야 한다.

대통령령 경찰공무원 복무규정 제13조【여행의 제한】경찰공무원은 휴무일 또는 근무시간외에 2시간 이내에 직무에 복귀하기 어려운 지역으로 여행을 하고자 할 때에는 소속 경찰기관의 장에게 신고를 하여야 한다. 다만, 치안상 특별한 사정이 있어 경찰청장, 해양경찰청장 또는 경찰기관의 장이 지정하는 기간 중에는 소속 경찰기관의 장의 허가를 받아야 한다. [2016 지능범죄] [2018 경채]

[2015 채용2차] 경찰공무원은 휴무일 또는 근무시간 외에 2시간 이내에 직무에 복귀하기 어려운 지역으로 여행을 하고자 할 때에는 소속 상관에게 신고를 하여야 한다. (×)

[2021 채용1차] 경찰공무원은 휴무일 또는 근무시간 외에 2시간 이내에 직무에 복귀하기 어려운 지역으로 여행을 하고자 할 때에는 소속상관의 허가를 받아야 한다. (×)

대통령령 경찰공무원 복무규정 제14조【비상소집】① 경찰기관의 장은 비상사태에 대처하기 위하여 필요하다고 인정할 때에는 소속경찰공무원을 긴급히 소집(이하 "비상소집"이라 한다)하거나 일정한 장소에 대기하게 할 수 있다.

② 제1항의 규정에 의한 비상소집의 요건 · 종류 · 절차등에 관하여 필요한 사항은 경찰청장 또는 해양경찰청장이 정한다.

• 신고: 다녀오겠습니다.
• 허가: 다녀와도 될까요?

대통령령 경찰공무원 복무규정 제15조 【특수근무자의 근무수칙등】 ① 경찰청장 또는 해양경찰청장은 대간첩작전을 주임무로 하는 경찰공무원, 해양경찰청의 해상근무 경찰공무원, 경찰기동대의 대원 기타 특수근무경찰공무원에 대한 근무수칙·내무생활 기타 복무에 관하여 필요한 사항을 따로 정하여 실시할 수 있다.
② 경찰청장 또는 해양경찰청장은 필요하다고 인정할 때에는 제1항의 규정에 의한 복무에 필요한 사항의 일부를 당해 경찰기관의 장이 정하여 실시하게 할 수 있다.

☑ **KEY POINT ㅣ 경찰공무원 복무규정상 신고나 허가의 대상**

의무	신고대상	허가대상	비고
근무시간 음주금지	–	–	특별한 사정 있으면 ○
민사개입금지	–	–	직권이용, 부당한 개입 금지
지정장소 외 근무수행금지	–	상사의 허가	상사 명령도 가능
여행제한	소속 경찰기관 장 신고 ➔ 2시간 내 복귀 어려울때	소속 경찰기관 장 허가 ➔ 경찰청장 등 지정기간	–
비상소집	–	–	비상사태 대처
보고·통보	–	–	치안상 필요상황
상관에 대한 신고	소속상관에게 신고	–	신분관계나 근무관계 변동시

⊕ **심화 경찰공무원 복무규정상의 사기진작 및 휴가**

① **사기진작과 건강관리**

대통령령 경찰공무원 복무규정 제16조 【사기진작】 경찰기관의 장은 소속 경찰공무원에 대한 인사상담·고충처리 기타의 방법으로 직무의욕을 고취시키고 사기진작에 노력하여야 한다

대통령령 경찰공무원 복무규정 제17조 【건강관리】 ① 경찰기관의 장은 소속 경찰공무원의 건강유지와 체력향상에 관한 보건대책을 강구하여야 한다.
② 경찰공무원은 항상 보건위생에 유의하여 건강을 유지하고 체력을 증진하는데 노력하여야 한다.

② **휴가·휴무**

대통령령 경찰공무원 복무규정 제18조 【포상휴가】 경찰기관의 장은 근무성적이 탁월하거나 다른 경찰공무원의 모범이 될 공적이 있는 경찰공무원에 대하여 1회 10일 이내의 포상휴가를 허가할 수 있다. 이 경우의 포상휴가기간은 연가일수에 산입하지 아니한다. [2015 채용2차] [2016 지능범죄] [2017 승진(경위)]

대통령령 경찰공무원 복무규정 제19조 【연일근무자 등의 휴무】 경찰기관의 장은 특별한 사정이 없는 한 다음과 같이 휴무를 허가하여야 한다.
1. 연일근무자 및 공휴일근무자에 대하여는 그 다음 날 1일의 휴무
2. 당직 또는 철야근무자에 대하여는 다음 날 오후 2시를 기준으로 하여 오전 또는 오후의 휴무
[2016 지능범죄] [2017 승진(경위)] 경찰기관의 장은 특별한 사정이 없는 한 연일근무자 및 공휴일근무자에 대하여는 그 다음 날 1일의 휴무를 허가할 수 있다. (×)

💡 **지구대 근무예시**

1. 4교대(주야휴비)
   • 주: 1일(월) 07:00~19:00
   • 야: 2일(화) 19:00~3일(수) 07:00
   • 휴: 3일(수) 휴무
   • 비: 4일(목) 비번
2. 3교대(주주주야비야비)
   • 주주주: 1일(월)~3일(수) 07:00~19:00
   • 야: 4일(목) 19:00~5일(금) 07:00
   • 비: 5일(금) 비번
   • 야: 6일(토) 19:00~7일(일) 07:00
   • 비: 7일(일) 비번

330 해커스경찰 police.Hackers.com

03 신분상 의무

1. 비밀엄수의무

(1) 의의

> **국가공무원법 제60조 【비밀 엄수의 의무】** 공무원은 재직 중은 물론 퇴직 후에도 직무상 알게 된 비밀을 엄수하여야 한다. [2015 채용2차] [2016 실무 1] [2023 승진(실무종합)]
> [2020 실무 1] 공무원은 재직 중에 직무상 지득한 비밀을 엄수하여야 하나, 퇴직 후에는 그러한 의무가 없다. (×)

(2) 비밀의 의미

직무상 비밀에는 자신이 처리하는 직무에 관한 비밀뿐만 아니라 직무와 관련하여 알게 된 모든 비밀도 포함된다.

[2012 경간] 비밀의 범위에는 자신이 처리하는 직무와 직결된 직무에 한정되고 직무와 관련하여 알게 된 모든 비밀을 포함하는 것은 아니다. (×)

⚖ 요지판례 ┃

직무상 비밀이라 함은 국가공무의 민주적, 능률적 운영을 확보하여야 한다는 이념에 비추어 볼 때 당해 사실이 일반에 알려질 경우 그러한 행정의 목적을 해할 우려가 있는지 여부를 기준으로 판단하여야 하며, 구체적으로는 행정기관이 비밀이라고 형식적으로 정한 것에 따를 것이 아니라 실질적으로 비밀로서 보호할 가치가 있는지, 즉 그것이 통상의 지식과 경험을 가진 다수인에게 알려지지 아니한 비밀성을 가졌는지, 또한 정부나 국민의 이익 또는 행정목적 달성을 위하여 비밀로서 보호할 필요성이 있는지 등이 객관적으로 검토되어야 한다(대판 1996.10.11, 94누7171). ➡ ① 기업의 비업무용 부동산 보유실태에 관한 감사원의 감사보고서의 내용은 '직무상 비밀'에 해당하지 않는다. ② 감사보고서의 내용이 직무상 비밀에 속하지 않는다고 할지라도 그 보고서의 내용이 그대로 신문에 게재되게 한 감사원 감사관의 행위는 감사자료의 취급에 관한 내부수칙을 위반하여 공무원의 성실의무 등 직무상의 의무를 위반한 것으로서 국가공무원법상 징계사유가 되나, 파면처분을 한 것은 재량권을 일탈한 위법한 것이다.

> **┃ 이문옥 감사관 사건**
> • 1990.5. 감사원 공무원인 이문옥 감사관이, 재벌의 비업무용 부동산 보유현황에 대한 감사원의 감사업무가 외부 권력기관의 압력으로 중단되었음을 언론에 제보하자 공무상 기밀누설 혐의로 구속기소된 사건
> • 이문옥 감사관은 파면처분취소소송에서 최종 승소하였을 뿐만 아니라(94누7171), 공무상 비밀누설에 대해서도 최종적으로 무죄판결을 받았다(대판 1996.5.10, 95도780).

(3) 직무상 비밀과 증언거부

> **형사소송법 제147조 【공무상 비밀과 증인자격】** ① 공무원 또는 공무원이었던 자가 그 직무에 관하여 알게 된 사실에 관하여 본인 또는 당해 공무소가 직무상 비밀에 속한 사항임을 신고한 때에는 그 소속공무소 또는 감독관공서의 승낙 없이는 증인으로 신문하지 못한다.
> ② 그 소속공무소 또는 당해 감독관공서는 국가에 중대한 이익을 해하는 경우를 제외하고는 승낙을 거부하지 못한다.
>
> **국회에서의 증언·감정 등에 관한 법률 제4조 【공무상 비밀에 관한 증언·서류등의 제출】** ① 국회로부터 공무원 또는 공무원이었던 사람이 증언의 요구를 받거나, 국가기관이 서류등의 제출을 요구받은 경우에 증언할 사실이나 제출할 서류등의 내용이 직무상 비밀에 속한다는 이유로 증언이나 서류등의 제출을 거부할 수 없다. 다만, 군사·외교·대북 관계의 국가기밀에 관한 사항으로서 그 발표로 말미암아 국가안위에 중대한 영향을 미칠 수 있음이 명백하다고 주무부장관(대통령 및 국무총리의 소속기관에서는 해당 관서의 장)이 증언 등의 요구를 받은 날부터 5일 이내에 소명하는 경우에는 그러하지 아니하다.

(4) 위반의 효과

- 공무원이 비밀엄수의무를 위반하는 경우에는 **징계사유가 될 뿐만 아니라**, 특히 법령에 의해 직무상 비밀로 규정되어 있는 내용을 누설한 경우에는 **범죄를 구성한다.** → 형법 제127조(공무상 비밀의 누설)

  [2012 경간] 비밀엄수의무위반은 징계의 원인이 될 뿐 형법상 처벌대상은 되지 않는다. (×)

- 형식적으로 비밀로 지정된 사항이나 실질적으로 비밀이 아닌 경우에는, 비밀엄수 의무 위반은 아니나 직무명령위반으로 징계책임을 질 수 있다.

2. 청렴의무

> **국가공무원법 제61조【청렴의 의무】** ① 공무원은 직무와 관련하여 직접적이든 간접적이든 사례·증여 또는 향응을 주거나 받을 수 없다.
> ② 공무원은 직무상의 관계가 있든 없든 그 소속 상관에게 증여하거나 소속 공무원으로부터 증여를 받아서는 아니 된다. [2015 채용2차] [2018 실무 1]
>
> [2023 승진(실무종합)] 공무원은 직무와 관련하여 간접적인 사례·증여 또는 향응을 주거나 받을 수 있다. (×)
> [2018 채용3차] 공무원은 직무와 관련하여 직접적인 경우(간접적인 경우 제외) 사례·증여 또는 향응을 주거나 받을 수 없다. (×)
> [2012 채용3차] 직무상 관계가 없을 때에는, 소속 상관에게 증여하거나 소속 공무원으로부터 증여를 받을 수 있다. (×)
> [2012 경간] 공무원은 직무와 관련 없는 경우에도 그 소속 상관에게 증여하거나 소속 공무원으로부터 증여를 받을 수 없다. (○)

⚖ 요지판례 l

교통법규위반 운전자로부터 1만원을 받은 경찰공무원을 해임처분한 것은 그 징계 내용이 객관적으로 명백히 부당한 것으로서 사회통념상 현저하게 타당성을 잃었다고 할 수는 없을 것이다(대판 2006.12.21, 2006두16274). → 경찰공무원인 원고가 먼저 적극적으로 돈을 요구하여 받았고, 다른 사람이 볼 수 없도록 돈을 접어 건네주도록 돈을 건네주는 방법까지 지시하였으며, 원고의 비위행위를 목격하고 원고의 이름과 오토바이 번호를 기록하는 동승자에게 신고하면 오히려 불이익을 입게 될 것이라는 취지로까지 말하였다는 사정 등을 종합적으로 고려한 사안

▌등록대상재산 – 가상자산 추가

- 2023. 5. 발생한 김남국 의원 코인 투자사건으로, 국회에서 이례적으로 신속하게 2023. 6. 13. 공직자윤리법 제4조를 개정하여 BTC와 같은 '가상자산'을 등록의무가 있는 재산으로 추가하였다(시행: 2023. 12. 14.).
- 아울러 국가기관의 장 등이 가상자산 관련 업무를 수행한다고 인정되는 부서 또는 직위의 공직자 및 이해관계자가 가상자산을 보유하는 것을 제한할 수 있도록 하는 근거 규정도 함께 신설되었다.

⊕ 심화 공직자윤리법상의 청렴 관련 의무 [2012 경간]

1 재산의 등록

> **공직자윤리법 제3조【등록의무자】** ① 다음 각 호의 어느 하나에 해당하는 공직자(이하 "등록의무자"라 한다)는 이 법에서 정하는 바에 따라 재산을 등록하여야 한다.
> 9. 총경(자치총경을 포함한다) 이상의 경찰공무원과 소방정 이상의 소방공무원
> 13. 그 밖에 … 대통령령으로 정하는 특정 분야의 공무원과 공직유관단체의 직원
>
> **공직자윤리법 제4조【등록대상재산】** ① 등록의무자가 등록할 재산은 다음 각 호의 어느 하나에 해당하는 사람의 재산(소유 명의와 관계없이 사실상 소유하는 재산, 비영리법인에 출연한 재산과 외국에 있는 재산을 포함한다. 이하 같다)으로 한다.
> 1. 본인
> 2. 배우자(사실상의 혼인관계에 있는 사람을 포함한다. 이하 같다)
> 3. 본인의 직계존속·직계비속. 다만, 혼인한 직계비속인 여성과 외증조부모, 외조부모, 외손자녀 및 외증손자녀는 제외한다.

> **대통령령** 공직자윤리법 시행령 제3조【등록의무자】⑤ 법 제3조 제1항 제13호에서 "대통령령으로 정하는 특정 분야의 공무원과 공직유관단체의 직원"이란 다음 각 호의 사람을 말한다.
> 6. 경찰공무원 중 경정, 경감, 경위, 경사와 자치경찰공무원 중 자치경정, 자치경감, 자치경위, 자치경사

- 경사 이상이 재산등록 의무자가 되며, 경사부터 경정까지는 대통령령인 공직자윤리법 시행령에, 총경 이상은 법률인 공직자윤리법에 규정되어 있다.
  [2022 승진(실무종합)] 「공직자윤리법」은 총경(자치총경 포함)이상의 경찰공무원을 재산등록의무자로 규정하고 있고, 「공직자윤리법 시행령」은 경찰공무원 중 경정, 경감, 경위, 경사와 자치경찰공무원 중 자치경정, 자치경감, 자치경위, 자치경사를 재산등록의무자로 규정하고 있다. (○)
  [2017 경간] '공직자윤리법'에서는 총경 이상의 경찰공무원을, '공직자윤리법 시행령'에서는 경위 이상의 경찰공무원을 각각 재산등록의무자로 규정하고 있다. (×)
  [2018 승진(경위)] 「공직자윤리법」에서는 경정 이상의 경찰공무원을 재산등록의무자로 규정하고 있고, 동법 시행령에서는 경사 이상을 재산등록의무자로 규정하고 있다. (×)

2 재산의 공개

> 공직자윤리법 제10조【등록재산의 공개】① 공직자윤리위원회는 관할 등록의무자 중 다음 각 호의 어느 하나에 해당하는 공직자 본인과 배우자 및 본인의 직계존속·직계비속의 재산에 관한 등록사항과 제6조에 따른 변동사항 신고내용을 등록기간 또는 신고기간 만료 후 1개월 이내에 관보 또는 공보에 게재하여 공개하여야 한다.
> 8. 치안감 이상의 경찰공무원 및 특별시·광역시·특별자치시·도·특별자치도의 시·도경찰청장
>   [2018 승진(경위)] 등록재산의 공개 대상자는 경무관 이상의 경찰공무원 및 특별시·광역시·특별자치시·도·특별자치도의 시도경찰청장이다. (×)

3 주식매각 또는 신탁

> 공직자윤리법 제14조의4【주식의 매각 또는 신탁】① 등록의무자 중 제10조 제1항에 따른 공개대상자와 기획재정부 및 금융위원회 소속 공무원 중 대통령령으로 정하는 사람(이하 "공개대상자등"이라 한다)은 본인 및 그 이해관계자(… 생략 …) 모두가 보유한 주식의 총 가액이 1천만원 이상 5천만원 이하의 범위에서 대통령령으로 정하는 금액을 초과할 때에는 초과하게 된 날(… 생략 …)부터 2개월 이내에 다음 각 호의 어느 하나에 해당하는 행위(➔ 매각, 신탁)를 직접 하거나 이해관계자로 하여금 하도록 하고 그 행위를 한 사실을 등록기관에 신고하여야 한다. 다만, 제14조의5 제7항 또는 제14조의12에 따라 주식백지신탁 심사위원회로부터 직무관련성이 없다는 결정을 통지받은 경우에는 그러하지 아니하다.

4 선물신고

> 공직자윤리법 제15조【외국 정부 등으로부터 받은 선물의 신고】① 공무원(지방의회의원을 포함한다. 이하 제22조에서 같다) 또는 공직유관단체의 임직원은 외국으로부터 선물(대가 없이 제공되는 물품 및 그 밖에 이에 준하는 것을 말하되, 현금은 제외한다. 이하 같다)을 받거나 그 직무와 관련하여 외국인(외국단체를 포함한다. 이하 같다)에게 선물을 받으면 지체 없이 소속 기관·단체의 장에게 신고하고 그 선물을 인도하여야 한다. 이들의 가족이 외국으로부터 선물을 받거나 그 공무원이나 공직유관단체 임직원의 직무와 관련하여 외국인에게 선물을 받은 경우에도 또한 같다.
> ② 제1항에 따라 신고할 선물의 가액은 대통령령으로 정한다. [2021 승진(실무종합)]
>
> **대통령령** 공직자윤리법 시행령 제28조【선물의 가액】① 법 제15조 제1항에 따라 신고하여야 할 선물은 그 선물 수령 당시 증정한 국가 또는 외국인이 속한 국가의 시가로 미국화폐 100달러 이상이거나 국내 시가로 10만원 이상인 선물로 한다.
> [2018 승진(경위)] 신고하여야 할 선물은 그 선물 수령 당시 증정한 국가 또는 외국인이 속한 국가의 시가로 미국화폐 1,000달러 이상이거나 국내 시가로 100만원 이상인 선물로 한다. (×)
> 공직자윤리법 제16조【선물의 귀속 등】① 제15조 제1항에 따라 신고된 선물은 신고 즉시 국가 또는 지방자치단체에 귀속된다.
> ② 신고된 선물의 관리·유지 등에 관한 사항은 대통령령 또는 조례로 정한다.

⑤ 퇴직공직자 취업제한

> **공직자윤리법 제17조【퇴직공직자의 취업제한】**① 제3조 제1항 제1호부터 제12호까지의 어느 하나에 해당하는 공직자(➡ 제9호에 총경 이상의 경찰공무원이 포함)와 부당한 영향력 행사 가능성 및 공정한 직무수행을 저해할 가능성 등을 고려하여 국회규칙, 대법원규칙, 헌법재판소규칙, 중앙선거관리위원회규칙 또는 **대통령령**으로 정하는 공무원과 공직유관단체의 직원 (이하 이 장에서 "취업심사대상자"라 한다)은 퇴직일부터 3년간 다음 각 호의 어느 하나에 해당하는 기관(이하 "취업심사대상기관"이라 한다)에 취업할 수 없다. 다만, 관할 공직자윤리 위원회로부터 취업심사대상자가 퇴직 전 5년 동안 소속하였던 부서 또는 기관의 업무와 취업 심사대상기관 간에 밀접한 관련성이 없다는 확인을 받거나 취업승인을 받은 때에는 취업할 수 있다. [2017 채용2차] [2021 승진(실무종합)]
> 3. 연간 외형거래액이 일정 규모 이상인 … 법무법인
> 4. 연간 외형거래액이 일정 규모 이상인 … 회계법인
> 5. 연간 외형거래액이 일정 규모 이상인 … 세무법인
> 7. 「공공기관의 운영에 관한 법률」 … 에 따른 시장형 공기업
> 8. 안전 감독 업무, 인·허가 규제 업무 또는 조달 업무 등 대통령령으로 정하는 업무를 수행 하는 공직유관단체
>
> 대통령령 **공직자윤리법 시행령 제31조【취업심사대상자의 범위】**① 법 제17조 제1항 각 호 외의 부분 본문에서 "대통령령으로 정하는 공무원과 공직유관단체의 직원"이란 다음 각 호의 어느 하나에 해당하는 사람을 말한다.
> 8. 국가경찰공무원 중 경정, 경감, 경위, 경사와 자치경찰공무원 중 자치경정, 자치경감, 자치 경위, 자치경사

3. 품위유지의무

> **국가공무원법 제63조【품위 유지의 의무】**공무원은 직무의 내외를 불문하고 그 품위가 손상되는 행위를 하여서는 아니 된다. [2020 실무 1]

여기서 품위란 주권자인 국민의 수임자로서 직책을 맡아 수행해 나가기에 손색이 없는 인품을 말한다(대판 2013.9.12, 2011두20079).

> ⚖️ **요지판례 ㅣ**
> ■ 경찰서 형사계에 근무하던 원고가 다방을 경영하던 여자와 정을 통하여 오던 중 서 로 욕설을 하며 싸움을 하다가 그 여자에게 20일간의 치료를 요하는 상해를 입게 하고, 그 여자로부터 형사고소를 당하자 부모와 상의하기 위하여 소속상관의 허가 없이 직장을 떠나 고향으로 내려갔었다면 원고의 소위는 국가공무원법 제56조 소정 의 성실의무, 제58조 제1항 소정의 직장이탈금지의무, 제63조 소정의 품위유지의무 에 위배되어 같은 법 제78조 제1항 소정의 징계사유에 해당한다 할 것이고, 그 의무 위반의 내용에 비추어 보면 징계종류로서의 해임처분은 적정하다(대판 1990.3.13, 89 누8040).
> ■ 경찰공무원이 종전에 근무하던 관내의 여자를 낀 주민 등과 어울려 도박행위를 상 습적으로 해오다 구속되고 유죄판결이 선고되어 확정되었다면 그에 대한 해임처분 은 사건의 경위나 경찰공무원의 성실의무, 품위유지의무 등에 비추어 비록 그가 과 거 근무기간중 7회의 내무부장관표창을 받는 등의 참작사유가 있다 하더라도 그 징 계양정은 상당하다(대판 1984.8.21, 84누399).

■ 경찰관이 술집에서 소란을 피운 사람을 파출소로 연행하였다가 훈방조치를 한 후 위 사람으로부터 50,000원을 받은 행위는 직무와 관련하여 금품을 받은 것으로서 국가공무원법 제61조 소정의 청렴의무 및 제63조 소정의 품위유지의무를 위반한 것이다(대판 1984.12.11, 84누461) ➡ 해임처분은 정당하다.
■ 휴게근무시간 중 인근 식당에서 음주하고 혈중 알콜농도 0.10%의 음주상태에서 자기 소유 승용차를 운전하고 가다가 교차로에서 택시와 충돌하여 여러 명을 사상케 한 경찰관에 대한 징계 해임처분은 정당하다(대판 1997.11.25, 97누14637).

4. 정치운동 · 정치관여의 금지의무

(1) 국가공무원법상 정치운동의 금지

> **국가공무원법 제65조【정치 운동의 금지】** ① 공무원은 정당이나 그 밖의 정치단체의 결성에 관여하거나 이에 가입할 수 없다. [2016 채용1차]
> ② 공무원은 선거에서 특정 정당 또는 특정인을 지지 또는 반대하기 위한 다음의 행위를 하여서는 아니 된다.
> 1. 투표를 하거나 하지 아니하도록 권유 운동을 하는 것
> 2. 서명 운동을 기도 · 주재하거나 권유하는 것
> 3. 문서나 도서를 공공시설 등에 게시하거나 게시하게 하는 것
> 4. 기부금을 모집 또는 모집하게 하거나, 공공자금을 이용 또는 이용하게 하는 것
> 5. 타인에게 정당이나 그 밖의 정치단체에 가입하게 하거나 가입하지 아니하도록 권유 운동을 하는 것
> ③ 공무원은 다른 공무원에게 제1항과 제2항에 위배되는 행위를 하도록 요구하거나, 정치적 행위에 대한 보상 또는 보복으로서 이익 또는 불이익을 약속하여서는 아니 된다.
> [2020 실무 1] 공무원은 정당이나 그 밖의 정치단체의 결성에 관여하거나 이에 가입할 수 없으며, 선거에서 특정 정당 또는 특정인을 지지 또는 반대하기 위해 투표를 하거나 하지 아니하도록 권유 운동을 하여서는 아니 된다. (○)

(2) 경찰공무원법상 정치관여의 금지

> **경찰공무원법 제23조【정치 관여 금지】** ① 경찰공무원은 정당이나 정치단체에 가입하거나 정치활동에 관여하는 행위를 하여서는 아니 된다.
> ② 제1항에서 정치활동에 관여하는 행위란 다음 각 호의 어느 하나에 해당하는 행위를 말한다.
> 1. 정당이나 정치단체의 결성 또는 가입을 지원하거나 방해하는 행위
> 2. 그 직위를 이용하여 특정 정당이나 특정 정치인에 대하여 지지 또는 반대 의견을 유포하거나, 그러한 여론을 조성할 목적으로 특정 정당이나 특정 정치인에 대하여 찬양하거나 비방하는 내용의 의견 또는 사실을 유포하는 행위
> 3. 특정 정당이나 특정 정치인을 위하여 기부금 모집을 지원하거나 방해하는 행위 또는 국가 · 지방자치단체 및 「공공기관의 운영에 관한 법률」에 따른 공공기관의 자금을 이용하거나 이용하게 하는 행위
> 4. 특정 정당이나 특정인의 선거운동을 하거나 선거 관련 대책회의에 관여하는 행위
> 5. 「정보통신망 이용촉진 및 정보보호 등에 관한 법률」에 따른 정보통신망을 이용한 제1호부터 제4호까지의 규정에 해당하는 행위
> 6. 소속 직원이나 다른 공무원에 대하여 제1호부터 제5호까지의 행위를 하도록 요구하거나 그 행위와 관련한 보상 또는 보복으로서 이익 또는 불이익을 주거나 이를 약속 또는 고지하는 행위

5. 외국정부로부터 영예 제한

> **국가공무원법 제62조 【외국 정부의 영예 등을 받을 경우】** 공무원이 외국 정부로부터 영예나 증여를 받을 경우에는 대통령의 허가를 받아야 한다. [2012 채용3차] [2012 승진(경위)] [2016 채용1차] [2017 경간] [2018 경채] [2018 실무 1] [2023 승진(실무종합)]
> [2015 채용2차] [2016 실무 1] [2018 채용3차] 공무원이 외국 정부로부터 영예나 증여를 받을 경우에는 소속 기관장의 허가를 받아야 한다. (×)

이는 공무원에 대한 외국 정부의 영향을 배제하고, 우리나라의 국익에 저촉되는지 여부 등 그 적정성을 심사하기 위한 것이다.

6. 집단행위의 금지의무

> **국가공무원법 제66조 【집단 행위의 금지】** ① 공무원은 노동운동이나 그 밖에 공무 외의 일을 위한 집단 행위를 하여서는 아니 된다. 다만, 사실상 노무에 종사하는 공무원은 예외로 한다.
> [2016 채용1차] 공무원은 노동운동이나 그 밖에 공무 외의 일을 위한 집단 행위를 하여서는 아니 된다. 또한, 사실상 노무에 종사하는 공무원도 포함한다. (×)
> **경찰공무원법 제37조 【벌칙】** ④ 경찰공무원으로서 「국가공무원법」 … 제66조를 위반한 사람은 2년 이하의 징역 또는 200만원 이하의 벌금에 처한다. ➡ 일반공무원에 비해 가중된 처벌을 규정!

여기서의 노동운동은 근로자의 근로조건의 향상을 위한 단결권 · 단체교섭권 · 단체행동권 등 이른바 노동 3권을 기초로 하여 이에 직접 관련된 행위를 의미한다.

> ⚖ **요지판례 ㅣ**
> - 국가공무원법 제66조의 '공무 이외의 일을 위한 집단적 행위'는 공무가 아닌 어떤 일을 위하여 공무원들이 하는 모든 집단적 행위를 의미하는 것은 아니고 언론 · 출판, 집회 · 결사의 자유를 보장하고 있는 헌법 제21조 제1항, 헌법상의 원리, 국가공무원법의 취지, 국가공무원법상의 성실의무 및 직무전념의무 등을 종합적으로 고려하여 '공익에 반하는 목적을 위하여 직무전념의무를 해태하는 등의 영향을 가져오는 집단적 행위'라고 축소해석하여야 할 것이다(대판 1992.2.14, 90도2310). ➡ 피고인의 강원교사협의회 활동이 모두 휴일이나 근무시간 이외에 이루어졌고 달리 공익에 반하는 목적을 위하여 직무전념의무를 해태하였다고 볼 자료가 없으므로 피고인이 '공무 이외의 일을 위한 집단적 행위'를 하였다고 볼 수 없다고 한 사례
> - 국가공무원법 제66조 제1항이 금지하고 있는 '공무 외의 집단적 행위'라 함은 공무원으로서 직무에 관한 기강을 저해하거나 기타 그 본분에 배치되는 등 공무의 본질을 해치는 특정목적을 위한 다수인의 행위로써 단체의 결성단계에는 이르지 아니한 상태에서의 행위를 말한다. 따라서 장관 주재의 정례조회에서의 집단퇴장행위는 공무원으로서 직무에 관한 기강을 저해하거나 기타 그 본분에 배치되는 등 공무의 본질을 해치는 다수인의 행위라 할 것이므로, 비록 그것이 건설행정기구의 개편안에 관한 불만의 의사표시에서 비롯되었다 하더라도, '공무 외의 집단적 행위'에 해당한다(대판 1992.3.27, 91누9145).

■ 국가인권위원회의 일반계약직공무원인 소외 1에 대한 계약연장 거부결정에 대하여 비난하면서 국가인권위원회 청사 앞에서 피켓을 들고 릴레이 1인 시위를 한 것은 집단행위로 볼 수 없다(대판 2017.4.13, 2014두8469). ➡ 단, 국가공무원법 제63조의 품위유지의무를 위반에는 해당한다.

☑ **KEY POINT | 경찰공무원의 의무 정리** [2012 채용2차] [2015 경간] [2021 경간]

유형	법적근거	의무
일반의무	국가공무원법	• 선서의무 • 성실의무
직무상 의무	국가공무원법	• 종교중립 • 친절 · 공정 • 복종 • 직무전념(직장이탈금지, 영리 · 겸직금지) • 법령준수
	경찰공무원법	• 거짓보고 및 직무유기금지 • 지휘권남용 금지 • 제복착용
	경찰공무원 복무규정	• 근무시간 중 음주금지 • 민사분쟁에의 부당개입금지 • 지정장소 외에서의 직무수행금지 • 여행의 제한 – 휴무 · 근무시간 외 • 비상소집 • 보고 및 통보 – 치안상 필요상황 • 상관에 대한 신고 – 신분관계 · 근무관계 변동시
신분상 의무	국가공무원법	• 집단행위금지 – 가중처벌은 경찰공무원법 • 외국정부로부터 영예 제한 • 청렴 • 정치운동금지 • 비밀엄수 • 품위유지
	경찰공무원법	정치관여금지
	공직자윤리법	• 선물신고 • 취업제한 • 재산등록 · 재산공개 • 주식매각 · 신탁

[2012 경간] '지정장소 외에서의 직무수행금지의무'는 경찰공무원법상 경찰공무원의 의무에 해당한다. (×)
➡ 《주의》 두문암기 중 경찰공무원법의 지휘권남용금지와 혼동되지 않도록 주의!
[2019 승진(경감)] 공무원의 직무상 의무로서 직무전념의 의무, 친절 · 공정의 의무, 법령준수의 의무, 종교중립의 의무, 비밀엄수의 의무, 복종의 의무를 규정하고 있다. (×)
[2020 승진(경위)] '비밀엄수의 의무', '청렴의 의무', '친절 · 공정의 의무'는 신분상의 의무에 해당한다. (×)

주제 7 │ 경찰공무원의 책임

▌공무원 책임의 분류
- 행정상 책임 ┬ 징계책임
-              └ 변상책임
- 형사상 책임
- 민사상 책임

- 공무원의 책임이란 공무원이 자기의 행위로 인해 받게 되는 법률상의 제재 또는 불이익을 의미하는바, ① 공무원관계 내부에서 지는 책임인 행정상 책임, ② 형사법상의 책임인 형사상 책임, ③ 민사상 손해배상의무 등을 부담하는 민사상 책임으로 나누어진다.
- 행정상 책임은 협의의 책임이라고도 하며, 징계책임과 변상책임이 여기에 속한다.

01 징계책임

1. 의의

- 징계란 공무원의 의무위반이 있는 경우에 공무원관계의 질서를 유지하기 위하여 임용권자에 의해 특별권력관계에 기초하여 과해지는 제재를 말한다.

  [2012 채용2차] 징계란 공무원의 의무위반이 있는 경우 또는 비행이 있는 경우 공무원 내부관계의 질서유지를 위하여 특별권력관계가 아닌 일반통치권에 의해 과해지는 제재이다. (×)

- 그 제재로서의 벌을 징계벌이라고 하고, 이 벌을 받아야 할 책임을 징계책임이라고 한다.

⊕ 심화 징계벌과 형벌

① 기본적인 차이점

구분	징계벌	형벌
권력적 기초	특별행정법관계에서의 특별권력	국가의 일반통치권
목적	공무원관계의 내부적 질서유지	일반의 법질서유지
내용	공무원의 신분상 이익 전부·일부 박탈	신분상 이익뿐만 아니라 재산적 이익·신체적 자유도 박탈 가능
대상	공무원의 의무위반	형사법상 의무위반
고의·과실	요하지 않는다.	필요하다.

② 징계벌과 형벌의 관계

- 형사절차와 징계절차는 상호 독립된 절차이므로 공무원의 동일한 행위에 대해 형사절차가 진행되더라도 징계절차에는 영향을 미치지 않는 것이 원칙이다.
- 양자는 병과될 수 있으며, 병과되더라도 일사부재리의 원칙에 반하지 않는다.

  [2011 채용2차] 징계벌과 형벌은 이중적 처벌이 되지 않아야 하기 때문에 병과할 수 없다. (×)

> **⚖ 요지판례 │**
> ■ 징계사유인 성희롱 관련 형사재판에서 성희롱 행위가 있었다는 점을 합리적 의심을 배제할 정도로 확신하기 어렵다는 이유로 공소사실에 관하여 무죄가 선고되었다고 하여 그러한 사정만으로 행정소송에서 징계사유의 존재를 부정할 것은 아니다(대판 2018.4.12, 2017두74702).
> ■ 공무원인 갑이 그 직무에 관하여 뇌물을 받았음을 징계사유로 하여 파면처분을 받은 후, 그에 대한 형사사건에서 대법원의 파기환송판결에 따라 무죄의 확정판결이 있었다면 위 징계처분은 근거 없는 사실을 징계사유로 삼은 것이 되어 위법하다고 할 수는 있을지언정 그것이 객관적으로 명백하다고는 할 수 없으므로 위 징계처분이 당연무효인 것은 아니다(대판 1989.9.26, 89누4963).

- 일사부재리의 원칙은 형벌뿐만이 아닌 징계벌에도 적용되므로 동일한 징계원인을 이유로 하여 거듭 징계할 수는 없다. ➡ 동일한 원인으로 징계벌 + 형사벌은 일사부재리위반은 아니지만, 동일한 원인으로 징계벌 + 징계벌은 일사부재리위반이다.

> ⚖ **요지판례 Ⅰ**
> ■ 경찰공무원이 담당사건의 고소인으로부터 금품을 수수하고 향응과 양주를 제공받았으며 이를 은폐하기 위하여 고소인을 무고하는 범죄행위를 하였다는 사유로 해임처분을 받은 경우, 위 징계사유 중 금품수수사실이 인정되지 않더라도 나머지 징계사유만으로도 해임처분의 타당성이 인정되어 재량권의 범위를 일탈·남용한 것이 아니다(대판 2002.9.24, 2002두6620). ➡ 수개의 징계사유 중 일부가 인정되지 않으나 인정되는 다른 일부 징계사유만으로도 당해 징계처분의 타당성을 인정하기에 충분한 경우, 그 징계처분을 유지할 수 있다.

2. 징계사유

(1) 법정징계사유

> **국가공무원법 제78조【징계 사유】**① 공무원이 다음 각 호의 어느 하나에 해당하면 징계 의결을 요구하여야 하고 그 징계 의결의 결과에 따라 징계처분을 하여야 한다.
> 1. 이 법 및 이 법에 따른 명령을 위반한 경우 ➡ 법령위반
> 2. 직무상의 의무(다른 법령에서 공무원의 신분으로 인하여 부과된 의무를 포함한다)를 위반하거나 직무를 태만히 한 때 ➡ 의무위반·직무태만
> 3. 직무의 내외를 불문하고 그 체면 또는 위신을 손상하는 행위를 한 때 ➡ 체면·위신손상
> [2012 채용2차] 국가공무원법이나 국가공무원법에 의한 명령을 위반하였을 경우, 직무상의 의무를 위반하거나 직무를 태만히 한 경우, 직무수행능력이 부족하거나 근무성적이 극히 나쁜 경우는 징계사유에 해당한다. (×)

위의 징계사유는 고의·과실의 유무와 관계없이 성립한다.

▌**결정재량은 ×, 선택재량은 ○**
- '징계 의결을 요구하여야 하고', '징계 처분을 하여야'하므로, 징계를 할 것인가에 대한 **결정재량은 인정되지 않는다.**
- 다만, 여러 징계의 종류 중 어떤 징계를 선택할 것인가에 대한 **선택재량은 인정된다.**

(2) 징계사유의 발생시점

> **국가공무원법 제78조【징계 사유】**② 공무원(특수경력직공무원 및 지방공무원을 포함한다)이었던 사람이 다시 공무원으로 임용된 경우에 재임용 전에 적용된 법령에 따른 징계 사유는 그 사유가 발생한 날부터 이 법에 따른 징계 사유가 발생한 것으로 본다. [2012 채용2차]

- 징계사유는 공무원의 재직 중에 일어난 것이어야 한다.
- 임용 전의 행위가 징계사유가 될 수 있는지의 문제가 있는바, 임용 전의 특정한 행위로 인하여 임용 후에도 공무원의 품위가 손상되는 경우에는 임용 후의 의무위반이라는 사실에 기하여 징계처분을 할 수 있다.

예 지방공무원법의 적용을 받던 자치경찰공무원이 국가공무원법의 적용을 받는 국가경찰공무원으로 2022년 1월 1일 다시 임용된 경우, 자치경찰로 근무하던 2021년 6월 30일 발생한 징계사유는 그 사유가 발생한 날인 2021년 6월 30일에 국가공무원법에 따른 징계사유가 발생한 것으로 본다.

⚖️ **요지판례 |**

원고가 장학사 또는 공립학교 교사로 임용해 달라는 등의 인사청탁과 함께 금 1,000만 원을 제3자를 통하여 서울시 교육감에게 전달함으로써 뇌물을 공여하였고, 그 후 공립 학교 교사로 임용되어 재직 중 검찰에 의하여 위 뇌물공여죄로 수사를 받다가 기소되기 에 이르렀으며 그와 같은 사실이 언론기관을 통하여 널리 알려졌다면, 비록 위와 같은 뇌물을 공여한 행위는 공립학교 교사로 임용되기 전이었더라도 그 때문에 임용 후의 공립학교교사로서의 체면과 위신이 크게 손상되었다고 하지 않을 수 없으므로 이를 징 계사유로 삼은 것은 정당하다(대판 1990.5.22, 89누7368).

(3) 징계사유의 시효

> **국가공무원법 제83조의2【징계 및 징계부가금 부과 사유의 시효】**① 징계의결등의 요 구는 징계 등 사유가 발생한 날부터 다음 각 호의 구분에 따른 기간이 지나면 하지 못한다. [2014 채용1차]
> 1. 징계 등 사유가 다음 각 목의 어느 하나에 해당하는 경우: 10년
>   가. 「성매매알선 등 행위의 처벌에 관한 법률」 제4조에 따른 금지행위
>   나. 「성폭력범죄의 처벌 등에 관한 특례법」 제2조에 따른 성폭력범죄
>   다. 「아동·청소년의 성보호에 관한 법률」 제2조 제2호에 따른 아동·청소년 대상 성범죄
>   라. 「양성평등기본법」 제3조 제2호에 따른 성희롱
> 2. 징계 등 사유가 제78조의2 제1항 각 호의 어느 하나(➡ 징계부가금 부과 대상이 되는 재산상 이익 취득이나 국가예산·기금 횡령·유용 등)에 해당하는 경우: 5년
> 3. 그 밖의 징계 등 사유에 해당하는 경우: 3년
> ② 제83조 제1항 및 제2항(➡ 감사원 조사, 검·경 수사)에 따라 징계 절차를 진행 하지 못하여 제1항의 기간이 지나거나 그 남은 기간이 1개월 미만인 경우에는 제1 항의 기간은 제83조 제3항에 따른 조사나 수사의 종료 통보를 받은 날부터 1개월 이 지난 날에 끝나는 것으로 본다.
> ③ 징계위원회의 구성·징계의결등, 그 밖에 절차상의 흠이나 징계양정 및 징계 부가금의 과다(過多)를 이유로 소청심사위원회 또는 법원에서 징계처분등의 무 효 또는 취소의 결정이나 판결을 한 경우에는 제1항의 기간이 지나거나 그 남은 기간이 3개월 미만인 경우에도 그 결정 또는 판결이 확정된 날부터 3개월 이내에 는 다시 징계의결등을 요구할 수 있다.

▮ **감사원 조사, 검·경 수사와 징계절 차(제83조 제1항·제2항)**
- 감사원 조사 중 사건 ➡ 징계절차 진행하지 못한다.
- 검찰·경찰 등 수사기관 수사 중 사건 ➡ 징계절차를 진행하지 아니 할 수 있다(즉, 진행할 수도 있다).

⚖️ **요지판례 |**

공무원 임용과 관련하여 부정한 청탁과 함께 뇌물을 공여하고 공무원으로 임용되었다 면 공무원의 신분을 취득하기까지의 일련의 행위가 국가공무원법상의 징계사유에 해당 한다고 할 것이므로 국가공무원법 제83조의2 제1항에 정하는 징계시효의 기산점은 원 고가 뇌물을 공여한 때가 아니라 공무원으로 임용된 때로부터 기산하여야 할 것이다 (대판 1990.5.22, 89누7368).

3. 징계의 종류

> **국가공무원법 제79조【징계의 종류】** 징계는 파면·해임·강등·정직·감봉·견책으로 구분한다.
>
> **대통령령** **경찰공무원 징계령 제2조【정의】** 이 영에서 사용하는 용어의 뜻은 다음과 같다.
> 1. "중징계"란 파면, 해임, 강등 및 정직을 말한다.
> 2. "경징계"란 감봉 및 견책을 말한다.
> [2011 채용2차] 중징계라 함은 파면, 해임, 강등을 말하고 정직은 중징계에 해당하지 아니한다. (×)
> [2015 채용1차] 중징계란 파면. 해임, 강등을 말하며, 경징계란 정직, 감봉 및 견책을 말한다. (×)

배제징계인 **파면·해임**과, 교정징계 중 **강등·정직**은 중징계에, 교정징계 중 **감봉·견책**은 경징계에 해당한다.

(1) 배제징계 ➔ 공무원신분 해제를 내용으로 하는 징계
- **파면**: 공무원의 신분을 박탈하여 공무원관계를 배제하는 징계처분
- **해임**: 파면과 같이 공무원의 신분을 박탈하여 공무원관계를 배제하는 징계처분

(2) 교정징계 ➔ 공무원신분 보유하면서 신분상·보수상 이익 제한
- **강등**: 직급을 1계급 아래로 내리는 징계처분
- **정직**: 일정 기간 직무에 종사하지 못하게 하는 징계처분
- **감봉**: 일정한 수준으로 보수를 감액하는 징계처분
- **견책**: 잘못을 지적하고 앞으로 그런 일이 없도록 주의를 주는 징계처분

4. 징계의 효력

징계의 효력은 국가공무원법 제80조를 비롯, 공무원보수규정, 공무원연금법, 공무원연금법 시행령 등에서 규정하고 있다.

☑ KEY POINT | 징계의 효력

① 배제징계의 효력

구분	인사·신분	보수	퇴직급여 5년 미만	퇴직급여 5년 이상	퇴직수당
파면	• 공무원 신분 배제 • 5년간 일반공무원 임용결격사유 • 경찰공무원 재임용 불가	–	1/4 감액	1/2 감액	1/2감액
해임	• 공무원 신분 배제 • 3년간 일반공무원 임용결격사유 • 경찰공무원 재임용 불가	–	• 원칙은 감액 없음 • 금품·향응수수, 공금 횡령·유용 해임 1/8 감액 1/4 감액		1/4 감액

[2012 채용3차] 징계에 의하여 파면 또는 해임처분을 받은 사람도 경찰공무원에 임용될 수 있다. (×)
[2020 승진(경위)] 징계에 의하여 파면된 경우, 재직기간이 5년 이상인 사람의 퇴직급여는 2분의 1을 감액하고, 재직기간이 5년 미만인 사람의 퇴직급여는 3분의 1을 감액한다. (×)
[2019 채용1차] 파면 징계처분을 받은 자(재직기간 5년 미만)의 퇴직급여는 1/4을 감액한 후 지급한다. (○)
[2011 채용2차] 경찰공무원이 해임이 된 경우 5년 후에 다시 경찰공무원이 될 수 있다. (×)
[2020 승진(경위)] 금품 및 향응 수수로 징계 해임된 자의 경우 재직기간이 5년 이상인 사람의 퇴직급여는 4분의 3을 지급하고, 재직기간이 5년 미만인 사람의 퇴직급여는 8분의 7을 지급한다. (○)

┃ 직위해제

- 승진·휴직 등과 함께 대표적인 근무관계 변동사유 중 하나인 직위해제는 법적으로는 징계가 아니지만 복직이 보장되지 않고, 직위해제 후 면직처분은 사실상 징계와 동일한 효과를 가져오는 경우가 있다.
- 통상 직위해제는 정식 징계절차(중징계)가 개시되기 전 미리 직무에서 배제하는 기능을 한다.

2 교정징계의 효력

구분	인사·신분			보수	퇴직급여 퇴직수당
	직무정지	승진제한 승진소요최저연수 제외*	기간가산**		
강등	3개월	18개월	6개월	기간(3개월) 중 전액 감액	-
정직	1~3개월	18개월	6개월	기간(1~3개월) 중 전액 감액	-
감봉	-	12개월	6개월	기간(1~3개월) 중 1/3 감액	-
견책	-	6개월	6개월	-	-

*승진소요최저연수 제외
　해당 기간(18, 18, 12, 6) 외에 징계처분기간 자체도 제외된다.
**기간가산사유(공무원보수규정 제14조 제1항 제2호, 경찰공무원 승진임용 규정 제6조 제1항 제2호)
　① 징계부가금 부과대상이 되는 재산상 이익 취득(금품·향응 수수)이나 국가예산·기금 횡령·유용 등
　② 소극행정
　③ 음주운전(측정불응 포함)
　④ 성폭력·성희롱·성매매

[2012 채용3차] [2020 승진(경위)] 강등은 1계급 아래로 직급을 내리고(고위공무원단에 속하는 공무원은 3급으로 임용하고, 연구관 및 지도관은 연구사 및 지도사로 한다) 공무원신분은 보유하나 3개월간 직무에 종사하지 못하며 그 기간 중 보수의 전액을 감한다. (O)
[2019 승진(경감)] 강등 징계시 3개월간 직무에 종사하지 못하며 금품 또는 향응 수수로 강등의 징계처분을 받은 경우 그 처분의 집행이 끝난 날로부터 21개월이 지나지 않으면 승진임용을 할 수 없다. (×)
[2019 채용1차] 성폭력, 성희롱 및 성매매에 따른 강등 징계처분을 받은 자는 그 처분의 집행이 끝난 날부터 24개월이 지나지 않은 경우 승진임용될 수 없다. (O)
[2019 채용1차] 정직 징계처분을 받은 자는 1개월 이상 3개월 이하의 기간 동안 직무에 종사하지 못하며, 정직기간 중 보수는 1/3을 감한다. (×)
[2012 채용3차] 견책은 1월 이상 3월 이하의 기간 동안 보수의 3분의 1을 감한다. (×)

3 심사승진 후보자 명부에서 삭제

> 대통령령 경찰공무원 승진임용 규정 제24조 【심사승진후보자 명부의 작성】 ③ 임용권자나 임용제청권자는 심사승진후보자 명부에 기록된 사람이 승진임용되기 전에 정직 이상의 징계처분을 받은 경우에는 심사승진후보자 명부에서 그 사람을 제외하여야 한다. [2012 채용3차] [2019 채용1차]

4 징계부가금

> 국가공무원법 제78조의2 【징계부가금】 ① 제78조에 따라 공무원의 징계 의결을 요구하는 경우 그 징계사유가 다음 각 호의 어느 하나에 해당하는 경우에는 해당 징계 외에 다음 각 호의 행위로 취득하거나 제공한 금전 또는 재산상 이득(금전이 아닌 재산상 이득의 경우에는 금전으로 환산한 금액을 말한다)의 5배 내의 징계부가금 부과 의결을 징계위원회에 요구하여야 한다.
> 1. 금전, 물품, 부동산, 향응 또는 그 밖에 대통령령으로 정하는 재산상 이익을 취득하거나 제공한 경우
> 2. 다음 각 목에 해당하는 것을 횡령, 배임, 절도, 사기 또는 유용한 경우 ➜ 국가재정법, 국고금관리법, 보조금 관리에 관한 법률, 국유재산법 등에 따른 예산·기금·국고금·보조금·국유재산·공유재산 등

• 금품 관련 비위에 대해 보다 실효성 있는 처벌을 위해 징계처분 외에 금품수수 금액 등의 5배 범위 내에서 부과하는 행정적 제재이다.

5 징계처분의 실효성 확보 수단 신설

> 국가공무원법 제80조 【징계의 효력】 ⑥ 강등(3개월간 직무에 종사하지 못하는 효력 및 그 기간 중 보수는 전액을 감하는 효력으로 한정한다), 정직 및 감봉의 징계처분은 휴직기간 중에는 그 집행을 정지한다.

• 징계처분의 실효성을 높이기 위하여 휴직기간과 강등·정직·감봉의 징계처분 집행기간이 겹치는 경우 휴직기간 중에는 징계처분의 집행을 정지하도록 하였다.

5. 징계절차

☑ KEY POINT | 징계의 절차

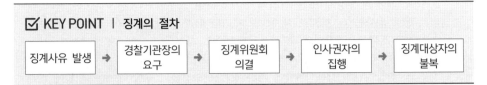

(1) 징계사유의 발생

> **대통령령 경찰공무원 징계령 제10조【징계등 사건의 통지】** ① 경찰기관의 장은 그 소속
> 이 아닌 경찰공무원에게 징계 사유가 있다고 인정될 때에는 해당 경찰기관의 장
> 에게 그 사실을 증명할 만한 충분한 사유를 명확히 밝혀 통지하여야 한다.
> ② 제1항에 따라 징계 사유를 통지받은 경찰기관의 장은 타당한 이유가 없으면
> 통지를 받은 날부터 30일 이내에 제9조에 따라 관할 징계위원회에 징계등 의결을
> 요구하거나 그 상급 경찰기관의 장에게 징계등 의결의 요구를 신청하여야 한다.
> ③ 제1항에 따라 징계 사유를 통지받은 경찰기관의 장은 해당 사건의 처리 결과
> 를 징계 사유를 통지한 경찰기관의 장에게 회답하여야 한다.
> [2012 경간] 징계사유를 통보받은 경찰기관의 장은 상당한 이유가 없는 한, 그 통보를 받은 날로부터 30일 이내에 관할 징계
> 위원회에 징계의결을 요구하거나 신청하여야 한다. (×)

- 경찰공무원 징계령 제10조는 소속 아닌 경찰공무원에게 징계사유가 있다고 인정
  되는 경우에 적용되는 규정이다.
- 소속 경찰공무원에게 징계사유가 있다고 인정될 때에는 아래 경찰공무원 징계령
  제9조에 따라 소속 경찰기관의 장이 관할 징계위원회에 징계의결을 바로 요구한다.

▎징계사유(국가공무원법 제78조 제항)
- 제1호: 법령위반
- 제2호: 의무위반 · 직무태만
- 제3호: 체면 · 위신손상

(2) 징계의결의 요구 ➡ 경찰기관의 장이 징계위원회에

1) 징계의결 요구 또는 요구 신청

> **대통령령 경찰공무원 징계령 제9조【징계등 의결의 요구】** ① 경찰기관의 장은 소속
> 경찰공무원이 다음 각 호의 어느 하나에 해당할 때에는 지체 없이 관할 징계
> 위원회를 구성하여 징계등 의결을 요구하여야 한다. 이 경우 별지 제1호서식
> 의 경찰공무원 징계 의결 또는 징계부가금 부과 의결 요구서와 별지 제1호의2
> 서식의 확인서(이하 이 조에서 "징계의결서등"이라 한다)를 관할 징계위원회
> 에 제출하여야 한다.
> 1. 「국가공무원법」 제78조 제1항 제1호부터 제3호까지의 어느 하나에 해당하
>   는 사유(이하 "징계 사유"라 한다)가 있다고 인정할 때
> 2. 제2항에 다른 징계등 의결 요구 신청을 받았을 때
> ② 경찰기관의 장은 그 소속 경찰공무원에 대한 징계등 사건이 상급 경찰기
> 관에 설치된 징계위원회의 관할에 속한 경우에는 그 상급 경찰기관의 장에게
> 징계의결서등을 첨부하여 징계등 의결의 요구를 신청하여야 한다.
> ③ 제1항과 제2항에 따른 징계등 의결 요구 또는 그 신청은 징계사유에 대한
> 충분한 조사를 한 후에 하여야 한다.

▎'요구'와 '요구 신청' 상대방 구분
- 요구 상대방: 징계위원회
- 요구신청 상대방: 상급 경찰기관장

④ 경찰기관의 장이 제1항과 제2항에 따라 징계등 의결 요구 또는 그 신청을 할 때에는 중징계 또는 경징계로 구분하여 요구하거나 신청하여야 한다. 다만, 「감사원법」 제32조 제1항 및 제10항에 따라 감사원장이 「국가공무원법」 제79조에 따른 징계의 종류를 구체적으로 지정하여 징계요구를 한 경우에는 그러하지 아니하다.

⑤ 경찰기관의 장은 제1항에 따라 징계등 의결을 요구할 때에는 제1항에 따른 경찰공무원 징계 의결 또는 징계부가금 부과 의결 요구서 사본을 징계등 심의 대상자에게 보내야 한다. 다만, 징계등 심의 대상자가 그 수령을 거부하는 경우에는 그러하지 아니하다.

[2018 승진(경위)] [2019 승진(경감)] 경찰기관의 장은 소속 경찰경무원이 징계사유가 있다고 인정할 때와 징계의결 요구의 신청을 받았을 때에는 지체 없이 관할 징계위원회를 구성하여 징계의결을 요구하여야 한다. (○)

2) 기준

① 행위자 본인에 대한 기준

> **훈령** 경찰공무원 징계령 세부시행규칙 제4조【행위자의 징계양정 기준】① 징계의결요구권자 또는 징계위원회는 행위자에 대한 의무위반행위의 유형·정도, 과실의 경중, 행위 당시 계급 및 직위, 비위행위가 공직 내외에 미치는 영향, 수사 중 경찰공무원 신분을 감추거나 속인 정황, 평소 행실, 공적, 뉘우치는 정도, 규제개혁 및 국정과제 등 관련 업무 처리의 적극성 또는 그 밖의 정상을 참작하여 … 징계양정기준에 따라 징계의결 요구 또는 징계의결하여야 한다. 단, 징계의결요구권자는 공금횡령·유용 및 업무상 배임의 금액이 300만원 이상일 경우에는 중징계 의결을 요구하여야 한다.
>
> ② 징계요구권자 또는 징계위원회는 다음 각 호의 어느 하나에 해당하는 사유가 있을 때에는 징계책임을 감경하여 징계의결 요구 또는 징계의결하거나 징계책임을 묻지 아니할 수 있다.
>
> 1. 과실로 인하여 발생한 의무위반행위가 다른 법령에 의해 처벌사유가 되지 않고 비난가능성이 없는 때
> 2. 국가 또는 공공의 이익을 증진하기 위해 성실하고 능동적으로 업무를 처리하는 과정에서 부분적인 절차상 하자 또는 비효율, 손실 등의 잘못이 발생한 때
> 3. 업무매뉴얼에 규정된 직무상의 절차를 충실히 이행한 때
> 4. 의무위반행위의 발생을 방지하기 위해 최선을 다하였으나 부득이한 사유로 결과가 발생하였을 때
> 5. 발생한 의무위반행위에 대하여 자진신고하거나 사후조치에 최선을 다하여 원상회복에 크게 기여한 때
> 6. 간첩 또는 사회이목을 집중시킨 중요사건의 범인을 검거한 공로가 있을 때 [2019 승진(경감)]
> 7. 제8조 제3항에 따른 감경 제외 대상이 아닌 의무위반행위 중 직무와 관련이 없는 사고로 인한 의무위반행위로서 사회통념에 비추어 공무원의 품위를 손상하지 아니한 때
>
> [2020 승진(경감)] '업무매뉴얼에 규정된 직무상의 절차를 충실히 이행한 때'는 감독자에 대한 참작사유 중 하나에 해당한다. (×)
> [2012 승진(경감)] '간첩 또는 사회이목을 집중시킨 중요사건의 범인을 검거한 공로가 있을 때'는 감독자에 대한 참작사유 중 하나에 해당한다. (×)

⚖ 요지판례 Ⅰ

경찰공무원인 갑이 관내 단란주점 내에서 술에 취해 소란을 피우는 등 유흥업소 등 출입을 자제하라는 지시 명령을 위반하고 경찰공무원으로서 품위유지의무를 위반하였다는 이유로 경찰서장이 징계위원회 징계의결에 따라 갑에 대하여 견책처분을 한 경우, 징계위원회의 심의과정에 반드시 제출되어야 하는 공적사항이 제시되지 않은 상태에서 결정한 공무원에 대한 징계처분은 징계양정이 결과적으로 적정한지 그렇지 않은지와 상관없이 법령이 정한 징계절차를 지키지 않은 것으로서 위법하다(대판 2012.6.28, 2011두20505).

② 감독자에 대한 기준

> **훈령 경찰공무원 징계령 세부시행규칙 제5조 【행위자와 감독자에 대한 문책기준】**
> ① 같은 사건에 관련된 행위자와 감독자에 대해서는 업무의 성질 및 업무와의 관련 정도 등을 참작하여 별표 4의 행위자와 감독자에 대한 문책기준에 따라 징계의결등을 하여야 한다.
> ② 징계요구권자 또는 징계위원회는 감독자에게 다음 각 호의 어느 하나에 해당하는 사유가 있을 때에는 징계책임을 감경하여 징계의결 요구 또는 징계의결하거나 징계책임을 묻지 아니할 수 있다. [2012 승진(경감)]
> 1. 부하직원의 의무위반행위를 사전에 발견하여 적법 타당하게 조치한 때 [2020 승진(경감)]
> 2. 부하직원의 의무위반행위가 감독자 또는 행위자의 비번일, 휴가기간, 교육기간 등에 발생하거나, 소관업무와 직접 관련 없는 등 감독자의 실질적 감독범위를 벗어났다고 인정된 때
> 3. 부임기간이 1개월 미만으로 부하직원에 대한 실질적인 감독이 곤란하다고 인정된 때 [2012 경간] [2019 승진(경감)] [2020 승진(경감)]
> 4. 교정이 불가능하다고 판단된 부하직원의 사유를 명시하여 인사상 조치(전출 등)를 상신하는 등 성실히 관리한 이후에 같은 부하직원이 의무위반행위를 야기하였을 때
> 5. 기타 부하직원에 대하여 평소 철저한 교양감독 등 감독자로서의 임무를 성실히 수행하였다고 인정된 때 [2020 승진(경감)]
> [2012 승진(경감)] '부임기간이 1년 미만으로 부하직원에 대한 실질적인 감독이 곤란하다고 인정된 때'는 감독자의 정상참작사유에 해당한다. (×)

(2) 징계위원회의 의결

1) 의결기한 ➡ 30일 + (경찰기관의 장 승인) 30일

> **대통령령 경찰공무원 징계령 제11조 【징계등 의결 기한】** ① 징계등 의결 요구를 받은 징계위원회는 그 요구서를 받은 날부터 30일 이내에 징계등에 관한 의결을 하여야 한다. 다만, 부득이한 사유가 있을 때에는 해당 징계등 의결을 요구한 경찰기관의 장의 승인을 받아 30일 이내의 범위에서 그 기간을 연기할 수 있다. [2012 경간] [2017 채용2차] [2017 승진(경위)] [2020 실무 1]
> ② 징계등 의결이 요구된 사건에 대한 징계등 절차의 진행이 「국가공무원법」 제83조(➡ 감사원 조사, 검·경 수사)에 따라 중지되었을 때에는 그 중지된 기간은 제1항의 징계등 의결기한에서 제외한다.

[2021 채용1차] 징계등 의결 요구를 받은 징계위원회는 그 요구서를 받은 날부터 60일 이내에 징계등에 관한 의결을 하여야 한다. 다만, 부득이한 사유가 있을 때에는 해당 징계등 의결을 요구한 경찰기관의 장의 승인을 받아 30일 이내의 범위에서 그 기간을 연기할 수 있다. (×)

[2020 승진(경감)] [2023 승진(실무종합)] 징계등 의결 요구를 받은 징계위원회는 그 요구서를 받은 날부터 30일 이내에 징계등에 관한 의결을 하여야 한다. 다만, 부득이한 사유가 있을 때에는 당해 징계심의대상자의 동의를 얻어 30일 이내의 범위에서 그 기간을 연기할 수 있다. (×)

[2018 채용2차] 징계등 의결 요구를 받은 징계위원회는 그 요구서를 받은 날부터 30일 이내에 징계등에 관한 의결을 하여야 한다. 다만, 부득이한 사유가 있을 때에는 해당 징계등 심의 대상자에게 그 사유를 고지하고 30일 이내의 범위에서 그 기간을 연기할 수 있다. (×)

2) 출석통지와 출석

대통령령 **경찰공무원 징계령 제12조【징계등 심의 대상자의 출석】** ① 징계위원회가 징계등 심의 대상자의 출석을 요구할 때에는 별지 제2호서식의 출석 통지서로 하되, 징계위원회 개최일 5일 전까지 그 징계등 심의 대상자에게 도달되도록 해야 한다. [2017 경간] [2020 실무 1] [2020 승진(경감)]
② 징계위원회는 징계등 심의 대상자가 그 징계위원회에 출석하여 진술하기를 원하지 아니할 때에는 진술권 포기서를 제출하게 하여 이를 기록에 첨부하고 서면심사로 징계등 의결을 할 수 있다. [2018 채용2차]
③ 징계위원회는 출석 통지를 하였음에도 불구하고 징계등 심의 대상자가 정당한 사유 없이 출석하지 아니하였을 때에는 그 사실을 기록에 분명히 적고 서면심사로 징계등 의결을 할 수 있다. 다만, 징계등 심의 대상자의 소재가 분명하지 아니할 때에는 출석 통지를 관보에 게재하고, 그 게재일부터 10일이 지나면 출석 통지가 송달된 것으로 보며, 징계등 의결을 할 때에는 관보 게재의 사유와 그 사실을 기록에 분명히 적어야 한다. [2018 채용2차]
④ 제3항에도 불구하고 징계위원회는 징계등 심의 대상자가 징계등 사건 또는 형사사건의 사실 조사를 기피할 목적으로 도피하였거나 출석 통지서의 수령을 거부하여 징계등 심의 대상자나 그 가족에게 직접 출석 통지서를 전달하는 것이 곤란하다고 인정될 때에는 징계등 심의 대상자가 소속된 기관의 장에게 출석 통지서를 보내 이를 전달하게 하고, 전달이 불가능하거나 수령을 거부할 때에는 그 사실을 증명하는 서류를 첨부하여 보고하게 한 후 기록에 분명히 적고 서면심사로 징계등 의결을 할 수 있다.
⑤ 징계위원회는 징계등 심의 대상자가 국외 체류 또는 국외 여행 중이거나 그 밖의 부득이한 사유로 징계등 의결 요구서를 받은 날부터 상당한 기간 내에 출석할 수 없다고 인정될 때에는 제11조에도 불구하고 적당한 기간을 정하여 서면으로 진술하게 하여 징계등 의결을 할 수 있다. 이 경우 그 기간 내에 서면으로 진술하지 아니할 때에는 그 진술 없이 징계등 의결을 할 수 있다.

[2012 채용3차] 징계위원회가 징계등 심의 대상자의 출석을 요구할 때에는 별지 제2호 서식의 출석 통지서로 하되, 징계위원회 개최일 2일 전까지 그 징계등 심의 대상자에게 도달되도록 하여야 한다. (×)

[2020 실무 1] 징계위원회는 출석 통지를 하였음에도 불구하고 징계등 심의 대상자가 정당한 사유 없이 출석하지 아니한 때에도 서면심사에 의하여 징계등 의결을 할 수 없다. (×)

[2018 승진(경위)] 징계등 심의대상자의 소재가 분명하지 아니할 때에는 출석 통지를 관보에 게재하고, 그 게재일부터 7일이 지나면 출석통지가 송달된 것으로 본다. (×)

[2020 실무 1] [2021 채용1차] 징계등 심의 대상자의 소재가 분명하지 아니할 때에는 출석 통지를 관보에 게재하고, 그 게재일부터 7일이 지나면 출석 통지가 송달된 것으로 보며, 징계등 의결을 할 때에는 관보 게재의 사유와 그 사실을 기록에 분명히 적어야 한다. (×)

[2017 승진(경위)] 징계 등 심의 대상자의 소재가 분명하지 아니할 때에는 출석 통지를 관보에 게재하고, 그 게재일 다음날부터 10일이 지나면 출석 통지가 송달된 것으로 보며, 징계 등 의결을 할 때에는 관보 게재의 사유와 그 사실을 기록에 분명히 적어야 한다. (×)

🔍 **쉽게 읽기!**
§12 ②∼⑤: 징계위원회의 서면심사로 의결 가능한 경우
• 대상자가 출석·진술을 원하지 않는 경우
• 대상자가 정당한 이유 없이 불출석
• 대상자의 소재불명
• 대상자 도피 등으로 출석통지서 전달불능·수령거부
• 국외체류 등으로 상당기간 내 출석할 수 없다고 인정될 때

3) 심문과 진술권

> **대통령령** **경찰공무원 징계령 제13조【심문과 진술권】** ① 징계위원회는 제12조 제1 항에 따라 출석한 징계등 심의 대상자에게 징계 사유에 해당하는 사실에 관 한 심문을 하고 심사를 위하여 필요하다고 인정될 때에는 관계인을 출석하게 하여 심문할 수 있다.
> ② 징계위원회는 징계등 심의 대상자에게 진술할 수 있는 기회를 충분히 주 어야 하며, 징계등 심의 대상자는 별지 제2호의2서식의 의견서 또는 말로 자 기에게 이익이 되는 사실을 진술하거나 증거를 제출할 수 있다.
> ③ 징계등 심의 대상자는 증인의 심문을 신청할 수 있다. 이 경우 징계위원회 는 의결로써 그 채택 여부를 결정하여야 한다.
> ④ 징계등 의결을 요구한 자 또는 징계등 의결의 요구를 신청한 자는 징계위 원회에 출석하여 의견을 진술하거나 서면으로 의견을 진술할 수 있다. 다만, 중징계나 중징계 관련 징계부가금 요구사건의 경우에는 특별한 사유가 없는 한 징계위원회에 출석하여 의견을 진술해야 한다.
> ⑤ 징계위원회는 필요하다고 인정할 때에는 사실 조사를 하거나 특별한 학 식·경험이 있는 사람에게 검증 또는 감정을 의뢰할 수 있다.
>
> **대통령령** **경찰공무원 징계령 제21조【비밀누설 금지】** 징계위원회의 회의에 참석한 사람은 직무상 알게 된 비밀을 누설해서는 아니 된다.

🔍 **쉽게 읽기!**
§13 ①~④: 징계위원회 출석 가능한 자들
• 대상자 본인
• 관계인
• 증인
• 징계의결 요구자·요구신청자

4) 의결

> **대통령령** **경찰공무원 징계령 제14조【징계위원회의 의결】** ① 징계위원회의 의결은 위원장을 포함한 위원 과반수의 출석과 출석위원 과반수의 찬성으로 의결하 되, 의견이 나뉘어 출석위원 과반수의 찬성을 얻지 못한 경우에는 출석위원 과반수가 될 때까지 징계등 심의 대상자에게 가장 불리한 의견을 제시한 위 원의 수를 그 다음으로 불리한 의견을 제시한 위원의 수에 차례로 더하여 그 의견을 합의된 의견으로 본다. [2021 채용1차]
> ② 제1항의 의결은 별지 제3호서식의 징계 또는 징계부가금 의결서(이하 "의 결서"라 한다)로 한다. 이 경우 의결서의 이유란에는 다음 각 호의 사항을 구 체적으로 적어야 한다.
> 1. 징계등의 원인이 된 사실
> 2. 증거에 대한 판단
> 3. 관계 법령
> 4. 징계등 면제 사유 해당 여부
> 5. 징계부가금 조정(감면) 사유
> ③ 징계위원회는 제1항에도 불구하고 다음 각 호의 사항에 대해서는 서면으 로 의결할 수 있다. ➜ 관할이송, 의결기한 연기에 관한 사항
> ④ 제3항에 따른 서면 의결의 절차·방법 등에 관한 사항은 경찰청장이 정 한다.
> ⑤ 징계위원회의 의결 내용은 공개하지 아니한다.
>
> [2015 채용1차] 징계위원회의 의결은 위원장을 포함한 위원 과반수의 출석과 출석위원 2/3의 찬성으로 의결한다. (×)

📝 위원 6명으로 구성된 징계위원회에서 5명의 위원이 출석한 경우 ➜ 출석위원 과반수는 3명!
• 위원 A: 파면
• 위원 B: 파면
• 위원 C: 해임
• 위원 D: 강등
• 위원 E: 정직
➜ 이 경우 가장 불리한 의견 제시한 위원 A·위원 B 2명, 그 다음 불리한 의견 제시한 위원 C 1명을 더하면 3명이 되므로, 이 3명에 도달하였을 때의 의견인 '해임'이 합의된 의견이 된다.

대통령령 **경찰공무원 징계령 제14조의2【원격영상회의 방식의 활용】** ① 징계위원회는 위원과 징계등 심의 대상자, 징계등 의결을 요구하거나 요구를 신청한 자, 증인, 관계인 등 이 영에 따라 회의에 출석하는 사람(이하 이 항에서 "출석자"라 한다)이 동영상과 음성이 동시에 송수신되는 장치가 갖추어진 서로 다른 장소에 출석하여 진행하는 **원격영상회의 방식**으로 심의·의결할 수 있다. 이 경우 징계위원회의 위원 및 출석자가 같은 회의장에 출석한 것으로 본다.
[2023 승진(실무종합)]

② 징계위원회는 제1항에 따라 원격영상회의 방식으로 심의·의결하는 경우 위원 및 출석자의 신상정보, 회의 내용·결과 등이 유출되지 않도록 **보안**에 필요한 조치를 해야 한다.

대통령령 **경찰공무원 징계령 제16조【징계등의 정도】** 징계위원회는 징계등 사건을 의결할 때에는 징계등 심의 대상자의 비위행위 당시 계급 및 직위, 비위행위가 공직 내외에 미치는 영향, 평소 행실, 공적, 뉘우치는 정도나 그 밖의 정상과 징계등 의결을 요구한 자의 의견을 고려해야 한다.
[2017 채용2차] [2021 채용1차] 징계위원회는 징계등 사건을 의결할 때에는 징계등 심의대상자의 평소 행실, 근무성적, 공적, 뉘우치는 정도와 징계등 의결을 요구한 자의 의견을 고려할 수 있다. (×)

┃ **경찰공무원 징계령 세부시행규칙(예규)상 징계감경사유**
- 징계위원회는 징계의결이 요구된 자가 다음 공적이 있는 경우 감경할 수 있다.
  - 훈장·포장
  - 모범공무원 설발
  - 국무총리 이상 표창(경감 이하: 경찰청장·차관급 이상)

■ 기관이나 단체에 수여된 국무총리 단체표창은 징계대상자에 대한 징계양정의 임의적 감경사유에 해당하지 않는다(대판 2012.10.11, 2012두13245).
[2022 채용2차]

➕ **심화** 위원의 제척·기피·회피

1 위원의 제척

대통령령 **경찰공무원 징계령 제15조【제척, 기피 및 회피】** ① 징계위원회의 위원장 또는 위원이 다음 각 호의 어느 하나에 해당하는 경우에는 그 징계등 사건의 심의·의결에 관여하지 못한다.
[2017 채용2차]
1. 징계등 심의 대상자의 친족 또는 직근 상급자(징계사유가 발생한 기간 동안 직근 상급자였던 사람을 포함한다)인 경우
2. 그 징계 사유와 관계가 있는 경우
3. 「국가공무원법」 제78조의3 제1항 제3호(➡ 징계양정 과다)의 사유로 다시 징계등 사건의 심의·의결을 할 때 해당 징계등 사건의 조사나 심의·의결에 관여한 경우

- 위원이 불공평한 판단을 할 우려가 현저한 경우를 유형적으로 정해놓고, 그 사유에 해당하는 위원은 당연히 해당 사건의 심의·의결에서 배제되도록 하는 제도이다.

2 위원의 기피

대통령령 **경찰공무원 징계령 제15조【제척, 기피 및 회피】** ② 징계등 심의 대상자는 징계위원회의 위원장 또는 위원이 다음 각 호의 어느 하나에 해당하는 경우에는 징계위원회에 그 사실을 서면으로 밝히고 해당 위원장 또는 위원의 기피를 신청할 수 있다.
1. 제1항 각 호의 어느 하나에 해당하는 경우
2. 불공정한 의결을 할 우려가 있다고 의심할 만한 타당한 사유가 있는 경우
③ 징계위원회는 제2항에 따른 기피 신청을 받은 때에는 해당 징계등 사건을 심의하기 전에 의결로써 해당 위원장 또는 위원의 기피 여부를 결정해야 한다. 이 경우 기피 신청을 받은 위원장 또는 위원은 그 의결에 참여하지 못한다.

- 위원에게 제척사유가 있음에도 불구하고 심의·의결에 관여하여 불공평한 판단을 할 우려가 있는 경우 당사자(심의 대상자)의 신청에 의해 그 위원을 배제하는 제도이다.

3 위원의 회피

대통령령 **경찰공무원 징계령 제15조【제척, 기피 및 회피】** ④ 징계위원회의 위원장 또는 위원은 제1항 각 호의 어느 하나(➡ 제척사유)에 해당하면 스스로 해당 징계등 사건의 심의·의결을 회피해야 하며, 제2항 제2호(➡ 제척사유 외의 기피사유)에 해당하면 회피할 수 있다.

- 위원이 스스로 제척이나 기피 원인이 있다고 판단할 때 자발적으로 심의·의결에서 탈퇴하는 제도이다.

348 해커스경찰 police.Hackers.com

5) 통지

> **대통령령** 경찰공무원 징계령 제17조【징계등 의결의 통지】징계위원회는 징계등 의결을 하였을 때에는 지체 없이 징계등 의결을 요구한 자에게 의결서 정본을 보내어 통지하여야 한다.

(3) 임용권자(인사권자)의 집행

국가공무원법 제75조【처분사유 설명서의 교부】 ① 공무원에 대하여 징계처분등을 할 때나 강임·휴직·직위해제 또는 면직처분을 할 때에는 그 처분권자 또는 처분제청권자는 처분사유를 적은 설명서를 교부하여야 한다. 다만, 본인의 원에 따른 강임·휴직 또는 면직처분은 그러하지 아니하다.
② 처분권자는 피해자가 요청하는 경우 다음 각 호의 어느 하나에 해당하는 사유로 처분사유 설명서를 교부할 때에는 그 징계처분결과를 피해자에게 함께 통보하여야 한다.
1. 「성폭력범죄의 처벌 등에 관한 특례법」 제2조에 따른 성폭력범죄
2. 「양성평등기본법」 제3조 제2호에 따른 성희롱
3. 직장에서의 지위나 관계 등의 우위를 이용하여 업무상 적정범위를 넘어 다른 공무원 등에게 부당한 행위를 하거나 신체적·정신적 고통을 주는 등의 행위로서 대통령령등으로 정하는 행위

경찰공무원법 제33조【징계의 절차】 경찰공무원의 징계는 징계위원회의 의결을 거쳐 징계위원회가 설치된 소속 기관의 장이 하되, 「국가공무원법」에 따라 국무총리 소속으로 설치된 징계위원회에서 의결한 징계는 **경찰청장** 또는 해양경찰청장이 한다. 다만, 파면·해임·강등 및 정직은 징계위원회의 의결을 거쳐 해당 경찰공무원의 임용권자가 하되, 경무관 이상의 **강등** 및 **정직**과 경정 이상의 **파면** 및 **해임**은 경찰청장 또는 해양경찰청장의 제청으로 행정안전부장관 또는 해양수산부장관과 국무총리를 거쳐 대통령이 하고, 총경 및 경정의 **강등** 및 **정직**은 경찰청장 또는 해양경찰청장이 한다.
[2020 채용2차] 경찰청장은 징계위원회의 의결을 거친 경무관 이상의 강등 및 정직과 경정 이상의 파면 및 해임을 한다. (×)
[2022 경간] 경찰청 소속 경무관 이상의 강등 및 정직과 경정 이상의 파면 및 해임은 경찰청장의 제청으로 행정안전부장관과 국무총리를 거쳐 대통령이 한다. (○)
[2022 채용2차] 국가경찰사무를 담당하는 ○○경찰서 소속 경사 丙에 대한 정직처분은 소속 기관장인 ○○경찰서장이 행하지만, 그 처분에 대한 행정소송의 피고는 경찰청장이다. (×)

> **대통령령** 경찰공무원 징계령 제18조【경징계 등의 집행】① 징계등 의결을 요구한 자는 **경징계**의 징계등 의결을 통지받았을 때에는 통지받은 날부터 **15일** 이내에 징계등을 집행하여야 한다. [2012 경간] [2018 채용2차] [2020 승진(경감)]
> ② 징계등 의결을 요구한 자는 제1항에 따라 징계등 의결을 집행할 때에는 의결서 사본에 별지 제4호서식의 징계등 처분 사유 설명서를 첨부하여 징계등 처분 대상자에게 보내야 한다.
[2014 채용1차] 징계 등 의결을 요구한 자는 경징계의 징계 등 의결을 통지 받았을 때에는 통지받은 날부터 30일 이내에 징계 등을 집행하여야 한다. (×)

> **대통령령** 경찰공무원 징계령 제19조【중징계 등의 처분 제청과 집행】① 징계등 의결을 요구한 자는 **중징계**의 징계등 의결을 통지받았을 때에는 지체 없이 징계등 처분 대상자의 임용권자에게 의결서 정본을 보내어 해당 징계등 처분을 제청하여야 한다. 다만, 경무관 이상의 강등 및 정직, 경정 이상의 파면 및 해임 처분의 제청, 총경 및 경정의 강등 및 정직의 집행은 경찰청장 또는 해양경찰청장이 한다.
> ② 제1항에 따라 중징계 처분의 제청을 받은 임용권자는 **15일** 이내에 의결서 사본에 별지 제4호서식의 징계등 처분 사유 설명서를 첨부하여 징계등 처분 대상자에게 보내야 한다.
[2011 채용2차] 총경의 강등은 경찰청장이 한다. (○)
[2020 채용2차] 경찰청장은 징계위원회의 의결을 거친 경무관 이상의 강등 및 정직과 경정 이상의 파면 및 해임을 한다. (×)

징계의 분류

		파면
배제징계	중징계	해임
		강등
		정직
교정징계	경징계	감봉
		견책

대통령령 **경찰공무원 징계령 제20조 【보고 및 통지】** 징계등 의결을 요구한 경찰기관의 장은 경징계의 징계등 의결을 집행하였을 때에는 지체 없이 그 결과에 의결서의 사본을 첨부하여 해당 임용권자에게 보고하고, 징계등 처분을 받은 사람의 소속 경찰기관의 장에게 통지하여야 한다.

☑ KEY POINT | 중징계의 처분제청 · 집행

① 제청권자와 집행권자

구분	파면		해임		강등		정직	
	제청	집행	제청	집행	제청	집행	제청	집행
경무관 이상	경찰청장	대통령	경찰청장	대통령	경찰청장	대통령	경찰청장	대통령
총경	경찰청장	대통령	경찰청장	대통령	경찰청장		경찰청장	
경정	경찰청장	대통령	경찰청장	대통령	경찰청장		경찰청장	

[2014 채용1차] 총경과 경정의 강등 및 정직은 경찰청장이 행한다. (○)
[2011 채용2차] 경정의 해임은 경찰청장이 한다. (×)
[2016 채용1차] 경찰청 소속 경무관 이상의 강등 및 정직과 경정 이상의 파면 및 해임은 행정안전부장관의 제청으로 국무총리를 거쳐 대통령이 한다. (×)
[2016 채용1차] 해양경찰청 소속 경무관 이상의 강등 및 정직과 경정 이상의 파면 및 해임은 해양경찰청장의 제청으로 해양수산부 장관과 국무총리를 거쳐 대통령이 한다. (○)

② 경찰공무원의 임용권자(경찰공무원법 제7조)

구분	원칙	예외
총경 이상	경찰청장 추천 ➡ 행정안전부장관 제청 ➡ 국무총리 거쳐 ➡ 대통령이	총경의 강·정·복·전·휴·직: 경찰청장이
경정 이하	경찰청장이	경정으로의 신·승·면: 경찰청장 제청 ➡ 국무총리 거쳐 ➡ 대통령이

- 중징계의 경우 징계대상자에게 미치는 신분상 불이익이 매우 중대하므로, 기본적으로 제청권자와 집행권자를 나누었다고 이해 《주의》 이 경우 **경찰청장 제청 ➡ 행정안전부장관과 국무총리 거쳐 ➡ 대통령 집행함**을 유의!
- 단, 중징계 중에서도 조직에 미치는 영향이 비교적 작은 총경·경정에 대한 강등·정직은 제청과 집행 나누지 않고 경찰청장이 한다고 이해!

(4) 징계대상자의 불복

국가공무원법 제76조 【심사청구와 후임자 보충 발령】 ① 제75조에 따른 처분사유 설명서(➡ 징계처분, 강임·휴직·직위해제 또는 면직처분에 따른 처분사유 설명서)를 받은 공무원이 그 처분에 불복할 때에는 그 설명서를 받은 날부터, 공무원이 제75조에서 정한 처분 외에 본인의 의사에 반한 불리한 처분을 받았을 때에는 그 처분이 있은 것을 안 날부터 각각 30일 이내에 소청심사위원회에 이에 대한 심사를 청구할 수 있다. 이 경우 변호사를 대리인으로 선임할 수 있다.

국가공무원법 제16조 【행정소송과의 관계】 ① 제75조에 따른 처분(➡ 징계처분, 강임·휴직·직위해제 또는 면직처분), 그 밖에 본인의 의사에 반한 불리한 처분이나 부작위에 관한 행정소송은 소청심사위원회의 심사·결정을 거치지 아니하면 제기할 수 없다.

[2014 채용2차] 경찰공무원의 소청심사와 행정소송의 관계에 대하여 현행법은 임의적 전치주의를 원칙으로 하고 있다. (×)
[2018 승진(경감)] 경찰공무원의 권리구제 범위 확대를 위해 징계처분 등 불리한 처분을 받았을 때 소청심사 청구와 행정소송 제기 중 하나를 선택하는 것이 가능하다. (×)

경찰공무원법 제34조 【행정소송의 피고】 징계처분, 휴직처분, 면직처분, 그 밖에 의사에 반하는 불리한 처분에 대한 행정소송은 경찰청장 또는 해양경찰청장을 피고로 한다. 다만, 제7조 제3항 및 제4항에 따라 임용권을 위임한 경우에는 그 위임을 받은 자를 피고로 한다.

▌행정심판 전치주의

1. 행정소송의 제기에 앞서서 피해자가 행정청에 대해 먼저 행정심판의 제기를 통해 처분의 시정을 구하고, 그 시정에 불복이 있을 때 소송을 제기하는 것을 말한다.
2. 현행 행정소송법은 **임의적 행정심판전치주의를 원칙**으로 하고 있다.
3. 예외적으로 다음과 같은 경우 개별법에서 **필요적 행정심판전치주의를 채택**하고 있다.
   - 공무원에 대한 징계 기타 불이익처분(국가공무원법 제16조)
   - 운전면허 취소·정지 등의 처분 도로교통법 제142조)

(5) 재징계의결 요구

> **국가공무원법 제78조의3【재징계의결 등의 요구】** ① 처분권자(대통령이 처분권자인 경우에는 처분 제청권자)는 다음 각 호에 해당하는 사유로 소청심사위원회 또는 법원에서 징계처분등의 무효 또는 취소(취소명령 포함)의 결정이나 판결을 받은 경우에는 다시 징계 의결 또는 징계부가금 부과 의결(이하 "징계의결등"이라 한다)을 요구하여야 한다. 다만, 제3호의 사유로 무효 또는 취소(취소명령 포함)의 결정이나 판결을 받은 감봉·견책처분에 대하여는 징계의결을 요구하지 아니할 수 있다.
> 1. 법령의 적용, 증거 및 사실 조사에 명백한 흠이 있는 경우
> 2. 징계위원회의 구성 또는 징계의결등, 그 밖에 절차상의 흠이 있는 경우
> 3. 징계양정 및 징계부가금이 과다한 경우
> ② 처분권자는 제1항에 따른 징계의결등을 요구하는 경우에는 소청심사위원회의 결정 또는 법원의 판결이 확정된 날부터 3개월 이내에 관할 징계위원회에 징계의결등을 요구하여야 하며, 관할 징계위원회에서는 다른 징계사건에 우선하여 징계의결등을 하여야 한다.

> **⊕ 심화 감사원 조사 및 수사기관 수사와 징계절차**
>
> **국가공무원법 제83조【감사원의 조사와의 관계 등】** ① 감사원에서 조사 중인 사건에 대하여는 제3항에 따른 조사개시 통보를 받은 날부터 징계 의결의 요구나 그 밖의 징계 절차를 진행하지 못한다.
> ② 검찰·경찰, 그 밖의 수사기관에서 수사 중인 사건에 대하여는 제3항에 따른 수사개시 통보를 받은 날부터 징계 의결의 요구나 그 밖의 징계 절차를 진행하지 아니할 수 있다.
> ③ 감사원과 검찰·경찰, 그 밖의 수사기관은 조사나 수사를 시작한 때와 이를 마친 때에는 10일 내에 소속 기관의 장에게 그 사실을 통보하여야 한다.
>
> • 감사원과 수사기관에서 조사나 수사 중인 사건이 징계사유에 해당될 경우 일정기간 징계절차를 중단할 수 있는 근거 규정이다.
> • 감사원 조사의 경우 반드시 징계절차를 중단하여야 하나, 수사기관 수사는 임용권자의 판단하에 징계절차를 진행할 수도 있도록 하고 있다.

6. 징계위원회

(1) 의의

- 징계권 남용을 억제하기 위해 합의제·의결기관인 징계위원회를 두어 징계결정을 하도록 하였다.
- 법관, 검사, 경찰, 소방, 교원, 군인, 감사원, 국가정보원의 직원 및 특수 분야의 업무를 담당하는 공무원에 대해서는 별도 법률로 설치된 징계위원회를 구성·운영하고 있다.

(2) 징계위원회의 종류, 설치 및 관할

> **경찰공무원법 제32조【징계위원회】** ① 경무관 이상의 경찰공무원에 대한 징계의결은 「국가공무원법」에 따라 국무총리 소속으로 설치된 징계위원회에서 한다. [2011 채용2차] [2013 채용2차] [2022 경간]
> ② 총경 이하의 경찰공무원에 대한 징계의결을 하기 위하여 대통령령으로 정하는 경찰기관 및 해양경찰관서에 경찰공무원 징계위원회를 둔다. [2016 채용1차]

③ 경찰공무원 징계위원회의 구성·관할·운영, 징계의결의 요구 절차, 그 밖에 필요한 사항은 대통령령으로 정한다.

대통령령 **경찰공무원 징계령 제3조【징계위원회의 종류 및 설치】** ① 경찰공무원 징계위원회는 경찰공무원 중앙징계위원회(이하 "중앙징계위원회"라 한다)와 경찰공무원 보통징계위원회(이하 "보통징계위원회"라 한다)로 구분한다.
② 중앙징계위원회는 경찰청 및 해양경찰청에 두고, 보통징계위원회는 경찰청, 해양경찰청, 시·도경찰청, 지방해양경찰청, 경찰대학, 경찰인재개발원, 중앙경찰학교, 경찰수사연수원, 해양경찰교육원, 경찰병원, 경찰서, 경찰기동대, 의무경찰대, 해양경찰서, 해양경찰정비창, 경비함정 및 경찰청장 또는 해양경찰청장이 지정하는 경감 이상의 경찰공무원을 장으로 하는 기관(이하 "경찰기관"이라 한다)에 둔다. [2012 채용3차] [2022 경간]

대통령령 **경찰공무원 징계령 제4조【징계위원회의 관할】** ① 중앙징계위원회는 총경 및 경정에 대한 징계 또는 「국가공무원법」 제78조의2에 따른 징계부가금 부과(이하 "징계등"이라 한다) 사건을 심의·의결한다.
② 보통징계위원회는 해당 징계위원회가 설치된 경찰기관 소속 경감 이하 경찰공무원에 대한 징계등 사건을 심의·의결한다. 다만, 다음 각 호의 기관에 설치된 보통징계위원회는 각 호의 구분에 따른 경찰공무원에 대한 징계등 사건을 심의·의결한다. [2017 채용2차]
1. 경정 이상의 경찰공무원을 장으로 하는 경찰서, 경찰기동대·해양경찰서 등 총경 이상의 경찰공무원을 장으로 하는 경찰기관 및 정비창: 소속 경위 이하의 경찰공무원
2. 의무경찰대 및 경비함정 등 경찰청장 또는 해양경찰청장이 지정하는 경감 이상의 경찰공무원을 장으로 하는 경찰기관: 소속 경사 이하의 경찰공무원
③ 경찰청 및 해양경찰청에 설치된 보통징계위원회는 제2항에도 불구하고 경찰청장 또는 해양경찰청장이 징계등 의결을 요구하는 경찰공무원에 대한 징계등 사건을 심의·의결한다.
④ 제2항 단서 또는 제6조 제2항 단서(➡ 위원의 계급 관련 보통징계위원회 구성이 곤란하여 경사 등으로 위원을 구성한 경우 – 3개월 이하 감봉·견책만 관할)에 따라 해당 보통징계위원회의 징계 관할에서 제외되는 경찰공무원의 징계등 사건은 바로 위 상급 경찰기관에 설치된 보통징계위원회에서 심의·의결한다.
[2011 채용2차] 경찰공무원중앙징계위원회는 총경 및 경정에 대한 징계사건을 심의·의결한다. (○)
[2015 채용1차] 경찰공무원 보통징계위원회는 해당 징계위원회가 설치된 경찰기관 소속 경정 이하 경찰공무원에 대한 징계등 사건을 심의·의결한다. (×)

대통령령 **경찰공무원 징계령 제5조【관련 사건의 관할】** ① 상위 계급과 하위 계급의 경찰공무원이 관련된 징계등 사건은 제4조에도 불구하고 상위 계급의 경찰공무원을 관할하는 징계위원회에서 심의·의결하고, 상급 경찰기관과 하급 경찰기관에 소속된 경찰공무원이 관련된 징계등 사건은 상급 경찰기관에 설치된 징계위원회에서 심의·의결한다. 다만, 상위 계급의 경찰공무원이 감독상 과실책임만으로 관련된 경우에는 제4조에 따른 관할 징계위원회에서 각각 심의·의결할 수 있다.
② 소속이 다른 2명 이상의 경찰공무원이 관련된 징계등 사건으로서 관할 징계위원회가 서로 다른 경우에는 모두를 관할하는 바로 위 상급 경찰기관에 설치된 징계위원회에서 심의·의결한다. [2015 채용1차] [2017 승진(경위)]
④ 제1항과 제2항에 따른 관할 징계위원회는 제1항과 제2항에도 불구하고 관련자에 대한 징계등 사건을 분리하여 심의·의결하는 것이 타당하다고 인정되는 경우에는 해당 징계위원회의 의결로 관련자에 대한 징계등 사건을 제4조에 따른 관할 징계위원회로 이송할 수 있다.

■ 보통징계위원회 관할(경감 이하)의 주요 예외
1. 경찰서(경정 이상이 장): 소속 경위 이하를 관할
2. 기동대(총경 이상이 장): 소속 경위 이하를 관할
3. 의무경찰대·경비함정(청장지정, 경감 이상이 장): 소속 경사 이하를 관할

1 기본적 관할 [2012 채용1차]

구분	설치	관할
국무총리 소속 중앙징계위원회	국무총리 소속	경무관 이상
경찰공무원 중앙징계위원회	경찰청	• **총경 및 경정** • 징계부가금 부과사건
경찰공무원 보통징계위원회	경찰청	경찰청장이 징계의결 요구하는 경찰공무원
	• 시 · 도경찰청 • 경찰서 • 경찰청장 지정 경감 이상을 장으로 하는 기관	• 소속 **경감 이하** • 경찰서 · 기동대: 소속 **경위 이하** • 의무경찰대 · 경비함정: 소속 **경사 이하** • **해당 기관의 경위 이상 숫자가 부족해서 예외적으로 경사 등이 위원으로 임명된 경우:** 3개월 이하 감봉 · 견책만 / 그 이상 징계는 직근상급 경찰기관의 보통징계위원회로

[2014 채용1차] 경무관 이상의 경찰공무원에 대한 징계의결은 「국가공무원법」에 따라 경찰청에 설치된 경찰공무원 중앙징계위원회에서 한다. (×)

2 관련 사건 관할

유형	관련자	관할
상위 계급과 하위 계급이 관련	• A서 형사과장 甲(경정) • A서 형사팀장 乙(경감)	상위 계급인 甲(경정) 관할 중앙징계위원회
상위 계급의 경찰공무원이 감독상 과실책임만으로 관련	• A서 형사과장 甲(경정) • A서 형사팀장 乙(경감) • 甲(경정)은 감독상 과실책임만 있는 경우	• 甲(경정): 중앙징계위원회 • 乙(경감): A서 관할 시 · 도경찰청에 설치된 **보통징계위원회** ➡ 각각 심의 · 의결 할 수 있다.
상급 경찰기관과 하급 경찰기관에 소속된 경찰공무원이 관련	• A서 관할 시도경찰청 광수대 팀장 丙(경감) • A서 형사계장 근(경위)	A서 관할 시 · 도경찰청에 설치된 **보통징계위원회**
소속이 다른 2명 이상의 경찰공무원이 관련	• B서 관할 지구대 丁 순경 • C서 관할 지구대 戊 순경	B서와 C서를 모두 관할하는 시 · 도경찰청에 설치된 **보통징계위원회**

[2022 채용2차] ○○경찰서 소속 지구대장 경감 甲과 동일한 지구대 소속 순경 乙이 관련된 징계등 사건(甲의 감독상 과실책임만으로 관련된 경우, 관련자에 대한 징계등 사건을 분리하여 심의 · 의결하는 것이 타당하다고 인정되는 경우는 제외)은 ○○경찰서에 설치된 징계위원회에서 심의 · 의결한다. (×)

(3) 징계위원회의 구성

(대통령령) **경찰공무원 징계령 제6조 【징계위원회의 구성 등】** ① 각 징계위원회는 위원장 1명을 포함하여 11명 이상 51명 이하의 공무원위원과 민간위원으로 구성한다. [2012 채용1차] [2012 채용3차]

(대통령령) **경찰공무원 징계령 제7조 【징계위원회의 회의】** ① 징계위원회의 회의는 위원장과 징계위원회가 설치된 경찰기관의 장이 회의마다 지정하는 4명 이상 6명 이하의 위원으로 성별을 고려하여 구성하되, 민간위원의 수는 위원장을 포함한 위원 수의 2분의 1 이상이어야 한다. [2015 채용1차] [2017 채용2차] [2017 경간] [2017 승진(경위)] ② 징계사유가 다음 각 호의 어느 하나에 해당하는 징계 사건이 속한 징계위원회의 회의를 구성하는 경우에는 피해자와 같은 성별의 위원이 위원장을 제외한 위원 수의 3분의 1 이상 포함되어야 한다.
1. 「성폭력범죄의 처벌 등에 관한 특례법」에 따른 성폭력범죄
2. 「양성평등기본법」에 따른 성희롱

(4) 징계위원회의 위원장

> **[대통령령]** 경찰공무원 징계령 제6조【징계위원회의 구성 등】④ 징계위원회의 위원장은 위원 중 **최상위 계급 또는 이에 상응하는 직급에 있거나 최상위 계급 또는 이에 상응하는 직급에 먼저 승진임용된 공무원**이 된다.
>
> **[대통령령]** 경찰공무원 징계령 제7조【징계위원회의 회의】② 징계위원회의 위원장은 위원회의 사무를 총괄하며 위원회를 대표한다.
> ③ 징계위원회의 회의는 위원장이 소집한다.
> ④ 위원장은 표결권을 가진다. [2012 경간]
> ⑤ 위원장이 부득이한 사유로 직무를 수행할 수 없거나 위원장이 필요하다고 인정하는 경우에는 출석한 위원 중 최상위 계급 또는 이에 상응하는 직급에 있거나 최상위 계급 또는 이에 상응하는 직급에 먼저 승진임용된 공무원이 위원장이 된다.
> [2012 채용3차] [2017 경간] [2018 채용2차] 경찰공무원 징계위원회의 위원장은 위원회 사무를 총괄하며 위원회를 대표하고, 표결권을 가진다. (〇)

(5) 징계위원회의 위원

🔍 쉽게 읽기!
- §6 ② 본문: 위원 중 공무원위원의 자격은 다음과 같다.
  - 징계 대상자보다 상위 계급일 것
  - 경위 이상일 것
- §6 ② 단서: 보통징계위원회에서 징계 대상자보다 상위 계급인 경위 이상이 부족한 경우,
  - 징계 대상자보다 상위 계급이면서,
  - 경사 이하를 임명 가능하다
  - 단, 이렇게 구성된 보통징계위원회에서는 3개월 이하 감봉·견책만 의결 가능하다.

> **[대통령령]** 경찰공무원 징계령 제6조【징계위원회의 구성 등】② 징계위원회가 설치된 경찰기관의 장은 징계등 심의 대상자보다 상위 계급인 경위 이상의 소속 경찰공무원 또는 상위 직급에 있는 6급 이상의 소속 공무원 중에서 징계위원회의 공무원위원을 임명한다. 다만, 보통징계위원회의 경우 징계등 심의 대상자보다 상위 계급인 경위 이상의 소속 경찰공무원 또는 상위 직급에 있는 6급 이상의 소속 공무원의 수가 제3항에 따른 민간위원을 제외한 위원 수에 미달되는 등의 사유로 보통징계위원회를 구성하는 것이 곤란한 경우에는 징계등 심의 대상자보다 상위 계급인 경사 이하의 소속 경찰공무원 또는 상위 직급에 있는 7급 이하의 소속 공무원 중에서 임명할 수 있으며, 이 경우에는 제4조 제2항에도 불구하고 3개월 이하의 감봉 또는 견책에 해당하는 징계등 사건만을 심의·의결한다. [2017 경간]
> ③ 징계위원회가 설치된 경찰기관의 장은 제1항에 따른 위원 수(➜ 위원장 1명을 포함하여 11명 이상 51명 이하)의 2분의 1 이상을 해당 호 각 목의 사람 중에서 민간위원으로 위촉한다. 이 경우 특정 성별의 위원이 민간위원 수의 10분의 6을 초과하지 않도록 해야 한다.

구분	중앙징계위원회	보통징계위원회
법조인	법관·검사 또는 변호사로 10년 이상 근무한 사람	법관·검사 또는 변호사로 5년 이상 근무한 사람
교수	대학에서 경찰 관련 학문을 담당하는 정교수 이상으로 재직 중인 사람	대학에서 경찰 관련 학문을 담당하는 부교수 이상으로 재직 중인 사람
전직공무원	총경 또는 4급 이상의 공무원으로 근무하고 퇴직한 사람	공무원으로 20년 이상 근속하고 퇴직한 사람
	• 퇴직 전 5년부터 퇴직할 때까지 근무했던 적이 있는 경찰기관의 경우에는 퇴직일부터 3년이 경과한 사람을 말한다. • 경찰기관: 해당 경찰기관이 소속된 중앙행정기관 및 그 중앙행정기관의 다른 소속기관에서 근무했던 경우를 포함한다.	
인사담당 (임원급)	민간부문에서 인사·감사 업무를 담당하는 임원급 또는 이에 상응하는 직위에 근무한 경력이 있는 사람	

> [2012 채용1차] 징계위원회의 위원은 징계심의대상자보다 상위계급의 경감 이상의 소속 경찰공무원 중에서 당해 경찰기관의 장이 임명한다. (×)
>
> **[대통령령]** 경찰공무원 징계령 제6조의2【위원의 임기】제6조 제3항에 따라 위촉되는 민간위원의 임기는 2년으로 하며, 한 차례만 연임할 수 있다.

02 변상책임

1. 의의

공무원이 의무를 위반함으로써 국가 등에 대하여 재산상의 손해를 발생시킨 경우에 공무원이 지는 재산상의 책임을 변상책임이라고 한다.

2. 종류

(1) 국가배상법에 의한 변상책임

> **국가배상법 제2조【배상책임】** ① 국가나 지방자치단체는 공무원 … 이 직무를 집행하면서 고의 또는 과실로 법령을 위반하여 타인에게 … 손해배상의 책임이 있을 때에는 이 법에 따라 그 손해를 배상하여야 한다. …
> ② 제1항 본문의 경우에 공무원에게 고의 또는 중대한 과실이 있으면 국가나 지방자치단체는 그 공무원에게 구상(求償)할 수 있다.

(2) 회계관계직원의 변상책임

> **회계관계직원 등의 책임에 관한 법률 제4조【회계관계직원의 변상책임】** ① 회계관계직원은 고의 또는 중대한 과실로 법령이나 그 밖의 관계 규정 및 예산에 정하여진 바를 위반하여 국가, 지방자치단체, 그 밖에 감사원의 감사를 받는 단체 등의 재산에 손해를 끼친 경우에는 변상할 책임이 있다.
> ② 현금 또는 물품을 출납·보관하는 회계관계직원은 선량한 관리자로서의 주의를 게을리하여 그가 보관하는 현금 또는 물품이 망실되거나 훼손된 경우에는 변상할 책임이 있다.
> ③ 제2항의 경우 현금 또는 물품을 출납·보관하는 회계관계직원은 스스로 사무를 집행하지 아니한 것을 이유로 그 책임을 면할 수 없다.

- 공무원이 잘못하면 국가가 국민에게 먼저 배상을 해 주고,
- 해당 공무원의 고의·중과실이 있으면 국가가 국민에게 배상해준 금액을 해당 공무원으로부터 돌려받을 수 있다(= 구상할 수 있다).

03 형사책임

공무원의 의무위반이 공무원관계의 내부의 질서를 침해하는 데 그치지 않고, 동시에 형법 상의 직무에 관한 죄를 구성하는 경우에는 형사상의 책임을 진다.

04 민사책임

- 공무원이 직무상 불법행위로 국민에게 손해를 끼친 경우 직접 피해자에 대하여 민사상 손해배상책임을 질 것인지가 문제되는데, 이에 대하여 학설은 대립하고 있다.
- 판례는 절충설의 입장에서 공무원에 고의·중과실이 있는 경우에는 공무원 개인도 민사상의 배상책임을 지는 것으로 보아 피해자의 선택적 청구권을 인정하고, 경과실의 경우에는 피해자의 선택적 청구권을 부정한다.

⚖ 요지판례 |

공무원이 직무수행 중 불법행위로 타인에게 손해를 입힌 경우에 국가 등이 국가배상책임을 부담하는 외에 공무원 개인도 고의 또는 중과실이 있는 경우에는 불법행위로 인한 손해배상책임을 진다고 할 것이지만, 공무원에게 경과실뿐인 경우에는 공무원 개인은 손해배상책임을 부담하지 아니한다고 해석하는 것이 헌법 제29조 제1항 본문과 단서 및 국가배상법 제2조의 입법취지에 조화되는 올바른 해석이다(대판 1996.2.15, 95다 38677).

주제 8 │ 경찰공무원의 권익보장수단

경찰공무원에 대한 불이익처분이 있는 경우, 그 구제수단으로서 국가공무원법과 경찰공무원법 등은 여러 권익구제수단을 규정하고 있다.

01 고충심사청구

1. 의의

고충심사란 공무원의 신상문제에 대하여 그 시정과 개선책을 강구해 줄 것을 임용권자에게 청구할 수 있는 제도를 말한다.

⚖ 요지판례 |

고충심사결정 자체에 의하여는 어떠한 법률관계의 변동이나 이익의 침해가 직접적으로 생기는 것은 아니므로 고충심사의 결정은 행정상 쟁송의 대상이 되는 행정처분이라고 할 수 없다(대판 1987.12.8, 87누657 · 87누658).

2. 고충처리

(1) 국가공무원법

국가공무원법 제76조의2 【고충 처리】 ① 공무원은 인사 · 조직 · 처우 등 각종 직무 조건과 그 밖에 신상 문제와 관련한 고충에 대하여 상담을 신청하거나 심사를 청구할 수 있으며, 누구나 기관 내 성폭력 범죄 또는 성희롱 발생 사실을 알게 된 경우 이를 신고할 수 있다. 이 경우 상담 신청이나 심사 청구 또는 신고를 이유로 불이익한 처분이나 대우를 받지 아니한다. [2022 승진(실무종합)]
② 중앙인사관장기관의 장, 임용권자 또는 임용제청권자는 제1항에 따른 상담을 신청받은 경우에는 소속 공무원을 지정하여 상담하게 하고, 심사를 청구받은 경우에는 제4항에 따른 관할 고충심사위원회에 부쳐 심사하도록 하여야 하며, 그 결과에 따라 고충의 해소 등 공정한 처리를 위하여 노력하여야 한다.
③ 중앙인사관장기관의 장, 임용권자 또는 임용제청권자는 기관 내 성폭력 범죄 또는 성희롱 발생 사실의 신고를 받은 경우에는 지체 없이 사실 확인을 위한 조사를 하고 그에 따라 필요한 조치를 하여야 한다.
[2022 승진(실무종합)] 「국가공무원법」에 따라 중앙인사관장기관의 장, 임용권자 또는 임용제청권자는 기관 내 성폭력 범죄 또는 성희롱 발생 사실의 신고를 받은 경우에는 지체 없이 사실 확인을 위한 조사를 하고 그에 따라 필요한 조치를 할 수 있다. (×)

대통령령 공무원고충처리규정 제7조【고충심사절차】① 고충심사위원회가 청구서를 접수한 때에는 30일 이내에 고충심사에 대한 결정을 해야 한다. 다만, 부득이하다고 인정되는 경우에는 고충심사위원회의 의결로 30일의 범위에서 그 기한을 연기할 수 있다. [2022 승진(실무종합)]

➕ 심화 　**대통령령** 성희롱 · 성폭력 근절을 위한 공무원 인사관리규정

① 성희롱 · 성폭력 등에 대한 신고와 그 조사

제3조【성희롱·성폭력 발생 사실의 신고】행정부 소속 국가공무원(이하 "공무원"이라 한다)은 누구나 공직 내 성희롱 또는 성폭력 발생 사실을 알게 된 경우 그 사실을 임용권자 또는 임용제청권자(이하 "임용권자등"이라 한다)에게 신고할 수 있다. [2021 승진(실무종합)]

제4조【사실 확인을 위한 조사】① 임용권자등은 제3조에 따른 신고를 받거나 공직 내 성희롱 또는 성폭력 발생 사실을 알게 된 경우에는 지체 없이 그 사실 확인을 위한 조사를 하여야 하며, 수사의 필요성이 있다고 인정하는 경우 수사기관에 통보하여야 한다.
② 임용권자등은 제1항에 따른 조사 과정에서 성희롱 또는 성폭력과 관련하여 피해를 입은 사람 또는 피해를 입었다고 주장하는 사람(이하 "피해자등"이라 한다)이 성적 불쾌감 등을 느끼지 아니하도록 하고, 사건 내용이나 신상 정보의 누설 등으로 인한 피해가 발생하지 아니하도록 하여야 한다.
③ 임용권자등은 제1항에 따른 조사 기간 동안 피해자등이 요청한 경우로서 피해자등을 보호하기 위하여 필요하다고 인정하는 경우 그 피해자등이나 성희롱 또는 성폭력과 관련하여 가해 행위를 했다고 신고된 사람에 대하여 근무 장소의 변경, 휴가 사용 권고 등 적절한 조치를 하여야 한다.
[2021 승진(실무종합)] 임용권자등은 성희롱 또는 성폭력 발생 사실 신고를 받거나 공직 내 성희롱 또는 성폭력 발생 사실을 알게 된 경우 그 사실 확인을 위해 조사할 수 있으며, 수사의 필요성이 인정되면 수사기관에 통보하여야 한다. (×)

② 피해자 · 신고자 보호와 인사상 불이익 조치금지

제5조【피해자 또는 신고자의 보호】① 임용권자등은 제4조 제1항에 따른 조사 결과 공직 내 성희롱 또는 성폭력 발생 사실이 확인되면 피해자에게 다음 각 호의 어느 하나에 해당하는 조치를 할 수 있다. 다만, 임용권자등은 피해자의 의사에 반(反)하여 조치를 하여서는 아니 된다. [2021 승진(실무종합)]
1.「공무원임용령」제41조에 따른 교육훈련 등 파견근무
2.「공무원임용령」제45조에도 불구하고 다른 직위에의 전보
3. 근무 장소의 변경, 휴가 사용 권고 및 그 밖에 임용권자등이 필요하다고 인정하는 적절한 조치
② 임용권자등은 성희롱 또는 성폭력 발생 사실을 신고한 사람(이하 "신고자"라 한다)이 그 신고를 이유로 집단 따돌림, 폭행 또는 폭언으로 인한 정신적 · 신체적 피해를 호소하는 경우에는 제1항 각 호의 어느 하나에 해당하는 조치를 할 수 있다. 다만, 임용권자등은 신고자의 의사에 반하여 조치를 하여서는 아니 된다.

제7조【피해자등 또는 신고자에 대한 인사상 불이익 조치 금지】임용권자등은 피해자등 또는 신고자에게 그 피해 발생 사실이나 신고를 이유로 다음 각 호의 인사상 불이익 조치를 하여서는 아니 된다.

③ 가해자에 대한 인사조치

제6조【가해자에 대한 인사조치】임용권자등은 제4조 제1항에 따른 조사 결과 공직 내 성희롱 또는 성폭력 발생 사실이 확인되면 가해자에게 다음 각 호의 어느 하나에 해당하는 조치를 할 수 있다.
1.「국가공무원법」제73조의3에 따른 직위해제 사유에 해당된다고 인정하는 경우에는 직위해제
2.「국가공무원법」제78조에 따른 징계 사유에 해당된다고 인정하는 경우에는 관할 징계위원회에 징계의결 요구
3. 제2호에 따른 징계 의결 요구 전 승진임용 심사대상에서 제외
4.「공무원임용령」제45조에도 불구하고 다른 직위에의 전보

5. 「공무원 성과평가 등에 관한 규정」 제10조 제3항 또는 제16조 제1항에 따른 최하위등급 부여
6. 감사 · 감찰 · 인사 · 교육훈련 분야 등의 보직 제한

④ 임용권자의 의무 등

제9조【임용권자등의 의무】① 임용권자등은 성희롱 및 성폭력을 예방하고 공무원이 안전한 근무환경에서 일할 수 있는 여건을 조성하기 위하여 공직 내 성희롱 및 성폭력의 예방을 위한 교육을 하거나 계획을 수립하는 등 성희롱 및 성폭력 예방을 위하여 상시적으로 노력하여야 한다.
② 임용권자등은 제3조에 따른 성희롱 또는 성폭력 발생 사실의 신고에 관한 업무를 효율적으로 수행하기 위하여 성희롱 · 성폭력 신고센터를 설치 · 운영하는 등 필요한 조치를 하여야 한다.
③ 임용권자등은 피해자등 또는 신고자에 대한 인사상 불이익 조치 금지 및 보호 조치 등의 방안을 마련하는 등 2차 피해를 방지하기 위하여 노력하여야 한다.
제10조【비밀누설금지 등】제4조 제1항에 따라 성희롱 또는 성폭력 발생 사실을 조사한 사람, 조사 내용을 보고 받은 사람 또는 그 밖에 조사 과정에 참여한 사람은 그 조사 과정에서 알게 된 비밀을 피해자등의 의사에 반하여 다른 사람에게 누설해서는 아니 된다. 다만, 조사와 관련된 내용을 임용권자등에게 보고하거나 관계 기관의 요청에 따라 필요한 정보를 제공하는 경우는 예외로 한다.

■ 훈령 경찰청 성희롱 · 성폭력 예방 및 처리에 관한 규칙 제5조【신고센터】
① 경찰청장은 소속 구성원의 성희롱 · 성폭력 관련 상담 · 처리를 위하여 경찰청 인권보호담당관실에 경찰청 성희롱 · 성폭력 신고센터(이하 "신고센터"라 한다)를 둔다.

(2) 경찰공무원법

■ 공무원고충처리규정 제3조의2【경찰공무원 고충심사위원회】
대통령령이 정하는 경찰기관: 경찰대학 · 경찰인재개발원 · 중앙경찰학교 · 경찰수사연수원 · 경찰서 · 경찰기동대 · 경비함정 기타 경감 이상의 경찰공무원을 장으로 하는 기관중 행정안전부장관 또는 해양수산부장관이 지정하는 경찰기관

경찰공무원법 제31조【고충심사위원회】① 경찰공무원의 인사상담 및 고충을 심사하기 위하여 경찰청, 해양경찰청, 시 · 도자치경찰위원회, 시 · 도경찰청, 대통령령으로 정하는 경찰기관 및 지방해양경찰관서에 경찰공무원 고충심사위원회를 둔다. [2013 채용2차]
② 경찰공무원 고충심사위원회의 심사를 거친 재심청구와 경정 이상의 경찰공무원의 인사상담 및 고충심사는 「국가공무원법」에 따라 설치된 중앙고충심사위원회에서 한다.
③ 경찰공무원 고충심사위원회의 구성, 심사 절차 및 운영에 필요한 사항은 대통령령으로 정한다.
[2022 승진(실무종합)] 「경찰공무원법」에 따라 '경찰공무원 고충심사위원회'의 심사를 거친 재심청구와 경정 이상 경찰공무원의 인사상담 및 고충심사는 「국가공무원법」에 따라 설치된 중앙고충심사위원회에서 한다. (○)

02 처분사유설명서 교부

국가공무원법 제75조【처분사유 설명서의 교부】① 공무원에 대하여 징계처분등을 할 때나 강임 · 휴직 · 직위해제 또는 면직처분을 할 때에는 그 처분권자 또는 처분제청권자는 처분사유를 적은 설명서를 교부하여야 한다. 다만, 본인의 원(願)에 따른 강임 · 휴직 또는 면직처분은 그러하지 아니하다. [2018 승진(경감)]

처분사유설명서의 교부는 임용권자의 자의를 배제하여 처분의 적법성을 보장하고 피처분권자에게 그 처분을 받게 된 경위를 알도록 함으로써 그에 대한 방어 및 불복의 기회를 보장하기 위함이다.

03 후임자 보충발령의 유예

> **국가공무원법 제76조【심사청구와 후임자 보충 발령】** ② 본인의 의사에 반하여 파면 또는 해임이나 제70조 제1항 제5호(➡ 대기명령을 받은 자가 그 기간에 능력 또는 근무성적의 향상을 기대하기 어렵다고 인정된 때)에 따른 면직처분을 하면 그 처분을 한 날부터 40일 이내에는 후임자의 보충발령을 하지 못한다. 다만, …
>
> **경찰공무원법 제36조【「국가공무원법」과의 관계】** ① 경찰공무원에 대해서는 「국가공무원법」 제73조의4, 제76조 제2항부터 제5항까지의 규정을 적용하지 아니하며 …

불이익처분을 받은 자가 후임자의 발령으로 입게 될 불이익을 미연에 방지하기 위하여, 국가공무원법은 후임자 보충발령 유예제도를 두고 있으나, 경찰공무원법은 이 제도의 적용을 명시적으로 배제하고 있으므로, 경찰공무원에 대해서는 후임자 보충발령 유예제도가 적용되지 않는다.

04 소청

1. 의의

- 소청이란 징계처분 기타 그 의사에 반하는 불이익처분을 받은 자가 그 처분에 불복이 있는 경우에 관할 소청심사위원회에 그 심사를 청구하는 제도를 말한다.
- 소청제도는 처분에 대한 재심사의 청구라는 점에서 특별행정심판의 일종으로, 특별한 규정이 없는 한 소청에도 행정심판법이 적용된다.

  [2019 승진(경감)] 소청심사란 징계처분 기타 그의 의사에 반하는 불이익처분을 받은 자가 관할 소청심사위원회에 심사를 청구하는 행정심판의 일종이다. (○)

2. 소청사항

- 소청사항은 공무원의 징계처분, 그 밖에 그 의사에 반하는 불리한 처분이나 부작위이다(국가공무원법 제9조 제1항).
- 그 밖에 그 의사에 반하는 불리한 처분의 범위에 대하여는 일반적으로 징계처분 외에 휴직·직위해제·직권면직·의원면직 형식에 의한 면직·대기발령·전보 등이 여기에 포함된다.

> **▌부작위**
> 당사자의 신청에 대하여 행정청이 상당한 기간 내 일정한 처분을 하여야 할 법률적 의무가 있음에도 처분을 하지 않는 것

3. 소청심사기관 – 소청심사위원회

(1) 소청심사위원회의 설치

> **국가공무원법 제9조【소청심사위원회의 설치】** ① 행정기관 소속 공무원의 징계처분, 그 밖에 그 의사에 반하는 불리한 처분이나 부작위에 대한 소청을 심사·결정하게 하기 위하여 인사혁신처에 소청심사위원회를 둔다. [2016 지능범죄] [2017 승진(경감)]

소청심사위원회는 행정기관 소속 공무원이 위법, 부당한 징계처분 및 기타 그 의사에 반하는 불리한 처분 등을 받고 구제를 요청하는 경우 이를 심사·결정하는 공무원 권익 구제 기관이자 준사법적 합의제 의결기관이면서, 결정한 의사를 행정관청의 지위에서 집행할 수 있는 지위를 가진 합의제 행정관청으로서의 성격을 갖는다.

[2012 승진(경감)] 인사혁신처에 설치된 소청심사위원회는 합의제 행정관청이다. (○)

(2) 소청심사위원회의 구성

> **국가공무원법 제9조【소청심사위원회의 설치】** ③ … 인사혁신처에 설치된 소청심사위원회는 위원장 1명을 포함한 5명 이상 7명 이하의 상임위원과 상임위원 수의 2분의 1 이상인 비상임위원으로 구성하되, 위원장은 정무직으로 보한다. [2014 채용1차] [2016 승진(경위)]
> ④ 제1항에 따라 설치된 소청심사위원회는 다른 법률로 정하는 바에 따라 특정직 공무원의 소청을 심사·결정할 수 있다.
> ⑤ 소청심사위원회의 조직에 관하여 필요한 사항은 대통령령등으로 정한다. [2016 지능범죄]
>
> [2017 승진(경감)] 인사혁신처에 설치된 소청심사위원회는 위원장 1명을 포함한 5명 이상 7명 이하의 비상임 위원과 비상임위원 수의 2분의 1이상인 상임위원으로 구성한다. (×)
>
> **대통령령** 인사혁신처와 그 소속기관 직제 제23조【소청심사위원회의 구성】 ① 소청심사위원회는 위원장 1명을 포함한 상임위원 5명과 7명의 비상임위원으로 구성한다.

(3) 위원과 위원장

1) 위원장

> **대통령령** 인사혁신처와 그 소속기관 직제 제24조【소청심사위원회 위원장의 직무】 ① 소청심사위원회 위원장은 위원회를 대표하여 소관 사무를 총괄하고, 소속 공무원을 지휘·감독한다.
> ② 소청심사위원회 위원장이 없거나 부득이한 사유로 직무를 수행할 수 없는 때에는 선임 상임위원의 순으로 위원장의 직무를 대행하되, 순위가 같은 상임위원이 2명 이상 있을 때에는 연장자의 순으로 위원장의 직무를 대행한다.
>
> **대통령령** 인사혁신처와 그 소속기관 직제 제23조【소청심사위원회의 구성】 ② 소청심사위원회 위원장은 정무직으로 하고, …

2) 위원의 자격과 임명, 결격사유

> **국가공무원법 제10조【소청심사위원회위원의 자격과 임명】** ① 소청심사위원회의 위원(위원장을 포함한다. 이하 같다)은 다음 각 호의 어느 하나에 해당하고 인사행정에 관한 식견이 풍부한 자 중에서 … 인사혁신처장의 제청으로 … 대통령이 임명한다. 이 경우 인사혁신처장이 위원을 임명제청하는 때에는 국무총리를 거쳐야 하고, 인사혁신처에 설치된 소청심사위원회의 위원 중 비상임위원은 제1호 및 제2호의 어느 하나에 해당하는 자 중에서 임명하여야 한다.
> 1. 법관·검사 또는 변호사의 직에 5년 이상 근무한 자
> 2. 대학에서 행정학·정치학 또는 법률학을 담당한 부교수 이상의 직에 5년 이상 근무한 자
> 3. 3급 이상 공무원 또는 고위공무원단에 속하는 공무원으로 3년 이상 근무한 자
>
> [2019 승진(경위)] 위원장 1명을 포함한 5명 이상 7명 이하의 상임위원과 상임위원 수의 2분의 1 이상인 비상임위원으로 구성되며, 위원은 인사혁신처장의 제청으로 국무총리를 거쳐 대통령이 임명한다. (○)
> [2016 승진(경위)] [2018 채용1차] 대학에서 행정학, 정치학, 법률학을 담당한 부교수 이상의 직에 3년 이상 근무한 자는 위원이 될 수 있다. (×)
> [2014 채용1차] 대학에서 행정학·정치학 또는 법률학을 담당한 부교수 이상의 직에 5년 이상 근무한 자는 소청심사위원회 위원이 될 수 있다. (○)
> [2019 승진(경감)] 3급 이상 공무원 또는 고위공무원단에 속하는 공무원으로 3년 이상 근무한 자는 비상임위원이 될 수 있다. (×)
> [2019 승진(경위)] 3급 이상 공무원 또는 고위공무원단에 속하는 공무원으로 3년 이상 근무한 자는 비상임위원은 될 수 있으나, 상임위원은 될 수 없다. (×)

💡 2022년 2월 기준 인사혁신처 소청심사위원회 위원은 다음과 같이 구성되어 있다.

순번	이름	직위
1	최재용	위원장 (前 인사혁신처 차장)
2	정만석	상임위원
3	최관섭	상임위원
4	신영숙	상임위원
5	김규현	상임위원
6	조성혜	(비상임) 교수
7	홍원의	(비상임) 변호사
8	최창무	(비상임) 변호사
9	지미경	(비상임) 변호사
10	김혜란	(비상임) 교수
11	이지아	(비상임) 변호사
12	임성훈	(비상임) 교수

▌ 징계위원회 위원 자격

구분	중앙	보통
법조인	법·검·변 10년 이상	법·검·변 5년 이상
교수	대학 경찰학 정교수 이상	대학 경찰학 부교수 이상
전직 공무원	총경 또는 4급 이상 근무 후 퇴직	공무원 20년 근속 후 퇴직
인사 담당 임원	민간에서 인사·감사담당 임원급	

국가공무원법 제10조의2 【소청심사위원회위원의 결격사유】 ① 다음 각 호의 어느 하나에 해당하는 자는 소청심사위원회의 위원이 될 수 없다.
1. 제33조 각 호(➡ 공무원 결격사유)의 어느 하나에 해당하는 자
2. 「정당법」에 따른 정당의 당원
3. 「공직선거법」에 따라 실시하는 선거에 후보자로 등록한 자
② 소청심사위원회위원이 제1항 각 호의 어느 하나에 해당하게 된 때에는 당연히 퇴직한다.

3) 임기와 신분

국가공무원법 제10조 【소청심사위원회위원의 자격과 임명】 ② 소청심사위원회의 상임위원의 임기는 3년으로 하며, 한 번만 연임할 수 있다. [2014 채용2차]
④ 소청심사위원회의 상임위원은 다른 직무를 겸할 수 없다. [2012 채용3차] [2014 채용2차]
⑤ 소청심사위원회의 공무원이 아닌 위원은 「형법」이나 그 밖의 법률에 따른 벌칙을 적용할 때 공무원으로 본다.
[2014 채용1차] 상임위원의 임기는 3년으로 하며, 연임할 수 없다. (×)

대통령령 인사혁신처와 그 소속기관 직제 제23조 【소청심사위원회의 구성】 ② 소청심사위원회 위원장은 정무직으로 하고, 상임위원은 고위공무원단에 속하는 임기제공무원으로 보한다.
③ 소청심사위원회 비상임위원의 임기는 2년으로 한다.
④ 소청심사위원회 비상임위원에게는 예산의 범위에서 수당을 지급하고, 상임위원의 예에 준하는 여비를 지급한다.

국가공무원법 제11조 【소청심사위원회위원의 신분 보장】 소청심사위원회의 위원은 금고 이상의 형벌이나 장기의 심신 쇠약으로 직무를 수행할 수 없게 된 경우 외에는 본인의 의사에 반하여 면직되지 아니한다. [2017 승진(경감)] [2019 승진(경위)]
[2012 채용3차] 소청심사위원회 위원은 자격정지 이상의 형벌이나 장기의 심신쇠약으로 직무를 수행할 수 없게 된 경우 외에는 본인의 의사에 반하여 면직되지 아니한다. (×)
[2016 승진(경위)] [2018 채용1차] 소청심사위원회의 위원은 벌금 이상의 형벌이나 장기의 심신 쇠약으로 직무를 수행할 수 없게 된 경우 외에는 본인의 의사에 반하여 면직되지 아니한다. (×)

⊕ 심화 기타 소청심사위원회

국가공무원법 제9조 【소청심사위원회의 설치】 ② 국회, 법원, 헌법재판소 및 선거관리위원회 소속 공무원의 소청에 관한 사항을 심사·결정하게 하기 위하여 국회사무처, 법원행정처, 헌법재판소사무처 및 중앙선거관리위원회사무처에 각각 해당 소청심사위원회를 둔다. [2016 지능범죄]
③ 국회사무처, 법원행정처, 헌법재판소사무처 및 중앙선거관리위원회사무처에 설치된 소청심사위원회는 위원장 1명을 포함한 위원 5명 이상 7명 이하의 비상임위원으로 구성하고, 인사혁신처에 설치된 소청심사위원회는 위원장 1명을 포함한 5명 이상 7명 이하의 상임위원과 상임위원 수의 2분의 1 이상인 비상임위원으로 구성하되, 위원장은 정무직으로 보한다.
[2012 채용3차] 행정기관 소속 공무원과 국회, 법원, 헌법재판소 및 선거관리위원회 소속 공무원의 소청에 관한 사항을 심사·결정하기 위해 인사혁신처에 소청심사위원회를 둔다. (×)
[2018 채용1차] 국회사무처, 법원행정처, 헌법재판소사무처 및 중앙선거관리위원회사무처에 설치된 소청 심사위원회는 위원장 1명을 포함한 위원 5명 이상 7명 이하의 상임위원으로 구성한다. (×)
[2016 지능범죄] 국회사무처, 법원행정처, 헌법재판소사무처 및 중앙선거관리위원회사무처에 설치된 소청심사위원회는 위원장 1명을 포함한 5명 이상 7명 이하의 상임위원으로 구성하고, 인사혁신처에 설치된 소청심사위원회는 위원장 1명을 포함한 5명 이상 7명 이하의 상임위원과 상임위원 수의 2분의 1 이상인 비상임으로 구성하되, 위원장은 정무직으로 보한다. (×)

> **국가공무원법 제10조【소청심사위원회위원의 자격과 임명】** ① 소청심사위원회의 위원(위원장을 포함한다. 이하 같다)은 다음 각 호의 어느 하나에 해당하고 인사행정에 관한 식견이 풍부한 자 중에서 국회사무총장, 법원행정처장, 헌법재판소사무처장, 중앙선거관리위원회사무총장 또는 인사혁신처장의 제청으로 국회의장, 대법원장, 헌법재판소장, 중앙선거관리위원회위원장 또는 대통령이 임명한다.

- 행정부와 관련된 인사혁신처 소청심사위원회 외에도, 입법부(국회), 사법부(법원), 그리고 그 외 헌법기관(헌법재판소, 선거관리위원회)에 개별적으로 소청심사위원회사 설치된다.

4. 소청절차

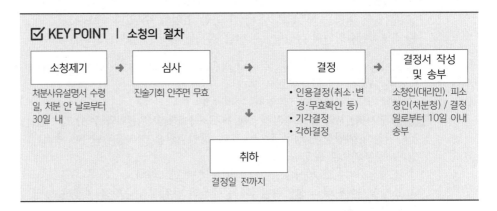

☑ KEY POINT | 소청의 절차

소청제기	→	심사	→	결정	→	결정서 작성 및 송부
처분사유설명서 수령일, 처분 안 날로부터 30일 내		진술기회 안주면 무효		• 인용결정(취소·변경·무효확인 등) • 기각결정 • 각하결정		소청인(대리인), 피소청인(처분청) / 결정일로부터 10일 이내 송부

취하 — 결정일 전까지

(1) 소청제기

> **국가공무원법 제76조【심사청구와 후임자 보충 발령】** ① 제75조에 따른 처분사유 설명서를 받은 공무원이 그 처분에 불복할 때에는 그 설명서를 받은 날부터, 공무원이 제75조에서 정한 처분 외에 본인의 의사에 반한 불리한 처분을 받았을 때에는 그 처분이 있은 것을 안 날부터 각각 30일 이내에 소청심사위원회에 이에 대한 심사를 청구할 수 있다. 이 경우 변호사를 대리인으로 선임할 수 있다.
> [2018 승진(경감)] 징계처분으로 처분사유설명서를 받은 경찰공무원이 그 징계처분에 불복할 때에는 그 설명서를 받은 날부터 30일 이내에 소청심사위원회에 이에 대한 심사를 청구할 수 있다. (○)

(2) 심사의 진행

1) 심사의 방법

> **국가공무원법 제12조【소청심사위원회의 심사】** ① 소청심사위원회는 이 법에 따른 소청을 접수하면 지체 없이 심사하여야 한다. [2014 채용2차]
> ② 소청심사위원회는 제1항에 따른 심사를 할 때 필요하면 검증·감정, 그 밖의 사실조사를 하거나 증인을 소환하여 질문하거나 관계 서류를 제출하도록 명할 수 있다. [2019 승진(경감)]
> ③ 소청심사위원회가 소청 사건을 심사하기 위하여 징계 요구 기관이나 관계 기관의 소속 공무원을 증인으로 소환하면 해당 기관의 장은 이에 따라야 한다. [2014 채용2차]
> ④ 소청심사위원회는 필요하다고 인정하면 소속 직원에게 사실조사를 하게 하거나 특별한 학식·경험이 있는 자에게 검증이나 감정을 의뢰할 수 있다.

⑤ 소청심사위원회가 증인을 소환하여 질문할 때에는 대통령령등으로 정하는 바에 따라 일당과 여비를 지급하여야 한다.

2) 소청인의 진술권

> **국가공무원법 제13조【소청인의 진술권】** ① 소청심사위원회가 소청 사건을 심사할 때에는 대통령령등으로 정하는 바에 따라 <u>소청인</u> 또는 제76조 제1항 후단에 따른 대리인(➡ 선임된 변호사)에게 <u>진술 기회를 주어야 한다.</u>
> ② 제1항에 따른 진술 기회를 주지 아니한 결정은 무효로 한다.

(3) 소청심사위원회의 결정

1) 불이익변경금지원칙

> **국가공무원법 제14조【소청심사위원회의 결정】** ⑧ 소청심사위원회가 징계처분 또는 징계부가금 부과처분(이하 "징계처분등"이라 한다)을 받은 자의 청구에 따라 소청을 심사할 경우에는 <u>원징계처분보다 무거운 징계 또는 원징계부가금 부과처분보다 무거운 징계부가금을 부과하는 결정을 하지 못한다.</u> [2017 승진(경감)] [2022 채용2차]

소청심사결정에서 당초의 원처분청의 징계처분보다 청구인에게 불리한 결정을 할 수 없다는 원칙이다.

[2012 승진(경감)] 소청심사위원회는 원징계처분에서 과한 징계보다 중한 징계를 과하는 결정을 할 수 없다. (○)
[2018 승진(경감)] 소청심사위원회는 심사 중 다른 비위사실이 발견되는 등 특단의 사정이 없는 한 원징계처분보다 중한 징계를 부과하는 결정을 할 수 없다. (×)

2) 결정정족수

> **국가공무원법 제14조【소청심사위원회의 결정】** ① 소청 사건의 결정은 재적 위원 <u>3분의 2 이상의 출석과 출석 위원 과반수의 합의</u>에 따르되, 의견이 나뉘어 출석 위원 과반수의 합의에 이르지 못하였을 때에는 과반수에 이를 때까지 소청인에게 가장 불리한 의견에 차례로 유리한 의견을 더하여 그 중 가장 유리한 의견을 합의된 의견으로 본다. [2012 채용3차]
> ② 제1항에도 불구하고 파면·해임·강등 또는 정직에 해당하는 징계처분을 취소 또는 변경하려는 경우와 효력 유무 또는 존재 여부에 대한 확인을 하려는 경우에는 재적 위원 <u>3분의 2 이상의 출석과 출석 위원 3분의 2 이상의 합의</u>가 있어야 한다. 이 경우 구체적인 결정의 내용은 출석 위원 과반수의 합의에 따르되, 의견이 나뉘어 출석 위원 과반수의 합의에 이르지 못하였을 때에는 과반수에 이를 때까지 소청인에게 가장 불리한 의견에 차례로 유리한 의견을 더하여 그 중 가장 유리한 의견을 합의된 의견으로 본다. [2022 채용2차]
> [2018 채용1차] 소청사건의 결정은 재적위원의 2분의 1 이상의 출석과 출석위원 과반수의 합의에 의하여 결정한다. (×)
> [2016 승진(경위)] 의결은 재적위원 3분의 2 이상 출석과 재적위원 과반수의 합의에 의한다. (×)
> [2014 채용1차] 소청 사건의 결정은 재적위원 3분의 2 이상의 출석과 재적위원 과반수의 합의에 따르되, 의견이 나뉠 경우에는 출석위원 과반수에 이를 때까지 소청인에게 가장 불리한 의견에 차례로 유리한 의견을 더하여 그중 가장 유리한 의견을 합의된 의견으로 본다. (×)

▌행정심판에서의 불고불리원칙과의 관계

- 소청제도도 행정심판의 일종으로서 행정심판법이 적용될 수 있는데, 행정심판법 제47조 제1항은 '<u>위원회는 심판청구의 대상이 되는 처분 또는 부작위 외의 사항에 대하여는 재결하지 못한다.</u>'고 하여 <u>불고불리의 원칙을 선언</u>하고 있다.
- 따라서 소청심사위원회의 심사 도중 새로운 비위사실이 발견되더라도 이에 대해서 별도의 새로운 징계절차가 개시될 수 있음은 별론으로 하더라도, 당해 소청심사위원회가 원징계처분보다 무거운 징계처분을 할 수는 없다.

3) 결정기한

> **국가공무원법 제76조【심사청구와 후임자 보충 발령】** ④ 제3항에 따라 소청심사위원회가 임시결정(➡ 후임자 보충발령을 유예하는 임시결정)을 한 경우에는 임시결정을 한 날부터 20일 이내에 최종 결정을 하여야 하며 각 임용권자는 그 최종 결정이 있을 때까지 후임자를 보충발령하지 못한다. ➡ 경찰공무원에 대해서는 적용 ×
> ⑤ 소청심사위원회는 제3항에 따른 임시결정을 한 경우 외에는 소청심사청구를 접수한 날부터 60일 이내에 이에 대한 결정을 하여야 한다. 다만, 불가피하다고 인정되면 소청심사위원회의 의결로 30일을 연장할 수 있다.

4) 결정의 종류

> **국가공무원법 제14조【소청심사위원회의 결정】** ⑥ 소청심사위원회의 결정은 다음과 같이 구분한다.
> 1. 심사 청구가 이 법이나 다른 법률에 적합하지 아니한 것이면 그 청구를 각하한다. ➡ 각하결정 예 청구인 부적격, 소청제기기간 도과, 소청관할위반 등
> 2. 심사 청구가 이유 없다고 인정되면 그 청구를 기각한다. ➡ 기각결정
> 3. 처분의 취소 또는 변경을 구하는 심사 청구가 이유 있다고 인정되면 처분을 취소 또는 변경하거나 처분 행정청에 취소 또는 변경할 것을 명한다. ➡ 취소결정 / 변경결정 / 취소명령결정 / 변경명령결정(인용결정)
> 4. 처분의 효력 유무 또는 존재 여부에 대한 확인을 구하는 심사 청구가 이유 있다고 인정되면 처분의 효력 유무 또는 존재 여부를 확인한다. ➡ 무효확인결정 / 부존재확인결정(인용결정)
> 5. 위법 또는 부당한 거부처분이나 부작위에 대하여 의무 이행을 구하는 심사 청구가 이유 있다고 인정되면 지체 없이 청구에 따른 처분을 하거나 이를 할 것을 명한다. ➡ 의무이행결정
> ⑨ 소청심사위원회의 결정은 그 이유를 구체적으로 밝힌 결정서로 하여야 한다.

(4) 결정의 효력

1) 기속력

> **국가공무원법 제15조【결정의 효력】** 제14조에 따른 소청심사위원회의 결정은 처분 행정청을 기속한다. [2012 승진(경감)]
>
> **국가공무원법 제14조【소청심사위원회의 결정】** ⑦ 소청심사위원회의 취소명령 또는 변경명령 결정은 그에 따른 징계나 그 밖의 처분이 있을 때까지는 종전에 행한 징계처분 또는 제78조의2에 따른 징계부가금(이하 "징계부가금"이라 한다) 부과처분에 영향을 미치지 아니한다. [2019 승진(경위)]
>
> [2022 채용2차] 소청심사위원회에서 해임처분 취소명령결정을 내릴 경우, 그 해임의 징계처분은 소청심사위원회의 결정에 따른 징계나 그 밖의 처분이 있기 전에 당연히 효력을 상실한다. (×)
> [2012 승진(경감)] 소청심사위원회의 취소명령 또는 변경명령 결정은 그에 따른 징계나 그 밖의 처분이 있을 때까지는 종전에 행한 징계처분 또는 징계부가금 부과처분에 영향을 미친다. (×)

소청심사위원회의 결정은 처분행정청을 기속하는 효력이 인정되므로(제15조) 위원회의 결정 내용대로 이행하지 않는 경우 그로 인한 행정상 책임이 따르게 된다.

예 소청위원회 2019-353 변형(기속력)
- OO경찰서 경위 甲은 불법 사행성 게임장 업주A로부터 단속정보를 흘리고 400만원을 받았다는 사실로, 검찰은 甲을 불구속 기소하고, OO지방경찰청장은 甲에게 해임 및 징계부가금 1배 부과처분을 함
- 소청심사위원회는, 甲에 대한 형사재판이 대법원에서 최종 무죄판결이 나왔음을 이유로 피소청인 OO지방경찰청장에게 "해임 및 징계부가금 1배 부과처분을 취소할 것을 명한다."라는 결정(취소명령결정)을 함
➡ 위 결정은 처분 행정청인 OO지방경찰청장을 기속하므로, OO지방경찰청장은 소청심사위원회의 결정에 따라 甲에 대한 해임 및 징계부가금 1배 부과처분을 취소하여야 함(제15조)
➡ 단, OO지방경찰청장이 위 명령에 따라 실제 처분을 취소하기 전까지는, 기존의 해임 및 징계부가금 1배 부과처분은 여전히 유효한 상태임(제14조 제7항)

2) 불가쟁력

> **국가공무원법 제16조【행정소송과의 관계】** ① 제75조에 따른 처분, 그 밖에 본인
> 의 의사에 반한 불리한 처분이나 부작위에 관한 행정소송은 소청심사위원회
> 의 심사·결정을 거치지 아니하면 제기할 수 없다. → 필요적 행정심판전치주
> 의 [2019 승진(경감)]
>
> [2022 채용2차] 甲이 징계처분사유 설명서를 받은 날부터 30일 이내(甲에게 책임이 없는 사유로 소청심사를 청구할
> 수 없는 기간은 없다고 전제한다) 소청심사를 제기하지 않은 경우에는 행정소송을 제기할 수 없다. (○)
>
> **행정소송법 제18조【행정심판과의 관계】** ① 취소소송은 법령의 규정에 의하여 당
> 해 처분에 대한 행정심판을 제기할 수 있는 경우에도 이를 거치지 아니하고
> 제기할 수 있다. 다만, 다른 법률에 당해 처분에 대한 행정심판의 재결을 거치
> 지 아니하면 취소소송을 제기할 수 없다는 규정이 있는 때에는 그러하지 아
> 니하다.
>
> **행정소송법 제20조【제소기간】** ① 취소소송은 처분등이 있음을 안 날부터 90일
> 이내에 제기하여야 한다. 다만, 제18조 제1항 단서에 규정한 경우와 그 밖에
> 행정심판청구를 할 수 있는 경우 또는 행정청이 행정심판청구를 할 수 있다
> 고 잘못 알린 경우에 행정심판청구가 있은 때의 기간은 재결서의 정본을 송
> 달받은 날부터 기산한다.
>
> **경찰공무원법 제34조【행정소송의 피고】** 징계처분, 휴직처분, 면직처분, 그 밖에
> 의사에 반하는 불리한 처분에 대한 행정소송은 경찰청장 또는 해양경찰청장
> 을 피고로 한다. 다만, 제7조 제3항 및 제4항에 따라 임용권을 위임한 경우에
> 는 그 위임을 받은 자를 피고로 한다.

소청심사위원회의 결정에 대하여 불복하는 경우에는 그 결정서(＝재결서)를 받
은 날로부터 90일 이내에 경찰청장 또는 임용권을 위임받은 자를 피고로 하여
행정법원에 행정소송을 제기할 수 있으며, 이 기간이 지난 후에는 그 결정의 효
력에 대하여 다툴 수 없게 되는 **불가쟁력**이 발생한다.

▌행정소송의 대상
소청심사위원회의 결정에 고유한 위
법이 없는 경우 원처분주의원칙에
따라 소청심사위원회의 결정이 아니
라 원처분을 소송대상으로 하여야
한다.

3) 불가변력

소청심사위원회의 결정은 쟁송절차에 의하여 이루어진 판결의 성격을 가지므
로, 일단 결정을 한 이상 위원회 및 처분행정청 등은 임의로 취소 또는 변경을
할 수 없다.

제3절 경찰관 직무집행법

주제 1 경찰관의 기본적 직무

01 경찰관 직무집행법 개설

1. 연혁

경찰관 직무집행법은 1953년 12월 14일, 법률 제299호로 제정되었다. 이후 총 26차례의 개정을 거쳐(타법개정 포함), 가장 최근 개정인 2024.3.19. 개정에 따라 법률 제20374호로 존재하고 있다.

2. 성격

경찰조직의 일반법
국가경찰과 자치경찰의 조직 및 운영에 관한 법률

경찰관 직무집행법은 ① 국민의 생명·신체·재산보호라는 영미법적 사고가 최초로 반영된 법이면서, ② 경찰작용의 일반법·기본법으로서의 성격을 가지고 있다.

02 경찰관 직무집행법의 목적과 직무범위

1. 목적

> **경찰관 직무집행법 제1조【목적】** ① 이 법은 국민의 자유와 권리 및 모든 개인이 가지는 불가침의 기본적 인권을 보호하고 사회공공의 질서를 유지하기 위한 경찰관(경찰공무원만 해당한다. 이하 같다)의 직무 수행에 필요한 사항을 규정함을 목적으로 한다.
> [2014 채용2차] [2022 승진(실무종합)]
> ② 이 법에 규정된 경찰관의 직권은 그 직무 수행에 필요한 최소한도에서 행사되어야 하며 남용되어서는 아니 된다. ➜ 비례의 원칙 명문화! [2015 경간] [2020 승진(경감)]
> [2010 경간] 헌법과 경찰관 직무집행법에는 비례원칙과 평등의 원칙이 명문화 되어 있다. (×)

> **⚖ 요지판례 I**
> 경찰관 직무집행법 제1조 제2항에서 "경찰관의 직권은 그 직무 수행에 필요한 최소한도에서 행사되어야 하며 남용되어서는 아니 된다."라고 선언하여 경찰비례의 원칙을 명시적으로 규정하고 있는데, 이는 경찰행정 영역에서의 헌법상 과잉금지원칙을 표현한 것으로서, 공공의 안녕과 질서유지라는 공익목적과 이를 실현하기 위하여 개인의 권리나 재산을 침해하는 수단 사이에는 합리적인 비례관계가 있어야 한다는 의미를 갖는다(대판 2021.11.11, 2018다288631).

2. 직무범위

> **경찰관 직무집행법 제2조【직무의 범위】** 경찰관은 다음 각 호의 직무를 수행한다. [2012 승진(경위)] [2018 채용2차]
> 1. 국민의 생명 · 신체 및 재산의 보호
> 2. 범죄의 예방 · 진압 및 수사
> 2의2. 범죄피해자 보호 [2020 승진(경감)]
> 3. 경비, 주요 인사 경호 및 대간첩 · 대테러 작전 수행
> 4. 공공안녕에 대한 위험의 예방과 대응을 위한 정보의 수집 · 작성 및 배포
> 5. 교통 단속과 교통 위해의 방지
> 6. 외국 정부기관 및 국제기구와의 국제협력
> 7. 그 밖에 공공의 안녕과 질서 유지
> [2014 채용2차] 「경찰관 직무집행법」 제2조 제3호에는 경비, 주요 인사 경호 및 대간첩 · 대테러 작전 수행을 직무범위로 규정하고 있다. (O)
> [2012 채용3차] 경찰관 직무집행법 제2조 제7호는 기타 공공의 안녕과 위해의 방지를 직무범위로 규정하고 있다. (×)

- 제1호가 경찰 직무로서 국민의 생명 · 신체 · 재산 보호를 명시하고 있는 것은 영미법계 경찰개념이 반영된 규정이다.
- 제2호에서 범죄의 수사를 경찰의 임무로 규정하는 것 역시 영미법계 경찰개념이 반영된 것으로 볼 수 있다.
- 제7호의 경우 이를 일반적 수권조항(개괄적 수권조항)으로 볼 수 있느냐에 대해 견해가 대립하고 있다.
  [2012 채용2차] 「경찰관 직무집행법」은 직무의 범위에 국민의 생명 · 신체 및 재산의 보호에 관한 규정을 명문으로 두고 있다. (O)

> **▌대륙법계 · 영미법계 경찰개념**
> - **대륙법계 경찰개념**: 국왕의 통치권을 실행하는 경찰. 공공의 안녕과 질서 유지를 위해 명령 · 강제하는 경찰
> - **영미법계 경찰개념**: 시민으로부터 자치권을 부여받아 시민의 동반자로서 국민의 생명 · 신체 · 재산을 보호하는 경찰. 범죄수사를 경찰 고유임무로 본다.

주제 2 │ 경찰관의 직무수행 수단 1 – 일반적 강제수단(즉시강제)

01 개설

- 경찰관 직무집행법은 제3조에서 제10조의4까지 조항을 통해 앞서 본 경찰의 직무를 수행하기 위한 수단을 유형화하여 규정해 두고 있으며, 이와 같이 유형화되어 규정된 여러 수단(조치)들을 표준조치 내지 표준적 직무행위라고 한다. ➡ 개별적 수권조항
- 이러한 표준조치들 중 경찰상 즉시강제의 성격을 가진 것들을 먼저 살펴본다.

02 불심검문

1. 의의

- 불심검문이란 경찰관이 거동수상자나 범죄사실을 안다고 인정되는 사람을 정지시켜 조사하는 것을 말한다.
- 불심검문은 행정경찰작용 중 생활안전경찰작용에 속한다고 본다. 단, 불심검문 결과 형사사법절차로 이행되는 경우가 있다는 점에서 사법경찰작용과도 밀접한 관련이 있다.
- 이러한 불심검문의 법적 성격에 대해서는 (대인적) 즉시강제에 해당한다는 견해와, 행정조사에 불과하다는 견해가 대립한다.
- 경찰관 직무집행법상 불심검문의 방법으로는 ① 직무질문, ② 임의동행, ③ 흉기 소지여부 조사의 3가지가 규정되어 있다.

> **▌행정경찰 · 사법경찰**
> - **행정경찰** 행정작용의 일부로서의 경찰, 즉 공공의 안녕 또는 질서에 대한 위험방지작용을 하는 경찰 ➡ 현재 · 장래지향
> - **사법경찰**: 범죄수사 · 피의자 체포 등을 목적으로 하는, 즉 형사사법작용을 하는 경찰 ➡ 과거지향
> - 행정경찰과 사법경찰의 구분은 대륙법계에서 유래한 것이다.

2. 직무질문

(1) 정지

> **경찰관 직무집행법 제3조【불심검문】** ① 경찰관은 다음 각 호의 어느 하나에 해당하는 사람을 정지시켜 질문할 수 있다. [2011 채용2차] [2020 승진(경감)] [2013 채용2차]
> 1. 수상한 행동이나 그 밖의 주위 사정을 합리적으로 판단하여 볼 때 어떠한 죄를 범하였거나 범하려 하고 있다고 의심할 만한 상당한 이유가 있는 사람
> 2. 이미 행하여진 범죄나 행하여지려고 하는 범죄행위에 관한 사실을 안다고 인정되는 사람
>
> [2024 승진] [2015 채용3차] 경찰관은 수상한 행동이나 그 밖의 주위 사정을 합리적으로 판단하여 볼 때 어떠한 죄를 범하였거나 범하려 하고 있다고 의심할 만한 상당한 이유가 있는 사람을 정지시켜 질문하여야 한다. (×)

- 직무질문을 하기 위해서는 먼저 상대방의 정지가 필요하며, 경찰관이 정지를 요구했으나 상대방이 불응하더라도 강제로 정지시킬수는 없다.
- 단, 목적 달성에 필요한 최소한의 범위 내에서 사회통념상 용인될 수 있는 상당한 방법으로 대상자를 정지시키는 것은 가능하다(판례). ➡ 즉, 강제의 정도에 이르지 않는, 사회통념상 상당한 정도의 유형력 행사는 가능하다.

⚖ 요지판례 Ⅰ

- 범행 장소 인근에서 자전거를 이용한 날치기 사건이 발생한 직후 검문을 실시 중이던 경찰관들이 위 날치기 사건의 범인과 흡사한 인상착의의 피고인을 발견하고 앞을 가로막으며 진행을 제지한 행위는 그 범행의 경중, 범행과의 관련성, 상황의 긴박성, 혐의의 정도, 질문의 필요성 등에 비추어 그 목적 달성에 필요한 최소한의 범위 내에서 사회통념상 용인될 수 있는 상당한 방법으로 법 제3조 제1항에 규정된 자에 대하여 의심되는 사항에 관한 질문을 하기 위하여 정지시킨 것으로 보아야 한다(대판 2012.9.13, 2010도6203).

- 경찰관이 '불심검문 대상자' 해당 여부를 판단할 때에는 불심검문 당시의 구체적 상황은 물론 사전에 얻은 정보나 전문적 지식 등에 기초하여 불심검문 대상자인지를 객관적·합리적인 기준에 따라 판단하여야 하나, 반드시 불심검문 대상자에게 형사소송법상 체포나 구속에 이를 정도의 혐의가 있을 것을 요한다고 할 수는 없다(대판 2014.2.27, 2011도13999) [2024 채용 1차]

(2) 질문

> **경찰관 직무집행법 제3조【불심검문】** ④ 경찰관은 제1항이나 제2항에 따라 질문을 하거나 동행을 요구할 경우 자신의 신분을 표시하는 증표를 제시하면서 소속과 성명을 밝히고 질문이나 동행의 목적과 이유를 설명하여야 하며, 동행을 요구하는 경우에는 동행 장소를 밝혀야 한다. [2015 채용2차]
>
> [2012 채용3차] 경찰관이 불심검문을 하기 위해 질문하거나 동행을 요구할 경우 경찰관은 당해인에게 구두로 소속과 성명만을 밝히면 된다. (×)
> [2019 승진(경감)] 경찰관은 이미 행하여진 범죄나 행하여지려고 하는 범죄행위에 관한 사실을 안다고 인정되는 사람에 대하여 질문을 하는 경우 자신의 신분을 표시하는 증표를 제시하면서 소속과 성명을 밝히고 질문의 목적과 이유를 설명하여야 하며 변호인의 도움을 받을 권리가 있음을 알려야 한다. (×)
>
> **대통령령** **경찰관 직무집행법 시행령 제5조【신분을 표시하는 증표】** 법 제3조 제4항(➡ 불심검문) 및 법 제7조 제4항(➡ 위험 방지를 위한 출입)의 신분을 표시하는 증표는 경찰공무원의 공무원증으로 한다.
>
> [2019 채용1차] 경찰관은 질문을 하거나 임의동행을 요구할 경우 자신의 신분을 표시하는 증표를 제시하면서 소속과 성명을 밝혀야 한다. 이때 증표는 경찰공무원증뿐만 아니라 흉장도 포함된다. (×)

질문이란 정지시킨 자에게 행선지 · 용건 · 성명 · 주소 등을 물어보는 것을 말한다.

⊕ 심화 주민등록법에 따른 경찰관의 증표 제시

1 주민등록법 규정과 증표제시 관련 견해의 대립

> **주민등록법 제26조【주민등록증의 제시요구】** ① 사법경찰관리가 범인을 체포하는 등 그 직무를 수행할 때에 17세 이상인 주민의 신원이나 거주 관계를 확인할 필요가 있으면 주민등록증의 제시를 요구할 수 있다. 이 경우 사법경찰관리는 주민등록증을 제시하지 아니하는 자로서 신원을 증명하는 증표나 그 밖의 방법에 따라 신원이나 거주 관계가 확인되지 아니하는 자에게는 범죄의 혐의가 있다고 인정되는 상당한 이유가 있을 때에 한정하여 인근 관계 관서에서 신원이나 거주 관계를 밝힐 것을 요구할 수 있다.
> ② 사법경찰관리는 제1항에 따라 신원 등을 확인할 때 친절과 예의를 지켜야 하며, 정복근무 중인 경우 외에는 미리 신원을 표시하는 증표를 지니고 이를 관계인에게 내보여야 한다.
>
> [2020 승진(경감)] 최근 「경찰관 직무집행법」 개정(2019.6.25. 시행)을 통해 불심검문 시 제복을 착용한 경찰관의 신분증명을 면제하는 규정이 신설되었다. (×)

- **제1항의 경우** 경찰관 직무집행법과 반대 국면에서, 사법경찰관리가 17세 이상 주민에게 주민등록증 제시를 요구할 수 있다는 규정이다.
- **제2항의 경우**는 경찰관 직무집행법과 같은 맥락에서 사법경찰관리의 증표제시의무를 규정하고 있는데, 반대해석상 정복근무 중이면 증표제시를 하지 않아도 되는 것인지 견해가 대립된다.
- **국가인권위원회**는 이러한 경우에도 반드시 경찰관이 증표제시를 해야 한다는 입장으로 보인다 (국가인권위 2007.2.21, 06진인2076결정),

  [2012 승진(경감) 변형] C지구대 경찰관은 근무중 낯선 사람이 집 앞에 서있다는 신고를 받고 출동하여 주민등록증을 제시해 줄 것을 요청했으나, 이를 거부하여 신원을 확인하지 못한 것은 부적절한 조치이다. (×)

2 대법원의 입장

> **⚖ 요지판례 |**
> 불심검문 당시의 현장상황과 검문을 하는 경찰관들의 복장, 피고인이 공무원증 제시나 신분 확인을 요구하였는지 여부 등을 종합적으로 고려하여, 검문하는 사람이 경찰관이고 검문하는 이유가 범죄행위에 관한 것임을 피고인이 충분히 알고 있었다고 보이는 경우에는 신분증을 제시하지 않았다고 하여 그 불심검문이 위법한 공무집행이라고 할 수 없다(대법원 2014.12.11, 선고 2014도7976). [2022 경간]

(3) 한계

> **경찰관 직무집행법 제3조【불심검문】** ⑦ 제1항부터 제3항까지의 규정에 따라 질문을 받거나 동행을 요구받은 사람은 형사소송에 관한 법률에 따르지 아니하고는 신체를 구속당하지 아니하며, 그 의사에 반하여 답변을 강요당하지 아니한다. [2013 채용2차] [2015 채용2차]

- 답변을 강요하는 것은 불심검문의 한계를 벗어난 위법한 직무집행으로 허용되지 않는다.
- 단, 피의자로서 신문하는 것은 아니므로 진술거부권의 고지의무는 없다고 본다.
[2017 경간] 경찰관은 거동불심자를 정지시켜 질문을 할 때에 미리 진술거부권이 있음을 상대방에게 고지하여야 한다. (×)

▌진술거부권
- 헌법 제12조 제2항이 보장하는 진술거부권은 피고인 또는 피의자가 공판절차나 수사절차에서 법원 또는 수사기관의 신문에 대하여 형사상 자신에게 불리한 진술을 거부할 수 있는 권리이다.
- 형사소송법 제244조의3은 사법경찰관이 피의자를 신문하기 전에 진술거부권을 고지하도록 규정하고 있다.

3. 임의동행

(1) 의의

> **경찰관 직무집행법 제3조【불심검문】** ② 경찰관은 제1항에 따라 같은 항 각 호의 사람을 정지시킨 장소에서 질문을 하는 것이 그 사람에게 불리하거나 교통에 방해가 된다고 인정될 때에는 질문을 하기 위하여 가까운 경찰서 · 지구대 · 파출소 또는 출장소(지방해양경찰관서를 포함하며, 이하 "경찰관서"라 한다)로 동행할 것을 요구할 수 있다. 이 경우 동행을 요구받은 사람은 그 요구를 거절할 수 있다.
> [2012 승진(경위)] [2015 채용2차] [2022 승진(실무종합)] [2024 승진]
> [2019 채용1차] 경찰관은 상대방의 신원확인이 불가능하거나 교통에 방해된다고 인정될 때에는 임의동행을 요구할 수 있다. (×)
> [2011 채용2차] [2013 채용2차] [2015 채용3차] 일정 장소에서 질문을 하는 것이 그 사람에게 불리하거나 교통에 방해가 된다고 인정될 때에는 질문을 하기 위하여 가까운 경찰서 · 지구대 · 파출소 또는 출장소로 동행할 것을 요구해야 하고, 이 경우 동행을 요구받은 사람은 그 요구를 거절할 수 없다. (×)
> [2017 경간] 거동불심자에 대한 동행요구시 당해인은 그 요구를 거절할 수 있으나, 이러한 내용이 '경찰관 직무집행법'에 규정되어 있는 것은 아니다. (×)
> [2022 경간] 경찰관은 불심검문시 그 장소에서 질문을 하는 것이 그 사람에게 불리하거나 교통에 방해가 된다고 인정될 때에는 질문을 하기 위하여 가까운 경찰청 · 경찰서 · 지구대 · 파출소 또는 출장소(해양경찰관서 미포함)로 동행할 것을 요구할 수 있다. 이 경우 동행을 요구받은 사람은 그 요구를 거절할 수 있다. (×)

경찰관 직무집행법 제3조 제2항에 따른 동행은 상대방의 동의나 승낙이 있을 때에만 가능하기 때문에 이를 '임의동행'이라고 한다.

> **🔑 요지판례 ┃**
>
> ■ 임의동행은 상대방의 동의 또는 승낙을 그 요건으로 하는 것이므로 경찰관으로부터 임의동행 요구를 받은 경우 상대방은 이를 거절할 수 있을 뿐만 아니라 임의동행 후 언제든지 경찰관서에서 퇴거할 자유가 있다(대판 1997.8.22, 선고 97도1240).
>
> ■ 경찰관이 임의동행요구에 응하지 않는다 하여 강제연행하려고 대상자의 양팔을 잡아 끈 행위는 적법한 공무집행이라고 할 수 없으므로 그 대상자가 이러한 불법연행으로부터 벗어나기 위하여 저항한 행위는 정당한 행위라고 할 것이다(대판 1992.5.26, 91다38334).

(2) 임의동행의 요건 및 절차

1) 대상자에 대한 요건

① 임의동행 대상자에게 불리하거나 교통에 방해가 될 것 ➔ 임의동행 대상자: 거동수상자나 범죄사실을 안다고 인정되는 사람

② 임의동행 대상자의 동의나 승낙이 있을 것

2) 절차적 요건

① 임의동행 거부권을 고지할 것

> **⚖ 요지판례 |**
>
> 임의동행은 경찰관 직무집행법 제3조 제2항에 따른 행정경찰 목적의 경찰활동으로 행하여지는 것 외에도 형사소송법 제199조 제1항에 따라 범죄 수사를 위하여 수사관이 동행에 앞서 피의자에게 동행을 거부할 수 있음을 알려 주었거나 동행한 피의자가 언제든지 자유로이 동행과정에서 이탈 또는 동행장소로부터 퇴거할 수 있었음이 인정되는 등 오로지 피의자의 자발적인 의사에 의하여 수사관서 등에의 동행이 이루어졌음이 객관적인 사정에 의하여 명백하게 입증된 경우에 한하여 적법성이 인정된다(대판 2020.5.14, 2020도398). [2012 채용2차]

■ **형사소송법 제199조【수사와 필요한 조사】**
① 수사에 관하여는 그 목적을 달성하기 위하여 필요한 조사를 할 수 있다. 다만, 강제처분은 이 법률에 특별한 규정이 있는 경우에 한하며, 필요한 최소한도의 범위 안에서만 하여야 한다.

② 자신의 신분을 표시하는 증표를 제시하면서 소속과 성명을 밝히고 동행의 목적과 이유를 설명할 것

③ 동행한 자의 가족이나 친지 등에게 일정한 사항을 고지할 것

> **경찰관 직무집행법 제3조【불심검문】** ⑤ 경찰관은 제2항에 따라 동행한 사람의 가족이나 친지 등에게 동행한 경찰관의 신분, 동행 장소, 동행 목적과 이유를 알리거나 본인으로 하여금 즉시 연락할 수 있는 기회를 주어야 하며, 변호인의 도움을 받을 권리가 있음을 알려야 한다. [2019 채용1차]
>
> [2024 승진] [2015 채용2차] [2017 경간] 경찰관은 동행한 사람의 가족이나 친지 등에게 동행한 경찰관의 신분, 동행 장소, 동행 목적과 이유를 알리거나 본인으로 하여금 즉시 연락할 수 있는 기회를 주어야 하나, 변호인의 도움을 받을 권리가 있음을 알릴 필요는 없다. (×)
>
> [2022 경간] 경찰관은 동행한 사람의 가족이나 친지 등에게 동행한 경찰관의 신분, 동행 장소, 동행 목적과 이유를 알리거나 다른 사람으로 하여금 즉시 연락할 수 있는 기회를 주어야 하며, 변호인의 도움을 받을 권리가 있음을 알려야 한다. (×)
>
> [2010 채용1차] 경찰관 직무집행법상 임의동행을 한 경우 변호인 조력권 고지의무에 대해서는 명문규정이 없다. (×)

(3) 임의동행의 한계

> **경찰관 직무집행법 제3조【불심검문】** ⑥ 경찰관은 제2항에 따라 동행한 사람을 6시간을 초과하여 경찰관서에 머물게 할 수 없다. [2011 채용2차] [2015 채용3차] [2024 승진]

6시간 동안 경찰관서에 구금하는 것을 허용하는 것은 아니다.

⚖️ **요지판례 I**

경찰관 직무집행법 제3조 제6항이 임의동행한 경우 당해인을 6시간을 초과하여 경찰관서에 머물게 할 수 없다고 규정하고 있다고 하여 그 규정이 임의동행한 자를 6시간 동안 경찰관서에 구금하는 것을 허용하는 것은 아니라고 할 것이다(대판 1997.8.22, 97도1240). ➡ 임의동행한 후 조사받기를 거부하고 파출소에서 나가려고 하다가 경찰관이 이를 제지하자 이에 항거하여 그 경찰관을 폭행한 사안에서, 경찰관이 임의동행한 피고인을 파출소에서 나가지 못하게 한 것은 적법한 공무집행행위라고 볼 수 없고, 따라서 피고인이 그 경찰관을 폭행한 행위는 공무집행방해죄가 성립하지 않는다.

4. 흉기소지 여부의 조사

경찰관 직무집행법 제3조【불심검문】 ③ 경찰관은 제1항 각 호의 어느 하나에 해당하는 사람에게 질문을 할 때에 그 사람이 흉기를 가지고 있는지를 조사할 수 있다.

[2011 채용2차] [2013 채용2차] [2017 경간]
[2015 채용3차] 경찰관은 불심검문 대상자에게 질문을 할 때에 그 사람이 흉기를 가지고 있는지를 조사하여야 한다. (×)
[2019 채용1차] 경찰관이 불심검문시 흉기조사뿐 아니라, 흉기 이외의 일반소지품 조사도 할 수 있다고 규정하고 있다. (×)
[2010 채용1차] 경찰관 직무집행법상 흉기조사에 대해서는 명문의 규정이 있으나, 흉기 이외의 일반 소지품검사에 대하여는 명문의 규정이 없다. (○)

- 경찰관은 거동수상자나 범죄사실을 안다고 인정되는 사람에 질문할 때 흉기소지 여부를 조사할 수 있다.
- 반대견해가 있으나, 흉기 외 소지품은 조사대상이 아니라고 본다.

5. 동행검문의 보고

대통령령 경찰관 직무집행법 시행령 제7조【보고】 경찰공무원은 다음의 조치를 한 때에는 소속 국가경찰관서의 장에게 이를 보고하여야 한다.
1. 법 제3조 제2항의 규정에 의한 동행요구를 한 때

훈령 경찰관 직무집행법에 의한 직무집행시의 보고절차 규칙 제2조【동행검문의 보고】 경찰관은 법 제3조 제2항의 규정에 의하여 피검문자를 경찰관서에 동행하여 검문한 때에는 24시간 이내에 별지 제1호 서식에 의한 동행검문결과보고서를 작성하여 소속 경찰관서의 장에게 보고하여야 한다. 다만, 검문한 결과 형사소송법에 의하여 처리한 경우에는 그러하지 아니한다.

03 보호조치

1. 의의

> **경찰관 직무집행법 제4조【보호조치 등】** ① 경찰관은 수상한 행동이나 그 밖의 주위 사정을 합리적으로 판단해 볼 때 다음 각 호의 어느 하나에 해당하는 것이 명백하고 응급구호가 필요하다고 믿을 만한 상당한 이유가 있는 사람(이하 "구호대상자"라 한다)을 발견하였을 때에는 보건의료기관이나 공공구호기관에 긴급구호를 요청하거나 경찰관서에 보호하는 등 적절한 조치를 할 수 있다. [2018 승진(경위)]
> 1. 정신착란을 일으키거나 술에 취하여 자신 또는 다른 사람의 생명·신체·재산에 위해를 끼칠 우려가 있는 사람 [2020 채용2차]
> 2. 자살을 시도하는 사람
> 3. 미아, 병자, 부상자 등으로서 적당한 보호자가 없으며 응급구호가 필요하다고 인정되는 사람. 다만, 본인이 구호를 거절하는 경우는 제외한다. [2012 채용2차]
>
> [2014 채용1차] [2차] [2019 승진(경감)] [2020 채용1차] 경찰관은 수상한 행동이나 그 밖의 주위 사정을 합리적으로 판단해 볼 때 구호대상자에 해당함이 명백하여 응급의 구호를 요한다고 믿을 만한 상당한 이유가 있는 자를 발견한 때에는 보건의료기관이나 공공구호기관에 긴급구호를 요청하거나 경찰관서에 보호하는 등 적절한 조치를 하여야 한다. (×)
> [2020 경간] 경찰관은 자살을 시도하는 것이 명백하고 응급구호가 필요하다고 믿을 만한 상당한 이유가 있는 구호대상자에 대하여 해당 구호대상자의 동의 여부와 관계없이 보호조치를 실시할 수 있다. (○)
> [2014 채용1차 유사] [2022 승진(실무종합)] 「경찰관 직무집행법」에 따라 경찰관은 미아, 병자, 부상자 등으로서 적당한 보호자가 없으며 응급구호가 필요하다고 인정되는 사람은 본인이 구호를 거절하는 경우에도 보호조치를 할 수 있다. (×)
> [2018 승진(경위)] [2020 승진(경위)] 경찰관은 적당한 보호자가 없는 미아에 대해 응급구호가 필요하다고 믿을 만한 상당한 이유가 있다면 본인이 구호를 거절하더라도 「경찰관 직무집행법」 제4조의 보호조치를 실시할 수 있다. (×)
> [2022 경간] 경찰관은 적당한 보호자가 없는 부상자에 대해 응급구호가 필요하다고 인정할 만한 사유가 있다면 본인이 구호를 거절하더라도 보호조치를 할 수 있다. (×)
> [2020 채용2차] 미아·병자·부상자 등으로서 적당한 보호자가 없으며 응급구호가 필요하다고 인정되는 사람이 구호를 거절하지 않는 경우 경찰관은 보호조치를 할 수 있다. (○)

- 경찰관 직무집행법상의 보호조치는 현행범이 아닌 사람에 대해 영장 없이도 신체의 자유를 제한할 수 있도록 하는 인권침해의 가능성이 높은 조치이므로, 불가피한 최소 한도의 범위 내에서 행사되어야 한다.
- 경찰강제 중 대인적 즉시강제의 일종이다.

> **⚖ 요지판례 |**
>
> 경찰관 직무집행법 제4조 제1항 제1호(이하 '이 사건 조항'이라 한다)의 보호조치 요건이 갖추어지지 않았음에도, 경찰관이 실제로는 범죄수사를 목적으로 피의자에 해당하는 사람을 이 사건 조항의 피구호자(구호대상자)로 삼아 그의 의사에 반하여 경찰관서에 데려간 행위는, 달리 현행범체포나 임의동행 등의 적법 요건을 갖추었다고 볼 사정이 없다면, 위법한 체포에 해당한다고 보아야 한다(대판 2012.12.13, 2012도11162).

| 현행범 체포요건

- 현행범인은 누구나 체포할 수 있으나(형사소송법 제212조)
- 다음과 같은 요건을 갖추어야 한다 (대판 2017.4.7, 2016도19907등).
  ① 행위의 가벌성
  ② 범죄의 현행성과 시간적 접착성
  ③ 범인·범죄의 명백성
  ④ 체포의 필요성(도망 또는 증거인멸의 염려)

2. 보호조치의 종류

(1) 강제보호(제1호 · 제2호 보호조치)

정신착란자 · 만취자 및 자살기도자의 경우 통상적인 의사능력과 판단능력이 없다는 점을 고려하여, 임의보호와 달리 구호대상자가 구호를 거절하는 경우에도 허용된다.

[2012 승진(경감)] B지구대 경찰관이 새벽2시에 술에 취해 한강에 투신하려고 다리 난간에 올라 가려는 사람을 발견하고, 그 사람이 거부했음에도 불구하고 인근 지구대에서 보호한 것은 경찰관 직무집행법에 따른 적절한 조치이다. (○)

(2) 임의보호(제3호 보호조치)

미아, 병자, 부상자 등에 대하여 이루어지는 보호조치로서, 이들은 구호를 거절하면 경찰관이 보호조치를 할 수 없다. ➡ 《주의》 미아도 구호를 거절할 수 있다.

[2017 경간] 미아 · 병자 부상자 등으로 적당한 보호자가 없으며 응급의 구호를 요한다고 인정되는 경우 당해인이 이를 거절하는 때에도 보호조치를 할 수 있다. (×)
[2012 승진(경감)] A지구대 경찰관이 길을 잃은 소년(13세)를 발견하여 보호조치를 하려고 했으나, 소년이 거부하여 그대로 돌려 보낸 것은 경찰관 직무집행법에 따른 적절한 조치이다. (○)

3. 보호조치의 요건

(1) 구호대상자에 해당할 것 – 정 · 만 · 자 · 미 · 명 · 부

응급구호가 필요하다고 믿을 만한 상당한 이유가 있는 사람이어야 하며, 이는 당해 경찰관의 재량판단 영역으로 본다.

> ⚖ **요지판례 Ⅰ**
>
> 이 사건 조항의 술에 취한 상태라 함은 피구호자가 술에 만취하여 정상적인 판단능력이나 의사능력을 상실할 정도에 이른 것을 말하고, 이 사건 조항에 따른 보호조치를 필요로 하는 피구호자에 해당하는지는 구체적인 상황을 고려하여 경찰관 평균인을 기준으로 판단하되, 그 판단은 보호조치의 취지와 목적에 비추어 현저하게 불합리하여서는 아니 된다(대판 2012.12.13, 2012도11162).

(2) 절차적 요건

1) 연고자가 파악된 경우

> **경찰관 직무집행법 제4조【보호조치 등】** ④ 경찰관은 제1항의 조치(➡ 긴급구호 요청이나 경찰관서 보호조치)를 하였을 때에는 지체 없이 구호대상자의 가족, 친지 또는 그 밖의 연고자에게 그 사실을 알려야 하며, 연고자가 발견되지 아니할 때에는 구호대상자를 적당한 공공보건의료기관이나 공공구호기관에 즉시 인계하여야 한다. [2012 승진(경위)] [2014 채용1차] [2018 승진(경위)] [2020 승진(경위)]
>
> [2010 경간 유사] [2016 승진(경감)] [2018 채용3차 유사] 경찰관이 긴급구호나 보호조치를 한 경우 24 시간 이내에 가족 등에게 그 사실을 알려야 한다. (×)
> [2021 승진(실무종합)] 경찰관은 자살기도자를 발견하여 경찰관서에 보호할 경우 지체 없이 구호대상자의 가족, 친지 또는 그 밖의 연고자에게 그 사실을 알려야 하며, 연고자가 발견되지 아니할 때에는 구호대상자의 의사와 상관없이 공공보건의료기관이나 공공구호기관에 인계할 수 있다. (×)

▌봉담지구대 사건(2012도11162)
- 피고인은 화물차를 운전하여 가다가 음주단속을 당하게 되자 단속 의경이 들고 있던 경찰용 불봉을 충격하고 단속 현장에서 약 3km 떨어진 지점까지 도주하며 운전하였다.
- 도주하는 동안 교통사고를 내지도 않았고 이후 스스로 정차하여 차량에서 내렸다.
- 이러한 점에 비추어 피고인이 술에 취한 상태이기는 하였으나 차량을 운전할 정도의 의사능력과 음주단속에 따른 처벌을 회피하기 위하여 도주하려 할 정도의 판단능력은 가지고 있었다고 보아야 한다.
- 따라서 이러한 피고인에 대해 이루어진 보호조치는 위법한 공무집행이다.

2) 연고자가 파악되지 않은 경우

> **경찰관 직무집행법 제4조【보호조치 등】** ④ 경찰관은 … 연고자가 발견되지 아니할 때에는 구호대상자를 적당한 공공보건의료기관이나 공공구호기관에 즉시 인계하여야 한다. [2020 경간] [2023 채용1차]
>
> ⑤ 경찰관은 제4항에 따라 구호대상자를 공공보건의료기관이나 공공구호기관에 인계하였을 때에는 즉시 그 사실을 소속 경찰서장이나 해양경찰서장에게 보고하여야 한다.
>
> ⑥ 제5항에 따라 보고를 받은 소속 경찰서장이나 해양경찰서장은 대통령령으로 정하는 바에 따라 구호대상자를 인계한 사실을 지체 없이 해당 공공보건의료기관 또는 공공구호기관의 장 및 그 감독행정청에 통보하여야 한다.
>
> [2022 경간] 경찰관은 보호조치를 하였을 때에는 지체 없이 구호대상자의 가족, 친지 또는 그 밖의 연고자에게 그 사실을 알려야 하며, 연고자가 발견되지 아니할 때에는 구호대상자를 적당한 공공보건의료기관이나 공공구호기관에 즉시 인계할 수 있다. (×)
>
> [2020 경간] [2022 경간] 경찰관이 구호대상자를 공공보건의료기관이나 공공구호기관에 인계하였을 때에는 해당 경찰관이 즉시 그 사실을 해당 공공보건의료기관 또는 공공구호기관의 장 및 그 감독행정청에 통보하여야 한다. (×)

🔍 **쉽게 읽기!**

§4 ④~⑥: (연고자 미발견시)

- 경찰관은 / 구호대상자를 / 즉시 인계 / 어디에? 공공보건의료기관이나 공공구호기관에
- 경찰관은 / 인계 후 / 즉시 보고 / 누구에게? 소속 경찰서장에게
- 보고받은 소속 경찰서장은 / 지체 없이 통보 / 누구에게? 해당 공공보건의료기관 또는 공공구호기관의 장 및 그 감독행정청에

4. 보호조치의 방법

(1) 긴급구호요청

> **경찰관 직무집행법 제4조【보호조치 등】** ② 제1항에 따라 긴급구호를 요청받은 보건의료기관이나 공공구호기관은 정당한 이유 없이 긴급구호를 거절할 수 없다.
>
> [2016 승진(경감)]
>
> [2023 채용 1차] 긴급구호를 요청받은 공공보건의료기관이나 공공구호기관은 정당한 이유 없이 긴급구호를 거절할 수 있다. (×)
>
> [2018 채용3차] 「경찰관 직무집행법」상 긴급구호를 요청받은 보건의료기관 또는 공공구호기관은 정당한 이유 없이 긴급구호를 거절할 수 없다고 명시되어 있다. (○)
>
> **응급의료에 관한 법률 제6조【응급의료의 거부금지 등】** ② 응급의료종사자는 업무 중에 응급의료를 요청받거나 응급환자를 발견하면 즉시 응급의료를 하여야 하며 정당한 사유 없이 이를 거부하거나 기피하지 못한다.
>
> [2020 승진(경위)] [2022 경간] 경찰관은 구호대상자를 발견하였을 때 보건의료기관이나 공공구호기관에 긴급구호를 요청할 수 있고, 긴급구호를 요청받은 기관이 정당한 이유 없이 이를 거절하는 경우 「경찰관 직무집행법」상 이에 대한 처벌규정이 있다. (×)
>
> [2021 승진(실무종합)] 긴급구호요청을 받은 응급의료종사자가 정당한 이유 없이 긴급구호요청을 거절할 경우, 경찰관 직무집행법에 따라 3년 이하의 징역 또는 3천만원 이하의 벌금에 처한다. (×)

- 경찰관은 구호대상자에 대해 보건의료기관·공공구호기관에 긴급구호를 요청할 수 있고, 이 경우 요청을 받은 기관은 정당한 이유 없이 긴급구호를 거절할 수 없다. ➡ 단, 그렇다고 국가와 보건의료기관 사이에 치료위임계약이 성립되었다고까지 볼 수는 없다(판례).
- 정당한 이유 없는 긴급구호 거부는 형사책임을 동반한다.

> ⚖️ **요지판례 ┃**
>
> 경찰관이 응급의 구호를 요하는 자를 보건의료기관에게 긴급구호요청을 하고, 보건의료기관이 이에 따라 치료행위를 하였다고 하더라도 국가와 보건의료기관 사이에 국가가 그 치료행위를 보건의료기관에 위탁하고 보건의료기관이 이를 승낙하는 내용의 치료위임계약이 체결된 것으로는 볼 수 없다(대판 1994.2.22, 93다4472). ➡ 즉, 국가(대한민국)가 당해 보건의료기관에게 치료비를 지급할 의무는 없다. [2012 실무 2I]

응급의료에 관한 법률 제60조【벌칙】
③ 다음 각 호의 어느 하나에 해당하는 사람은 3년 이하의 징역 또는 3천만원 이하의 벌금에 처한다.
1. 제6조 제2항을 위반하여 응급의료를 거부 또는 기피한 응급의료종사자

조선대부속 광양병원 치료비청구사건
- 몸에 신나를 붓고 분신하여 전신화상을 입은 A에 대하여 경찰관이 광양병원에 긴급구호를 요청
- 광양병원은 그 요청에 따라 A를 약 2개월간 입원치료 하였으나 결국 A는 사망하였고 그 치료비가 약 1,900만원 가량 발생함
- 이에 광양병원은 대한민국과 치료위임계약이 체결되었음을 전제로 대한민국에게 위 치료비 지급청구를 함

(2) 경찰관서에서 보호

> **경찰관 직무집행법 제4조【보호조치 등】** ⑦ 제1항에 따라 구호대상자를 경찰관서에서 보호하는 기간은 24시간을 초과할 수 없고, 제3항에 따라 물건을 경찰관서에 임시로 영치하는 기간은 10일을 초과할 수 없다. [2016 승진(경감)] [2020 채용1차]
>
> [2014 채용1차] 경찰관서에서의 보호조치는 12시간을 초과할 수 없다. (×)
> [2018 채용3차] 자살기도자에 대하여는 경찰관서에 6시간 이내 보호가 가능하다. (×)
> [2020 채용2차] 경찰관은 보호조치를 하였을 때에는 지체 없이 구호대상자의 가족, 친지 또는 그 밖의 연고자에게 그 사실을 알려야 하며, 구호대상자를 경찰관서에서 보호하는 기간은 6시간을 초과할 수 없다. (×)
> [2023 채용 1차] 구호대상자를 경찰관서에서 보호하는 기간은 48시간을 초과할 수 없고, 물건을 공공보건의료기관이나 공공구호기관에 임시로영치하는 기간은 10일을 초과할 수 없다. (×)

- 경찰관서 보호는 어디까지나 일시적인 보호조치에 불과하므로 그 보호기간은 24시간을 초과할 수 없다.
- 경찰관서 보호조치 중 음주측정을 요구하는 것이 가능한지에 대해 학설 대립이 있으나, 판례는 가능하다는 입장이다.

> **⚖ 요지판례 ㅣ**
>
> 경찰공무원이 보호조치된 운전자에 대하여 음주측정을 요구하였다는 이유만으로 그 음주측정 요구가 위법하다거나 보호조치가 당연히 종료된다고 볼 수는 없다(대판 2012.2.9, 2011도4328). ➡ 경찰관이 술에 취한 상태에서 자동차를 운전한 것으로 보이는 피고인을 경찰관 직무집행법 제4조 제1항에 따른 보호조치 대상자로 보아 경찰관서로 데려온 직후 음주측정을 요구하였는데 피고인이 불응하여 도로교통법상 음주측정불응죄로 기소된 사안에서, 위법한 보호조치 상태를 이용하여 음주측정 요구가 이루어졌다는 등의 특별한 사정이 없는 한 피고인의 행위는 음주측정불응죄에 해당한다. [2020 지능범죄]

(3) 임시영치

> **경찰관 직무집행법 제4조【보호조치 등】** ③ 경찰관은 제1항의 조치를 하는 경우에 구호대상자가 휴대하고 있는 무기·흉기 등 위험을 일으킬 수 있는 것으로 인정되는 물건을 경찰관서에 임시로 영치하여 놓을 수 있다. [2020 채용2차] [2020 경간]
> ⑦ … 제3항에 따라 물건을 경찰관서에 임시로 영치하는 기간은 10일을 초과할 수 없다. [2015 채용3차] [2017 승진(경위)] [2021 승진(실무종합)]
>
> [2023 채용 1차] 경찰관은 보호조치를 하는 경우에 구호대상자가 휴대하고 있는 무기·흉기 등 위험을 일으킬 수 있는 것으로 인정되는 물건을 공공보건의료기관이나 공공구호기관에 임시로 영치하여 놓을 수 있다. (×)
> [2020 승진(경위)] 경찰관은 보호조치를 하는 경우 구호대상자가 휴대하고 있는 무기·흉기 등 위험을 일으킬 수 있는 것으로 인정되는 물건을 임시로 영치할 수 있고, 임시로 영치할 수 있는 기간은 15일을 초과할 수 없다. (×)
> [2023 승진(실무종합)] 경찰관이 보호조치 등을 하였을 때에는 24시간 이내에 구호대상자의 가족, 친지 또는 그 밖의 연고자에게 그 사실을 알려야 하며, 연고자가 발견되지 아니할 때에는 구호대상자를 적당한 공공보건의료기관이나 공공구호기관에 즉시 인계하여야 한다. 구호대상자를 경찰관서에서 보호하는 기간은 12시간을 초과할 수 없고, 물건을 경찰관서에 임시로 영치하는 기간은 20일을 초과할 수 없다. (×)
>
> **대통령령** **경찰관 직무집행법 시행령 제2조【임시영치】** 경찰공무원이 법 제4조 제3항의 규정에 의하여 무기·흉기등을 임시영치한 때에는 소속 국가경찰관서의 장(지방해양경찰관서의 장을 포함한다. 이하 같다)은 그 물건을 소지하였던 자에게 별지 제1호서식에 의한 임시영치증명서를 교부하여야 한다

임시영치는 즉시강제 중 대물적 즉시강제에 해당한다고 본다.

[2018 채용3차] 임시영치기간은 10일을 초과할 수 없으며, 법적 성질은 대인적 즉시강제이다. (×)

5. 보호조치 등에 따른 보고

> **대통령령** 경찰관 직무집행법 시행령 제7조 【보고】 경찰공무원은 다음의 조치를 한 때에는 소속 국가경찰관서의 장에게 이를 보고하여야 한다.
> 2. 법 제4조 제1항의 규정에 의한 긴급구호요청 또는 보호조치를 한 때
> 3. 법 제4조 제3항의 규정에 의한 임시영치를 한 때
>
> **훈령** 경찰관 직무집행법에 의한 직무집행시의 보고절차 규칙 제3조 【보호조치 및 보고】 경찰관은 법 제4조 제1항의 규정에 의하여 보건의료기관 또는 공공구호기관에 긴급구호를 요청하였거나 경찰관서에 보호조치한 때에는 지체 없이 별지 제2호 서식에 의한 보호조치보고서를 작성하여 소속 경찰관서의 장에게 보고하여야 한다.
>
> **훈령** 경찰관 직무집행법에 의한 직무집행시의 보고절차 규칙 제4조 【임시영치의 보고】 ① 경찰관은 법 제4조 제3항의 규정에 의하여 무기·흉기 등 위험을 야기할 수 있는 물건을 임시영치한 때에는 24시간 이내에 별지 제3호 서식에 의한 임시영치보고서를 작성하여 소속 경찰관서의 장에게 보고하여야 한다. 이를 반환한 때에도 또한 같다.
> ② 임시영치한 물건에는 임시영치한 연월일, 휴대자의 주소, 성명 및 임시영치번호를 기입한 표찰을 달아 적당한 장소에 보관하여야 한다.

⊕ 심화 보호조치와 국가배상책임

1 문제점

- 보호조치의 개별적 수권규정인 경찰관 직무집행법 제4조 제1항은 '경찰관은 ~ 할 수 있다.'고 하여 경찰관에게 보호조치 실행 여부를 경찰관의 재량에 맡겨놓고 있다.
- 그런데 상황에 따라 보호조치를 취할 경찰관의 재량이 '0으로 수축'하여 경찰관에게 보호조치 의무가 인정될 수 있고, 그럼에도 불구하고 보호조치를 취하지 않은 경우 국가배상책임이 성립할 수도 있다는 것이 판례의 입장이다.

[2021 승진(실무종합)] 보호조치는 경찰관서에서 일시 보호하여 구호의 방법을 강구하는 것으로 경찰관의 재량행위에 해당하기 때문에 국가배상책임이 인정되는 경우는 없다. (×)

2 판례의 입장

> 🔑 **요지판례** |
> ■ 긴급구호권한과 같은 경찰관의 조치권한은 일반적으로 경찰관의 전문적 판단에 기한 합리적인 재량에 위임되어 있는 것이나, 그렇다고 하더라도 구체적 상황하에서 경찰관에게 그러한 조치권한을 부여한 취지와 목적에 비추어 볼 때 그 불행사가 현저하게 불합리하다고 인정되는 경우에는, 그러한 불행사는 법령에 위반하는 행위에 해당하게 되어 국가배상법상의 다른 요건이 충족되는 한, 국가는 그로 인하여 피해를 입은 자에 대하여 국가배상책임을 부담한다(대판 1996.10.25, 95다45927). ➡ 정신질환자인 세입자에 의해 살해당한 집주인의 유족이 정신질환자의 평소 행동에 대한 사법경찰관리의 수사 미개시 및 긴급구호권 불행사를 이유로 국가배상을 청구한 사안. 그때그때의 상황에 따라 그 정신질환자를 훈방하거나 일시 정신병원에 입원시키는 등 경찰관 직무집행법의 규정에 의한 긴급구호조치를 취한 이상 다른 조치를 취하지 아니하였거나 입건·수사하지 아니하였다고 하여 이를 법령에 위반하는 행위로서 국가배상청구의 대상이 되는 행위라고 할 수는 없다.

▌ 사안과 관련된 주요개념

- **무하자재량행사청구권**: 재량권을 흠 없이 행사하여 줄 것을 청구하는 권리
- **경찰개입청구권**: 특정한 내용의 경찰권을 발동해 줄 것을 청구하는 권리
- **양자의 관계**: 재량권이 0으로 수축되면 무하자재량행사청구권은 특정처분을 요구할 수 있는 행정개입청구권(경찰개입청구권)으로 전환된다.

04 위험발생 방지조치

위험발생 방지조치의 대상
- **경고(제1호)**: 그 장소에 모인 사람, 사물 관리자, 그 밖의 관계인
- **억류 · 피난(제2호)**: 매우 긴급한 경우, 위해를 입을 우려가 있는 사람
- **필요조치를 하게 하는 경우(제3호)**: 그 장소에 있는 사람, 사물 관리자, 그 밖의 관계인

> **경찰관 직무집행법 제5조【위험 발생의 방지 등】** ① 경찰관은 사람의 생명 또는 신체에 위해를 끼치거나 재산에 중대한 손해를 끼칠 우려가 있는 천재, 사변, 인공구조물의 파손이나 붕괴, 교통사고, 위험물의 폭발, 위험한 동물 등의 출현, 극도의 혼잡, 그 밖의 위험한 사태가 있을 때에는 다음 각 호의 조치를 할 수 있다. [2019 승진(경위)] [2023 승진(실무종합)]
> 1. 그 장소에 모인 사람, 사물의 관리자, 그 밖의 관계인에게 필요한 경고를 하는 것
> 2. 매우 긴급한 경우에는 위해를 입을 우려가 있는 사람을 필요한 한도에서 억류하거나 피난시키는 것 [2023 승진(실무종합)]
> 3. 그 장소에 있는 사람, 사물의 관리자, 그 밖의 관계인에게 위해를 방지하기 위하여 필요하다고 인정되는 조치를 하게 하거나 직접 그 조치를 하는 것
> ② 경찰관서의 장은 대간첩 작전의 수행이나 소요사태의 진압을 위하여 필요하다고 인정되는 상당한 이유가 있을 때에는 대간첩 작전지역이나 경찰관서 · 무기고 등 국가중요시설에 대한 접근 또는 통행을 제한하거나 금지할 수 있다. [2013 채용1차] [2023 승진(실무종합)]
> ③ 경찰관은 제1항의 조치를 하였을 때에는 지체 없이 그 사실을 소속 경찰관서의 장에게 보고하여야 한다. [2023 승진(실무종합)]
> ④ 제2항의 조치를 하거나 제3항의 보고를 받은 경찰관서의 장은 관계 기관의 협조를 구하는 등 적절한 조치를 하여야 한다.
>
> [2017 경간] 위험발생의 방지를 위한 조치수단 중 긴급을 요할 때 '억류 또는 피난조치를 할 수 있는 대상자'로 규정된 자는 그 장소에 모인 사람, 사물의 관리자, 그 밖의 관계인이다. (×)
> [2012 승진(경위) 변형] 경찰관은 사람의 생명 또는 신체에 위해를 끼치거나 재산에 중대한 손해를 끼칠 우려가 있는 천재, 사변, 인공구조물의 파손이나 붕괴, 교통사고, 위험물의 폭발, 위험한 동물 등의 출현, 극도의 혼잡, 그 밖의 위험한 사태가 있을 때에는 그 장소에 있는 사람, 사물의 관리자, 그 밖의 관계인에게 위해를 방지하기 위하여 필요하다고 인정되는 조치를 하게 할 수 있으나 직접조치를 취할 수는 없다. (×)
> [2014 채용2차] 경찰관서의 장은 대간첩 작전의 수행이나 소요 사태의 진압을 위하여 필요하다고 인정되는 상당한 이유가 있을 때에는 대간첩 작전지역이나 경찰관서 · 무기고 등 국가중요시설에 대한 접근 또는 통행을 제한하거나 금지하여야 한다. (×)

경찰관 직무집행법상 적용요건이 가장 포괄적인 수단으로서, 경찰상 즉시강제의 일종이며 대인적 · 대물적 · 대가택적 즉시강제의 성질을 갖는다.

> ⚖️ **요지판례 |**
>
> 경찰관 직무집행법 제5조는 경찰관은 인명 또는 신체에 위해를 미치거나 재산에 중대한 손해를 끼칠 우려가 있는 위험한 사태가 있을 때에는 그 각 호의 조치를 취할 수 있다고 규정하여 형식상 경찰관에게 재량에 의한 직무수행권한을 부여한 것처럼 되어 있으나, 경찰관에게 그러한 권한을 부여한 취지와 목적에 비추어 볼 때 구체적인 사정에 따라 경찰관이 그 권한을 행사하여 필요한 조치를 취하지 아니하는 것이 현저하게 불합리하다고 인정되는 경우에는 그러한 권한의 불행사는 직무상의 의무를 위반한 것이 되어 위법하게 된다(대판 1998.8.25, 98다16890). ➜ 경찰관이 농민들의 시위를 진압하고 시위과정에 도로 상에 방치된 트랙터 1대에 대하여 이를 도로 밖으로 옮기거나 후방에 안전표지판을 설치하는 것과 같은 위험발생방지조치를 취하지 아니한 채 그대로 방치하고 철수하여 버린 결과, 야간에 그 도로를 진행하던 운전자가 위 방치된 트랙터를 피하려다가 다른 트랙터에 부딪혀 상해를 입은 사안에서 국가배상책임을 인정한 사례
>
> [2012 실무 2] 경찰관이 농민들의 시위를 진압하고 시위과정에 도로상에 방치된 트랙터 1대에 대하여 이를 도로 밖으로 옮기거나 후방에 안전표지판을 설치하는 것과 같은 위험발생방지조치를 취하지 아니한 채 그대로 방치하고 철수하여 버린 결과, 야간에 그 도로를 진행하던 운전자가 위 방치된 트랙터를 피하려다가 다른 트랙터에 부딪혀 상해를 입은 사안에서 국가배상 책임을 인정하지 않았다. (×)

05 범죄의 예방과 제지

경찰관 직무집행법 제6조【범죄의 예방과 제지】 경찰관은 범죄행위가 목전에 행하여지려고 하고 있다고 인정될 때에는 이를 예방하기 위하여 관계인에게 필요한 경고를 하고, 그 행위로 인하여 사람의 생명·신체에 위해를 끼치거나 재산에 중대한 손해를 끼칠 우려가 있는 긴급한 경우에는 그 행위를 제지할 수 있다. [2013 채용1차] [2013 채용2차]
[2022 승진(실무종합)]
[2019 승진(경감)] 경찰관은 범죄행위가 목전에 행하여지려고 하고 있다고 인정될 때에는 이를 예방하기 위하여 관계인에게 필요한 경고를 하고 즉시 그 행위를 제지할 수 있다. (×)
[2023 승진(실무종합)] 경찰관은 범죄행위가 목전(目前)에 행하여지려고 하고 있다고 인정될 경우 이를 예방하기 위하여 관계인에게 필요한 제지를 하여야 한다. (×)

대통령령 **경찰관 직무집행법 시행령 제7조【보고】** 경찰공무원은 다음의 조치를 한 때에는 소속 국가경찰관서의 장에게 이를 보고하여야 한다.
4. 법 제6조 제1항의 규정에 의하여 범죄행위를 제지한 때

훈령 **경찰관 직무집행법에 의한 직무집행시의 보고절차 규칙 제5조【범죄의 예방과 제지의 보고】** 경찰관은 법 제6조 제1항의 규정에 의하여 범죄를 예방하거나 제지한 때에는 지체 없이 지역경찰관서 근무일지에 당해 범죄의 예방과 제지와 관련된 구체적인 내용을 기재하여야 한다. 다만, 관계자를 형사소송법에 의하여 처리한 경우에는 그러하지 아니하며, 소속 경찰관서의 장의 지시에 의한 경우에는 구두로 보고하거나 근무일지 기재로 갈음할 수 있다.

즉시강제의 일종으로 대인적 즉시강제의 성질을 갖는다.

🔍 쉽게 읽기!
§6
• 예방하기 위하여 ➡ 경고
• 긴급한 경우 ➡ 제지

🏔 요지판례 Ⅰ

■ 경찰관 직무집행법 제6조 제1항에 따른 경찰관의 제지에 관한 부분은 범죄의 예방을 위한 경찰 행정상 즉시강제, 즉 눈앞의 급박한 경찰상 장해를 제거하여야 할 필요가 있고 의무를 명할 시간적 여유가 없거나 의무를 명하는 방법으로는 그 목적을 달성하기 어려운 상황에서 의무불이행을 전제로 하지 않고 경찰이 직접 실력을 행사하여 경찰상 필요한 상태를 실현하는 권력적 사실행위에 관한 근거조항이다(대판 2021. 10.14, 2018도2993). ➡ 경찰 병력이 행정대집행 직후 대책위가 또다시 같은 장소를 점거하고 물건을 다시 비치하는 것을 막기 위해 농성 장소를 미리 둘러싼 뒤 대책위가 같은 장소에서 기자회견 명목의 집회를 개최하려는 것을 불허하면서 소극적으로 제지한 것은 구 경찰관 직무집행법 제6조 제1항의 범죄행위 예방을 위한 경찰 행정상 즉시강제로서 **적법한 공무집행에 해당**하고, 피고인 등 대책위 관계자들이 이와 같이 직무집행 중인 경찰 병력을 밀치는 등 유형력을 행사한 행위는 **공무집행방해죄에 해당**한다.
[2022 채용2차] 「경찰관 직무집행법」상 경찰관의 제지에 관한 부분은 눈앞의 급박한 경찰상 장해를 제거하여야 할 필요가 있고 의무를 명할 시간적 여유가 없거나 의무를 명하는 방법으로는 그 목적을 달성하기 어려운 상황에서 의무이행을 전제로 하지 않고 경찰이 직접 실력을 행사하여 경찰상 필요한 상태를 실현하는 비권력적 사실행위에 관한 근거조항이다. (×)

■ 경찰관들이 112신고를 받고 출동하여 눈앞에서 벌어지고 있는 범죄행위를 막고 주민들의 피해를 예방하기 위해 피고인을 만나려 하였으나 피고인은 문조차 열어주지 않고 소란행위를 멈추지 않은 상황에서 경찰관이 집으로 통하는 전기를 일시적으로 차단한 것은 피고인을 집 밖으로 나오도록 유도한 것으로서, 피고인의 범죄행위를 진압·예방하고 수사하기 위해 필요하고도 적절한 조치로 보이고, 경찰관 직무집행법 제1조의 목적에 맞게 제2조의 직무 범위 내에서 제6조에서 정한 즉시강제의 요건을 충족한 적법한 직무집행으로 볼 여지가 있다(대판 2018. 12. 13, 2016도19417).

┃ 쌍용자동차 농성 천막 철거사건
• 쌍용자동차 희생자 추모와 해고자 복직을 위한 범국민대책위원회는 2012.4.부터 덕수궁 대한문 앞 인도에서 농성용 천막을 설치하고 집회·시위를 개최함
• 2012.5. 서울 중구청은 행정대집행 절차를 통해 천막을 철거하였으나.
• 대책위 관계자들이 이에 대한 항의의 일환으로 기자회견 명목의 집회를 개최하려고 하자, 출동한 경찰 병력이 농성 장소를 둘러싼 채 대책위 관계자들의 농성 장소 진입을 제지하는 과정에서 피고인들이 경찰관을 밀치는 등으로 공무집행을 방해하였다는 이유로 기소된 사안

■ 주거지에서 음악 소리를 크게 내거나 큰 소리로 떠들어 이웃을 시끄럽게 하는 행위는 경범죄 처벌법 제3조 제1항 제21호에서 경범죄로 정한 '인근소란 등'에 해당한다. 경찰관은 경찰관 직무집행법에 따라 경범죄에 해당하는 행위를 예방·진압·수사하고, 필요한 경우 제지할 수 있다. … 경찰관들이 112신고를 받고 출동하여 눈앞에서 벌어지고 있는 범죄행위를 막고 주민들의 피해를 예방하기 위해 피고인을 만나려 하였으나 피고인은 문조차 열어주지 않고 소란행위를 멈추지 않은 상황이라면 피고인의 행위를 제지하고 수사하는 것은 경찰관의 직무상 권한이자 의무라고 볼 수 있다(대판 2018.12.13, 2016도19417). ➡ 피고인의 집이 소란스럽다는 112신고를 받고 출동한 경찰관 甲, 乙이 인터폰으로 문을 열어달라고 하였으나 욕설을 하였고, 경찰관들이 피고인을 만나기 위해 전기차단기를 내리자 화가 나 식칼을 들고 나와 욕설을 하면서 경찰관들을 향해 찌를 듯이 협박함으로써 甲, 乙의 112신고 업무 처리에 관한 직무집행을 방해하였다고 하여 특수공무집행방해로 기소된 사안(경찰관들의 공무집행은 적법함을 인정)

[2022 채용2차]
[2024 채용 1차] 경찰관은 「경범죄 처벌법」상 경범죄에 해당하는 행위에 대해서도 필요한 경우 제지할 수 있다. (○)
[2022 채용2차] (위 판례 사안에 대한) 경찰관의 조치는 사람의 생명·신체에 위해를 끼치거나 재산에 중대한 손해를 끼칠 우려가 있는 긴급한 경우로 보기는 어려워 즉시강제가 아니라 직접강제의 요건에 부합한다. (×)

■ 경찰관은 형사처벌의 대상이 되는 행위가 눈앞에서 막 이루어지려고 하는 것이 객관적으로 인정될 수 있는 상황이고 그 행위를 당장 제지하지 않으면 곧 인명·신체에 위해를 미치거나 재산에 중대한 손해를 끼칠 우려가 있는 상황이어서, 직접 제지하는 방법 외에는 위와 같은 결과를 막을 수 없는 급박한 상태일 때에만 경찰관 직무집행법 제6조에 의하여 적법하게 그 행위를 제지할 수 있고, 그 범위 내에서만 경찰관의 제지 조치가 적법하다고 평가될 수 있다(대판 2021.11.11, 2018다288631). ➡ ① 경찰관의 해산명령 및 제지 조치가 적법한지 여부는 각각의 구체적 상황을 기초로 판단하여야 하고 사후적으로 순수한 객관적 기준에서 판단할 것은 아니다. ② 9개의 서명지 박스를 1개씩 들고 효자로를 따라 청와대 민원실까지 한 줄로 걸어가는 것은 집시법상의 '시위'에 해당하고, 이에 대해서는 사전신고가 이루어지지 않았으나, 그렇다 하더라도 헌법의 보호범위를 벗어난 집회·시위라고 단정하기 어렵고 공공의 안녕질서에 직접적 위험이 명백히 초래한 것도 아니다. ③ 따라서 집시법에 따른 해산명령 및 경찰관 직무집행법 제6조에 따른 경고 및 제지조치는 위법하다.

■ 경찰관 직무집행법 제6조에 규정된 경찰관의 경고나 제지는 그 문언과 같이 범죄의 예방을 위하여 범죄행위에 관한 실행의 착수 전에 행하여질 수 있을 뿐만 아니라, 이후 범죄행위가 계속되는 중에 그 진압을 위하여도 당연히 행하여질 수 있다고 보아야 한다.(대판 2013. 9. 26. 2013도643). ➡ 공사차량 출입을 방해하던 피고인의 팔다리를 잡고 옮기던 경찰관의 행위는 적법한 공무집행이며, 따라서 그 경찰관의 팔을 물어뜯은 행위는 공무집행방해죄 및 상해죄에 해당한다.

[2024 채용 1차] 경찰관의 경고나 제지는 범죄행위가 목전에 행하여지려고 하고 있다고 인정될 때에 이를 예방하기 위하여 이루어지는 조치로서, 범죄행위가 계속되는 중 그 진압을 위해서는 행하여질 수 없다. (×)

■ 집회 및 시위에 관한 법률에 의하여 금지되어 그 주최 또는 참가행위가 형사처벌의 대상이 되는 위법한 집회·시위가 장차 특정지역에서 개최될 것이 예상된다고 하더라도, 이와 시간적·장소적으로 근접하지 않은 다른 지역에서 그 집회·시위에 참가하기 위하여 출발 또는 이동하는 행위를 함부로 제지하는 것은 경찰관 직무집행법 제6조 제1항의 행정상 즉시강제인 경찰관의 제지의 범위를 명백히 넘어 허용될 수 없다. 따라서 이러한 제지 행위는 공무집행방해죄의 보호대상이 되는 공무원의 적법한 직무집행이 아니다(대판 2008.11.13, 2007도9794). ➡ 집회·시위 예정시간으로부터 약 5시간 30분 전에 그 예정장소로부터 약 150km 떨어진 곳에서 이루어진 제지행위는 위법하다. [2012 실무 2] [2023 승진(실무종합)]

[2012 승진(경감)] 충청남도에서 근무하는 경찰서장D가, 관내 甲단체가 서울역 앞에서 개최할 예정인 미신고 폭력집회에 참석하려고 단체로 버스에 탑승하여 출발하는 것을 제지한 것은 경찰관 직무집행법에 따른 적절한 조치이다. (×)

06 위험방지를 위한 출입

1. 의의

- 위험 사태 발생으로 인명·신체·재산에 대한 위해가 임박한 때 경찰관이 타인의 건물 등에 출입하는 대가택적 즉시강제조치를 말한다. [2019 승진(경위)]
- 경찰관 직무집행법 제7조에 따른 출입조치규정은 경찰관에게 수색권한을 부여하고 있지는 않다.

2. 종류

(1) 일반위험방지를 위한 출입(긴급출입)

> **경찰관 직무집행법 제7조【위험 방지를 위한 출입】** ① 경찰관은 제5조 제1항·제2항 및 제6조에 따른 위험한 사태가 발생하여 사람의 생명·신체 또는 재산에 대한 위해가 임박한 때에 그 위해를 방지하거나 피해자를 구조하기 위하여 부득이하다고 인정하면 합리적으로 판단하여 필요한 한도에서 다른 사람의 토지·건물·배 또는 차에 출입할 수 있다. [2022 승진(실무종합)]

- 다음과 같은 요건이 충족되면, 경찰관은 다수인이 출입하지 않는 장소에 출입할 수 있다.
  ① 위험사태가 발생하였을 것
  ② 사람의 생명·신체 또는 재산에 대한 위해가 임박하였을 것
  ③ 위해방지·피해자 구조를 위하여 부득이하다고 인정될 것
- 제2항의 예방출입과 달리 시간적 제한이 없고, 관리자나 관계인의 동의를 요구하지 않는다. ➡ 즉, 위와 같은 요건이 갖추어지면 야간에라도 다른 사람의 토지·건물·배 또는 차에 출입할 수 있다. **예** 오원춘 사건

[2019 승진(경위)] 경찰공무원은 여관에 불이 나서 객실에 쓰러져 있는 사람이 있는 경우에는 주인이 허락하지 않더라도 들어갈 수 있다. (○)

(2) 공개된 장소에 대한 출입(예방출입)

> **경찰관 직무집행법 제7조【위험방지를 위한 출입】** ② 흥행장, 여관, 음식점, 역, 그 밖에 많은 사람이 출입하는 장소의 관리자나 그에 준하는 관계인은 경찰관이 범죄나 사람의 생명·신체·재산에 대한 위해를 예방하기 위하여 해당 장소의 영업시간이나 해당 장소가 일반인에게 공개된 시간에 그 장소에 출입하겠다고 요구하면 정당한 이유 없이 그 요구를 거절할 수 없다. [2013 채용2차]

- 다음과 같은 요건이 충족되면, 경찰관은 다수인이 출입하는 장소에 출입할 수 있다.
  ① 범죄나 사람의 생명·신체·재산에 대한 위해를 예방하기 위한 것일 것
  ② 영업시간이나 해당 장소가 일반인에게 공개된 시간일 것
  ③ 관리자나 관계인의 동의가 있을 것
- 제1항의 긴급출입과 달리 시간적 제한이 있고, 관리자나 관계인의 동의가 필요하다.

[2019 승진(경위)] 새벽 3시에 영업이 끝난 식당에서 주인만 머무르는 경우라도, 경찰 공무원은 범죄의 예방을 위해 출입을 요구할 수 있고, 상대방은 이를 거절할 수 없다. (×)

■ **출입과 수색**
- **출입**: 해당 장소에 들어가 그 장소에 머무르며 장소 내에 있는 사람, 물건 또는 상태를 피상적으로 둘러보는 것
- **수색**: 숨겨진 사람이나 물건을 발견할 목적으로 일정한 장소 내부를 체계적으로 뒤져서 찾는 것

■ **위험사태(제5조, 제6조)**
- 천재, 사변, 인공구조물의 파손이나 붕괴, 교통사고, 위험물의 폭발, 위험한 동물 등의 출현, 극도의 혼잡, 그 밖의 위험한 사태(제5조 제1항)
- 대간첩 작전의 수행이나 소요사태(제5조 제2항)
- 범죄행위가 목전에 행하여지려고 하는 경우로서 그로 인하여 사람의 생명·신체에 위해를 끼치거나 재산에 중대한 손해를 끼칠 우려가 있는 긴급한 경우(제6조)

(3) 대간첩작전지역 안에서의 검색출입(대간첩작전검색 / 긴급검색)

> **경찰관 직무집행법 제7조【위험 방지를 위한 출입】** ③ 경찰관은 대간첩 작전 수행에 필요할 때에는 작전지역에서 제2항에 따른 장소를 검색할 수 있다.

시간적 제한이 따로 없으며, 관리자나 관계인의 동의도 요구되지 않는다.

3. 증표제시 및 보고

┃ 신분을 표시하는 증표
경찰공무원의 공무원증(시행령 제5조)

> **경찰관 직무집행법 제7조【위험 방지를 위한 출입】** ④ 경찰관은 제1항부터 제3항까지의 규정에 따라 필요한 장소에 출입할 때에는 그 신분을 표시하는 증표를 제시하여야 하며, 함부로 관계인이 하는 정당한 업무를 방해해서는 아니 된다. [2023 승진(실무종합)]
> [2022 승진(실무종합)] 경찰관이 위험방지를 위한 출입할 때에는 그 신분을 표시하는 증표의 제시의무는 없다. (×)
>
> **[대통령령] 경찰관 직무집행법 시행령 제7조【보고】** 경찰공무원은 다음의 조치를 한 때에는 소속 국가경찰관서의 장에게 이를 보고하여야 한다.
> 6. 법 제7조 제2항 및 제3항의 규정에 의하여 다수인이 출입하는 장소에 대하여 출입 또는 검색을 한 때
>
> **[훈령] 경찰관 직무집행법에 의한 직무집행시의 보고절차 규칙 제6조【위험방지를 위한 출입의 보고】** 경찰관은 법 제7조 제2항의 규정에 의하여 영업 또는 공개시간내에 흥행장·여관·음식점·역 기타 다수인이 출입하는 장소에 출입한 때에는 지체 없이 지역경찰관서 근무일지에 당해 위험방지출입과 관련된 구체적인 내용을 기재하여야 한다. 다만, 정례적인 순찰이나 소속 경찰관서의 장의 지시에 의한 경우에는 구두로 보고하거나 근무일지 기재로 갈음할 수 있다.
>
> **[훈령] 경찰관 직무집행법에 의한 직무집행시의 보고절차 규칙 제7조【작전지역 안의 검색보고】** 경찰관은 법 제7조 제3항의 규정에 의하여 작전지역 안을 검색한 때에는 지체 없이 별지 제6호 서식에 의한 작전지역검색보고서를 작성하여 소속 경찰관서의 장에게 보고하여야 한다. 다만, 소속 경찰관서의 장이나 지휘관의 지시에 의한 경우에는 구두로 보고하거나 근무일지 기재로 갈음할 수 있다.

증표제시는 긴급출입(제1항), 예방출입(제2항), 대간첩작전검색(긴급검색, 제3항)의 경우 모두 해당하나, 경찰관서장 보고의무는 예방출입과 대간첩작전검색의 경우만 규정되어 있다.

☑ KEY POINT ┃ 긴급출입 · 예방출입 · 긴급검색 비교

구분	긴급출입	예방출입	긴급검색
목적	위해방지, 피해자 구조	범죄·위해예방	대간첩작전
장소	다른 사람의 토지·건물·배 또는 차	경찰상 공개된 장소	작전지역 안의 공개된 장소
시간	제한 없음(주·야 불문)	영업 또는 공개시간 내	제한 없음(주·야 불문)
동의	관리자의 동의 불요	관리자의 동의 필요	영장·관계인의 동의 불요

주제 3 경찰관의 직무수행 수단 2 – 사실행위 기타 수단

01 사실조회·확인 및 출석요구

1. 의의

사실확인행위는 직무수행을 위한 비권력적(임의적) 사실행위로서 법적 효과를 발생시키는 법률행위가 아니며, 목전에 급박한 장해제거를 위한 즉시강제수단도 아니다. 강제집행이나 경찰벌의 대상이 되지 않는다. ➡ 상대방의 임의적 협력을 요청하는 것에 불과하다.

2. 종류

(1) 사실의 조회 및 확인

> **경찰관 직무집행법 제8조 【사실의 확인 등】** ① 경찰관서의 장은 직무 수행에 필요하다고 인정되는 상당한 이유가 있을 때에는 국가기관이나 공사(公私) 단체 등에 직무 수행에 관련된 사실을 조회할 수 있다. 다만, 긴급한 경우에는 소속 경찰관으로 하여금 현장에 나가 해당 기관 또는 단체의 장의 협조를 받아 그 사실을 확인하게 할 수 있다. [2022 채용1차]
>
> [2013 채용1차] 경찰관은 직무수행에 필요하다고 인정되는 상당한 이유가 있을 때에는 국가기관 또는 공사단체 등에 대하여 직무수행에 관련된 사실을 조회할 수 있다. 다만, 긴급을 요할 때에는 사실을 확인 후 당해 기관 또는 단체의 장에게 추후 통보해야 한다. (×)

> **⚖ 요지판례 |**
>
> 경찰관 직무집행법 제8조 제1항은 수사기관에 공사단체 등에 대한 사실조회의 권한을 부여하고 있을 뿐이고, 국민건강보험공단은 서울용산경찰서장의 사실조회에 응하거나 협조하여야 할 의무를 부담하지 않는다. 따라서 이 사건 사실조회행위만으로는 청구인들의 법적 지위에 어떠한 영향을 미친다고 보기 어렵고, 국민건강보험공단의 자발적인 협조가 있어야만 비로소 청구인들의 개인정보자기결정권이 제한된다. 그러므로 이 사건 사실조회행위(➡ 서울용산경찰서장이 국민건강보험공단에게 요양급여내역의 제공을 요청한 행위)는 공권력 행사성이 인정되지 않는다(헌재 2018.8.30, 2014헌마368).

▌ 표준조치 중 주체가 '경찰관서의 장'인 경우
- 위험발생 방지조치 중 대간첩작전 수행·소요사태 진압 관련(제5조 제2항)
- 사실조회의 주체(제8조 제1항)

(2) 출석요구

> **경찰관 직무집행법 제8조 【사실의 확인 등】** ② 경찰관은 다음 각 호의 직무(➡ 교·사·유·미)를 수행하기 위하여 필요하면 관계인에게 출석하여야 하는 사유·일시 및 장소를 명확히 적은 출석요구서를 보내 경찰관서에 출석할 것을 요구할 수 있다.
>
> [2013 채용1차]
>
> 1. 미아를 인수할 보호자 확인
> 2. 유실물을 인수할 권리자 확인
> 3. 사고로 인한 사상자 확인
> 4. 행정처분을 위한 교통사고 조사에 필요한 사실 확인

💡 경직법상 출석요구사유가 아닌 것들
- 형사책임을 규명하기 위한 출석요구
- 범죄피해 내용의 확인
- 교통사고 가해자와 피해자 합의를 위한 종용
- 고소사건처리를 위한 사실확인

출석요구 역시 대상자의 권리·의무의 발생·변경·소멸에 영향을 주지 않는 비권력적 사실행위에 불과하다.

3. 보고

> **대통령령** **경찰관 직무집행법 시행령 제7조【보고】** 경찰공무원은 다음의 조치를 한 때에는 소속 국가경찰관서의 장에게 이를 보고하여야 한다.
> 7. 법 제8조 제1항 단서의 규정에 의한 사실확인을 한 때
>
> **훈령** **경찰관 직무집행법에 의한 직무집행시의 보고절차 규칙 제8조【사실확인의 보고】** 경찰관은 법 제8조 제1항 단서의 규정에 의하여 사실을 확인한 때에는 지체 없이 별지 제7호 서식에 의한 사실확인보고서를 작성하여 소속 경찰관서의 장에게 보고하여야 한다. 다만, 사실확인이 정례적인 구두로 보고하거나 근무일지 기재로 갈음할 수 있다.
>
> **훈령** **경찰관 직무집행법에 의한 직무집행시의 보고절차 규칙 제9조【출석요구서 발부의 보고】** 경찰관은 법 제8조 제2항의 규정에 의하여 출석을 요구할 필요가 있을 때에는 미리 별지 제8호 서식에 의한 출석요구서발부대장에 기입하여 소속 경찰관서의 장에게 보고하여야 한다.

02 정보의 수집

1. 의의 및 정보수집의 원칙

> **경찰관 직무집행법 제8조의2【정보의 수집 등】** ① 경찰관은 범죄·재난·공공갈등 등 공공안녕에 대한 위험의 예방과 대응을 위한 정보의 수집·작성·배포와 이에 수반되는 사실의 확인을 할 수 있다.
> [2024 채용 1차] 경찰관은 범죄·재난·공공갈등 등 공공안녕과 공공질서에 대한 위험의 예방과 대응을 위한 정보의 수집·작성·배포와 이에 수반되는 사실의 확인을 할 수 있다. (×)
>
> **대통령령** **경찰관의 정보수집 및 처리 등에 관한 규정 제2조【정보활동의 기본원칙 등】** ① 공공안녕에 대한 위험의 예방과 대응을 위한 정보의 수집·작성·배포와 이에 수반되는 사실의 확인을 위해 경찰관이 수행하는 활동(이하 "정보활동"이라 한다)은 국민의 자유와 권리를 보호하는 것을 목적으로 해야 하며, 필요 최소한의 범위에 그쳐야 한다.
> ② 경찰관은 정보활동과 관련하여 다음 각 호의 행위를 해서는 안 된다.
> 1. 정치에 관여하기 위해 정보를 수집·작성·배포하는 행위 [2024 채용 1차]
> 2. 법령의 직무 범위를 벗어나 개인의 동향 등을 파악하기 위해 **사생활에 관한 정보**를 수집·작성·배포하는 행위
> 3. 상대방의 명시적 의사에 반해 자료 제출이나 의견 표명을 강요하는 행위
> 4. 부당한 민원이나 청탁을 직무 관련자에게 전달하는 행위
> 5. 직무상 알게 된 정보를 누설하거나 개인의 이익을 위해 사용하는 행위
> 6. 직무와 무관한 비공식적 직함을 사용하는 행위
> ③ 경찰청장 또는 해양경찰청장은 정보활동이 적법하게 이루어지도록 현장점검·교육 강화 방안 등을 수립·시행해야 한다.

2. 사실확인절차

경찰관 직무집행법 제8조의2 【정보의 수집 등】 ② 제1항에 따른 정보의 구체적인 범위와 처리 기준, 정보의 수집·작성·배포에 수반되는 사실의 확인 절차와 한계는 대통령령으로 정한다.

[대통령령] **경찰관의 정보수집 및 처리 등에 관한 규정 제4조 【정보의 수집 및 사실의 확인 절차】** ① 경찰관은 법 제8조의2 제1항에 따라 정보를 수집하거나 정보의 수집·작성·배포에 수반되는 사실을 확인하려는 경우에는 상대방에게 자신의 신분을 밝히고 정보 수집 또는 사실 확인의 목적을 설명해야 한다. 이 경우 강제적인 방법을 사용해서는 안 된다.

② 제1항 전단에도 불구하고 다음 각 호의 어느 하나에 해당하는 경우에는 같은 항 전단에서 규정한 절차를 생략할 수 있다. [2023 승진(실무종합)]

1. 국민의 생명·신체의 안전이나 국가안보에 긴박한 위험이 발생할 우려가 있는 경우

2. 범죄의 대응을 위한 정보활동에 현저한 지장을 초래할 우려가 있는 경우

③ 경찰관은 정보를 제공하거나 사실을 확인해 준 자가 신분이나 처우와 관련하여 불이익을 받지 않도록 비밀유지 등 필요한 조치를 해야 한다.

[2023 승진(실무종합)] 경찰관은 정보를 수집하거나 정보의 수집·작성·배포에 수반되는 사실을 확인하려는 경우에는 상대방에게 자신의 신분을 밝히고 정보수집 또는 사실 확인의 목적을 설명해야 한다. 이 경우 강제적인 방법을 사용할 수 있다. (×)

3. 한계

[대통령령] **경찰관의 정보수집 및 처리 등에 관한 규정 제5조 【정보 수집 등을 위한 출입의 한계】** 경찰관은 다음 각 호의 장소에 상시적으로 출입해서는 안 되며, 정보활동을 위해 필요한 경우에 한정하여 일시적으로만 출입해야 한다.

1. 언론·교육·종교·시민사회 단체 등 민간단체

2. 민간기업

3. 정당의 사무소

[2024 채용 1차] [2022 채용2차] 경찰관이 정보활동을 위해 필요한 경우에 한정하여 일시적으로만 언론기관, 종교시설, 민간기업, 정당의 사무소, 시민사회 단체에 출입이 가능하다. (○)

[대통령령] **경찰관의 정보수집 및 처리 등에 관한 규정 제7조 【수집·작성한 정보의 처리】** ③ 경찰관은 수집·작성한 정보가 그 목적이 달성되어 불필요하게 되었을 때에는 지체 없이 그 정보를 폐기해야 한다. 다만, 다른 법령에 따라 보존해야 하는 경우는 제외한다. [2024 채용 1차]

[대통령령] **경찰관의 정보수집 및 처리 등에 관한 규정 제8조 【위법한 지시의 금지 및 거부】** ① 누구든지 정보활동과 관련하여 경찰관에게 이 영과 그 밖의 법령에 반하여 지시해서는 안 된다.

② 경찰관은 명백히 위법한 지시라고 판단되는 경우에는 그 집행을 거부할 수 있다.

③ 경찰관은 명백히 위법한 지시를 거부했다는 이유로 인사·직무 등과 관련한 어떠한 불이익도 받지 않는다.

03 국제협력

국제형사사법 공조법
형사사건의 수사 또는 재판과 관련한 국제공조·협력과 관련하여서는 국제형사사법 공조법이 1991년부터 제정·시행되고 있다.

> **경찰관 직무집행법 제8조의3 【국제협력】** 경찰청장 또는 해양경찰청장은 이 법에 따른 경찰관의 직무수행을 위하여 외국 정부기관, 국제기구 등과 자료 교환, 국제협력 활동 등을 할 수 있다.
>
> [2015 경간] 경찰청장은 경찰관의 직무수행을 위하여 외국 정부기관, 국제기구 등과 자료교환, 국제협력 활동 등을 해야 한다. (×)

04 유치장

> **경찰관 직무집행법 제9조 【유치장】** 법률에서 정한 절차에 따라 체포·구속된 사람 또는 신체의 자유를 제한하는 판결이나 처분을 받은 사람을 수용하기 위하여 경찰서와 해양경찰서에 유치장을 둔다. [2012 채용3차] [2018 채용2차]
>
> [2015 채용3차] 「경찰관 직무집행법」은 유치장에 관한 규정을 두고 있다. (○)
> [2013 채용2차] 경찰서 및 지구대, 해양경찰서에 법률이 정한 절차에 따라 체포·구속되거나 신체의 자유를 제한하는 판결 또는 처분을 받은 자를 수용하기 위하여 유치장을 둔다. (×)

구체적인 유치장 수용대상자는 다음과 같다.

형사소송법 제202조(사법경찰관의 구속기간)
사법경찰관이 피의자를 구속한 때에는 10일 이내에 피의자를 검사에게 인치하지 아니하면 석방하여야 한다.

① **법률이 정한 절차에 따라 체포·구속된 사람**: 통상 형사소송법에 따라 체포·구속된 사람을 말하며, 현행 형사소송법상 구속의 경우 최장 10일까지 경찰서유치장에 구속될 수 있다. ➡ 미결구금시설의 역할

② **신체의 자유를 제한하는 판결 또는 처분을 받은 자**
   - 즉결심판에 관한 절차법에 따라 구류 선고를 받은 자 ➡ 형집행시설의 역할
   - 법정 등 질서유지를 위한 재판에 관한 규칙 제23조 제2항에 의해 감치처분을 받은 자 ➡ 법원이 내리는 각종 처분의 집행시설의 역할

주제 4 │ 경찰관의 직무수행 수단 3 – 장비·장구·분사기·무기사용

01 경찰장비의 사용

1. 경찰장비의 종류

(1) 경찰장비

> **경찰관 직무집행법 제10조 【경찰장비의 사용 등】** ② 제1항 본문에서 "경찰장비"란 무기, 경찰장구, 경찰착용기록장치, 최루제와 그 발사장치, 살수차, 감식기구, 해안 감시기구, 통신기기, 차량·선박·항공기 등 경찰이 직무를 수행할 때 필요한 장치와 기구를 말한다. [2015 채용3차] [2015 경간]
>
> [2020 경간] "경찰장구"란 무기, 최루제와 그 발사장치, 살수차, 감식기구, 해안 감시기구, 통신기기, 차량·선박·항공기 등 경찰이 직무를 수행할 때 필요한 장치와 기구를 말한다. (×)

(2) 위해성 경찰장비

경찰관 직무집행법 제10조【경찰장비의 사용 등】① 경찰관은 직무수행 중 경찰장비를 사용할 수 있다. 다만, 사람의 생명이나 신체에 위해를 끼칠 수 있는 경찰장비(이하 이 조에서 "위해성 경찰장비"라 한다)를 사용할 때에는 필요한 안전교육과 안전검사를 받은 후 사용하여야 한다. [2020 경간]

대통령령 위해성 경찰장비의 사용기준 등에 관한 규정 제2조【위해성 경찰장비의 종류】「경찰관 직무집행법」(이하 "법"이라 한다) 제10조 제1항 단서에 따른 사람의 생명이나 신체에 위해를 끼칠 수 있는 경찰장비(이하 "위해성 경찰장비"라 한다)의 종류는 다음 각 호와 같다.
1. 경찰장구: 수갑·포승·호송용포승·경찰봉·호신용경봉·전자충격기·방패 및 전자방패 ➜ 전·방·수·포·봉
2. 무기: 권총·소총·기관총(기관단총을 포함한다. 이하 같다)·산탄총·유탄발사기·박격포·3인치포·함포·크레모아·수류탄·폭약류 및 도검 ➜ (가스발사총 제외) 총·(물포 제외)포·도
3. 분사기·최루탄등: 근접분사기·가스분사기·가스발사총(고무탄 발사겸용을 포함한다. 이하 같다) 및 최루탄(그 발사장치를 포함한다. 이하 같다)
4. 기타장비: 가스차·살수차·특수진압차·물포·석궁·다목적발사기 및 도주차량차단장비 ➜ 차량 관련 + 석·다·물

[2012 채용2차] 경찰장구라 함은 경찰관이 휴대하여 범인 검거와 범죄 진압 등의 직무 수행에 사용하는 무기, 수갑, 포승, 경찰봉, 방패 등을 말한다. (×)
[2016 채용1차] 경찰관이 휴대하여 범인 검거와 범죄 진압 등의 직무 수행에 사용하는 수갑, 포승, 경찰봉, 방패는 "경찰장구"에 해당한다. (○)
[2013 채용1차] 무기라 함은 인명 또는 신체에 위해를 가할 수 있도록 제작된 권총·소총·도검·경찰봉·최루탄 등을 말한다. (×)
[2022 채용1차] 권총·소총·기관총·함포·크레모아·수류탄·가스발사총은 무기에 해당한다. (×)
[2018 승진(경위)] 무기에는 산탄총·유탄발사기·3인치포·전자충격기·폭약류 및 도검을 포함한다. (×)
[2010 채용1차] 경찰장구로는 수갑, 전자충격기 등이 있고, 무기로는 권총, 소총, 석궁 등이 있으며, 기타장비로는 가스차, 살수차 등이 있다. (×)
[2017 채용1차] 근접분사기·가스분사기·가스발사총(고무탄 발사겸용은 제외) 및 최루탄(그 발사장치를 포함)은 '분사기·최루탄등'에 포함된다. (×)
[2017 승진(경위)] 가스차·살수차·특수진압차·물포·석궁·전자방패는 '기타 장비'에 포함된다. (×)

2. 경찰장비의 사용원칙

(1) 경찰장비 사용의 기본원칙

경찰관 직무집행법 제10조【경찰장비의 사용 등】① 경찰관은 직무수행 중 경찰장비를 사용할 수 있다. 다만, 사람의 생명이나 신체에 위해를 끼칠 수 있는 경찰장비(이하 이 조에서 "위해성 경찰장비"라 한다)를 사용할 때에는 필요한 안전교육과 안전검사를 받은 후 사용하여야 한다. ➜ 비교》 안전성 검사: 위해성 경찰장비 신규 도입시 [2016 채용1차] [2019 승진(경위)]
③ 경찰관은 경찰장비를 함부로 개조하거나 경찰장비에 임의의 장비를 부착하여 일반적인 사용법과 달리 사용함으로써 다른 사람의 생명·신체에 위해를 끼쳐서는 아니 된다. [2024 채용 1차] [2020 경간]
④ 위해성 경찰장비는 필요한 최소한도에서 사용하여야 한다.

대통령령 위해성 경찰장비의 사용기준 등에 관한 규정 제17조【위해성 경찰장비 사용을 위한 안전교육】법 제10조 제1항 단서에 따라 직무수행 중 위해성 경찰장비를 사용하는 경찰관은 별표 1의 기준에 따라 위해성 경찰장비 사용을 위한 안전교육을 받아야 한다.

▌경찰장비 사용 기본원칙
• 안전교육·안전검사
• 개조·임의 장비부착 금지
• 비례원칙(필요최소한)

대통령령 **위해성 경찰장비의 사용기준 등에 관한 규정 제18조【위해성 경찰장비에 대한 안전검사】** 위해성 경찰장비를 사용하는 경찰관이 소속한 국가경찰관서의 장은 소속 경찰관이 사용할 위해성 경찰장비에 대한 안전검사를 별표 2의 기준에 따라 실시하여야 한다. [2019 승진(경위)]

(2) 경찰장구 사용원칙

▌위해성 경찰장비의 사용기준 등에 관한 규정상의 경찰장구
수갑 · 포승 · 호송용포승 · 경찰봉 · 호신용경봉 · 전자충격기 · 방패 및 전자방패

경찰관 직무집행법 제10조의2【경찰장구의 사용】 ① 경찰관은 다음 각 호의 직무를 수행하기 위하여 필요하다고 인정되는 상당한 이유가 있을 때에는 그 사태를 합리적으로 판단하여 필요한 한도에서 경찰장구를 사용할 수 있다. [2012 채용3차] [2016 채용1차] [2018 채용2차]
1. 현행범이나 사형 · 무기 또는 장기 3년 이상의 징역이나 금고에 해당하는 죄를 범한 범인의 체포 또는 도주 방지 ➡ 현행범 / 사 · 무 · 장 · 3
2. 자신이나 다른 사람의 생명 · 신체의 방어 및 보호
3. 공무집행에 대한 항거 제지
② 제1항에서 "경찰장구"란 경찰관이 휴대하여 범인 검거와 범죄 진압 등의 직무 수행에 사용하는 수갑, 포승, 경찰봉, 방패 등을 말한다. [2015 채용3차]
[2020 채용2차] 경찰관은 범인의 체포 또는 도주의 방지, 자신이나 다른 사람의 생명 · 신체의 방어 및 보호, 공무집행에 대한 항거의 제지를 위하여 필요한 상당한 이유가 있는 경우 경찰장구를 사용할 수 있다. (×)
[2020 채용1차] 경찰관은 '현행범이나 사형 · 무기 또는 장기 3년 이상의 징역이나 금고에 해당하는 죄를 범한 범인의 체포 또는 도주방지', '자신이나 다른 사람의 생명 · 신체 및 재산의 보호', '공무집행에 대한 항거 제지'의 직무를 수행하기 위하여 필요하다고 인정되는 상당한 이유가 있을 때에는 그 사태를 합리적으로 판단하여 필요한 한도 내에서 경찰장구를 사용할 수 있다. (×)
[2019 승진(경감)] 경찰관은 자신이나 다른 사람의 생명 신체의 방어 및 보호를 위하여 필요하다고 인정되는 상당한 이유가 있을 때에는 그 사태를 합리적으로 판단하여 필요한 한도에서 경찰장구를 사용할 수 있다. (○)
[2015 승진(경위)] 경찰장구인 전자충격기(일명 테이저건)는 공무집행에 대한 항거를 제압하는 수단으로 사용할 수 없다. (×)

(3) 무기사용의 원칙

▌무기의 휴대 · 사용 근거규정
• 무기휴대: 경찰공무원법
• 무기사용: 경찰관 직무집행법

▌무기사용의 원칙
1. 기본적 사용요건
  • 필요성
  • 상당성
  • 합리성
2. 무기 사용시 위해를 끼칠 수 있는 경우
  • 정당방위 · 긴급피난
  • 대간첩 작전수행
  • 보충성 적용되는 4가지
    – 중범죄자(사무장3)
    – 영장집행
    – 제3자가 도주시키려 항거
    – 투기명령 · 투항명령 3회 불응

경찰관 직무집행법 제10조의4【무기의 사용】 ① 경찰관은 범인의 체포, 범인의 도주 방지, 자신이나 다른 사람의 생명 · 신체의 방어 및 보호, 공무집행에 대한 항거의 제지를 위하여 필요하다고 인정되는 상당한 이유가 있을 때에는 그 사태를 합리적으로 판단하여 필요한 한도에서 무기를 사용할 수 있다. 다만, 다음 각 호의 어느 하나에 해당할 때를 제외하고는 사람에게 위해를 끼쳐서는 아니 된다. ➡ 아래 각 호의 경우에는 위해를 끼칠 수도 있다! [2013 채용1차] [2022 승진(실무종합)]
1. 「형법」에 규정된 정당방위와 긴급피난에 해당할 때
2. 다음 각 목의 어느 하나에 해당하는 때에 그 행위를 방지하거나 그 행위자를 체포하기 위하여 무기를 사용하지 아니하고는 다른 수단이 없다고 인정되는 상당한 이유가 있을 때
  가. 사형 · 무기 또는 장기 3년 이상의 징역이나 금고에 해당하는 죄를 범하거나 범하였다고 의심할 만한 충분한 이유가 있는 사람이 경찰관의 직무집행에 항거하거나 도주하려고 할 때
  나. 체포 · 구속영장과 압수 · 수색영장을 집행하는 과정에서 경찰관의 직무집행에 항거하거나 도주하려고 할 때
  다. 제3자가 가목 또는 나목에 해당하는 사람을 도주시키려고 경찰관에게 항거할 때

라. 범인이나 소요를 일으킨 사람이 무기·흉기 등 위험한 물건을 지니고 경찰관으로부터 3회 이상 물건을 버리라는 명령이나 항복하라는 명령을 받고도 따르지 아니하면서 계속 항거할 때

3. 대간첩 작전 수행 과정에서 무장간첩이 항복하라는 경찰관의 명령을 받고도 따르지 아니할 때

② 제1항에서 "무기"란 사람의 생명이나 신체에 위해를 끼칠 수 있도록 제작된 권총·소총·도검 등을 말한다.

③ 대간첩·대테러 작전 등 국가안전에 관련되는 작전을 수행할 때에는 개인화기 외에 공용화기를 사용할 수 있다.

[2014 채용2차] 「경찰관 직무집행법」은 경찰공무원은 직무수행을 위하여 필요하면 무기를 휴대할 수 있다고 규정하고 있다. (×)

[2018 실무 2] 「경찰관 직무집행법」상 경찰관은 자신이나 다른 사람의 생명·신체 및 재산의 보호를 위하여 필요하다고 인정되는 상당한 이유가 있을 때에는 그 사태를 합리적으로 판단하여 필요한 한도에서 무기를 사용할 수 있다. (×)

[2010 채용1차] 정당방위, 긴급피난, 자구행위에 해당하는 경우 위해를 수반하여 무기를 사용할 수 있다. (×)

[2010 채용1차] 현행범인인 경우와 사형·무기 또는 장기 3년 이상의 징역이나 금고에 해당하는 죄를 범한 체포·도주의 방지를 위하여 위해를 수반한 무기의 사용이 허용된다. (×)

[2013 채용1차] 범인 또는 소요행위자가 무기·흉기 등 위험한 물건을 소지하고 경찰관으로부터 3회 이상의 투기명령 또는 투항명령을 받고 이에 불응하면서 계속 항거하여 이를 방지 또는 체포하기 위하여 무기를 사용하지 아니하고는 다른 수단이 없다고 인정되는 상당한 이유가 있을 때 무기를 사용할 수 있다. (○)

⚖ 요지판례 Ⅰ

<경찰관의 책임을 긍정한 사례>

■ 경찰관은 범인의 체포, 도주의 방지, 자기 또는 타인의 생명·신체에 대한 방호, 공무집행에 대한 항거의 억제를 위하여 무기를 사용할 수 있으나, 이 경우에도 무기는 목적 달성에 필요하다고 인정되는 상당한 이유가 있을 때 그 사태를 합리적으로 판단하여 필요한 한도 내에서 사용하여야 하는바(경찰관 직무집행법 제10조의4), 경찰관의 무기 사용이 이러한 요건을 충족하는지 여부는 범죄의 종류, 죄질, 피해법익의 경중, 위해의 급박성, 저항의 강약, 범인과 경찰관의 수, 무기의 종류, 무기 사용의 태양, 주변의 상황 등을 고려하여 사회통념상 상당하다고 평가되는지 여부에 따라 판단하여야 하고, 특히 사람에게 위해를 가할 위험성이 큰 권총의 사용에 있어서는 그 요건을 더욱 엄격하게 판단하여야 한다(대판 2008.2.1, 2006다6713). ➡ ① 형사상 범죄를 구성하지 아니하는 침해행위라고 하더라도 그것이 **민사상 불법행위를 구성하는지 여부는 형사책임과 별개의 관점에서 검토**하여야 한다. ② 경찰관인 甲은 망인이 칼이나 다른 흉기를 소지하고 있는지 여부를 신중히 관찰한 다음, 과연 망인에 대하여 권총을 사용하여야 될 만큼의 급박한 위험성이 있는지 여부를 판단하였어야 옳고, 현장에 있던 망인의 처나 지인과 협력하여 망인을 저지할 수 있었을 터인데도 섣불리 망인에 대하여 실탄을 발사하였으며, 또 설령 망인에 대하여 부득이 실탄을 발사할 수밖에 없는 상황이었다고 하더라도 망인의 하체부위를 향하여 발사하는 등의 방법으로 그 위해를 최소한도로 줄일 여지도 있었다는 이유로 피고 대한민국의 국가배상책임을 긍정한 사례 [2011 채용2차]

[2012 채용2차] [2012 실무 2] 범인을 제압하는 과정에서 총기를 사용하여 범인을 사망에 이르게 한 사안에서, 경찰관이 총기사용에 이르게 된 동기나 목적, 경위 등을 고려하여 형사사건에서 무죄판결이 확정되었다면 당해 경찰관의 과실의 내용과 그로 인하여 발생한 결과의 중대함은 상호 인과관계를 인정할 수 없으므로 민사상 불법행위책임을 인정할 수 없다. (×)

▌진주시 꽃집 총격사망사건

• A는 지인들과 술을 마시던 중 이혼 문제와 관련된 조언에 격분, 맥주병을 깨트려 동석한 지인의 목을 찌른 후 본인의 집인 OO꽃집으로 귀가함

• 같은 날 23:34경, A의 처인 B가 '남편 A가 집에서 칼로 아들을 위협하고 있다.'고 신고하자 파출소 경사 甲과 경장 乙은 위 꽃집으로 출동

• 같은 날 23:59 현장에 도착한 甲, 乙이 꽃집 안으로 들어가며 '어떻게 된 겁니까?'라고 묻는 순간 진주시 씨름대회에서 우승할 정도의 건장한 A는 경장 乙을 에게 올라탄 채로 공격을 계속함

• 경사 甲은 공포탄 1발을 발사하며 경고를 하였으나 A가 공격을 멈추지 않자, 경장 乙을 구하기 위해 실탄을 발사, A는 사망함

• 甲은 신고내용을 기초로 A가 칼을 소지하고 있다고 생각하였으나, A는 칼을 소지하고 있지 않았던 것으로 밝혀짐

• 이후 甲은 업무상 과실치사죄로 기소되었으나, 대법원에서 정당방위 상황이 인정되어 최종 무죄 확정판결을 받음(대법원 2003도3842)

- 50cc 소형 오토바이 1대를 절취하여 운전중인 15~16세의 절도 혐의자 3인이 경찰관의 검문에 불응하며 도주하자, 경찰관이 체포 목적으로 오토바이의 바퀴를 조준하여 실탄을 발사하였으나 오토바이에 타고 있던 1인이 총상을 입게 된 경우, 제반 사정에 비추어 경찰관의 총기 사용이 사회통념상 허용범위를 벗어나 위법하다(대판 2004.5.13, 2003다57956). ➡ 112순찰차를 타고 교통단속을 하던 순경 甲이 위 오토바이를 7km가량 추격하며 공포탄 1발, 실탄 3발을 발사하는 등 위협하였음에도 혐의자들이 계속 도주하였고, 이에 오토바이 바퀴를 정조준하여 발사한 실탄이 피해자의 후복벽을 관통하는 총상을 입힌 사례 [2012 채용1차]

- 경찰관이 신호위반을 이유로 한 정지명령에 불응하고 도주하던 차량에 탑승한 동승자를 추격하던 중 수차례에 걸쳐 경고하고 공포탄을 발사했음에도 불구하고 계속 도주하자 실탄을 발사하여 사망케 한 경우, 위 총기 사용 행위는 허용 범위를 벗어난 위법행위이다(대판 1999.6.22, 98다61470). ➡ 경찰관이 추격에 불필요한 장비를 일단 놓아둔 채 계속 추격을 하거나 공포탄을 다시 발사하는 방법으로 충분히 위 사망자를 제압할 여지가 있었다고 보이므로, 경찰관이 그러한 방법을 택하지 아니하고 실탄을 발사한 행위는 경찰관 직무집행법에 정해진 총기 사용의 허용 범위를 벗어난 것이다.

- 경찰관이 길이 40cm 가량의 칼로 반복적으로 위협하며 도주하는 차량 절도 혐의자를 추적하던 중, 도주하기 위하여 등을 돌린 혐의자의 몸 쪽을 향하여 약 2m 거리에서 실탄을 발사하여 혐의자를 복부관통상으로 사망케 한 경우, 경찰관의 총기사용은 사회통념상 허용범위를 벗어난 위법행위이다(대판 1999.3.23, 98다63445).
  [2012 채용1차] 경찰관이 길이 40센티미터 가량의 칼로 반복적으로 위협하며 도주하는 차량 절도 혐의자를 추적하던 중, 도주하기 위하여 등을 돌린 혐의자의 몸쪽을 향하여 약 2미터 거리에서 실탄을 발사하여 혐의자를 복부관통상으로 사망케 하였다 하더라도 경찰관의 총기사용은 사회통념상 허용범위를 벗어나지 않은 것으로 위법하지 않다. (×)

- 야간에 술이 취한 상태에서 병원에 있던 과도로 대형 유리창문을 쳐 깨뜨리고 자신의 복부에 칼을 대고 할복 자살하겠다고 난동을 부린 피해자가 출동한 2명의 경찰관들에게 칼을 들고 항거하였다고 하여도 위 경찰관 등이 공포를 발사하거나 소지한 가스총과 경찰봉을 사용하여 위 망인의 항거를 억제할 시간적 여유와 보충적 수단이 있었다고 보여지고, 또 부득이 총을 발사할 수밖에 없었다고 하더라도 하체 부위를 향하여 발사함으로써 그 위해를 최소한도로 줄일 여지가 있었다고 보여지므로, 칼빈소총을 1회 발사하여 피해자의 왼쪽 가슴 아래 부위를 관통하여 사망케 한 경찰관의 총기사용행위는 경찰관 직무집행법 소정의 총기사용 한계를 벗어난 것이다(대판 1991.9.10, 91다19913). [2012 채용1차]

- 타인의 집대문 앞에 은신하고 있다가 경찰관의 명령에 따라 순순히 손을 들고 나오면서 그대로 도주하는 범인을 경찰관이 뒤따라 추격하면서 등부위에 권총을 발사하여 사망케 한 경우, 위와 같은 총기사용은 현재의 부당한 침해를 방지하거나 현재의 위난을 피하기 위한 상당성있는 행위라고 볼 수 없는 것으로서 범인의 체포를 위하여 필요한 한도를 넘어 무기를 사용한 것이고 따라서 국가의 손해배상책임이 인정된다(대판 1991.5.28, 91다10084). [2012 채용1차]

- 도주하는 트레일러·트랙터 절취범을 100여 미터 정도 추격하면서 정지하라고 소리치며 휴대중이던 권총을 사용하여 공포탄 2발을 발사한 후 다시 실탄 1발을 공중을 향하여 발사하였으나 절취범이 계속 도주하므로 다시 그의 몸쪽을 향하여 실탄 1발을 발사한 결과 위 탄환이 도로의 땅바닥에 맞아 튕기면서 절취범의 후두부에 맞아 동인은 이로 인한 다발성 두개골골절, 뇌출혈 등으로 사망한 사안에서, 국가배상책임은 인정하되 사망한 절취범의 과실비율을 전체의 70%로 본 것은 정당하다(대판 1994.11.8, 94다25896)

<경찰관의 책임을 부정한 사례>

경찰관이 도난번호판 부착차량의 운전자에게 수차례의 정지명령과 경고사격을 하였으나 운전자가 도주하므로 그를 검거하기 위하여 실탄을 발사하여 허벅지 부위에 부상을 입힌 사안에서, 경찰관의 총기 사용은 적법하다(서울고등법원 2006.11.16, 2006나43790). ➡ 운전자가 흉악범이나 강력범이 아닌 절도범에 불과하더라도 도난번호판을 부착한 차를 운행하는 것은 계획적·조직적 범행의 결과로서 다른 중한 범죄의 범행수단 또는 그러한 범행 후의 도피수단으로 사용되는 것이 일반적이며, 나아가 위 운전자가 도심 간선도로의 중앙선을 넘어 역주행하며 도주하고 경고사격에 불구하고 필사적으로 도주하였으므로 경찰관이 위 운전자가 강도 등 다른 강력범죄까지 범하였고 그를 검거하지 않으면 다시 다른 사람에게 중대한 위해를 가할 수 있다고 판단한 것은 합리적이다(심리불속행으로 확정).

(4) 분사기 등 사용원칙

> **경찰관 직무집행법 제10조의3【분사기 등의 사용】** 경찰관은 다음 각 호의 직무를 수행하기 위하여 부득이한 경우에는 현장책임자가 판단하여 필요한 최소한의 범위에서 분사기(「총포·도검·화약류 등의 안전관리에 관한 법률」에 따른 분사기를 말하며, 그에 사용하는 최루 등의 작용제를 포함한다. 이하 같다) 또는 최루탄을 사용할 수 있다. [2013 채용2차] [2022 승진(실무종합)]
> 1. 범인의 체포 또는 범인의 도주 방지
> 2. 불법집회·시위로 인한 자신이나 다른 사람의 생명·신체와 재산 및 공공시설 안전에 대한 현저한 위해의 발생 억제
>
> [2010 채용1차] 범인의 체포·도주 방지를 위하여 부득이한 경우 현장책임자의 판단으로 필요한 최소한의 범위 안에서 분사기 또는 최루탄을 사용할 수 있다. (○)

☑ KEY POINT | 경찰장구·무기·분사기 사용요건 비교

① 기본적 사용요건 및 대상직무

	경찰장구	무기	분사기 등
기본적 사용요건	아래 직무수행 위해 필요하다고 인정되는 상당한 이유 있을 것	아래 직무수행 위해 필요하다고 인정되는 상당한 이유 있을 것	아래 직무수행 위해 부득이한 경우
	그 사태를 합리적으로 판단할 것	그 사태를 합리적으로 판단할 것	**현장책임자가 판단할 것**
	필요한 한도 내일 것	필요한 한도 내일 것	필요한 최소한의 범위일 것
대상직무	범인체포·도주방지	범인체포·도주방지	범인체포·도주방지
	자신·타인 **생명·신체** 방어 및 보호	자신·타인 **생명·신체** 방어 및 보호	**불법집회·시위**로 인한 자신·타인 **생명·신체·재산** 및 공공시설 안전에 대한 현저한 위해발생 억제
	공무집행 항거 제지	공무집행 항거 제지	–
특이사항	범인: 현행범 or 사·무·장·3	위해수반 허용되는 무기사용 요건 따로 존재	–

- 정당방위 · 긴급피난
- 대간첩 작전수행시 무장간첩의 투항명령 불응
- 다음과 같은 행위 방지 · 체포 위해 무기사용 외 다른수단 없을 것(보충성 원칙 적용되는 경우)
  ① 중범죄자(사 · 무 · 장 · 3) 항거 · 도주
  ② 체포 · 구속 · 압수 · 수색 영장집행 항거 · 도주
  ③ 제3자가 위 ① · ② 해당자 도주시키려 항거
  ④ 무기 · 흉기소지 범인 등이 3회 이상 투항명령 불응 · 항거

☑ KEY POINT | 경찰착용 기록장치

1 의미

- 경찰관이 신체에 착용 또는 휴대하여 직무수행 과정을 근거리에서 영상 · 음성으로 기록할 수 있는 기록장치 또는 그 밖에 이와 유사한 기능을 갖춘 기계장치를 말한다.

2 사용요건

> **경찰관 직무집행법 제10조의5 【경찰착용기록장치의 사용】** ① 경찰관은 다음과 같은 직무 수행을 위하여 필요한 경우에는 필요한 최소한의 범위에서 경찰착용기록장치를 사용할 수 있다.
> 1. 경찰관이 「형사소송법」 …에 따라 피의자를 체포 또는 구속하는 경우
> 2. 범죄 수사를 위하여 필요한 경우로서 다음 각 목의 요건을 모두 갖춘 경우
>   가. 범행 중이거나 범행 직전 또는 직후일 것
>   나. 증거보전의 필요성 및 긴급성이 있을 것
> 3. 제5조 제1항에 따른 인공구조물의 파손이나 붕괴 등의 위험한 사태가 발생한 경우
> 4. 경찰착용기록장치에 기록되는 대상자("기록대상자")로부터 그 기록의 요청 또는 동의를 받은 경우
> 5. 제4조 제1항 각 호 해당이 명백하고 응급구호가 필요하다고 믿을 만한 상당한 이유가 있는 경우
> 6. 제6조에 따라 사람의 생명 · 신체에 위해를 끼치거나 재산에 중대한 손해를 끼칠 우려가 있는 범죄행위를 긴급하게 예방 및 제지하는 경우
> 7. 경찰관이 「해양경비법」에 따라 해상검문검색 또는 추적 · 나포하는 경우
> 8. 경찰관이 「수상에서의 수색 · 구조 등에 관한 법률」에 따라 수난구호 업무시 수색 · 구조를 하는 경우
> 9. 그 밖에 제1호부터 제8호까지에 준하는 경우로서 대통령령으로 정하는 경우

3 사용고지 등

> **경찰관 직무집행법 제10조의6 【경찰착용기록장치의 사용 고지 등】** ① 경찰관이 경찰착용기록장치를 사용하여 기록하는 경우로서 이동형 영상정보처리기기로 사람 또는 그 사람관련 사물영상을 촬영하는 때에는 불빛 · 소리 · 안내판 등 대통령령으로 정하는 바에 따라 촬영 사실을 표시하고 알려야 한다.
> ② 제1항에도 불구하고 제10조의5 제1항 각 호에 따른 경우로서 불가피하게 고지가 곤란한 경우에는 제3항에 따라 영상음성기록을 전송 · 저장하는 때에 그 고지를 못한 사유를 기록하는 것으로 대체할 수 있다.
> ③ 경찰착용기록장치로 기록을 마친 영상음성기록은 지체 없이 제10조의7에 따른 영상음성기록정보 관리체계를 이용하여 영상음성기록정보 데이터베이스에 전송 · 저장하도록 하여야 하며, 영상음성기록을 임의로 편집 · 복사하거나 삭제하여서는 아니 된다.
> ④ 그 밖에 경찰착용기록장치의 사용기준 및 관리 등에 필요한 사항은 대통령령으로 정한다.

④ 관리체계 구축·운영

> **경찰관 직무집행법 제10조의7【영상음성기록정보 관리체계의 구축·운영】** 경찰청장 및 해양경찰청장은 경찰착용기록장치로 기록한 영상·음성을 저장하고 데이터베이스로 관리하는 영상음성기록정보 관리체계를 구축·운영하여야 한다.

3. 경찰장비의 사용기준

> **경찰관 직무집행법 제10조【경찰장비의 사용 등】** ⑥ 위해성 경찰장비의 종류 및 그 사용기준, 안전교육·안전검사의 기준 등은 대통령령으로 정한다.
>
> [2015 경간] '경찰관 직무집행법'상 위해성 경찰장비는 필요한 최소한도 내에서 사용해야 하며, 그 종류·사용기준·안전교육·안전검사의 기준 등은 대통령령인 '경찰관 직무집행법 시행령'으로 정한다. (×)

(1) 경찰장구 사용기준 – 전·방·수·포·봉

> **대통령령** **위해성 경찰장비의 사용기준 등에 관한 규정 제8조【전자충격기등의 사용제한】**
> ① 경찰관은 14세미만의 자 또는 임산부에 대하여 전자충격기 또는 전자방패를 사용하여서는 아니된다. [2022 채용1차]
> ② 경찰관은 전극침 발사장치가 있는 전자충격기를 사용하는 경우 상대방의 얼굴을 향하여 전극침을 발사하여서는 아니된다. [2015 승진(경위)] [2017 경간]
> [2022 승진(실무종합)] 「위해성 경찰장비의 사용기준 등에 관한 규정」상 경찰관은 14세 미만의 자 또는 65세 이상의 고령자에 대하여 전자충격기를 사용하여서는 아니 된다. (×)
> [2016 채용1차] 경찰관은 14세 이하의 자 또는 임산부에 대하여 전자충격기 또는 전자방패를 사용하여서는 아니 된다. (×)
> [2018 실무 2] '위해성 경찰장비의 사용기준 등에 관한 규정'상 경찰관은 총기 또는 폭발물을 가지고 대항하는 경우를 제외하고는 14세 미만의 자 또는 임산부에 대하여 전자충격기를 사용하여서는 아니 된다. (×)

> **대통령령** **위해성 경찰장비의 사용기준 등에 관한 규정 제4조【영장집행등에 따른 수갑등의 사용기준】** 경찰관(경찰공무원으로 한정한다. 이하 같다)은 체포·구속영장을 집행하거나 신체의 자유를 제한하는 판결 또는 처분을 받은 자를 법률이 정한 절차에 따라 호송하거나 수용하기 위하여 필요한 때에는 최소한의 범위안에서 수갑·포승 또는 호송용포승을 사용할 수 있다. [2022 채용1차]

> **대통령령** **위해성 경찰장비의 사용기준 등에 관한 규정 제5조【자살방지등을 위한 수갑등의 사용기준 및 사용보고】** 경찰관은 범인·술에 취한 사람 또는 정신착란자의 자살 또는 자해기도를 방지하기 위하여 필요한 때에는 수갑·포승 또는 호송용포승을 사용할 수 있다. 이 경우 경찰관은 소속 국가경찰관서의 장(경찰청장·해양경찰청장·시·도경찰청장·지방해양경찰청장·경찰서장 또는 해양경찰서장 기타 경무관·총경·경정 또는 경감을 장으로 하는 국가경찰관서의 장을 말한다.이하 같다)에게 그 사실을 보고해야 한다. [2018 승진(경위)] [2018 채용1차] [2020 채용2차] [2021 승진(실무종합)]

> **대통령령** **위해성 경찰장비의 사용기준 등에 관한 규정 제6조【불법집회등에서의 경찰봉·호신용경봉의 사용기준】** 경찰관은 불법집회·시위로 인하여 발생할 수 있는 타인 또는 경찰관의 생명·신체의 위해와 재산·공공시설의 위험을 방지하기 위하여 필요한 때에는 최소한의 범위안에서 경찰봉 또는 호신용경봉을 사용할 수 있다.
> [2016 채용1차]
> [2021 승진(실무종합)] 경찰관은 불법집회 시위로 인하여 발생할 수 있는 경찰관의 생명 신체의 위해와 재산 공공시설의 위험을 방지하기 위해서는 경찰봉 또는 호신용경봉을 사용할 수 없다. (×)

예규 경찰 물리력 행사의 기준과 방법에 관한 규칙상 전자충격기(테이저건)사용 유의사항
- 전자충격기 전극침을 발사하는 경우에는 사전 구두 경고를 하여야 한다. 다만, 현장상황이 급박한 경우에는 생략할 수 있다.
- 사람을 향해 전자충격기를 사용하는 경우에는 적정사거리(3~4.5m)에서 후면부(후두부 제외)나 전면부의 흉골 이하(안면, 심장, 급소 부위 제외)를 조준하여야 한다. 다만, 대상자가 두껍거나 헐렁한 상의를 착용하여 전극침의 효과가 없다고 판단되는 경우 대상자의 하체를 조준하여야 한다. [2015 승진(경위)]

보호조치 중 강제보호 대상자
- 정신착란자
- 만취자
- 자살기도자
- 범인 ×

구속 피의자에 대한 수갑·포승 사용
- 수사기관에서 구속된 피의자의 도주, 항거 등을 억제하는 데 필요하다고 인정할 상당한 이유가 있는 경우에는 필요한 한도내에서 포승이나 수갑을 사용할 수 있으며, 이러한 조치가 무죄추정의 원칙에 위배되는 것이라고 할 수 없다(대판 1996.5.14, 96도561). [2024 채용 1차]

> **[대통령령]** 위해성 경찰장비의 사용기준 등에 관한 규정 제7조 【경찰봉·호신용경봉의 사용 시 주의사항】 경찰관이 경찰봉 또는 호신용경봉을 사용하는 때에는 인명 또는 신체에 대한 <u>위해를 최소화하도록</u> 주의하여야 한다.

(2) 무기 사용기준 - 총·포·도 / 가스발사총 제외 / 물포 제외

> **[대통령령]** 위해성 경찰장비의 사용기준 등에 관한 규정 제9조 【총기사용의 경고】 경찰관은 법 제10조의4에 따라 사람을 향하여 권총 또는 소총을 발사하고자 하는 때에는 미리 구두 또는 공포탄에 의한 사격으로 상대방에게 경고하여야 한다. 다만, 다음 각 호의 어느 하나에 해당하는 경우로서 부득이한 때에는 경고하지 아니할 수 있다.
> 1. 경찰관을 급습하거나 타인의 생명·신체에 대한 중대한 위험을 야기하는 범행이 목전에 실행되고 있는 등 상황이 급박하여 특히 경고할 시간적 여유가 없는 경우
> 2. 인질·간첩 또는 테러사건에 있어서 은밀히 작전을 수행하는 경우

> **[대통령령]** 위해성 경찰장비의 사용기준 등에 관한 규정 제10조 【권총 또는 소총의 사용제한】 ① 경찰관은 법 제10조의4의 규정에 의하여 권총 또는 소총을 사용하는 경우에 있어서 범죄와 무관한 다중의 생명·신체에 위해를 가할 우려가 있는 때에는 이를 사용하여서는 아니된다. 다만, 권총 또는 소총을 사용하지 아니하고는 타인 또는 경찰관의 생명·신체에 대한 중대한 위험을 방지할 수 없다고 인정되는 때에는 필요한 최소한의 범위안에서 이를 사용할 수 있다.
> ② 경찰관은 총기 또는 폭발물을 가지고 대항하는 경우를 제외하고는 14세미만의 자 또는 임산부에 대하여 권총 또는 소총을 발사하여서는 아니된다. ➡ 14세미만의 자 또는 임산부라 하더라도 총기 또는 폭발물을 가지고 대항하면 권총·소총 발사가능 [2017 채용1차] [2017 경간] [2018 채용1차] [2021 채용1차]

> **[대통령령]** 위해성 경찰장비의 사용기준 등에 관한 규정 제11조 【동물의 사살】 경찰관은 공공의 안전을 위협하는 동물을 사살하기 위하여 부득이한 때에는 권총 또는 소총을 사용할 수 있다.

(3) 분사기·최루탄 등 사용기준 - 분사기 / 가스+고무탄 발사총 / 최루탄+발사장치

> **[대통령령]** 위해성 경찰장비의 사용기준 등에 관한 규정 제12조 【가스발사총등의 사용제한】
> ① 경찰관은 범인의 체포 또는 도주방지, 타인 또는 경찰관의 생명·신체에 대한 방호, 공무집행에 대한 항거의 억제를 위하여 필요한 때에는 최소한의 범위 안에서 가스발사총을 사용할 수 있다. 이 경우 경찰관은 1미터 이내의 거리에서 상대방의 얼굴을 향하여 이를 발사하여서는 아니 된다. [2017 경간] [2018 실무 2] [2018 승진(경위)]
> ② 경찰관은 최루탄발사기로 최루탄을 발사하는 경우 30도 이상의 발사각을 유지하여야 하고, 가스차·살수차 또는 특수진압차의 최루탄발사대로 최루탄을 발사하는 경우에는 15도 이상의 발사각을 유지하여야 한다. [2016 채용1차] [2018 채용1차] [2021 승진(실무종합)]
> [2017 경간] 경찰관은 최루탄발사기로 최루탄을 발사하는 경우 15도 이상의 발사각을 유지하여야 하고, 가스차·설수차 또는 특수진압차의 최루탄발사대로 최루탄을 발사하는 경우에는 30도 이상의 발사각을 유지하여야 한다. (×)

요지판례 |

경찰관은 범인의 체포 또는 도주의 방지, 타인 또는 경찰관의 생명·신체에 대한 방호, 공무집행에 대한 항거의 억제를 위하여 필요한 때에는 최소한의 범위 안에서 가스총을 사용할 수 있으나, **가스총은 통상의 용법대로 사용하는 경우 사람의 생명 또는 신체에 위해를 가할 수 있는 이른바 위해성 장비**로서 그 탄환은 고무마개로 막혀 있어 사람에게 근접하여 발사하는 경우에는 고무마개가 가스와 함께 발사되어 인체에 위해를 가할 가능성이 있으므로, 이를 사용하는 경찰관으로서는 인체에 대한 위해를 방지하기 위하여 상대방과 근접한 거리에서 상대방의 얼굴을 향하여 이를 발사하지 않는 등 가스총 사용시 요구되는 최소한의 안전수칙을 준수함으로써 장비 사용으로 인한 사고 발생을 미리 막아야 할 주의의무가 있다(대판 2003.3.14, 2002다57218). ➡ 경찰관이 난동을 부리던 범인을 검거하면서 가스총을 1.5m 떨어진 근접 거리에서 발사하여 가스와 함께 발사된 고무마개가 범인의 눈에 맞아 실명한 경우 국가배상책임을 인정한 사례

(4) 기타 장비 사용기준 – 차량 관련 + 석·다·물

`대통령령` **위해성 경찰장비의 사용기준 등에 관한 규정 제13조【가스차·특수진압차·물포의 사용기준】** ① 경찰관은 불법집회·시위 또는 소요사태로 인하여 발생할 수 있는 타인 또는 경찰관의 생명·신체의 위해와 재산·공공시설의 위험을 억제하기 위하여 부득이한 경우에는 현장책임자의 판단에 의하여 필요한 최소한의 범위에서 가스차를 사용할 수 있다.

② 경찰관은 소요사태의 진압, 대간첩·대테러작전의 수행을 위하여 부득이한 경우에는 필요한 최소한의 범위안에서 특수진압차를 사용할 수 있다.

③ 경찰관은 불법해상시위를 해산시키거나 선박운항정지(정선)명령에 불응하고 도주하는 선박을 정지시키기 위하여 부득이한 경우에는 현장책임자의 판단에 의하여 필요한 최소한의 범위안에서 경비함정의 물포를 사용할 수 있다. 다만, 사람을 향하여 직접 물포를 발사해서는 안 된다.

[2020 채용2차] 경찰관은 불법집회·시위 또는 소요사태로 인하여 발생할 수 있는 타인 또는 경찰관의 생명·신체의 위해와 재산·공공시설의 위험을 억제하기 위하여 부득이한 경우에는 시·도경찰청장의 명령에 따라 필요한 최소한의 범위에서 가스차를 사용할 수 있다. (×)

`대통령령` **위해성 경찰장비의 사용기준 등에 관한 규정 제13조의2【살수차의 사용기준】** ① 경찰관은 다음 각 호의 어느 하나에 해당하여 살수차 외의 경찰장비로는 그 위험을 제거·완화시키는 것이 현저히 곤란한 경우에는 시·도경찰청장의 명령에 따라 살수차를 배치·사용할 수 있다. [2021 채용1차]

1. 소요사태로 인해 타인의 법익이나 공공의 안녕질서에 대한 직접적인 위험이 명백하게 초래되는 경우

2. 「통합방위법」 제21조 제4항에 따라 지정된 국가중요시설에 대한 직접적인 공격행위로 인해 해당 시설이 파괴되거나 기능이 정지되는 등 급박한 위험이 발생하는 경우

② 경찰관은 제1항에 따라 살수차를 사용하는 경우 별표 3의 살수거리별 수압기준에 따라 살수해야 한다. 이 경우 사람의 생명 또는 신체에 치명적인 위해를 가하지 않도록 필요한 최소한의 범위에서 살수해야 한다.

③ 경찰관은 제2항에 따라 살수하는 것으로 제1항 각 호의 어느 하나에 해당하는 위험을 제거·완화시키는 것이 곤란하다고 판단하는 경우에는 시·도경찰청장의 명령에 따라 필요한 최소한의 범위에서 최루액을 혼합하여 살수할 수 있다. 이 경우 최루액의 혼합 살수 절차 및 방법은 경찰청장이 정한다.

┃ 백남기 농민 사망 사건
- 백남기 농민이 2015.11.14. 민중총궐기 집회에서 경찰관들이 직사살수한 물줄기에 가슴 윗부분을 맞고 넘어지면서 상해를 입고 약 10개월간 의식불명 사태로 있다 2016.9.25. 사망한 사건이다.
- 사망원인이 '병사'인지 '외인사'인지에 대해 유족 및 시민단체측과 경찰측의 극심한 대립이 있었다.
- 당시 강신명 경찰청장은 '개인적·인간적으로는 사과할 수 있으나 당시 집회를 진압하다 다친 수백명의 경찰을 대표하는 경찰정장으로서는 사과할 수 없다.'고 밝히기도 하였다.
- 헌법재판소는 '경찰이 살수차를 이용하여 물줄기가 일직선 형태로 살수한 행위는 백남기의 **생명권 및 집회의 자유를 침해한 것으로서 헌법에 위반된다**'는 위헌확인결정을 하였다(헌재 2020.4.23, 2015헌마1149).

대통령령 **위해성 경찰장비의 사용기준 등에 관한 규정 제14조【석궁의 사용기준】** 경찰관은 총기·폭발물 기타 위험물로 무장한 범인 또는 인질범의 체포, 대간첩·대테러작전등 국가안전에 관련되는 작전을 은밀히 수행하거나 총기를 사용할 경우에는 화재·폭발의 위험이 있는 등 부득이한 때에 한하여 현장책임자의 판단에 의하여 필요한 최소한의 범위안에서 석궁을 사용할 수 있다.

대통령령 **위해성 경찰장비의 사용기준 등에 관한 규정 제15조【다목적발사기의 사용기준】** 경찰관은 인질범의 체포 또는 대간첩·대테러작전등 국가안전에 관련되는 작전을 수행하거나 공공시설의 안전에 대한 현저한 위해의 발생을 방지하기 위하여 필요한 때에는 최소한의 범위안에서 다목적발사기를 사용할 수 있다.

대통령령 **위해성 경찰장비의 사용기준 등에 관한 규정 제16조【도주차량차단장비의 사용기준등】** ① 경찰관은 무면허운전이나 음주운전 기타 범죄에 이용하였다고 의심할 만한 차량 또는 수배중인 차량이 정당한 검문에 불응하고 도주하거나 차량으로 직무집행중인 경찰관에게 위해를 가한 후 도주하려는 경우에는 도주차량차단장비를 사용할 수 있다.
② 도주차량차단장비를 운용하는 경찰관은 검문 또는 단속장소의 전방에 동 장비의 운용중임을 알리는 안내표지판을 설치하고 기타 필요한 안전조치를 취하여야 한다.

⚖ **요지판례 |**

■ **세월호 집회 최루액 살수 사건**
· 2015.5.1. 개최된 세월호 집회에서, 집회 참가자들이 청와대 방면으로 행진하는 것을 막기 위해 최루액을 섞은 용액을 살수한 사건이다.
· 이 사건에 대한 헌법재판소의 결정 이후 2020.1.7. 법규명령인 위해성 경찰장비의 사용기준 등에 관한 규정에 제13조의2가 신설되었다(그 전에는 경찰청 훈령인 '살수차 운용지침'으로 존재).

집회나 시위 해산을 위한 살수차 사용은 집회의 자유 및 신체의 자유에 대한 중대한 제한을 초래하므로 살수차 사용요건이나 기준은 법률에 근거를 두어야 하고, 살수차와 같은 위해성 경찰장비는 본래의 사용방법에 따라 지정된 용도로 사용되어야 하며 다른 용도나 방법으로 사용하기 위해서는 반드시 법령에 근거가 있어야 한다. 혼합살수방법은 법령에 열거되지 않은 새로운 위해성 경찰장비에 해당하고 이 사건 지침에 혼합살수의 근거 규정을 둘 수 있도록 위임하고 있는 법령이 없으므로, 이 사건 지침은 법률유보원칙에 위배되고 이 사건 지침만을 근거로 한 이 사건 혼합살수행위 역시 법률유보원칙에 위배된다. 따라서 이 사건 혼합살수행위는 청구인들의 신체의 자유와 집회의 자유를 침해한다(헌재 2018.5.31, 2015헌마476).

4. 신규 경찰장비의 도입절차

■ **경찰청 소관 국회 상임위원회**
국회 행정안전위원회이다.

경찰관 직무집행법 제10조【경찰장비의 사용 등】 ⑤ 경찰청장은 위해성 경찰장비를 새로 도입하려는 경우에는 대통령령으로 정하는 바에 따라 안전성 검사를 실시하여 그 안전성 검사의 결과보고서를 국회 소관 상임위원회에 제출하여야 한다. 이 경우 안전성 검사에는 외부 전문가를 참여시켜야 한다. [2024 채용1차] [2015 경간] [2020 경간]
⑥ 위해성 경찰장비의 종류 및 그 사용기준, 안전교육·안전검사의 기준 등은 대통령령으로 정한다.

[2022 승진(실무종합)] 「경찰관 직무집행법」상 경찰청장은 위해성 경찰장비를 새로 도입하려는 경우에는 대통령령으로 정하는 바에 따라 안전성 검사를 실시하여 그 안전성 검사의 결과보고서를 행정안전부장관에게 제출하여야 한다. (×)
[2018 채용1차 유사] [2018 채용2차] 경찰청장은 위해성 경찰장비를 새로 도입하려는 경우에는 대통령령으로 정하는 바에 따라 안전성 검사를 실시하여 그 안전성 검사의 결과보고서를 국가경찰위원회에 제출하여야 한다. 이 경우 안전성 검사에는 외부 전문가를 참여시켜야 한다. (×)
[2016 채용1차] 경찰청장은 위해성 경찰장비를 새로 도입하려는 경우에는 대통령령으로 정하는 바에 따라 안전성 검사를 실시하여 그 안전성 검사의 결과보고서를 국회 소관 상임위원회에 제출하여야 한다. 이 경우 안전성 검사에는 외부 전문가를 참여시킬 수 있다. (×)

대통령령 위해성 경찰장비의 사용기준 등에 관한 규정 제18조의2 【신규 도입 장비의 안전성 검사】 ① 경찰청장은 위해성 경찰장비를 새로 도입하려는 경우에는 법 제10조 제5항에 따라 안전성 검사를 실시하여 새로 도입하려는 장비(이하 이 조에서 "신규 도입 장비" 라 한다)가 사람의 생명이나 신체에 미치는 영향을 평가하여야 한다. [2019 승진(경위)]

② 제1항에 따른 안전성 검사는 신규 도입 장비와 관련된 분야의 외부 전문가가 신규 도입 장비의 주요 특성이나 작동원리에 기초하여 제시하는 검사방법 및 기준에 따라 실시하되, 신규 도입 장비에 대하여 일반적으로 인정되는 합리적인 검사방법이나 기준이 있을 경우 그 검사방법이나 기준에 따라 안전성 검사를 실시할 수 있다.

③ 법 제10조 제5항 후단에 따라 안전성 검사에 참여한 외부 전문가는 안전성 검사가 끝난 후 30일 이내에 신규 도입 장비의 안전성 여부에 대한 의견을 경찰청장에게 제출하여야 한다.

④ 경찰청장은 신규 도입 장비에 대한 안전성 검사를 실시한 후 3개월 이내에 다음 각 호의 내용이 포함된 안전성 검사 결과보고서를 국회 소관 상임위원회에 제출하여야 한다. [2021 승진(실무종합)]

1. 신규 도입 장비의 주요 특성 및 기본적인 작동 원리
2. 안전성 검사의 방법 및 기준
3. 안전성 검사에 참여한 외부 전문가의 의견
4. 안전성 검사 결과 및 종합 의견

[2021 채용1차] 「경찰관 직무집행법」 제10조 제5항 후단에 따라 안전성 검사에 참여한 외부 전문가는 안전성 검사가 끝난 후 3개월 이내에 신규 도입 장비의 안전성 여부에 대한 의견을 경찰청장에게 제출하여야 한다. (×)

[2019 승진(경위)] 위해성 경찰장비를 새로 도입하려는 경우에 안전성 검사에 참여한 외부 전문가는 안전성 검사를 실시한 후 3개월 이내에 안전성 검사를 결과보고서를 국회 소관 상임위원회에 제출하여야 한다. (×)

5. 기존 경찰장비의 개조

대통령령 위해성 경찰장비의 사용기준 등에 관한 규정 제19조 【위해성 경찰장비의 개조 등】 국가경찰관서의 장은 폐기대상인 위해성 경찰장비 또는 성능이 저하된 위해성 경찰 장비를 개조할 수 있으며, 소속경찰관으로 하여금 이를 본래의 용법에 준하여 사용하게 할 수 있다. [2021 채용1차]

6. 사용기록 보관 ➡ 무·분·최·살

경찰관 직무집행법 제11조 【사용기록의 보관】 제10조 제2항에 따른 살수차, 제10조의3에 따른 분사기, 최루탄 또는 제10조의4에 따른 무기를 사용하는 경우 그 책임자는 사용 일시·장소·대상, 현장책임자, 종류, 수량 등을 기록하여 보관하여야 한다.

[2015 경간] 경찰장구, 살수차, 분사기, 최루탄, 무기 등의 경찰장비를 사용하는 경우에 그 책임자는 사용일시, 사용장소, 현장책임자, 종류, 수량 등을 기록하여 보관하여야 한다. (×)

[2020 채용2차] 제11조(사용기록의 보관)에 따라 살수차, 분사기, 전자충격기 및 전자방패, 무기를 사용하는 경우 그 책임자는 사용일시·장소·대상, 현장책임자, 종류, 수량 등을 기록하여 보관하여야 한다. (×)

[2017 경간] 법 제10조의 4에 따른 무기를 사용하는 경우 그 책임자는 사용일시·장소·대상, 현장책임자, 종류, 수량 등을 기록하여 보관하여야 한다. (○)

대통령령 위해성 경찰장비의 사용기준 등에 관한 규정 제20조 【사용기록의 보관 등】 ① 제2조 제2호부터 제4호까지의 위해성 경찰장비(제4호의 경우에는 살수차만 해당한다)를 사용하는 경우 그 현장책임자 또는 사용자는 별지 서식의 사용보고서를 작성하여 직근상 급 감독자에게 보고하고, 직근상급 감독자는 이를 3년간 보관하여야 한다.

위해성 경찰장비 종류(제2조)
- 제1호: 경찰장구
- 제2호: 무기
- 제3호: 분사기·최루탄
- 제4호: 기타장비

② 제1항의 규정에 의하여 제2조 제2호의 무기 사용보고를 받은 직근상급 감독자는 지체 없이 지휘계통을 거쳐 경찰청장 또는 해양경찰청장에게 보고하여야 한다.

[2021 채용1차] 「위해성 경찰장비의 사용기준 등에 관한 규정」 제2조 제2호부터 제4호까지의 위해성 경찰장비(제4호의 경우에는 가스차만 해당한다)를 사용하는 경우 그 현장책임자 또는 사용자는 사용보고서를 작성하여 직근상급 감독자에게 보고하고, 직근상급 감독자는 이를 3년간 보관하여야 한다. (×)

7. 부상자에 대한 긴급조치

> **대통령령** 위해성 경찰장비의 사용기준 등에 관한 규정 제21조 【부상자에대한 긴급조치】 경찰관이 위해성 경찰장비를 사용하여 부상자가 발생한 경우에는 즉시 구호, 그 밖에 필요한 긴급조치를 하여야 한다.

02 경찰 물리력 행사의 기준과 방법에 관한 규칙 [훈령]

1. 경찰 물리력 사용 3대 원칙

객관적 합리성의 원칙	경찰관은 자신이 처해있는 사실과 상황에 비추어 합리적인 현장 경찰관의 관점에서 가장 적절한 물리력을 사용하여야 하며, 이를 위해 범죄의 종류, 피해의 경중, 위해의 급박성, 저항의 강약, 대상자와 경찰관의 수, 대상자가 소지한 무기의 종류 및 무기 사용의 태양, 대상자의 신체 및 건강 상태, 도주 여부, 현장 주변의 상황 등을 종합적으로 고려하여야 한다.
대상자 행위와 물리력간 상응의 원칙	경찰관은 대상자의 행위에 따른 위해의 수준을 계속 평가·판단하여 필요최소한의 수준으로 물리력을 높이거나 낮추어서 사용하여야 한다.
위해감소노력 우선의 원칙	• 경찰관은 현장상황이 안전하고 시간적 여유가 있는 경우에는 대상자가 야기하는 위해 수준을 떨어뜨려 보다 덜 위험한 물리력을 통해 상황을 종결시킬 수 있도록 노력하여야 한다. • 다만, 이러한 노력이 오히려 상황을 악화시킬 가능성이 있거나 급박한 경우에는 이 원칙을 적용하지 않을 수 있다.

2. 경찰 물리력 사용시 유의사항

> **예규** 경찰 물리력 행사의 기준과 방법에 관한 규칙
>
> 1.4. 경찰 물리력 사용시 유의사항
> 1.4.1. 경찰관은 경찰청이 공인한 물리력 수단을 사용하여야 한다.
> 1.4.2. 경찰관은 성별, 장애, 인종, 종교 및 성정체성 등에 대한 선입견을 가지고 차별적으로 물리력을 사용하여서는 아니 된다.
> 1.4.3. 경찰관은 대상자의 신체 및 건강상태, 장애유형 등을 고려하여 물리력을 사용하여야 한다.
> 1.4.4. 경찰관은 이미 경찰목적을 달성하여 더 이상 물리력을 사용할 필요가 없는 경우에는 물리력 사용을 즉시 중단하여야 한다.

1.4.5. 경찰관은 대상자를 징벌하거나 복수할 목적으로 물리력을 사용하여서는 아니 된다.

1.4.6. 경찰관은 오직 상황의 빠른 종결이나, 직무수행의 편의를 위한 목적으로 물리력을 사용하여서는 아니 된다.

3. 대상자 행위정도

순응 [2024 승진]	대상자가 경찰관의 지시, 통제에 따르는 상태를 말한다. 다만, 대상자가 경찰관의 요구에 즉각 응하지 않고 약간의 시간만 지체하는 경우는 '순응'으로 본다.
소극적 저항 [2024 승진]	• 대상자가 경찰관의 지시, 통제를 따르지 않고 비협조적이지만 경찰관 또는 제3자에 대해 직접적인 위해를 가하지 않는 상태를 말한다. • 경찰관이 정당한 이동 명령을 발하였음에도 가만히 서있거나 앉아 있는 등 전혀 움직이지 않는 상태, 일부러 몸의 힘을 모두 빼거나, 고정된 물체를 꽉 잡고 버팀으로써 움직이지 않으려는 상태 등이 이에 해당한다.
적극적 저항 [2024 승진] [2024 채용 1차]	• 대상자가 자신에 대한 경찰관의 체포 · 연행 등 정당한 공무집행을 방해하지만 경찰관 또는 제3자에 대해 위해 수준이 낮은 행위만을 하는 상태를 말한다. • 대상자가 자신을 체포 · 연행하려는 경찰관으로부터 물리적으로 이탈하거나 도주하려는 행위, 체포 · 연행을 위해 팔을 잡으려는 경찰관의 손을 뿌리치거나, 경찰관을 밀고 잡아끄는 행위, 경찰관에게 침을 뱉거나 경찰관을 밀치는 행위 등이 이에 해당한다.
폭력적 공격	• 대상자가 경찰관 또는 제3자에 대해 신체적 위해를 가하는 상태를 말한다. • 대상자가 경찰관에게 폭력을 행사하려는 자세를 취하여 그 행사가 임박한 상태, 주먹 · 발 등을 사용해서 경찰관에 대해 신체적 위해를 초래하고 있거나 임박한 상태, 강한 힘으로 경찰관을 밀거나 잡아당기는 등 완력을 사용해 체포에서 벗어나려고 하는 상태 등이 이에 해당한다.
치명적 공격 [2024 승진]	• 대상자가 경찰관 또는 제3자에 대해 사망 또는 심각한 부상을 초래할 수 있는 행위를 하는 상태를 말한다. • 총기류(공기총 · 엽총 · 사제권총 등), 흉기(칼 · 도끼 · 낫 등), 둔기(망치 · 쇠파이프 등)를 이용하여 경찰관, 제3자에 대해 위력을 행사하고 있거나 위해 발생이 임박한 경우, 경찰관이나 제3자의 목을 세게 조르거나 무차별 폭행하는 등 생명 · 신체에 대해 중대한 위해가 발생할 정도의 위험한 폭력을 행사하는 경우가 이에 해당한다.

[2022 채용1차] 치명적 공격은 대상자가 경찰관에게 폭력을 행사하려는 자세를 취하여 그 행사가 임박한 상태, 주먹 · 발 등을 사용해서 경찰관에 대해 신체적 위해를 초래하고 있는 상태를 말한다. (×)

[2024 승진] 폭력적 공격 – 대상자가 경찰관 또는 제3자에 대해 사망 또는 심각한 부상을 초래할 수 있는 행위를 하는 상태를 말한다. 흉기(칼 · 도끼 · 낫 등)를 이용하여 경찰관, 제3자에 대해 위력을 행사하고 있거나 위해 발생이 임박한 경우, 경찰관이나 제3자의 목을 세게 조르거나 무차별 폭행하는 등 생명 · 신체에 대해 중대한 위해가 발생할 정도의 위험한 폭력을 행사하는 경우가 이에 해당한다. (×)

[2024 채용1차] '적극적 저항'을 하는 대상자에 대하여 경찰관이 사용할 수 있는 물리력의 종류에는 언어적 통제, 체포 등을 위한 수갑 사용, 손바닥, 주먹, 발 등 신체부위를 이용한 가격, 분사기 사용이 있다. (×)

4. 경찰관 대응수준

협조적 통제 [2023 채용1차]	• '순응' 이상의 상태인 대상자에 대해 사용할 수 있는 물리력 수준으로서, 대상자의 협조를 유도하거나 협조에 따른 물리력을 말한다. • 그 종류는 다음과 같다. – 현장 임장 / 언어적 통제 / 체포 등을 위한 수갑 사용 / 안내 · 체포 등에 수반한 신체적 물리력
접촉 통제 [2023 채용1차]	• '소극적 저항' 이상의 상태인 대상자에 대해 사용할 수 있는 물리력 수준으로서, 대상자 신체 접촉을 통해 경찰목적 달성을 강제하지만 신체적 부상을 야기할 가능성은 극히 낮은 물리력을 말한다. • 그 종류는 다음과 같다. 　가. 신체 일부 잡기 · 밀기 · 잡아끌기, 쥐기 · 누르기 · 비틀기 　나. 경찰봉 양 끝 또는 방패를 잡고 대상자의 신체에 안전하게 밀착한 상태에서 대상자를 특정 방향으로 밀거나 잡아당기기
저위험 물리력 [2023 채용1차]	• '적극적 저항' 이상의 상태인 대상자에 대해 사용할 수 있는 물리력 수준으로서, 대상자가 통증을 느낄 수 있으나 신체적 부상을 당할 가능성은 낮은 물리력을 말한다. • 그 종류는 다음과 같다. 　가. 목을 압박하여 제압하거나 관절을 꺾는 방법, 팔 · 다리를 이용해 움직이지 못하도록 조르는 방법, 다리를 걸거나 들쳐 매는 등 균형을 무너뜨려 넘어뜨리는 방법, 대상자가 넘어진 상태에서 움직이지 못하게 위에서 눌러 제압하는 방법 　나. 분사기 사용(다른 저위험 물리력 이하의 수단으로 제압이 어렵고, 경찰관이나 대상자의 부상 등의 방지를 위해 필요한 경우)
중위험 물리력	• '폭력적 공격' 이상의 상태의 대상자에 대해 사용할 수 있는 물리력 수준으로서, 대상자에게 신체적 부상을 입힐 수 있으나 생명 · 신체에 대한 중대한 위해 발생 가능성은 낮은 물리력을 말한다. • 그 종류는 다음과 같다. 　가. 손바닥, 주먹, 발 등 신체부위를 이용한 가격 　나. 경찰봉으로 중요부위가 아닌 신체 부위를 찌르거나 가격 　다. 방패로 강하게 압박하거나 세게 미는 행위 　라. 전자충격기 사용
고위험 물리력	• '치명적 공격' 상태의 대상자로 인해 경찰관 또는 제3자의 생명 · 신체에 급박하고 중대한 위해가 초래될 가능성이 있는 경우 최후의 수단으로 사용할 수 있는 물리력 수준으로서, 대상자의 사망 또는 심각한 부상을 초래할 수 있는 물리력을 말한다. • 경찰관은 대상자의 '치명적 공격' 상황에서도 현장상황이 급박하지 않은 경우에는 낮은 수준의 물리력을 우선적으로 사용하여 상황을 종결시킬 수 있도록 노력하여야 한다. • '고위험 물리력'의 종류는 다음과 같다. 　1) 권총 등 총기류 사용 　2) 경찰봉, 방패, 신체적 물리력으로 대상자의 신체 중요 부위 또는 급소 부위 가격, 대상자의 목을 강하게 조르거나 신체를 강한 힘으로 압박하는 행위

[2023 채용1차] 중위험 물리력은 '치명적 공격' 상태의 대상자로 인해 경찰관 또는 제3자의 생명 · 신체에 급박하고 중대한 위해가 초래될 가능성이 있는 경우 최후의 수단으로 사용할 수 있는 물리력 수준으로서, 대상자의 사망 또는 심각한 부상을 초래할 수 있는 물리력을 말한다. (×)

주제 5 보상과 벌칙

01 손실보상

1. 손실보상의 의의 및 요건

(1) 의의

> **경찰관 직무집행법 제11조의2【손실보상】** ① 국가는 경찰관의 적법한 직무집행으로 인하여 다음 각 호의 어느 하나에 해당하는 손실을 입은 자에 대하여 정당한 보상을 하여야 한다.
> 1. 손실발생의 원인에 대하여 책임이 없는 자가 생명·신체 또는 재산상의 손실을 입은 경우(손실발생의 원인에 대하여 책임이 없는 자가 경찰관의 직무집행에 자발적으로 협조하거나 물건을 제공하여 생명·신체 또는 재산상의 손실을 입은 경우를 포함한다) [2017 채용2차] [2020 경간] [2020 승진(경감)]
> 2. 손실발생의 원인에 대하여 책임이 있는 자가 자신의 책임에 상응하는 정도를 초과하는 생명·신체 또는 재산상의 손실을 입은 경우 [2020 지능범죄] [2024 채용1차]
> [2021 채용1차] 손실발생의 원인에 대하여 책임이 없는 자가 경찰관의 적법한 직무집행으로 인하여 생명·신체 또는 재산상의 손실을 입은 경우(손실발생의 원인에 대하여 책임이 없는 자가 경찰관의 직무집행에 자발적으로 협조하거나 물건을 제공하여 생명·신체 또는 재산상의 손실을 입은 경우를 제외한다). 국가는 그 손실을 입은 자에 대하여 정당한 보상을 하여야 한다. (×)
> [2020 승진(경위)] 국가는 손실 발생의 원인에 대하여 책임이 있는 자가 자신의 책임에 상응하는 정도를 초과하는 생명·신체 또는 재산상의 소실을 입은 경우 보상을 하지 않을 수 있다. (×)

물리적인 실력행사가 빈번하게 이루어지는 경찰작용에 있어서는 직무수행 과정에서 상대방이나 제3자에게 재산상 혹은 신체상 피해를 초래할 가능성이 높은 바, 이러한 경찰작용 중 적법한 경찰작용으로 피해를 입은 자에 대한 구제수단이 경찰상 손실보상제도이다.

(2) 요건

1) 경찰관의 적법한 직무집행일 것

- 적법한 직무집행은 경찰관련 법률에서 정하고 있는 임무, 즉 위험방지나 진압작용(형사소추) 등에 해당하는 경우로 한정된다고 본다.
- 적법성이 인정되지 않는다면 손실보상청구는 인용되지 않으며, 손해배상청구(국가배상청구)의 문제로 넘어가게 된다.

2) 손실발생 원인에 책임이 없는 자일 것

경찰 의무를 준수하지 않아 경찰권이 발동된 경우 이 과정에서 발생한 손실은 경찰책임자가 수인하여야 하기 때문이다. **예** 가정폭력 현장에 출동하였으나 문을 열어주지 않아 강제로 출입문을 열어 문이 파손된 경우 ➡ 손실보상 부정

3) 책임이 있더라도 책임에 상응하는 정도를 초과하는 손실을 입었을 것

손실발생 원인에 책임이 있더라도 책임에 상응하는 정도를 초과하는 손실은 손실보상의 대상이 될 수 있으나, 실무적으로는 그 판단이 쉽지 않다는 비판이 있다. **예** 음주단속된 오토바이 운전자를 하차시킨 후 경찰관이 오토바이를 이동주차 하였는데, 5~10분 후 오토바이 넘어져 파손(서울청 2017년 11월) ➡ 원인은 야기하였으나 오토바이 파손 부분은 책임 상응정도 넘는 것임이 인정

▌ 경기남부청 2017.5. 기각사례
- 동물학대 신고 접수받고 출동한 경찰관이, 생명이 위급한 강아지 구호를 위해 인근 동물병원서 긴급치료 실시
- 강아지를 치료한 동물병원이 손실보상을 청구하였으나, 동물 생명구조는 경찰관 직무집행 범위에 들어가지 않는다는 이유로 보상청구 기각됨

▌ 국가배상청구권
공무원의 위법한 직무상 불법행위로 손해를 입은 국민이 국가 또는 공공단체에 대해 손해배상을 청구할 수 있는 권리

2. 손실보상의 기준과 보상금액

> **경찰관 직무집행법 제11조의2【손실보상】** ⑦ 제1항에 따른 손실보상의 기준, 보상금액, 지급 절차 및 방법, 제3항에 따른 손실보상심의위원회의 구성 및 운영, 제4항 및 제6항에 따른 환수절차, 그 밖에 손실보상에 관하여 필요한 사항은 대통령령으로 정한다.
> [2018 채용2차]
>
> **대통령령** **경찰관 직무집행법 시행령 제9조【손실보상의 기준 및 보상금액 등】** ① 법 제11조의2 제1항에 따라 손실보상을 할 때 물건을 멸실·훼손한 경우에는 다음 각 호의 기준에 따라 보상한다. [2020 경간]
> 1. 손실을 입은 물건을 수리할 수 있는 경우: 수리비에 상당하는 금액
> 2. 손실을 입은 물건을 수리할 수 없는 경우: 손실을 입은 당시의 해당 물건의 교환가액
> 3. 영업자가 손실을 입은 물건의 수리나 교환으로 인하여 영업을 계속할 수 없는 경우: 영업을 계속할 수 없는 기간 중 영업상 이익에 상당하는 금액
> ② 물건의 멸실·훼손으로 인한 손실 외의 재산상 손실에 대해서는 직무집행과 상당한 인과관계가 있는 범위에서 보상한다. [2020 승진(경감)]
> ③ 법 제11조의2 제1항에 따라 손실보상을 할 때 생명·신체상의 손실의 경우에는 별표의 기준에 따라 보상한다.
> ④ 법 제11조의2 제1항에 따라 보상금을 지급받을 사람이 동일한 원인으로 다른 법령에 따라 보상금 등을 지급받은 경우 그 보상금 등에 상당하는 금액을 제외하고 보상금을 지급한다.
> [2020 경간] 손실을 입은 물건을 수리할 수 없는 경우에는 보상 당시의 해당 물건의 교환 가액으로 보상한다. (×)

3. 손실보상금의 행사방법 및 지급절차

(1) 청구권자의 손실보상청구

> **경찰관 직무집행법 제11조의2【손실보상】** ② 제1항에 따른 보상을 청구할 수 있는 권리는 손실이 있음을 안 날부터 3년, 손실이 발생한 날부터 5년간 행사하지 아니하면 시효의 완성으로 소멸한다. [2015 채용3차] [2017 채용2차] [2017 승진(경위)] [2018 채용2차] [2022 채용1차]
> [2015 채용3차] [2017 경간] 손실보상을 청구할 수 있는 권리는 손실이 있음을 안 날로부터 2년, 손실이 발생한 날로부터 5년간 행사하지 않으면 시효의 완성으로 소멸한다. (×)
> [2020 승진(경위)] [2020 승진(경감) 유사] 손실보상을 청구할 수 있는 권리는 손실이 있음을 안 날부터 5년, 손실이 발생한 날부터 3년간 행사하지 아니하면 시효의 완성으로 소멸한다. (×)
>
> **대통령령** **경찰관 직무집행법 시행령 제10조【손실보상의 지급절차 및 방법】** ① 법 제11조의2에 따라 경찰관의 적법한 직무집행으로 인하여 발생한 손실을 보상받으려는 사람은 별지 제4호서식의 보상금 지급 청구서에 손실내용과 손실금액을 증명할 수 있는 서류를 첨부하여 손실보상청구 사건 발생지를 관할하는 국가경찰관서의 장에게 제출하여야 한다. [2022 승진(실무종합)] [2024 채용 1차]

쉽게 읽기!
§9 ①: 손실보상기준
• 물건의 멸실 훼손: 수리비 / 교환가액 / 영업이익 상당금액
• 물건의 멸실·훼손 외 재산상 손실: 상당인과관계
• 생명·신체상 손실: 별표 기준

국가배상청구권의 소멸시효
• 안 날로부터 3년
• 불법행위 있은 날로부터 5년
• 국가배상법상 규정은 없으나 민법과 국가재정법 규정 준용에 따른 것이다.

(2) 국가경찰관서장의 청구서 송부

> **대통령령** 경찰관 직무집행법 시행령 제10조【손실보상의 지급절차 및 방법】② 제1항에 따라 보상금 지급 청구서를 받은 국가경찰관서의 장은 해당 청구서를 제11조 제1항에 따른 손실보상청구 사건을 심의할 손실보상심의위원회가 설치된 경찰청, 해양경찰청, 시·도경찰청 및 지방해양경찰청의 장(이하 "경찰청장등"이라 한다)에게 보내야 한다.
> ③ 제2항에 따라 보상금 지급 청구서를 받은 경찰청장등은 손실보상심의위원회의 심의·의결에 따라 보상 여부 및 보상금액을 결정하되, 다음 각 호의 어느 하나에 해당하는 경우에는 그 청구를 각하하는 결정을 하여야 한다.
> 1. 청구인이 같은 청구 원인으로 보상신청을 하여 보상금 지급 여부에 대하여 결정을 받은 경우. 다만, 기각 결정을 받은 청구인이 손실을 증명할 수 있는 새로운 증거가 발견되었음을 소명하는 경우는 제외한다.
> 2. 손실보상 청구가 요건과 절차를 갖추지 못한 경우. 다만, 그 잘못된 부분을 시정할 수 있는 경우는 제외한다.

(3) 경찰청장 등의 처리(결정·통지 및 지급)

> 경찰관 직무집행법 제11조의2【손실보상】④ 경찰청장·해양경찰청장 또는 시·도경찰청장 또는 지방해양경찰청장은 제3항의 손실보상심의위원회의 심의·의결에 따라 보상금을 지급하고, 거짓 또는 부정한 방법으로 보상금을 받은 사람에 대하여는 해당 보상금을 환수하여야 한다.
>
> **대통령령** 경찰관 직무집행법 시행령 제10조【손실보상의 지급절차 및 방법】③ 제2항에 따라 보상금 지급 청구서를 받은 경찰청장등은 손실보상심의위원회의 심의·의결에 따라 보상 여부 및 보상금액을 결정하되, 다음 각 호의 어느 하나에 해당하는 경우에는 그 청구를 각하하는 결정을 하여야 한다.
> 1. 청구인이 같은 청구 원인으로 보상신청을 하여 보상금 지급 여부에 대하여 결정을 받은 경우. 다만, 기각 결정을 받은 청구인이 손실을 증명할 수 있는 새로운 증거가 발견되었음을 소명하는 경우는 제외한다.
> 2. 손실보상 청구가 요건과 절차를 갖추지 못한 경우. 다만, 그 잘못된 부분을 시정할 수 있는 경우는 제외한다.
> ④ 경찰청장등은 제3항에 따른 결정일부터 10일 이내에 다음 각 호의 구분에 따른 통지서에 결정 내용을 적어서 청구인에게 통지하여야 한다. [2021 채용1차]
> 1. 보상금을 지급하기로 결정한 경우: 별지 제5호 서식의 보상금 지급 청구 승인 통지서
> 2. 보상금 지급 청구를 각하하거나 보상금을 지급하지 아니하기로 결정한 경우: 별지 제6호서식의 보상금 지급 청구 기각·각하 통지서
> ⑤ 보상금은 다른 법률에 특별한 규정이 있는 경우를 제외하고는 현금으로 지급하여야 한다. [2020 경간] [2024 채용 1차]
> ⑥ 보상금은 일시불로 지급하되, 예산 부족 등의 사유로 일시금으로 지급할 수 없는 특별한 사정이 있는 경우에는 청구인의 동의를 받아 분할하여 지급할 수 있다. [2018 채용2차] [2020 승진(경위)]
>
> [2022 채용1차] 손실보상금 지급 청구서를 받은 경찰청장등은 손실보상심의위원회의 심의·의결에 따라 손실보상 여부 및 손실보상금액을 결정하되 손실보상청구가 요건과 절차를 갖추지 못한 경우(다만, 그 잘못된 부분을 시정할 수 있는 경우는 제외한다) 그 청구를 기각하는 결정을 하여야 한다. (×)

[2020 지능범죄] 손실보상심의위원회가 설치된 경찰청, 해양경찰청, 시·도경찰청 및 지방해양경찰청의 장은 손실보상심의위원회의 심의·의결에 따라 보상금을 지급하기로 결정한 경우, 해당 결정일로부터 7일 이내에 보상금 지급 청구 승인 통지서에 결정내용을 적어서 청구인에게 통지하여야 한다. (×)
[2020 지능범죄] 보상금은 다른 법률에 특별한 규정이 있는 경우를 제외하고는 현금으로 지급하여야 하며, 또한 보상금의 추가 지급을 원활히 하기 위해 분할하여 지급하는 것을 원칙으로 한다. (×)

(4) 보상금 지급에 따른 국가경찰위원회 보고

경찰관 직무집행법 제11조의2 【손실보상】 ⑤ 보상금이 지급된 경우 손실보상심의위원회는 대통령령으로 정하는 바에 따라 국가경찰위원회 또는 해양경찰위원회에 심사자료와 결과를 보고하여야 한다. 이 경우 국가경찰위원회 또는 해양경찰위원회는 손실보상의 적법성 및 적정성 확인을 위하여 필요한 자료의 제출을 요구할 수 있다.

[대통령령] 경찰관 직무집행법 시행령 제17조의3 【국가경찰위원회 보고 등】 ① 법 제11조의2 제5항에 따라 위원회(경찰청 및 시·도경찰청에 설치된 위원회만 해당한다. 이하 이 조에서 같다)는 보상금 지급과 관련된 심사자료와 결과를 반기별로 국가경찰위원회에 보고해야 한다.
② 국가경찰위원회는 필요하다고 인정하는 때에는 수시로 보상금 지급과 관련된 심사자료와 결과에 대한 보고를 위원회에 요청할 수 있다. 이 경우 위원회는 그 요청에 따라야 한다.

4. 손실보상금의 환수

경찰관 직무집행법 제11조의2 【손실보상】 ④ 경찰청장, 해양경찰청장 또는 시·도경찰청장 또는 지방해양경찰청장은 ⋯ 거짓 또는 부정한 방법으로 보상금을 받은 사람에 대하여는 해당 보상금을 환수하여야 한다.
⑥ 경찰청장 또는 시·도경찰청장은 제4항에 따라 보상금을 반환하여야 할 사람이 대통령령으로 정한 기한까지 그 금액을 납부하지 아니한 때에는 국세강제징수 예에 따라 징수할 수 있다. [2020 지능범죄]
[2020 채용1차] [2021 채용1차] 경찰청장 또는 시도경찰청장은 손실보상심의위원회의 심의·의결에 따라 보상금을 지급하고, 거짓 또는 부정한 방법으로 보상금을 받은 사람에 대하여는 해당 보상금을 환수할 수 있다. (×)
[대통령령] 경찰관 직무집행법 시행령 제17조의2 【보상금의 환수절차】 ① 경찰청장 또는 시·도경찰청장은 법 제11조의2 제4항에 따라 보상금을 환수하려는 경우에는 위원회의 심의·의결에 따라 환수 여부 및 환수금액을 결정하고, 거짓 또는 부정한 방법으로 보상금을 받은 사람에게 다음 각 호의 내용을 서면으로 통지해야 한다.
1. 환수사유 / 2. 환수금액 / 3. 납부기한 / 4. 납부기관
② 법 제11조의2 제6항에서 "대통령령으로 정한 기한"이란 제1항에 따른 통지일부터 40일 이내의 범위에서 경찰청장 또는 시·도경찰청장이 정하는 기한을 말한다.
③ 제1항 및 제2항에서 규정한 사항 외에 보상금 환수절차에 관하여 필요한 사항은 경찰청장이 정한다.

5. 손실보상심의위원회

(1) 설치 및 구성

경찰관 직무집행법 제11조의2【손실보상】③ 제1항에 따른 손실보상신청 사건을 심의하기 위하여 손실보상심의위원회를 둔다.

대통령령 경찰관 직무집행법 시행령 제11조【손실보상심의위원회의 설치 및 구성】① 법 제11조의2 제3항에 따라 소속 경찰공무원의 직무집행으로 인하여 발생한 손실보상청구 사건을 심의하기 위하여 경찰청, 해양경찰청, 시·도경찰청 및 지방해양경찰청에 손실보상심의위원회(이하 "위원회"라 한다)를 설치한다. ➡ 청 단위 ○, 경찰서 × [2022 채용1차]

② 위원회는 위원장 1명을 포함한 5명 이상 7명 이하의 위원으로 구성한다. [2017 승진(경위)] [2020 승진(경감)]
[2024 채용 1차] [2017 채용2차] [2018 채용2차] 경찰공무원의 직무집행으로 인하여 발생한 손실보상청구 사건을 심의하기 위하여 경찰청, 해양경찰청, 시·도경찰청 및 지방해양경찰청, 경찰서 및 해양경찰서에 손실보상심의위원회를 설치한다. (×)

(2) 위원 및 위원장

대통령령 경찰관 직무집행법 시행령 제11조【손실보상심의위원회의 설치 및 구성】③ 위원회의 위원은 소속 경찰공무원과 다음 각 호의 어느 하나에 해당하는 사람 중에서 경찰청장등이 위촉하거나 임명한다. 이 경우 위원의 과반수 이상은 경찰공무원이 아닌 사람으로 하여야 한다.
1. 판사·검사 또는 변호사로 5년 이상 근무한 사람
2. 「고등교육법」 제2조에 따른 학교에서 법학 또는 행정학을 가르치는 부교수 이상으로 5년 이상 재직한 사람
3. 경찰 업무와 손실보상에 관하여 학식과 경험이 풍부한 사람
④ 위촉위원의 임기는 2년으로 한다.
⑤ 위원회의 사무를 처리하기 위하여 위원회에 간사 1명을 두되, 간사는 소속 경찰공무원 중에서 경찰청장등이 지명한다.

대통령령 경찰관 직무집행법 시행령 제12조【위원장】① 위원장은 위원 중에서 호선한다.
② 위원장은 위원회를 대표하며, 위원회의 업무를 총괄한다.
③ 위원장이 부득이한 사유로 직무를 수행할 수 없는 때에는 위원장이 미리 지명한 위원이 그 직무를 대행한다.
[2020 승진(경위)] 손실보상청구 사건을 심의하기 위하여 경찰청, 시·도경찰청에 손실보상심의위원회를 설치한다. 위원회는 위원장 1명을 포함한 5명 이상 7명 이하의 위원으로 구성하며, 위원장은 경찰청장 등이 지명한다. (×)
[2021 채용1차] 손실보상심의위원회는 위원장 1명을 포함한 5명 이상 7명 이하의 위원으로 구성하며, 위원장이 부득이한 사유로 직무를 수행할 수 없는 때에는 상임위원, 위원 중 연장자순으로 위원장의 직무를 대행한다. (×)

대통령령 경찰관 직무집행법 시행령 제15조【위원의 해촉】경찰청장등은 위원회의 위원이 다음 각 호의 어느 하나에 해당하는 경우에는 해당 위원을 해촉할 수 있다.
1. 심신장애로 인하여 직무를 수행할 수 없게 된 경우
2. 직무태만, 품위손상이나 그 밖의 사유로 위원으로 적합하지 아니하다고 인정되는 경우
3. 제14조 제1항 각 호의 어느 하나(➡ 제척사유)에 해당하는 데에도 불구하고 회피하지 아니한 경우
4. 제16조를 위반하여 직무상 알게 된 비밀을 누설한 경우

대통령령 경찰관 직무집행법 시행령 제16조【비밀 누설의 금지】위원회의 회의에 참석한 사람은 직무상 알게 된 비밀을 누설해서는 아니 된다.

▌국가경찰위원회 위원자격
7명중 2명에게 법관자격 요구하는 것 외에 다른 자격요건 ×

▌자치경찰위원회 위원자격
- 판·검·변 또는 경찰 5년 이상
- 변호사자격 + 국가기관에서 법률사무 5년 이상
- 법률학·행정학·경찰학 조교수 이상 5년이상
- 경험풍부, 학식 덕망

▌위원장
- 국가경찰위원회 - 비상임 중에서 호선
- 자치경찰위원회 - 위원 중 시·도지사 임명
- 시·도자치경찰위원회 위원추천위원회 - 추천위원 중 호선
- 징계위원회 - 최상위 계급 / 최상위 계급 먼저 승진임용자

(3) 위원회의 운영 및 의결

> **대통령령** 경찰관 직무집행법 시행령 제13조【손실보상심의위원회의 운영】① 위원장은 위원회의 회의를 소집하고, 그 의장이 된다.
> ② 위원회의 회의는 재적위원 과반수의 출석으로 개의하고, 출석위원 과반수의 찬성으로 의결한다.
> ③ 위원회는 심의를 위하여 필요한 경우에는 관계 공무원이나 관계 기관에 사실조사나 자료의 제출 등을 요구할 수 있으며, 관계 전문가에게 필요한 정보의 제공이나 의견의 진술 등을 요청할 수 있다.

02 공로자 보상

1. 공로자보상의 의의 및 요건

▮ **공로자보상의 주체**
· 육경의 경우 경찰청장 · 시도경찰청장 · 경찰서장을 말하며, 법문상 이하 "경찰청장등"이라고 표현됨을 주의해야 한다. **비교》** 손실보상의 주체는 경찰청장 · 시도경찰청장이다. ➡ 경찰서장 ×!

> 경찰관 직무집행법 제11조의3【범인검거 등 공로자 보상】① 경찰청장, 해양경찰청장, 시 · 도경찰청장, 지방해양경찰청장, 경찰서장 또는 해양경찰서장(이하 이 조에서 "경찰청장등"이라 한다)은 다음 각 호의 어느 하나에 해당하는 사람에게 보상금을 지급할 수 있다.
> 1. 범인 또는 범인의 소재를 신고하여 검거하게 한 사람 [2019 승진(경감)]
> 2. 범인을 검거하여 경찰공무원에게 인도한 사람 [2019 승진(경감)]
> 3. 테러범죄의 예방활동에 현저한 공로가 있는 사람 [2016 지능범죄]
> 4. 그 밖에 제1호부터 제3호까지의 규정에 준하는 사람으로서 대통령령으로 정하는 사람
> ⑦ 제1항에 따른 보상 대상, 보상금의 지급 기준 및 절차, 제2항 및 제3항에 따른 보상금심사위원회의 구성 및 심사사항, 제5항 및 제6항에 따른 환수절차, 그 밖에 보상금 지급에 관하여 필요한 사항은 대통령령으로 정한다.
>
> **대통령령** 경찰관 직무집행법 시행령 제18조【범인검거 등 공로자 보상금 지급 대상자】법 제11조의3 제1항 제4호에서 "대통령령으로 정하는 사람"이란 다음 각 호의 어느 하나에 해당하는 사람을 말한다.
> 1. 범인의 신원을 특정할 수 있는 정보를 제공한 사람
> 2. 범죄사실을 입증하는 증거물을 제출한 사람
> 3. 그 밖에 범인 검거와 관련하여 경찰 수사 활동에 협조한 사람 중 보상금 지급 대상자에 해당한다고 법 제11조의3 제2항에 따른 보상금심사위원회가 인정하는 사람

2. 공로자보상의 기준과 보상금액

(1) 기준금액

> **대통령령** 경찰관 직무집행법 시행령 제20조【범인검거 등 공로자 보상금의 지급 기준】법 제11조의3 제1항에 따른 보상금의 최고액은 5억원으로 하며, 구체적인 보상금 지급 기준은 경찰청장이 정하여 고시한다.
> [2016 지능범죄] 보상금의 최고액은 3억원으로 하며, 구체적인 보상금 지급기준은 경찰청장이 정하여 고시한다. (×)

고시 범인검거 등 공로자 보상에 관한 규정 제6조【보상금의 지급 기준】① 시행령 제20조에 따른 보상금 지급기준 금액은 다음 각 호와 같다.

1. 사형, 무기징역 또는 무기금고, 장기 10년 이상의 징역 또는 금고에 해당하는 범죄: 100만원 [2018 채용1차]
2. 장기 10년 미만의 징역 또는 금고에 해당하는 범죄: 50만원
3. 장기 5년 미만의 징역 또는 금고, 장기 10년 이상의 자격정지 또는 벌금형: 30만원

④ 경찰청장 또는 경찰청장의 승인을 받은 지방경찰청장이 미리 보상금액을 정하여 수배할 경우에는 제1항 및 제2항에 따른 보상금 지급기준에도 불구하고 예산의 범위에서 금액을 따로 결정할 수 있다.

⑤ 동일한 사람에게 지급결정일을 기준으로 연간(1월 1일부터 12월 31일까지를 말한다) 5회를 초과하여 보상금을 지급할 수 없다. [2018 채용1차]

[2018 채용1차] 장기 10년 미만의 징역 또는 금고에 해당하는 범죄에 대한 보상금 지급기준 금액과 벌금형 범죄에 대한 보상금 지급기준 금액의 합은 70만원이다. (×)

[2018 승진(경감)] 장기 5년 미만의 징역 또는 금고, 장기 10년 이상의 자격정지 또는 벌금형에 해당하는 범죄에 대한 보상금 지급기준 금액은 15만원이다. (×)

(2) 지급제한과 배분지급

고시 범인검거 등 공로자 보상에 관한 규정 제7조【보상금의 지급 제한】다음 각 호의 어느 하나에 해당하는 경우에는 보상금을 지급하지 않거나 감액하여 지급할 수 있다.

1. 신고내용이 사실이 아닌 것으로 판명되거나 이미 신고된 사항인 경우
2. 신고내용이 언론매체 등을 통해 이미 공개된 사항인 경우
3. 범인검거 등 공로자 본인이 보상금을 거절하는 경우
4. 익명 또는 가명으로 신고하여 신고자가 누구인지 알 수 없는 경우
5. 법령에 신고 의무가 규정되어 있거나, 범죄의 수사·범인의 검거가 직무로 규정되어 있는 경우
6. 공직자가 자기의 직무 또는 직무였던 사항과 관련하여 신고한 경우
7. 범인검거 등 공로자가 보상대상 행위와 관련된 불법 행위를 하여 보상금 지급이 부적절하다고 인정되는 경우

고시 범인검거 등 공로자 보상에 관한 규정 제8조【보상금 중복 지급의 제한】보상금을 지급받을 사람이 동일한 원인으로 다른 법령에 따른 포상금·보상금 등을 지급받거나 지급받을 예정인 경우에는 그 포상금·보상금 등의 액수가 지급할 보상금액과 동일하거나 이를 초과할 때에는 보상금을 지급하지 아니하며, 그 포상금·보상금 등의 액수가 지급할 보상금액보다 적을 때에는 그 금액을 공제하고 보상금액을 정하여야 한다.

고시 범인검거 등 공로자 보상에 관한 규정 제9조【보상금 이중 지급의 제한】보상금 지급 심사·의결을 거쳐 지급이 이루어진 이후에는 동일한 사건에 대하여 보상금을 지급할 수 없다. [2018 채용1차] [2018 승진(경감)]

고시 범인검거 등 공로자 보상에 관한 규정 제10조【보상금의 배분 지급】범인검거 등 공로자가 2명 이상인 경우에는 각자의 공로, 당사자 간의 분배 합의 등을 감안해서 배분하여 지급할 수 있다. [2018 승진(경감)]

3. 공로자보상금 지급절차

경찰관 직무집행법 제11조의3【범인검거 등 공로자 보상】 ⑤ 경찰청장, 시·도경찰청장 또는 경찰서장은 제2항에 따른 보상금심사위원회의 심사·의결에 따라 보상금을 지급하고, 거짓 또는 부정한 방법으로 보상금을 받은 사람에 대하여는 해당 보상금을 환수한다.

대통령령 경찰관 직무집행법 시행령 제21조【범인검거 등 공로자 보상금의 지급 절차 등】 ① 경찰청장, 시·도경찰청장 또는 경찰서장은 보상금 지급사유가 발생한 경우에는 직권으로 또는 보상금을 지급받으려는 사람의 신청에 따라 소속 보상금심사위원회의 심사·의결을 거쳐 보상금을 지급한다.
② 보상금심사위원회는 제20조에 따라 경찰청장이 정하여 고시한 보상금 지급 기준에 따라 보상 금액을 심사·의결한다. 이 경우 보상금심사위원회는 다음 각 호의 사항을 고려하여 보상금액을 결정할 수 있다.
1. 테러범죄 예방의 기여도
2. 범죄피해의 규모
3. 범인 신고 등 보상금 지급 대상 행위의 난이도
4. 보상금 지급 대상자가 다른 법령에 따라 보상금 등을 지급받을 수 있는지 여부
5. 그 밖에 범인검거와 관련한 제반 사정
③ 경찰청장, 시·도경찰청장 및 경찰서장은 소속 보상금심사위원회의 보상금 심사를 위하여 필요한 경우에는 보상금 지급 대상자와 관계 공무원 또는 기관에 사실조사나 자료의 제출 등을 요청할 수 있다.

4. 공로자보상금의 환수

경찰관 직무집행법 제11조의3【범인검거 등 공로자 보상】 ⑤ 경찰청장 등은 제2항에 따른 보상금심사위원회의 심사·의결에 따라 보상금을 지급하고, 거짓 또는 부정한 방법으로 보상금을 받은 사람에 대하여는 해당 보상금을 환수한다.
⑥ 경찰청장 등은 제5항에 따라 보상금을 반환하여야 할 사람이 대통령령으로 정한 기한까지 그 금액을 납부하지 아니한 때에는 국세강제징수의 예에 따라 징수할 수 있다.

대통령령 경찰관 직무집행법 시행령 제21조의2【범인검거 등 공로자 보상금의 환수절차】 ① 경찰청장, 시·도경찰청장 또는 경찰서장은 법 제11조의3 제5항에 따라 보상금을 환수하려는 경우에는 보상금심사위원회의 심사·의결에 따라 환수 여부 및 환수금액을 결정하고, 거짓 또는 부정한 방법으로 보상금을 받은 사람에게 다음 각 호의 내용을 서면으로 통지해야 한다.
1. 환수사유 / 2. 환수금액 / 3. 납부기한 / 4. 납부기관
② 법 제11조의3 제6항에서 "대통령령으로 정한 기한"이란 제1항에 따른 통지일부터 40일 이내의 범위에서 경찰청장, 시·도경찰청장 또는 경찰서장이 정하는 기한을 말한다.

5. 보상금심사위원회

> **경찰관 직무집행법 제11조의3【범인검거 등 공로자 보상】** ② 경찰청장 등은 제1항에 따른 보상금 지급의 심사를 위하여 대통령령으로 정하는 바에 따라 각각 보상금심사위원회를 설치·운영하여야 한다.
> ③ 제2항에 따른 보상금심사위원회는 위원장 1명을 포함한 5명 이내의 위원으로 구성한다.
> ④ 제2항에 따른 보상금심사위원회의 위원은 소속 경찰공무원 중에서 경찰청장 등이 임명한다. ➡ 민간위원 없음! [2016 지능범죄]
>
> **대통령령 경찰관 직무집행법 시행령 제19조【보상금심사위원회의 구성 및 심사사항 등】** ① 법 제11조의3 제2항에 따라 경찰청에 두는 보상금심사위원회의 위원장은 경찰청 소속 과장급 이상의 경찰공무원 중에서 경찰청장이 임명하는 사람으로 한다.
> ③ 법 제11조의3 제2항에 따른 보상금심사위원회(이하 "보상금심사위원회"라 한다)는 다음 각 호의 사항을 심사·의결한다.
> 1. 보상금 지급 대상자에 해당하는 지 여부
> 2. 보상금 지급 금액
> 3. 보상금 환수 여부
> 4. 그 밖에 보상금 지급이나 환수에 필요한 사항
> ④ 보상금심사위원회의 회의는 재적위원 과반수의 찬성으로 의결한다.
> [2016 지능범죄] 보상금심사위원회의 회의는 재적위원 3분의 2 이상 출석과 출석위원 과반수의 찬성으로 의결한다. (×)

▌재적과반수 의결 위원회
- 경찰공무원 인사위원회
- 승진심사위원회
- (공로자)보상금심사위원회

03 직무 수행에 따른 지원

1. 소송지원

> **경찰관 직무집행법 제11조의4【소송 지원】** 경찰청장과 해양경찰청장은 경찰관이 제2조 각 호에 따른 직무의 수행으로 인하여 민·형사상 책임과 관련된 소송을 수행할 경우 변호인 선임 등 소송 수행에 필요한 지원을 할 수 있다.
> [2022 채용1차] 국가경찰위원회 위원장은 경찰관이 경찰관 직무집행법 제2조(직무의 범위) 각 호에 따른 직무의 수행으로 인하여 민·형사상 책임과 관련된 소송을 수행할 경우 변호인 선임 등 소송 수행에 필요한 지원을 하여야 한다. (×)

2. 직무 수행으로 인한 형의 감면

> **경찰관 직무집행법 제11조의5【직무 수행으로 인한 형의 감면】** 다음 각 호의 범죄가 행하여지려고 하거나 행하여지고 있어 타인의 생명·신체에 대한 위해 발생의 우려가 명백하고 긴급한 상황에서, 경찰관이 그 위해를 예방하거나 진압하기 위한 행위 또는 범인의 검거 과정에서 경찰관을 향한 직접적인 유형력 행사에 대응하는 행위를 하여 그로 인하여 타인에게 피해가 발생한 경우, 그 경찰관의 직무수행이 불가피한 것이고 필요한 최소한의 범위에서 이루어졌으며 해당 경찰관에게 고의 또는 중대한 과실이 없는 때에는 그 정상을 참작하여 형을 감경하거나 면제할 수 있다.
> 1. 「형법」제2편 제24장 살인의 죄, 제25장 상해와 폭행의 죄, 제32장 강간과 추행의 죄 중 강간에 관한 범죄, 제38장 절도와 강도의 죄 중 강도에 관한 범죄 및 이에 대하여 다른 법률에 따라 가중처벌하는 범죄

▌경찰관 직무집행법 제11조의5 신설 이유(2022.2.3.)
- 현행법상 경찰공무원의 직무 수행 과정에서 경과실로 인해 발생한 사고에 대하여 형을 감면할 수 있는 근거가 미비하여 경찰관이 직무 집행에 소극적으로 임하고 있다는 지적이 제기
- 이에 일정한 요건을 갖춘 경찰관의 직무수행에 대해 그 정상을 참작하여 형을 감경하거나 면제할 수 있도록 함

2. 「가정폭력범죄의 처벌 등에 관한 특례법」에 따른 가정폭력범죄, 「아동학대범죄의 처벌 등에 관한 특례법」에 따른 아동학대범죄

<본조신설 및 시행 2022.2.3.>

본조에 따른 임의적 감면 요건은 다음과 같다.

① 대상범죄는 살인 · 상해 · 폭행 · 강간 · 강도 · 가정폭력 · 아동학대범죄일 것
② 타인의 생명 · 신체에 대한 위해 발생의 우려가 명백하고 긴급한 상황일 것
③ 경찰관이 그 위해를 예방 · 진압하는 등의 과정에서 발생한 일일 것
④ 경찰관에 대한 직접적 유형력 행사에 대응하는 행위로 타인에게 피해가 발생하였을 것
⑤ 그 직무수행이 불가피하고 필요 최소한 범위에서 이루어 졌을 것
⑥ 경찰관에게 고의 · 중대한 과실이 없을 것

04 벌칙

경찰관 직무집행법 제12조 【벌칙】 이 법에 규정된 경찰관의 의무를 위반하거나 직권을 남용하여 다른 사람에게 해를 끼친 사람은 1년 이하의 징역이나 금고 또는 300만원 이하의 벌금에 처한다. [2012 채용2차] [2015 채용3차] [2017 경간] [2017 승진(경위)]

해커스경찰
police.Hackers.com

제2편

경찰학의 기초이론

제1장/ 경찰이론

제1절 경찰과 경찰이념

주제 1 경찰개념

01 경찰개념

1. 경찰개념의 의의

- '경찰이란 무엇인가 내지 경찰은 무엇을 하는 자인가'하는 의문에 대한 답으로서 경찰개념은, 시간적으로 역사의 흐름에 따라, 또 지역적으로 국가마다 서로 다른 전통과 사상이 반영됨에 따라 계속하여 변동하는 개념이므로 일률적으로 답하기 어렵다. [2022 채용2차]
- 현재 대한민국에서 '경찰'의 사전적 의미는, '국민의 생명·신체 및 재산보호와 공공의 안녕과 질서유지를 위하여 국민을 지도·명령 또는 강제하는 국가의 특수행정작용 내지 그러한 작용을 하는 자'정도로 설명된다.

2. 대륙법계 경찰개념과 영미법계 경찰개념

│ 대륙법계 · 영미법계
- **대륙법계**: 독일과 프랑스를 중심으로 유럽 대륙에서 형성된 성문법 형식의 법계를 말한다. 대한민국도 일본을 통해 대륙법계를 계수하였다고 본다.
- **영미법계**: 영국과 미국을 중심으로 형성된 판례법 중심의 법계를 말한다.

(1) 대륙법계 경찰개념 ➡ 경찰이란 무엇인가?

  1) 의의

    대륙법계의 경찰개념은, '사회공공의 안녕과 질서를 유지하기 위하여 일반통치권에 근거하여 일반국민에게 명령·강제함으로써 그 자연적 자유를 제한하는 작용'이라고 설명된다.

    [2018 경간] 대륙법계 국가의 경찰개념은 경찰권이라고 하는 일반통치권적 개념을 전제로, 경찰이 시민을 위해서 수행하는 기능 또는 역할을 중심으로 형성되었다. (×)

    [2023 채용1차] 대륙법계 경찰개념은 경찰은 시민으로부터 자치권한을 위임받은 조직체로서 시민을 위한 기능과 역할에 초점을 맞추어 형성되었다. (×)

  2) 발전과정 ➡ 경찰개념 축소의 과정

    ① **고대시대의 경찰**
- 고대시대의 경찰은 '도시국가(Polis)와 관련된 일체의 정치, 특히 가장 이상적인 질서형성 상태인 헌법과 관련된 작용'을 의미하였다. [2018 경간] [2023 채용1차]
- Police라는 용어 자체가 Polis 내지 라틴어의 Politia에서 유래하였다.

      [2010 채용1차] 고대에서의 경찰개념은 라틴어의 politia에서 유래한 것으로, 도시국가의 국가작용 가운데 '정치'를 제외한 일체의 영역을 의미하였다. (×)

    ② **중세시대의 경찰(14C~16C)**
- **14세기 말**: 프랑스에서 경찰개념은 '국가목적, 국가작용, 국가의 평온한 질서 있는 상태, 즉 모든 국가작용'을 의미하였다.

- **15세기 말**: 14세기 말의 <u>프랑스의 경찰개념이 15세기 말에 독일에 계수되</u>어, 종래 봉건제후의 통치권으로서 전통적으로 인정되던 재판권·입법권·과세권 등 봉건영주의 통치권에 경찰권이 결부되어 그 결과 경찰개념은 '국가행정 전반'을 뜻하게 되었다.
- **16세기**: 독일의 제국경찰법(1530년)에 의해, 경찰개념은 '교회행정의 권한을 제외한 나머지 일체의 국가행정', 다시 말해 '세속적인 사회생활 질서유지를 위한 공권력 작용'으로 축소되었다. [2020 지능범죄] [2022 채용1차]

  [2012 채용2차] 14세기 말 독일의 경찰개념이 프랑스에 계수되어 양호한 질서를 포함한 국가행정 전반을 포괄하는 의미로 사용되었다. (×)

  [2020 지능범죄] 중세의 프랑스에서는 경찰이 국가의 평온한 질서 있는 상태를 의미하였고, 이러한 프랑스의 경찰개념이 15세기 독일로 계수되었다. (○)

  [2019 승진(경위)] 16세기 독일 제국경찰법은 교회행정을 포함한 국정 전반을 의미하였다. (×)

③ **경찰국가시대의 경찰(17C~18C)** ➡ 경찰과 행정의 분화 시작
- **경찰과 행정의 분화**: 국가활동이 전문화·분업화 되면서 <u>외교·군사·재정·사법행정은 국가의 특별한 작용으로 인식되어 경찰개념에서 제외되고</u>, 경찰은 '사회공공의 안녕(소극목적)과 복지(적극목적)를 직접 다루는 내무행정 작용'만을 의미하게 되었다. ➡ 1648년 체결된 베스트팔렌 조약이 그 효시! [2019 승진(경감)] [2023 채용1차]
- **복지경찰의 등장**: 내무행정에 관한 국가임무 수행을 위해 소극적인 질서유지뿐만 아니라 적극적인 복지증진을 위한 작용에도 강제력을 발동하게 되었다.
- **절대주의적 국가권력의 기초**: 국왕의 절대적인 통치권이 내무행정 전반에 미쳤으며, 당시 관료는 국왕의 절대적인 권력에 복종하고 헌신하는 대신, 국민에 대해서는 포괄적인 권한에 근거하여 재판통제도 받음이 없이 일방적으로 국민의 권리관계에 간섭하고 지배하는 체제가 갖추어졌다. ➡ 국민과 대립하는 관계

  [2022 채용 2차] 1648년 독일은 베스트팔렌 조약을 계기로 사법이 국가의 특별작용으로 인정되면서 경찰과 사법이 분리되었다. (○)

  [2012 채용2차] 16세기 독일 제국경찰법에서 경찰은 외교·군사·재정·사법을 제외한 내무행정 전반을 의미하였다. (×)

  [2017 경간] 14세기 말 프랑스의 경찰개념이 15세기 말 독일에 계수되었고, 16세기 독일 제국경찰법에서 경찰은 외교·군사·재정·사법을 제외한 내무행정 전반을 의미하였다. (×)

  [2019 승진(경위)] 17세기 대륙법계 국가에서는 국가작용의 분화현상이 나타나 경찰개념이 소극적인 위험방지 분야에 한정되었다. (×)

  [2012 승진(경위)] 경찰국가시대의 경찰개념은 국가활동의 확대와 복잡화로 국가작용의 분화현상이 나타나 교회활동을 제외한 국정전반을 의미했다. (×)

  [2014 승진(경감)] 17세기에 국가활동의 확대와 복잡화로 국가작용의 분화현상이 나타나 경찰개념이 외교·군사·재정·사법을 제외한 내무행정 전반을 의미하였다. (○)

  [2018 경간] 경찰국가시대에 경찰권은 소극적인 치안유지만 할 뿐, 적극적인 공공복지의 증진을 위하여 강제력을 행사할 수 없었다. (×)

④ **법치국가시대의 경찰(18C 말~19C 초)**

> 요한 쉬테판 퓌터(Johann Stephan Putter)
> "경찰의 직무는 임박한 위험을 방지하는 것이다. 복리증진은 경찰의 본래 직무가 아니다."(독일공법제도, 1770년) [2022 채용1차]

- **법치국가시대로의 전환**: 독일에서 경찰국가의 개념은 칸트 등의 계몽철학(18C)이 등장하면서 극복되어 군주의 권력도 법에 구속을 받게 되는 법치국가시대로 전환되었다. 이에 따라 경찰권의 객체에 지나지 않았던 시민이 그 주체성을 회복하였다.

▌ 베스트팔렌 조약(1648)
- 신성로마제국에서 발생한 30년전쟁을 종식시킨 조약이다.
- 신성로마제국의 제후들에게 각 영토에 대한 완전한 주권·외교권·조약체결권·독점적 사법관할권을 인정하였다. ➡ 경찰과 사법의 분화!

▌ 요한 쉬테판 퓌터
- 독일 괴팅겐대학의 공법교수로서, 자유주의 계몽사상을 기초로 경찰국가시대의 광범위한 경찰개념을 비판한 대표적 학자이다.
- '독일공법제도'는 그가 1770년 첫 출간한 저서이다.

- **소극적 질서유지 분야로 한정**: 18세기 후반에는 자유주의적 자연법사상과 권력분립원리를 이념으로 한 법치국가의 발전으로 경찰개념에서 적극적 복지경찰이 제외되고 소극적인 질서유지를 위한 위험방지에 국한되어, 내무행정 가운데서도 치안행정만을 의미하게 되었다. [2020 지능범죄]

[2014 승진(경감)] 18세기 독일은 계몽철학의 등장으로 법치주의시대가 도래하면서 경찰개념에서 적극적 복지경찰 분야가 제외되고, 소극적인 위험방지 분야에 한정되었다. (○)

☑ KEY POINT | 법치국가시대의 주요 법률과 판결

① 독일

- **프로이센 일반란트법(1794)**: "공공의 평온과 안녕 및 질서를 유지하고 공중이나 그 개별 구성원에게 절박한 위험을 방지하기 위해 필요한 조치를 취하는 것은 경찰의 직무이다." [2019 승진(경위)] [2020 경간] [2021 경간]
- **크로이츠베르크 판결(1882)**: 경찰 권한은 위험방지에 국한되며, 복지증진과 같은 적극적 요소는 경찰임무에서 제외되어야 한다(베를린 경찰청장의 건물높이제한 명령은 적극적 복지증진 목적으로 발령된 것으로서 프로이센 일반란트법에 위배되어 무효이다). ➜ 경찰의 직무범위가 소극목적에 한정됨을 법 해석상 인정! [2012 승진(경위)] [2017 경간] [2019 채용2차] [2020 경간] [2021 경간] [2023 경간] [2023 채용1차]
- **프로이센 경찰행정법(1931)**: "경찰관청은 일반 또는 개인에 대한 공공의 안녕과 질서를 위협하는 위험을 방지하기 위하여 현행법의 범위 내에서 의무에 합당한 재량에 따라 필요한 조치를 취하지 않으면 안 된다." ➜ 경찰의 직무범위가 소극목적에 한정됨을 입법화! [2018 경간] [2022 채용1차]

[2012 채용2차] [2018 채용3차 유사] 1931년 프로이센 경찰행정법은 '공공의 평온, 안녕 및 질서를 유지하고 또한 공중 및 그의 개개 구성원들에 대한 절박한 위험을 방지하기 위하여 필요한 조치를 취하는 것은 경찰의 직무이다'라고 규정하였다. (×)
[2018 경간] 크로이쓰베르크(Kreuzberg) 판결은 경찰임무의 목적확대에 결정적인 계기를 만든 판결로 유명하다. (×)
[2022 채용1차] 크로이츠베르크 판결(1882)은 승전기념비의 전망을 확보할 목적으로 주변 건축물의 고도를 제한하기 위해 베를린 경찰청장이 제정한 법규명령은 독일의 제국경찰법상 개별적 수권조항에 위반되어 무효라고 하였다. (×)
[2020 경간] 1794년 「프로이센 일반란트법」 제10조에서 경찰관청은 공공의 평온, 안녕 및 질서를 유지하고, 또한 공중 및 그의 개개 구성원들에 대한 절박한 위험을 방지하기 위하여 필요한 기관이라고 규정하였다. (○)
[2022 채용 2차] 독일 프로이센 고등행정법원의 크로이쯔베르크 판결을 계기로 경찰의 권한은 소극적 위험방지 분야로 한정하게 되었으며, 비로소 이 취지의 규정을 둔 「경죄처벌법전」(죄와형벌법전)이 제정되었다. (×)

② 프랑스

- **죄와 형벌법전(경죄처벌법전, 1795)**: "경찰은 공공의 질서를 유지하고 개인의 자유와 재산 및 안전을 유지하는 것을 임무로 하는 국방부 직할부대 및 기관이다." ➜ 공공질서유지, 범죄예방을 목적으로 하는 행정경찰과 범죄의 수사·체포를 목적으로 하는 사법경찰을 최초로 구분하여 법제화하였다. [2019 채용2차] [2019 승진(경감)] [2020 경간]
- **지방자치법전(1884)**: "자치단체 경찰은 공공의 질서·안전 및 위생을 확보함을 목적으로 한다." ➜ 경찰직무를 소극목적에 한정하고 있으나 위생사무 등 협의의 행정경찰적 사무를 포함하고 있다.

[2012 채용2차]
[2014 승진(경감)] 1931년 프로이센 경찰행정법 제4조에서 자치체경찰은 공공의 질서·안전 및 위생을 확보함을 목적으로 한다고 규정하였다. (×)
[2019 채용2차] [2020 경간] 프랑스 지방자치법전은 경찰의 직무범위에서 협의의 행정경찰적 사무를 제외시킴으로써 경찰의 직무를 소극목적에 한정하였다. (×)
[2017 경간] 1884년 프랑스의 지방자치법전 제97조는 '자치단체 경찰은 공공의 질서·안전을 확보함을 목적으로 한다'고 규정하여 위생사무 등 협의의 행정경찰적 사무를 제외하고 경찰의 직무를 소극목적에 한정하였다. (×)
[2021 경간] 1884년 프랑스의 자치경찰법전에 의하면 자치체 경찰은 공공의 질서·안전 및 위생을 확보함을 목적으로 하며 행정경찰과 사법경찰을 최초로 구분하여 법제화하였다. (×)

> *** 시간순 나열**(시작과 끝은 프로이센 / 일·죄·크·지·경)
> 프로이센 일반란트법(1794) ➜ 죄와 형벌법전(1795) ➜ 크로이츠베르크 판결(1882) ➜ 지방자치법전(1884) ➜ 프로이센 경찰행정법(1931) [2014 경간] [2019 채용2차]
> [2020 지능범죄] 크로이츠베르크 판결을 계기로 경찰의 권한이 공공의 안녕, 질서유지 및 이에 대한 위험방지 분야에 한정된다는 취지의 규정을 둔 「프로이센 일반란트법」이 제정되었다. (×)

▌ 죄와 형벌법전의 영향
죄와 형벌법전 ➜ 일본의 '행정경찰규칙' ➜ 한국의 '행정경찰장정' ➜ 경찰관 직무집행법

③ 기타 판결

- **Blanco 판결(프랑스, 1873)**: Blanco라는 소년이 국립 연초공장 직원이 운전하던 담배운반차에 치여 상해를 입은 사건 / "국가 공공기관에 고용된 사람의 불법행위로 인해 사인에게 가해진 손해는 그 성질상 민사법원이 아닌 행정재판소의 관할에 속해야 한다." ➡ 국가배상책임을 보통의 민사책임과 다르게 보아 현재의 국가배상법리의 시초가 된 판결 [2018 승진(경위)] [2018 승진(경감)]
- **띠톱 판결(독일, 1960)**: "석탄제조업체에서 사용하는 띠톱에서 배출되는 공해로 피해를 보고있는 인근 주민들은 해당 업체의 조업금지를 청구할 수 있다." ➡ 반사적 이익론을 극복하고 행정개입청구권을 인정한 판결 [2018 승진(경감)] [2023 경간]
  [2021 경간] 띠톱 판결은 행정(경찰)개입청구권을 최초로 인정한 판결이다. (○)
- **Escobedo 판결(미국, 1964)**: "살인사건의 용의자인 Escobedo가 체포된 후 변호인과의 접견이 거부된 상태에서 한 자백은 증거로 사용할 수 없다." ➡ 변호인과의 접견교통권을 침해하여 획득한 자백의 증거능력을 부정하였다. [2018 승진(경위)]
  [2023 경간] 국가배상이 인정된 최초의 판결은 에스코베도(Escobedo) 판결이다. (✕)
- **Miranda 판결(미국, 1966)**: 미성년자 납치·강간 혐의로 체포된 Miranda는 범행을 자백하였으나, 경찰은 Miranda가 전과가 있어 피의자 권리를 잘 알고 있을 것으로 여겨 변호인선임권 및 진술거부권을 고지하지 않은 사건 / "경찰이 미란다를 조사하기 전에 법적 권리를 알려주지 않았기 때문에 경찰이 확보한 자백과 진술은 증거로 사용할 수 없다." ➡ 피의자의 권리가 고지되지 않은 상태에서 이루어진 자백의 증거능력을 부정하여 자백의 임의성과 관계없이 채취과정에 위법이 있는 자백을 배제하게 되는 계기가 되었다. [2018 승진(경위)]
- **Mapp 판결(미국, 1961)**: 경찰이 영장 없이 Mapp의 집에 들어가 체포 후 압수한 증거는 재판에서 증거로 사용될 수 없다. ➡ 위법수집증거 배제법칙의 확립
  [2023 경간] 위법수집증거 배제법칙이 확립된 판결은 맵(Mapp) 판결이다. (○)

⑤ 현대국가시대의 경찰

- **비경찰화**: 제2차 세계대전 이후(1945), 범죄의 예방과 검거와 같은 보안경찰사무를 제외한, 협의의 행정경찰사무가 다른 행정관청의 사무로 이관되었다. 이를 통해 보통경찰기관은 보안경찰 기능만을 담당하게 되었다.
  [2012 승진(경위)]
  [2017 경간] 제2차 세계대전 이후 독일에서는 보안경찰을 포함한 협의의 행정경찰이 다른 행정관청의 사무로 이관되는 비경찰화 과정이 이루어졌다. (✕)
  [2022 채용 2차] 독일은 제2차 세계대전 이후 보안경찰 이외의 행정경찰사무, 즉 영업경찰, 건축경찰, 보건경찰 등의 경찰사무를 다른 행정관청의 분장사무로 이관하는 비경찰화 과정을 거쳤다. (○)
  [2019 승진(경감)] 범죄의 예방과 검거 등 보안경찰 이외의 산업, 건축, 영업, 풍속경찰 등의 경찰사무를 다른 행정관청의 분장사무로 이관하는 현상을 '비경찰화'라고 한다. (✕)
  [2018 채용3차] 경찰개념의 발달과정에서 경찰사무를 타 행정관청으로 이관하는 현상을 '비경찰화'라고 하는데, 위생경찰, 산림경찰 등을 비경찰화사무의 예로 들 수 있다. (○)

(광의의) 행정경찰

- 행정작용의 일부로서의 경찰, 즉 공공의 안녕 또는 질서에 대한 유지작용을 하는 경찰

> (광의의) 행정경찰
> = 보안경찰 + 협의의 행정경찰

- **보안경찰**: 다른 행정작용 동반 없이 오로지 경찰작용만으로 공공의 안녕과 질서를 유지하는 경찰
  예 생활안전경찰, 풍속경찰, 교통경찰, 경비경찰
- **협의의 행정경찰**: 다른 행정작용과 결합하여 특별한 사회적 이익 보호를 목적으로 하면서, 부수적으로 공공의 안녕과 질서를 유지하는 경찰 예 위생경찰, 건축경찰, 경제경찰, 산림경찰, 철도경찰 등

☑ KEY POINT | 대륙법계 경찰개념의 축소과정

고대	경찰은 정치 포함 모든 국가작용을 담당	
중세	경찰은 교회행정을 제외한 모든 국가작용을 담당	교회행정 제외
경찰국가	경찰은 소극적 질서유지와 적극적 복지를 포함하는 내무행정 전반을 담당	국가목적 특별작용(외교·군사·재정·사법) 제외
법치국가	경찰은 소극적 질서유지만 담당	적극적 복지행정 제외
현대국가	경찰은 보안경찰 사무만 담당	협의의 행정경찰사무 제외

[2019 승진(경감)] 대륙법계 경찰의 업무범위는 국정전반 → 내무행정 → 위험방지 → 보안경찰 순으로 변화하였다. (○)

(2) 영미법계 경찰개념 ➔ 경찰은 무엇을 하는가?

- **영미법계 경찰개념**은 '시민으로부터 부여받은 자치권에 근거하여 국민의 생명·신체·재산을 보호하고 범죄를 수사하며, 다양한 공공서비스를 제공하는 작용'이라고 설명된다. [2024 승채용 1차]
- **시민을 위한 조직체(기능·역할중심):** '경찰이란 무엇인가'라는 문제보다 '경찰은 무엇을 하는가' 또는 '경찰활동이란 무엇인가'라는 문제로 경찰의 개념에 접근한다. ➔ 경찰은 시민을 위하여 법을 집행하고 서비스 기능을 수행하는 조직체로 본다.
- **생명·신체·재산 보호에 중점:** 경찰은 주권자인 국민으로부터 자치권을 위임받은 조직체로서 국민의 생명·신체·재산을 보호하는 임무에 중점을 두면서, 계몽·지도·봉사와 같은 다양한 비권력적 공공서비스의 제공도 경찰의 임무라고 본다.
- **상호협력·동반자:** 국민을 일반통치권에 근거한 통치 객체로 보아 경찰과 국민의 관계를 대립관계로 파악한 대륙법계 경찰개념과 달리, 영미법계 경찰개념은 국민으로부터 위임받은 경찰권을 국민의 생명·신체·재산 보호를 위해 사용하는 것으로 파악하여 경찰과 국민을 수평적·상호협력 동반자 관계로 본다.

☑ KEY POINT | 대륙법계 경찰개념과 영미법계 경찰개념 비교

구분	대륙법계(독일·프랑스)	영미법계(영국·미국)
전제	경찰권 발동범위 축소의 역사	경찰 활동범위 확대의 역사
주장 학자	행정법학자	행정학자
경찰권의 기초	• 일반통치권 전제 ➔ 경찰권의 발동범위와 성질 • 중앙집권적 국가경찰(능률성 유리)	• 자치권 전제 ➔ 경찰의 기능(역할) • 지방분권적 자치제 경찰(민주성 유리)
경찰의 개념	• '경찰이란 무엇인가' • 경찰권의 발동범위와 성질을 기준으로 형성	• '경찰은 무엇을 하는가'(경찰활동이란 무엇인가?) • 경찰이 시민을 위해 수행하는 기능과 역할을 기준으로 형성
경찰의 사명	• **국가안전:** 공공의 안녕과 질서유지에 중점 • 권력적 수단(명령·강제) 중점	• **개인안전:** 국민의 생명·신체·재산의 보호에 중점 • 비권력적 수단(계몽·지도·봉사) 중점
국가(경찰)와 시민사회	• 시민은 경찰권의 객체 ➔ 대립을 긍정 • 수직관계	• 시민과 경찰은 상호협력관계 ➔ 대립을 부정 • 수평·친화관계
행정경찰과 사법경찰	구분(이원주의)	구분 없음(일원주의)
수사	수사를 경찰의 고유관할로 인정하지 않음	수사를 경찰의 고유관할로 인정

[2019 승진(경위)] 대륙법계 국가에서는 '경찰은 무엇인가'라는 문제보다 '경찰은 무엇을 하는가' 또는 '경찰활동이란 무엇인가'라는 문제를 중심으로 경찰개념이 논의되었다. (×)

[2012 승진(경위)] 대륙법계 국가의 경찰개념은 경찰권이라고 하는 통치권적 개념을 전제로 그 발동범위와 성질을 중심으로 형성된 반면, 영·미법계의 경찰개념은 시민으로부터 자치권한을 위임받은 조직체로서의 경찰이 주권자인 시민을 위해서 수행하는 기능 또는 역할을 중심으로 형성되었다. (○)

[2024 채용 1차] 영미법계 경찰개념은 국왕의 절대적 권력으로부터 유래된 경찰권을 전제로 한다. (×)

[2024 채용 1차] 영미법계 경찰개념은 경찰과 국민을 수평적·상호협력 동반자 관계로 보며, 비권력적 수단을 중시한다. (○)

---

(3) 우리나라의 경찰개념

1) 대륙법계의 영향

- 일제식민지 과정을 거치면서, 대륙법계 경찰개념이 도입되었다.
- 대륙법계 프랑스(죄와 형벌법전)의 영향을 받아, 이론적으로 행정경찰과 사법경찰을 구분하고, 공권력을 통한 사회공공의 질서유지를 경찰의 목적으로 한다. ➔ 경찰관 직무집행법은 사회공공의 질서유지를 경찰의 목적으로 한다(제1조).

2) 영미법계의 영향

- 미군정기 과정을 거치면서, 영미법계의 민주주의적 이념의 영향을 받아 국민의 생명·신체 및 재산의 보호가 경찰의 임무로 도입되었다. ➔ 경찰관 직무집행법은 국민의 생명·신체 및 재산의 보호를 경찰의 임무로 규정하고 있다(제2조 제1호).
- 행정경찰과 사법경찰을 이론적으로는 구분하지만, 조직법적으로는 행정경찰과 사법경찰을 구분하지 않고 보통경찰기관이 양 사무를 모두 담당하도록 하는 것은 영미법계의 영향을 받은 것으로 본다. ➔ 경찰관 직무집행법은 범죄수사를 경찰의 임무로 규정하고 있다(제2조 제2호).
  [2016 승진(경감)] 영미법계 경찰개념의 영향을 받아 범죄의 수사에 관한 임무가 경찰의 사물관할로 인정되었다. (○)

사물관할
경찰이 처리할 수 있고 또 처리해야 하는 사무내용의 범위를 말한다. ➔ 경찰권의 발동범위

3. 형식적 의미의 경찰과 실질적 의미의 경찰

(1) 형식적 의미의 경찰 – 조직 중심 / '누가'하는 활동인가?

1) 의의

- **형식적 의미의 경찰**이란 실정법상의 보통경찰기관이 자신에게 분배된 임무를 달성하기 위해 행하는 모든 경찰활동을 의미한다. ➔ 조직적 의미의 경찰이 행하는 모든 경찰활동이라고 설명하기도 한다. [2017 채용1차] [2018 경채] [2020 승진(경감)] [2023 채용1차]
- 경찰작용의 실질적 성질과는 관계없이 현실적인 경찰기관을 기준으로 실무상으로 정립된 개념이므로, 보통경찰기관이 행하는 활동이라면 그것이 위험방지활동인지 범죄수사활동인지, 공공서비스 제공활동인지 등을 따지지 않는다. [2020 지능범죄]
  [2020 채용1차] 「경찰관 직무집행법」 제2조에 규정된 경찰의 직무범위가 우리나라에서의 형식적 의미의 경찰개념에 해당한다. (○)

보통경찰기관
직접 보안경찰업무를 담당하고 있는 경찰기관을 말한다.
- 예 **보통경찰관청**: 경찰청장, 시·도경찰청장, 경찰서장
- 예 **보통경찰집행기관**: 순경부터 치안총감까지의 경찰공무원

2) 특징

- 형식적 의미의 경찰은 조직, 제도를 기준으로 결정되는 것이다.
  [2024 승진] 형식적 의미의 경찰개념은 작용을 중심으로 파악한 것이다. (×)
- 형식적 의미의 경찰은 실무상 확립된 개념이자 역사적·제도적으로 발전해 온 개념으로서, 국가별 전통이나 현실적 환경에 따라 차이가 있다. 예 A국에서는 위생경찰을 보통경찰기관이 담당하지만, B국에서는 협의의 행정경찰기관이 담당하는 경우 [2014 채용1차] [2021 승진(실무종합)] [2024 승진]
  [2023 승진(실무종합)] 형식적 의미의 경찰은 실정법상 보통경찰기관에 분배된 임무를 달성하기 위하여 행해지는 경찰활동으로 그 범위는 나라마다 차이가 있을 수 있다. (○)
- 우리나라의 경우 생활안전·경비·교통·수사·정보·보안(실무상, 안보), 비권력적 경찰서비스활동은 형식적 의미의 경찰에 해당한다.
- 형식적 의미의 경찰과 실질적 의미의 경찰은 반드시 일치하는 것은 아니다.
  [2014 채용1차] [2020 승진(경감)] [2023 채용1차] 형식적 의미의 경찰은 모두 실질적 의미의 경찰에 포함된다. (×)

특별경찰기관
특정의 전문영역에서 경찰상의 권한을 가진 행정기관으로서 조직법상 보통경찰기관에 속하지 않는 행정기관을 말한다.
- 예 **협의의 행정경찰기관**: 위생경찰·건축경찰 등 임무를 수행하는 시·도지사, 시장 등
- 예 **비상경찰기관**: 계엄사령관, 위수사령관

(2) 실질적 의미의 경찰 - 작용 중심 / '어떤' 활동인가?

1) 의의

▌협의의 경찰권과 실질적 의미의 경찰
- **협의의 경찰권**이란 사회공공의 안녕과 질서를 유지하기 위하여 일반통치권에 의거하여 국민에게 명령·강제하는 권한을 말한다.
- 즉, 실질적 의미의 경찰활동을 하기 위한 기초가 되는 권한이 협의의 경찰권이다.

▌경찰관 직무집행법 제2조 【직무의 범위】
경찰관은 다음 각 호의 직무를 수행한다.
7. 그 밖에 공공의 안녕과 질서유지

- **실질적 의미의 경찰**이란 사회공공의 안녕과 질서 유지라는 소극적 목적달성을 위하여 일반통치권에 근거하여 국민에게 명령·강제하는 권력적 작용을 의미한다. ➡ 위험방지에 기여하는 국가의 모든 활동이라고 설명하기도 한다. [2018 경채] [2019 승진(경위)] [2020 채용1차] [2020 경간] [2020 승진(경감)] [2021 승진(실무종합)]

- 누가 경찰활동을 수행하는지와는 관계없이, 그 활동 자체의 내용적 특성을 기준으로 학문적으로 정립된 개념이다. [2023 승진(실무종합)] [2023 채용1차]

- 경찰관 직무집행법 제2조 제7호에 표현되고 있으며, 이는 경찰권 행사의 적법여부를 판단하는 중요한 기준으로 작용한다. ➡ 경찰개념의 무제한적 확정을 막는 도구개념 예 경찰관이 공공안녕과 질서유지가 문제되지 않는 곳에서 경찰권을 행사한 경우 이는 별도의 개별적 수권규정이 없는 한 위법한 경찰활동이 된다.

  [2023 승진(실무종합)] 실질적 의미의 경찰은 형식적 의미의 경찰을 모두 포괄한다. (×)
  [2019 승진(경위)] 실질적 의미의 경찰은 사회공공의 안녕, 질서유지와 같은 적극적 목적을 위한 작용이다. (×)
  [2023 채용1차] 실질적 의미의 경찰은 사회공공의 안녕, 질서유지와 같은 소극적 목적을 위한 작용이다. (○)
  [2024 승진] [2020 지능범죄] 실질적 의미의 경찰개념은 사회 질서유지와 봉사활동과 같은 현대 경찰의 핵심적인 기능을 수행하는 경찰을 의미한다. (×)
  [2012 채용1차] 형식적 의미의 경찰은 실정법상 보통경찰기관의 직무와 관련이 있으며, 실질적 의미의 경찰은 본질적으로 타인의 자유와 행동을 제한하고 규제하는 것과 관련이 있다. (○)

2) 특징

- 실질적 의미의 경찰은 조직이 아닌 성질, 작용을 중심으로 파악한 것이다.

- 독일 행정법학에서 행정작용 중 경찰작용이 가지는 공통적인 특성을 추상화한 개념으로서 실무상 개념이 아닌 이론적·학문적으로 발전한 개념이다. [2020 채용1차] [2020 승진(경감)]

- 위생경찰·건축경찰 등 협의의 행정경찰활동은 비록 경찰조직이 아닌 다른 국가기관이 수행하는 것이더라도 공공의 안녕과 질서를 유지하기 위한 활동이라면 실질적 의미의 경찰개념에 포함될 수 있다. 예 식약처의 음식점 위생단속 [2013 경간]

- 장래를 향한 공공의 안녕·질서유지를 목적으로 하는 활동이므로, 과거의 범죄에 대한 증거확보·공소제기 및 유죄판결을 목적으로 하는 사법경찰활동은 실질적 의미의 경찰이 아니다.

- 공공의 안녕·질서유지를 목적으로 하는 활동이므로, 국가안전보장을 직접목적으로 하는 정보·보안·외사경찰활동은 실질적 의미의 경찰이 아니다.

- 법정경찰과 의회경찰은 일반권력관계가 아닌 특별권력관계에 기초하여 내부질서유지를 목적으로 하므로 실질적 의미의 경찰이 아니다.

  [2024 승진] 실질적 의미의 경찰개념은 경찰의 사법경찰활동과 같이 주로 현재 또는 장래의 위험방지를 개념요소로 한다. (×)
  [2020 채용1차] 형식적 의미의 경찰은 사회목적적 작용을 의미하며 작용을 중심으로 파악된 개념이고, 실질적 의미의 경찰은 조직을 기준으로 파악된 개념이다. (×)
  [2013 경간] [2014 채용1차] 실질적 의미의 경찰개념은 학문상으로 정립된 개념이며, 프랑스 행정법학에서 유래하였다. (×)
  [2017 채용1차] 실질적 의미의 경찰개념은 이론상·학문상 정립된 개념이 아닌 실무상으로 정립된 개념이며, 독일 행정법학에서 유래하였다. (×)
  [2019 승진(경위)] [2020 경간] 일반행정기관이 실질적 의미의 경찰작용을 하는 경우는 있으나, 형식적 의미의 경찰작용을 하지는 않는다. (○)

☑ KEY POINT | 형식적 의미의 경찰과 실질적 의미의 경찰 구분

분야	예시	형식적 의미 (조직 중심)	실질적 의미 (작용 중심)
생활안전	기초질서 · 풍속사범 단속활동	○	○
	순찰, 청소년 선도	○	×
교통	교통단속, 수신호	○	○
	교통정보제공	○	×
경비	조직화된 군중 해산활동	○	○
수사	체포 · 구속 · 압수 · 수색활동	○	×
정보	첩보수집활동	○	×
보안	**학문상**: 생안 · 경비 · 교통 · 풍속	○	○
	실무상: 대공활동	○	×
외사	외사정보 · 수사 · 방첩활동	○	×
건축 · 위생 · 산림 등	해당 분야 단속활동	×	○
법정, 의회	내부질서유지활동	×	×

[2017 채용1차] [2020 경간] 실질적 의미의 경찰은 형식적 의미의 개념보다 넓은 의미로 형식적 의미의 경찰을 모두 포괄하는 상위 개념이다. (×)
[2013 경간] 영업 · 위생경찰은 형식적 의미의 경찰활동에 속하지만, 정보 · 보안활동은 실질적 의미의 경찰에 해당한다. (×)
[2014 채용1차] [2020 경간] 정보경찰의 활동은 실질적 의미의 경찰보다는 형식적 의미의 경찰과 관련이 깊다. (○)
[2020 지능범죄] 일반행정기관이 실질적 의미의 경찰작용을 하는 경우는 있으나, 형식적 의미의 경찰작용을 하지는 않는다. (○)
[2020 채용1차] [2021 승진(실무종합)] 형식적 의미의 경찰이 언제나 실질적 의미의 경찰이 되는 것은 아니며, 실질적 의미의 경찰이 모두 형식적 의미의 경찰이 되는 것도 아니다. (○)

주제 2 경찰의 분류

01 행정경찰과 사법경찰 ➔ 경찰의 목적과 임무 또는 3권분립 사상에 따른 구분

- **행정경찰**은 행정작용의 일부로서의 경찰, 즉 공공의 안녕 또는 질서에 대한 위험방지 작용을 하는 경찰을 말한다.
- **사법경찰**은 범죄수사 · 피의자 체포 등을 목적으로 하는, 즉 형사사법 작용을 하는 경찰을 말한다.
- 행정경찰과 사법경찰의 구별은 경찰의 목적 · 임무에 따른 구분으로서, 3권분립 사상에 투철했던 프랑스의 '죄와 형벌법전(1795)'에서 확립되었다. [2013 경간] [2021 채용1차]
- 우리나라는 조직법상 행정경찰과 사법경찰을 구분하고 있지 않으며, 보통경찰기관이 행정경찰 및 사법경찰 사무를 모두 담당한다. [2022 경간]

[2012 채용1차] 행정경찰과 사법경찰의 구분은 삼권분립의 사상에 투철했던 프랑스에서 확립된 것이며, 그 영향을 받아 우리나라에서는 조직법상으로 행정경찰과 사법경찰의 구분이 명확하다. (×)
[2017 승진(경위)] 행정경찰과 사법경찰은 3권분립 기준으로 구분한 것이다. (○)

☑ KEY POINT | 행정경찰과 사법경찰 비교

구분	행정경찰	사법경찰
목적	• 공공의 안녕과 질서유지 • 범죄예방	형사사법작용(범죄수사)
성질	현재 및 장래의 위험사태 방지	과거 범죄에 대한 수사
발동근거	경찰관 직무집행법 등 각종 경찰행정법규	형사소송법
범위	실질적 의미의 경찰과 거의 동일	형식적 의미의 경찰 중 일부(경찰조직의 여러 임무 중 하나)
법계와 관계	• 대륙법계: 행정경찰과 사법경찰을 구분하며, 사법경찰을 경찰의 고유임무로 보지 않는다. • 영미법계: 행정경찰과 사법경찰을 구분하지 않고, 양자 모두 경찰의 고유임무로 본다.	

[2022 경간] 행정경찰은 주로 과거의 상황에 대하여 작용하며, 사법경찰은 주로 현재 또는 장래의 상황에 대하여 작용한다. (×)
[2018 채용3차] [2019 승진(경감) 유사] 삼권분립 사상에 따라 행정경찰과 사법경찰로 구분할 수 있으며, 형식적 의미의 경찰은 행정경찰에, 실질적 의미의 경찰은 사법경찰에 해당한다. (×)

02 보안경찰과 협의의 행정경찰 → 업무의 독자성(타 행정작용 부수 여부)에 따른 구분 [2012 채용1차] [2017 승진(경위)] [2018 경채] [2018 채용3차]

[2012 채용3차] 권한과 책임의 소재를 기준으로 분류하는 경우 보안경찰과 협의의 행정경찰로 구분된다. (×)

(광의의) 행정경찰 = (강학상) 보안경찰 + 협의의 행정경찰

1. (강학상) 보안경찰

▎**실무상 보안경찰**
안보경찰이라고도 하며, 주로 대간첩업무나 북한관련 업무를 수행하는 경찰을 말한다. → 대공첩보수집·보안사범수사 등

• 광의의 행정경찰 중에서 다른 행정작용을 동반하지 않고 오로지 경찰작용만으로 사회공공의 안녕과 질서를 유지하기 위한 경찰작용을 말한다. 📖 생활안전경찰, 경비경찰, 교통경찰, 풍속경찰
• 보안경찰을 위해 국가는 제도적 의미의 경찰(경찰청과 그 소속기관)을 둔다.
• 학문상 보안경찰은 형식적 의미의 경찰에도 해당되고, 실질적 의미의 경찰에도 해당한다.

2. 협의의 행정경찰

• 다른 행정작용과 결합하여 특별한 사회적 이익의 보호를 목적으로 하면서, 그 부수작용으로서 사회공공의 안녕과 질서를 유지하기 위한 경찰작용을 말한다. 📖 위생(보건)경찰, 건축경찰 경제경찰, 산림경찰, 관세경찰, 철도경찰
• 협의의 행정경찰은 형식적 의미의 경찰에는 해당하지 않지만, 실질적 의미의 경찰에는 해당한다.
• **비경찰화의 대상**: 제2차 세계대전 이후 독일, 일본, 우리나라에서 이루어졌던 '비경찰화'는 협의의 행정경찰사무에 대하여 이루진 것이다.

[2021 채용1차] 협의의 행정경찰과 보안경찰은 다른 행정작용에 부수하느냐의 여부에 따라 구분하며, 협의의 행정경찰은 경찰활동의 능률성과 기동성을 확보할 수 있고 보안경찰은 지역 실정을 반영한 경찰조직의 운영과 관리가 가능하다. (×)

03 예방경찰과 진압경찰 → 경찰권 발동시점에 따른 구분 [2012 채용3차] [2018 채용3차]

- **예방경찰**은 경찰상 위해 발생을 사전에 방지하기 위한 비권력적 또는 권력적 작용으로 (광의의) 행정경찰보다는 좁은 개념이다. 주로 비권력적 수단이 사용된다. 예 위해를 미칠 우려가 있는 정신착란자 보호, 광견 등의 사살, 순찰활동 등
- **진압경찰**은 이미 위험이 실현되어 진행 중인 장해를 제거하거나 이미 발생한 범죄의 수사를 위한 권력적 작용을 말한다. 예 사람을 공격중인 멧돼지 사살, 사법경찰 작용으로서 범죄의 수사, 피의자(범인)의 체포

💡 범죄를 수사하는 사법경찰과 진압경찰을 동일한 개념으로 이해하는 견해도 있으나, 장해를 제거하는 경찰작용도 진압경찰이므로 진압경찰과 사법경찰이 완전히 동일한 개념은 아니다.

04 국가경찰과 자치경찰 → 권한과 책임소재에 따른 구분 [2016 채용1차] [2023 채용1차]

- **국가경찰**은 경찰유지의 권한과 책임이 국가에 있는 경찰을 말한다. → 효율성↑, 민주성↓
- **자치경찰**은 경찰유지의 권한과 책임이 지방자치단체에 분산되어 있는 경찰을 말한다.
  → 효율성↓, 민주성↑

[2017 승진(경위)] 국가경찰과 자치제경찰은 경찰활동의 질과 내용을 기준으로 구분한 것이다. (×)

☑ KEY POINT | 국가경찰과 자치경찰 비교 [2018 경채] [2018 경간] [2020 채용1차]

구분	국가경찰제도	자치제경찰제도
주체	권한과 책임이 **국가**	권한과 책임이 **지방자치단체**
조직	중앙집권적·관료적인 제도	**지방분권적**인 조직체계
장점	• 조직의 통일적 운영과 경찰활동의 능률성·기동성 발휘 • 전국적으로 균등한 경찰서비스 제공 • 전국적인 통계자료의 정확성을 기할 수 있음 • 강력한 법집행이 가능하고 비상시 대응이 용이 • 타 행정기관 및 경찰기관간 긴밀한 협조·조정 원활	• 각 지방의 특성에 적합한 경찰행정 가능 • 인권보장과 민주성이 보장되어 주민들의 지지를 받기 쉬움 • 지방별로 독립된 조직이므로 조직·운영의 개혁 용이
단점	• 정부의 특정정책의 수행에 이용되어 경찰 본연의 임무를 벗어날 우려 있음 • 조직이 비대화되고 관료화되어 주민과 멀어지고 국민을 위한 봉사가 저해될 수 있음 • 각 지방의 특수성·창의성이 저해되기 쉬움	• 전국적·광역적 경찰활동 부적합 • 타 경찰기관과의 협조·지원체제 곤란 • 지방세력이 간섭 및 유착 우려 • 통계자료에 정확을 기하기 곤란 • 전국적인 기동성이 약하고, 조직체계가 무질서해지기 쉬움

[2019 승진(경감)] 자치경찰제도는 각 지방특성에 적합한 경찰행정이 가능하지만, 국가경찰제도에 비해 관료화되어 국민을 위한 봉사가 저해될 수 있다. (×)
[2023 채용1차] 국가경찰은 전국단위의 통계자료 수집 및 정확성 측면에서 불리하다. (×)
[2022 경간] 자치경찰은 국가경찰과 비교하여 비권력적 수단보다는 권력적 수단을 통해 국민의 생명과 신체·재산을 보호하고자 한다. (×)
[2022 경간] 국가경찰은 자치경찰과 비교하여 타 행정부문과의 긴밀한 협조·조정이 원활하다. (○)
[2022 경간] 국가경찰은 자치경찰과 비교하여 지역실정을 반영한 경찰조직의 운영·관리가 용이하다. (×)
[2022 경간] 국가경찰은 자치경찰과 비교하여 지역주민에 대한 경찰의 책임의식이 높다. (×)

제2편 경찰학의 기초이론
1장

05 평시경찰과 비상경찰 → 위해의 정도 및 적용법규에 따른 구분 [2012 채용3차] [2021 채용1차] [2023 채용1차]

- **평시경찰**은 평온한 상태에 경찰법과 같은 일반경찰법규에 의하여 보통경찰기관이 행하는 경찰작용을 말한다.
- **비상경찰**은 국가비상사태가 발생하여 계엄이 선포될 경우 군대가 공공의 안녕과 질서를 유지하기 위하여 계엄법에 근거하여 경찰사무를 수행하는 경우를 말한다.

06 질서경찰과 봉사경찰 → 경찰활동의 질과 내용에 따른 구분 [2012 채용1차] [2012 채용3차] [2018 채용1차] [2018 채용3차] [2019 승진(경감)] [2021 채용1차] [2023 채용1차]

- **질서경찰**은 보통경찰기관의 직무범위 중에서 강제력을 수단으로 사회공공의 안녕과 질서유지를 위한 법집행을 하는 경찰활동을 말한다. 예 범죄수사 · 진압, 즉시강제, 경찰강제
- **봉사경찰**은 보통경찰기관의 직무범위 중에서 강제력이 아닌 서비스 · 계몽 · 지도 등을 통하여 경찰직무를 수행하는 비권력적 경찰활동을 말한다. 예 생활안전(방범)지도, 청소년선도, 교통정보의 제공, 생활안전순찰, 수난구호 등

[2023 채용1차] 질서경찰과 봉사경찰은 경찰의 목적에 따른 분류이다. (×)
[2012 채용1차] 형식적 의미의 경찰 중에서 경찰활동의 질과 내용을 기준으로 질서경찰과 봉사경찰로 구분할 수 있으며, 범죄수사 및 진압은 질서경찰에 포함되고, 교통정보제공이나 청소년 선도 등은 봉사경찰의 개념에 포함된다. (○)

┃ **고등경찰과 보통경찰의 비교** [2024 채용 1차]
- **고등경찰**은 본래 사회적으로 보다 우월한 가치를 지닌 법익을 보호하기 위한 경찰활동을 의미하였으나, 나중에는 사상 · 종교 · 집회 · 결사 · 언론의 자유에 대한 정보수집 · 단속과 같은 국가의 존립과 유지를 보장하기 위하여 국가적 기관 및 제도에 대한 위해를 방지하는 활동을 의미하게 되었다.
- 반면 **보통경찰**은 교통의 안전, 풍속의 유지, 범죄의 예방 · 진압과 같이 일반사회의 안녕과 질서유지를 목적으로 하는 활동을 의미한다.

07 고등경찰과 보통경찰 → 보호대상 가치나 이익에 따른 구분

- **고등경찰**은 국가조직의 근본에 대한 위해의 예방 및 제거를 위한 경찰작용이다. 예 정보경찰, 외사경찰
- **보통경찰**은 일반사회공공의 안녕과 질서의 유지를 위한 경찰작용이다. 예 생활안전경찰, 교통경찰

[2024 채용 1차] 고등경찰과 보통경찰의 구별은 프랑스에서 유래한 것으로, 경찰에 의하여 보호되는 법익을 기준으로 한다. (○)

☑ **KEY POINT | 경찰의 분류 구분기준 정리** [2021 경간]

구분	기준
행정경찰과 사법경찰	경찰의 목적과 임무에 따른 구분
보안경찰과 협의의 행정경찰	업무의 독자성(타 행정작용 부수 여부)에 따른 구분
예방경찰과 진압경찰	경찰권 발동시점에 따른 구분
국가경찰과 자치경찰	권한과 책임소재에 따른 구분
평시경찰과 비상경찰	위해의 정도 및 적용법규에 따른 구분
질서경찰과 봉사경찰	경찰활동의 질과 내용에 따른 구분
고등경찰과 보통경찰	보호대상 가치나 이익에 따른 구분

주제 3 | 경찰권과 경찰관할

01 경찰권

> 광의의 경찰권 =
> 협의의 경찰권(공공의 안녕과 질서유지 위한 명령·강제권) + 수사권 + 비권력적 활동권

1. 광의의 경찰권

- 광의의 경찰권은 경찰활동의 기초가 되는 권한을 말한다.
- 광의의 경찰권은 협의의 경찰권과 수사권 및 비권력적(서비스적) 활동권까지 포괄하는 개념이다. ➡ 경찰의 모든 활동이 협의의 경찰권 발동으로 가능한 것이 아니다!

2. 협의의 경찰권 – 실질적 의미의 경찰활동 기초

(1) 의의

- 협의의 경찰권이라 함은 사회공공의 안녕과 질서를 유지하기 위하여 일반통치권에 의거하여 국민에게 명령·강제하는 권한을 의미한다.
- 일반통치관계를 전제로 하므로, 국회의장의 국회경호권(의원경찰)이나, 법원 재판장의 질서유지권(법정경찰)과 같이 부분사회의 내부질서유지를 목적으로 하는 경우에는 협의의 경찰권에 해당되지 않는다.

(2) 상대방(경찰책임의 주체)

- 협의의 경찰권의 상대방, 즉 경찰하명 또는 경찰강제의 대상은 법률에 특별한 규정이 없는 한 일반통치권에 복종하는 모든 자가 된다. ➡ 자연인·법인·내국인·외국인 등 불문
- 다른 행정기관(고권력 주체)이 경찰상 의무에 위반하는 경우 경찰책임자가 될 수 있는지 논의가 있으나, 다수설은 국가 등의 공적과제 수행과 공공의 안녕질서라는 이익을 비교형량하여 후자가 더 큰 경우에는 경찰권 발동이 허용된다는 입장이다(제한적 긍정설). 예 시가 운영하는 하수처리장에서 냄새가 많이 나는 경우 경찰권을 발동할 수 있는가?
- 긴급한 경우에는 제3자, 즉 경찰비책임자에게도 경찰권이 발동될 수 있다(경찰긴급권).

3. 수사권

- 범죄사실을 조사하고 범인 및 증거를 발견·수집·보전하기 위한 경찰의 권한을 말한다.
- 형사소송법에 따라 경찰에게 부여된 권한으로서, 형사사건에 관하여 공소제기 여부를 결정하거나 공소제기 및 유지를 위한 것이다.

02 경찰관할 - 형식적 의미의 경찰(보통경찰기관의 활동) 전제

1. 사물관할(임무관할, 직무범위)

- **경찰의 사물관할**이라 함은 경찰이 처리할 수 있고 또 처리해야 하는 사무내용의 범위를 말한다. 광의의 경찰권이 발동될 수 있는 범위를 설정함으로써 그 범위를 넘는 분야에 관하여는 경찰은 개입할 수 없다는 것을 의미한다. [2020 채용2차] [2023 채용1차]
- 경찰법 제3조 및 경찰관 직무집행법 제2조에 규정된 임무 내지 직무가 경찰의 사물관할이 되며, 궁극적인 경찰의 임무는 공공의 안녕과 질서유지에 귀결된다.
  [2022 채용1차] '사물관할'이란 경찰권이 발동될 수 있는 지역적 범위를 말하고, 대한민국의 영역 내 모든 범위에 적용되는 것이 원칙이다. (×)
  [2016 승진(경감)] 경찰의 사물관할은 경찰권의 발동범위를 설정한 것이다. (○)
- 우리나라는 영미법계의 영향으로 범죄수사를 경찰의 사물관할로 인정하고 있다.
  [2023 채용1차]

2. 인적관할

(1) 의의

광의의 경찰권이 발동될 수 있는 인적 범위를 인적관할이라고 할 수 있다. 경찰권은 원칙적으로 대한민국 내에 있는 모든 사람에게 적용된다.
[2017 경간] 인적 관할이란 협의의 경찰권이 발동될 수 있는 인적 범위를 의미한다. (×)
[2023 채용1차] 인적 관할이란 광의의 경찰권이 어떤 사람에게 적용되는가의 문제이다. (○)

(2) 예외

> **헌법 제84조** 대통령은 내란 또는 외환의 죄를 범한 경우를 제외하고는 재직 중 형사상의 소추를 받지 아니한다. [2022 채용1차] [2023 채용1차]
>
> **헌법 제44조** ① 국회의원은 현행범인인 경우를 제외하고는 회기 중 국회의 동의 없이 체포 또는 구금되지 아니한다.
> ② 국회의원이 회기 전에 체포 또는 구금된 때에는 현행범인이 아닌 한 국회의 요구가 있으면 회기 중 석방된다.

- 헌법 제84조에 따른 대통령의 불소추특권, 헌법 제44조에 따른 국회의원의 불체포특권은 인적 관할의 헌법적 예외이다.
- 이 외에도 외교관계에 관한 비엔나 협약에 따른 외교관에 대한 면책규정, 한미행정협정(SOFA)에 따른 주한미군 구성원 등에 대한 면책규정 등이 있다.

3. 지역관할

(1) 의의

광의의 경찰권이 발동될 수 있는 지역적 범위를 지역관할이라고 하며, 경찰권은 대한민국의 영역 내에 모두 적용됨이 원칙이나, 다른 행정기관·관청 또는 국제법적 근거에 의거하여 일정한 한계가 있다. [2016 승진(경감)]

(2) 예외

1) 국회의장의 국회경호권

> **국회법 제143조【의장의 경호권】** 의장은 회기 중 국회의 질서를 유지하기 위하여 국회 안에서 경호권을 행사한다.
>
> **국회법 제144조【경위와 경찰관】** ① 국회의 경호를 위하여 국회에 경위를 둔다.
> ② 의장은 국회의 경호를 위하여 필요할 때에는 국회운영위원회의 동의를 받아 일정한 기간을 정하여 정부에 경찰공무원의 파견을 요구할 수 있다. [2016 채용2차]
> ③ 경호업무는 의장의 지휘를 받아 수행하되, 경위는 회의장 건물 안에서, 경찰공무원은 회의장 건물 밖에서 경호한다.
> [2014 채용2차] 국회의장의 요청으로 경찰관이 파견된 경우에는 회의장 건물 밖에서 경호한다. (○)
>
> **국회법 제150조【현행범인의 체포】** 경위나 경찰공무원은 국회 안에 현행범인이 있을 때에는 체포한 후 의장의 지시를 받아야 한다. 다만, 회의장 안에서는 의장의 명령 없이 의원을 체포할 수 없다. [2014 채용2차] [2022 채용1차]
> [2016 채용2차] [2017 경간 유사] 국회 안에 현행범인이 있을 때에는 국가경찰공무원은 국회의장에게 보고 후 지시를 받아 체포하여야 한다. (×)
> [2020 채용2차] 국회경위와 경찰공무원은 국회 안에 현행범인이 있을 때에는 국회의장의 지시를 받은 후 체포하여야 한다. (×)
> [2022 경간] 경찰공무원이 국회 안에서 현행범인을 체포한 후에는 국회의장의 지시를 받을 필요가 없지만, 회의장 안에 있는 국회의원에 대하여는 국회의장의 명령 없이 체포할 수 없다. (×)

국회경위
국회사무처 소속 특정직 공무원으로 국회 9급 채용시험을 통해 선발한다.

2) 법원의 법정경찰권

> **법원조직법 제58조【법정의 질서유지】** ① 법정의 질서유지는 재판장이 담당한다.
> ② 재판장은 법정의 존엄과 질서를 해칠 우려가 있는 사람의 입정 금지 또는 퇴정을 명할 수 있고, 그 밖에 법정의 질서유지에 필요한 명령을 할 수 있다.
>
> **법원조직법 제60조【경찰공무원의 파견 요구】** ① 재판장은 법정에서의 질서유지를 위하여 필요하다고 인정할 때에는 개정 전후에 상관없이 관할 경찰서장에게 경찰공무원의 파견을 요구할 수 있다. [2022 채용1차]
> ② 제1항의 요구에 따라 파견된 경찰공무원은 법정 내외의 질서유지에 관하여 재판장의 지휘를 받는다. [2017 경간]
>
> **법원조직법 제55조의2【법원보안관리대】** ① 법정의 존엄과 질서유지 및 법원청사의 방호를 위하여 대법원과 각급 법원에 법원보안관리대를 두며, 그 설치와 조직 및 분장사무에 관한 사항은 대법원규칙으로 정한다.
> [2022 경간] 재판장은 법정에서의 질서유지를 위해 필요하다고 인정할 때에는 개정 전후에 상관 없이 관할 경찰서장에게 경찰공무원의 파견을 요구할 수 있으며, 파견된 경찰공무원은 법정 내에서만 질서유지에 관하여 재판장의 지휘를 받는다. (×)

법원보안관리대
법원행정처 소속 별정직 공무원으로 법원 9급 채용시험을 통해 선발한다.

3) 치외법권지역

> **외교관계에 대한 비엔나협약 제22조** ① 공관지역은 불가침이다. 접수국의 관헌은 공관장의 동의없이 공관지역에 들어가지 못한다.
> ③ 공관지역과 동 지역내에 있는 비품류 및 기타 재산과 공관의 수송수단은 수색, 징발, 차압 또는 강제집행으로부터 면제된다.
> [2014 채용2차] [2016 승진(경감) 유사] 외교공관과 외교관의 개인주택은 국제법상 치외법권지역으로 불가침의 대상이 되지만, 외교사절의 승용차, 보트, 비행기 등 교통수단은 불가침의 대상이 아니다. (×)
>
> **외교관계에 대한 비엔나협약 제30조** ① 외교관의 개인주거는 공관지역과 동일한 불가침과 보호를 향유한다.

단, 경찰상의 상태책임 관련, 화재나 전염병 발생과 같이 긴급을 요하는 경우에는 동의 없이도 공관에 들어갈 수 있다고 본다(국제적 관습). [2014 채용2차] [2020 채용2차]

4) 미군영 내

> **주한미군지위협정 제10조** ① 합중국 군대의 정규 편성 부대 또는 편성대는 본 협정 제2조에 따라 사용하는 시설이나 구역에서 경찰권을 행사할 권리를 가진다.
>
> **주한미군지위협정 합의의사록 제22조** ⑩ 1. 합중국 군 당국은 합중국 군대가 사용하는 시설과 구역 안에서 통상 모든 체포를 행한다. 이 규정은 합중국 군대의 관계 당국이 동의한 경우 또는 중대한 범죄를 범한 현행범을 추적하는 경우에 대한민국 당국이 시설과 구역 안에서 체포를 행하는 것을 막는 것은 아니다.
> 2. 대한민국 당국은 합중국 군대가 사용하는 시설과 구역 안에서 사람이나 재산에 관하여 또는 소재 여하를 불문하고 합중국의 재산에 관하여 수색, 압수 또는 검증할 권리를 통상 행사하지 아니한다. 다만, 합중국의 관계 군 당국이 대한민국 당국의 이러한 사람이나 재산에 대한 수색, 압수 또는 검증에 동의한 때에는 그러하지 아니한다.
>
> [2020 채용2차] 경찰은 중대한 죄를 범하고 도주하는 현행범인을 추적하는 때에는 주한미군 시설 및 구역 내에서 범인을 체포할 수 있다. (O)

5) 해양경찰

해양에서의 경찰사무는 해양경찰의 관할, 육상에서의 경찰사무는 일반경찰의 관할이다.

주제 4 경찰의 임무와 수단

01 경찰의 임무

1. 경찰임무 개설 [2015 채용3차] [2019 채용1차] [2022 경간]

경찰법 제3조 【경찰의 임무】 경찰의 임무는 다음 각 호와 같다.	경찰관 직무집행법 제2조 【직무의 범위】 경찰관은 다음 각 호의 직무를 수행한다.
1. 국민의 생명 · 신체 및 재산의 보호	1. 국민의 생명 · 신체 및 재산의 보호
2. 범죄의 예방 · 진압 및 수사	2. 범죄의 예방 · 진압 및 수사
3. 범죄피해자 보호	2의2. 범죄피해자 보호
4. 경비 · 요인경호 및 대간첩 · 대테러 작전 수행	3. 경비, 주요 인사 경호 및 대간첩 · 대테러 작전 수행
5. 공공안녕에 대한 위험의 예방과 대응을 위한 정보의 수집 · 작성 및 배포	4. 공공안녕에 대한 위험의 예방과 대응을 위한 정보의 수집 · 작성 및 배포
6. 교통의 단속과 위해의 방지	5. 교통 단속과 교통 위해의 방지
7. 외국 정부기관 및 국제기구와의 국제협력	6. 외국 정부기관 및 국제기구와의 국제협력
8. 그 밖에 공공의 안녕과 질서유지	7. 그 밖에 공공의 안녕과 질서 유지

• 경찰의 임무는 행정조직법상의 보통경찰기관(형식적 경찰)을 전제로 한 것으로, 조직법인 경찰법 제3조가 경찰의 임무를 규정하고 있으며, 작용법인 경찰관 직무집행법 제2조에도 같은 내용이 규정되어 있다는 특이사항이 있다.

- 경찰법상 경찰의 임무로 '국민의 생명·신체 및 재산의 보호'를 제1호로 가장 먼저 규정하여 이를 강조하고 있기는 하나, 이는 '공공의 안녕과 질서'의 일부분이라는 점에서 궁극적으로는 '공공의 안녕과 질서에 대한 위험의 방지'가 경찰의 가장 기본적 임무라고 할 수 있다.

  [2017 채용2차] '공공의 안녕과 질서에 대한 위험방지'가 경찰의 궁극적 임무라 할 수 있다. (○)
  [2020 승진(경위)] 경찰의 임무는 행정조직법상의 경찰기관을 전제로 한 개념으로 '공공의 안녕과 질서에 대한 위험의 방지'가 경찰의 궁극적 임무라 할 수 있다. (○)

2. 공공의 안녕과 질서에 대한 위험방지

(1) 공공의 안녕

- **공공안녕의 3요소:** 공공의 안녕은 '① 법질서의 불가침성, ② 국가의 존립과 국가기관의 기능성의 불가침성, ③ 개인의 권리 및 법익의 불가침성' 3가지 요소로 구성된 성문규범의 총체를 의미한다. ➡ 공공의 안녕은 일부는 **개인**과 관련되고, 일부는 **국가**와 관련되어 있다는 점에서 '**이중적 개념**'이라고 설명한다. [2020 승진(경위)]

  > 💡 **공공의 질서**
  > 불문규범의 총체!

- 공공안녕의 3요소 중 가장 포괄적이고 근본적인 개념에 해당하는 법질서의 불가침성을 공공안녕의 제1요소라고 한다.

  [2017 채용2차] '공공의 안녕'이란 개념은 '법질서의 불가침성'과 '국가의 존립 및 국가기관의 기능성의 불가침성' 으로 나눌 수 있는 바, 이 중 '국가의 존립 및 국가기관의 기능성의 불가침성'이 공공의 안녕의 제1요소이다. (×)
  [2020 채용2차] '공공의 안녕'이란 개념은 '법질서의 불가침성'과 '국가의 존립 및 국가기관 기능성의 불가침성', '개인이 권리와 법익의 보호'를 포함하며, 이 중 공공의 안녕의 제1요소는 '개인의 권리와 법익의 보호'이다. (×)
  [2020 승진(경위)] 법질서의 불가침성은 공공의 안녕의 제1요소이다. (○)

1) 법질서의 불가침성

① 공법질서의 불가침

- 공법규범에 대한 위반은 통상 공공의 안녕에 대한 위험으로 취급되며, 이는 특히 형법 및 특별형법 등의 범죄구성요건에 해당한다. 따라서 공법규범에 위반한 경우에는 경찰이 직접 개입한다.
- 공공의 안녕에 대한 침해 여부는 공법규범에 의해 보호받는 법익의 위험 또는 침해가 객관적으로 존재하는지 여부로만 판단하며, 주관적 구성요건의 실현, 유책성(책임성) 및 구체적 가벌성은 고려하지 않는다.

  > **공법(公法, Public Law)**
  > - 국가의 조직이나 공공단체 상호간 또는 이들과 개인의 관계를 규율하는 법을 말한다. 예 헌법, 행정법, 형법, 소송법, 국제법
  > - 국가적·공익적·권력적·윤리적·타율적·비대등적 관계를 규율한다.

② 사법질서의 불가침

- 사법규범에 대한 위반은 개인 상호간의 문제로서 원칙적으로 경찰이 개입하지 않는다.
- 다만, 무하자재량행사청구권이나 재량권의 0으로의 수축을 통한 경찰개입청구권이 인정되는 경우 경찰개입이 가능할 수 있다. [2021 경간]

  > **사법(私法, Private Law)**
  > - 개인의 의무와 권리에 대하여 규율하는 법을 말한다. 예 민법, 상법
  > - 개인적·사익적·비권력적·경제적·자율적·대등적 관계를 규율한다.

2) 국가존립·국가기관 기능성의 불가침성

① 국가존립의 불가침

- 군대가 적국과의 관계에서 국가의 존립을 보호할 의무가 있는데 반해, 경찰은 사회공공과 관련하여 국가의 존립을 보호할 의무가 있다. 예 형법상 내란·외환죄에 대한 수사, 국가보안법 위반죄에 대한 수사
- 한편, 비록 가벌성의 범위 내에 이르지 아니하였더라도 경찰은 국민의 자유나 권리를 침해하지 않는 범위 내에서 수사나 정보·안보·외사활동을 할 수 있다. 예 경찰의 방첩활동

방첩과 방첩기관(방첩업무규정)

• **방첩**: 국가안보와 국익에 반하는 북한, 외국 및 외국인·외국단체·초국가행위자 또는 이와 연계된 내국인의 정보활동을 찾아내고 그 정보활동을 확인·견제·차단하기 위하여 하는 정보의 수집·작성 및 배포 등을 포함한 모든 대응활동을 말한다.

• **방첩기관**: 국가정보원, 법무부, 관세청, 경찰청, 해양경찰청, 군사안보지원사령부

② **국가기관 기능성의 불가침**

• 경찰은 국회·정부·법원·지방자치단체 등 국가기관의 정상적인 기능발휘를 보호하여야 한다.

• 국가기관이나 경찰의 활동에 대한 중대한 방해는 공공의 안녕에 대한 위험으로 간주되며, 형법상 공무집행방해죄의 구성요건을 충족시킨다. 또한 형법상 공무원의 뇌물범죄 등 공무원의 직무에 관한 죄도 국가기관의 기능성을 보호하기 위한 것이다.

> ⚖ **요지판례 |**
>
> 형법이 뇌물죄에 관하여 규정하고 있는 것은 공무원의 직무집행의 공정과 그에 대한 사회의 신뢰 및 직무행위의 불가매수성을 보호하기 위한 것이다(대판 2014.3.27, 2013도11357).

3) **개인의 권리 및 법익의 불가침성**

경찰은 인간의 존엄성, 명예, 생명, 건강, 자유는 물론, 사유재산적 가치 또는 무형의 권리라 하더라도 그것이 공공의 안녕과 관련되는 경우에는 이를 보호하여야 한다. ➡ 즉, 단순히 민사분쟁을 넘어 형법과 같은 공법을 위반하는 경우 경찰이 직접 개입하여야 한다.

[2022 경간] 인간의 존엄·자유·명예·생명 등과 같은 개인적 법익뿐만 아니라 사유재산적 가치에 대한 위험방지도 경찰의 임무에 해당하나, 무형의 권리에 대한 위험방지는 경찰의 임무에 해당하지 아니한다. (×)

> ⊕ **심화** 순수한 사법상 개인적 법익 침해의 경우
>
> 1 **경찰불개입원칙**
> • 단순한 채무불이행이나 계약위반과 같은 순수한 사법(私法)적 분쟁의 경우에는 사법(司法)절차, 즉 법원을 통해 권리를 보호받을 수 있고, 위급한 경우에는 가처분과 같은 권리보호 수단을 활용할 수도 있다.
> • 즉, 원칙적으로는 경찰권이 개입하지 않는다. ➡ 따라서 개인적 법익의 침해가 발생하는 경우 경찰은 그 침해가 동시에 형법과 같은 공법규범의 위반을 수반하는 것인지 확인할 필요가 있다. 공법규범 위반이 없는 경우에는 원칙적 불개입이지만, 공법규범위반이 있는 경우에는 직접 개입하여야 하기 때문이다. 예 돈을 갖지 않고 있는 상태가 단순한 민사채무불이행인지 형법상 사기죄에 해당하는 것인지 판단
>
> 2 **예외적 경찰개입 – 잠정적 보호**
> • 단, 순수한 사법상 개인적 법익이 침해되는 경우라 하여도 효과적인 보호의 시기를 놓쳐 사법적인 권리가 무효화될 우려가 있을 때에는 경찰에 원조를 요청할 수 있으며, 이 경우에도 경찰의 원조는 잠정적 보호에 국한되어야 하고, 최종적인 구제는 법원이 하여야 한다(보충성의 원칙, 최후·최소의 원칙). [2021 경간]

💡 **공공의 안녕**

성문규범의 총체!

▌장발단속과 미니스커트 단속

• 1960년대 히피문화가 대한민국에 상륙하면서, 장발과 미니스커트가 자유의 상징으로서 크게 유행하였다.

• 이에 경찰은 장발과 미니스커트를 퇴폐풍조로 규정하고 대대적 단속을 하였다(장발은 남·녀구분 불가능할 정도, 미니스커트는 무릎 위 20cm).

• 이후 1973년 경범죄 처벌법이 개정되면서 장발과 미니스커트 단속의 법적 근거가 생겼고 실제 이후에도 대대적인 단속이 이루어졌다.

• 이러한 단속은 1980년에 들어서야 국민의 자율성 침해 우려로 내무부의 단속중지지침이 내려왔고, 1988년 경범죄 처벌법에 해당 규정이 삭제되었다.

(2) 공공의 질서

1) **의미** [2023 채용1차]

• 공공의 질서라 함은 시대의 지배적인 윤리와 가치관에 따를 때 원만한 공동체생활을 위한 필수적인 전제조건이 되는 것으로서, 공공사회에서 개개인의 행동에 대한 불문규범의 총체를 의미한다. ➡ 성문법규범은 공공의 안녕을 구성하는 요소로서 공공의 질서에는 포함되지 않는다!

• 선량한 풍속·사회질서와 관련되는 개념으로 풍속경찰의 주된 관할영역이다.

[2015 경간] 공공질서라 함은 당시의 지배적인 윤리와 가치관을 기준으로 판단할 때 그것을 준수하는 것이 시민으로서 원만한 국가 공동체생활을 영위하기 위한 불가결적 전제조건이 되는 각 개인의 행동에 대한 성문규범의 총체를 의미한다. (×)

2) 특징 [2015 경간]

- **상대적 · 유동적인 개념**: 공공의 질서는 절대적인 것이 아니라, 시대에 따라 변화하는 상대적 · 유동적인 개념이다. [2019 채용1차] [2023 채용1차]
- **엄격한 합헌성 요구**: 공공질서를 확대해석 · 적용하여 경찰이 개입하는 것은 국민의 기본권을 침해할 우려가 있기 때문에 엄격한 합헌성이 요구되며, 따라서 공공의 질서와 관련한 경찰의 개입은 자유재량이 아닌 '의무에 합당한 재량행사'에 따라야 한다. [2023 채용1차]
- **공공질서개념의 축소화 경향**: 시대의 변화에 따라 공공질서개념은 사용가능 분야가 축소되는 경향이 있다. 법적 안정성의 관점에서 공공질서가 점점 성문화되어가는 추세이기 때문이다. [2017 채용2차] [2020 채용2차]

[2023 채용1차] 공공질서 개념의 적용 가능분야는 점차 확대되고 있다. (×)
[2020 승진(경위)] [2021 경간] '공공질서'는 원만한 공동체생활을 영위하기 위한 불가결적 전제조건이 되는 각 개인의 행동에 대한 불문규범의 총체로 오늘날 공공질서개념의 사용가능 분야는 확대되고 있다. (×)

(3) 위험

1) 의의

- '위험'이란 가까운 장래에 공공의 안녕과 질서에 손해가 나타날 수 있는 가능성이 개개의 경우에 충분히 존재하는 상태'를 말한다. ➡ 위험은 '손해'와 '개연성'이 핵심개념요소! 예 어린아이가 위험한 저수지 옆에서 놀고 있는 경우 [2012 승진(경위)] [2015 경간] [2016 경간] [2017승진(경감)] [2018 승진(경위)]
- 위험은 경찰개입의 전제조건으로서, 위험이 존재해야 경찰이 개입할 수 있다.
- 단, 단순한 성가심이나 불편함 등은 경찰개입의 대상이 아니며, 그 성가심의 빈도나 기간이 일정수준에 도달하여 정상적(평균적) 인간의 판단으로 볼 때 손해 또는 더 나아가서는 위험의 한계를 넘었다고 보여질 때 경찰의 개입 여지가 생긴다.
- 경찰개입을 위해 보호법익이 현실적으로 존재하고 있어야 하는 것은 아니다. ➡ 위험은 경찰개입의 전제조건이나, 보호법익 현존은 경찰개입 전제요건이 아니다. 예 야간 도로에 다른 차량이 전혀 없는 상태에서 중앙선침범을 하는 경우, 다른 차량이 전혀 없다면 현존하는 보호법익은 없지만 도로교통법 위반으로 인한 법질서의 불가침성이 침해되었으므로(즉, 공공의 안녕 침해) 경찰개입이 가능하다. [2021 경간]

[2018 승진(경감)] [2020 승진(경감)] '위험'은 보호받는 개인 및 공동의 법익에 관한 정상적 상태의 객관적 감소를 뜻한다. (×)
[2017 승진(경감)] 위험은 보호를 받게 되는 법익에 대해 필수적으로 내재해야 하는 것은 아니다. (○)

⊕ 심화 위험과 관련된 주요개념

1 손해 [2012 승진(경위)] [2017승진(경감)]
- 보호받는 개인 및 공동의 법익에 관한 정상적 상태의 객관적 감소를 말하며, 보호법익에 대한 현저한 침해행위가 있어야 한다. 예 어린아이가 저수지에 빠져 건강이 감소된 결과가 '손해'
  [2024 승진] '위험'이란 보호법익의 정상적 상태의 객관적 감소를 뜻하며, 보호법익에 대한 현저한 침해가 있어야 한다. (×)

2 장해
- 위험이 이미 실현된 경우로서, 법익에 대한 침해가 이미 발생하여 계속되고 있는 상태를 말한다. 예 어린아이가 저수지에 빠져 허우적대고 있는 상태가 '장해'
- 장해는 위험의 하위개념으로서, 장해가 존재하는 경우에도 당연히 경찰권이 행사될 수 있다.
  ➡ 장해발생시 경찰개입은 진압적 성격, 위험발생시 경찰개입은 예방적 성격을 갖는다!

3 위해 = 위험 + 장해
- 위험(침해의 발생가능성)과 장해(이미 발생한 침해)를 포괄하여 위해라 한다.

❙ 손해와 경찰개입
- '손해'라 함은 결국 위험이 실현된 결과를 의미하는 것으로서, 손해가 발생한 경우에도 당연히 경찰개입의 대상이 된다.
- 다만, 보호법익의 주관적 감소에 불과한 '단순한 성가심이나 불편함'은 경찰개입의 대상이 아니다.
  [2022 승진(실무종합)]

2) 위험의 현실성 여부에 따른 분류

① 구체적 위험

- 개별 사안에서 경찰관이 사실관계를 합리적으로 평가하였을 때, 가까운 장래에 손해발생의 충분한 가능성(개연성)이 존재하는 경우를 말한다. [2022 채용1차]
- 경찰이 개별적 또는 개괄적 수권조항에 따라 개인의 권리를 제한하는 위해방지조치를 취하기 우해서는 구체적 위험이 있어야 한다. → 구체적 위험은 경찰의 권력적 개입을 위한 요건!

② 추상적 위험

- 개별 사안이 아닌 일반적으로 이런 사안에서는 이런 위험이 발생할 수 있다는 정도의 구체적 위험의 예견가능성을 의미한다. 위험이 단순히 가설적이고 상상적인 경우로서, 보통 입법조치(입법상 하명)를 통해 추상적 위험에 대응한다.
- 추상적 위험이 있는 경우에도 경찰개입은 가능하나, 이 경우의 경찰개입은 조직규범의 범위 내에서 이루어지는 임의적 · 비권력적 작용이어야 한다.

[2024 승진] 추상적 위험의 경우 경찰권 발동에 있어 사실적 관점에서의 위험에 대한 예측까지는 필요하지 않다. (×)
[2012 승진(경위) 유사] [2020 채용2차] 위험의 현실화 여부에 따라 '추상적 위험'과 '구체적 위험'으로 구분할 수 있으며 경찰의 개입은 구체적 위험의 경우에만 정당화된다. (×)
[2017 채용2차] 경찰의 개입은 구체적 위험 내지 적어도 추상적 위험이 있을 때 가능하다. (○)

☑ KEY POINT | 구체적 위험 · 추상적 위험 및 장해에 대한 경찰개입

구분	상황	대응
추상적 위험	관련 법령이 없어, 목줄 · 입마개 없는 맹견에 의한 사고가 여러 차례 발생하였고, 이에 대한 대응필요성이 대두된 상황	• [입법조치] 법령 개정을 통해 맹견 외출 시 목줄 · 입마개 착용의무 부과 • [경찰지도] 맹견 소유주들을 대상으로 목줄 · 입마개 착용권고
구체적 위험	A가 관련 법령을 위반하여 목줄 · 입마개를 하지 않은 맹견과 함께 동네 공원을 산책중인 상황	[경찰하명] 경찰관은 A에게 맹견에게 목줄 · 입마개를 착용할 것을 하명 → 예방적 성격
장해	목줄 · 입마개 없이 A와 산책 중이던 맹견이 인근 주민을 공격하고 있는 상황	[경찰상 즉시강제] 경찰관은 해당 맹견을 즉시 포획하거나 사살

[2018 승진(경위)] 추상적 위험은 경찰상 법규명령으로 위험을 방지해야 할 필요성이 있는 전형적인 사례로 경찰의 개입은 구체적 위험 내지 적어도 추상적 위험이 있을 때 가능하다. (○)
[2022 승진(실무종합)] 경찰개입을 위해서는 구체적 위험이 존재해야 하지만, 범죄예방 및 위험방지 행위의 준비는 추상적 위험 상황에서도 가능하다. (○)

---

3) 위험의 인식 여부에 따른 분류

① 외관적 위험

- 경찰이 의무에 합당한 사려 깊은 상황판단을 했음에도 불구하고 위험을 잘못 긍정하는 경우를 말한다. 예 경찰관이 야간순찰 중 칼로 타인을 공격하는 자를 발견하고 개입하여 제지하였으나, 사실은 영화촬영 중이었던 경우 [2012 승진(경위)] [2016 경간] [2022 채용1차]
- 이는 원칙적으로 적법한 경찰개입이므로 경찰관에게 민 · 형사상 책임을 물을 수 없다. 단, 적법한 개입이라 하더라도 인한 피해가 '특별한 희생'에 해당하는 경우에는 손실보상책임이 발생할 수 있다. [2021 경간]

[2015 경간] 경찰에게 있어 위험의 개념은 주관적 추정을 포함한다. (○)

■ 준비행위
범죄의 예방이나 위험의 방지를 위한 **준비행위**는 구체적 위험상황은 물론 추상적 위험상황에서도 이루어질 수 있다. 예 범죄를 감시함으로써 일반적인 위험을 예방

■ 사전배려원칙
- 추상적 위험 이전 단계라 하더라도 환경영역과 같이 일단 발생하면 그 손해가 중대하고 회복할 수 없는 경우에는 개입이 가능하다는 원칙을 말한다.
- 환경행정 영역에서는 사전배려원칙이 인정되나, 경찰행정 영역에서는 인정되지 않는다.

[2018 승진(경위)] [2018 승진(경감)] [2020 승진(경감) 유사] '외관적 위험'에 대한 경찰개입은 적법하며, 경찰관 개인에게 민·형사상 책임을 물을 수 없고 국가의 손실보상책임도 인정될 여지가 없다. (×)

② **오상위험**

오상위험은 학자에 따라 '추정적 위험'이라고 부르기도 한다.

- 경찰이 의무에 합당한 사려 깊은 상황판단을 하지 못하였기 때문에(객관적 주의의무 위반), 경찰이 위험의 존재를 잘못 긍정하는 경우를 말한다.
  ➡ 이성적이고 객관적으로 판단할 때 위험의 외관이나 위험혐의가 정당화되지 않음에도 위험이 존재한다고 잘못 추정 몐 경찰관이 야간순찰 중 칼로 타인을 공격하는 자를 발견하고 개입하여 제지하였으나 사실은 영화촬영 중이었던 경우로서, 주변에 촬영장비와 스태프들이 있어 영화촬영 중임을 쉽게 알 수 있었던 경우

  [2018 승진(경감)]
  [2020 채용2차] 경찰이 의무에 합당한 사려 깊은 상황판단을 했음에도 불구하고 위험을 잘못 긍정한 경우를 '오상위험'이라고 한다. (×)
- 경찰상 위험에 속하지 않는 위법한 경찰개입이므로 경찰관 개인에게 민·형사상 책임, 국가에게는 손해배상책임이 발생할 수 있다. [2015 경간] [2016 경간]

  [2022 채용1차]
  [2017승진(경감)] 경찰의 개입은 구체적 위험 내지 적어도 오상위험(추정적 위험)이 있을 때 가능하다. (×)
  [2022 승진(실무종합)] 오상위험이란 경찰이 상황을 합리적으로 사려 깊게 판단하여 위험이 존재한다고 인식하여 개입하였으나 실제로는 위험이 없던 경우를 말하며 이 경우 국가의 손실보상책임이 발생할 수 있다. (×)

③ **위험혐의** [2022 승진(실무종합)]

- 경찰이 의무에 합당한 사려 깊은 판단을 할 때 실제로 위험의 가능성은 예측이 되나 실현 여부가 불확실한 경우를 말한다. 몐 지하철 역사에 폭발물 설치 제보
- 이 경우 경찰개입은 위험의 존재 여부가 명백해 질 때까지 예비적 조치(조사차원의 경찰개입)에만 국한되어야 한다. [2015 경간]
  [2018 승진(경감) 유사] [2022 채용1차] [2024 승진] 위험의 혐의만 존재하는 경우에 위험의 존재가 명백해지기 전까지는 예비적 조치로서 위험의 존재 여부를 조사할 권한은 없다. (×)

☑ KEY POINT | 외관적 위험·오상위험·위험혐의 비교

구분	객관적 상황	주관적 인식	경찰권 발동
외관적 위험	위험 부존재	• 사려 깊은 판단을 하였음에도 • 위험이 존재한다고 인식	• 적법 • 손실보상문제
오상위험	위험 부존재	• 사려 깊은 판단을 하지 못하여 • 위험이 존재한다고 인식	• 위법 • 손해배상문제
위험혐의	위험 존재 여부 불분명	• 사려 깊은 판단을 하여도 • 위험 존재 여부 알 수 없음	위험조사

[2016 경간] 위험에 대한 인식에 따라 외관적 위험, 위험혐의, 오상위험, 추상적 위험으로 구분된다. (×)
[2020 승진(경감)] 위험에 대한 인식은 외관적 위험, 위험혐의, 추상적 위험으로 구분할 수 있다. (×)
[2024 승진] 위험에 대한 인식에 따라 외관적 위험, 위험혐의, 오상위험으로 구분할 수 있다. (○)
[2018 승진(경위)] 위험에 대한 인식으로 외관적 위험, 추정적 위험, 위험혐의로 구분할 수 있다. (○)

---

3. 범죄수사(사법경찰작용)

(1) 의의

범죄의 수사는 사법경찰작용으로서 사법경찰의 주된 임무이며, 이와 관련하여 경찰법 제3조 제2호, 경찰관 직무집행법 제2조 제2호는 각각 범죄의 수사를 경찰의 임무로 규정하고 있다.

(2) 수사법정주의 ↔ 행정경찰 편의주의

> **형사소송법 제195조【검사와 사법경찰관의 관계 등】** ① 검사와 사법경찰관은 수사, 공소제기 및 공소유지에 관하여 서로 협력하여야 한다.
>
> **형사소송법 제196조【검사의 수사】** 검사는 범죄의 혐의가 있다고 사료하는 때에는 범인, 범죄사실과 증거를 수사한다.
>
> **형사소송법 제197조【사법경찰관리】** ① 경무관, 총경, 경정, 경감, 경위는 사법경찰관으로서 범죄의 혐의가 있다고 사료하는 때에는 범인, 범죄사실과 증거를 수사한다. ② 경사, 경장, 순경은 사법경찰리로서 수사의 보조를 하여야 한다.

- 행정경찰작용은 행정편의주의(재량)에 따라 '할 수 있다'고 규정하고 있는 경우가 대부분이나, 수사와 사법경찰작용에 관해서는 형사소송법 제196조가 '수사한다'고 규정함으로써 법정주의(기속) 원칙을 명시하고 있다.
- 따라서 경찰은 범죄행위가 있으면 친고죄 등 특별히 법정된 경우를 제외하고는 수사의무가 발생한다.

(3) 위험방지와의 관계
- 경찰의 수사임무는 위험방지 임무와 별개가 아니다.
- 경찰은 범죄예방과 제지를 위한 예방적인 위험방지 조치가 가능할 뿐만 아니라, 위험이 현실화될 때 그것이 형법이나 행정법규에 위배되는 범죄의 구성요건을 충족시키는 경우에는 경찰의 수사대상이 되기 때문에 양자는 일련의 과정 속에서 상호 연관되어 있다. 웹 음주운전으로 위험하게 운행하는 차량이 있는 경우(구체적 위험), 행정경찰작용인 경찰하명을 통해 차량을 세우도록 명령할 수 있고, 그 음주운전행위 자체가 도로교통법 위반이므로 사법경찰작용으로서 범죄수사를 하여야 한다.

4. 대국민 치안서비스

오늘날 현대경찰에게는 적극적인 서비스활동을 통해 국민에게 봉사하는 역할(이른바 급부행정적 서비스활동)이 강조되고 있다. 웹 교통정보 또는 지리정보의 제공, 청소년선도, 어린이 교통안전교육

02 경찰의 수단

1. 권력적 수단(명령·강제) ➡ 엄격한 법치주의

(1) 경찰명령

경찰명령에는 작위, 부작위, 급부, 수인하명이 있다. 하명이 발해지면 상대방에게는 경찰의무가 발생되고, 경찰의무의 실현을 통해서 공공의 안녕과 질서에 대한 위험을 방지하고 경찰위반 상태를 제거하게 된다.

▌**하명과 강제집행·즉시강제**
- **강제집행**은 경찰하명을 통한 의무존재를 전제로 의무 불이행시 행해진다.
- **즉시강제**는 급박성으로 인해 의무존재와 불이행을 전제로 하지 않는다.

(2) 경찰강제

경찰은 경찰강제(경찰상 즉시강제, 경찰상 강제집행)를 통하여 실력으로 경찰목적을 달성할 수 있다.

[2019 채용1차] 경찰강제에는 경찰상 강제집행(대집행·강제징수·집행벌·즉시강제 등)과 경찰상 직접강제가 있는데, 경찰상 강제집행은 의무의 존재 및 그 불이행을 전제로 한다는 점에서 이를 전제로 하지 아니하고 급박한 경우에 행하여지는 경찰상 직접강제와 구별된다. (×)

2. 비권력적 수단(서비스) ➡ 완화된 법치주의

- 오늘날 경찰에게 주어진 다양한 임무는 경찰하명과 같은 고전적인 수단만으로는 수행할 수 없는 경우가 많고, 이에 따라 점점 더 비권력적인 경찰수단의 필요성이 증대되고 있다.
- 비권력적 수단은 구체적 수권조항(작용법) 없이 임무에 관한 일반조항(조직법)만으로도 행사가 가능하다고 본다. 예 교통정보 제공 등

3. 범죄수사 수단

> 형사소송법 제199조【수사와 필요한 조사】① 수사에 관하여는 그 목적을 달성하기 위하여 필요한 조사를 할 수 있다. 다만, 강제처분은 이 법률에 특별한 규정이 있는 경우에 한하며, 필요한 최소한도의 범위 안에서만 하여야 한다.

형사소송법은 범죄수사와 관련하여 여러 가지 수단을 마련해 놓고 있는데, 실체적 진실의 발견과 인권보장의 조화를 위하여 임의수사를 원칙으로 하고 강제수사(체포·구속·압수·수색)는 예외적으로 허용하고 있다.

주제 5 | 경찰의 기본이념

01 경찰이념의 의미

경찰이념은 조직으로서 경찰이 추구해야 할 기본가치이자, 경찰관 개개인이 가져야 할 경찰윤리의 바탕이 된다는 의미를 갖는다.

02 경찰의 기본이념

1. 민주주의

(1) 의의

> 헌법 제1조 ① 대한민국은 민주공화국이다.
> ② 대한민국의 주권은 국민에게 있고, 모든 권력은 국민으로부터 나온다. [2022 채용 2차]
> 경찰법 제1조【목적】이 법은 경찰의 민주적인 관리·운영과 효율적인 임무수행을 위하여 경찰의 기본조직 및 직무 범위와 그 밖에 필요한 사항을 규정함을 목적으로 한다.

- 헌법 제1조는 경찰권을 포함한 모든 권력이 국민으로부터 나오는 것이며, 경찰이 경찰권을 행사하는 것은 국민의 위임에 따른 것임을 의미한다.
- 경찰법 제1조는 경찰은 민주적으로 조직되고 관리·운영되어야 함을 의미한다.

■ 국민감사청구제도
공공기관의 부정한 업무처리로부터
다수의 공익을 보호하기 위하여, 공
공기관의 사무처리가 법령위반 또는
부패행위로 인하여 공익을 현저히
해하는 경우에 18세 이상 국민 300
인 이상의 연서를 받아 감사원에 감
사를 청구하는 제도이다(부패방지권
익위법 제72조). 〈시행일: 2022.7.5.〉

(2) 실현방안

1) 대외적 민주화 방안

① **민주적 통제 및 참여 장치:** 국가경찰위원회, 시·도자치경찰위원회, 국민감사청구제도, 경찰책임의 확보

② **경찰활동의 공개:** 공공기관의 정보공개에 관한 법률, 행정절차법

2) 대내적 민주화 방안

① **경찰조직 내부의 적절한 권한 분배:** 중앙경찰과 지방경찰간 그리고 상하 경찰기관간에 권한의 분배가 적절히 이루어져야 한다.

② **경찰관 개인의 민주적 의식의 확립**

[2021 경간] 국가경찰위원회제도, '부패방지 및 국민권익위원회의 설치와 운영에 관한 법률'상 국민감사청구제도, 경찰책임의 확보 등은 경찰의 민주성을 확보하기 위한 대내적 민주화 방안이다. (×)
[2021 경간] 경찰의 중앙과 지방간의 권한 분배, 경찰행정정보의 공개, 성과급제도 확대는 경찰의 민주성 확보 방안이다. (×)

2. 법치주의

> **헌법 제37조** ② 국민의 모든 자유와 권리는 국가안전보장·질서유지 또는 공공복리를 위하여 필요한 경우에 한하여 법률로써 제한할 수 있으며, 제한하는 경우에도 자유와 권리의 본질적인 내용을 침해할 수 없다. [2021 경간]
>
> **경찰법 제5조【권한남용의 금지】** 경찰은 그 직무를 수행할 때 헌법과 법률에 따라 국민의 자유와 권리 및 모든 개인이 가지는 불가침의 기본적 인권을 보호하고, …

국민의 자유와 권리를 제한하고 의무를 부과하는 모든 활동은 국회에서 제정한 법률로써만 가능하다. ➡ 단, '법률에 의한' 규율만이 아닌 '**법률에 근거한**' 규율을 요청하는 것이다(헌재 2005.2.24, 2003헌마289).

3. 정치적 중립주의

> **헌법 제7조** ① 공무원은 국민 전체에 대한 봉사자이며, 국민에 대하여 책임을 진다.
> ② 공무원의 신분과 정치적 중립성은 법률이 정하는 바에 의하여 보장된다.
>
> **경찰법 제5조【권한남용의 금지】** 경찰은 그 직무를 수행할 때 … 국민 전체에 대한 봉사자로서 공정·중립을 지켜야 하며, 부여된 권한을 남용하여서는 아니 된다.
>
> **국가공무원법 제65조【정치 운동의 금지】** ① 공무원은 정당이나 그 밖의 정치단체의 결성에 관여하거나 이에 가입할 수 없다. [2022 채용2차]
>
> **경찰공무원법 제23조【정치 관여 금지】** ① 경찰공무원은 정당이나 정치단체에 가입하거나 정치활동에 관여하는 행위를 하여서는 아니 된다.

경찰은 특정정당이나 정치단체를 위해 활동하는 것이 금지되며, 오로지 주권자인 전체 국민과 국가의 이익을 위하여 활동하여야 한다. 공무원의 신분이 법률로써 보장되는 것은 정치적 중립을 확보하기 위한 것이다.

4. 인권존중주의

> **헌법 제10조** 모든 국민은 인간으로서의 존엄과 가치를 가지며, 행복을 추구할 권리를 가진다. 국가는 개인이 가지는 불가침의 기본적 인권을 확인하고 이를 보장할 의무를 진다.
>
> **헌법 제37조** ② 국민의 모든 자유와 권리는 국가안전보장·질서유지 또는 공공복리를 위하여 필요한 경우에 한하여 법률로써 제한할 수 있으며, 제한하는 경우에도 자유와 권리의 본질적인 내용을 침해할 수 없다. [2022 채용2차]
>
> **경찰관 직무집행법 제1조【목적】** ① 이 법은 국민의 자유와 권리 및 모든 개인이 가지는 불가침의 기본적 인권을 보호하고 사회공공의 질서를 유지하기 위한 경찰관의 직무 수행에 필요한 사항을 규정함을 목적으로 한다.
> ② 이 법에 규정된 경찰관의 직권은 그 직무 수행에 필요한 최소한도에서 행사되어야 하며 남용되어서는 아니 된다.
>
> **경찰법 제5조【권한남용의 금지】** 경찰은 그 직무를 수행할 때 헌법과 법률에 따라 국민의 자유와 권리 및 모든 개인이 가지는 불가침의 기본적 인권을 보호하고, …
> [2021 경간] 인권존중주의는 비록 '국가경찰과 자치경찰의 조직 및 운영에 관한 법률'에 언급이 없으나, '헌법'상 기본권 조항 등을 통하여 당연히 유추된다. (×)

- 경찰은 권한을 행사함에 있어 직무수행에 필요한 최소한도의 범위 내에서 행사하여야 하며 이를 남용하여서는 안 된다(비례의 원칙).
- 인권존중주의는 수사경찰에게 더욱 의미가 있는 이념으로서 형사소송법이 임의수사를 원칙으로 하고 있는 것도 피의자의 인권을 존중하기 위함이다.

5. 경영주의

- 현시대의 경찰은 능률성이나 효과성의 차원을 넘어 경영의 차원에서 경찰을 조직하고 관리·운용해 나가는 것이 요구된다. 예 성과급제도의 확대, 부서통폐합 등 조직혁신·구조조정, 예산의 적재적소 사용 등
- 경찰경영은 고객인 국민의 만족 차원을 넘어서 이제는 국민감동을 지향한다는 측면에서 전통적인 권력경찰보다는 서비스경찰의 중요성이 부각되고 있다.

⊕ **심화** 로버트 필(Sir Robert Peel)이 제시한 경찰원칙 [2020 채용1차]

1 경찰활동의 9원칙

1. 경찰은 군대의 폭압이나 엄한 법적 처벌이 이루어지지 않도록, 미연에 범죄와 무질서를 방지하기 위해 노력해야 한다.
2. 경찰의 임무를 수행하기 위해 필요한 힘은 시민의 지지와 승인 및 존중에 전적으로 의존한다는 것이다.
3. 경찰에 대한 시민의 지지와 승인 및 존중을 확보한다는 것은 법을 지키는 경찰의 업무에 대한 시민의 적극적인 협력 확보를 의미한다.
4. 시민의 협력을 확보하는 만큼 경찰목적 달성을 위한 강제와 물리력 사용의 필요성이 감소한다.
5. 시민의 지지와 승인은 결코 여론에 영합해서 얻어지는 것이 아니라, 지속적으로 공정하고 치우침 없는 법집행을 통해서 확보된다.
6. 경찰 물리력은 반드시 자발적 협력을 구하는 설득과 조언과 경고가 통하지 않을 때에만 사용해야 하며 그때에도 필요 최소한 정도에 그쳐야 한다.

▌로버트 필(Sir Robert Peel)
- 영국의 제29대·제31대 총리를 역임하였다.
- 1829년 내무부장관이 직접 관장하는 경찰조직을 런던에 둔다는 내용의 수도경찰법이 제정되도록 하여, 영국 최초의 근대경찰조직인 수도경찰청을 창설하였다.
- 근대경찰의 아버지라고도 불리 운다.

7. 언제나 경찰이 곧 시민이고 시민이 곧 경찰이라는 인식을 바탕으로 경찰-시민간 협력관계를 유지해야 한다. 경찰은 공동체의 복지와 존립의 이익을 위해 봉사하는 임무를 수행하기 위해 보수를 받는 공동체의 일원일 뿐이다.
8. 언제나 경찰은 법을 집행하는 역할이란 점을 잊어서는 안 되며, 유무죄를 판단해 단죄하는 사법부의 권한을 행사하는 것처럼 보여서는 안 된다.
9. 언제나 경찰의 효율성은 범죄와 무질서의 감소나 부재로 판단되는 것이지, 범죄나 무질서를 진압하는 가시적인 모습으로 인정받는 것은 아니라는 점을 명심해야 한다.

② 신경찰 11원칙
1. 경찰은 안정되고, 능률적이고, 군대식으로 조직화되어야 한다.
2. 경찰은 정부의 통제하에 있어야 한다. [2022 경간]
3. 범죄발생 사항은 반드시 전파되어야 한다. [2022 경간]
4. 경찰력의 배치는 시간적·지역적 특성에 따라야 한다.
5. 자기감정을 조절할 줄 아는 것이 가장 중요한 경찰관의 자질이며 차분하고 확고한 태도가 완력보다 훨씬 효과적이다.
6. 단정한 외모가 시민의 존중을 산다. [2022 경간]
7. 적임자를 선발하여 적절한 훈련을 시키는 것이 능률성의 뿌리다.
8. 공공의 안전을 위해 모든 경찰관에게는 식별할 수 있도록 번호가 부여되어야 한다.
9. 경찰서는 시내중심지에 위치하여야 하며, 주민이 쉽게 찾아올 수 있어야 한다.
10. 경찰은 반드시 수습기간을 거친 후에 채용되어야 한다.
11. 경찰은 항상 기록을 남겨 차후 경찰력 배치를 위한 기준으로 삼아야 한다.

[2022 경간] 경찰의 효율성은 항상 범죄나 무질서를 진압하는 가시적인 모습으로 판단하는 것이다. (×)

제2절 경찰윤리

주제 1 경찰문화와 바람직한 경찰상

01 경찰문화의 특징

일반적 특징	• 한국 행정문화: 권위주의, 형식주의, 일반주의, 정적인간주의 • 유교문화: 친분관계, 위계질서 중시 • 군사문화: 획일적 사고, 흑백논리, 상명하복 • 관청의 형식주의: 행정의 형식화·번잡화(Red-Tape 현상)
대외적 특징	• 경찰의 법집행시 국민과 대치하는 경향 • 경찰의 법집행시 대중의 적극적 지원을 받지 못하는 경향 • 경찰의 지나친 내부 연대성으로 폐쇄성을 띄는 경우(Us-them mentality)
대내적 특징	• 정복부서와 사복부서의 문화차이 有 • 사복경찰의 정복경찰에 대한 엘리트의식 • 자신에 대한 정보공개를 꺼려하는 문화

02 냉소주의(Cynicism)

1. 의미

- 해당 조직의 구성원들이 경영진, 정책, 제도, 변화 및 혁신 활동 등 조직 전반에 걸쳐 이유 없는 무관심이나 적대감, 극단적인 불신을 나타내는 것을 말한다.
- 경찰생활에서 얻은 부정적 인간관이나 부조리 등이 그 원인이 된다.

☑ **KEY POINT | 냉소주의와 회의주의**

1 **회의주의(Skepticism)**
- 회의주의는 개별적(특정) 사안에서 합리적 의심을 하여 비판을 하는 태도를 말한다.

2 **냉소주의와 회의주의 비교**

구분	냉소주의	회의주의
본질	이유 없는 불신	합리적 의심
대상	불특정(정치 일반, 경찰제도 일반)	특정한 사안이나 대상
개선의지	없음	있음
공통점	불신을 바탕으로 함	

2. 폐해와 극복방안

- 냉소주의는 '충성'이라는 도덕적 규범을 약화시켜 조직에 대한 반발과 일탈현상을 초래하고, 극단적이고 객관성이 결여되어 모든 것을 부정적으로 보는 문화를 조장하게 된다.
- 이를 극복하기 위해서는 ① 의사결정과정에 적극적으로 참여할 기회를 부여하고, ② 상사와 부하의 신뢰를 회복하며, ③ 커뮤니케이션 과정을 개선하고, ④ Y이론에 입각한 행정관리를 하는 방법 등이 있다.

[2017 실무 1] 맥그리거(MCGregor)의 X이론에 입각한 행정관리는 냉소주의 극복방안이다. (×)

03 경찰의 전문직업화

1. 전문직의 의의

- 전문직이란 장기간 학습한 '체계적인 지식'을 이용하여 자기의 이익 추구에 앞서 공공에 대한 봉사를 지향하는 직업이다. 예 성직자, 법률가, 의사, 교수 등
- 경찰조직과 같은 관료제의 획일적 명령체계는 전문화를 저해한다. [2020 실무 1]
- 경찰의 높은 사회적 지위를 위한 직업전문화는 미국의 오거스트 볼머(August Vollmer) 등에 의하여 추진되었다.

[2021 경간] 미국의 서덜랜드는 경찰의 높은 사회적 지위를 확보하기 위하여 전문직업화를 추진하였다. (×)

2. 전문직의 특징 – 클라이니히 [2020 실무 1]

- **공공서비스의 제공**: 전문직업인은 사회에 가치 있는 공공서비스를 제공한다.
- **윤리강령의 제정**: 윤리강령을 제정하여 자신을 스스로 통제하고 서비스의 수혜자로부터 신뢰를 획득하기 위하여 서비스를 개선시키고자 노력한다.

니더호퍼(A. Niederhoffer)
기존의 신념체계가 붕괴되었으나 이를 대체할 신념이 부재하는 경우의 아노미(혼란)현상을 냉소주의라고 하였다.

맥그리거(McGregor)의 X–Y이론
[2018 승진(경감)]
- 인간을 동기부여 관점에서 분류한 이론이다.
- **X이론**: 인간은 본래 게으르고 수동적이다. 경영자는 엄격한 감독, 상세한 명령으로 통제를 강화하고 권위적으로 관리해야 한다.
- **Y이론**: 인간은 본래 자율적이고 능동적이다. 경영자는 자율적 · 창의적 · 민주적으로 관리해야 한다.

- **전문지식(기술)의 보유**: 전문직 종사자는 길고 험난한 학습과정을 통하여 자신의 분야에서 특수한 전문지식과 기술을 가진다.
- **고등교육의 이수**: 전문직의 직위는 대학이나 대학원 등 고등교육을 통하여 전문지식과 기술을 습득한다.
- **자율적 자기통제**: 전문직 종사자들은 자신들이 제공하는 서비스 품질의 보장을 위해 스스로 기준을 만들어 놓고 통제한다.

3. 전문직의 장점

전문직의 장점으로는 ① 종사자의 사회적 위상이 올라가고 긍지를 불러일으킬 수 있으며, ② 재량이 인정되는 영역이 넓어지고 자율성이 촉진될 수 있고, ③ 해당 직종에 유입되는 인적 자원의 질적 향상이 기대되고, ④ 전반적인 보수 상승의 요인으로 작용할 수 있다는 점 등이 있다. [2015 실무 1]

4. 전문직의 문제점

- **부권주의**: 아버지가 자식의 문제를 권위적·일방적으로 결정하듯, 전문가가 우월한 지위·지식을 이용하여 상대방 입장의 고려 없이 일방적으로 결정하는 것을 말하며, 이러한 부권주의는 치안서비스의 질을 저해할 수 있다. 예 심장전문의가 환자의 입장을 고려하지 않고 자신의 우월적 의학적 지식만 고려하여 일방적으로 치료방법을 결정하는 것 [2018 실무 1]
- **소외**: 나무는 보고 숲은 보지 못하듯 전문가가 자신의 국지적 분야만 보고 전체적인 맥락을 보지 못하는 것을 말한다. 예 경비분야에서만 전문성을 쌓은 경찰관 甲이 교통이나 생활안전 등 다른 분야의 고려 없이 효율적 시위진압만을 우선하는 결정을 하는 것
- **차별**: 입직요건으로 고학력을 요구할 경우 전문직이 되는데 장기간의 교육과 비용이 들어, 교육기회를 갖지 못한 경제적·사회적 약자 등의 공직진출 제한이라는 '차별'문제가 야기된다. 예 전문직업화를 위해 순경공채에서 학사 이상의 학력을 요구하는 경우 차별의 문제 발생 [2016 승진(경감)]
- **사적 이익을 위한 이용**: 전문직들은 그들의 지식과 기술로 상당한 사회적 힘을 소유하나 이러한 힘을 때때로 공익보다는 사적인 이익을 위해서만 이용하기도 하는 것을 말한다.

[2015 실무 1] 전문직업적 부권주의로 치안서비스의 질이 향상된다. (×)
[2018 실무 1] [2019 승진(경감)] [2020 실무 1] 전문직업화의 윤리적 문제점 중 소외는 전문직이 되는데 장기간 교육과 많은 비용이 들어, 가난한 사람은 전문가가 되는 기회를 상실하는 것이다. (×)
[2016 실무 1] [2018 실무 1] 전문직업의 윤리적 문제점 중 차별은 나무는 보고 숲은 보지 못하듯 자신의 국지적 분야만 보고 전체적인 맥락을 보지 못하는 것을 말한다. (×)
[2022 채용2차] ○○경찰서 경비과 소속 경찰관 甲은 집회 현장에서 시위대가 질서유지선을 침범해 경찰관을 폭행하자 교통, 정보, 생활안전 등 다른 전체적인 분야에 대한 고려 없이 경비분야만 생각하고 검거 결정을 한 것은 전문직의 문제점 중 소외에 대한 설명이다. (○)

04 바람직한 경찰의 역할모델

1. 범죄와 싸우는 경찰모델(Crimefighter)

- 수사, 형사 등 법집행을 통한 범법자 제압측면을 강조한 모델로서 시민들은 범인을 제압하는 것이 경찰의 주된 임무라고 인식한다. [2024 채용 1차]

- 대중매체에서 범죄와 싸우는 경찰모델을 부각하고 경찰내부에서도 실적홍보를 위하거나 수사영역을 경찰의 영역으로 공고히 하기 위해 의도적으로 강조한다.

장점	경찰역할을 뚜렷이 인식시켜 '전문직화'에 기여함 [2024 채용 1차]
단점	• 전체 경찰의 업무를 포괄하는 것이 불가능 • 범법자는 적이고, 경찰은 정의의 사자라는 흑백논리에 따른 이분법적 오류에 빠질 경우 인권침해 등의 우려가 있음 [2024 채용 1차] • 범죄진압 이외에 업무를 수사에 부수하는 업무 정도로 보아 이에 종사하는 경찰의 사기를 떨어뜨리고, 다른 영역의 업무를 수행하기 위한 기법이나 지식의 개발이 등한시 되거나 인력이나 자원이 수사업무에만 편중될 우려가 있음

2. 치안서비스를 제공하는 경찰(Service Worker)

(1) 의의

- 치안서비스란 경찰활동의 전 부분을 포괄하는 용어로 가장 바람직한 모델이라고 본다. 범죄와의 싸움도 치안서비스의 한 부분에 불과하고, 시민에 대한 서비스활동과 사회봉사활동의 측면을 강조해야 한다.

  [2024 채용 1차] 범죄와 싸우는 경찰모델은 경찰활동의 전 부분을 포괄하는 용어로 가장 바람직한 모델이다. (×)

(2) 치안서비스 제공 경찰의 활동모습

- **대역적 권위(Stand-in Authority)에 의한 활동**: 경찰은 24시간 근무와 지역적으로 널리 퍼져 있는 조직을 가지고 있어서 사고현장이나 응급조치가 필요한 경우 가장 먼저 접근이 가능하기 때문에, 여러 사회영역에서 공식적이고 명백하게 권한의 근거가 없는 경우 비공식적으로 또는 관행적으로 사회봉사활동에 관여하는 것을 의미한다.
- **비권력적 치안서비스의 적극 제공**: 우범지역 순찰, 대국민 계도 등으로 범죄유발요인을 사전에 제거하거나 교통정보 제공, 지리안내 등이 여기에 해당한다.
- **사회적 갈등 해결 및 갈등 발생의 개연성 최소화**: 이미 일어난 문제해결뿐 아니라 일어날 개연성 있는 문제를 사전에 발견해서 해결을 시도하는 것을 의미한다.

⊕ 심화 사회이념과 경찰의 역할

① 보수주의 관점

- 범죄란 개인의 합리적 선택의 결과이므로 엄격한 법집행으로 해결해야 한다. ➡ 범죄를 선택했을 때 얻는 이익보다 불이익을 크게 만들어 합리적 인간이라면 범죄를 저지르지 않도록 하자.
- 이 관점은 범죄에 대한 대책으로서 일반예방과 특별예방을 강조하며, 경찰의 범인에 대한 확실한 검거를 강조하게 된다.

② 진보주의 관점

- 범죄의 원인을 가정파괴, 교육결핍 등 사회적 요인이라 주장하며, 사회의 책임강조와 범죄자의 재활·교정을 통해 범죄를 해결하고자 한다.
- 다이버전(Diversion, 전환제도): 범죄자 검거와 처벌에 중점을 두기보다는, 기소하기 전에 지역사회에서 일정한 처우를 받도록 함으로써 범죄인이라는 낙인을 가능한 한 줄이려는 것이다. ➡ 정식 형사절차가 아닌 비형사적 선도프로그램으로 대체 예 청소년들의 사소한 범죄행위에 대하여 검사가 선도조건부로 기소를 유예하는 것, 소년법상 보호처분

┃ 일반예방과 특별예방

- **일반예방**: 범죄를 저지른 자가 확실히 검거되어 강력히 처벌받는 것을 보고 일반인들에게 '범죄를 저질러서는 안 되겠다'라는 인식을 심어줌으로써 범죄를 예방하는 것
- **특별예방**: 범죄를 저지른 본인에 대한 확실한 검거와 강력한 처벌을 통해 본인 스스로에게 '다시는 범죄를 저질러서는 안 되겠다'라는 인식을 심어줌으로써 범죄를 예방하는 것

- **회복적 사법(Restorative Justice)**: 기존 응보적 사법(Retributive Justice)에 의한 가해자 처벌보다는 범죄자와 피해자간의 참여와 대화를 통해 갈등을 해결하고 지역사회에 행해진 손해의 회복·개선에 더 중점을 두는 제도로 주로 학교폭력 등 청소년 범죄에서 강조되고 있다.

주제 2 경찰윤리와 경찰일탈·부패

01 경찰윤리 개설

1. 경찰윤리의 의의

경찰윤리란 경찰관이 경찰직무를 수행하면서 지켜야 할 도리이자, 해야 할 것과 하지 말아야 할 것의 기준이 되는 규범이라고 이해할 수 있다.

2. 경찰윤리교육의 목적 – 존 클라이니히(John Kleinig) [2023 경간]

- **도덕적 결의의 강화**: 경찰관이 실무에서 내부 및 외부로부터의 여러 압력과 유혹에도 굴복하지 않고 자신의 소신과 직업의식에 따라 일을 처리하는 것이다.
- **도덕적 감수성의 배양**: 경찰이 다양한 계층의 사람들에게 모두 공평하게 봉사하고, 이들을 인간으로서 존중하는 것이다. 예 지구대에 도움을 구하러 온 거지를, 사정을 듣지도 않고 쫓아내거나 건성으로 처리하는 경우
- **도덕적 전문능력 함양**: 경찰이 비판적·반성적 사고방식을 배양하여 조직 내에 관습적으로 내려오는 관행을 비판적으로 검토하여 수용하는 것이다.

02 경찰윤리의 사상적 토대

1. 사회계약설

(1) 의의

사회계약설은 계약이라는 개념을 통해서 경찰제도를 포함한 각종 제도나 정부형태, 법체계 등이 조직되는 원리를 도출해내는 이론으로서, ① 국가가 왜 존재하는지?, ② 경찰권을 비롯한 공권력이 어떻게 정당화되는지?(시민이 왜 공권력에 따라야 하는지?)와 같은 질문에 해답을 제시함으로써 민주주의 국가의 사상적 기초를 제공한다.

> 💡 **사회계약**
>
> 국가 甲과 국민 乙은 A국을 건국함에 있어 다음과 같이 합의한다.
> 1. 甲과 乙은 A국의 모든 주권이 乙이 천부적으로 보유하고 있던 권리로부터 유래한 것임을 인지하고 동의한다.
> 2. 乙은 다음 각 호의 권리를 제외한 모든 천부적 권리를 甲에게 위임한다.
> 3. 甲은 제2조에 따라 乙로부터 위임받은 권리, 즉 주권 내지 통치권을 乙을 보호하기 위한 목적으로만 사용하여야 한다.
> 4. 乙은 甲이 제3조의 목적으로 통치권을 사용하는 한 甲의 통치권에 복종한다.
>
> A. D. 0001.1.1.
>
> **수임인·통치권자** 국가 甲
> **위임인·피치자** 국민 乙

⊕ **심화 홉스·로크·루소의 사회계약설**

1 홉스의 사회계약론
- 자연상태의 인간은 "만인의 만인에 대한 투쟁"상태로서(성악설), 이를 내버려 두면 필연적 공멸의 결과를 가져오므로 특정한 사람(군주)에게 권력을 위임하게 되고, 군주는 투쟁상태를 해결할 강제적 힘을 갖게 된다. ➡ 절대군주제
- 사회계약도 본질적으로 계약이므로 군주가 다소 부적절하게 권력을 행사하더라도 군주를 교체할 수는 없다. 또한 만인의 만인에 대한 투쟁상태보다는 낮기 때문이다.

② **로크의 사회계약론**

- 자연상태의 개별 인간은 평화롭고 자유로우나(성선설), 개인간 자유행사가 부딪혀 갈등이 발생할 수 있고 이 경우 갈등을 해결할 수단이 없기 때문에 이를 해결할 수 있는 적절한 제3자에게 자연적 권리 중 <u>천부인권을 제외한 일부를 위임</u>하게 된다. ➡ 간접민주제
- 권력을 위임받은 정부가 권력을 잘못 행사하면 정부를 해체할 수 있다. 정부가 권력을 잘못 행사하여 개인을 권리를 침해하는 것은 자연상태에서 개인이 다른 개인의 권리를 침해하는 것과 다를 바 없기 때문이다(저항권의 인정).

③ **루소의 사회계약론**

- 자연상태의 인식은 로크와 유사하나, 공동체가 발전하면서 인간의 이기심과 능력차이로 불평등, 즉 계급이 등장하면서 갈등이 심화되고, 다시 자연으로 돌아가는 것이 가장 이상적이나 이것은 불가능하므로 차선책으로 '공동선(善)을 지키고자 하는 일반의지(= 인민주권)'가 모여 사회계약을 이루게 되며, 법은 이러한 일반의지를 실현하기 위해 제정된 것이다.
- '주권'은 불가분적이고 양도할 수 없다. 국민전체는 일반의지에 따라 공동으로 사회의 선(善)을 결정하는 주권을 행사하고, 국가는 대리인으로서 법을 집행하는데 그친다. ➡ 직접민주제

④ **비교**

구분	홉스(Hobbes), 1651	로크(Locke), 1690	루소(Rousseau), 1762
관점	X이론, 성악설, 순자	Y이론, 성선설, 맹자	Y이론, 성선설
저서	리바이어던(Leviathan)	시민정부 2론	사회계약론
자연 상태	• 만인에 대한 만인의 투쟁 • 양육강식의 투쟁상태	• 처음에는 자유롭고 평등하며 정의가 지배하는 사회 • 인간관계가 확대됨에 따라 자연권의 유지가 불안하게 됨	• 처음에는 자유·평등이 보장되는 평온한 상태 • 이기심과 능력차이로 강자와 약자의 구별이 생기고 불평등관계 성립
사회 계약	• 자연권의 전부양도 • 각 개인의 자연권 포기	• 자연권의 일부양도 • 천부인권의 보장	• 모든 사람의 **일반의지의 통합** • 주권은 불가분, 양도 불가 • 국가는 일반의지 실현으로서 법집행의 대리인에 불과
특징	• 국왕의 통치의지에 절대복종 • 절대군주정치를 통한 평화와 안전 추구 • 혁명 불가(저항권 불인정)	• 입법과 행정의 2권분립(제한군주정치) • **간접민주주의(대의제)** • **국민주권론** • 혁명 가능(저항권 인정)	• 국민주권의 발동으로 불평등관계 시정 • **직접민주주의** • **인민주권론** • 일반의지의 표현인 법을 통하여 인간의 자연권 및 정의 실현

(2) 사회계약설과 경찰윤리

대한민국 헌법 제1조가 "대한민국의 주권은 국민에게 있고 …"라고 표현하고 있는 국민주권의 원리와, 경찰법과 경찰관 직무집행법에서 명시하고 있는 '공공의 안녕과 질서유지', 그리고 '불가침의 기본적 인권 보호' 내지 '국민의 생명·신체 및 재산보호'는 사회계약설이 그 사상적 기반이 된 것으로서, 경찰의 윤리표준에 대한 사상적 기반이 되기도 한다.

2. 코헨과 펠드버그의 민주경찰 지향점(F·S·T·O·P) [2012 실무 1]

(1) 공정한 접근(Fair Access) [2020 실무 1] [2021 채용1차] [2021 경간]

경찰은 사회 전체의 필요에 의해서 생겨난 기구이므로 누구나 공정하게 경찰서비스에 접근할 수 있어야 한다. 경찰의 법집행과정에서 성별·나이·신분 등에 의한 차

별은 금지되며, 편들기나 서비스 제공을 게을리 하는 것(해태) 내지 무시는 공정한 접근에 위반되는 것이다. 예 **편들기**: 음주단속 중 적발된 자가 동료경찰관이라는 이유로 눈감아 준 경우 / **차별**: 순찰근무 중 달동네는 가려고 하지 않고 부자동네인 구역만 순찰하는 행위 / **서비스제공 해태 · 무시**: 甲은 집에 강도가 들어 가까운 지구대에 신고를 하였더니 지구대에서는 평소에 甲이 협조하지 않았다는 이유로 현장에 출동하지 않은 경우

[2022 승진(실무종합)] 경찰관이 우범지역인 A지역과 B지역의 순찰업무를 맡았으나, A지역에 가족이 산다는 이유로 A지역에서 순찰 근무시간을 대부분 할애한 경우는 '공정한 접근' 위반에 해당한다. (O)

[2012 채용3차] 음주단속을 하던 경찰이 동료경찰관을 적발하고도 동료라는 이유로 눈감아 주었다면 '공공의 신뢰'를 저해하는 편들기에 해당한다. (×)

[2017 경간] "丁순경은 강도범을 추격하다가 골목길에서 칼을 든 강도와 조우하였다. 丁순경은 계속 추격하는 척하다가 강도가 도망가도록 내버려 두었다."는 것은 공정한 접근과 연관 깊은 사례이다. (×)

(2) 생명과 재산의 안전보호(Safety and Security) [2012 채용3차] [2020 실무 1]

- 사회계약설에 따르면 시민의 생명과 재산의 안전보호가 경찰활동의 궁극적인 목적이지 법집행 자체가 궁극적인 목적이 아니다. 법집행은 시민의 생명과 재산의 안전보호를 위한 하나의 수단에 불과하므로, 법집행이 오히려 생명과 재산에 위협을 가져오는 경우라면 법집행이 양보될 수도 있는 것이다. 예 폭주족 단속을 위해 무리한 추격전을 벌인 결과 폭주족이 전신주를 들이받아 사망했다면 이는 생명과 재산의 안전보호에 실패를 한 것

- 반면, 잠재적인 위험과 현존하는 위험이 모두 존재한다면, **현존하는 위험**을 우선 **보호**하여야 한다. 예 은행강도가 어린이를 인질로 잡고 차량도주를 하고 있다면, 경찰은 주위 시민들의 안전에 대한 위험에도 불구하고 추격(법집행)을 하여야 한다.

[2022 승진(실무종합)] 불법 개조한 오토바이를 단속하던 경찰관이 정지명령에 불응하는 오토바이를 향하여 과도하게 추격한 결과 운전자가 전신주를 들이받고 사망한 경우는 '시민의 생명과 재산의 안전' 위반에 해당한다. (O)

(3) 협동(Team work) [2012 채용3차] [2020 실무 1] [2021 채용1차] [2021 경간]

사회계약의 궁극적 목적인 생명과 재산의 안전보호를 위해서, 경찰은 경찰공무원 상호간은 물론, 행정부에 속하는 다른 기관이나 권력이 분립된 다른 헌법기관(입법부 등)과도 협력하여야 한다. 협력하여야 할 의무는 대외적(조직 대 조직)·내부적(경찰인 상호간)으로 모두 지켜져야 한다. 예 **행정부 내 타기관과 협동**: 경찰이 수사결과를 검찰에 송치하는 것 / **입법부 등과 협력**: 경찰 관련 법률 제·개정자료를 국회에 제출하는 것 / **협동실패사례**: 경찰관이 공명심에 앞서 주요 범인을 혼자서 검거하려다 놓친 경우, 형사가 좋은 사람과 나쁜 사람을 가려서 나쁜 사람을 혼내기까지 하는 경우(경찰이 검사나 판사의 역할까지 직접 수행하는 역할한계의 오류)

(4) 냉정하고 객관적인 자세(Objectivity) [2017 경간] [2019 승진(경감)] [2021 경간]

- 경찰관은 사회의 일부분이 아닌 사회 전체의 이익을 위해 냉정하고 객관적인 자세로 업무를 수행하여야 한다.

- 경찰관은 업무수행시 평정심이 요구되는데, 편견 등으로 평정심을 잃은 과도한 개입도 문제가 되나 반대로 객관성이 너무 지나쳐 무관심한 태도(냉소주의)도 문제가 된다. 예 **편견**: 아버지로부터 가정폭력을 많이 경험한 甲경장이 가정문제의 모든 잘못은 남편에게 있다고 생각하는 경우 / **냉소주의**: 조직폭력배간 난투극 신고를 받은 경찰 甲이 '어차피 똑같은 놈들끼리 싸우다 어찌되든 무슨상관이냐'라는 생각으로 늦장 대응을 하는 경우

■ 협동의 법적 근거

- **경찰법 제6조 【직무수행】** ① 경찰공무원은 상관의 지휘·감독을 받아 직무를 수행하고, 그 직무수행에 관하여 서로 협력하여야 한다.
→ 경찰공무원간의 협동

- **경찰직무 응원법 제1조 【응원경찰관의 파견】** ① 시·도경찰청장은 … 그 소관 경찰력으로는 이를 감당하기 곤란하다고 인정할 때에는 응원을 받기 위하여 다른 시·도경찰청장 … 에게 경찰관 파견을 요구할 수 있다. → 경찰기관 상호간의 협동

(5) 공공의 신뢰확보(Public trust) [2011 채용2차] [2012 채용3차] [2017 경간] [2021 채용1차] [2021 경간]

- 시민들이 직접 자신들의 생명과 재산의 안전을 보호하는 것이 아니라, 사회계약에 따라 자신들을 대신하여 경찰로 하여금 경찰권을 사용하도록 한 것이므로, 시민의 신뢰에 부합하도록 권한을 행사(적법절차 준수)하고 필요최소한의 강제력을 행사(비례원칙 준수)하여야 한다. ⑩ 경찰이 시위를 과잉진압하여 시위대를 사망케 하거나, 달아나는 절도범의 등 뒤에서 총을 쏘아 사망케 한 것은 비례원칙에 위반하여 신뢰확보에 실패한 것이다.

  [2022 승진(실무종합)] 경찰관이 절도범을 추격하던 중 도주하는 범인의 등 뒤에서 권총을 쏘아 사망하게 하는 경우는 '공공의 신뢰' 위반에 해당한다. (O)
  [2022 승진(실무종합)] 경찰이 사익을 위해 공권력을 사용하거나 필요한 최소한의 강제력을 초과하여 사용하였다면 '공정한 접근' 위반에 해당한다. (×)

- 경찰은 시민들의 신뢰를 받을 수 있도록 합리적이고 정당하게 공권력을 행사하여야 한다. 경찰이 사익추구를 위해 공권력을 행사하는 것이라고 믿게 해서는 안 된다. ⑩ **실패사례**: 경찰이 범죄자에 대해 두려움을 느끼고 법집행을 회피한 경우, 경찰이 뇌물을 수수하거나 공짜 접대를 받는 경우 / **성공사례**: 시민이 절도 용의자를 직접 체포하지 않고 수사기관에 신고해서 체포하게 하는 경우

03 경찰일탈과 부패

1. 경찰일탈과 부패의 원인 가설

(1) 미끄러지기 쉬운 경사로 이론

부패에 해당하지 않는 '작은 호의'가 시간이 지남에 따라 큰 부패로 이어진다는 가설이다. [2015 채용2차] [2018 경채] [2019 채용2차] [2020 채용1차] [2020 실무 1] [2022 채용1차] [2023 채용1차] [2024 승진]

[2017 채용2차] 미끄러지기 쉬운 경사로 이론은 부패에 해당하는 작은 호의가 습관화될 경우 미끄러운 경사로를 타고 내려오듯이 점점 더 큰 부패와 범죄로 빠진다는 가설이다. (×)
[2023 경간] 셔먼의 '미끄러지기 쉬운 경사로이론'은 부패에 해당하지 않는 작은 선물 등의 사소한 호의를 허용하면 나중에는 엄청난 부패로 이어진다는 이론이다. (O)

⊕ 심화 작은 호의에 대한 찬반론

1 뇌물과 호의

뇌물은 경찰관으로 하여금 정당한 직무수행을 그르치게 하는 정도의 이익을 말하지만, 호의는 감사의 표시나 훌륭한 경찰관에 대한 자발적 보상 등을 의미한다.

2 '작은 호의는 허용해도 된다'는 견해(허용론) - 펠드버그 [2012 경간] [2020 승진(경감)]

- **당연성**: 자신이 해야 할 일을 하는 경우이지만 고마움을 표시하는 것은 당연하다.
- **자발성**: 작은 사례나 호의는 강제된 것이 아니라 자발적으로 이루어진다.
- **공정성**: 작은 호의를 받더라도 경찰관은 편파적으로 업무를 처리하지 않는다(경찰의 이성과 지능 신뢰). ➔ "작은 호의와 뇌물을 구분하지 못한다는 것은 경찰관의 지능에 대한 모독이다." [2018 승진(경위)]
- **관행성**: 공짜 커피와 같은 것은 뿌리 깊은 관행으로서 불식시키는 것은 불가능하다.
- **형성재이론**: 작은 호의는 시민과 경찰이 원만한 사회관계를 형성할 수 있도록 만들어주는 형성재이다. 경찰은 작은 호의를 통하여 지역주민들과 친밀해질 수 있다. [2018 경채]

[2012 승진(경위)] [2015 경간] [2023 경간] 셔먼의 '미끄러지기 쉬운 경사로 이론'에 대하여 펠드버그는 작은 호의를 받았다고 해서 반드시 경찰이 큰 부패를 범하는 것은 아니라고 하면서 비판하였다. (O)
[2016 경간] '형성재'이론은 작은 사례나 호의는 시민과의 부정적인 사회관계를 만들어주는 형성재라는 것으로 작은 호의의 부정적인 효과를 강조하는 이론이다. (×)

---

③ '작은 호의라도 허용해서는 안 된다'는 견해(금지론) - 델라트르, 셔먼

- 작은 호의 자체는 부패가 아니지만, 작은 선물일지라도 그것이 정례화되면 준 사람에 대한 의무감이나 신세를 진다는 생각을 가지게 한다.
- 작은 호의를 받아들이는 사람들은 점점 더 멈추기 어려운 부패의 '미끄러지기 쉬운 경사로' 위에 있는 사람들이다(바늘 도둑이 소도둑 된다).
- 대부분의 경찰관들이 뇌물과 작은 호의를 구별할 수 있어도 일부는 양자를 구별할 능력이 없다.
- 공짜 커피를 제공하는 사람들은 대개 불순한 의도를 가지고 있다.

  [2013 채용1차] 미끄러지기 쉬운 경사로 이론은 니더호퍼, 로벅, 바커 등이 주장한 이론이다. (×)
  [2023 경간] 델라트르는 '미끄러지기 쉬운 경사로이론'에 따라 시민의 작은 호의를 받은 경찰관 중 큰 부패로 이어지는 경찰관은 일부에 불과하므로 시민의 작은 호의를 금지할 필요는 없다고 하였다. (×)
  [2018 경간] 델라트르는 작은 호의를 금지해야 한다고 주장하였다. (○)
  [2015 경간] [2017 채용1차] 셔먼의 '미끄러지기 쉬운 경사로 이론'에 의하면 공짜 커피 한잔도 부패에 해당한다. (×)

(2) 전체사회 가설 → 사회 전체의 부패가 경찰조직의 부패로 연결 [2018 승진(경위)]

> **윌슨**
> "시카고 경찰부패의 원인은 부패한 시카고 시민들이다." [2023 채용1차]

- 경찰조직 부패의 원인을 부패한 시민사회에게서 찾는 이론이다. [2015 채용2차] [2017 채용2차] [2018 채용2차] [2020 채용2차] [2020 승진(경감)]
- 사회 전체가 경찰 부패를 묵인하거나 조장할 때 경찰관은 자연스럽게 부패의 길로 빠져든다는 이론이다. 이러한 분위기의 사회가 제공하는 작은 호의에 길들여지다 보면 나중에는 결국 부패하게 된다는 것이다. → 미끄러지기 쉬운 경사로 이론과 유사! [2013 채용1차] [2014 채용1차] [2020 실무 1] [2022 승진(실무종합)] [2022 채용2차] [2024 승진]

  [2018 경간] 미국의 로벅은 "시카고 시민이 경찰을 부패시켰다."라고 주장하였다. (×)
  [2023 채용1차] 전체사회가설은 니더호퍼, 로벅, 바커 등이 주장한 가설이다. (×)
  [2012 승진(경위)] [2017 채용1차] 미국의 윌슨은 시민사회의 부패가 경찰부패의 주원인이라고 보는 구조원인 가설을 주장하였다. (×)
  [2022 채용1차] 전체사회가설은 신임경찰관이 조직의 부패 전통 내에서 고참 동료들에 의해 사회화됨으로써 부패의 길로 들어선다는 입장이다. (×)
  [2018 채용2차] 윌슨이 주장한 전체사회 가설은 '미끄러지기 쉬운 경사로 이론'과 유사하다. (○)

(3) 구조원인 가설 → 경찰조직의 부패가 경찰 개인 부패로 연결

> **니더호퍼, 로벅, 바커**
> "신임경찰이 기존의 부패한 경찰로부터 부패의 사회화를 통하여 물들게 된다."

- 경찰조직 부패의 원인을 경찰관 개인이 아닌 부패한 경찰조직에 있다고 보는 이론이다. → 부패의 사회화 [2012 경간] [2012 승진(경위)] [2013 채용1차] [2014 채용1차] [2015 경간] [2016 경간] [2017 채용1차] [2020 채용1차] [2022 채용2차] [2023 채용1차] [2024 승진]
- 구조화된 조직적 부패는 서로가 문제점을 알면서도 이를 묵인하는 '침묵의 규범'을 형성하게 된다. [2018 채용2차] [2020 채용2차] [2020 실무 1] [2022 채용1차]
- '법규와 현실의 괴리'가 부패의 원인이 되기도 한다. 예 비현실적인 출장비용 책정으로 인해 혼자 출장가면서 두 명분의 출장비를 청구하는 경우

  [2015 채용2차] 구조원인 가설은 윌슨이 주장한 가설로 신참 경찰관들이 그들의 고참 동료들에 의해 조직의 부패전통 내에서 사회화됨으로써 부패의 길로 들어선다는 입장이다. (×)
  [2018 승진(경위)] 코헨(Cohen), 펠드버그(Feldberg)가 제시한 이론으로 신임경찰이 기존의 부패한 경찰로부터 부패의 사회화를 통하여 물들게 된다는 것은 '구조원인 가설'이다. (×)
  [2018 경채] '구조원인 가설'은 신임경찰이 기존의 부패한 경찰로부터 부패의 사회화를 통하여 물들게 된다는 이론으로 시민사회의 부패가 경찰부패의 주요한 원인이라고 보고 있다. (×)
  [2017 채용2차] 일부 부패경찰을 모집 단계에서 배제하지 못하여 조직 전체를 부패로 물들게 한다는 구조원인 가설은 부패의 원인을 개인적 결함이 아닌 조직의 체계적 원인으로 파악한다. (×)

[2022 승진(실무종합)] P경찰관은 부서에서 많은 동료들이 단독 출장을 가면서도 공공연하게 두 사람의 출장비를 청구하고 퇴근 후 잠깐 들러서 시간외 근무를 한 것으로 퇴근시간을 허위 기록되게 하는 것을 보고, P경찰관도 동료들과 같은 행동을 한 것은 구조 원인 가설과 관련이 있다. (○)

⊕심화 더티 해리(Dirty Harry) 시리즈

① 개요

- 1971년 제작된 클린트 이스트우드 주연의 형사 액션물 영화로서, 주인공 해리 캘러한(Harry Callahan)은 자신의 신념에 부합한다면 법제도나 경찰조직(상관)의 명령보다 자신만의 정의를 앞세우는 인물로 묘사된다. ➡ 법보다 주먹이 앞서는 인물
- 기존의 탐정물 중심 경찰영화 체계를 탈피하여 큰 상업적 성공을 거두었고 5편까지 속편이 제작되었다.

② 시사점

- 부패한 경찰조직이라고까지 보기는 논란이 있으나, 현실과 타협하여 사회적 물의를 일으키지 않도록 적당히 사건을 정리하고자 하는 조직분위기에 휩쓸리지 않고 자신의 신념을 우선하는 경찰의 모습을 그렸다.
- 경찰관이 법제도와 적법절차에 따른 정의구현이 아니라, 자신만의 정의에 따라 범죄자에게 사적 징벌까지 하는 모습은 민주경찰의 지향점 중 냉정하고 객관적인 자세 내지 협동과 관련된 역할한계의 오류와 관련지을 수 있다. ➡ '목적이 정당하면 수단도 정당화되는가?'
  [2022 채용1차] 'Dirty Harry 문제'는 도덕적으로 선한 목적을 위해 윤리적·정치적 혹은 법적으로 더러운 수단을 동원하는 것이 적절한가와 관련된 딜레마적 상황이다. (○)

---

(4) 썩은 사과 이론

- 경찰조직 부패의 원인을 조직이 아닌 부패한 경찰관 '개인'에게서 찾는다. [2015 채용2차] [2018 경채] [2020 채용2차] [2020 실무 1] [2024 승진]
- 썩은 사과 한 개가 상자에 있는 모든 사과를 썩게 만들 듯이 부정부패할 가능성이 있는 경찰관 일부가 조직에 유입되어 전체가 부패된다는 이론이다(부적격자 임용).
  [2012 승진(경위)] [2013 채용1차] [2014 채용1차] [2016 채용1차] [2018 승진(경위)]
  [2018 채용2차 유사] [2018 경간] 썩은 사과 가설은 부패의 원인이 개인이 아닌 조직적 결함에 있다고 본다. (×)
  [2016 경간 유사] [2017 채용2차 유사] [2020 승진(경감)] '썩은 사과 가설'은 선배경찰의 부패행태로부터 신임경찰이 차츰 사회화되어 신임경찰도 기존 경찰처럼 부패로 물들게 된다고 보는 이론이다. (×)

❚ 이론별 부패원인
- **전체사회 가설**: 시민사회
- **구조원인 가설**: 경찰조직
- **썩은 사과 이론**: 경찰 개인

2. 경찰부패

(1) 경찰부패의 개념

- **공직 중심의 정의**: 부패란 금전이나 지위 획득 또는 사적 이익을 위해 법적인 의무 규범에서 일탈하는 것을 말한다. ➡ 공직 규범으로부터 일탈이 부패이다.
- **시장 중심의 정의**: 부패란 공무원들이 공공의 이익을 분배함에 있어서 자신의 지위를 개인의 이익 극대화 수단으로 인식할 때 발생하는 현상이다. ➡ 통제의 부재로 공무원이 국민의 이익보다 자신의 이익을 추구하기 위해 저지르는 불법이 부패이다.
- **공익 중심의 정의**: 부패란 국민의 이익을 위해 노력해야 할 공무원들이 공익적 책임에 위반하여 사익을 추구함으로써 파생되는 일탈행위이다. ➡ 공익을 부패현상 측정의 척도로 여긴다.

(2) 경찰부패의 유형

- **백색부패**: 이론상 일탈행위로 규정될 수 있으나, 구성원의 다수가 어느 정도 용인하는 선의의 부패 또는 관례화된 부패를 의미한다. 예 경기가 어렵지만 국민들의 동요나 기업활동의 위축을 방지하기 위해서 경기가 살아나고 있다고 공직자가 거짓말을 한 경우

- **회색부패**: 백색부패와 흑색부패의 중간에 위치하는 유형으로서 얼마든지 흑색부패로 발전 할 수 있는 잠재성을 지닌 것을 말한다. 예 정치권에 대한 탈법적 후원금, 순찰경찰관에게 주민들이 제공하는 음료수나 과일
- **흑색부패**: 사회 전체에 심각한 해를 끼치는 부패로 구성원 모두가 인정하고 처벌을 원하는 부패를 말한다. 예 업무와 관련된 대가성 있는 뇌물수수

(3) 경찰부패의 과정

구분	특징
1단계	대부분의 신임경찰은 국민 전체에 대한 봉사자로서의 신념을 갖고 경찰에 입직한다.
2단계	낮은 봉급, 경찰에 대한 낮은 사회인식, 승진좌절 등에 대한 한계의식으로 현실의 벽을 느끼고 좌절한다.
3단계	현실의 벽을 느끼고 좌절한 경찰관이 냉소주의에 빠져 경찰생활의 의미를 상실한다.
4단계	의미를 잃어버린 경찰생활 속에서 경찰직을 사익과 안락을 추구하는 수단으로 이용하면서 부패한다.

3. 동료부패에 대한 반응

▎Busy Bodiness
타인의 비행에 대하여 일일이 참견하여 도덕적 충고를 하는 태도를 말한다. [2016 경간] [2020 채용1차]

(1) 내부고발(Whistle Blowing, Deep Throat)

1) 의의

동료나 상사의 부정에 대하여 감찰이나 외부의 언론매체를 통하여 공표하는 내부고발행위를 말한다. ↔ 침묵의 규범: 동료의 부정부패에 대하여 눈감아 주는 것 [2015 실무 1]

[2018 경간] 경찰부패에 대한 내부고발은 '침묵의 규범'과 같은 개념이다. (×)

2) 내부고발의 정당화 요건 - 클라이니히

- **적절한 도덕적 동기**: 개인의 출세, 보복하려는 동기에 의한 내부 고발은 정당하지 않다.
- **합리적 증거**: 객관적으로 확신할 만한 합리적 증거에 근거한 내부고발이어야 한다. [2024 채용 1차]
- **성공가능성**: 어느 정도 성공할 가능성이 있어야 한다.
- **중대성·급박성**: 사소하고 일상적인 경미사안이나, 제도화된 자정절차로 해결 가능한 사안은 내부고발이 정당화되기 어렵다. [2024 채용 1차]
- **보충성(최후수단성)**: 내부문제를 외부에 공표하기 전 조직 내 다른 채널을 통하여 해결할 수 있으면 먼저 내부적 해결을 해야 한다고 본다. [2024 채용 1차]

[2024 채용 1차] 적절한 도덕적 동기에 의해 내부고발이 이루어져야 하며, 성공가능성은 불문한다. (×)
[2024 채용 1차] [2012 경간] 클라이니히는 외부고발론의 정당화요건을 제시하면서 내부문제를 외부에 공표하기 전에 조직 내 다른 채널을 통하여 해결할 수 있으면 먼저 내부적 해결을 해야 한다고 본다. (×)

(2) 도덕적 해이(Moral Hazard)

도덕적 가치관이 붕괴되어 동료의 부패를 부패라고 인식하지 못하는 것을 의미하는 것으로, 부패를 잘못된 행위로 인식하고 있지만 동료라서 모르는 척하는 '침묵의 규범'과는 구별되는 개념이다. [2022 채용1차]

[2015 경간] 경찰관이 동료나 상사의 부정부패에 대하여 감찰이나 외부의 언론매체에 대하여 공표하는 것을 '모랄 해저드(moral hazard)'라고 한다. (×)

주제 3 경찰윤리강령

01 개설

1. 의의

- 경찰윤리강령은 시민이 바라는 윤리표준에 맞는 행동 규범을 정하여 경찰공무원으로서의 공직윤리를 확보하기 위한 강령으로, 그 형식은 강령·윤리강령·헌장 등 다양하며 훈령·예규의 형태로도 나타난다.
- 경찰강령은 다음과 같은 기능을 한다.

대내적	대외적
• 경찰조직에 대한 소속감 고취 • 경찰조직운영의 기준 제공 • 경찰조직 구성원에 대한 교육자료 • 경찰조직 구성원 개인의 자질통제기준	• 서비스 수준의 확신 부여 • 국민과의 공공관계의 개선 • 과도한 요구에 대한 책임 제한 • 경찰에 대한 국민의 평가기준 • 행위의 준거 제공

[2016 승진(경감)] 경찰윤리강령은 대내적으로 경찰공무원 개인적 기준 설정, 경찰조직의 기준 제시, 경찰조직에 대한 소속감 고취, 경찰조직 구성원에 대한 교육자료 제공 등의 기능을 한다. (○)

- 1945년 10월 21일 국립경찰의 탄생 시 이념적 지표가 된 경찰정신은 영미법계의 영향으로 '봉사'와 '질서'를 경찰의 행동강령으로 삼았다. [2024 채용 1차]

2. 연혁 ➡ 윤·새·헌·서

경찰윤리헌장(1966) ➡ 새경찰 신조(1980) ➡ 경찰헌장(1991) ➡ 경찰서비스헌장(1998)

[2024 채용 1차] [2016 지능범죄 유사] [2017 실무 1] [2022 경간] 경찰윤리강령은 '경찰윤리헌장', '새경찰 신조', '경찰헌장', '경찰서비스헌장' 순으로 제정되었다. (○)

02 내용

1. 경찰윤리헌장(1966)

> **경찰윤리헌장**
>
> 우리는 국민의 생명과 재산을 보호하고 공공의 안녕과 질서를 유지하는 경찰관으로서,
> 1. 우리는 헌법과 법률을 수호하고 명령에 복종하며 각자의 맡은 바 책임과 의무를 충실히 완수한다.
> 1. 우리는 냉철한 이성과 투철한 사명감을 가지고 모든 위해와 불법과 불의에 과감하게 대결하며 청렴 검소한 생활로써 영리를 멀리하고 오직 양심에 따라 행동한다.
> 1. 우리는 주권을 가진 국민의 수임자로서 공공의 복리를 증진하고 국민의 자유와 권리를 존중하여 성실하게 봉사한다.
> 1. 우리는 국민의 신뢰를 명심하여 편견이나 감정에 사로잡히지 않고 공명정대하게 업무를 처리한다.
> 1. 우리는 이 모든 목표와 사명을 달성하기 위하여 끊임없이 인격과 지식의 연마에 노력할 것이며 민주경찰의 발전에 헌신한다.

▌제정배경

- 1961.5.16. 박정희 당시 소장이 일으킨 군사정변을 계기로 군 장교들이 대거 경찰로 들어와 대대적인 숙청과 현대화 작업을 추진하였다.
- 이 과정에서 경찰의 체제정비도 필요하지만 경찰공무원 개개인들에 대한 정신적 반성도 필요하다는 인식이 생겼고, 이러한 인식하에 정신개혁운동이 일어나면서 1966.7.12. 경찰윤리헌장이 선포되었다.

2. 새경찰 신조(1980)

> **새경찰 신조**
> 1. 우리는 새 시대의 사명을 완수한다.
> 2. 우리는 깨끗하고 친절하게 봉사한다.
> 3. 우리는 공정과 소신으로 일한다.
> 4. 우리는 스스로 능력을 개발한다.

새경찰 신조는 신군부로 대표되는 기존 보수세력과 민주화를 요구하는 개혁세력과의 갈등의 시기에 경찰이 공명정대하게 소신을 갖고 일을 하기 위한 노력의 일환으로 민주경찰을 지향하려는 것이었다.

3. 경찰헌장(1991)

> **경찰헌장**
>
> **<전문>**
> • 우리는 조국 광복과 함께 태어나, 나라와 겨레를 위하여 충성을 다하며 오늘의 자유민주 사회를 지켜온 대한민국 경찰이다. ➡ 경찰의 전통
> • 우리는 개인의 자유와 권리를 보호하며 사회의 안녕과 질서를 유지하여, 모든 국민이 평안하고 행복한 삶을 누릴 수 있도록 해야 할 영예로운 책임을 지고 있다. ➡ 경찰의 본분
> • 이에 우리는 맡은 바 임무를 충실히 수행할 것을 다짐하며, 우리가 나아갈 길을 밝혀 마음에 새기고자 한다. ➡ 경찰의 각오
>
> **<본문>**
> 1. 우리는 모든 사람의 인격을 존중하고 누구에게나 따뜻하게 봉사하는 **친절한 경찰**이다.
> 1. 우리는 정의의 이름으로 진실을 추구하며, 어떠한 불의나 불법과도 타협하지 않는 **의로운 경찰**이다. [2023 승진(실무종합)]
> 1. 우리는 국민의 신뢰를 바탕으로 오직 양심에 따라 법을 집행하는 **공정한 경찰**이다. [2023 승진(실무종합)]
> 1. 우리는 건전한 상식 위에 전문지식을 갈고 닦아 맡은 일을 성실하게 수행하는 **근면한 경찰**이다.
> 1. 우리는 화합과 단결 속에 항상 규율을 지키며, 검소하게 생활하는 **깨끗한 경찰**이다. [2023 승진(실무종합)]
>
> [2017 실무 1] 「경찰헌장」에는 '우리는 정의의 이름으로 진실을 추구하며, 어떠한 불의나 불법과도 타협하지 않는 공정한 경찰'이라고 하였다. (×)
> [2021 승진(실무종합)] 경찰헌장에서는 "우리는 화합과 단결 속에 항상 규율을 지키며 검소하게 생활하는 근면한 경찰이다."라는 목표를 제시하였다. (×)

💡 **경찰헌장 5대 덕목**
• **공정한 경찰**: 양심. 법
• **의로운 경찰**: 정의
• **깨끗한 경찰**: 검소
• **친절한 경찰**: 존중. 봉사
• **근면한 경찰**: 성실

경찰헌장은 1966년 7월에 제정된 경찰윤리헌장을 사회발전과 국민의식의 수준에 발맞추어 다시 개정한 것이다.

4. 경찰서비스헌장(1998)

> ### 경찰서비스헌장
>
> 우리는 국민의 생명과 재산을 보호하고 법과 질서를 수호하는 국민의 경찰로서 모든 국민이 안전하고 평온한 삶을 누릴 수 있도록 다음과 같이 실천하겠습니다.
>
> 하나, 범죄와 사고를 철저히 예방하고 법을 어긴 행위는 단호하고 엄정하게 처리하겠습니다.
>
> 하나, 국민이 필요하다고 하면 어디든지 바로 달려가 도와드리겠습니다.
>
> 하나, 모든 민원은 친절하고 신속, 공정하게 처리하겠습니다.
>
> 하나, 국민의 안전과 편의를 제일 먼저 생각하며 성실히 직무를 수행하겠습니다.
>
> 하나, 인권을 존중하고 권한을 남용하는 일이 없도록 하겠습니다.
>
> 하나, 잘못된 업무는 즉시 확인하여 바로잡겠습니다.
>
> [2012 경간] "건전한 상식 위에 전문지식을 갈고 닦아 맡은 일을 성실하게 수행하도록 하겠습니다."는 경찰서비스헌장(1998)에 포함된 내용이다. (×)

💡 **경찰서비스헌장 내용**
- 잘못된 업무
- 먼저 생각나면 성실히
- 달려가
- 신속·공정하고
- 단호·엄정하게
- 권한남용 ×

- 국민을 최우선으로 하는 행정을 실현하기 위해, 1998.6.30. 제정된 행정서비스헌정 제정지침에 따라 경찰서비스헌장이 제정되었다.
- 이 외에도 개별 경찰분야별로 5개의 서비스 헌장이 존재하고 있다(생활안전경찰, 수사경찰, 교통경찰, 경찰민원, 경찰병원).

03 경찰강령의 문제점

- **비진정성의 조장**: 경찰강령은 경찰관의 도덕적 자각에 따른 자발적인 행동이 아니라 외부로부터 요구되는 것으로서 타율성으로 인해 진정한 봉사가 이루어지지 않을 수 있다.
- **최소주의의 위험**: 경찰관이 최선을 다하여 헌신과 봉사를 하려다가도 경찰강령에 포함된 정도의 수준으로만 근무를 하여 경찰강령이 근무수행의 최소기준이 될 수 있다.
- **행위중심적 성격**: 경찰강령은 행위 중심적으로 규정되어 있어 행위 이전의 의도나 동기를 소홀히 하게 될 수 있다.
- **냉소주의의 문제**: 경찰강령은 직원들의 참여에 의하여 이루어지는 것이 아니라, 상부에서 제정하여 하달되므로 냉소주의를 야기한다. ➡ 제정과정에서의 구성원의 참여는 냉소주의를 감소시키게 된다. [2024 채용 1차] [2017 실무 1]
- **강제력의 부족**: 경찰강령은 법적 강제력이 없기 때문에 위반했을 경우 제재할 방법이 미흡하다(실행가능성의 문제). [2024 채용 1차] [2016 승진(경감)]
- **우선순위 미결정**: 경찰강령이 구체적인 경우 상세하지만 그보다 더 곤란한 현실문제에 있어서 무엇을 먼저하고, 무엇을 나중에 해야 할지 우선순위를 결정하는 기준이 되기 어렵다.

[2019 승진(경감)] 경찰윤리강령의 문제점으로 '비진정성의 조장'은 강령의 내용을 행위의 울타리로 삼아 강령에 제시된 바람직한 행위 그 이상의 자기희생을 하지 않으려는 경향을 의미한다. (×)
[2016 승진(경감)] 경찰윤리강령의 문제점으로 최소주의의 위험이란 강령 간 우선순위, 업무간 우선순위를 제시하지 못하는 한계를 말한다. (×)
[2021 승진(실무종합)] 경찰윤리강령의 문제점 중 '냉소주의의 문제'란, 경찰관의 도덕적 자각에 따른 자발적인 행동이 아니라 외부로부터 요구된 타율성으로 인해 진정한 봉사가 이루어지지 않을 수 있다는 것을 의미한다. (×)

- 이하 '부정청탁 및 금품등 수수의 금지에 관한 법률'은 '청탁금지법'으로 약칭한다.
- 청탁금지법은 2004년 헌정사상 첫 여성대법관으로 임명되어 큰 반향을 일으킨 김영란씨가 국민권익위원회 위원장 시절 입안한 법으로 '김영란법'으로 잘 알려져 있다(2015.3.27. 제정).
- 청탁금지법은 2010년경 현직 여검사가 내연관계인 변호사로부터 벤츠 승용차 리스비대납 및 샤넬핸드백 선물을 받아 사회적 물의를 일으킨 '벤츠 여검사 사건'에서, 당시 현행법상 처벌이 불가하여 대법원에서 무죄판결이 확정(2013도363)되자 이를 비판하는 여론을 등에 업고 입법이 되었다.

주제 4 부정청탁 및 금품등 수수의 금지에 관한 법률

01 총칙

1. 목적 및 정의

> **청탁금지법 제1조【목적】** 이 법은 공직자 등에 대한 부정청탁 및 공직자 등의 금품 등의 수수를 금지함으로써 공직자 등의 공정한 직무수행을 보장하고 공공기관에 대한 국민의 신뢰를 확보하는 것을 목적으로 한다.
>
> **청탁금지법 제2조【정의】** 이 법에서 사용하는 용어의 뜻은 다음과 같다.
> 1. **"공공기관"**이란 다음 각 목의 어느 하나에 해당하는 기관·단체를 말한다.
>   가. 국회, 법원, 헌법재판소, 선거관리위원회, 감사원, 국가인권위원회, 고위공직자범죄수사처, 중앙행정기관(대통령 소속 기관과 국무총리 소속 기관을 포함한다)과 그 소속 기관 및 지방자치단체
>   나. 「공직자윤리법」 제3조의2에 따른 공직유관단체 ➔ 한국은행, 공기업, 정부출연기관, 지방공사공단 등
>   다. 「공공기관의 운영에 관한 법률」 제4조에 따른 기관 ➔ 기획재정부장관 지정 공공기관
>   라. 「초·중등교육법」, 「고등교육법」, 「유아교육법」 및 그 밖의 다른 법령에 따라 설치된 각급 학교 및 「사립학교법」에 따른 학교법인
>   마. 「언론중재 및 피해구제 등에 관한 법률」 제2조 제12호에 따른 언론사
> 2. **"공직자등"**이란 다음 각 목의 어느 하나에 해당하는 공직자 또는 공적 업무 종사자를 말한다. [2018 승진(경위)]
>   가. 「국가공무원법」 또는 「지방공무원법」에 따른 공무원과 그 밖에 다른 법률에 따라 그 자격·임용·교육훈련·복무·보수·신분보장 등에 있어서 공무원으로 인정된 사람
>   나. 제1호 나목 및 다목에 따른 공직유관단체 및 기관의 장과 그 임직원
>   다. 제1호 라목에 따른 각급 학교의 장과 교직원 및 학교법인의 임직원
>   라. 제1호 마목에 따른 언론사의 대표자와 그 임직원
> 3. **"금품등"**이란 다음 각 목의 어느 하나에 해당하는 것을 말한다.
>   가. 금전, 유가증권, 부동산, 물품, 숙박권, 회원권, 입장권, 할인권, 초대권, 관람권, 부동산 등의 사용권 등 일체의 재산적 이익
>   나. 음식물·주류·골프 등의 접대·향응 또는 교통·숙박 등의 편의 제공
>   다. 채무 면제, 취업 제공, 이권 부여 등 그 밖의 유형·무형의 경제적 이익
>
> [2018 승진(경위)] '공공기관'에는 「초·중등교육법」, 「고등교육법」, 「유아교육법」 및 그 밖의 다른 법령에 따라 설치된 각급 학교가 포함된다. 단, 「사립학교법」에 따른 학교법인은 '공공기관'에 해당하지 않는다. (×)

2. 국가 등의 책무

> **청탁금지법 제3조【국가 등의 책무】** ① 국가는 공직자가 공정하고 청렴하게 직무를 수행할 수 있는 근무 여건을 조성하기 위하여 노력하여야 한다.
> ② 공공기관은 공직자등의 공정하고 청렴한 직무수행을 보장하기 위하여 부정청탁 및 금품등의 수수를 용인하지 아니하는 공직문화 형성에 노력하여야 한다.

③ 공공기관은 공직자등이 위반행위 신고 등 이 법에 따른 조치를 함으로써 불이익을 당하지 아니하도록 적절한 보호조치를 하여야 한다.

청탁금지법 제4조【공직자등의 의무】① 공직자등은 사적 이해관계에 영향을 받지 아니하고 직무를 공정하고 청렴하게 수행하여야 한다.
② 공직자등은 직무수행과 관련하여 공평무사하게 처신하고 직무관련자를 우대하거나 차별해서는 아니 된다.

02 금지행위

1. 부정청탁의 금지

(1) 금지되는 부정청탁의 모습

청탁금지법 제5조【부정청탁의 금지】① 누구든지 직접 또는 제3자를 통하여 직무를 수행하는 공직자등에게 다음 각 호의 어느 하나에 해당하는 부정청탁을 해서는 아니 된다.
  1. 인가 · 허가 · 면허 · 특허 · 승인 · 검사 · 검정 · 시험 · 인증 · 확인 등 법령(조례 · 규칙을 포함한다. 이하 같다)에서 일정한 요건을 정하여 놓고 직무관련자로부터 신청을 받아 처리하는 직무에 대하여 법령을 위반하여 처리하도록 하는 행위
  2. 인가 또는 허가의 취소, 조세, 부담금, 과태료, 과징금, 이행강제금, 범칙금, 징계 등 각종 행정처분 또는 형벌부과에 관하여 법령을 위반하여 감경 · 면제하도록 하는 행위
  3. 모집 · 선발 · 채용 · 승진 · 전보 등 공직자등의 인사에 관하여 법령을 위반하여 개입하거나 영향을 미치도록 하는 행위
    ...
  13. 법령을 위반하여 행정지도 · 단속 · 감사 · 조사 대상에서 특정 개인 · 단체 · 법인이 선정 · 배제되도록 하거나 행정지도 · 단속 · 감사 · 조사의 결과를 조작하거나 또는 그 위법사항을 묵인하게 하는 행위
  14. 사건의 수사 · 재판 · 심판 · 결정 · 조정 · 중재 · 화해, 형의 집행, 수용자의 지도 · 처우 · 계호 또는 이에 준하는 업무를 법령을 위반하여 처리하도록 하는 행위
  15. 제1호부터 제14호까지의 부정청탁의 대상이 되는 업무에 관하여 공직자등이 법령에 따라 부여받은 지위 · 권한을 벗어나 행사하거나 권한에 속하지 아니한 사항을 행사하도록 하는 행위

(2) 부정청탁이 아닌 경우

청탁금지법 제5조【부정청탁의 금지】② 제1항에도 불구하고 다음 각 호의 어느 하나에 해당하는 경우에는 이 법을 적용하지 아니한다.
  1. 「청원법」, 「민원사무 처리에 관한 법률」, 「행정절차법」, 「국회법」 및 그 밖의 다른 법령 · 기준(제2조 제1호 나목부터 마목까지의 공공기관의 규정 · 사규 · 기준을 포함한다. 이하 같다)에서 정하는 절차 · 방법에 따라 권리침해의 구제 · 해결을 요구하거나 그와 관련된 법령 · 기준의 제정 · 개정 · 폐지를 제안 · 건의하는 등 특정한 행위를 요구하는 행위
  2. 공개적으로 공직자등에게 특정한 행위를 요구하는 행위

3. 선출직 공직자, 정당, 시민단체 등이 공익적인 목적으로 제3자의 고충민원을 전달하거나 법령·기준의 제정·개정·폐지 또는 정책·사업·제도 및 그 운영 등의 개선에 관하여 제안·건의하는 행위
4. 공공기관에 직무를 법정기한 안에 처리하여 줄 것을 신청·요구하거나 그 진행상황·조치결과 등에 대하여 확인·문의 등을 하는 행위
5. 직무 또는 법률관계에 관한 확인·증명 등을 신청·요구하는 행위
6. 질의 또는 상담형식을 통하여 직무에 관한 법령·제도·절차 등에 대하여 설명이나 해석을 요구하는 행위
7. 그 밖에 사회상규에 위배되지 아니하는 것으로 인정되는 행위

(3) 부정청탁을 받은 공직자의 대응 – 직무수행 금지·거절·신고

■ 공직자의 대응
- 일단 부정청탁 받은 대로의 **직무수행**이 금지된다.
- **1차**: 청탁자에게 고지 + 거절
- **2차**: 소속기관장에게 서면신고

청탁금지법 제6조【부정청탁에 따른 직무수행 금지】 부정청탁을 받은 공직자등은 그에 따라 직무를 수행해서는 아니 된다. ➜ 위반시 2년 이하의 징역 또는 2천만원 이하의 벌금
[2019 승진(경감)] [2020 승진(경감)]

청탁금지법 제7조【부정청탁의 신고 및 처리】 ① 공직자등은 부정청탁을 받았을 때에는 부정청탁을 한 자에게 부정청탁임을 알리고 이를 거절하는 의사를 명확히 표시하여야 한다. [2019 승진(경감)] [2022 경간] [2024 경간]
② 공직자등은 제1항에 따른 조치를 하였음에도 불구하고 동일한 부정청탁을 다시 받은 경우에는 이를 소속기관장에게 서면(전자문서를 포함한다. 이하 같다)으로 신고하여야 한다.
⑥ 공직자등은 제2항에 따른 신고를 감독기관·감사원·수사기관 또는 국민권익위원회에도 할 수 있다.

[2023 승진(실무종합)] 부정청탁을 받은 공직자등은 부정청탁을 한 자에게 부정청탁임을 알렸다면 이와 별도로 거절하는 의사는 명확하지 않아도 된다. (×)
[2022 채용2차] 「부정청탁 및 금품등 수수의 금지에 관한 법률」상 '공직자등'이 부정청탁을 받았을 때에는 부정청탁을 한 자에게 부정청탁임을 알리고 이를 거절하는 의사를 명확히 표시하여야 하며, 이러한 조치를 하였음에도 불구하고 동일한 부정청탁을 다시 받은 경우에는 이를 소속기관장에게 구두 또는 서면(전자서면을 포함)으로 신고하여야 한다. (×)

(4) 신고 등을 받은 소속기관장의 대응 – 확인·배제·공개

■ 소속기관장의 대응
- 신고내용 신속확인
- 당해 공직자 직무배제(예외 有)
- 부정청탁내용 및 조치사항 공개(임의적)

청탁금지법 제7조【부정청탁의 신고 및 처리】 ③ 제2항에 따른 신고를 받은 소속기관장은 신고의 경위·취지·내용·증거자료 등을 조사하여 신고내용이 부정청탁에 해당하는지를 신속하게 확인하여야 한다.
④ 소속기관장은 부정청탁이 있었던 사실을 알게 된 경우 또는 제2항 및 제3항의 부정청탁에 관한 신고·확인 과정에서 해당 직무의 수행에 지장이 있다고 인정하는 경우에는 부정청탁을 받은 공직자등에 대하여 다음 각 호의 조치를 할 수 있다.
1. 직무 참여 일시중지
2. 직무 대리자의 지정
3. 전보
4. 그 밖에 국회규칙, 대법원규칙, 헌법재판소규칙, 중앙선거관리위원회규칙 또는 대통령령으로 정하는 조치
⑤ 소속기관장은 공직자등이 다음 각 호의 어느 하나에 해당하는 경우에는 제4항에도 불구하고 그 공직자등에게 직무를 수행하게 할 수 있다. 이 경우 제20조에 따른 소속기관의 담당관 또는 다른 공직자등으로 하여금 그 공직자등의 공정한 직무수행 여부를 주기적으로 확인·점검하도록 하여야 한다.
1. 직무를 수행하는 공직자등을 대체하기 지극히 어려운 경우

2. 공직자등의 직무수행에 미치는 영향이 크지 아니한 경우
3. 국가의 안전보장 및 경제발전 등 공익증진을 이유로 직무수행의 필요성이 더 큰 경우

⑦ 소속기관장은 다른 법령에 위반되지 아니하는 범위에서 부정청탁의 내용 및 조치사항을 해당 공공기관의 인터넷 홈페이지 등에 공개할 수 있다.

⑧ 제1항부터 제7항까지에서 규정한 사항 외에 부정청탁의 신고·확인·처리 및 기록·관리·공개 등에 필요한 사항은 대통령령으로 정한다.

2. 금품 등 수수의 금지

(1) 원칙적 수수 · 요구 · 약속금지

청탁금지법 제8조【금품등의 수수 금지】① 공직자등은 직무 관련 여부 및 기부·후원·증여 등 그 명목에 관계없이 동일인으로부터 1회에 100만원 또는 매 회계연도에 300만원을 초과하는 금품등을 받거나 요구 또는 약속해서는 아니 된다. ➡ 직무와 관련 없더라도 어떤 명목으로든 1회 100만원 / 연간 300만원 초과 수수·요구·약속금지! [2019 채용1차] [2019 승진(경위)] [2020 승진(경감)] [2024 승진]

② 공직자등은 직무와 관련하여 대가성 여부를 불문하고 제1항에서 정한 금액 이하의 금품등을 받거나 요구 또는 약속해서는 아니 된다. ➡ 직무와 관련 있으면 대가성 없어도 1회 100만원 / 연간 300만원 이하라도 수수·요구·약속금지! [2019 승진(경위)]

④ 공직자등의 배우자는 공직자등의 직무와 관련하여 제1항 또는 제2항에 따라 공직자등이 받는 것이 금지되는 금품등(이하 "수수 금지 금품등"이라 한다)을 받거나 요구하거나 제공받기로 약속해서는 아니 된다. ➡ 배우자는 법률상 배우자(사실혼 배우자 ×)

⑤ 누구든지 공직자등에게 또는 그 공직자등의 배우자에게 수수 금지 금품등을 제공하거나 그 제공의 약속 또는 의사표시를 해서는 아니 된다.

[2022 경간] [2023 승진(실무종합)] 공직자 등은 직무 관련 및 기부·후원·증여 등 그 명목에 관계 없이 동일인으로부터 1회에 100만원 또는 매 회계연도에 300만원을 초과하는 금품 등을 받거나 요구 또는 약속해서는 아니된다. (○)

(2) 예외적 수수 등 가능금품

청탁금지법 제8조【금품등의 수수 금지】③ 제10조의 외부강의등에 관한 사례금 또는 다음 각 호의 어느 하나에 해당하는 금품등의 경우에는 제1항 또는 제2항에서 수수를 금지하는 금품등에 해당하지 아니한다.

1. 공공기관이 소속 공직자등이나 파견 공직자등에게 지급하거나 상급 공직자등이 위로·격려·포상 등의 목적으로 하급 공직자등에게 제공하는 금품등 예 경찰서장이 소속경찰서 경무계 직원들에게 격려의 목적으로 제공하는 회식비 [2018 실무 1] [2021 승진(실무종합)] [2024 승진]

2. 원활한 직무수행 또는 사교·의례 또는 부조의 목적으로 제공되는 음식물·경조사비·선물 등으로서 대통령령으로 정하는 가액 범위 안의 금품등. 다만, 선물 중 「농수산물 품질관리법」 제2조 제1항 제1호에 따른 농수산물 및 같은 항 제13호에 따른 농수산가공품(농수산물을 원료 또는 재료의 50퍼센트를 넘게 사용하여 가공한 제품만 해당한다)은 대통령령으로 정하는 설날·추석을 포함한 기간에 한정하여 그 가액 범위를 두배로 한다. [2019 채용1차]

3. 사적 거래(증여는 제외한다)로 인한 채무의 이행 등 정당한 권원에 의하여 제공되는 금품등 [2022 승진(경감)]

- 경찰관 甲이 2022년도에 직무와 관련 없이 A로부터 3회에 걸쳐 100만 원씩 총 300만원 후원받음 ➡ 가능!
- 경찰관 甲이 2022년도에 직무와 관련 없이 A로부터 1회에 걸쳐 101만원 후원받음 ➡ 불가!
- 경찰관 甲이 2022년도에 직무와 관련하여 A로부터 1회에 걸쳐 대가성 없는 10만원 후원받음 ➡ 불가!
- 경찰관 甲이 2022년도에 직무와 관련하여 A로부터 1회에 걸쳐 대가성 있는 10만원 후원받음 ➡ 불가! 형사 처벌까지 가능!

▌ 제2호 '대통령령으로 정하는 가액'(청탁금지법 시행령 별표 1) [2020 실무 1]
- 음식물: 3만원
- 축의금·조의금: 5만원
- 화환·조화: 10만원
- 선물(금전·유가증권 제외·물품·요역상품권 포함): 5만원
- 농수산물 선물: 15만원
- 명절기간 농수산물 선물: 30만원

▌ 제2호 '대통령령으로 정하는 설날·추석 포함 기간'(청탁금지법 시행령 제17조 제2항) – 명절기간
설날·추석 전 24일부터 설날·추석 후 5일까지(그 기간 중에 우편 등을 통해 발송하여 그 기간 후에 수수한 경우에는 그 수수한 날까지)를 말한다.

▌ 민법 제777조(친족의 범위)
- 8촌 이내의 혈족
- 4촌 이내의 인척
- 배우자

4. 공직자등의 친족(「민법」 제777조에 따른 친족을 말한다)이 제공하는 금품등 [2018 실무 1]

5. 공직자등과 관련된 직원상조회·동호인회·동창회·향우회·친목회·종교단체·사회단체 등이 정하는 기준에 따라 구성원에게 제공하는 금품등 및 그 소속 구성원 등 공직자등과 특별히 장기적·지속적인 친분관계를 맺고 있는 자가 질병·재난 등으로 어려운 처지에 있는 공직자등에게 제공하는 금품등 [2019 승진(경위)] [2020 승진(경감)]

6. 공직자등의 직무와 관련된 공식적인 행사에서 주최자가 참석자에게 통상적인 범위에서 일률적으로 제공하는 교통, 숙박, 음식물 등의 금품등 [2018 실무 1] [2019 승진(경위)]

7. 불특정 다수인에게 배포하기 위한 기념품 또는 홍보용품 등이나 경연·추첨을 통하여 받는 보상 또는 상품 등 예 A경위가 휴일날 인근 대형마트 행사에서 추첨권에 당첨되어 수령한 수입차 [2018 실무 1] [2021 승진(실무종합)]

8. 그 밖에 다른 법령·기준 또는 사회상규에 따라 허용되는 금품등 [2019 채용1차]

[2022 승진(실무종합)] 경찰서장이 소속부서 직원들에게 위로·격려·포상의 목적으로 회식비를 제공한 경우 청탁금지법 위반이다. (×)

[2020 실무 1] 원활한 직무수행 또는 사교·의례 또는 부조의 목적으로 제공되는 5만원 이하의 선물(금전, 유가 증권 포함)은 동법 제8조 제3항에서 규정한 '금품등의 수수 금지'의 예외사유에 해당한다. (×)

[2019 채용1차] [2022 경간] 증여를 포함한 사적 거래로 인한 채무의 이행 등 정당한 권원(權原)에 의하여 제공되는 금품등은 수수를 금지하는 금품 등에 해당하지 아니한다. (○)

[2022 승진(실무종합)] 결혼식을 앞두고 있는 경찰관이 4촌 형으로부터 500만원 상당의 냉장고를 선물 받은 경우 청탁금지법 위반이다. (×)

[2018 실무 1] '특정 대상자에게 배포하기 위한 기념품 또는 홍보용품 등이나 경연·추첨을 통하여 받는 보상 또는 상품 등'은 수수를 금지하는 금품 등에 대한 예외 사유에 해당한다. (×)

[2022 승진(실무종합)] 예술의전당 소속 공연 관련 업무 담당공무원이 예술의전당 초청 공연작으로 결정된 뮤직드라마의 공연제작사 대표이사 甲 등과 저녁식사를 하고 25만원 상당(1인당 5만원)의 음식 값을 甲이 지불한 경우 청탁금지법 위반이다. (○)

(3) 공직자의 대응 – 신고·반환·인도

청탁금지법 제9조 【수수 금지 금품등의 신고 및 처리】 ① 공직자등은 다음 각 호의 어느 하나에 해당하는 경우에는 소속기관장에게 지체 없이 서면으로 신고하여야 한다.

1. 공직자등 자신이 수수 금지 금품등을 받거나 그 제공의 약속 또는 의사표시를 받은 경우

2. 공직자등이 자신의 배우자가 수수 금지 금품등을 받거나 그 제공의 약속 또는 의사표시를 받은 사실을 안 경우

② 공직자등은 자신이 수수 금지 금품등을 받거나 그 제공의 약속이나 의사표시를 받은 경우 또는 자신의 배우자가 수수 금지 금품등을 받거나 그 제공의 약속이나 의사표시를 받은 사실을 알게 된 경우에는 이를 제공자에게 지체 없이 반환하거나 반환하도록 하거나 그 거부의 의사를 밝히거나 밝히도록 하여야 한다. 다만, 받은 금품등이 다음 각 호의 어느 하나에 해당하는 경우에는 소속기관장에게 인도하거나 인도하도록 하여야 한다.

1. 멸실·부패·변질 등의 우려가 있는 경우

2. 해당 금품등의 제공자를 알 수 없는 경우

3. 그 밖에 제공자에게 반환하기 어려운 사정이 있는 경우

⑥ 공직자등은 제1항 또는 같은 조 제2항 단서에 따른 신고나 인도를 감독기관·감사원·수사기관 또는 국민권익위원회에도 할 수 있다.

(4) 신고 등을 받은 소속기관장의 대응 – 수사기관 통보 · 직무배제

청탁금지법 제9조【수수 금지 금품등의 신고 및 처리】③ 소속기관장은 제1항에 따라 신고를 받거나 제2항 단서에 따라 금품등을 인도받은 경우 수수 금지 금품등에 해당한다고 인정하는 때에는 반환 또는 인도하게 하거나 거부의 의사를 표시하도록 하여야 하며, 수사의 필요성이 있다고 인정하는 때에는 그 내용을 지체 없이 수사기관에 통보하여야 한다.
④ 소속기관장은 공직자등 또는 그 배우자가 수수 금지 금품등을 받거나 그 제공의 약속 또는 의사표시를 받은 사실을 알게 된 경우 수사의 필요성이 있다고 인정하는 때에는 그 내용을 지체 없이 수사기관에 통보하여야 한다.
⑤ 소속기관장은 소속 공직자등 또는 그 배우자가 수수 금지 금품등을 받거나 그 제공의 약속 또는 의사표시를 받은 사실을 알게 된 경우 또는 제1항부터 제4항까지의 규정에 따른 금품등의 신고, 금품등의 반환 · 인도 또는 수사기관에 대한 통보의 과정에서 직무의 수행에 지장이 있다고 인정하는 경우에는 해당 공직자등에게 제7조 제4항 각 호 및 같은 조 제5항의 조치(➔ 직무배제 등)를 할 수 있다.
⑦ 소속기관장은 공직자등으로부터 제1항 제2호에 따른 신고를 받은 경우 그 공직자등의 배우자가 반환을 거부하는 금품등이 수수 금지 금품등에 해당한다고 인정하는 때에는 그 공직자등의 배우자로 하여금 그 금품등을 제공자에게 반환하도록 요구하여야 한다.
⑧ 제1항부터 제7항까지에서 규정한 사항 외에 수수 금지 금품등의 신고 및 처리 등에 필요한 사항은 대통령령으로 정한다.

3. 외부강의 등 사례금 수수 제한

청탁금지법 제10조【외부강의등의 사례금 수수 제한】① 공직자등은 자신의 직무와 관련되거나 그 지위 · 직책 등에서 유래되는 사실상의 영향력을 통하여 요청받은 교육 · 홍보 · 토론회 · 세미나 · 공청회 또는 그 밖의 회의 등에서 한 강의 · 강연 · 기고 등(이하 "외부강의등"이라 한다)의 대가로서 대통령령으로 정하는 금액을 초과하는 사례금을 받아서는 아니 된다. [2020 경간]
② 공직자등은 사례금을 받는 외부강의등을 할 때에는 대통령령으로 정하는 바에 따라 외부강의등의 요청 명세 등을 소속기관장에게 그 외부강의등을 마친 날부터 10일 이내에 서면으로 신고하여야 한다. 다만, 외부강의등을 요청한 자가 국가나 지방자치단체인 경우에는 그러하지 아니하다. [2020 실무 1] [2022 경간] [2024 승진] [2024 채용 1차]
④ 소속기관장은 제2항에 따라 공직자등이 신고한 외부강의등이 공정한 직무수행을 저해할 수 있다고 판단하는 경우에는 그 공직자등의 외부강의등을 제한할 수 있다. [2020 경간]
⑤ 공직자등은 제1항에 따른 금액을 초과하는 사례금을 받은 경우에는 대통령령으로 정하는 바에 따라 소속기관장에게 신고하고, 제공자에게 그 초과금액을 지체 없이 반환하여야 한다. ➔ 소속기관장에게 반환 ✕ [2020 경간]
[2019 승진(경감)] 공직자등은 사례금을 받는 외부강의등을 할 때에는 대통령령으로 정하는 바에 따라 외부강의등의 요청 명세 등을 소속기관장에게 그 외부강의등을 마친 날부터 10일 이내에 서면으로 신고할 수 있다. 다만, 외부강의등을 요청한 자가 국가나 지방자치단체인 경우에는 그러하지 아니하다. (✕)
[2020 경간] 공직자등은 국가나 지방자치단체의 요청에 의해 사례금을 받는 외부강의등을 할 때에는 대통령령으로 정하는 바에 따라 외부강의등의 요청 명세 등을 소속기관장에게 그 외부강의등을 마친 날부터 10일 이내에 서면으로 신고하여야 한다. (✕)
[2022 채용2차] 「부정청탁 및 금품등 수수의 금지에 관한 법률」에 따르면 ○○경찰서 소속 경찰관 甲이 모교에서 자신의 직무와 관련된 강의를 요청받아 1시간 동안 강의를 하고 50만원의 사례금을 받았다면 대통령령이 정하는 바에 따라 소속기관장에게 신고하고 그 초과금액을 소속 기관장에게 지체 없이 반환하여야 한다. (✕)
[2023 승진(실무종합)] 직급에 상관 없이 모든 공직자의 외부강의 사례금 상한액은 1시간당 30만원이며 1시간을 초과하면 상한액은 45만원이다. (✕)

▌제1항 '대통령령으로 정하는 금액'
(청탁금지법 시행령 별표 2) [2020 실무 1]
1. 사례금 상한액
 · 공무원: 40만원
 · 공직유관단체장 및 임직원: 40만원
 · 교육인 · 언론인: 100만원
 · 국제기구 · 외국정부 · 외국대학 등 외국기관의 경우 지급하는 자의 기준에 따름
2. 적용기준
 · 위 금액은 강의 1시간, 기고 1건 기준
 · 1시간 초과 강의시에도 1시간 상한액의 100분의 150 초과 불가
 · 상한액에는 강의료 · 원고료 · 출연료 등 명목 관계없이 관련하여 지급되는 일체의 금액 포함
 · 단, '공무원 여비규정' 기준 내에서 실비수준으로 제공되는 교통비 · 숙박비 및 식비는 불포함

03 부정청탁 등 방지에 관한 업무처리

1. 업무총괄기관 및 업무처리의 원칙

청탁금지법 제12조 【공직자등의 부정청탁 등 방지에 관한 업무의 총괄】 국민권익위원회는 이 법에 따른 다음 각 호의 사항에 관한 업무를 관장한다.
1. 부정청탁의 금지 및 금품등의 수수 금지·제한 등에 관한 제도개선 및 교육·홍보계획의 수립 및 시행
2. 부정청탁 등에 관한 유형, 판단기준 및 그 예방 조치 등에 관한 기준의 작성 및 보급
3. 부정청탁 등에 대한 신고 등의 안내·상담·접수·처리 등
4. 신고자 등에 대한 보호 및 보상
5. 제1호부터 제4호까지의 업무 수행에 필요한 실태조사 및 자료의 수집·관리·분석 등

청탁금지법 제16조 【위법한 직무처리에 대한 조치】 공공기관의 장은 공직자등이 직무수행 중에 또는 직무수행 후에 제5조(➡ 부정청탁 금지), 제6조(➡ 부정청탁에 따른 직무수행 금지) 및 제8조(➡ 금품 등 수수금지)를 위반한 사실을 발견한 경우에는 해당 직무를 중지하거나 취소하는 등 필요한 조치를 하여야 한다.

청탁금지법 제17조 【부당이득의 환수】 공공기관의 장은 제5조, 제6조, 제8조를 위반하여 수행한 공직자등의 직무가 위법한 것으로 확정된 경우에는 그 직무의 상대방에게 이미 지출·교부된 금액 또는 물건이나 그 밖에 재산상 이익을 환수하여야 한다.

청탁금지법 제18조 【비밀누설 금지】 다음 각 호의 어느 하나에 해당하는 업무를 수행하거나 수행하였던 공직자등은 그 업무처리 과정에서 알게 된 비밀을 누설해서는 아니 된다. 다만, 제7조 제7항에 따라 공개하는 경우(➡ 소속기관장이 인터넷 홈페이지 공개)에는 그러하지 아니하다.
1. 제7조에 따른 부정청탁의 신고 및 조치에 관한 업무
2. 제9조에 따른 수수 금지 금품등의 신고 및 처리에 관한 업무

청탁금지법 제19조 【교육과 홍보 등】 ① 공공기관의 장은 공직자등에게부정청탁금지 및 금품등의 수수 금지에 관한 내용을 정기적으로 교육하여야 하며, 이를 준수할 것을 약속하는 서약서를 받아야 한다.
③ 공공기관의 장은 제1항 및 제2항에 따른 교육 및 홍보 등의 실시를 위하여 필요하면 국민권익위원회에 지원을 요청할 수 있다. 이 경우 국민권익위원회는 적극 협력하여야 한다. [2024 채용 1차]

2. 위반행위의 신고와 신고자 보호 등

(1) 위반행위의 신고

청탁금지법 제13조 【위반행위의 신고 등】 ① 누구든지 이 법의 위반행위가 발생하였거나 발생하고 있다는 사실을 알게 된 경우에는 다음 각 호의 어느 하나에 해당하는 기관에 신고할 수 있다. [2019 승진(경감)]
1. 이 법의 위반행위가 발생한 공공기관 또는 그 감독기관
2. 감사원 또는 수사기관
3. 국민권익위원회

② 제1항에 따른 신고를 한 자가 다음 각 호의 어느 하나에 해당하는 경우에는 이 법에 따른 보호 및 보상을 받지 못한다.

1. 신고의 내용이 거짓이라는 사실을 알았거나 알 수 있었음에도 신고한 경우

2. 신고와 관련하여 금품등이나 근무관계상의 특혜를 요구한 경우

3. 그 밖에 부정한 목적으로 신고한 경우

③ 제1항에 따라 신고를 하려는 자는 자신의 인적사항과 신고의 취지·이유·내용을 적고 서명한 문서와 함께 신고 대상 및 증거 등을 제출하여야 한다. ➡ 실명신고원칙

[2023 승진(실무종합)] 이 법의 위반행위가 발생하였거나 발생하고 있다는 사실을 알게 된 경우에는 이해관계인만 수사기관에 신고할 수 있다. (×)

청탁금지법 제13조의2【비실명 대리신고】 ① 제13조 제3항에도 불구하고 같은 조 제1항에 따라 신고를 하려는 자는 자신의 인적사항을 밝히지 아니하고 변호사를 선임하여 신고를 대리하게 할 수 있다. 이 경우 제13조 제3항에 따른 신고자의 인적사항 및 신고자가 서명한 문서는 변호사의 인적사항 및 변호사가 서명한 문서로 갈음한다. ➡ 예외적 비실명신고 [2024 채용 1차]

② 제1항에 따른 신고는 국민권익위원회에 하여야 하며, 신고자 또는 신고를 대리하는 변호사는 그 취지를 밝히고 신고자의 인적사항, 신고자임을 입증할 수 있는 자료 및 위임장을 국민권익위원회에 함께 제출하여야 한다.

③ 국민권익위원회는 제2항에 따라 제출된 자료를 봉인하여 보관하여야 하며, 신고자 본인의 동의 없이 이를 열람하여서는 아니 된다.

(2) 신고자등 보호

청탁금지법 제15조【신고자등의 보호·보상】 ① 누구든지 다음 각 호의 어느 하나에 해당하는 신고 등(이하 "신고등"이라 한다)을 하지 못하도록 방해하거나 신고등을 한 자(이하 "신고자등"이라 한다)에게 이를 취소하도록 강요해서는 아니 된다.

1. 제7조 제2항 및 제6항에 따른 신고 ➡ 공직자등의 부정청탁신고

2. 제9조 제1항, 같은 조 제2항 단서 및 같은 조 제6항에 따른 신고 및 인도 ➡ 공직자등의 수수금지 금품 등 신고 및 인도

3. 제13조 제1항에 따른 신고 ➡ 누구든지 할 수 있는 신고

4. 제1호부터 제3호까지에 따른 신고를 한 자 외에 협조를 한 자가 신고에 관한 조사·감사·수사·소송 또는 보호조치에 관한 조사·소송 등에서 진술·증언 및 자료제공 등의 방법으로 조력하는 행위

② 누구든지 신고자등에게 신고등을 이유로 불이익조치(「공익신고자 보호법」 제2조 제6호에 따른 불이익조치를 말한다. 이하 같다)를 해서는 아니 된다.

③ 이 법에 따른 위반행위를 한 자가 위반사실을 자진하여 신고하거나 신고자등이 신고등을 함으로 인하여 자신이 한 이 법 위반행위가 발견된 경우에는 그 위반행위에 대한 형사처벌, 과태료 부과, 징계처분, 그 밖의 행정처분 등을 감경하거나 면제할 수 있다.

(3) 포상금·보상금·구조금 지급 - 누구든지 할 수 있는 신고를 전제

청탁금지법 제15조【신고자등의 보호·보상】 ⑤ 국민권익위원회는 제13조 제1항에 따른 신고로 인하여 공공기관에 재산상 이익을 가져오거나 손실을 방지한 경우 또는 공익의 증진을 가져온 경우에는 그 신고자에게 포상금을 지급할 수 있다.

⑥ 국민권익위원회는 제13조 제1항에 따른 신고로 인하여 공공기관에 직접적인 수입의 회복·증대 또는 비용의 절감을 가져온 경우에는 그 신고자의 신청에 의하여 보상금을 지급하여야 한다.

⑦ 국민권익위원회는 제13조 제1항에 따라 신고를 한 자, 그 친족이나 동거인 또는 그 신고와 관련하여 진술·증언 및 자료제공 등의 방법으로 신고에 관한 감사·수사 또는 조사 등에 조력한 자가 신고 등과 관련하여 다음 각 호의 어느 하나에 해당하는 피해를 입었거나 비용을 지출한 경우에는 신청에 따라 구조금을 지급할 수 있다.

1. 육체적·정신적 치료 등에 소요된 비용
2. 전직·파견근무 등으로 소요된 이사비용
3. 제13조 제1항에 따른 신고 등을 이유로 한 쟁송절차에 소요된 비용
4. 불이익조치 기간의 임금 손실액
5. 그 밖의 중대한 경제적 손해(인가·허가 등의 취소 등 행정적 불이익을 주는 행위 또는 물품·용역 계약의 해지 등 경제적 불이익을 주는 조치에 따른 손해는 제외한다)

☑ KEY POINT | 포상금·보상금·구조금 비교

구분	포상금	보상금	구조금
주체	신고자	신고자	• 신고자 • 조력자
신청	불필요	필요	필요
지급사유	• 재산상 이익 • 손실방지 • 공익증진	• 직접적 수입회복 • 직접적 수익증대 • 직접적 비용절감	치료비·이사비·법률비용·임금손실 등 비용지출·피해발생
재량 여부	지급할 수 있다.	지급하여야 한다.	지급할 수 있다.

(4) 이행강제금 부과

청탁금지법 제15조의2【이행강제금】① 국민권익위원회는 제15조 제4항에 따라 준용되는 「공익신고자 보호법」제20조 제1항에 따른 보호조치결정을 받은 후 그 정해진 기한까지 보호조치를 취하지 아니한 자에게는 3천만원 이하의 이행강제금을 부과한다. 다만, 국가 또는 지방자치단체는 제외한다.

3. 신고에 대한 처리

청탁금지법 제14조【신고의 처리】① 제13조 제1항 제1호(➡ 위반행위 발생 공공기관 또는 그 감독기관) 또는 제2호(➡ 감사원 또는 수사기관)의 기관(이하 "조사기관"이라 한다)은 같은 조 제1항에 따라 신고를 받거나 제2항에 따라 국민권익위원회로부터 신고를 이첩받은 경우에는 그 내용에 관하여 필요한 조사·감사 또는 수사를 하여야 한다.
② 국민권익위원회가 제13조 제1항에 따른 신고를 받은 경우에는 그 내용에 관하여 신고자를 상대로 사실관계를 확인한 후 대통령령으로 정하는 바에 따라 조사기관에 이첩하고, 그 사실을 신고자에게 통보하여야 한다.

③ 조사기관은 제1항에 따라 조사·감사 또는 수사를 마친 날부터 10일 이내에 그 결과를 신고자와 국민권익위원회에 통보(국민권익위원회로부터 이첩받은 경우만 해당한다)하고, 조사·감사 또는 수사 결과에 따라 공소 제기, 과태료 부과 대상 위반행위의 통보, 징계 처분 등 필요한 조치를 하여야 한다.

④ 국민권익위원회는 제3항에 따라 조사기관으로부터 조사·감사 또는 수사 결과를 통보받은 경우에는 지체 없이 신고자에게 조사·감사 또는 수사 결과를 알려야 한다.

⑤ 제3항 또는 제4항에 따라 조사·감사 또는 수사 결과를 통보받은 신고자는 조사기관에 이의신청을 할 수 있으며, 제4항에 따라 조사·감사 또는 수사 결과를 통지받은 신고자는 국민권익위원회에도 이의신청을 할 수 있다.

⑥ 국민권익위원회는 조사기관의 조사·감사 또는 수사 결과가 충분하지 아니하다고 인정되는 경우에는 조사·감사 또는 수사 결과를 통보받은 날부터 30일 이내에 새로운 증거자료의 제출 등 합리적인 이유를 들어 조사기관에 재조사를 요구할 수 있다.

⑦ 제6항에 따른 재조사를 요구받은 조사기관은 재조사를 종료한 날부터 7일 이내에 그 결과를 국민권익위원회에 통보하여야 한다. 이 경우 국민권익위원회는 통보를 받은 즉시 신고자에게 재조사 결과의 요지를 알려야 한다.

주제 5 │ 경찰청 공무원 행동강령, 경찰관 인권행동강령, 이해충돌방지법

01 경찰청 공무원 행동강령 [경찰청훈령 제1045호, 제1063호, 2022.10.7. 타법개정]

1. 총칙

경찰청 공무원 행동강령 제1조【목적】 이 규칙은 「부패방지 및 국민권익위원회의 설치와 운영에 관한 법률」 제8조(➡ 공직자 행동강령) 및 공무원 행동강령에 따라 경찰청(소속기관, 시·도경찰청, 경찰서를 포함한다. 이하 같다)소속 공무원(이하 "공무원"이라 한다)이 준수하여야 할 행동기준을 규정하는 것을 목적으로 한다.

경찰청 공무원 행동강령 제2조【정의】 이 규칙에서 사용하는 용어의 뜻은 다음과 같다.
1. **"직무관련자"**란 공무원의 소관 업무와 관련되는 자로서 다음 각 목의 어느 하나에 해당하는 개인(공무원이 사인의 지위에 있는 경우에는 개인으로 본다) 또는 법인·단체를 말한다.
2. **"직무관련공무원"**이란 공무원의 직무수행과 관련하여 이익 또는 불이익을 직접적으로 받는 다른 공무원(기관이 이익 또는 불이익을 받는 경우에는 그 기관의 관련 업무를 담당하는 공무원을 말한다) 중 다음 각 목의 어느 하나에 해당하는 공무원을 말한다.
   가. 상급자와 직무상 지휘명령을 받는 당해 업무의 하급자
   나. 인사·감사·상훈·예산·심사평가업무 담당자와 해당 업무와 직접 관련된 다른 공무원
   다. 행정사무를 위임·위탁한 경우 위임·위탁사무를 관리·감독하는 공무원과 그 사무를 담당하는 공무원
   라. 그 밖에 특별한 사유로 경찰청장이 정하는 경우

3. "금품등"이란 다음 각 목의 어느 하나에 해당하는 것을 말한다. [2017 실무 1]

　　가. 금전, 유가증권, 부동산, 물품, 숙박권, 회원권, 입장권, 할인권, 초대권, 관람권, 부동산 등의 사용권 등 일체의 재산적 이익

　　나. 음식물·주류·골프 등의 접대·향응 또는 교통·숙박 등의 편의 제공

　　다. 채무 면제, 취업 제공, 이권 부여 등 그 밖의 유형·무형의 경제적 이익

4. "경찰유관단체"란 경찰기관에서 민관 치안협력 또는 민간전문가를 통한 치안자문 활동 목적으로 조직·운영하고 있는 단체를 말한다.

경찰청 공무원 행동강령 제3조【적용범위】 이 규칙은 경찰청 소속 공무원과 경찰청에 파견된 공무원에게 적용한다. [2020 승진(경위)]

2. 공정한 직무수행

(1) 공정한 직무수행을 저해하는 지시에 대한 처리

경찰청 공무원 행동강령 제4조【공정한 직무수행을 해치는 지시에 대한 처리】 ① 공무원은 상급자가 자기 또는 타인의 부당한 이익을 위하여 공정한 직무수행을 현저하게 해치는 지시를 하였을 때에는 별지 제1호 서식 또는 전자우편 등의 방법으로 그 사유를 상급자에게 소명하고 지시에 따르지 아니하거나, 별지 제2호 서식 또는 전자우편 등의 방법으로 제23조에 따라 지정된 행동강령에 관한 업무를 담당하는 공무원(이하 "행동강령책임관"이라 한다)과 상담할 수 있다. [2018 실무 1] [2017 채용1차] [2018 채용1차] [2023 채용1차]

② 제1항에 따라 지시를 이행하지 아니하였는데도 같은 지시가 반복될 때에는 즉시 행동강령책임관과 상담하여야 한다.

③ 제1항이나 제2항에 따라 상담 요청을 받은 행동강령책임관은 지시 내용을 확인하여 지시를 취소하거나 변경할 필요가 있다고 인정되면 소속 기관의 장에게 보고하여야 한다. 다만, 지시 내용을 확인하는 과정에서 부당한 지시를 한 상급자가 스스로 그 지시를 취소하거나 변경하였을 때에는 소속 기관의 장에게 보고하지 아니할 수 있다.

④ 제3항에 따른 보고를 받은 소속 기관의 장은 필요하다고 인정되면 지시를 취소·변경하는 등 적절한 조치를 하여야 한다. 이 경우 공정한 직무수행을 해치는 지시를 제1항에 따라 이행하지 아니하였는데도 같은 지시를 반복한 상급자에게는 징계 등 필요한 조치를 할 수 있다.

[2020 승진(경위)] 상급자가 자기 또는 타인의 부당한 이익을 위하여 공정한 직무수행을 현저하게 해치는 지시를 한 것과 관련하여 공무원으로부터 상담 요청을 받은 행동강령책임관은 지시 내용을 확인하는 과정에서 부당한 지시를 한 상급자가 스스로 그 지시를 취소하거나 변경하였을 때에는 소속 기관의 장에게 보고하여야 한다. (×)

(2) 부당한 수사지휘에 대한 이의제기

범죄수사규칙 제30조【경찰관서 내 이의제기】
① 경찰관은 구체적 수사와 관련된 소속 수사부서장의 지휘·감독의 적법성 또는 정당성에 이견이 있는 경우에는 해당 상관에게 별지 제6호 서식의 수사지휘에 대한 이의제기서를 작성하여 이의를 제기할 수 있다.

경찰청 공무원 행동강령 제4조의2【부당한 수사지휘에 대한 이의제기】 ① 공무원은 「범죄수사규칙」 제30조에 따른 경찰관서 내 수사 지휘에 대한 이의제기와 관련하여 행동강령책임관에게 상담을 요청할 수 있다. [2022 경간] [2022 채용1차]

② 제1항의 상담요청을 받은 행동강령책임관은 해당 지휘의 취소·변경이 필요하다고 인정되면 소속기관장에게 보고하여야 한다.

[2018 채용1차] [2019 승진(경감)] 경찰청 공무원 행동강령에 따라 공무원은 범죄수사규칙 제30조에 따른 경찰관서 내 수사 지휘에 대한 이의제기와 관련하여 행동강령책임관에게 상담을 요청하여야 한다. (×)

(3) 수사 · 단속 업무에 대한 공정상 강화

> **경찰청 공무원 행동강령 제5조의2【수사 · 단속 업무의 공정성 강화】** ① 공무원은 수사 · 단속의 대상이 되는 업소 중 경찰청장이 지정하는 유형의 업소 관계자와 부적절한 사적 접촉을 하여서는 아니 되며, 공적 또는 사적으로 접촉한 경우 경찰청장이 정하는 방법에 따라 신고하여야 한다. [2023 채용1차]
>
> ② 공무원은 수사 중인 사건의 관계자(해당 사건의 처리와 법률적 · 경제적 이해관계가 있는 자로서 경찰청장이 지정하는 자를 말한다)와 부적절한 사적접촉을 해서는 아니 되며, 소속 경찰관서 내에서만 접촉하여야 한다. 다만, 현장 조사 등 공무상 필요한 경우 외부에서 접촉할 수 있으며, 이 경우에는 수사서류 등 공문서에 기록하여야 한다.

(4) 그 외 공정 직무수행 관련 사항

> **경찰청 공무원 행동강령 제6조【특혜의 배제】** 공무원은 직무를 수행함에 있어 지연 · 혈연 · 학연 · 종교 등을 이유로 특정인에게 특혜를 주어서는 아니 된다. [2017 승진(경위)] [2018 채용1차]
>
> **경찰청 공무원 행동강령 제7조【예산의 목적 외 사용 금지】** 공무원은 여비, 업무추진비 등 공무 활동을 위한 예산을 목적 외의 용도로 사용하여 소속 기관에 재산상 손해를 입혀서는 아니 된다. [2022 승진(실무종합)]
>
> **경찰청 공무원 행동강령 제8조【정치인 등의 부당한 요구에 대한 처리】** ① 공무원은 정치인이나 정당 등으로부터 부당한 직무수행을 강요받거나 청탁을 받은 경우에는 별지 제9호 서식 또는 전자우편 등의 방법으로 소속 기관의 장에게 보고하거나 행동강령책임관과 상담하여야 한다. [2017 승진(경위)] [2017 채용1차] [2018 채용1차]
>
> ② 제1항에 따라 보고를 받은 소속 기관의 장이나 상담을 한 행동강령책임관은 그 공무원이 공정한 직무수행을 할 수 있도록 적절한 조치를 하여야 한다.
>
> **경찰청 공무원 행동강령 제8조의2【경찰유관단체원의 부정행위에 대한 처리】** 경찰유관단체원이 다음 각 호의 어느 하나에 해당하는 행위를 한 경우 행동강령책임관은 해당 경찰유관단체 운영 부서장과 협의하여 소속기관장에게 경찰유관단체원의 해촉 등 필요한 조치를 건의하여야 하며, 보고를 받은 소속기관장은 적절한 조치를 취하여야한다.
> 1. 경찰 업무와 관련하여 금품을 수수 또는 경찰관에게 금품을 제공하거나, 이를 알선한 경우
> 2. 경찰 업무와 관련하여 부당한 청탁 또는 알선을 한 경우
> 3. 이권 개입 등 경찰유관단체원의 지위를 부당하게 이용한 경우
> 4. 직무와 관련하여 알게 된 비밀을 누설한 경우
> 5. 그 밖에 경찰유관단체원으로서 부적절한 처신 등으로 경찰과 소속 단체의 명예를 훼손한 경우
>
> **경찰청 공무원 행동강령 제9조【인사 청탁 등의 금지】** ① 공무원은 자신의 임용 · 승진 · 전보 등 인사에 부당한 영향을 미치기 위하여 타인으로 하여금 인사업무 담당자에게 청탁을 하도록 해서는 아니 된다. [2017 승진(경위)]
>
> ② 공무원은 직위를 이용하여 다른 공무원의 임용 · 승진 · 전보 등 인사에 부당하게 개입해서는 아니 된다. [2017 채용1차]

3. 부당이득의 수수금지

경찰청 공무원 행동강령 제10조【이권 개입 등의 금지】 공무원은 자신의 직위를 직접 이용하여 부당한 이익을 얻거나 타인이 부당한 이익을 얻도록 해서는 아니 된다.

경찰청 공무원 행동강령 제10조의2【직위의 사적이용 금지】 공무원은 직무의 범위를 벗어나 사적 이익을 위하여 소속기관의 명칭이나 직위를 공표·게시하는 등의 방법으로 이용하거나 이용하게 하여서는 아니 된다. [2021 승진(실무종합)]

경찰청 공무원 행동강령 제11조【알선·청탁 등의 금지】 ① 공무원은 자기 또는 타인의 부당한 이익을 위하여 다른 공직자(「부패방지 및 국민권익위원회의 설치와 운영에 관한 법률」 제2조 제3호 가목 및 나목에 따른 공직자를 말한다. 이하 같다)의 공정한 직무수행을 해치는 알선·청탁 등을 해서는 아니 된다.

② 공무원은 직무수행과 관련하여 자기 또는 타인의 부당한 이익을 위하여 직무관련자를 다른 직무관련자나 공직자에게 소개해서는 아니 된다.

③ 공무원은 자기 또는 타인의 부당한 이익을 위하여 자신의 직무권한을 행사하거나 지위·직책 등에서 유래되는 사실상 영향력을 행사하여 공직자가 아닌 자에게 다음 각 호의 어느 하나에 해당하는 알선·청탁 등을 해서는 아니 된다.

1. 특정 개인·법인·단체에 투자·예치·대여·출연·출자·기부·후원·협찬 등을 하도록 개입하거나 영향을 미치도록 하는 행위
2. 채용·승진·전보 등 인사업무나 징계업무에 관하여 개입하거나 영향을 미치도록 하는 행위
3. 입찰·경매·연구개발·시험·특허 등에 관한 업무상 비밀을 누설하도록 하는 행위
4. 계약 당사자 선정, 계약 체결 여부 등에 관하여 개입하거나 영향을 미치도록 하는 행위
5. 특정 개인·법인·단체에 재화 또는 용역을 정상적인 관행에서 벗어나 매각·교환·사용·수익·점유·제공 등을 하도록 하는 행위
6. 각급 학교의 입학·성적·수행평가 등의 업무에 관하여 개입하거나 영향을 미치도록 하는 행위
7. 각종 수상, 포상, 우수기관 또는 우수자 선정, 장학생 선발 등에 관하여 개입하거나 영향을 미치도록 하는 행위
8. 감사·조사 대상에서 특정 개인·법인·단체가 선정·배제되도록 하거나 감사·조사 결과를 조작하거나 또는 그 위반사항을 묵인하도록 하는 행위
9. 그 밖에 경찰청장이 공직자가 아닌 자의 공정한 업무 수행을 저해하는 알선·청탁 등에 해당한다고 판단하여 정하는 행위

경찰청 공무원 행동강령 제12조【직무 관련 정보를 이용한 거래 등의 제한】 공무원은 직무수행 중 알게 된 정보를 이용하여 유가증권, 부동산 등과 관련된 재산상 거래 또는 투자를 하거나 타인에게 그러한 정보를 제공하여 재산상 거래 또는 투자를 돕는 행위를 해서는 아니 된다. [2023 채용1차]

경찰청 공무원 행동강령 제12조의2【가상자산 관련 정보를 이용한 거래 등의 제한】 ① 공무원은 다음 각 호의 어느 하나에 해당하는 행위를 해서는 아니된다.

1. 직무수행 중 알게 된 가상자산과 관련된 정보(이하 "가상자산 정보"라 한다)를 이용한 재산상 거래 또는 투자 행위
2. 가상자산 정보를 타인에게 제공하여 재산상 거래나 투자를 돕는 행위

② 제1항 제1호의 직무란 다음 각 호의 어느 하나에 해당하는 것을 말한다.

1. 가상자산에 관한 정책 또는 법령의 입안 · 집행 등에 관련되는 직무

2. 가상자산과 관련된 수사 · 조사 · 검사 등에 관련되는 직무

3. 가상자산 거래소의 신고 · 관리 등과 관련되는 직무

4. 가상자산 관련 기술 개발 지원 및 관리 등에 관련되는 직무

③ 제2항 각 호의 직무를 수행하는 부서와 직위는 경찰청장이 정한다.

④ 제3항의 부서와 직위에서 직무를 수행하는 공무원은 가상자산을 신규 취득하여서는 아니되며, 보유한 경우에는 별지 제10호의2서식에 따라 소속기관의 장에게 신고해야 한다.

⑤ 제4항의 신고를 받은 소속기관의 장은 해당 공무원의 공정한 직무수행을 저해할 수 있다고 판단되는 경우에는 직무 배제 등 필요한 조치를 해야 한다.

경찰청 공무원 행동강령 제13조의2【사적 노무 요구 금지】 공무원은 자신의 직무권한을 행사하거나 지위 · 직책 등에서 유래되는 사실상 영향력을 행사하여 직무관련자 또는 직무관련공무원으로부터 사적 노무를 제공받거나 요구 또는 약속해서는 아니 된다. 다만, 다른 법령 또는 사회상규에 따라 허용되는 경우에는 그러하지 아니하다.

경찰청 공무원 행동강령 제13조의3【직무권한 등을 행사한 부당 행위의 금지】 공무원은 자신의 직무권한을 행사하거나 지위 · 직책 등에서 유래되는 사실상 영향력을 행사하여 다음 각 호의 어느 하나에 해당하는 부당한 행위를 해서는 안 된다.

1. 인가 · 허가 등을 담당하는 공무원이 그 신청인에게 불이익을 주거나 제3자에게 이익 또는 불이익을 주기 위하여 부당하게 그 신청의 접수를 지연하거나 거부하는 행위

2. 직무관련공무원에게 직무와 관련이 없거나 직무의 범위를 벗어나 부당한 지시 · 요구를 하는 행위

3. 공무원 자신이 소속된 기관이 체결하는 물품 · 용역 · 공사 등 계약에 관하여 직무관련자에게 자신이 소속된 기관의 의무 또는 부담의 이행을 부당하게 전가하거나 자신이 소속된 기관이 집행해야 할 업무를 부당하게 지연하는 행위

4. 공무원 자신이 소속된 기관의 소속 기관 또는 산하기관에 자신이 소속된 기관의 업무를 부당하게 전가하거나 그 업무에 관한 비용 · 인력을 부담하도록 부당하게 전가하는 행위

5. 그 밖에 직무관련자, 직무관련공무원, 공무원 자신이 소속된 기관의 소속 기관 또는 산하기관의 권리 · 권한을 부당하게 제한하거나 의무가 없는 일을 부당하게 요구하는 행위

경찰청 공무원 행동강령 제14조【금품등을 받는 행위의 제한】 ① 공무원은 직무 관련 여부 및 기부 · 후원 · 증여 등 그 명목에 관계없이 동일인으로부터 1회에 100만원 또는 매 회계연도에 300만원을 초과하는 금품등을 받거나 요구 또는 약속해서는 아니 된다.

② 공무원은 직무와 관련하여 대가성 여부를 불문하고 제1항에서 정한 금액 이하의 금품등을 받거나 요구 또는 약속해서는 아니 된다.

③ 제15조의 외부강의등에 관한 사례금 또는 다음 각 호의 어느 하나에 해당하는 금품등은 제1항 또는 제2항에서 수수를 금지하는 금품등에 해당하지 아니한다.

1. 소속 기관의 장등이 소속 공무원이나 파견 공무원에게 지급하거나 상급자가 위로 · 격려 · 포상 등의 목적으로 하급자에게 제공하는 금품등

2. 원활한 직무수행 또는 사교 · 의례 또는 부조의 목적으로 제공되는 음식물 · 경조사비 · 선물 등으로서 별표 1의 가액 범위 내의 금품등

💡 강령 제14조는 청탁금지법 제8조와 거의 동일하게 규정되어 있다.

3. 사적 거래(증여는 제외한다)로 인한 채무의 이행 등 정당한 권원에 의하여 제공되는 금품등

4. 공무원의 친족(「민법」 제777조에 따른 친족을 말한다)이 제공하는 금품등

5. 공무원과 관련된 직원상조회·동호인회·동창회·향우회·친목회·종교단체·사회단체 등이 정하는 기준에 따라 구성원에게 제공하는 금품등 및 그 소속 구성원 등 공무원과 특별히 장기적·지속적인 친분관계를 맺고 있는 자가 질병·재난 등으로 어려운 처지에 있는 공무원에게 제공하는 금품등

6. 공무원의 직무와 관련된 공식적인 행사에서 주최자가 참석자에게 통상적인 범위에서 일률적으로 제공하는 교통, 숙박, 음식물 등의 금품등

7. 불특정 다수인에게 배포하기 위한 기념품 또는 홍보용품 등이나 경연·추첨을 통하여 받는 보상 또는 상품 등

8. 그 밖에 사회상규에 따라 허용되는 금품등

④ 공무원은 제3항 제5호에도 불구하고 같은 호에 따라 특별히 장기적·지속적인 친분관계를 맺고 있는 자가 직무관련자 또는 직무관련공무원으로서 금품등을 제공한 경우에는 그 수수 사실을 별지 제10호서식에 따라 소속 기관의 장에게 신고하여야 한다.

⑤ 공무원은 자신의 배우자나 직계 존속·비속이 자신의 직무와 관련하여 제1항 또는 제2항에 따라 공무원이 받는 것이 금지되는 금품등(이하 "수수 금지 금품등"이라 한다)을 받거나 요구하거나 제공받기로 약속하지 아니하도록 하여야 한다.

⑥ 공무원은 다른 공무원에게 또는 그 공무원의 배우자나 직계 존속·비속에게 수수 금지 금품등을 제공하거나 그 제공의 약속 또는 의사표시를 해서는 아니 된다.

경찰청 공무원 행동강령 제14조의2【감독기관의 부당한 요구 금지】 ① 감독·감사·조사·평가를 하는 기관(이하 이 조에서 "감독기관"이라 한다)에 소속된 공무원은 자신이 소속된 기관의 출장·행사·연수 등과 관련하여 감독·감사·조사·평가를 받는 기관(이하 이 조에서 "피감기관"이라 한다)에 다음 각 호의 어느 하나에 해당하는 부당한 요구를 해서는 안 된다.

1. 법령에 근거가 없거나 예산의 목적·용도에 부합하지 않는 금품등의 제공 요구
2. 감독기관 소속 공무원에 대하여 정상적인 관행을 벗어난 예우·의전의 요구

② 제1항에 따른 부당한 요구를 받은 피감기관 소속 공직자는 그 이행을 거부해야 하며, 거부했음에도 불구하고 감독기관 소속 공무원으로부터 같은 요구를 다시 받은 때에는 그 사실을 별지 제11호의 서식에 따라 피감기관의 행동강령책임관(피감기관이 「공직자윤리법」 제3조의2 제1항에 따른 공직유관단체인 경우에는 행동강령에 관한 업무를 담당하는 직원을 말한다. 이하 이 조에서 같다)에게 알려야 한다. 이 경우 행동강령책임관은 그 요구가 제1항 각 호의 어느 하나에 해당하는 경우에는 지체 없이 피감기관의 장에게 보고해야 한다.

③ 제2항 후단에 따른 보고를 받은 피감기관의 장은 제1항 각 호의 어느 하나에 해당하는 경우에는 그 사실을 해당 감독기관의 장에게 알려야 하며, 그 사실을 통지받은 감독기관의 장은 해당 요구를 한 소속 공무원에 대하여 징계 등 필요한 조치를 해야 한다.

4. 건전한 공직풍토 조성

경찰청 공무원 행동강령 제15조 【외부강의등의 사례금 수수 제한】 ① 공무원은 자신의 직무와 관련되거나 그 지위·직책 등에서 유래되는 사실상의 영향력을 통하여 요청받은 교육·홍보·토론회·세미나·공청회 또는 그 밖의 회의 등에서 한 강의·강연·기고 등(이하 "외부강의등"이라 한다)의 대가로서 별표 2에서 정하는 금액을 초과하는 사례금을 받아서는 아니 된다.

② 공무원은 사례금을 받는 외부강의등을 할 때에는 외부강의등의 요청 명세 등을 별지 제12호서식의 외부강의등 신고서에 따라 소속 기관의 장에게 그 외부강의등을 마친 날부터 10일 이내에 신고하여야 한다. 다만, 외부강의등을 요청한 자가 국가나 지방자치단체인 경우에는 그러하지 아니하다. [2018 실무 1]

③ 공무원은 제2항에 따른 신고를 할 때 신고사항 중 상세 명세 또는 사례금 총액 등을 제2항의 기간 내에 알 수 없는 경우에는 해당 사항을 제외한 사항을 신고한 후 해당 사항을 안 날부터 5일 이내에 보완하여야 한다.

④ 공무원이 대가를 받고 수행하는 외부강의등은 월 3회를 초과할 수 없다. 국가나 지방자치단체에서 요청하거나 겸직 허가를 받고 수행하는 외부강의등은 그 횟수에 포함하지 아니한다. [2022 경간]

⑤ 공무원은 제4항에도 불구하고 월 3회를 초과하여 대가를 받고 외부강의등을 하려는 경우에는 미리 소속 기관의 장의 승인을 받아야 한다.

경찰청 공무원 행동강령 제15조의2 【초과사례금의 신고등】 ① 공무원은 제15조 제1항에 따른 금액을 초과하는 사례금(이하 "초과사례금"이라 한다)을 받은 경우에는 그 사실을 안 날로부터 2일 이내에 별지 제13호서식으로 소속기관의 장에게 신고하여야 하며, 제공자에게 그 초과금액을 지체 없이 반환하여야 한다.

② 제1항에 따른 신고를 받은 소속 기관의 장은 초과사례금을 반환하지 아니한 공무원에 대하여 신고사항을 확인한 후 7일 이내에 반환하여야 할 초과사례금의 액수를 산정하여 해당 공무원에게 통지하여야 한다.

③ 제2항에 따라 통지를 받은 공무원은 지체 없이 초과사례금(신고자가 초과사례금의 일부를 반환한 경우에는 그 차액으로 한정한다)을 제공자에게 반환하고 그 사실을 소속 기관의 장에게 알려야 한다.

④ 공무원은 제1항 또는 제3항에 따라 초과 사례금을 반환한 경우에는 증명자료를 첨부하여 그 반환 비용을 소속 기관의 장에게 청구할 수 있다.

경찰청 공무원 행동강령 제16조의2 【직무관련자에게 협찬 요구 금지】 공무원은 직무관련자에게 직위를 이용하여 행사 진행에 필요한 직·간접적 경비, 장소, 인력, 또는 물품 등의 협찬을 요구하여서는 아니 된다. [2018 실무 1] [2022 경간]

경찰청 공무원 행동강령 제16조의3 【직무관련자와 골프 및 사적여행 제한】 ① 공무원은 직무관련자와는 비용 부담 여부와 관계없이 골프를 같이 하여서는 아니 된다. 다만, 다음 각 호와 같은 부득이한 사정에 따라 골프를 같이 하는 경우에는 소속관서 행동강령 책임관에게 사전에 신고하여야 하며 사전에 신고하기 어려운 특별한 사유가 있는 경우에는 사후에 즉시 신고하여야 한다.

1. 정책의 수립·시행을 위한 의견교환 또는 업무협의 등 공적인 목적을 위하여 필요한 경우
2. 직무관련자인 친족과 골프를 하는 경우
3. 동창회 등 친목단체에 직무관련자가 있어 부득이 골프를 하는 경우
4. 그 밖에 위 각 호와 유사한 사유로 부득이하다고 인정되는 경우

강령 제15조 제1항·제2항은 청탁금지법 제10조와 거의 동일하게 규정되어 있다.

▮ 제1항 '별표 2에서 정하는 금액'
1. 사례금 상한액
   • 직급 구분 없이: 40만원
   • 국제기구·외국정부·외국대학 등 외국기관의 경우 지급하는 자의 기준에 따름
2. 적용기준
   • 위 금액은 강의 1시간, 기고 1건 기준
   • 1시간 초과 강의시에도 1시간 상한액의 100분의 150 초과 불가
   • 상한액에는 강의료·원고료·출연료 등 명목 관계없이 관련하여 지급되는 일체의 금액 포함
   • 단, '공무원 여비규정' 기준 내에서 실비수준으로 제공되는 교통비·숙박비 및 식비는 불포함

② 공무원은 직무관련자와 함께 사적인 여행을 하여서는 아니 된다. 다만, 제1항 각 호의 사유가 있어 같은 항 단서에 따른 신고를 한 경우에는 그러하지 아니 하다.

[2022 채용1차] 공무원은 동창회 등 친목단체에 직무관련자가 있어 부득이 골프를 하는 경우에는 소속관서 행동강령책임관에게 사전에 신고하여야 하며 사전에 신고하기 어려운 특별한 사유가 있는 경우에는 사후에 즉시 신고하여야 한다. (○)

경찰청 공무원 행동강령 제16조의4【직무관련자와 사행성 오락 금지】 공무원은 직무관련자와 마작, 화투, 카드 등 우연의 결과나 불확실한 승패에 의하여 금품 등 경제적 이익을 취할 목적으로 하는 사행성 오락을 같이 하여서는 아니 된다.

경찰청 공무원 행동강령 제17조【경조사의 통지 제한】 공무원은 직무관련자나 직무관련공무원에게 경조사를 알려서는 아니 된다. 다만, 다음 각 호의 어느 하나에 해당하는 경우에는 경조사를 알릴 수 있다.

1. 친족(「민법」 제767조에 따른 친족을 말한다)에게 알리는 경우
2. 현재 근무하고 있거나 과거에 근무하였던 기관의 소속 직원에게 알리는 경우
3. 신문, 방송 또는 제2호에 따른 직원에게만 열람이 허용되는 내부통신망 등을 통하여 알리는 경우
4. 공무원 자신이 소속된 종교단체 · 친목단체 등의 회원에게 알리는 경우 [2022 채용1차]

[2017 승진(경위)] 경찰관은 자신이 소속된 종교단체 · 친목단체 등의 회원이 직무관련자나 직무관련공무원인 경우에는 경조사를 알릴 수 없다. (×)

5. 위반시의 조치

경찰청 공무원 행동강령 제18조【위반 여부에 대한 상담】 ① 공무원은 알선 · 청탁, 금품등의 수수, 외부강의등의 사례금수수, 경조사의 통지 등에 대하여 이 규칙을 위반하는지가 분명하지 아니할 때에는 행동강령책임관과 상담한 후 처리하여야 하며 행동강령책임관은 별지 제15호서식에 따라 상담내용을 관리하여야 한다.

② 행동강령책임관은 제1항에 따른 상담이 원활하게 이루어질 수 있도록 해당 기관의 규모등 여건을 고려하여 전용전화 · 상담실 설치 등 필요한 조치를 취할 수 있다.

경찰청 공무원 행동강령 제19조【위반행위의 신고 및 확인】 ① 누구든지 공무원이 이 규칙을 위반한 사실을 알게 되었을 때에는 그 공무원이 소속된 기관의 장, 그 기관의 행동강령책임관 또는 국민권익위원회에 신고할 수 있다.

② 제1항에 따라 신고하는 자는 별지 제16호 서식의 위반행위신고서에 본인과 위반자의 인적 사항과 위반 내용을 구체적으로 제시해야 한다. ➡ 비실명신고 ×(청탁금지법은 예외적 비실명신고 신설)

③ 제1항에 따라 위반행위를 신고받은 소속 기관의 장과 행동강령책임관은 신고인과 신고내용에 대하여 비밀을 보장하여야 하며, 신고인이 신고에 따른 불이익을 받지 아니하도록 하여야 한다.

④ 행동강령책임관은 제1항에 따라 신고된 위반행위를 확인한 후 해당 공무원으로부터 받은 소명자료를 첨부하여 소속 기관의 장에게 보고하여야 한다.

경찰청 공무원 행동강령 제20조【징계 등】 제19조 제4항에 따른 보고를 받은 소속기관의 장은 해당 공무원을 징계하는 등 필요한 조치를 할 수 있다.

경찰청 공무원 행동강령 제21조【수수 금지 금품등의 신고 및 처리】 ① 공무원은 다음 각 호의 어느 하나에 해당하는 경우에는 소속 기관의 장에게 지체 없이 별지 제17호서식에 따라 서면 신고하여야 한다.

1. 공무원 자신이 수수 금지 금품등을 받거나 그 제공의 약속 또는 의사표시를 받은 경우

💡 강령 제21조는 청탁금지법상의 금품수수 · 요구 · 약속금지 관련 조항과 유사하다.

2. 공무원이 자신의 배우자나 직계 존속·비속이 수수 금지 금품등을 받거나 그 제공의 약속 또는 의사표시를 받은 사실을 알게 된 경우

② 공무원은 제1항 각 호의 어느 하나에 해당하는 경우에는 금품등을 제공한 자(이하 이 조에서 "제공자"라 한다) 또는 제공의 약속이나 의사표시를 한 자에게 그 제공받은 금품등을 지체 없이 반환하거나 반환하도록 하거나 그 거부의 의사를 밝히거나 밝히도록 하여야 한다.

③ 공무원은 제2항에 따라 금품등을 반환한 경우에는 별지 제18호서식에 따라 그 반환 비용을 소속 기관의 장에게 청구할 수 있다.

④ 공무원은 제2항에 따라 반환하거나 반환하도록 하여야 하는 금품등이 다음 각 호의 어느 하나에 해당하는 경우에는 소속 기관의 장에게 인도하거나 인도하도록 하여야 한다.

1. 멸실·부패·변질 등의 우려가 있는 경우
2. 제공자나 제공자의 주소를 알 수 없는 경우
3. 그 밖에 제공자에게 반환하기 어려운 사정이 있는 경우

⑤ 소속 기관의 장은 제4항에 따라 금품등을 인도받은 경우에는 즉시 사진으로 촬영하거나 영상으로 녹화하고 별지 19호서식으로 관리하여야 하며, 다른 법령에 특별한 규정이 있는 경우를 제외하고는 다음 각 호에 따라 처리한다.

1. 수수 금지 금품등이 아닌 것으로 확인된 경우: 금품등을 인도한 자에게 반환
2. 수수 금지 금품등에 해당하는 것으로 확인된 경우로서 추가적인 조사·감사·수사 또는 징계 등 후속조치를 위하여 필요한 경우: 관계 기관에 증거자료로 제출하거나 후속조치가 완료될 때까지 보관
3. 제1호 및 제2호에도 불구하고 멸실·부패·변질 등으로 인하여 반환·제출·보관이 어렵다고 판단되는 경우: 별지 제20호서식에 따라 금품등을 인도한 자의 동의를 받아 폐기처분
4. 그 밖의 경우: 세입조치 또는 사회복지시설·공익단체 등에 기증하거나 경찰청장이 정하는 기준에 따라 처리

⑥ 소속 기관의 장은 제3항에 따라 처리한 금품등에 대하여 별지 제21호서식으로 관리하여야 하며, 제3항에 따른 처리 결과를 금품등을 인도한 자에게 통보하여야 한다.

⑦ 소속 기관의 장은 금지된 금품등의 신고자에 대하여 인사우대·포상 등의 방안을 마련하여 시행할 수 있다.

6. 보칙

경찰청 공무원 행동강령 제22조 【교육】 ① 경찰청장(소속기관장, 시·도경찰청장, 경찰서장 등을 포함한다)은 소속 공무원에 대하여 이 규칙의 준수를 위한 교육계획을 수립·시행하여야 하며, 매년 1회 이상 교육을 하여야 한다.

② 경무인사기획관은 신임 및 경사, 경위, 경감, 경정 기본교육과정에 이 규칙의 교육을 포함시켜 시행하여야 한다.

경찰청 공무원 행동강령 제23조 【행동강령책임관의 지정】 ① 경찰청, 소속기관, 시·도경찰청, 경찰서에 이 규칙의 시행을 담당하는 행동강령책임관을 둔다.

② 경찰청에 감사관, 시·도경찰청에 청문감사인권담당관, 경찰서에 청문감사인권관을 행동강령책임관으로 한다(소속기관 및 청문감사관제 미운영 관서는 감사 업무를 담당하는 부서장으로 한다).

③ 행동강령책임관은 소속기관의 공무원에 대한 이 규칙의 교육·상담, 준수여부에 대한 점검 및 위반행위의 신고접수·조사처리에 관한 업무를 담당한다.

④ 행동강령책임관은 이 규칙과 관련하여 상담한 내용에 대하여 비밀을 누설해서는 아니된다.

⑤ 행동강령책임관은 상담내용을 별지 제15호서식의 행동강령책임관 상담기록관리부에 기록·관리하여야 한다.

02 경찰관 인권행동강령 [경찰청훈령 제967호, 2020.6.10. 제정]

경찰관 인권행동강령 제1조【인권보호 원칙】 경찰관은 국민이 국가의 주인임을 명심하고 모든 사람의 인권과 인간으로서의 존엄과 가치를 존중하고 보호할 책임이 있다.

경찰관 인권행동강령 제2조【적법절차 준수】 경찰관은 헌법과 법령에 의하여 적법절차에 따라 공정하고 객관적으로 직무를 수행하여야 하며, 권한을 남용하거나 그 권한의 범위를 넘어서는 아니 된다.

경찰관 인권행동강령 제3조【비례 원칙】 경찰권 행사는 그 목적을 달성하는 데 필요한 한도에 그쳐야 하며 이로 인한 사익의 침해가 경찰권 행사가 추구하는 공익보다 크지 아니하여야 한다. 특히 물리력 행사는 법령에 정하여진 엄격한 요건을 충족하는 경우에 한하여 필요 최소한의 범위 내에서 이루어져야 한다.

경찰관 인권행동강령 제4조【무죄추정 원칙 및 가혹행위 금지】 경찰관은 누구든지 유죄가 확정되기 전에는 유죄로 간주하는 언행이나 취급을 하여서는 아니 되고, 직무를 수행하는 과정에서 고문을 비롯한 비인도적인 신체적·정신적 가혹 행위를 하여서도 아니 되며, 이러한 행위들을 용인하여서도 아니 된다.

경찰관 인권행동강령 제5조【부당 지시 거부 및 불이익 금지】 경찰관은 인권을 침해하는 행위를 하도록 지시받거나 강요받았을 경우 이를 거부해야 하고, 법령에 정한 절차에 따라 이의를 제기할 수 있으며, 이를 이유로 불이익한 처우를 받지 아니한다.

경찰관 인권행동강령 제6조【차별 금지 및 약자·소수자 보호】 경찰관은 직무를 수행하는 과정에서 합리적인 이유 없이 성별, 종교, 장애, 병력(病歷), 나이, 사회적 신분, 국적, 민족, 인종, 정치적 견해 등을 이유로 누구도 차별하여서는 아니 되고, 신체적·정신적·경제적·문화적인 차이 등으로 특별한 보호가 필요한 사람의 인권을 보호하여야 한다.

경찰관 인권행동강령 제7조【개인 정보 및 사생활 보호】 경찰관은 직무를 수행하는 과정에서 취득한 개인 정보와 사생활의 비밀을 보호하고, 명예와 신용이 훼손되지 않도록 유의하여야 한다.

경찰관 인권행동강령 제8조【범죄피해자 보호】 경찰관은 범죄피해자의 명예와 사생활의 평온을 보호하고, 추가적인 피해 방지와 신체적·정신적·경제적 피해의 조속한 회복 및 권익증진을 위하여 노력하여야 한다.

경찰관 인권행동강령 제9조【위험 발생의 방지 및 조치】 경찰관은 사람의 생명·신체에 위해를 끼치거나 재산에 중대한 손해를 끼칠 우려가 있는 때에는 이를 방지하기 위한 필요한 조치를 하여야 한다. 특히 자신의 책임 및 보호하에 있는 사람의 건강 보호를 위해 노력하여야 하며, 필요한 경우 지체 없이 응급조치, 진료의뢰 등 보호받는 사람의 생명권 및 건강권을 보장하기 위한 조치를 하여야 한다.

> **경찰관 인권행동강령 제10조【인권교육】** 경찰관은 인권 의식을 함양하고 인권 친화적인 경찰 활동을 할 수 있도록 인권교육을 이수하여야 하며, 경찰관서의 장은 정례적으로 소속 직원에게 인권교육을 하여야 한다.

03 공직자의 이해충돌방지법

1. 목적과 정의

> **이해충돌방지법 제1조【목적】** 이 법은 공직자의 직무수행과 관련한 사적 이익추구를 금지함으로써 공직자의 직무수행 중 발생할 수 있는 이해충돌을 방지하여 공정한 직무수행을 보장하고 공공기관에 대한 국민의 신뢰를 확보하는 것을 목적으로 한다. [2024 채용 1차]
>
> **이해충돌방지법 제2조【정의】** 이 법에서 사용하는 용어의 뜻은 다음과 같다.
> 1. "**공공기관**"이란 다음 각 목의 어느 하나에 해당하는 기관·단체를 말한다.
>   가. 국회, 법원, 헌법재판소, 선거관리위원회, 감사원, 고위공직자범죄수사처, 국가인권위원회, 중앙행정기관(대통령 소속 기관과 국무총리 소속 기관을 포함한다)과 그 소속 기관
>   나. 「지방자치법」에 따른 지방자치단체의 집행기관 및 지방의회
>   다. 「지방교육자치에 관한 법률」에 따른 교육행정기관
>   라. 「공직자윤리법」 제3조의2에 따른 공직유관단체
>   마. 「공공기관의 운영에 관한 법률」 제4조에 따른 공공기관
>   바. 「초·중등교육법」, 「고등교육법」 또는 그 밖의 다른 법령에 따라 설치된 각급 국립·공립 학교 [2024 채용 1차]
> 2. "**공직자**"란 다음 각 목의 어느 하나에 해당하는 사람을 말한다.
>   가. 「국가공무원법」 또는 「지방공무원법」에 따른 공무원과 그 밖에 다른 법률에 따라 그 자격·임용·교육훈련·복무·보수·신분보장 등에 있어서 공무원으로 인정된 사람
>   나. 제1호 라목 또는 마목에 해당하는 공공기관의 장과 그 임직원
>   다. 제1호 바목에 해당하는 각급 국립·공립 학교의 장과 교직원
> 3. "**고위공직자**"란 다음 각 목의 어느 하나에 해당하는 공직자를 말한다.
>   가. 대통령, 국무총리, 국무위원, 국회의원, 국가정보원의 원장 및 차장 등 국가의 정무직공무원
>   나. 지방자치단체의 장, 지방의회의원 등 지방자치단체의 정무직공무원
>   …
>   마. 고등법원 부장판사급 이상의 법관과 대검찰청 검사급 이상의 검사
>   …
>   아. 치안감 이상의 경찰공무원 및 특별시·광역시·특별자치시·도·특별자치도의 시·도경찰청장 [2024 채용 1차]
> 4. "**이해충돌**"이란 공직자가 직무를 수행할 때에 자신의 사적 이해관계가 관련되어 공정하고 청렴한 직무수행이 저해되거나 저해될 우려가 있는 상황을 말한다.

- 이하 '공직자의 이해충돌 방지법'은 '이해충돌방지법'으로 약칭한다.
- 이해충돌방지법은 2021.5.18. 제정되어 2022.5.19.시행되었다.

5. "직무관련자"란 공직자가 법령(조례·규칙을 포함한다. 이하 같다)...에 따라 수행하는 직무와 관련되는 자로서 다음 각 목의 어느 하나에 해당하는 개인·법인·단체 및 공직자를 말한다.

가. 공직자의 직무수행과 관련하여 일정한 행위나 조치를 요구하는 개인이나 법인 또는 단체

나. 공직자의 직무수행과 관련하여 이익 또는 불이익을 직접적으로 받는 개인이나 법인 또는 단체

다. 공직자가 소속된 공공기관과 계약을 체결하거나 체결하려는 것이 명백한 개인이나 법인 또는 단체

라. 공직자의 직무수행과 관련하여 이익 또는 불이익을 직접적으로 받는 다른 공직자. 다만, 공공기관이 이익 또는 불이익을 직접적으로 받는 경우에는 그 공공기관에 소속되어 해당 이익 또는 불이익과 관련된 업무를 담당하는 공직자를 말한다.

6. **"사적이해관계자"**란 다음 각 목의 어느 하나에 해당하는 자를 말한다.

가. 공직자 자신 또는 그 가족(「민법」 제779조에 따른 가족을 말한다. 이하 같다)
[2023 승진(실무종합)]

나. 공직자 자신 또는 그 가족이 임원·대표자·관리자 또는 사외이사로 재직하고 있는 법인 또는 단체

다. 공직자 자신이나 그 가족이 대리하거나 고문·자문 등을 제공하는 개인이나 법인 또는 단체

라. 공직자로 채용·임용되기 전 2년 이내에 공직자 자신이 재직하였던 법인 또는 단체

마. 공직자로 채용·임용되기 전 2년 이내에 공직자 자신이 대리하거나 고문·자문 등을 제공하였던 개인이나 법인 또는 단체

바. 공직자 자신 또는 그 가족이 대통령령으로 정하는 일정 비율 이상의 주식·지분 또는 자본금 등을 소유하고 있는 법인 또는 단체

사. 최근 2년 이내에 퇴직한 공직자로서 퇴직일 전 2년 이내에 제5조 제1항 각 호의 어느 하나에 해당하는 직무를 수행하는 공직자와 국회규칙, 대법원규칙, 헌법재판소규칙, 중앙선거관리위원회규칙 또는 대통령령으로 정하는 범위의 부서에서 같이 근무하였던 사람

아. 그 밖에 공직자의 사적 이해관계와 관련되는 자로서 국회규칙, 대법원규칙, 헌법재판소규칙, 중앙선거관리위원회규칙 또는 대통령령으로 정하는 자 [2024 채용 1차]

[2024 채용 1차] 경무관인 세종특별자치시경찰청장은 '고위공직자'에 해당하지 않는다. (×)

2. 공직자의 이해충돌 방지 및 관리체계

이해충돌방지법은 공직자의 이해충돌 방지 및 관리를 위해, ① 공직자가 해야 할 5개의 신고·제출 의무와 ② 하지 말아야 할 5개의 제한 및 금지행위 등, 총 10개의 행위기준을 규정하고 있다.

☑ **KEY POINT | 이해충돌방지법에 따른 10대 행위기준**

신고·제출의무	제한·금지행위
사적 이해관계자 신고 및 회피·기피 신청	직무 관련 외부활동 제한
공공기관직무 관련 부동산 보유·매수 신고	가족 채용 제한
고위공직자 민간부분업무 활동 내역 제출	수의계약 체결 제한
직무관련자와의 거래 신고	공공기간 물품 등의 사적 사용·수익 금지
퇴직자 사적 접촉신고	직무상비밀 등 이용금지

3. 신고·제출의무 ➡ 공직자가 하여야 하는 행위!

(1) 사적 이해관계자 신고 및 회피·기피 신청

1) 신고와 회피·기피

> **이해충돌방지법 제5조【사적이해관계자의 신고 및 회피·기피 신청】** ① 다음 각 호의 어느 하나에 해당하는 직무를 수행하는 공직자는 직무관련자(직무관련자의 대리인을 포함한다. 이하 이 조에서 같다)가 사적이해관계자임을 안 경우 안 날부터 14일 이내에 소속 기관장에게 그 사실을 서면(전자문서를 포함한다. 이하 같다)으로 신고하고 회피를 신청하여야 한다.
>
> > 🔍 **참고 신고대상직무**
> > • 공직자의 사적이해관계가 개입되어 이해충돌이 발생할 소지가 높은 16개 유형의 직무를 신고대상 직무로 규정하고 있다.
> > • 이러한 16개 유형의 직무에는 인·허가, 행정지도·단속, 사건의 수사·재판, 공직자의 채용·승진·평가 등이 포함되어 있다.
>
> ② 직무관련자 또는 공직자의 직무수행과 관련하여 직접적인 이해관계가 있는 자는 해당 공직자에게 제1항에 따른 신고 및 회피 의무가 있거나 그 밖에 공정한 직무수행을 저해할 우려가 있는 사적 이해관계가 있다고 판단하는 경우에는 그 공직자의 소속 기관장에게 기피를 신청할 수 있다.
> ④ 제1항 각 호에 해당하는 직무와 관련된 다른 법령·기준에 제척·기피·회피 등 이해충돌 방지를 위한 절차가 마련되어 있어 공직자가 그 절차에 따른 경우, 제1항에 따른 신고·회피 의무를 다한 것으로 본다.

2) 적용제외

> **이해충돌방지법 제5조【사적이해관계자의 신고 및 회피·기피 신청】** ③ 다음 각 호의 어느 하나에 해당하는 경우에는 제1항 및 제2항을 적용하지 아니한다.
> 1. 제1항 각 호에 해당하는 직무와 관련하여 불특정다수를 대상으로 하는 법률이나 대통령령의 제정·개정 또는 폐지를 수반하는 경우
> 2. 특정한 사실 또는 법률관계에 관한 확인·증명을 신청하는 민원에 따라 해당 서류를 발급하는 경우

(2) 공공기관 직무관련 부동산 보유·매수 신고

1) 부동산을 직접 취급하는 공직자

💡 부동산 직접 취급하는 대통령령 정하는 공직자: 한국토지주택공사(LH), 새만금개발공사, 각 지방자치단체의 개발공사 및 도시공사 등

> 이해충돌방지법 제6조 【공공기관 직무 관련 부동산 보유·매수 신고】 ① 부동산을 직접적으로 취급하는 대통령령으로 정하는 공공기관의 공직자는 다음 각 호의 어느 하나에 해당하는 사람이 소속 공공기관의 업무와 관련된 부동산을 보유하고 있거나 매수하는 경우 소속 기관장에게 그 사실을 서면으로 신고하여야 한다.
> 1. 공직자 자신, 배우자
> 2. 공직자와 생계를 같이하는 직계존속·비속(배우자의 직계존속·비속으로 생계를 같이하는 경우를 포함한다)
>
> [2022 채용2차] 「공직자의 이해충돌 방지법」상 부동산을 직접 또는 간접으로 취급하는 대통령령으로 정한 공공기관의 공직자가 소속 공공기관의 업무와 관련된 부동산을 보유하고 있거나 매수하는 경우 소속 기관장에게 그 사실을 구두 또는 서면으로 신고하여야 한다. (×)

2) 그 외의 공직자

> 이해충돌방지법 제6조 【공공기관 직무 관련 부동산 보유·매수 신고】 ② 제1항에 따른 공공기관 외의 공공기관의 공직자는 소속 공공기관이 택지개발, 지구 지정 등 대통령령으로 정하는 부동산 개발 업무를 하는 경우 제1항 각 호의 어느 하나에 해당하는 사람이 그 부동산을 보유하고 있거나 매수하는 경우 소속기관장에게 그 사실을 서면으로 신고하여야 한다.
> ③ 제1항 및 제2항에 따른 신고는 부동산을 보유한 사실을 알게 된 날부터 14일 이내, 매수 후 등기를 완료한 날부터 14일 이내에 하여야 한다.

(3) 고위공직자 민간부문 업무활동 내역 제출

> 이해충돌방지법 제8조 【고위공직자의 민간 부문 업무활동 내역 제출 및 공개】 ① 고위공직자는 그 직위에 임용되거나 임기를 개시하기 전 3년 이내에 민간 부문에서 업무활동을 한 경우, 그 활동 내역을 그 직위에 임용되거나 임기를 개시한 날부터 30일 이내에 소속 기관장에게 제출하여야 한다.
> ② 제1항에 따른 업무활동 내역에는 다음 각 호의 사항이 포함되어야 한다.
> 1. 재직하였던 법인·단체 등과 그 업무 내용
> 2. 대리, 고문·자문 등을 한 경우 그 업무 내용
> 3. 관리·운영하였던 사업 또는 영리행위의 내용
> ③ 소속 기관장은 제1항에 따라 제출된 업무활동 내역을 보관·관리하여야 한다.
> ④ 소속 기관장은 다른 법령에서 정보공개가 금지되지 아니하는 범위에서 제2항의 업무활동 내역을 공개할 수 있다.

(4) 직무관련자와의 거래 신고

> 이해충돌방지법 제9조 【직무관련자와의 거래 신고】 ① 공직자는 자신, 배우자 또는 직계존속·비속(배우자의 직계존속·비속으로 생계를 같이하는 경우를 포함한다. 이하 이 조에서 같다) 또는 특수관계사업자가 공직자 자신의 직무관련자(「민법」 제777조에 따른 친족인 경우는 제외한다)와 다음 각 호의 어느 하나에 해당하는 행위를 한다는 것을 사전에 안 경우에는 안 날부터 14일 이내에 소속기관장에게 그 사실을 서면으로 신고하여야 한다. [2023 승진(실무종합)]

1. 금전을 빌리거나 빌려주는 행위 및 유가증권을 거래하는 행위. 다만, …
2. 토지 또는 건축물 등 부동산을 거래하는 행위. 다만, 공개모집에 의하여 이루어지는 분양이나 공매·경매·입찰을 통한 재산상 거래 행위는 제외한다.
3. 제1호 및 제2호의 거래 행위 외의 물품·용역·공사 등의 계약을 체결하는 행위. 다만, 공매·경매·입찰을 통한 계약 체결 행위 또는 거래관행상 불특정다수를 대상으로 반복적으로 행하여지는 계약 체결 행위는 제외한다.
② 공직자는 제1항 각 호에 따른 행위가 있었음을 사후에 알게 된 경우에도 안 날부터 14일 이내에 소속기관장에게 그 사실을 서면으로 신고하여야 한다.
③ 소속기관장은 제1항 또는 제2항에 따라 공직자가 신고한 행위가 직무의 공정한 수행을 저해할 수 있다고 판단되는 경우에는 해당 공직자에게 제7조 제1항 각 호 또는 같은 조 제2항의 조치를 할 수 있다.

(5) 퇴직자 사적 접촉 신고

이해충돌방지법 제15조【퇴직자 사적 접촉 신고】① 공직자는 직무관련자인 소속 기관의 퇴직자(공직자가 아니게 된 날부터 2년이 지나지 아니한 사람만 해당한다)와 사적 접촉(골프, 여행, 사행성 오락을 같이 하는 행위를 말한다)을 하는 경우 소속 기관장에게 신고하여야 한다. 다만, 사회상규에 따라 허용되는 경우에는 그러하지 아니하다.

[2023 승진(실무종합)] 공직자는 사회상규에 따라 허용되는 경우라 할지라도 직무관련자인 소속 기관의 퇴직자(공직자가 아니게 된 날부터 2년이 지나지 아니한 사람만 해당)와 사적 접촉(골프, 여행, 사행성 오락을 같이 하는 행위)시 소속 기관장에게 신고해야 한다. (×)

[대통령령] 이해충돌방지법 시행령 제15조【퇴직자 사적 접촉 신고】법 제15조 제1항 본문에 따른 신고를 하려는 공직자는 사적 접촉을 하기 전에 다음 각 호의 사항을 적은 서면을 소속 기관장에게 제출해야 한다. 다만, 불가피한 사유가 있는 경우에는 사적 접촉을 한 날부터 14일 이내에 제출해야 한다.
1. 신고인의 성명, 소속, 직위·직급, 담당 직무 등 인적사항
2. 퇴직자의 성명, 연락처, 현 소속 기관, 퇴직 전 소속 기관 등 인적사항
3. 접촉 일시·유형·사유
4. 그 밖의 참고자료

☑ KEY POINT | 신고 등에 따른 소속 기관장의 대응

이해충돌방지법 제7조【사적이해관계자의 신고 등에 대한 조치】① 제5조 제1항에 따른 신고·회피 신청이나 같은 조 제2항에 따른 기피신청 또는 제6조에 따른 부동산 보유·매수 신고를 받은 소속기관장은 해당 공직자의 직무수행에 지장이 있다고 인정하는 경우에는 다음 각 호의 어느 하나에 해당하는 조치를 하여야 한다.
1. 직무수행의 일시 중지 명령
2. 직무 대리자 또는 직무 공동수행자의 지정
3. 직무 재배정
4. 전보
② 소속 기관장은 제1항에도 불구하고 다음 각 호의 어느 하나에 해당하는 경우에는 해당 공직자가 계속 그 직무를 수행하도록 할 수 있다. 이 경우 제25조에 따른 이해충돌방지담당관 또는 다른 공직자로 하여금 공정한 직무수행 여부를 확인·점검하게 하여야 한다.
1. 직무를 수행하는 공직자를 대체하기가 지극히 어려운 경우
2. 국가의 안전보장 및 경제발전 등 공익 증진을 위하여 직무수행의 필요성이 더 큰 경우

③ 소속 기관장은 제1항 또는 제2항에 따른 조치를 하였을 때에는 그 처리 결과를 해당 공직자와 기피를 신청한 자에게 통보하여야 한다.

④ 제6조 제1항 및 제2항에 따른 부동산 보유 또는 매수 신고를 받은 소속 기관장은 해당 부동산 보유·매수가 이 법 또는 다른 법률에 위반되는 것으로 의심될 경우 지체 없이 수사기관·감사원·감독기관 또는 국민권익위원회에 신고하거나 고발하여야 한다.

대상의무	소속기관장의 대응
사적 이해관계자 신고 및 회피·기피 신청	• 직무수행 일시중지명령, 대리자·공동수행자 지정, 직무 재배정, 전보 ➡ 하여야 한다. • 조치 후 해당 공직자·기피신청자에게 통보 ➡ 하여야 한다.
공공기관직무 관련 부동산 보유·매수 신고	• 직무수행 일시중지명령, 대리자·공동수행자 지정, 직무 재배정, 전보 ➡ 하여야 한다. • 조치 후 해당 공직자에게 통보 ➡ 하여야 한다. • 법위반 의심 시 수사기관 등 신고·고발 ➡ 하여야 한다.
고위공직자 민간부분업무 활동 내역 제출	• 업무활동 내역 보관·관리 ➡ 하여야 한다. • 다른 법령상 금지되지 않는 범위에서 활동내역 공개 ➡ 할 수 있다.
직무관련자와의 거래 신고	• 직무수행 일시중지명령, 대리자·공동수행자 지정, 직무 재배정, 전보 ➡ 할 수 있다.
퇴직자 사적 접촉신고	–

4. 제한·금지의무 ➡ 공직자가 하지 말아야 하는 행위!

(1) 직무관련 외부활동 제한

• 공직자의 직무수행 과정에서 공정성을 저해하는 직무관련 외부활동을 금지하고자 하는 것이다.

> **이해충돌방지법 제10조【직무 관련 외부활동의 제한】** 공직자는 다음 각 호의 행위를 하여서는 아니 된다. 다만, 「국가공무원법」 등 다른 법령·기준에 따라 허용되는 경우는 그러하지 아니하다. [2023 승진(실무종합)]
> 1. 직무관련자에게 사적으로 노무 또는 조언·자문 등을 제공하고 대가를 받는 행위
> 2. 소속 공공기관의 소관 직무와 관련된 지식이나 정보를 타인에게 제공하고 대가를 받는 행위. 다만, 「부정청탁 및 금품등 수수의 금지에 관한 법률」 제10조에 따른 외부강의등의 대가로서 사례금 수수가 허용되는 경우와 소속 기관장이 허가한 경우는 제외한다.
> 3. 공직자가 소속된 공공기관이 당사자이거나 직접적인 이해관계를 가지는 사안에서 자신이 소속된 공공기관의 상대방을 대리하거나 그 상대방에게 조언·자문 또는 정보를 제공하는 행위
> 4. 외국의 기관·법인·단체 등을 대리하는 행위. 다만, 소속 기관장이 허가한 경우는 제외한다.
> 5. 직무와 관련된 다른 직위에 취임하는 행위. 다만, 소속 기관장이 허가한 경우는 제외한다.

(2) 가족 채용 제한

> **이해충돌방지법 제11조【가족 채용 제한】** ① 공공기관(공공기관으로부터 출연금·보조금 등을 받거나 법령에 따라 업무를 위탁받는 산하 공공기관과 「상법」...에 따른 자회사를 포함한다)은 다음 각 호의 어느 하나에 해당하는 공직자의 가족을 채용할 수 없다.

1. 소속 고위공직자

2. 채용업무를 담당하는 공직자

3. 해당 산하 공공기관의 감독기관인 공공기관 소속 고위공직자

4. 해당 자회사의 모회사인 공공기관 소속 고위공직자

③ 제1항 각 호의 어느 하나에 해당하는 공직자는 제1항을 위반하여 자신의 가족이 채용되도록 지시·유도 또는 묵인을 하여서는 아니 된다.

(3) 수의계약 체결 제한

이해충돌방지법 제12조【수의계약 체결 제한】 ① 공공기관(공공기관으로부터 출연금·보조금 등을 받거나 법령에 따라 업무를 위탁받는 산하 공공기관과 「상법」...에 따른 자회사를 포함한다)은 다음 각 호의 어느 하나에 해당하는 자와 물품·용역·공사 등의 수의계약(이하 "수의계약"이라 한다)을 체결할 수 없다. 다만, 해당 물품의 생산자가 1명뿐인 경우 등 대통령령으로 정하는 불가피한 사유가 있는 경우에는 그러하지 아니하다.

1. 소속 고위공직자

2. 해당 계약업무를 법령상·사실상 담당하는 소속 공직자

3. 해당 산하 공공기관의 감독기관 소속 고위공직자

4. 해당 자회사의 모회사인 공공기관 소속 고위공직자

5. 해당 공공기관이 「국회법」 제37조에 따른 상임위원회의 소관인 경우 해당 상임위원회 위원으로서 직무를 담당하는 국회의원

6. 「지방자치법」 제41조에 따라 해당 지방자치단체 등 공공기관을 감사 또는 조사하는 지방의회의원

7. 제1호부터 제6호까지의 어느 하나에 해당하는 공직자의 배우자 또는 직계존속·비속(배우자의 직계존속·비속으로 생계를 같이하는 경우를 포함한다. 이하 이 조에서 같다)

8. 제1호부터 제7호까지의 어느 하나에 해당하는 사람이 대표자인 법인 또는 단체

9. 제1호부터 제7호까지의 어느 하나에 해당하는 사람과 관계된 특수관계사업자

② 제1항 제1호부터 제6호까지의 어느 하나에 해당하는 공직자는 제1항을 위반하여 같은 항 각 호의 어느 하나에 해당하는 자와 수의계약을 체결하도록 지시·유도 또는 묵인을 하여서는 아니 된다.

▶ 수의계약

- 경쟁계약에 의하지 아니하고 임의로 적당한 상대자를 선정하여 체결하는 계약이다. 국가·지방자치단체 등이 체결하는 모든 계약은 경쟁계약의 방법을 취하는 것이 원칙이다.

(4) 공공기관 물품 등의 사적 사용·수익금지

이해충돌방지법 제13조【공공기관 물품 등의 사적 사용·수익 금지】 공직자는 공공기관이 소유하거나 임차한 물품·차량·선박·항공기·건물·토지·시설 등을 사적인 용도로 사용·수익하거나 제3자로 하여금 사용·수익하게 하여서는 아니 된다. 다만, 다른 법령·기준 또는 사회상규에 따라 허용되는 경우에는 그러하지 아니하다.

(5) 직무상 비밀 등 이용금지

> **이해충돌방지법 제14조【직무상 비밀 등 이용 금지】** ① 공직자(공직자가 아니게 된 날부터 3년이 경과하지 아니한 사람을 포함하되, 다른 법률에서 이와 달리 규정하고 있는 경우에는 그 법률에서 규정한 바에 따른다. ...)는 직무수행 중 알게 된 비밀 또는 소속 공공기관의 미공개정보(재물 또는 재산상 이익의 취득 여부의 판단에 중대한 영향을 미칠 수 있는 정보로서 불특정 다수인이 알 수 있도록 공개되기 전의 것을 말한다. 이하 같다)를 이용하여 재물 또는 재산상의 이익을 취득하거나 제3자로 하여금 재물 또는 재산상의 이익을 취득하게 하여서는 아니 된다.
> ② 공직자로부터 직무상 비밀 또는 소속 공공기관의 미공개정보임을 알면서도 제공받거나 부정한 방법으로 취득한 자는 이를 이용하여 재물 또는 재산상의 이익을 취득하여서는 아니 된다.
> ③ 공직자는 직무수행 중 알게 된 비밀 또는 소속 공공기관의 미공개정보를 사적 이익을 위하여 이용하거나 제3자로 하여금 이용하게 하여서는 아니 된다.

5. 징계 등 벌칙

> **이해충돌방지법 제26조【징계】** 공공기관의 장은 소속 공직자가 이 법 또는 이 법에 따른 명령을 위반한 경우에는 징계처분을 하여야 한다.

- 이 외에도 이해충돌방지법은 직무상 비밀이나 미공개 정보 이용관련 행위에 대해서는 형사처벌을 하거나 사적 이해관계 신고하지 않은 공직자에 대해서는 과태료를 부과하는 등 벌칙규정을 두고 있다.

주제 6 | 적극행정

01 적극행정 일반

1. 적극행정의 의미

> **대통령령 적극행정 운영규정 제2조【정의】** 이 영에서 사용하는 용어의 뜻은 다음과 같다.
> 1. "**적극행정**"이란 공무원이 불합리한 규제를 개선하는 등 공공의 이익을 위해 창의성과 전문성을 바탕으로 적극적으로 업무를 처리하는 행위를 말한다.

> **훈령 경찰청 적극행정 면책제도 운영규정 제2조【정의】** 이 규정에서 사용하는 용어의 뜻은 다음과 같다.
> 1. "**적극행정**"이란, 경찰청 및 그 소속기관의 공무원 또는 산하단체의 임·직원(이하 "경찰청 소속 공무원 등"이라 한다)이 국가 또는 공공의 이익을 증진하기 위해 성실하고 능동적으로 업무를 처리하는 행위를 말한다.

💡 **적극행정 우수사례**

- 서울청 과학수사대 이준희 경사는, 인사혁신처가 매년 주관하는 적극행정 수수사례 경진대회에서 **2022년도 최우수상**을 수상하였다.
- 이준희 경사는 생명공학 전공자로서 과거 국방부 과학수사연구소에서 6,25 전사자 신원확인 업무를 담당하던 중 2015년 과학수사 생체증거 분야 특채로 경찰이 되었다.
- 이준희 경사가 전공과 경험을 살려 개발한 '**신속 DNA분석기**'는, 기존의 국과수 DNA분석기간이 2~4주 걸리던 것을 90분으로 단축한 획기적인 사례로서, 그야말로 **창의성과 전문성**을 바탕으로 적극적인 업무처리에 해당한다.

⊕ 심화 소극행정

1 의미 → 국민의 권익침해 or 국가 재정상 손실발생

"소극행정"이란 공무원이 부작위 또는 직무태만 등 소극적 업무행태로 국민의 권익을 침해하거나 국가 재정상 손실을 발생하게 하는 행위를 말한다.

2 유형

적당편의	문제해결을 위해 노력하지 않고, **적당히 형식만 갖추어** 부실하게 처리하는 행태
업무해태	**합리적인 이유없이** 주어진 업무를 게을리 하여 불이행하는 행태
탁상행정	법령이나 지침 등의 변화에도 불구하고 과거 규정에 따라 업무를 처리하거나, **기존의 불합리한 업무관행을 그대로 답습하는 행태**
기타 관중심행정	직무권한을 이용하여 부당하게 업무를 처리하거나, 국민 편익을 위해서가 아닌 자신과 소속 기관의 이익을 위해 **자의적으로** 처리하는 행태

2. 적극행정의 장려제도

(1) 적극행정 실행계획 → 중앙행정기관의 장

> **대통령령** 적극행정 운영규정 제7조【적극행정 실행계획의 수립 등】① 중앙행정기관의 장은 다음 각 호의 사항을 포함하는 적극행정 실행계획을 매년 수립·시행해야 한다.
> 1. 적극행정 추진 과제의 발굴 및 시행에 관한 사항 / 2. 적극행정 우수공무원 선발 및 우대에 관한 사항 / 3. 적극행정 관련 교육 및 확산에 관한 사항 / 4. ...사전컨설팅과 ... 적극행정 면책제도의 운영에 관한 사항 / 5. 소극행정 예방, 근절 및 점검에 관한 사항 / 6. 그 밖에 적극행정 장려를 위해 필요한 사항
> ③ 인사혁신처장은 중앙행정기관의 적극행정 추진사항을 정기적으로 평가하고, 평가 결과에 따라 우수기관 또는 우수공무원에 대해 표창을 수여하거나 포상금을 지급할 수 있다.
> ④ 인사혁신처장은 제3항에 따른 평가 결과를 국무회의에 보고해야 한다.

(2) 적극행정 관련교육

> **대통령령** 적극행정 운영규정 제8조【적극행정 관련 교육】① 중앙행정기관의 장은 소속 공무원을 대상으로 적극행정 관련 교육을 연 1회 이상 실시해야 한다.

(3) 적극행정위원회

> **대통령령** 적극행정 운영규정 제11조【적극행정위원회】①「국가공무원법」제50조의2 제2항에 따라 적극행정 추진에 관한 사항을 심의하기 위하여 각 중앙행정기관에 적극행정위원회(이하 "위원회"라 한다)를 둔다.

▌우수공무원 선발에 따른 인사상 우대조치(제15조)

- 중앙행정기관의 장은, 선발된 우수공무원에게 다음과 같은 인사상 우대조치 중 하나 이상을 부여해야 한다.
  1. 특별승진임용
  2. 대우공무원 선발 위한 근무기간 단축
  3. 근속승진기간 단축
  4. 특별승급
  5. 상과상여금 최고등급 부여 등
  6. 가점부여
  7. 포상휴가
  8. 희망부서 전보 등 인사혁신처 장이 정하는 인사상 우대조치

(4) 우수공무원 선발

> **대통령령** 적극행정 운영규정 제14조【적극행정 우수공무원 선발 등】① 중앙행정기관의 장은 반기별로 위원회의 심의를 거쳐 다음 각 호의 어느 하나에 해당하는 공무원을 적극행정 우수공무원으로 선발해야 한다.
> 1. 적극적으로 업무를 추진하여 성과를 창출한 공무원 / 1의2. 불합리하거나 과도한 규제를 발굴·개선하여 성과를 창출한 공무원 / 2. 창의적·도전적인 정책을 추진하고 성과 달성을 위해 노력한 공무원 / 3. 그 밖에 적극적인 업무태도로 소속 공무원에게 모범이 되는 공무원
> ② 인사혁신처장은 매년 적극행정 우수사례 경진대회를 개최하고, 이를 통해 선정된 우수기관에 표창을 수여하거나 포상금을 지급할 수 있다.

(5) 징계요구 등 면책

> **대통령령** 적극행정 운영규정 제16조【징계요구 등 면책】① 공무원이 적극행정을 추진한 결과에 대해 그의 행위에 고의 또는 중대한 과실이 없는 경우에는 「감사원법」 제34조의3 및 「공공감사에 관한 법률」 제23조의2에 따라 징계 요구 또는 문책 요구 등 책임을 묻지 않는다.
> ② 공무원이 사전컨설팅 의견대로 업무를 처리한 경우에는 제1항에 따른 면책 요건을 충족한 것으로 추정한다. 다만, 공무원과 대상 업무 사이에 사적인 이해관계가 있거나 감사원이나 감사기구의 장이 사전컨설팅을 하는 데 필요한 정보를 충분히 제공하지 않은 경우에는 그렇지 않다. ➡ 공무원이 적극행정위원회의 의견대로 업무 처리한 경우 역시 마찬가지! **(면책요건 충족 추정)**

(6) 징계등 면제

> **대통령령** 적극행정 운영규정 제17조【징계 등 면제】① 공무원이 적극행정을 추진한 결과에 대해 그의 행위에 고의 또는 중대한 과실이 없는 경우에는 징계 관련 법령에 따라 징계의결 또는 징계부가금 부과의결(이하 "징계의결등"이라 한다)을 하지 않는다.
> ② 공무원이 사전컨설팅 의견대로 업무를 처리한 경우에는 징계 관계 법령에 따라 징계의결등을 하지 않는다. 다만, 공무원과 대상 업무 사이에 사적인 이해관계가 있거나 감사원이나 감사기구의 장이 사전컨설팅을 하는 데 필요한 정보를 충분히 제공하지 않은 경우에는 그렇지 않다. ➡ 공무원이 적극행정위원회의 의견대로 업무 처리한 경우 역시 마찬가지! **(징계의결 하지 않음)**

(7) 적극행정 국민신청

> **대통령령** 적극행정 운영규정 제18조의2【적극행정국민신청】① 법령이 없거나 법령이 명확하지 않다는 사유로 다음 각 호의 어느 하나에 해당하는 통지를 받은 사람은 소관 중앙행정기관의 장에게 해당 업무를 적극적으로 처리해 줄 것을 신청(이하 "적극행정국민신청"이라 한다)할 수 있다.
> 1. 「민원 처리에 관한 법률」 …에 따라 민원…의 내용을 거부하는 통지
> 2. 「국민 제안 규정」 …에 따라 국민제안이 채택되지 않았다는 통지

3. 소극행정의 신고 및 예방근절

> **대통령령** **적극행정 운영규정 제18조의3 【소극행정 신고】** ① 누구든지 공무원의 소극행정을 소속 중앙행정기관의 장이나 제3항에 따른 소극행정 신고센터에 신고할 수 있다.
>
> ② 중앙행정기관의 장은 제1항에 따른 신고의 내용에 상당한 이유가 있다고 인정되는 경우에는 사실관계 확인을 위한 조사를 하여 신속한 업무처리를 하는 등 적절한 조치를 하고, 그 처리결과를 신고인에게 알려야 한다.
>
> ③ 국민권익위원회는 중앙행정기관 소속 공무원의 소극행정 예방 및 근절을 위해 소극행정 신고센터를 운영하고, 중앙행정기관의 장에게 제1항에 따른 신고사항에 대해 적절한 조치를 하도록 권고할 수 있다.
>
> **대통령령** **적극행정 운영규정 제19조 【소극행정 예방 및 근절】** 징계의결등 요구권자는 소속 공무원의 소극행정이 발생한 경우 징계 관계 법령에 따라 징계의결등을 요구하는 등 필요한 조치를 해야 한다.

02 경찰청 적극행정 면책제도 운영규정

1. 목적과 정의

> **훈령** **경찰청 적극행정 면책제도 운영규정 제1조 【목적】** 이 규정은 경찰청 소속 공무원 등이 공익을 증진하기 위해 성실하고 능동적으로 업무를 처리하는 과정에서 부분적인 절차상 하자 등의 부작용이 발생하였더라도 일정 요건을 충족한 경우 관련 공무원 등에 대하여 징계 등 불이익한 처분 및 처분요구 등을 하지 않거나 감경 처리하는 「적극행정 면책제도」의 적용대상과 요건, 운영절차 등을 정함을 목적으로 한다.
>
> **훈령** **경찰청 적극행정 면책제도 운영규정 제2조 【정의】** 이 규정에서 사용하는 용어의 뜻은 다음과 같다.
>
> 2. **"면책"**이란, 적극행정 과정에서 발생한 부분적인 절차상 하자 또는 비효율, 손실 등과 관련하여 그 업무를 처리한 경찰청 소속 공무원 등에 대하여 다음 각 목의 어느 하나에 해당하는 책임을 묻지 않거나 감면하는 것을 말한다.
>
> 　가. 「경찰청 감사규칙」 제10조 제1호부터 제3호까지 및 제6호 ➡ 징계문책요구, 시정요구, 경고주의요구, 통보
>
> 　나. 「경찰공무원 징계령」에 따른 징계 및 징계부가금
>
> 4. **"사전컨설팅 감사"**란 불합리한 제도 등으로 인해 적극적인 업무 수행이 어려운 경우, 해당 업무의 수행에 앞서 업무 처리 방향 등에 대하여 미리 감사의견을 듣고 이를 업무처리에 반영하여 적극행정을 추진하는 것을 말한다.

2. 면책제도

(1) 면책대상자

> **훈령** **경찰청 적극행정 면책제도 운영규정 제4조 【면책 대상자】** 이 규정에 의한 면책은 경찰청 및 그 소속기관의 공무원 또는 산하단체의 임·직원 등에게 적용된다.

▌경찰청 감사규칙 제10조에 따른 감사결과 처리기준

- 감사관은 감사결과를 다음 각 호 기준에 따라 처리하여야 한다.
  1. **징계문책요구**: 거부·게을리
  2. **시정요구**: 원상복구 등 필요
  3. **경고·주의요구**: 제재가 필요
  4. **개선요구**: 모순
  5. **권고**: 문제점 인정
  6. **통보**: 자율적으로 처리
  7. **변상명령**: 변상책임
  8. **고발**: 범죄혐의
  9. **현지조치**: 현지에서 시정

(2) 면책요건

> **훈령** 경찰청 적극행정 면책제도 운영규정 제5조【적극행정 면책요건】① 자체 감사를 받는 사람이 적극행정면책을 받기 위해서는 다음 각 호의 요건을 모두 갖추어야 한다.
> 1. 감사를 받는 사람의 업무처리가 불합리한 규제의 개선, 공익사업의 추진 등 공공의 이익을 위한 것일 것
> 2. 감사를 받는 사람이 대상 업무를 적극적으로 처리한 결과일 것
> 3. 감사를 받는 사람의 행위에 고의나 중대한 과실이 없을 것
> ② 제1항 제3호의 요건을 적용하는 경우 자체감사를 받는 사람이 다음 각 호의 요건을 모두 갖추어 업무를 처리한 것으로 인정되는 경우에는 그 행위에 고의나 중대한 과실이 없는 경우에 해당하는 것으로 추정한다.
> 1. 자체감사를 받는 사람과 대상 업무 사이에 사적인 이해관계가 없을 것
> 2. 대상 업무를 처리하면서 중대한 절차상의 하자가 없었을 것

(3) 면책결격(면책대상 제외)

> **훈령** 경찰청 적극행정 면책제도 운영규정 제6조【면책 대상 제외】제5조에도 불구하고 업무처리과정에서 기본적으로 지켜야 할 의무를 다하지 않았거나 다음 각 호에 해당하는 경우에는 면책대상에서 제외한다.
> 1. 금품을 수수한 경우
> 2. 고의·중과실, 무사안일 및 업무태만의 경우
> 3. 자의적인 법 해석 및 집행으로 법령의 본질적인 사항을 위반한 경우
> 4. 위법·부당한 민원을 수용한 특혜성 업무처리를 한 경우
> 5. 그 밖에 위 각 호에 준하는 위법·부당한 행위를 한 경우

3. 사전컨설팅 감사제도

(1) 사전컨설팅 감사의 원칙

▌사전컨설팅 대상 기관 및 대상 부서의 장(제2조 제5호)
- 각 시·도경찰청장, 부속기관의 장, 산하 공직유관단체의 장 및 경찰청 관·국의 장을 말한다

> **훈령** 경찰청 적극행정 면책제도 운영규정 제14조【사전컨설팅 감사의 원칙】사전컨설팅 대상 기관 및 대상 부서의 장(이하 "사전컨설팅 대상 기관등의 장"이라 한다)은 불합리한 제도 등으로 인하여 공공의 이익이 훼손되는 일이 없도록 사전컨설팅 감사를 적극 활용하여야 한다.

(2) 사전컨설팅 감사대상

▌사전컨설팅 CASE 예시
- (2021, 해경) 출입항 어선을 상대로 해상 기상정보를 알려주는 신호등을 설치하고자 할 경우 청사관리 예산으로 집행 가능여부에 대한 사전컨설팅 접수 ➜ 예산기능과 사전협의하고 경찰청 및 관할지자체와 사전협의해 근거 확보 후 시행

> **훈령** 경찰청 적극행정 면책제도 운영규정 제15조【사전컨설팅 감사의 대상】① 사전컨설팅 대상 기관등의 장은 다음 각 호의 어느 하나에 해당하는 업무를 수행하기 전에 감사관에게 사전컨설팅 감사를 신청할 수 있다.
> 1. 인가·허가·승인 등 규제관련 업무
> 2. 법령·행정규칙 등의 해석에 대한 이견 등으로 인하여 능동적인 업무처리가 곤란한 경우
> 3. 그 밖에 적극행정 추진을 위해 감사관이 필요하다고 인정하는 경우
> ② 행정심판, 소송, 수사 또는 타 기관에서 감사 중인 사항, 타 법령에서 정하고 있는 재심의 절차를 거친 사항 등은 사전컨설팅 감사 대상에서 제외한다.

제2장 / 범죄이론

주제 1 범죄원인론

01 범죄의 개념

1. 범죄개념의 다양성

어떠한 행위가 범죄인지 아닌지를 판단하는 기준은 시대와 환경에 따라 다르기 때문에, 범죄는 역사적·문화적 환경에 따라 다양한 모습을 하게 된다.

형식적 의미의 범죄		범죄는 형법과 같은 처벌법규에 위반되는 행위이다.
실질적 의미의 범죄		사회적 행동규범에 위반되는 반사회적 행위 일체가 범죄이다.
자연적 의미의 범죄	자연범	시간과 문화를 초월하여 범죄로 인정되는 행위 예 살인
	법정범	국가가 범죄로 규정함으로써 범죄로 인정되는 행위 예 대마흡연

2. 법률적 시각에서의 범죄

- 어떤 행위이든 '법률'에 위반되는 행위를 범죄라고 본다. 이 관점은 성문화된 '법률'을 기준으로 한다는 점에서 가장 명확하고 객관적이라는 장점이 있으나, 변화 속도가 빠른 현대사회에서 법률이 가벌성 있는 행위를 모두 적시에 반영할 수 없다는 단점이 있다.
- 구체적으로는 '법제정·개정 과정상의 범죄개념'과 '법집행 과정상의 범죄개념'으로 나눌 수 있다.

개념	내용
법제정·개정 과정상의 개념	• 사회적 환경변화에 따라 가벌성 있는 행위가 발생하고 이에 대응하기 위한 법규가 형성되는 과정을 중심으로 범죄개념 정의 • 입법기관인 의회의 방침과 정책에 따라 범죄의 개념이 달라짐 예 우리 사회의 자율화와 물질만능주의 경향에 따라 날로 심각해지고 있는 음란·폭력성의 청소년유해매체물과 유해약물 등의 청소년에 대한 유통과 유해한 업소에의 청소년출입 등을 규제함으로써, 성장과정에 있는 청소년을 각종 유해한 사회환경으로부터 보호·구제하고 나아가 건전한 인격체로 성장할 수 있도록 하기 위해 1997.3.7. 법률 제5297호로 청소년보호법 제정

법집행 과정상의 개념	• 시대와 국가마다 법집행기관의 방침과 정책에 따라 범죄의 개념이 다름 • 즉, 사법기관의 법집행과정이 곧 범죄의 개념을 현실에 활성화하는 기능을 담당 • 사회적 이슈에 대한 경찰의 정책과 방침이 범죄형성에 중요한 역할을 수행
	예 '바다이야기'와 같은 사행성 게임 관련, 업자위주로 단속하던 것을 사회적 문제발생 후 이용자까지 단속범위 확대 / 헌법재판소가 위헌결정을 하기 전 형법상 낙태죄가 엄연히 존재하고 있었으나 실제 단속·적발활동을 적극적으로 하지 않음

3. 사회학적 시각에서의 범죄(해악기준의 범죄)

구분	내용
화이트칼라 범죄 (Sutherland) [2023 채용1차]	• 횡령·배임·뇌물수수와 같은 화이트칼라 범죄에 대한 해악과 사회적 심각성에 대한 연구이다. • 이러한 화이트칼라 범죄는 주로 사회지도층에 의해 이루어지므로 실제 사회에 끼치는 해악보다 처벌이 약하거나 아예 민사사건화되는 문제가 있어 이에 대한 대처가 필요하다고 보았다. [2023 채용1차] 일반적으로 살인·강도·강간범죄는 화이트칼라범죄로 분류된다. (×)
인권침해 범죄 (Herman & Schwendingr)	범죄는 인간의 기초적 인권을 침해하는 해악적 행위라고 하면서, 인간의 생존욕구와 자존의 욕구를 침해하는 범죄행위에 대한 심각한 고려가 필요하다고 보았다. 예 인종차별, 성차별
사회적 해악행위 범죄 (Michalowski)	법률에 규정되지 않은는 사회적 해악행위, 즉 결과적으로 불법과 유사하나 법적으로 용인된 행위에 대한 연구이다. 예 카지노

4. 정치적 시각에서의 범죄

범죄란 범죄를 정의할 권한이나 힘을 가진 자들에 의해 범죄로 규정된 행위를 말한다 (낙인이론).

02 범죄유발 요소

1. 범죄 필요조건 4대 요소

▮ 일상활동이론에서 범죄발생 3요소
- 잠재적 범죄자
- 잠재적 피해자(범행대상)
- 감시의 부재

▮ 일상활동이론에서 범행피해 리스크 수준결정 4요소(VIVA)
- 대상의 가치(Value)
- 이동 용이성(Inertia)
- 가시성(Visibility)
- 접근성(Access)

실리(J. Sheley)는 범죄가 발생하기 위한 필요조건으로 다음과 같은 4대 요소가 필요하다고 하였다. ➡ S·M·O·F

구분	내용
범행의 기술(Skill)	전문적인 능력과 기술
범행의 동기(Motivation)	조건이 된다면 범죄를 하고자 하는 의향
범행의 기회(Opportunity)	범행에 공헌하는 물리적 환경
사회적 제재로부터의 자유 (Freedom from social constraints)	낮은 검거율과 처벌수위, 범죄에 적대적이지 않은 분위기

[2013 채용2차] 이동의 용이성(Inertia)은 실리(J. F. Sheley)가 주장한 범죄유발의 4요소에 포함된다. (×)
[2015 채용2차] 보호자(감시자)의 부재는 J. F. Sheley가 주장한 범죄인 입장에서 바라본 범죄를 일으키는 필요조건 4가지 중 하나이다. (×)
[2021 경간] J. F. Sheley가 주장한 범죄유발의 4요소는 범죄의 동기, 사회적 제재로부터의 자유, 범죄피해자, 범행의 기술이다. (×)

2. 소질과 환경

종래의 범죄원인에 대한 접근법이 인간의 소질이나 환경 중 어느 한 쪽에 치중하여 정태적으로 접근해 온 것에 대한 반성이 이루어지면서, 1930년대에 들어와서는 소질과 환경의 상호작용에 의해 변화하는 인간을 동태적으로 파악하는 다원적인 연구방법이 등장하게 되었다.

범인성 소질	• 선천적 원시요소(유전물질) • 후천적 발전요소(유전적 결함, 체질이상 등)
범인성 환경	• 범인성 환경은 범인성 행위환경과 법인성 행위자환경으로 구성 • **범인성 행위환경**: 개별 범죄행위에 영향을 주는 외부사정 　예 경제위기, 전쟁 • **범인성 행위자환경**: 행위자의 인격형성에 영향을 주는 외부사정 　예 알콜중독, 가정의 해체, 교육의 부재
양자의 관계	• **내인성 범죄**: 범인성 소질에 더 많은 영향을 받는 범죄 　예 폭력범죄, 충동범죄 • **외인성 범죄**: 범인성 환경에 더 많은 영향을 받는 범죄 　예 재산범죄

03 범죄원인에 대한 여러 학설

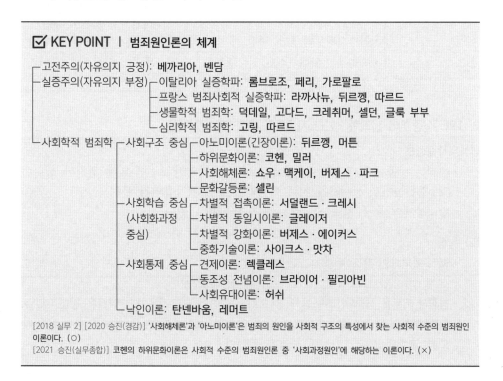

☑ **KEY POINT | 범죄원인론의 체계**

- 고전주의(자유의지 긍정): 베까리아, 벤담
- 실증주의(자유의지 부정) ─ 이탈리아 실증학파: 롬브로조, 페리, 가로팔로
  - 프랑스 범죄사회적 실증학파: 라까사뉴, 뒤르껭, 따르드
  - 생물학적 범죄학: 덕데일, 고다드, 크레취머, 셸던, 글룩 부부
  - 심리학적 범죄학: 고링, 따르드
- 사회학적 범죄학 ─ 사회구조 중심 ─ 아노미이론(긴장이론): 뒤르껭, 머튼
  - 하위문화이론: 코헨, 밀러
  - 사회해체론: 쇼우·맥케이, 버제스·파크
  - 문화갈등론: 셀린
  - 사회학습 중심 ─ 차별적 접촉이론: 서덜랜드·크레시
  - (사회화과정 ─ 차별적 동일시이론: 글레이저
  - 중심) ─ 차별적 강화이론: 버제스·에이커스
  - 중화기술이론: 사이크스·맛차
  - 사회통제 중심 ─ 견제이론: 렉클레스
  - 동조성 전념이론: 브라이어·필리아빈
  - 사회유대이론: 허쉬
  - 낙인이론: 탄넨바움, 레머트

[2018 실무 2] [2020 승진(경감)] '사회해체론'과 '아노미이론'은 범죄의 원인을 사회적 구조의 특성에서 찾는 사회적 수준의 범죄원인 이론이다. (○)
[2021 승진(실무종합)] 코헨의 하위문화이론은 사회적 수준의 범죄원인론 중 '사회과정원인'에 해당하는 이론이다. (×)

1. 18C 고전주의 범죄학 – 인간 자유의지 긍정, 의사비결정론

(1) 의사비결정론

- 인간은 자유의지를(free will) 가진 합리적 존재이므로, 이러한 인간이 범죄라는 이익을 선택하지 못하도록 하기 위해서는 그에 상응하는 고통(형벌, 두려움)을 부과해야 한다. [2018 승진(경위)]
- 범죄통제이론 중 일반예방이론(억제이론)과 합리적 선택이론에 영향을 주었다.
  [2019 승진(경위)] 고전주의 범죄학에 따르면 범죄는 인간의 자유의지에 의한 것이 아니고, 외적 요소에 의해 강요되는 것이다. (×)

(2) 특징

- **개인책임의 강조**: 개인은 범죄로 나아가지 않을 수 있는 자유의지를 가지고 있으므로, 범죄행위로 나아간 것은 개인의 책임이지 사회의 책임이 아니다. ➡ 의사비결정론
- **형벌의 강조**: 강력하고 신속한 형벌일수록 범죄를 효과적으로 통제할 수 있다고 하여 형벌을 가장 효과적인 범죄예방 방법이라고 하였다.
- **일반예방 강조**: 엄격한 법집행을 통해 일반인들에게 '범죄를 저질러서는 안 되겠다'라는 인식을 주는 일반예방의 효과를 강조하였다.

(3) 대표학자

학자	주요내용	공통점
베까리아 (Beccaria) [2024 채용 1차]	• **죄형균형론**: 범죄와 형벌 사이의 균형을 강조 ➡ 형벌은 범죄에 비례하여 부과 • 사형제 폐지 • 죄형법정주의 최초 주장	• 인간 자유의지 긍정 • 형벌을 통한 범죄통제 • 엄격하고 신속한 형벌 • "효과적 범죄예방은 범죄를 선택하지 못하게 하는 것이다."
벤담 (Bentham)	• 공리주의(최대다수의 최대행복) • 형벌을 통한 범죄의 통제	

2. 19C 실증주의 범죄학 – 인간 자유의지 부정, 의사결정론

(1) 의사결정론

- 범죄는 생물학적·심리학적·사회적 요인 등 다양한 요인에 의해 '결정된' 행위이지, 자유의지로 선택하는 것이 아니라고 보았다(자유의지 부정).
- 범죄통제이론 중 치료 및 갱생이론에 영향을 미쳤다.

(2) 특징

- **범죄 외부요인 강조**: 범죄자 개인의 자유의지보다는 범죄를 발생시키는 외부적 요소에 의해 강요되는 것이라고 보았다. ➡ 의사결정론
- **범죄자 처우를 강조**: 범죄자의 처우(교화·개선)와 교정전문가의 역할을 강조하였다.
- **특별예방 강조**: 범죄를 저지를 수밖에 없었던 범죄자가 다시 범죄를 저지르지 않도록 교화하고 교정하는데 중점을 두었다. [2018 승진(경위)]

(3) 주요학파 – 이탈리아, 프랑스, 생물학적, 심리학적

① **이탈리아 실증학파**: 범죄인류학파라고도 불리며, '범죄인의 소질'을 중시하여 인류학적 고찰방법을 강조하였다.

학자	주요내용	저서
롬브로조 (Lombroso)	• **생래적 범죄인설**: 범죄자는 원시인의 속성을 격세유전을 통해 전수받은 자들이다. 예 살인범은 눈매가 차갑고 충혈되었으며, 코는 크고 메부리코 모양이다. • **최초로 과학적 연구방법**으로 범죄원인을 연구하였다.	범죄인론
페리 (Ferri)	• **범죄포화의 법칙**: 범죄의 원인이 존재하는 사회에서는 이에 상응하는 일정한 양의 범죄가 반드시 발생한다. • **범죄인의 4유형**: 생래적 범죄인, 격정범, 기회범, 정신병적 범죄인	범죄사회학
가로팔로 (Garofalo)	• 자연범과 법정범을 구별하였다. • 자연범은 사형이나 유형 등으로 사회에서 격리, 법정범은 정기구금, 과실범은 불처벌할 것을 주장하였다.	범죄학

② **프랑스 범죄사회적 실증학파**: 프랑스 학파는 범죄를 사회병리현상으로 파악하고 '환경'을 중심으로 한 범인성 연구에 주력하였다.

학자	주요내용	저서
라까사뉴 (Lacassagne)	• **환경설**: 범죄의 환경적 요인 중 특히 경제상황을 중시하였다. • "사회는 범죄의 배양기이고 범죄자는 그 미생물에 해당된다. 처벌해야 하는 것은 범죄자가 아니라 사회이다." • **사형존치론**: 해당 국가의 상황에 따라 사형이 허용될 수도 있다.	사형과 범죄
뒤르껨 (Durkheim)	• **범죄정상설**: 범죄는 결혼 · 출산처럼 자연적인 사회적 사실일 뿐이다. [2018 실무 2] • **범죄필연설**: 어떠한 사회도 완전하게 범죄를 없앨 수는 없다. • **범죄필요설**: 범죄가 없는 사회는 집합의식이 완전한 통합에 이른 전체주의를 의미하는 것으로 사회가 진보하기 위해서는 오히려 일정 정도의 범죄가 필요하다. • 아노미개념을 주장하였다.	분업론, 자살론

▌ 자연범 · 법정범
• **자연범**: 법규범 제정을 기다릴 필요 없이 행위 그 자체가 반윤리적이고 반사회적인 범죄 예 살인, 강도
• **법정범**: 행위 그 자체가 반윤리적이고 반사회적인것은 아니지만 국가가 행정적 목적으로 범죄로 규정한 것 예 건축법규 위반범

▌ 뒤르껨의 아노미이론
• **아노미(Anomie)**: 사회의 도덕적 권위가 무너져 사회구성원들이 삶의 기준을 상실한 무규범 상태
• 이러한 아노미 상태에서의 범죄는 정상적인 것이다.

따르드
(Tarde)
	• **극단적 환경결정론**: 범죄의 원인을 '사회제도' 특히 자본주의적 경제질서의 제도적 모순에서 찾았다.
	• **모방의 법칙**: 사회는 곧 모방이다. 사람은 태어날 때는 정상이지만, 이후 범죄가 생활방식인 환경에서 양육됨으로써 범죄자가 된다.
	  – **거리의 법칙**: 모방은 도시와 같이 사람들과 접촉이 빈번하고 가까운 지역에서 쉽게 발생한다.
	  – **방향의 법칙**: 열등한 사람이 우월한 사람을, 하류계층이 상류계층을 모방함으로써 범죄가 발생한다(위에서 아래로의 법칙).
	  – **삽입의 법칙**: 단순 모방이 유행으로, 유행이 관습으로 변화·발전되며, 새로운 유행이 기존 유행을 대체한다(삽입).
		비교형사학

[2021 경간] 아노미이론은 Cohen에 의해 주장되었으며, '범죄는 정상적인 것이며 불가피한 사회적 행위'라는 입장에서 사회 규범의 붕괴로 인해 범죄가 발생한다고 보고 있다. (×)

③ **생물학적 범죄학**

• **유전이론**: 개인의 어떤 행동 특성이 그가 속한 혈연관계에 따른 독특한 유전적 영향으로 발생한 것인지 검증하는 연구를 하였다.

학자	주요내용
덕데일 (Dugdale)	주크(Juke)가 가계 연구: 음주를 좋아하고 계획성 없이 생활하면서 정규교육을 받지 못했던 주크의 후손 대부분은 범죄자가 되었다.
고다드 (Goddard)	칼리카크(Kallikak)가 가계 연구: 정신지체의 유전성에 대해 연구하였다.

• **체형이론**: 개인의 어떤 행동 특성이 그가 속한 혈연관계에 따른 독특한 유전적 영향으로 발생한 것인지 검증하는 연구를 하였다.

학자	주요내용
크레취머 (Kretschmer)	• **세장형**(키가 크고 마른형): 절도범이나 사기범 • **운동형**(근육 발달): 폭력범 • **비만형**(키가 작고 뚱뚱): 주로 사기범
셀던 (Sheldon)	• **내배엽**: 소화기관이 발달한 살찐 체질 • **중배엽**: 근육과 골격이 발달한 체질 • **외배엽**: 두뇌 발달
글룩 부부	중배엽형 수치가 높을수록 범죄경향이 높다.

④ **심리학적 범죄학**: 지능, 인성, 학습과 범죄행위의 결합과 같은 범죄의 정신적 측면에 초점을 두었다.

학자	주요내용
고링(Gorring)	• 영국의 수형자, 범죄와 낮은 지능의 관련성을 연구하였다. • 롬브로조의 생래적 범죄인설을 비판하였다('막연한 생각에 과학이라는 상표를 붙인 것에 불과하다').
따르드(Tarde)	모방학습이론은 현대 사회학습이론과 유사하다.

3. 사회학적 범죄학 Ⅰ - 사회구조 중심

(1) 아노미이론(긴장이론)

- 아노미란 개인이나 사회의 가치관 등이 무너지면서 발현되는 불안정 상태를 말하며 프랑스의 뒤르껭이 '자살론(1897)'에서 처음 사용한 개념이다.
- 머튼(Merton)은 모두가 사회적으로 성공하기를 희망하지만 정당한 방법으로 자신의 소망을 성취할 수 있는 사람은 많지 않은 사회적 모순구조가 범죄를 발생하게 만든다고 보았다. ➜ 문화적 목표를 제도화된 수단으로 달성 불가능할 경우 범죄 발생

학자	주요내용
뒤르껭 (Durkheim)	• 아노미란 사회의 규범이 붕괴하여 제대로 작동하지 못하는 무규범 상태이다. [2024 채용 1차] • 규범의 부재 · 붕괴를 강조
머튼 (Merton)	• 아노미란 한 사회 내에서 문화적으로 널리 받아들여진 가치(문화적 목표)와 이를 달성할 제도화된 수단이 불일치하는 경우를 말한다. • 문화적 목표와 제도화된 수단의 불일치를 강조

(2) 하위문화이론

하위문화론은 아노미이론에서 전제한 문화적 목표와 수단의 괴리의 결과로 형성되는 하위문화가 범죄나 비행행위의 원인이 된다고 보았다. [2020 승진(경감)]

학자	주요내용
코헨 (Cohen)	하류계층의 청소년들이 목표와 수단의 괴리를 통해 중류계층에 대한 저항으로 비행을 저지르며, 목표달성의 어려움을 극복하기 위해 자신들만의 하위문화를 만들게 되며 범죄는 이러한 하위문화에 의해 저질러지는 것이다.
밀러 (Miller)	범죄는 하위문화의 가치와 규범이 정상적으로 반영된 것이다.

(3) 사회해체론

사회해체론은 산업화 · 도시화 과정에서 사회조직이 해체되는 것을 범죄나 비행행위의 원인이 된다고 보았다.

학자	주요내용
쇼우 · 맥케이 (Shaw&Mckay) [2024 승진]	• 도심지의 특정지역(빈민지역)에서 비행이 일반화되는 이유는 산업화 · 도시화과정에서 그 지역의 사회조직이 극도로 해체되기 때문이다. • 범죄의 원인은 각기 다른 문화적 배경을 가진 인구의 유입에 따른 것이 아닌 지역 사회의 내부에 있다. ➜ 사회해체의 조건들이 존재하는 지역사회의 범죄율 ↑ • 이러한 지역은 구성원이 바뀌더라도 비행발생률은 변하지 않는다. 예 경제적 어려움으로 빈민가로 이사하였는데 자녀가 비행소년이 된 경우

💡 사회해체로 인해, 거주자의 행동에 대해 갖는 비공식적 통제력이 약화됨으로써 범죄를 조장한다는 생각은 지금 쇼우와 맥케이의 자료에 대해 가장 넓게 받아들여지는 해석이다.

	[문화전파론] • 문화적 전파이론은 "범죄를 부추기는 가치관으로의 사회화"나 "범죄에 대한 구조적·문화적인 유인에 대한 자기통제의 상실"을 범죄의 원인으로 보았다. • 비행지역이나 도심지 비행의 원인은 산업화·도시화로 인한 사회해체에 따른 소년비행과 도시지역, 범죄문화의 감염으로 인한 것이다.
버제스·파크 (Burgess&Park)	• **동심원이론**: 시카고지역을 5개의 동심원지대로 나누어 각 지대별 특성과 범죄의 관련성을 조사하여 빈곤, 인구유입, 실업 등과 관련이 있다고 규정하였다. ➡ 산업화·도시화로 인한 조직의 해체와 지역의 환경적 측면을 설명(시카고 지역에 대한 동심원실험). • 5개 지역(중심상업·퇴행변이·노동자계층·중간계급·교외지역) 중 **퇴행변이지역**이 범죄적으로 가장 문제되는 지역이라고 보았다.

(4) 문화갈등론

문화갈등론은 미국사회의 이민증가에 의한 다양한 민족의 혼재 등으로 서로 다른 문화가 충돌하면서 발생하는 갈등(사회구성원의 가치관·규범의식 충돌)이 범죄의 원인이 되다고 보았다.

학자	주요내용
셀린 (Sellin)	• 각각의 문화들은 자신들만의 행위규범이 있고, 단일민족 구성 사회에서는 이러한 행위규범을 법률화 하는 것이 쉽다. • 그러나 현대사회에서 여러 문화가 혼재하면서 행위규범의 충돌에 따른 갈등이 발생하는 경우 지배적인 문화의 행위규범만이 법규범화되기 쉽고 이때 다른 행위규범을 가진 사회구성원이 범죄를 일으키기 쉽다. • **1차적 갈등**: 이질적인 문화 사이에서 발생하는 갈등 예 식민지 지배 • **2차적 갈등**: 단일문화가 여러개의 하위문화로 분화될 때 발생하는 갈등

(5) 마르크스주의 범죄학

마르크스주의 범죄학은 구조적으로 야기된 경제적 문제(자본주의 경제제도 하에서 계층의 분화)나 신분·지위의 문제(빈부의 격차나 지위의 고하)를 범죄의 원인으로 보았다.

4. 사회학적 범죄학 Ⅱ - 사회학습 중심

(1) 차별적 접촉이론(분화적 접촉이론)

범죄 역시 다른 일반적인 행위와 마찬가지로 친밀한 그룹으로부터 학습하는 사회화과정을 통해서 이루어진다고 보면서, 친밀한 그룹끼리 차별적으로 접촉하는 과정에서 특정 사회계층이 범죄그룹에 차별적으로 접촉하는 경우 범죄가 발생하기 쉽다고 보았다.

학자	주요내용
서덜랜드 · 크레시 (Sutherland & Cressey)	• 범죄의 원인을 물리적 환경(범행의 기회)으로 보았다. • 분화된 사회조직 속에서 분화적으로 범죄문화에 접촉 · 참가 · 동조함에 따라 범죄행동이 정상적으로 학습되는 것으로 보았다. 예 유흥업소 밀집지역에서의 많은 범죄발생, 나쁜 친구와의 교제 • '범죄를 유발하는 물리적 환경의 개선'이나 '범죄자의 무력화를 통한 범죄의 예방과 억제', '피해자학의 연구' 등에 연구의 중점을 두고 있다(범죄학의 원리, 1939).

(2) 차별적 동일시이론

서덜랜드의 차별적 접촉이론에 '동일시(identification)' 개념을 결합한 이론으로, 직접 접촉이 아니더라도 영화나 유명인으로부터 영향을 받을 수 있다는 이론이다. 예 D경찰서는 관내 청소년 비행 문제가 증가하자 청소년들을 대상으로 폭력 영상물의 폐해에 관헌 교육을 실시하고, 해당 유형의 영상물에 대한 접촉을 삼가도록 계도하였다. [2019 채용2차]

학자	주요내용
글레이저 (Glaser)	• 다른사람과 자신을 동일시하는 정도와 강도가 어떤 가치관을 학습하는데 중요한 요소가 된다고 보았다. • 청소년들이 영화의 주인공을 모방하고 자신과 동일시하면서 범죄를 학습한다. [2019 승진(경위)] [2024 채용 1차]

[2024 채용 1차] 글레이저(Glaser)는 차별적 동일시이론을 통해 범죄의 원인이 개인이 아닌 사회구조의 변화에 있다고 설명하였다. (×)

(3) 차별적 강화이론

다른 사람들과의 차별적 접촉 이외에도 사회환경과의 직접적인 상호작용을 통해 범죄학습이 가능하다는 이론이다.

학자	주요내용
버제스 · 에이커스 (Burgess & Akers)	• **차별적 강화**: 행위에 대한 보상이나 처벌과 같은 사회적 반응이 그 행위를 다시 반복하게 하는데 결정적인 영향을 미치게 되는 것을 말한다. • 청소년의 비행행위는 처벌이 없거나 칭찬받게 되면 반복적으로 저질러진다.

[2021 경간] 사회학습이론 중 Burgess & Akers의 차별적 강화이론에 의하면 청소년들이 영화의 주인공을 모방하고 자신과 동일시하면서 범죄를 학습한다고 본다. (×)

(4) 중화기술이론

범죄자나 비행청소년도 합법적이고 바람직한 규범을 알고 있음에도, **위법행위에 대한 정당화 기술(중화기술, neutralization)**을 통해 준법의식을 마비시키고 위법행위를 하게 된다는 이론이다. ➡ 중화의 대상: 규범, 합법적이거나 전통적 관습 내지 가치관 [2018 실무 2] [2019 승진(경위)]

학자	주요내용
사이크스 · 맛차 (Sykes & Matza)	**변명의 기술**: 자기 범죄나 비행행위에 대한 자기자신 또는 타인의 비난을 의식적으로 합리화 내지 정당화 시킴으로써 그 비난을 벗어난 안도감에서 범죄 등 비행행위를 저지르게 된다.

⊕ 심화 5가지 중화기술

책임의 부정 (책임의 회피)	• 자신의 행위가 의도적인 것이 아니고, 자신의 잘못이 아니라고 하면서 행위의 책임을 회피하는 것 • "그럴 맘은 없었는데 상황이 그래서 어쩔 수 없었어."
피해의 부정 (가해의 부정)	• 자신의 행위로 인해 누구도 손해를 입지 않았다며 피해발생을 부인하는 것 • "죽은 것도 아니고 그정도면 크게 다친 것도 아니잖아."
피해자의 부정	• 피해자는 응징을 당해야 마땅한 사람이라고 주장하며 피해자를 부정하는 것 • "내가 좀 심했지만 그놈은 그래도 싸. 자업자득이야."
비난자에 대한 비난	• 자신을 비난하는 사람들이 더 나쁜 사람이라며 행동을 합리화시키는 것 • "나는 오토바이를 훔쳤지만, 경찰들은 인권을 훔치잖아."
충성심에의 호소	• 자신의 행동이 옳지 않으나 친구나 주변의 친한 사람을 위해 어쩔 수 없었다는 충성심에 호소하는 것 • "걔를 때린건 잘못되었지만, 친구들이 다 같이 하기로 해서 나만 빠질 수 없었어."

5. 사회학적 범죄학 Ⅲ - 사회통제 중심

(1) 견제이론

누구나 사회생활을 하면서 범죄에 대한 끝없는 유혹을 받지만 이러한 유혹보다 범죄에 대한 견제가 더욱 강하면 범죄로 나아가지 않게 된다는 이론이다.

학자	주요내용
렉클레스 (Reckless)	• 사람을 범죄나 비행으로 이끄는 일탈유도요인보다 자기통제력 · 인내력 · 책임감 · 교육기관의 관심 · 합리적 규범과 같은 일탈견제요인이 더 크다면 범죄는 발생하지 않는다. • "좋은 자아관념은 주변의 범죄적 환경에도 불구하고 비행행위에 가담하지 않도록 하는 중요한 요소이다."

[2019 승진(경위)] Durkheim은 좋은 자아관념이 주변의 범죄적 환경에도 불구하고 비행행위에 가담하지 않도록 하는 중요한 요소라고 한다. (×)

(2) 동조성 전념이론

일정한 원인으로 발생하는 관습적 목표를 지향하려는 노력이 이러한 목표수행에 인간의 행위를 전념시킴으로써 인간의 범행 잠재력을 통제하게 되어 상황적 일탈을 감소시킨다는 이론이다.

[2018 실무 2] '동조성 전념이론'은 좋은 자아관념이 주변의 범죄적 환경에도 불구하고 비행행위에 가담하지 않도록 하는 중요한 요소라고 한다. (×)

학자	주요내용
브라이어 · 필리아빈 (Briar & Piliavin)	• **동조성 전념의 원인**: 관습적 목표에 대한 동조성은 부모 · 선생님 · 동료 등 중요한 사람과의 대인관계에서 긍정적인 승인을 얻고 유지함으로써 발생하며 동조성의 전념은 부모의 사랑 · 선생님의 관심 · 관습적인 친구들의 접촉 등으로 생기는 것이 특징이다. • **동조성 전념의 상대성**: 동조성 전념이 강한 사람은 범죄동기를 유발하는 동일한 상황에서도 동조성 전념이 약한 사람보다 범죄행위 가담 가능성이 낮으나, 이러한 동조성의 전념은 상대적인 것으로 강한 전념의 보유자도 범죄의 유혹이 강하고 성공가능성이 높다면 범죄의 유혹에 넘어갈 수도 있다.

(3) 사회유대이론

사람들은 보편적으로 일탈경향이 있는 잠재적 범죄자라는 것을 전제로, 범죄는 사회적인 유대가 약화되어 통제되지 않기 때문에 발생한다. [2019 승진(경위)]

학자	주요내용
허쉬 (Hirschi)	• 사회유대: Hirschi는 Merton의 사회구조적 압력이 비행을 유발한다는 아노미이론에 반대하여, 아노미 사회에서의 일탈을 당연하게 생각하고 오히려 아노미사회에서 일탈을 저지르지 않는 일반인에 관심을 가져 일반인이 비행을 저지르지 않는 이유를 사회유대라고 보았다.

⊕ 심화 4가지 사회적 결속요소 ➡ 신 · 참 · 애 · 전

신념 (Belief)	선생님, 경찰, 법률과 같은 공적인 권위의 정당성과 같은 관습적 도덕가치를 믿는 것을 의미
참여 (Involvement)	전념의 결과로 관습적인 일들에 동참하는 것 예 관습적 목표에 실제 얼마나 많은 시간을 투입하고 있는가
애착 (Attachment)	부모나 학교, 동료와 같이 자신에게는 매우 중요하고 민감한 사람들에 대한 청소년의 감정적 결속을 의미 예 가족간 사랑, 친구 사이의 우정, 선생님에 대한 존경
전념 (Commitment)	규범준수에 따른 사회적 보상에 얼마나 관심을 갖는가 예 충실한 수험생활 전념은 합격 이후 안락한 공무원생활을 보장해 준다는 정서

[2021 경간] Hirschi는 범죄의 원인은 사회적인 유대가 약화되어 통제되지 않기 때문이라고 보고, 비행을 통제할 수 있는 사회적 통제의 결속을 애착, 전념, 기회, 참여라고 하였다. (×)

6. 사회학적 범죄학 Ⅳ - 낙인이론

• 범죄자를 범죄자로 만드는 것은 행위의 질적인 면이 아닌 사람들의 인식이라고 보면서, 제도 · 관습 · 법규 등 사회를 유지하기 위한 기본적인 제도적 장치들이 오히려 범죄를 유발한다는 이론이다.

• 사회제도나 규범을 근거로 특정인을 일탈자로 인식하기 시작하면 그 사람은 결국 범죄인이 되고 만다.

학자	주요내용
탄넨바움 (Tannenbaum)	악의 극화(Dramatization of evil): 일탈자에게는 형사사법기관의 공식적인 반응에 의해 도덕적 열등이라는 오명이 씌워지고, 공식처벌은 대중매체 등을 통해 알려지며, 전과기록에 의해 장기적으로 기록됨으로써 정상적인 사회구성원으로서의 역할을 수행하지 못하게 된다.
레머트 (Lemert)	• 1차적 일탈(일시적 일탈): 범인 주변의 다양한 요인들에 의해, 개인의 자아정체감이 훼손되지 않은 상태에서 일시적으로 발생하는 일탈을 말한다. 예 유흥비 마련을 위해 장난삼아 절취행위를 하는 것 • 2차적 일탈(경력적 일탈): 1차적 일탈을 경험한 결과 사법기관의 차별적 법적용과 같은 부정적 결과들이 자아정체성이나 사회적 역할수행에 영향을 미칠 정도가 되어 발생하는 일탈을 말한다.

주제 2 범죄예방론

☑ **KEY POINT** | 범죄예방론의 체계 [2012 승진(경감)]

```
┌ 전통적 범죄예방론 ┬ 억제이론 - 고전적 범죄예방론
│                  ├ 치료와 갱생이론 - 실증주의 범죄예방론
│                  └ 사회발전이론 - 사회학적 범죄예방론
└ 현대적 범죄예방이론(생태학적 관점) ┬ 상황적 범죄예방이론 ┬ 합리적 선택이론
                                   │                    ├ 일상활동이론
                                   │                    └ 범죄패턴이론
                                   ├ 환경범죄학
                                   ├ 집합효율성 이론
                                   └ 깨진 유리창 이론
```

[2012 승진(경위)] 합리적 선택이론, 일상활동이론, 범죄패턴이론은 사회학적 이론 중 사회발전이론에 속한 내용으로 분류된다. (×)

01 전통적 범죄예방이론

1. 억제이론 - 고전적 범죄예방론

(1) 의의

억제이론은 고전주의 범죄이론을 바탕으로 하여 ① 형벌이 확실하게 집행될수록(확실성), ② 형벌의 정도가 엄격할수록(엄격성), ③ 형벌집행이 범죄 이후에 신속할수록(신속성) 사람들이 형벌에 대한 두려움을 느끼고 범죄를 자제한다고 보는 입장이다. ➡ 형벌의 억제효과 순서: 확실성 > 엄격성 > 신속성 [2024 채용 1차]

(2) 특징

- **고전주의 범죄론의 의사비결정론 바탕**: 범죄에 대한 책임은 전적으로 자유의지를 가진 개인에게 있다(개인책임 강조).
- **일반예방효과 강조**: 비결정론에 입각한 일반예방효과를 강조하였다. [2019 승진(경감)]
  [2017 실무 2] 억제이론에서는 범죄에 대한 책임은 전적으로 사회에 있다고 강조한다. (×)
  [2017 채용2차] '억제이론'은 인간의 자유의지를 인정하지 않는 결정론적 인간관에 바탕을 두고 특별예방효과에 중점을 둔다. (×)
- 범죄의 동기와 사회적 환경에는 별다른 관심을 두지 않았다.

(3) 주요학자

학자	주요내용
깁스 (Gibbs)	• 미국 50개 주 전역에서 살인사건을 대상으로 범죄발생률·범죄검거율·평균형량 등의 관계를 분석하였다. • 형벌의 집행이 확실하고 형벌의 정도가 엄격한 지역일수록 살인사건의 발생률은 낮은 것으로 조사되었다.
티틀 (Tittle)	• 살인사건 외에 다른 범죄까지 포함하여 형벌의 효과를 연구하였다. • 살인사건은 형벌의 엄격성이 높을수록 그 발생률이 감소하였으나, 다른 범죄의 경우에는 이러한 관계를 찾아 볼 수 없었다.

▌고전주의 범죄이론
합리적 인간의 자유의지를 전제, 범죄라는 이익을 선택하지 못하도록 범죄에 따르는 강력한 불이익(형벌)을 부과해야 한다는 견해

▌일반억제와 특별억제
- **일반 억제**: 범죄자에 대한 처벌을 통해 일반시민의 범죄를 줄이는 것을 말한다. [2024 채용 1차]
- **특별억제**: 형벌을 통해 범죄자의 처벌에 대한 민감성을 자극하여 범죄자의 재범을 줄이는 것을 말한다.

로스 (Ross)	• 영국에서 도로안전법을 제정하여 음주운전자가 교통사고를 유발한 경우 운전면허를 정지시키는 정책을 시행하였다. • 법 시행 이후의 사고건수는 1/3 정도로 현격히 감소하였고 이는 형벌의 '확실성'이 범죄발생에 중요한 영향을 미치는 것으로 해석되었다.

(4) 비판 [2012 경간] [2014 채용1차] [2018 채용3차]

- 폭력과 같은 충동범에는 적용하기 어렵고, 어떤 범죄에 어떤 처벌을 따르는지에 대해 실제로 대중이 인지하고 있는 경우가 드물다.
- 처벌의 억제효과를 경험적으로 연구하기가 어렵다.

2. 치료와 갱생이론 – 실증주의 범죄예방론

(1) 의의

- 치료 및 갱생이론은 생물학적 범죄학과 심리학적 범죄학을 바탕으로, 결정론적 인간관에 기초하여 범죄자의 치료와 갱생을 통해 범죄를 예방하려는 이론이다. [2017 채용2차]
- 범죄행위 자체보다, 범죄자의 속성에 초점을 둔 이론이다.
[2012 승진(경감)] 범죄통제이론 중 현대적 범죄예방이론인 치료 및 갱생이론은 범죄자의 치료와 갱생·교정을 통한 범죄예방을 주장한다. (×)

(2) 특징

- **실증주의 범죄론의 의사결정론 바탕**: 범죄에 대한 책임은 개인이 아닌 사회에 있음을 강조하였다(사회책임 강조). ➡ 생물학적·심리적 요인에 의해 범죄를 저지를 자는 이미 정해져 있다. 따라서 범죄 예방을 위해서는 어떤 자가 범죄인이 되는 생물학적·심리적 요인을 가지고 있는지 파악하는 것이 중요하다(범죄자의 속성에 초점).
- **특별예방효과 강조**: 결정론적 인간관에 입각한 특별예방효과를 강조하였다. ➡ 생물학적·심리적 범죄요인을 가진 자가 다시 범죄를 저지르지 않도록 치료·갱생이 필요하다. [2014 채용1차] [2018 채용3차]
[2024 채용 1차] 특별예방이론이 잠재적 범죄자인 일반인에 대한 형벌의 예방 기능을 강조한 것이라면, 일반예방이론은 형벌을 구체적인 범죄자 개인에 대한 영향력의 행사라고 보고, 범죄자를 교화함으로써 재범하지 않도록 하는 것이다. (×)

(3) 비판 [2012 경간]

- 치료 및 갱생활동에는 비용이 많이 들어간다.
- 범죄예방활동이 범죄자를 대상으로 하므로, 적극적 범죄예방이나 일반예방효과에 한계가 있다. [2017 실무 2] [2018 승진(경위)] [2019 승진(경감)]
- 교정시설에서 행해지는 활동이 오히려 갱생에 반대되는 경우도 있다.

3. 사회발전이론 – 사회학적 범죄예방론

(1) 의의

- 사회발전이론은 범죄의 원인을 개인과 환경의 상호작용에서 찾는 사회학적 범죄이론을 바탕으로, 사회발전을 통해 범죄를 예방하려는 이론이다.
- 이 이론 역시 인간은 주어진 환경에 의해 태도 및 행동양식이 결정된다는 입장이므로, 결정론적 인간관에 근거하고 있다고 평가된다.

▎실증주의 범죄이론

1. 이탈리아 실증학파
  - 롬브로조: 생래적 범죄인설
  - 페리: 범죄포화 법칙, 4유형
  - 가로팔로: 자연범·법정범
2. 프랑스 실증학파
  - 라까사뉴: 사회가 범죄배양
  - 뒤르껭: 범죄정상설, 아노미
  - 따르드: 모방의 법칙
3. 생물학적 범죄학
  - 덕데일: 주크가 연구
  - 고다드: 칼리카크가 연구
  - 크레취머: 세장·운동·비만
  - 셸던: 내배엽·중배엽·외배엽
  - 글룩부부: 중배엽↑, 범죄↑
4. 심리학적 범죄학
  - 고링: 범죄와 낮은 지능
  - 따르드: 모방학습

사회학적 범죄이론

1. 사회구조 중심
   ① 아노미
   - 뒤르껭: 무규범
   - 밀러: 목표 · 수단 불일치
   ② 하위문화이론
   - 코헨: 자신들만의 하위문화
   - 밀러: 하위문화 정상적 반영
   ③ 사회해체론
   - 쇼우 · 맥케이: 사회조직 해체 · 문화전파론
   - 버제스 · 파크: 동심원이론
   ④ 문화갈등론
   - 셀린: 지배문화 행위규범만 ○

2. 사회학습 중심
   ① 차별적 접촉이론
   - 서덜랜드 · 크레시: 접촉 · 참가 · 동조로 범죄정상학습
   ② 차별적 동일시이론
   - 글레이저: 영화주인공 동일시
   ③ 차별적 강화이론
   - 버제스 · 에이커스: 보상 · 처벌로 차별적 강화
   ④ 중화기술이론
   - 사이크스 · 맛차: 합리화 · 정당화(5대 중화기술)

3. 사회통제 중심
   ① 견제이론
   - 렉클레스: 좋은 자아관념
   ② 동조성 전념이론
   - 브라이어 · 필리아빈: 목표에 행위를 전념
   ③ 사회적 유대이론
   - 허쉬: 4대 결속요소(애 · 전 · 참 · 신)

4. 낙인이론
   - 탄넨바움: 악의 극화
   - 레머트: 1차 · 2차 일탈

(2) 특징

- 범죄자의 사회적 환경이 범죄자의 내재적 성향보다 더 중요한 범죄원인이라고 하였다.
- 범죄를 유발할 수 있는 사회적 환경의 개선을 통한 범죄의 근본적 원인의 제거가 필요하다고 보았다. 예 공동체의 유대 강화를 통한 범죄예방

(3) 비판

- 사회를 실험대상으로 하기 때문에, 개인이나 소규모의 조직체에 의해서 수행될 수 없다는 한계가 있다.
- 범죄의 원인이 되는 사회적 환경을 개선하기 위해서는 막대한 인적 · 물적 자원이 필요하므로, 결국 이러한 자원을 동원할 능력이 있는지 여부가 문제된다.

02 현대적 범죄예방이론(생태학적 관점)

1. 상황적 범죄예방이론

상황적 범죄예방론이란 범죄행동에 따르는 노력과 위험은 증대시키고 보상은 낮추어 범죄를 억제하고자 하는 이론이다. 예 C경찰서는 관내 자전거 절도사건이 증가하자 관내 자전거 소유자들을 대상으로 자전거에 일련번호를 각인해 주는 서비스를 제공하였다. [2019 채용2차]

[2018 승진(경위)] 상황적 범죄예방이론은 사회발전을 통해 범죄의 근본적인 원인을 제거하고자 하나, 폭력과 같은 충동적인 범죄에는 적용하는 데 한계가 있다. (×)

[2018 승진(경위)] 사회학적 이론은 범죄기회의 제거와 범죄행위의 이익을 감소시키는 것을 내용으로 한다. (×)

[2024 채용 1차] 일상활동이론 (Routine Activity Theory), 합리적 선택이론(Rational Choice Theory), 범죄패턴이론 (Crime PatternTheory) 등은 상황적 범죄예방(Situational Crime Prevention)의 중요한 이론적 배경이 되고 있다. (○)

(1) 합리적 선택이론

- 인간의 자유의지를 전제로 한 비결정론적 인간관에 입각하여(신고전주의), 범죄자는 자신의 범죄행위에 있어서 비용과 이익을 계산하고 자신에게 유리한 경우에 범죄를 행한다고 보았다. ➡ 일반예방효과에 중점 [2012 승진(경위)] [2017 채용2차] [2019 승진(경감)]

[2018 경채] [2021 경간 유사] 합리적 선택이론 – 인간의 자유의지를 인정하지 않는 결정론적인 인간관에 입각하여 범죄자는 자신에게 유리한 경우에 범죄를 행한다고 분다. (×)

- 범죄가 이루어지는 개별 범죄상황에 주목하였다. ➡ 미시적 범죄예방모델

[2021 채용1차] 합리적 선택이론은 거시적 범죄예방모델에 입각한 특별예방효과에 중점을 둔다. (×)

학자	주요내용
클락 · 코니쉬 (Clarke & Comish, 1985)	• 범죄기회의 감소: 범죄자 입장에서 선택할 수 있는 기회를 미리 진단하여 예방하는 것을 강조하면서 다음과 같은 5가지 방법을 제시하였다(2003).

	노력증가	표적강화, 시설 접근통제, 출구차단, 범죄자 우회, 도구통제
	위험증가	보호확대, 자연감시 지원, 익명성 감소, 장소관리자 활용, 공식적 감시강화
	보상감소	표적은폐, 표적제거, 시장분쇄, 이득부인
	자극감소	좌절 · 스트레스 줄이기, 분쟁회피, 유혹감소, 또래압력 중화
	변명제거	규칙설정, 지시의 공시, 양심환기, 약물 · 알콜통제

클락 · 코니쉬	• 효과적인 범죄예방은 '체포의 위험성'과 '처벌의 확실성'의 제고를 통해 가능하다고 보았다. [2017 경간]

(2) 일상활동이론

- 사회구성원의 일상행위의 변화가 범죄율의 변화에 영향을 준다는 이론이다.
- 2차 세계대전 이후 미국 지역사회의 급격한 범죄율 상승의 원인을 개인들의 일상활동의 변화에서 찾았다. 예 여성들의 경제활동 증가, 비싸고 작은 전자제품등장

학자	주요내용
코헨 · 펠슨 (Cohen & Felson, 1979)	• **잠재적 범죄자**: 범죄기회가 주어지면 누구든지 범죄를 저지를 수 있다고 보았다. ➡ 범죄자의 속성보다는 **범죄기회**가 범죄를 결정하는 중요한 요소라고 보았다. • **미시적 분석**: 시간과 공간의 변동에 따른 범죄발생 양상 · 범죄기회 · 범죄조건 등에 대한 미시적 범죄분석을 토대로 범죄예방모델을 수립하고자 하였다. • **범죄발생의 3요소**: 다음과 같은 3가지 요소가 충족될 때 범죄가 발생한다. [2012 승진(경위)] [2017 채용2차] [2017 실무 2] [2020 지능범죄] | (잠재적) 범죄자	누구나 범죄자가 될 수 있다.
(적당한) 범죄대상	매장 내 원하는 물건이 있는가? 쉽게 훔칠 수 있는가? 도주위한 출구는 여러 개인가?
감시의 부재	경찰이나 경비요원이 있는가? CCTV가 있는가? | • **범행피해 리스크 수준결정 4요소(VIVA모델)**: 다음과 같은 4가지가 범죄자의 입장에서 범행을 결정하는 요소가 된다. [2021 경간] | 대상의 가치(Value)	보석은 단위부피당 가치가 높다.
이동 용이성(Inertia)	보석은 크기가 작아 이동시키기 용이하다.
가시성(Visibility)	보석은 주머니에 숨기기 용이하다.
접근성(Access)	다만, 보석은 통상 진열장에 강력한 보안장치가 되어 있다.	

> ▌J. Sheley의 범죄 필요조건 4대 요소
> (S · M · O · F)
> - 범행의 기술(Skill)
> - 범행의 동기(Motivation)
> - 범행의 기회(Opportunity)
> - 사회적 제재로부터의 자유
>   (Freedom from social constraints)

[2012 실무 2 유사] [2012 경간] 일상활동이론은 시간과 공간적 변동에 따른 범죄발생양상 · 범죄기회 · 범죄조건 등에 대한 추상적이고 거시적인 분석을 토대로 구체적인 상황에 맞는 범죄예방활동을 하고자 한다. (×)
[2014 채용1차] '일상활동이론'의 범죄발생 3요소는 '동기가 부여된 잠재적 범죄자', '적절한 대상', '범행의 기술'이다. (×)
[2018 채용3차] '일상활동이론'은 범죄유발의 4요소는 '범행의 동기', '사회적 제재로부터의 자유', '범행의 기술', '범행의 기회'이다. (×)

(3) 범죄패턴이론

범죄에는 일정한 장소적 패턴이 있으며 이는 범죄자의 일상적인 행동패턴과 유사하다는 점에 착안하여 일정장소의 집중순찰을 통해 범행을 예방할 수 있다고 보았다. [2012 실무 2] [2012 승진(경위)] [2018 경채]

[2017 경간] 브랜팅햄의 범죄패턴이론 – 범죄에는 일정한 시간적 패턴이 있으므로, 일정 시간대의 집중 순찰을 통해 효율적으로 범죄를 예방할 수 있다. (×)

학자	주요내용
브랜팅햄 · 브랜팅햄 (Brantingham & Brantingham, 1993)	잠재적 범죄인은 일상활동과정에서 적절한 범죄대상을 찾게 되고 그들이 잘 알고 있는 지역 안에서 잘 알고 있는 이동경로나 수단을 이용해서 적당한 기회가 왔을 경우에 범행을 저지른다. ➡ **지리적 프로파일링**, 연쇄범죄 해결에 도움 [2021 채용1차]

[2021 경간] 범죄패턴이론은 지역사회 구성원들이 범죄문제를 해결하기 위해 적극적으로 참여하는 것이 중요한 범죄예방의 열쇠라고 한다. (×)

2. 환경범죄학

- 범죄를 유발하는 외부 환경요인들을 통제함으로써 범죄를 효과적으로 예방할 수 있다는 이론이다.
- '자연적 감시', '접근통제 및 영역에 대한 관심'의 중요성을 설명하면서 소유감이나 영역감의 부족이 범죄행위와 밀접한 관계에 있다는 것과 건물 설계시 그 형태나 사용형태를 고려할 필요성을 강조하였다.

학자	주요내용
제퍼리 (Jeffery, 1971)	• "환경설계를 통한 범죄예방(CPTED; Crime Prevention Through Environmental Design)이라는 용어를 최초로 사용하였다. • CPTED: 주거 및 도시지역의 물리적 환경설계 또는 재설계를 통해 범죄기회를 차단하고자 하는 기법 [2024 채용 1차] [2015 채용1차]
오스카 뉴먼 (Oscar Newman, 1972)	• 방어공간이론: 스스로를 방어할 수 있는 물리적인 환경을 조성함으로써 범죄를 예방하는 거주환경을 말한다. ➡ 거주자가 그 공간을 통제할 수 있도록 주거환경에 실제적 또는 상직적인 방어물이나 영향력, 감시기회 등을 확대 시켜 놓은 공간 [2021 실무 2] [2012 경간] • 방어공간의 주요전략 ① 거주자의 다양화 ② 개방적인 평면계획을 통한 주변상황의 상시적인 관찰 ③ 도시계획시 주택지역, 상업지역, 관공서지역, 도로 등을 적절하게 혼합배치 • 방어공간의 구성요소 [2022 채용1차] {다음표} • 방어공간을 강화하면 지역주민과 잠재적인 범죄자 모두에게 그 지역이 소유자가 있고 관리되고 있다는 것을 나타내어 결국은 범죄를 예방하게 된다고 보았다.

이미지	지역의 외관상 해당 지역이 다른 지역과 고립되어 있지 않고, 보호되고 있으며, 주민의 적극적 행동의지를 보여주도록 한다.
자연적 감시	특별한 장치의 도움 없이 실내와 실외의 활동을 관찰할 수 있도록 한다.
영역성	지역에 대한 소유의식을 고양시켜 일상적이지 않은 일이 있을 때 주민으로 하여금 행동을 취하도록 자극한다.
안전지대	해당 공간의 위치를 범죄가 적고 지역사회가 활성화된 안전지대에 둔다.

⊕ 심화 환경설계를 통한 범죄예방(CPTED)의 5대 기본원리 [2012 경간] [2012 실무 2] [2013 채용1차]
[2015 채용1차] [2015 승진(경감)] [2016 채용2차] [2016 경간] [2017 실무 2] [2019 채용1차] [2020 채용1차] [2020 실무 2]
[2022 채용2차] [2023 채용1차] [2024 승진]

1 자연적 감시(Natural Surveillance)
가시권을 최대화시킬 수 있도록 건물이나 시설물 등을 배치하는 것을 말한다. 예 정원 벤치 등에 적절한 조명설치(불량 설계로 가시성 차단시 범죄자에게 은신처 제공), 가시권확대를 위한 건물의 배치
[2020 실무 2] '자연적 감시'는 지역사회의 설계시 주민들이 모여서 상호의견을 교환하고 유대감을 증대할 수 있는 공공장소를 설치하고 이용하도록 함으로써 '거리의 눈'을 활용한 자연적 감시와 접근통제의 기능을 확대하는 원리이다. (×)

2 자연적 접근 통제(Natural Access Control)
사람들을 도로, 보행로, 조경, 문 등을 통해 일정한 공간으로 유도함과 동시에 허가받지 않은 사람들의 진출입을 차단하여 범죄목표물에 대한 접근을 어렵게 만들고 범죄행동의 노출 위험을 증가시키는 것을 말한다. 예 출입통제장치를 통한 출입구 최소화, 조경 등 구조물을 이용한 통행로 설계

[2016 채용2차] [2018 실무 2] 자연적 접근통제 – 사적 공간에 대한 경계를 표시하여 주민들의 책임의식과 소유의식을 증대함으로써 사적 공간에 대한 권리권과 권리를 강화시키고, 외부인들에게는 침입에 대한 불법사실을 인식시켜 범죄기회를 차단하는 원리이다. (×)

[2022 채용2차] 사적 공간에 대한 경계를 표시하여 주민들의 책임의식과 소유의식을 증대함으로써 사적 공간에 대한 관리권과 권리를 강화시키고, 외부인들에게는 침입에 대한 불법사실을 인식시켜 범죄기회를 차단하는 원리를 자연적 접근통제라고 하며, 이에 대한 종류로는 방범창, 출입구의 최소화 등이 있다. (×)

[2018 승진(경감)] 일정한 지역에 접근하는 사람들을 정해진 공간으로 유도하거나 외부인의 출입을 통제하도록 설계함으로써 접근에 대한 심리적 부담을 증대시켜 범죄를 예방하는 원리를 '자연적 접근통제'라고 하고, 종류로는 차단기 · 방범창 설치, 체육시설에의 접근성과 이용의 증대 등이 있다. (×)

③ 영역성(Territoriality)의 강화

사적 공간에 대한 경계를 만들어 해당 공간에 대한 정당한 이용자와 그렇지 못한 사람들을 구별하는 것을 말한다. 예 울타리와 펜스의 설치, 표지판, 조경, 조명, 도로포장 설계 등으로 소유권을 표현하는 물리적 특징을 사용(사적 공간과 공적 공간의 구분)

[2015 승진(경감)] 영역성 강화 – 처음 설계된 대로 혹은 개선한 의도대로 기능을 지속적으로 유지하도록 관리함으로써 범죄예방을 위한 환경설계의 장기적이고 지속적인 효과를 유지하는 원리를 말한다. (×)

[2018 승진(경위)] 영역성의 강화란 일정한 지역에 접근하는 사람들을 정해진 공간으로 유도하거나 외부인의 출입을 통제하도록 설계함으로써 접근에 대한 심리적 부담을 증대시켜 범죄를 예방하는 원리이다. (×)

[2019 채용1차] '영역성의 강화'란 사적공간에 대한 경계를 표시하여 주민들의 책임의식과 소유의식을 증대시킴으로써 사적 공간에 대한 관리권과 권리를 강화시키고, 외부인들에게는 침입에 대한 불법사실을 인식시켜 범죄기회를 차단하는 원리이며, 종류로는 출입구의 최소화, 통행로의 설계, 사적 · 공적 공간의 구분이 있다. (×)

④ 활동의 활성화(Activity Support)

지역사회의 설계시 주민들이 모여서 상호의견을 교환하고 유대감을 증대할 수 있는 공공장소를 설치하고 이러한 공공장소에 대한 일반 시민들의 활발한 사용을 유도 및 자극함으로써 그들의 눈에 의한 자연스런 감시를 강화하는 것을 말한다(거리의 눈). 예 지역주민들이 시간대별 · 지역별로 공동 사용이 가능하도록 놀이시설 · 휴게시설 등을 보강, 공원 조성시 벤치 혹은 체육기구의 위치에 대한 설계, 공연회 · 친목회 등 다양한 행사가 개최될 수 있도록 조성

[2017 실무 2] 활동의 활성화 – 건축물이나 시설물의 설계시 가시권을 최대한 확보, 외부침입에 대한 감시기능을 확대함으로써 범죄 발각 위험을 증가시키고, 기회를 감소시킬 수 있는 원리이다. (×)

[2020 승진(경위)] 활동의 활성화의 종류에는 벤치 · 정자의 위치 및 활용성에 대한 설계, 출입구의 최소화가 있다. (×)

[2022 채용2차] 지역사회의 설계 시 주민들이 모여서 상호의견을 교환하고 유대감을 증대할 수 있는 공공장소를 설치하고 이용하도록 함으로써 '거리의 눈'을 활용한 자연적 감시와 접근통제의 기능을 확대하는 원리를 활동의 활성화(활용성의 증대)라고 하며, 이에 대한 종류로는 놀이터 · 공원의 설치, 벤치 · 정자의 위치 및 활용성에 대한 설계, 통행로의 설계 등이 있다. (×)

⑤ 유지관리(Maintenance And Management)

처음 설계된 대로 지속적으로 이용될 수 있도록 잘 관리하는 것을 말하며, 황폐화되거나 버려진 듯한 인상을 주는 공공장소는 사용자에 의한 통제나 관심부족을 표시함으로써 무질서와 범죄발생 가능성이 높은 장소로 전락될 수 있다. 예 파손의 즉시보수, 청결유지, 조명 · 조경의 관리

[2023 채용1차] '유지 · 관리(maintenance and management)'는 차단기, 방범창, 잠금장치의 파손을 수리하지 않고 유지하는 원리이다. (×)

3. 집합효율성 이론

사회해체론을 현대도시의 맥락에서 계승 · 발전시킨 이론으로, 사회해체이론에서는 단순히 자기통제력이 약화된 상태를 사회해체라 정의했지만, 집합효율성이론에서는 지역구성원들의 상호신뢰와 연대의식에 바탕을 둔 적극적 개입의지를 강조하고 있다. [2012 실무 2] [2017 경간] [2018 채용3차] [2021 채용1차]

[2019 승진(경감)] '일상활동이론'은 지역사회 구성원들이 범죄문제를 해결하기 위해 적극적으로 참여하는 것이 중요한 범죄예방의 열쇠라고 한다. (×)

학자	주요내용
로버트 샘슨 (R. Sampson 1997)	• 집합효율성(collective efficacy): 자기효능감(self-efficacy)에서 파생된 개념으로, 비공식적 사회통제를 활성화하는 이웃 거주민의 인식능력을 말한다. • 집합효율성이 높은 지역에서 범죄가 발생할 경우 주민이 비공식 통제를 하거나 공식적 통제를 요청할 가능성이 높아질 수 있다. ➡ 비공식적 통제를 강조하였다.

┃ 사회해체론

• **쇼우 · 맥케이**: 산업화와 도시화 과정에서 해당 지역의 사회조직 해체 및 이에 따른 비공식적 통제력의 약화를 범죄원인으로 보았다(범죄원인은 지역사회 내부에 있다).

• **버제스 · 파크**: 시카고지역을 5개 동심원지대로 나누어 지역별로 범죄 관련성을 조사하였고(동심원이론), 그중 퇴행변이지역이 가장 문제되는 지역이라고 하였다.

💡 샘슨 교수는 지난 2019년 3월 대한민국 형사정책연구권 학술회의에 참석하여, "사회문제를 해결하려는 시민들의 적극적 참여와 집합적 대응은 사회변화를 촉진하고 불평등을 완화시킬 수 있을 것으로 기대한다."고 말했다.

[2012 경간] 방어공간이론은 지역사회 구성원들의 유대강화와 범죄 등 사회문제에 대한 적극적인 개입 등 공동의 노력이 있다면 얼마든지 범죄문제에 효과적으로 대응할 수 있다고 한다. (×)
[2014 채용1차] 로버트 샘슨은 지역주민간의 상호신뢰 또는 연대감과 범죄에 대한 적극적인 개입을 강조하는 '집합효율이론'을 주장하였다. (○)
[2018 경채] 집합효율성 이론은 공식적 사회통제, 즉 경찰 등 법집행기관의 중요성을 간과하고 있다는 비판을 받는다. (○)

┃ 깨진 유리창 이론과 집합효율성
깨진 유리창 이론에 따르면 무질서 인식은 범죄두려움에 영향을 주고 범죄두려움은 다시 주민간의 유대 약화로 이어지기에, 결과적으로 집합효율성을 저해할 수 있다.

4. 깨진 유리창 이론

깨진 유리창 하나를 방치해 두면 그 지점을 중심으로 범죄가 확산되듯, 무질서한 환경이 심리적으로 범죄를 발생시킨다는 이론이다. [2017 경간]

학자	주요내용
짐바르도 (Zimbardo, 1969)	**중고차 비교실험**: 번호판이 없고 유리창이 깨진 중고차를 뉴욕 브롱크스에, 온전한 차를 캘리포니아 팔로알토에 각각 두었더니, 브롱크스에 세워진 차량은 집중 파손·부품도난이 발생하였고 팔로알토에 세워진 차량은 아무런 손상이 없었다는 실험
윌슨·켈링 (Wilson & Kelling, 1982)	• 짐바르도의 실험결과에 기초하여, 지역사회의 무질서와 범죄발생의 개념을 구체화하여, 1982년 'Broken Windows'라는 공동 기고문을 통해 처음 이론을 소개하였다. • 무질서한 행위와 환경이 그대로 방치되면 주민들은 공공장소를 기피하고 범죄에 대한 두려움을 증가시키며, 잠재적 범죄자들과 십대 청소년들의 일탈욕구를 증대시켜 무질서가 더욱 심각해지고 비공식적 사회통제가 약화된다고 하였다. ➡ 무질서에 대한 엄격한 통제관리가 요구됨

[2020 지능범죄] 깨진 유리창 이론은 경미한 무질서에 대한 무관용 정책의 확산을 통해 시민들 사이의 집합적 효율성을 감소시키는 것에 중점을 둔다. (×)
[2018 경채] 깨진 유리창 이론 – 직접적인 피해자가 없는 사소한 무질서행위에 대한 경찰의 강경한 대응(Zero Tolerance)을 강조한다. (○)

> **⊕ 심화** 무관용 정책(Zero-tolerance policy)
>
> **1 의의** [2017 실무 2]
> 사소한 규칙 위반에도 관용을 베풀지 않는 원칙을 말하며, 윌슨과 켈링의 깨진 유리창 이론에 근거를 두고 실제 여러 법집행당국이 시행한 정책이다. 예 B경찰서는 지역사회에 만연해 있는 경미한 주취 소란에 대해서도 예외 없이 엄격한 법집행을 실시하였다. [2019 채용2차]
> [2021 채용1차] 깨진 유리창 이론에 이론적 근거를 두고 있는 무관용 경찰활동은 처벌의 확실성을 높여 범죄를 억제하는 전략이다. (○)
> [2023 채용1차] 사소한 무질서에 관대하게 대응했던 전통적 경찰활동의 전략을 계승하였다. (×)
>
> **2 사례**
> • 1994년 줄리아니 뉴욕 시장이 이 원칙을 도입하여, 가벼운 범죄도 용납하지 않겠다는 무관용원칙을 선언하였다.
> • 뉴욕시는 지하철 내 각종 낙서를 지우는 프로젝트를 5년간 꾸준히 전개하였는데, 이후 뉴욕시는 범죄가 50%가량 줄었다고 발표하였다. 또한 노상음주, 방뇨, 구걸, 윤락 등 경범죄에 대해서도 지속적인 단속을 벌여 우범지역이었던 할렘가의 범죄율도 크게 낮추었다
> [2023 채용1차] 무관용 경찰활동은 1990년대 뉴욕에서 본격적으로 시행되었다. (○)
> [2023 채용1차] 경미한 비행자에 대한 무관용 개입은 낙인효과를 유발할 수 있다는 비판이 있다. (○)

01 범죄통제와 범죄예방활동

1. 범죄통제방법의 변화

범죄통제방법은 형사사법 철학의 발전과 더불어 크게 4가지의 형태로 변화해왔다.

시기	주목한 방법	사전 / 사후
근대 이전	응보와 복수	범죄발생 이후 사후조치
고전주의(18C 중반)	형벌과 제재	
실증주의(19C 후반)	교정과 치료	
범죄사회학자(20C 이후)	범죄의 예방	밤죄발생 이전 사전예방

> **⊕ 심화 제퍼리(Jeffery)의 범죄통제모델과 범죄예방모델(1977)**
>
> **① 범죄통제모델**
>
> | 종류 | 내용 |
> |---|---|
> | 범죄억제모델 | 형벌을 통한 범죄 통제와 범죄인 교화개선을 하는 모델로서 가장 전통적이며 종래 형사정책의 주된 관심방향이었다. |
> | 사회복귀모델 | 교육·직업훈련·복지정책 등으로 범죄인을 재사회화 하는 데 중점을 두는 모델로서 최근 사회정책 일환으로 강조되고 있다. |
> | 환경공학을 통한 범죄통제모델 | 도시정책이나 도시환경 정화와 같은 환경개선을 통해 범죄를 예방하려는 모델을 말한다. |
>
> • 제퍼리는 기존의 범죄통제모형을 응보주의, 억제, 치료 및 재활로 파악하고, 이러한 범죄통제모델에 대한 비판을 통하여 새로운 범죄통제모형으로 '범죄예방모델'을 제시하였다(1977).
>
> **② 범죄예방모델**
>
> • 제퍼리가 제시한 범죄예방모델은, ① 범죄발생 이전의 활동이며, ② 행동에 대한 직접적 통제이고, ③ 범죄가 발생하는 환경과 그러한 환경에서 사람들의 상호작용에 초점을 두며, ④ 인간의 행동을 연구하는 다양한 학문에 기초한 모델이다.

2. 범죄예방활동

(1) 브랜팅햄과 파우스트의 견해(1976)

브랜팅햄과 파우스트(Brantingham & Faust)는 범죄예방활동의 목적에 따라서 범죄예방활동을 1차·2차·3차로 구분하였다.

구분	내용	대상
1차적 범죄예방	물리적·사회적 환경 중에서 범죄원인이 되는 조건들을 개선시키는데 초점을 두는 범죄예방활동 예 **환경설계**: 건축설계, 조명, 자물쇠장치, 비상벨이나 CCTV 설치 / **이웃감시활동**: 시민순찰 / **형사사법기관의 활동**: 경찰 방범활동, 범죄예방교육	일반대중

2차적 범죄예방	잠재적 범죄자를 초기에 발견하고 비합법적 행위가 발생하기 이전에 예방하는 범죄예방활동 예 청소년 우범지역 단속활동, 잠재적 범죄자 파악과 예측, 범죄지역분석, 전환제도	우범자· 우범집단
3차적 범죄예방	• 실제 범죄자를 대상으로 범죄자들이 더 이상 범죄를 저지르지 않도록 하기 위한 활동을 말한다. 예 특별억제(형벌을 통해 범죄자 처벌 민감성↑), 치료, 재활 등 • 주로 형사사법기관이 담당하나, 민간단체나 지역사회가 담당하기도 한다.	범죄자

(2) 미국범죄예방연구소의 견해(1986)

- 미국범죄예방연구소(NCPI ; National Crime Prevention Institute)는 범죄예방활동이란 범죄적 기회를 감소시키려는 사전적 활동이며, 범죄에 관련된 환경적 기회를 제거하는 직접적 통제활동이라고 한다.
- 즉, 범죄가 저질러지는 요소를 ① 범죄욕구, ② 범죄기술, ③ 범죄기회로 구분할 경우, 범죄예방은 범죄욕구나 범죄기술에 대한 예방이 아니라 범죄기회를 감소시키려는 활동이라는 것이다.

(3) 스티븐 랩(Steven, P. Lab)의 견해(1992)

- 범죄예방활동이란 실제의 범죄발생뿐만 아니라 공중의 범죄에 대한 두려움을 줄이는 사전적 활동이라고 하였다. ➡ 미국범죄예방연구소가 직접적 통제활동을 강조한 것에 반해 스티븐 랩은 직접적 측면뿐만 아니라 간접적인 심리적 측면을 동시에 고려하였다.
- 즉, 범죄예방활동은 실제 밤죄를 직접적으로 줄이는 것도 중요하지만, 공중이 갖고 있는 범죄에 대한 불안과 공포를 제거하는 것도 중요하다는 것이다.

02 지역사회 경찰활동

1. 의의 및 특성

(1) 의의

- **지역사회 경찰활동**(Community Policing)이란, 경찰이 지역사회 공동체의 모든 분야와 협력하여 범죄발생을 예방하고 범죄로부터 피해를 줄이는 것을 목표로 하는 활동을 말하는 것으로서, 지역사회 자체의 범죄예방능력을 강화하여 지역사회차원에서 범죄문제를 해결하고자 하는 것이다.
  [2023 채용1차] 지역사회 경찰활동(COP)은 경찰과 시민 모두 지역문제 해결을 위한 치안주체로서 인정하고 협력을 강조한다. (○)
- 이러한 지역사회 경찰활동은 경찰이 다른 정부기관 및 민간부문을 포함하는 전체 지역사회와 협력 없이는 지역사회를 괴롭히는 여러 가지의 복잡한 문제들 제대로 해결할 수 없다는 인식에서 비롯되었다.

▌범죄발생요소

1. 일상활동이론의 3요소
   - 잠재적 범죄자
   - 잠재적 피해자(범행대상)
   - 감시의 부재
2. 셜리의 범죄필요조건 4요소
   - 범행의 기술(Skill)
   - 범행의 동기(Motivation)
   - 범행의 기회(Opportunity)
   - 사회적 제재로부터의 자유
     (Freedom from social constraints)

☑ KEY POINT | 전통적 경찰활동과 지역사회 경찰활동 비교 [2022 채용1차]

구분	전통적 경찰활동	지역사회 경찰활동
주체	경찰만이 유일한 법집행기관	경찰과 시민 모두
조직구조	집권화 구조	분권화 구조
경찰의 역할	범죄해결(법집행자, 범죄해결자)	문제해결(서비스제공자, 문제해결자)
경찰의 우선업무	범죄와 폭력의 퇴치	범죄와 폭력의 퇴치 및 지역사회 문제해결
주요정보	범죄사건 정보(특정범죄사건 또는 일련의 범죄사건 관련 정보)	범죄자 정보(개인 또는 집단의 활동사항 관련 정보)
경찰의 평가기준	범인검거율(사후통제 관점)	범죄감소율(사전예방)
효율성 영향	범죄신고에 대한 경찰의 출동시간	주민의 경찰업무에 대한 협조정도
언론과의 관계	경찰에 대한 비판여론 차단	지역사회화의 소통창구
타기관과의 관계	권한과 책임문제로 인한 갈등구조	공동목적 수행 위한 협력구조
강조점	감독자의 지휘·통제, 법과 규범에 의한 규제, 법을 엄격히 준수하는 책임을 강조	지역사회의 요구에 부응하는 분권화된 경찰관 개개인의 능력을 강조

[2012 실무 2] 지역사회 경찰활동은 집중화된 조직구조, 법과 규범에 의한 규제, 법을 엄격히 준수하는 책임을 강조한다. (×)
[2022 채용1차] 전통적 경찰활동의 관점에서는 범죄자 정보(개인 또는 집단의 활동사항 관련 정보)라고 답변할 것이며, 지역사회 경찰활동의 관점에서는 범죄사건 정보(특정범죄사건 또는 일련의 범죄사건 관련 정보)라고 답변할 것이다. (×)
[2017 실무 2] 지역사회 경찰활동은 범죄와 무질서가 얼마나 적은가 보다 범인검거율이 경찰업무 평가의 기준이 된다. (×)
[2023 채용1차] 지역사회 경찰활동(COP)은 범죄신고에 대한 출동소요시간을 바탕으로 효과성을 평가한다. (×)
[2020 승진(경감)] 지역사회 경찰활동(community policing)은 주민의 경찰업무에의 협조도로 경찰업무의 효율성을 평가한다. (○)
[2020 채용1차] 지역사회 문제해결을 위한 경찰업무 영역의 확대로 일선 경찰관에 대한 감독자의 지휘·통제가 강조된다. (×)

(2) 특성

스콜닉과 베일리(Skolnick & Bayley, 1988)는 지역사회 경찰활동의 특성으로 다음 4가지를 제시한 바 있다.

① **지역사회에 기초한 범죄예방**: 범죄예방에 대한 책임을 지역사회에 부여하고, 지역사회의 비공식적 통제능력을 향상시킨다(지역사회 범죄예방활동).

② **주민에 대한 책임성 중시**: 지역주민과 관련된 경찰의 책임을 강화한다.

③ **도보순찰로 전환**: 순찰체제는 기존의 차량순찰에서 도보순찰 위주로 전환해야 한다. ➔ 주민에 대한 일반 서비스제공을 위한 순찰활동으로의 방향전환

④ **경찰조직의 분권화**: 정책결정과정에서 주민참여를 포함, 경찰의 조직을 분권화해야 한다.

[2012 실무 2] 지역사회 경찰활동은 비공식적 사회통제를 강화하였다. (○)
[2012 승진(경감)] 순찰체계는 112차량 순찰 위주로 전환하는 것은 지역사회 경찰활동에 대한 내용에 속한다. (×)

2. 지역사회 경찰활동의 4가지 구성요소(구성프로그램)

💡 COP의 경우 지역사회 경찰활동의 구성요소로 보는 것이 아니라, 지역사회 경찰활동(Community Policing)과 같은 의미라고 보는 견해도 있다.

지역사회 경찰활동은 ① 지역중심적 경찰활동(COP ; Community Oriented Policing), ② 전략지향적 경찰활동(SOP ; Strategic Oriented Policing), ③ 이웃지향적 경찰활동(NOP ; Neighborhood Oriented Policing), ④ 문제지향적 경찰활동(POP ; Problem Oriented Policing)등을 그 구성요소로 한다. [2020 채용1차]

[2023 채용1차] 지역사회 경찰활동(COP)의 프로그램으로는 전략지향적 경찰활동(Strategy Oriented Policing : SOP), 이웃지향적 경찰활동(Neighborhood Oriented Policing : NOP) 등이 있다. (○)

요소	내용
지역중심 COP [2024 채용 1차]	• 지역사회에서의 전반적인 삶의 질 향상을 목표로, 지역사회와 경찰 사이의 새로운 관계를 증진시키는 조직적인 전략원리를 말한다. • 경찰과 지역사회가 범죄와 범죄에 대한 두려움, 무질서, 전반적인 지역의 타락과 같은 문제들을 확인하고 우선순위를 정하여 해결하고자 함께 노력해야 한다는 것을 말한다. [2022 승진(실무종합)] 지역중심 경찰활동(community-oriented policing)은 경찰이 지역사회 구성원과 함께 지역이 당면한 문제를 확인하고 우선순위를 정하여 해결하고자 노력하는 것을 의미한다. (○)
전략지향 SOP [2024 채용 1차]	**전략지향적 경찰활동**은 확인된 문제에 대한 전략적 대응을 위해 경찰자원을 재분배하고, 전통적인 경찰활동과 절차를 통해 범죄적 요소나 사회무질서의 원인을 효과적으로 제거하는 경찰활동을 말한다. 예 특별수사대, 전문수사반
이웃지향 NOP	• **이웃지향적 경찰활동**은 지역사회경찰활동을 위하여 경찰과 주민의 의사소통라인을 개설하려는 모든 프로그램을 말한다. 예 경찰·지역주민 조기축구회, 지역사회 내 소규모 경찰서, 경찰관의 관할구역 내로의 이주 [2024 채용 1차] • 지역조직은 경찰관에게서 중요한 역할을 부여받으며, 서로를 위해 감시하고 공식적인 민간순찰을 실시한다. • 지역조직은 거주자들에게 지역에 관한 정보를 제공하며 경찰과 협동하여 범죄를 억제하는 기능을 수행해야 한다. [2024 채용 1차] 문제지향적 경찰활동은 지역조직은 거주자들에게 지역에 관한 정보를 제공하며 경찰과 협동하여 범죄를 억제하는 기능을 수행한다. (×)
문제지향 POP [2022 채용2차]	• **문제지향적 경찰활동**은, 지역사회 내에서 무엇이 범죄나 무질서의 원인인지 파악하고, 그 문제를 해결하기 위해 지역사회와 협력하는 것이 필요하다는 것으로서, 형법의 사용은 문제에 대응하기 위한 하나의 수단에 불과하다는 것이다. ➡ 이러한 맥락에서 문제지향적 경찰활동은 지역사회 경찰활동과 병행되어 실시될 것이 요구된다. [2022 승진(실무종합)] 지역중심 경찰활동과 문제지향적 경찰활동(problem-oriented policing)은 병행되어 실시될 때 효과성이 제고된다. (○) [2022 승진(실무종합)] 문제지향적 경찰활동은 지역문제들에 대한 효과적인 대응 전략들을 고려하면서, 필요시에는 경찰과 지역사회의 협력 전략에 보다 높은 가치를 부여한다. (○) • 일선 경찰관에 대한 문제해결 권한과 필요한 시간을 부여하고 범죄 분석 자료를 제공해야 한다고 본다. • **골드스타인(Goldstein)**: "경찰은 사건 지향적이기보다는 오히려 문제지향적이어야 한다." ➡ 유사사건이 반복됨에도, 경찰은 특정 사건의 해결에만 중점을 두는 것을 비판하며 이런 사건들을 야기시키는 근본적 문제를 해결해야 한다고 한다.

* POP에 따른 문제해결과정 [2017 실무 2]

- 에크와 스펠만(Eck & Spelman)은 구체적인 문제해결과정으로 조사 ➡ 분석 ➡ 대응 ➡ 평가로 이루어지는 SARA모델을 제시하였다.

조사 (Scanning)	문제라고 생각되는 사건을 분류하고 조사하는 과정을 말한다. 예 1942년 건설된 B아파트단지는 높은 범죄율로 도시최악의 주택단지로 인식되고 있었다.
분석 (Analysis)	문제의 원인과 범위, 예상대응방안 및 효과를 파악하는 단계를 말한다. 예 파견 경찰관의 주민 인터뷰 및 현장조사 결과, B단지는 주거침입절도가 가장 심각했고, 노후화와 관리 부재로 물리적 보안장치가 작동하지 않는 경우도 많았다.
대응 (Response)	문제를 해결하기 위해 행동을 취하는 단계를 말한다. 예 경찰은 시 관계자들과 함께 우선 청소를 실시하고, 버려진 자동차나 쓰레기들을 수거하였다. 아울러 도시개발국과 연계하여 소유주들에게 유지보수를 위한 대출이 이루어 질 수 있도록 하였다.
평가 (Assessment)	대응이 적절하였는지 평가하는 단계를 말한다. 예 B아파트단지의 생활조건이 현저하게 개선되었고, 주거침입절도가 35% 이상 감소하였다.

[2012 실무 2] 지역사회 경찰활동을 위해서 지역사회의 문제에 대한 정확한 분석이 선행되어야 한다. (○)
[2021 경간] [2022 승진(실무종합)] 무관용 경찰활동(zero tolerance policing)은 지역사회 문제해결을 위해 SARA모형이 강조되는데, 이 모형은 조사(Scanning) - 분석(Analysis) - 대응(Response) - 평가(Assessment)로 진행된다. (×)

[2020 채용2차] '거주자들에게 지역에 관한 정보를 제공하며, 주민들은 민간순찰을 실시한다.'는 것은 문제지향 경찰활동에 대한 설명이다. (×)

주제 4 범죄피해자

01 범죄피해자학 개설

1. 의의

- 범죄피해자학이란 범죄의 피해를 받거나 받을 위험이 있는 자에 대하여 그 생물학적·사회학적 특성을 과학적으로 연구하고 이를 기초로 범죄에 있어서 피해자의 역할, 형사사법에 있어서 피해자보호 등을 연구대상으로 하는 학문을 말한다.
- 범죄자의 권리보호에 못지 않게 중요한 것이 형사사법을 통한 피해자의 보호라는 점에서 논의되기 시작하였다.

2. 주요학자

학자	주요내용
가로팔로 (Garafalo, 1914)	범죄피해자가 다른 사람으로 하여금 공격을 유발시킬 수도 있다고 언급하였다.
헨티히 (Hentig, 1948)	• 피해자학을 체계적인 학문의 단계로 끌어올렸다. • 피해자의 문제를 범죄학의 하나의 측면이라고 생각하여 "피해자의 존재가 범죄학을 만든다."라고 하였다.

| 멘델존
(Mendelshon, 1956) | • 피해자학이라는 단어를 만들어 학문적 체계를 세웠다.
• "피해자학은 범죄학의 일부가 아니라 범죄학과 병립하는 과학이다. 그것은 범죄학의 반대 면을 말한다. 범죄학은 범죄자를 추구하고, 피해자학은 범죄자에 대립하는 피해자를 대상으로 한다. 양자는 인접과학이지만 서로 명확한 한계를 가지고 분리된다. 양자 모두 독자의 과학이다." |

02 멘델존의 범죄피해자 분류

피해자의 유형	내용
완전히 책임 없는 피해자	피해자에게는 전혀 책임이 없는, 가해자의 일방행위에 따른 피해자를 말하며, 이상적인 피해자라고도 한다. 예 영아살해에 있어서의 영아, 유아나 아동유괴에 있어서 유괴당한 자
책임이 조금 있는 피해자	가해자의 책임이 크지만 피해자에게도 얼마간의 잘못이 있는 경우의 피해자를 말한다. 예컨대 흉악범 피해자에 대해 왜 피해를 당했는가를 물으면 가해자가 자신을 눈여겨보게 된 이유에 대해 집히는 데가 있다고 대답한 예가 적지 않다. 예 무지에 의한 낙태여성
가해자와 같은 정도의 책임이 있는 피해자	가해자와 피해자의 책임이 동등한 경우의 피해자를 말한다. 예 촉탁살인에 의한 피살자, 어느 쪽이 시작했는지 알 수 없는 상태에서 싸움
가해자보다 더 책임이 있는 피해자	자신의 행위에 의해 가해자에게 가해를 유발하는 피해자 및 자제심의 결여 때문에 사고가 일어나는 부주의에 의한 피해자를 말한다. 이 경우 비난받아야 하는 것은 가해자가 아니라 피해자라고 하였다. 예 호객꾼으로 가장하고 접근하여 공갈·협박을 하다 화가 난 상대의 반격으로 피해를 입은 자, 자신의 부주의로 인한 피해자, 부모에게 살해된 패륜아
가장 책임이 높은 피해자	공격을 가한 자신이 피해자가 되는 가해적 피해자 예 망상적 피해자, 위법한 공격을 감행하여 정당방위에 의해 상해·사망에 이른 범인

[2024 채용 1차] 멘델존(Mendelsohn)의 피해자 유형 분류 중 가해자와 같은 정도의 책임이 있는 피해자에 해당하는 사례로 동반자살 피해자, 부모에게 살해된 패륜아, 자살미수 피해자, 촉탁살인에 의한 피살자 등이 있다. (×)

police.Hackers.com

해커스경찰
police.Hackers.com

제3편

경찰행정학

제1장 / 경찰관리

주제 1 경찰관리의 기초

01 경찰관리

1. 경찰관리의 의미

경찰관리란 경찰목적을 달성하기 위하여 경찰조직을 구성하고 있는 요소인 인력·장비·시설·예산 등을 확보하고 이들을 유기적으로 연결하여 경찰전체의 활동을 효율적으로 운영하는 작용이다.

2. 경찰관리자

- **경찰관리자**: 경찰조직의 목적달성을 위해 인적·물적 자원을 활용하여 업무를 추진해 나가는 자로서 ① 고위관리자와 ② 중간관리자로 구분할 수 있다.
- **고위관리자**: 통상 총경 이상급의 간부를 말하며, 이들은 조직 비전의 제시, 부서간 경찰활동 조정 및 통합, 부하직원의 양상, 직원의 사기관리나 생활지도 등의 역할을 수행한다. 이러한 고위관리자에게는 정책결정 능력이 중요한 자질로 요구된다.
- **중간관리자**: 통상 경정·경감급의 간부를 말하며, 이들은 고위관리자를 보좌, 상·하위 계급간 커뮤니케이션, 부하직원 업무 지휘·감독 등의 역할을 수행한다. 이러한 중간관리자에게는 전문적인 지식과 기술, 그리고 부하직원에 대한 지도력이 중요한 자질로 요구된다.

02 경찰기획

- **기획**이란 장기적·포괄적·절차적 관점에서 계획을 세워가는 절차와 과정을 말한다.
- **계획**이란 단기적·구체적·최종적 관점에서 활동목표와 수단이 문서로서 체계화된 것으로서 기획활동 과정을 거쳐서 나온 최종 산출물을 말한다.

01 경찰조직 개설

1. 경찰조직의 의의

경찰조직이란 소속 구성원이나 개별 집단에 분화된 역할을 부여하고, 그들의 활동을 통합·조정함으로써 경찰목적을 달성하는 전체적인 유기체로서의 집단을 말한다.

2. 경찰조직에 관한 기본법

> **경찰법 제1조【목적】** 이 법은 경찰의 민주적인 관리·운영과 효율적인 임무수행을 위하여 경찰의 기본조직 및 직무 범위와 그 밖에 필요한 사항을 규정함을 목적으로 한다.

경찰조직에 관한 기본법인 경찰법인 경찰조직의 기본이념으로 민주성과 효율성을 제시하고 있다.

■ **민주성·효율성 확보방안**
- **민주성 확보방안**: 경찰위원회제도, 자치경찰제
- **효율성 확보방안**: 경찰관청의 독임제, 국가경찰제도, 성과급제도

02 경찰조직 편성원리

1. 계층제 원리

(1) 의의 [2019 승진(경위)] [2022 채용1차]

- **계층제 원리**(Hierarchy)란 권한과 책임의 정도에 따라 직무를 등급화하여 상·하 계층간에 직무상 지휘·감독관계 및 명령·복종관계를 형성하는 것을 말한다.
  예 대통령 ➡ 행정안전부장관 ➡ 경찰청장 ➡ 국장 ➡ 과장
- 계층제 원리에 따르면 상위로 갈수록 권한과 책임, 업무의 난이도가 상승한다.
  [2018 채용3차]
  [2012 채용2차] 계층제의 원리는 조직구성을 각자가 맡은 임무의 기능 및 성질상의 차이로 구분하여 보수를 달리하는 통제체계의 수립을 위한 것이다. (×)
  [2016 승진(경감)] 계층제의 원리란 조직목적수행을 위한 구성원의 임무를 책임과 난이도에 따라 상위로 갈수록 권한과 책임이 무거운 임무를 수행하도록 편성하는 것이다. (○)

(2) 계층제의 장·단점

장점	단점
• 지휘·명령과 승인·보고와 같은 **의사소통의 통로가 명확**하다.	• 계층제가 심화되는 경우 **조직의 경직화**를 가져온다. 예 유동성·융통성 있는 인간관계 저해, 환경변화에 신축적 대응력 저하, 새로운 지식·기술의 신속한 도입 곤란, 기관장의 독단화
• 지휘·감독을 통한 **조직의 질서와 통일**을 확보하기 용이하다. ➡ 통일성·안정감·일체감 확보 [2018 경간]	
• 권한위임 및 상하간 권한배분의 기준 및 경로가 분명하여, **권한남용의 방지**나 감독이 용이하다.	• 계층의 수가 많을수록 **관리비용이 증가**되고 업무처리과정이 지연되며, **계층간 갈등발생** 가능성이 높아진다.
• 행정목표의 설정과 업무의 적정배분을 위한 기준이 비교적 **명확**하다. ➡ 책임소재 명확	• 계층의 수가 많을수록 **의사전달이 지연**되거나 **왜곡**될 가능성이 높아지고, 하위계층의 의사가 상부로 **전달되기 힘**들어진다. ➡ 하의상달 곤란

• 조직 내 갈등·대립 발생시 그 **해결·조정**이 용이하다. • **신속하고 능률적 업무수행**이 가능하다. 　➡ 명령과 지시를 일사불란한 수행 • 계층을 따라 의사결정이 이루어지는 과정에서 **업무처리의 신중성**을 기할 수 있다. [2020 승진(경감)] • 경찰승진의 경로가 되어 **사기진작**에 도움이 된다.	• 계층제가 조직의 직무수행을 위한 체계가 아닌 **인간을 지배하는 수단**으로 변질될 수 있다. • 조직간 갈등으로 **조직할거주의가 초래**될 수 있다. • 계층제 의존이 심화되어 비민주적·비인간적 조직이 되는 경우 구성원의 **창의성 있는 업무수행이 곤란**해진다. • 계층제의 권위와 자율성이 강한 **전문가** 사이에 갈등이 초래될 수 있다.

[2016 경간] 계층제의 원리는 '경찰업무처리의 신중성'이라는 측면에서 문제점이 제기된다. (×)
[2017 실무 1] 계층이 많아질수록 의사소통과 업무처리시간에 효율을 기할 수 있다. (×)
[2020 지능범죄] 계층제의 원리는 구성원의 임무를 책임과 난이도에 따라 상하로 나누어 배치하여 조직의 일체감, 통일성을 유지하므로 조직의 환경변화에 신축적으로 대응하기 용이하다. (×)
[2023 채용1차] 계층제는 조직의 경직화를 초래하여 환경변화에 대한 조직의 신축적 대응을 어렵게 한다. (○)

2. 통솔범위 원리

(1) 의의 [2012 채용1차] [2014 승진(경감)] [2022 채용1차] [2023 채용1차]

통솔범위의 원리란 한 사람(1人)의 상관이 직접 통솔할 수 있는 부하의 합리적인 수가 어느 정도인가에 대한 원리를 말하며, 이는 최근 부각되는 **구조조정의 문제**와 관련이 깊다. ➡ 관리자의 통솔범위로 적정한 부하의 수는 몇 명 정도인가? [2012 승진(경감)]

[2020 승진(경감)] [2022 경간] 통솔범위의 원리는 직무를 책임과 난이도에 따라 상하로 나누어 배치하고 상하계층간에 명령복종관계를 적용하는 조직편성원리로 상위로 갈수록 권한과 책임이 무거운 임무를 수행한다는 원리이다. (×)
[2016 승진(경감)] 통솔범위의 원리란 조직의 구성원간의 지시나 보고를 주고받는 과정에서 지시는 한 사람만이 수 있고, 보고도 한 사람에게만 하여야 한다는 원칙을 말한다. (×)
[2018 경간] 구조조정의 문제와 깊은 관련성이 있는 것은 통솔범위의 원리이다. (○)
[2023 승진(실무종합)] 통솔범위의 원리는 관리자의 능률적인 감독을 위해서는 통솔하는 대상의 범위를 적정하게 제한하여야 한다는 것으로 관리의 효율성을 좌우하는 중요한 원리이다. (○)

(2) 통솔범위의 결정요인 [2019 승진(경위)]

업무의 성격	• 업무의 종류가 동질적이고 단순할수록 통솔범위는 넓어진다. • 업무의 종류가 전문적·창의적이고 복잡할수록 통솔범위는 좁아진다.
공간상 거리	하부조직 및 인원이 동일한 장소(건물)에 존재하는 경우 통솔범위는 넓어진다.
교통·정보통신	• 교통기관이 발달할수록 통솔범위는 넓어진다. • 정보통신기술의 발달로 의사전달이 원활할수록 통솔범위는 넓어진다.
유능성	통솔자(관리자)나 피통솔자(부하)가 유능하고 경험이 많을수록 통솔범위는 넓어진다.
조직크기	조직규모가 작을수록 통솔범위는 넓어진다. ➡ 조직규모가 작으면 비공식적 접촉경로가 많아지기 때문이다(조직규모와 통솔범위는 반비례 관계) [2012 채용2차]
계층의 수	계층의 수가 적을수록 통솔범위는 넓어진다. ➡ 계층수와 통솔범위는 반비례 관계

💡 어차피 효율적으로 통솔도 안 되는 부하들을 왜 이렇게 많이 두고 있지? 정리(구조조정)가 필요하다!

조직안정성	역사와 전통이 있는 안정된 기성조직일수록 통솔범위는 넓어진다.
위기상황	정상적인 상황에 비하여, 위기상황에서는 통솔범위가 넓어진다.

[2017 실무 1] 부하의 능력과 의욕, 경험 등의 수준이 높아질수록 관리자의 통솔범위는 축소된다고 할 수 있다. (×)

[2018 채용3차] 신설조직보다 기성조직에서, 단순반복 업무보다 전문적 사무를 담당하는 조직에서 상관이 많은 부하직원을 통솔할 수 있다. (×)

[2020 지능범죄] 통솔범위의 원리에 의하면 통솔범위는 부하직원의 능력이 높을수록, 신설부서일수록, 근접한 부서일수록, 단순 업무일수록, 계층의 수가 적을수록 넓어진다. (×)

[2022 경간] 통솔범위의 원리에서 조직의 역사, 교통통신의 발달, 관리자의 리더십(Leadership), 부하의 능력 등은 통솔범위의 중요 요소이다. (○)

(3) 통솔범위에 따른 조직의 모습 – 피라미드형 조직

- 모든 조직은 상관보다는 부하의 수가 많으므로, 경찰은 물론 다른 공공기관 조직표는 사다리 모양보다는 피라미드 모양을 가지는 경우가 많다.
- 피라미드의 높이는 직위 및 계급제도에 따라 아래로 향한 권한에 따른 책임의 산물이다. 그리고 바닥의 넓이는 통솔범위의 산물이다.

💡 **경찰공무원 정원(2020)**

치안총감	1
치안정감	6
치안감	27
경무관	65
총경	551
경정	2,794
경감	9,596
경위	15,631
경사	25,742
경장	32,160
순경	39,654
계	126,227

➔ 실제로는 피라미드형이라기 보다는 압정형이라고 보기도 한다.

3. 명령통일 원리

(1) 의의 [2015 채용2차] [2018 승진(경감)] [2022 경간] [2022 채용1차] [2023 채용1차]

- **명령통일의 원리**란 조직구성원 누구나 한 사람의 상관에게 보고하며, 한 사람의 상관으로부터 명령·지시를 받아야 한다는 원리이다. [2020 승진(경감)]
- 상관의 신속한 결단과 결단내용의 지시가 한 사람에게 통합·집중되어야 한다는 것이다.

[2014 승진(경감)] 명령통일의 원리란 조직목적수행을 위한 구성원의 임무를 책임과 난이도에 따라 상하로 나누어 배치하는 것을 말한다. (×)

[2023 승진(실무종합)] 조직의 집단적 노력을 질서있게 배열하는 과정으로 개별적인 활동을 전체적인 관점에서 통일하여 조직의 목표달성도를 높이려는 조직편성의 원리를 명령통일의 원리라고 한다. (×)

(2) 필요성

- **업무의 신속성·능률성 확보**: 복수의 상관으로부터 지시·명령을 받는 경우 모순된 지시 등으로 업무수행의 혼선과 비능률이 발생할 가능성이 있는데, 명령통일의 원리는 이러한 문제점을 방어하는 기능을 한다. ➔ 조직 내 혼란방지와 질서유지, 조직의 안정성 확보 [2012 채용2차] [2012 승진(경감)] [2018 승진(경감)]
- **책임한계의 명확화**: 잘못된 업무지시나 수행에 대한 책임소재를 명확히 할 수 있다.

(3) 문제점

- 명령통일 원리의 무리한 적용은 행정능률과 횡적 조정을 저해한다.
- 조직의 분권화와 권한위임을 저해하고, 업무의 상호연관성이 높은 상황에서는 오히려 비능률을 초래한다.
- 명령·지시를 할 상관이 부재하는 경우 모든 관련 업무가 마비될 수 있다. ➔ **대행체제 마련 필요**: 관리자 공백 등을 대비하여 대리 또는 대행자(유고관리자 사전지정)를 미리 지정해 두거나, **권한의 위임**을 통해 통솔범위의 한계를 재조정하는 등으로 문제점을 완화시킬 수 있다. [2012 승진(경감)] [2017 실무 1] [2018 채용3차] [2018 승진(경감)] [2020 승진(경감)]

[2023 승진(실무종합)] 계층제의 원리는 관리자의 공백 등을 대비하여 대리, 위임, 유고관리자 사전지정 등이 필요하다. (×)

[2019 승진(경위)] 명령통일의 원리 – 조직의 집단적 노력을 질서 있게 배열하는 과정으로서 개별적인 활동을 전체적인 관점에서 통일하여 조직의 목표달성도를 높이려는 원리로, 관리자의 공백 등을 대비하여 대리, 위임, 유고관리자 사전지정 등이 필요하다. (×)

▌**횡적 조정**
상호의존성 있는 부서간 또는 동료간의 업무조정을 말한다.

4. 분업화 · 전문화 원리

(1) 의의 [2014 승진(경감)] [2016 경간] [2016 승진(경감)] [2024 채용 1차]

- **분업화 · 전문화의 원리**란 조직의 종류와 기능 및 성질, 업무의 전문화 정도에 따라 기관별 · 개인별로 업무를 분담시키는 원리를 말한다. 예 계선, 참모, 그리고 보조기능의 분리는 관료적 조직 내에서 전문화의 대표적인 예
- 개인이 습득할 수 있는 지식 · 기술에는 한계가 있어, 특정 분야에 대한 전문화가 필요하다. [2012 채용2차]
- 경찰의 분업방법에는 종적 분업(수직적 분업)과 횡적 분업(수평적 분업)이 있다. 예 경과제도

(2) 순기능

- 조직목표의 능률적 달성, 시간 · 비용 절약, 신속성 향상을 통해 행정의 능률화를 기대할 수 있다.
- 분업화가 될수록 업무습득에 필요한 교육시간이 단축되어 교육의 효율화를 기대할 수 있다.

(3) 역기능

- **조직할거주의**: 지나치게 고도화된 분업화는 업무의 조정과 통합을 어렵게 해 조직할거주의를 초래할 수 있다. → 조정과 통합의 원리를 통하여 해결해야 하며, 전문화의 수준만큼 조정을 해주어야 하므로 전문화와 조정은 비례관계이다.
- **전문가적 무능현상**: 지나친 전문화는 과도한 경쟁을 초래하고, 비밀을 증가시키고, 경찰기관 내부에 더 많은 부패를 불러일으킬 수 있다.
- **소외현상 초래**: 구성원의 부품화(소외감)를 초래할 수 있고, 업무에 대한 흥미 상실을 가져온다. 또한 자기 분야는 잘 알지만 시야가 좁아지고 경찰문제를 전체적으로 보는 넓은 통찰력을 약화시킨다. [2018 경간]

[2022 채용1차] '할거주의'는 타기관 및 타부처에 대한 횡적인 조정과 협조를 용이하게 만드는 대표적인 요인으로 조정 통합의 원리에 필수적인 요소이다. (×)

(4) 역기능의 보완 – 전문가 경계법칙

전문가들은 경찰기관의 종합적인 목표와 다른 전문가들의 업무를 알 수 없기 때문에, 조직의 지도자나 기관장으로 임명해서는 안 되고 보조적 기능만을 수행해야 한다.

5. 조정과 통합의 원리

> 무니(J.Money) [2012 승진(경감)] [2018 경간] [2022 경간] [2023 승진(실무종합)]
> "조정과 통합의 원리는 조직의 제1의 원리이며 가장 최종적인 원리이다."

(1) 의의 [2012 승진(경위)] [2014 승진(경감)] [2016 경간] [2016 승진(경감)]

- **조정과 통합의 원리**란 조직의 공통목적 달성을 위해 조직체 각 부분 및 구성원 간 협동의 통일이 이루어지도록 집단적 노력을 질서정연하게 배열 · 결합하는 과정에 적용되어야 하는 원리로서 구성원이나 단위기관의 활동을 전체적인 관점에서 통일하여 조직을 목표달성도를 높이려는 원리를 말한다.

계선(Line)조직

계선조직이란 상명하복관계를 가진 수직적 · 계층적 구조의 계열을 형성하는 조직을 말하며, 이러한 계선조직의 운영 · 활동 · 권한의 면을 계선이라고 한다. 예 국장 ➜ 과장 ➜ 계장 ➜ 계원

참모(Staff)조직

계선조직을 위하여 정책목표에 관한 자문 · 권고 · 건의를 행하며, 또한 협의 · 정보판단 · 조사 등을 통해 조직목표를 효율적으로 달성하도록 도와주는 조직을 말한다. 막료조직이라고도 한다.

- 조직 내에서 발생하는 여러 갈등을 해결할 수 있는 원리로서, 관리자의 리더십을 강화하거나 위원회제도 등을 활용하여 조직단위의 권한과 책임의 한계를 명확히 하는 것이 이 원리에 따른 기본적인 갈등해결의 방침이 된다. [2017 실무 1]

(2) 갈등의 발생과 해결

1) 갈등

- 갈등은 조직 내에 문제가 있음을 알리는 중요한 신호이므로, '건설적 갈등'의 긍정적 기능을 인식하여 갈등을 회피하지 않도록 해야 한다.
- 갈등을 억누르는 것만이 최선의 방안이 아니라, 갈등의 원인을 파악하여 조직의 문제점을 해결하는 기제로 활용하여야 한다는 것이 현대적 갈등이론이다.
  ➜ 갈등의 순기능적 측면 중시!

2) 갈등의 원인

- 업무의 과다한 분업화(전문화)와 분업화로 인한 의사소통의 단절(할거주의), 계층제의 경직성 등은 갈등의 원인이 될 수 있다.
- 인적 자원에 대한 경쟁, 지위나 신분이동의 불공정성 등도 갈등의 원인이 될 수 있다.

[2023 채용1차] 할거주의는 조정과 통합의 원리를 실현시키는 필수적 요소이다. (×)
[2020 지능범죄] 분업의 원리는 구성원의 부품화, 반복업무에 따른 흥미상실, 비밀증가 등 지나친 전문화로 인하여 문제가 발생할 경우, 조정의 원리 등의 적용을 통하여 해결할 수 있다. (○)

3) 갈등의 해결방안

단기적 해결방안	• 교섭과 협상을 통해 갈등의 원인을 근원적으로 해결하거나 문제해결이 어려울 경우에는 갈등을 완화하고 양자 간의 타협을 도출하거나, 갈등을 초래할 수 있는 결정을 보류 또는 회피하는 것도 좋은 방법이 될 수 있다. [2017 경간] [2019 승진(경위)] • 한정된 인력이나 예산에서 갈등이 발생하면 더 높은 상위목표를 위해 서로 이해하고 양보하도록 하거나, 업무의 우선순위를 정하도록 한다. [2021 승진(실무종합)] • 갈등의 원인이 세분화된 업무처리에 있다면 업무의 통합 또는 연결장치나 대화채널의 확보가 요구된다.
장기적 해결방안	• 조직의 구조, 보상체계, 인사 등의 문제점을 조직 제도개선을 통해 해결 • 조직원들을 협력적이고 합리적인 태도로 변화시키는 조직원 행태개선을 통해 해결

[2017 경간] [2020 지능범죄] 갈등의 원인이 세분화된 업무처리에 있다면, 이를 더 전문화시키는데 힘써야 한다. (×)
[2019 승진(경감)] 갈등의 원인이 세분화된 업무처리에 있다면 업무추진의 우선순위를 정해주는 것이 바람직하고 한정된 인력이나 예산으로 갈등이 생기는 경우 전체적인 업무처리과정의 조정과 통합이 바람직하다. (×)
[2017 승진(경위)] [2018 채용3차] 조직의 구조, 보상체계, 인사 등의 제도개선과 조직원의 행태를 합리적으로 개선하는 것은 갈등의 단기적인 대응방안이다. (×)
[2017 경간] 갈등해결 방안으로는 강제적·공리적·규범적 방안이 있을 수 있는 바, '상위목표의 제시'는 규범적 방안, '처벌과 제재'는 강제적 방안의 하나이다. (○)

03 조직관리 모형: 관료제

1. 전통적 조직관리 모형: 관료제

(1) 관료제의 의의

- 계층제적 형태를 가진 대규모의 복잡한 조직을 관료제라 하며, 경찰조직이나 군대조직이 대표적으로 관료제 형태를 갖고 있는 조직이다.
- 막스 베버(Max Weber)에 의해 자본주의적 합리성에 기초한 조직원리로서 정립된 개념으로, 막스 베버는 계층제적 측면을 가장 중시하였다.

(2) 관료제의 특징

> 막스 베버(Max Weber)
> "관료들은 권위, 직위 그리고 계급에 근거를 둔 계층제의 명령에 따라 조직되어야 하고 엄격한 규칙의 지배를 받아야 한다."

- **계층제적 조직구조**: 직무의 분할·할당이 계층제적 조직구조하에 배치된다. 예 국 ➡ 과 ➡ 계 ➡ 반
- **법규의 지배**: 관료의 권한과 직무범위는 법규에 의해 규정된다.
- **문서주의**: 직무의 수행은 문서에 의해서 이루어지며 기록은 장기간 보존된다.
- **인정의 배제**: 관료는 직무수행 과정에서 애정이나 증오 등의 개인의 감정에 의하지 않고 법규에 따라 임무를 수행한다. ➡ 공사의 구별, 공정하고 객관적인 처리, 개인의 감정 배제
- **분업과 전문화**: 모든 직무는 전문지식과 기술을 지닌 관료가 담당하며, 이들은 시험 또는 자격증 등에 의해 공개적으로 채용된다. 또한 직원의 능력은 계속되는 훈련을 통하여 유지되고 관료직을 '생애의 직업'으로 여기고 전념한다.
- **전임제 관료**: 전임제 관료는 직무수행의 대가로 급료를 정기적으로 받고, 승진 및 퇴직금 등의 직업적 보상을 받는다.
- **고용계약**: 관료제에서 고용관계는 전통적인 신분관계가 아닌, 평등한 관계에서 체결된 자유계약관계이다.

[2020 승진(경위)] 관료의 권한과 직무범위는 법규와 관례에 의해 규정된다. (×)

2. 새로운 조직관리 모형: 목표관리제(MBO)

- **목표관리제**(MBO ; Management By Objective)는 참여의 과정을 통해 조직단위와 구성원들의 목표를 명확하고 체계적으로 설정하고 그에 따라 활동을 수행하도록 하며, 활동결과를 평가·환류시켜 조직의 생산성과 효율성을 향상시키는 조직관리체제이다.
- 맥그리거의 X-Y이론 중 Y이론의 관점에 기반을 두고 있다.

▌ **맥그리거(McGregor)의 X-Y이론**
- 인간을 동기부여 관점에서 분류한 이론이다.
- **X이론**: 인간은 본래 게으르고 수동적이다. 경영자는 엄격한 감독, 상세한 명령으로 통제를 강화하고 권위적으로 관리해야 한다.
- **Y이론**: 인간은 본래 자율적이고 능동적이다. 경영자는 자율적·창의적·민주적으로 관리해야 한다.

주제 3 경찰인사관리

01 인사관리 개관

1. 경찰인사관리의 의의

경찰인사관리라 함은 경찰조직의 목적을 달성하기 위하여 자질이 있는 경찰인력을 채용하고, 채용한 경찰인력을 공정하고 효율적으로 운용하는 경찰관의 모집·선발·교육훈련·보수·승진·퇴직관리 및 복지 등의 동태적 관리활동을 말한다.

2. 여러 가지 인사제도

(1) 족벌주의(族閥主義, Nepotism)

- 국왕이나 귀족과 같은 특권계층이 자신들의 친인척이나 파벌을 공직에 임명하는 인사제도를 말한다. 예 과거 전제군주제하의 공직임명
- 인사권자와의 개인적 관계를 기준으로 공직에 임명하는 **정실주의**(情實主義, Patronage System)와 유사한 개념이다.

(2) 엽관주의(獵官主義, Spoils System)

> 앤드류 잭슨(A. Jackson, 1829, 미국 제3대 대통령)
> "엽관제는 상류층에게 독점되었던 공직을 민중에게 해방시키는 것이다."

- **엽관**이란 관(官), 즉 공직을 사냥(獵)한다는 의미이다.
- 엽관주의는 현재의 시각에서는 이해하기 어려운 측면도 있으나, 국민의 뜻에 따라 선거에서 승리한 정당이 공직을 배분한다는 점에서 민주적인 측면이 있고 기존의 족벌주의에 비해서는 훨씬 발전된 제도라는 평가가 존재한다.

1) 의의

- 능력·자격·실적보다는 충성심이나 당파성을 기준으로 공직에 임명하는 제도로서 선거에서 승리한 정당이 모든 관직을 전리품과 같이 획득하게 된다.
- 모든 행정은 평범한 상식과 이해력이 있는 사람이면 누구나 수행할 수 있다는 것을 전제하고 있다.
- 공직에의 임명이 능력과 실적이 아닌 다른 요인에 의해 행하여졌다는 점에서는 족벌주의 내지 정실주의와 크게 다를 바 없다.

2) 엽관제의 장단점

장점	단점
• 국민의 지지에 따라 정부가 구성되므로, 정책추진의 탄력을 받을 수 있고 의회와 행정부의 공조가 원활해진다. • 관료들의 적극적인 충성심을 유도하여, 관료들에 대한 정치가들의 통제력을 높여준다. • 관료의 특권화(관료주의화)와 공직사회의 침체를 방지한다.	• 행정의 비능률성·비전문성을 초래하고, 복잡한 현대사회에의 전문행정가 필요 요청에 부응하지 못한다. • 행정의 계속성·안정성·일관성이 훼손될 수 있다. • 정당원만이 공무원에 임용되므로 기회균등의 원리에 위배된다. • 신분보장 미흡으로 인해 공무원의 사기저하를 불러온다. • 인사의 기준이 객관적이지 않으므로 인사의 공정성이 약해지고 인사부패가 발생하기 쉽다.

- 불필요한 관직이 신설되어 예산의 낭비를 초래하기 쉽다(**파킨슨 법칙**).

[2024 승진] 엽관주의는 정치지도자의 국정 지도력을 강화함으로써 공공정책의 실현을 용이하게 해준다. (○)
[2024 승진] 엽관주의는 행정의 안정성과 지속성을 확보하기 어렵다. (○)

(3) 실적주의(實績主義, Merit System)

1) 의의

- 능력 · 자격 · 실적을 기준으로 공직에 임명하는 제도를 말하며, 정권교체와 관계없이 공무원이 행정사무에 전념할 수 있도록 함으로써 공무원의 신분보장과 정치적 중립을 핵심으로 하는 직업공무원제도의 기반이 되는 제도이다.
- 미국의 경우 1883년 **펜들턴 법**(Pendleton Act), 영국의 경우 1870년 추밀원령에 의해 실적주의가 등장하게 되었다.
- 공무원의 정치적 중립과 신분보장, 공개경쟁제도에 의한 채용, 공직에의 기회균등(모든 국민에게 공직 개방)을 주된 내용으로 한다.

[2020 채용1차] 실적주의는 직업공무원제로 발전되어 가는 기반이 되지만, 실적주의가 바로 직업공무원 제도를 의미하는 것은 아니다. (○)
[2024 승진] 잭슨(Jackson) 대통령이 암살당한 사건은 미국에서 실적주의 도입의 배경이 되었다. (×)

■ 가필드(Garfield) 대통령 암살사건 (1881)
- 가필드 대통령은 엽관주의의 신봉자였고, 가필드 대통령을 지지하던 여러 세력들도 가필드 대통령의 당선과 함께 주요 공직을 차지할 수 있을 것이라 기대하였다.
- 그러나, 대선에서 가필드를 물심양면으로 지원하였던 콩클링 가문은, 가필드 당선 후에 원하던 프랑스 대사 자리를 얻지 못하자, '기토'라는 자를 사주하여 가필드 대통령을 암살하였다.
- 이 사건으로 엽관제의 폐해가 드러나, 정치와 행정을 분리하는 펜들턴 법((Pendleton Civil Service Reform Act)이 1883년 제정되어 실적주의가 차츰 자리잡게 되었다.

2) 실적주의의 장단점

장점	단점
• 능력 · 자격 · 실적을 기준으로 공개채용을 통해 임용하므로 공직기회의 균등을 실현하고 공직사회 부패를 방지할 수 있으며, 행정의 능률성과 전문성도 기대할 수 있다. • 공무원의 정치적 중립이 보장되므로 특정 정치세력이 아닌 국민 전체에 대한 봉사가 가능하다. • 법령에 저촉되지 않는 한 일체의 신분상의 불이익을 받지 않는 신분보장이 이루어지므로 행정의 계속성 · 안정성 · 일관성을 확보할 수 있다.	• 공직채용기준을 능력 · 자격 · 실적으로 한정함에 따라 인사행정이 소극화 · 형식화 · 집권화 될 수 있다. • 관료가 정권에 충성할 필요가 없고 이념을 공유하지 않으므로 정책의 효율적이고 강력한 추진이 어려워 질 수 있다. • 강력한 신분보장으로 인해 공무원 집단이 특권계급화 · 보수화 될 수 있다. • 강력한 신분보장은 국민의 공직사회에 대한 민주적 통제약화를 가져올 수 있다.

[2024 승진] 실적주의는 정치적중립에 집착하여 인사행정을 소극화 · 형식화시켰다. (○)

3) 현대의 엽관주의와 실적주의의 조화 경향

- 20세기 들어와 대두된 적극적 인사행정 혹은 과학적 공무원 관리는 엽관주의의 현실적 필요성도 어느 정도 인정하면서 실적주의를 보다 과학화 · 적극화하는 노력을 통해 양 제도를 상호 보완적으로 운영하자는 것이다. ➡ 반드시 실적주의가 엽관주의보다 우월한 제도라고 단정할 수는 없다(각각의 장 · 단점이 있는 제도이다).
- 우리나라를 비롯하여 현재 대부분 국가의 인사행정 제도는, 엽관주의와 실적주의를 적절히 조화하여 통상 **고위직**은 집권자와 정치적 이념을 공유하는 자를 임명하는 엽관주의를, **중 · 하위직**은 행정의 능률성 · 안정성을 확보하기 위해 능력 · 자격에 따라 임명하는 실적주의를 취하고 있다고 평가된다.

02 직업공무원 제도

> **헌법 제7조** ① 공무원은 국민전체에 대한 봉사자이며, 국민에 대하여 책임을 진다.
> ② 공무원의 신분과 정치적 중립성은 법률이 정하는 바에 의하여 보장된다.
> **국가공무원법 제68조 【의사에 반한 신분 조치】** 공무원은 형의 선고, 징계처분 또는 이 법에서 정하는 사유에 따르지 아니하고는 본인의 의사에 반하여 휴직·강임 또는 면직을 당하지 아니한다.

1. 의의

직업공무원제도란 정권교체에 따른 국가작용의 중단과 혼란을 예방하고 일관성 있는 공무수행의 독자성을 유지하기 위하여 헌법과 법률에 의하여 공무원의 신분과 정치적 중립성이 보장되는 공직구조에 관한 제도이다.

2. 장·단점

(1) 장점

- 공무원의 신분보장과 정치적 중립성이 보장되므로 직업공무원들의 독립성 확보가 용이하고, 정권교체가 있더라도 직업공무원은 그대로 유지되므로 행정의 계속성과 안정성 확보가 용이하다.
- 공직이 일반국민에게 개방되고 직업적 안정성과 적정한 보수·일정한 복지혜택을 제도적으로 보장함으로써 직업으로서 공무원이 매력적으로 평가된다.
- 공공에 봉사하는 국민에 대한 책임을 지는 명예로운 업무를 수행한다는 인식으로 공직이 높은 사회적 평가를 받는다.
- 통상 공직이 평생직장으로 취급되며, 업적과 능력만 있으면 특별한 제한 없이 상위 직급까지 승진할 수 있는 기회가 보장된다.

(2) 단점

- 직업공무원제하의 강력한 신분보장은 공무원의 중대한 잘못이 없는 한 파면이나 해임과 같은 신분박탈효과를 가져오는 징계를 하기 어려워 행정통제 및 행정책임의 확보가 어렵다는 비판이 존재한다.
- 직업공무원으로서 경찰의 경우 최일선의 치안현장에서 범인 검거 및 추격, 시위진압 등 격렬하고 위험한 업무를 수행하는 경찰의 특성상 젊고 신체적·체력적 능력이 우수한 인재를 선발할 필요가 있는데, 이를 위한 연령제한은 공직임용의 기회균등을 제한하는 측면이 있다.

[2020 채용1차] 경찰직업공무원제도는 행정통제 및 행정책임 확보가 용이하다. (×)
[2020 채용1차] 경찰직업공무원제도는 젊은 인재의 채용을 위한 연령제한으로 공직 임용의 기회균등을 저해한다. (○)

💡 순경 공채연령을 30세로 제한하고 있던 경찰공무원임용령 위헌확인 사건에서, 30세 응시연령제한이 합헌이라는 취지의 경찰청장 의견이다.

⚖ **요지판례 ｜**

획일적으로 30세까지는 순경과 소방사 등의 직무수행에 필요한 최소한도의 자격요건을 갖추고, 30세가 넘으면 그러한 자격요건을 상실한다고 보기 어렵다는 점 등에 비추어 보면, 이 사건 심판대상 조항들이 순경 공채시험, 소방사 등 채용시험 등의 응시연령의 상한을 '30세 이하'로 규정하고 있는 것은 합리적이라고 볼 수 없으므로 침해의 최소성 원칙에 위배되어 청구인들의 공무담임권을 침해한다(헌재 2012.5.31, 2010헌마278).
➡ 그렇다고 하여, 순경 공채시험, 소방사 등 채용시험 등에서 응시연령의 상한을 제한하는 것이 전면적으로 허용되지 않는다고 단정하기 어렵고, 경찰 또는 소방공무원의 채용 및 공무수행의 효율성을 도모하여 국민의 생명과 재산을 보호하기 위하여 필요한 최소한도의 제한은 허용되어야 한다.

3. 계급제와 직위분류제

(1) 의의

- **계급제**는 개인의 경력 · 자격 · 능력을 중심(사람 중심)으로 계급을 부여하고 상위계급의 지시 · 명령에 하위계급이 복종함으로써 조직 의사를 확정하는 제도이다. 예 아무리 탁월한 역량을 갖고 있더라도 9급 공채시험에 합격하면 그 사람에게는 '9급'이라는 값을 부여하고 9급에 따른 직무부여와 인사관리가 이루어진다.
- **직위분류제**는 직무의 특성을 중심(직무 중심)으로 하며 직무등급을 먼저 정해놓고 그러한 직무를 수행할 수 있는 사람을 찾는 제도이다. 예 필요한 직무가 있는 경우 이 직무의 비중, 책임성 및 난이도를 분석 · 평가하여 결정한 후 해당 직무를 수행할 수 있는 역량이 있는 사람을 찾고 그에 맞는 대우를 해 준다.
- 계급제와 직위분류제는 서로 양립할 수 없는 배타적인 관계가 아니라, 상호 보완적인 관계를 가진다. ➡ 우리나라는 계급제를 위주로 하면서 직위분류제적 요소를 가미한 혼합적 형태라고 평가되며, 우리나라는 물론 각국의 공직제도는 **계급제와 직위분류제가 상호 융화되는 경향**이 있다. [2012 승진(경위)] [2016 채용2차] [2016 경간] [2018 경채] [2019 채용1차] [2024 채용 1차]

💡 우리나라는 1981년 국가공무원법 개정으로 종래 5계급을 1~9급으로 개편하고, **직군**(행정 · 공안 · 기술 · 국회 및 법원), **직렬**(행정직 · 세무직 · 사회복지직 등), **직류**(일반행정 · 선거행정 · 교육행정 등)의 개념을 확대 · 신설한 것이 직위분류제적 요소를 가미한 것으로 평가할 수 있다.

(2) 계급제와 직위분류제의 장 · 단점

구분	계급제	직위분류제
장점	• 일반적 교양과 능력을 소유한 넓은 시야를 가진 일반행정가 양성에 유리하다. ➡ 제네럴리스트(Generalist) [2019 채용1차] • 여러 보직을 두루 경험하여 타 부서 업무에 대한 이해도가 높아져 부처간의 협조와 조정이 용이하다. [2018 경채] • 인사관리가 계급을 기준으로 하므로 전직 · 전보가 용이하고, 분류구조와 보수체계가 비교적 단순하므로 인력활용(인사배치 · 인사이동)의 신축성 · 탄력성에 기여할 수 있다.	• 동일한 직무를 장기간 담당하므로 공직의 전문화에 기여하고 전문행정가 양성에 유리하다. ➡ 스페셜리스트(Specialist) • 효율적인 교육훈련이 가능하고, 행정의 전문화 · 분업화 촉진에 유리하다. • 동일직무 · 동일보수 원칙에 따라 보수체계의 합리적 기준을 제시한다. [2016 채용2차] [2023 채용1차] • 예산행정의 능률화에 기여할 수 있다. • 횡적 직무범위와 종적 지휘 · 감독 관계가 분명하여 권한과 책임의 한계가 명확하다.

	• 조직 내부자를 대상으로 충원을 하는 **폐쇄적 충원방식**을 취하므로, 신분보장과 직업공무원제의 확립이 용이하다. • 직업공무원제도의 정착에 보다 유리하다.	
단점	• 행정의 전문화를 기하기 어렵고, 전문행정가 양성이 곤란하다. • 동일직무·동일보수원칙이 아닌 동**일계급·동일보수원칙**이 적용되는 결과, 보수체계의 비합리성이 초래될 수 있다. • 계급을 기준으로 하는 인사관리는 계급간 차별을 고착화 시킬 수 있고, 관료의 특권계급화가 초래될 수 있다. • 객관적인 근무평정과 훈련계획의 수립이 곤란한 측면이 있다. • 계급의 수가 적고 계급간의 차별이 심해질 수 있다.	• 전체적 시각을 가진 일반행정가 양성이 곤란하다. • 특정 직무를 전문적으로 수행하는 자가 양성되는데 그치므로 종합적이고 장기적인 관점에서 해당 공무원의 성장에 한계가 있다. • 다른 직무에 대한 이해부족으로 수평적·횡적 협조와 조정이 곤란해질 수 있다. • 직무를 중심으로 채용하였는데 해당 직무가 불필요하게 된 경우 새로운 인사배치를 하기 곤란하고(인사배치의 비융통성·비신축성), 아울러 신분보장이 미흡해진다.

[2019 승진(경위)] 계급제는 보통 계급의 수가 적고 계급간의 차별이 심하며, 동일한 직무를 장기간 담당하게 되어 직위분류제에 비해 행정의 전문화에 기여한다. (×)

[2023 채용1차] 직위분류제는 사람 중심 분류로서 계급제보다 인사배치의 신축성 측면에서 유리하다. (×)

[2017 채용1차 유사] [2018 경채] 직위분류제는 채용·전직·보수 등 인사행정의 합리적 기준을 제공하나 권한과 책임의 한계가 불명확하다는 한계가 존재한다. (×)

[2024 채용 1차] 계급제는 '동일직무에 대한 동일보수의 원칙'을 확립함으로써 보수제도의 합리적 기준을 제시한다. (×)

[2019 승진(경감)] 직위분류제는 계급제에 비해서 보수결정의 합리적인 기준을 제시할 수 있으며, 직무분석을 통한 이해력이 넓어져 기관간의 횡적 협조가 용이한 편이다. (×)

[2024 채용 1차] 계급제는 직업공무원제도 정착에 유리하다. (○)

☑ KEY POINT | 계급제와 직위분류제 비교 [2012 승진(경감)] [2017 채용1차] [2018 경채]

비교기준	계급제(Rank System)	직위분류제(Position Classification)
성격	일반행정가(Generalist)	전문행정가(Specialist)
분류기준	개인의 자격·능력·신분	직무의 종류·곤란도·책임도
채용기준	일반교양	전문지식
특성	사람 중심	직무 중심
충원방식	폐쇄형(내부충원)	개방형(외부충원)
조직 내 인력이동	용이함 ➡ 직무성격 관계없이 계급기준으로 이동 가능(신축적·탄력적 인사배치)	어려움 ➡ 직무성격 다를 경우 보직이동 곤란(비신축적·경직적 인사배치)
보직관리	• 합리성↓ • 융통성↑	• 합리성↑ • 융통성↓
경력발전	승진기회가 넓어 경력발전에 유리	특정직위 연결로 경력발전 어려움
교육훈련	• 교육훈련 수요나 내용 파악 곤란 • 일반지식·교양 강조, 잠재능력 개발	• 교육훈련 수요나 내용 파악 용이 • 전문지식 강조
보수체계	• 연공·계급 비례하여 결정 • 생활급	• 직무 책임성·난이도 비례하여 결정 • 직무급(동일직무에 동일보수)

전문성	약함	강함
신분보장	강함	약함
제도 친화성	직업공무원제 확립 용이	직업공무원제 확립 곤란
조정협조	용이	곤란
채택국가	영국, 프랑스, 독일, 일본	• 미국, 캐나다, 필리핀 • 1909년 미국 시카고시 처음 채용
발달배경	직업분화 미비한 농업사회	고도로 직업이 분화된 산업사회

[2023 채용1차] 직위분류제는 미국에서 실시된 후 다른 나라로 전파되었다. (○)
[2019 채용1차] 직위분류제의 경우 직무 중심 분류로서 계급제보다 인사배치에 신축성을 기할 수 있다. (×)
[2012 승진(경위) 유사] [2016 경간 유사] [2019 승진(경감)] 계급제는 충원방식에서 폐쇄형을 채택하여 인사배치가 비융통적이나 직위분류제는 개방형을 채택하고 있어 인사배치의 신축성이 있다. (×)
[2016 채용2차] 직위분류제는 프랑스에서 처음 실시된 후 독일 등으로 전파되었다. (×)

03 공무원 사기관리

1. 사기(Morale)

- 사기는 조직 구성원이 조직의 공동목표를 달성하기 위하여 자발적으로 노력하는 정신상태로서 조직 구성원이 자기직무에 충실하고 자기가 속해 있는 조직에 충성을 다할 수 있는 집단적 근무의욕을 말한다.
- 경찰의 경쟁력과 역량 강화를 위해서는 경찰공무원이 보유한 역량과 창의성을 최대한 발휘하도록 사기를 진작시킬 필요가 있다.
- 경찰공무원의 사기 제고를 위해서는 보수인상, 후생복지 혜택 확대, 근무환경 개선, 직무분석에 의한 적정 업무량 산출, 인사의 공정성 제고, 업무 재량권 확대 등이 제시되고 있다.

2. 동기부여이론

(1) 매슬로우(Maslow)의 인간욕구이론 [2012 승진(경위)] [2020 채용2차]

매슬로우에 따르면 인간은 아래와 같은 **단계별 욕구**를 가지고 있으며 우선순위 욕구가 충족되어야 다음 순위의 욕구를 충족시키고자 하는 속성이 있으므로, 이러한 속성을 잘 활용하면 동기부여를 통한 사기진작이 가능하다고 보았다. [2019 승진(경감)]

[2022 채용2차] 매슬로우(Maslow)의 인간욕구이론은 인간은 자신의 욕구를 충족시키기 위해서 노력하며 하위단계의 욕구가 충족되어야 다음 단계로 발전되는 순차적 특성을 갖는다. (○)

유형	내용	충족조건
생리적 욕구	가장 기초적이고 강한, 충족의 우선순위가 가장 높은 의식주, 건강 등의 욕구	• 적절한 근무강도와 합리적 보수 • 적절한 휴양제도
안전의 욕구	• 현재 및 장래의 신분이나 생활에 대한 불안을 해소하고자 하는 욕구 • 위험·위협으로부터 보호받고자 하는 욕구	• 신분보장 • 연금제도
사회적 욕구 (애정의 욕구)	친밀한 인간관계, 집단에의 소속감, 경찰관 상호간 동료애를 충족시키고자 하는 욕구	• 인간관계 개선 • 고충처리 상담

존경의 욕구	긍지 · 자존심 · 지위인정 · 명예감정 등 주로 타인으로부터 인정과 존경을 받고자 하는 욕구	• 제안제도 · 포상제도 • 권한위임 · 참여확대 • 근무성적 평정
자아실현의 욕구	• 자기발전과 잠재능력 실현, 성취감 충족, 창의성과 관련된 최상위의 욕구 • 조직과 가장 조화되기 어려운 욕구로 조직과 갈등유발 가능성이 높음	• 공정하고 합리적 승진 • 공무원단체 활용

[2015 채용3차] 매슬로(Maslow)에 따르면 안전욕구는 적정보수제도, 휴양제도를 통해 충족시킬 수 있다고 한다. (×)
[2017 채용2차] 존경의 욕구는 동료 · 상사 · 조직 전체에 대한 친근감 · 귀속감 충족에 관한 것으로 인간관계의 개선, 고충처리 상담 등을 통해 충족시켜 줄 수 있다. (×)
[2019 승진(경감)] 경찰관에 대한 공정하고 합리적인 승진제도를 마련하고 권한의 위임과 참여를 확대하는 것은 자아실현의 욕구를 충족시켜 주기 위한 방안에 해당한다. (×)

(2) 맥그리거(McGregor)의 X · Y이론

구분	X이론	Y이론 [2022 채용2차]
관점	• 통제 중심의 전통적 이론 • 성악설, 홉스의 인간관	• 개인과 조직간 통합을 강조한 이론 • 성선설, 루소의 인간관
내용	• 인간은 근본적으로 일하기를 싫어하므로 가능하면 일하기를 피하려 한다. • 조직의 목표를 달성하기 위해서는 강압, 통제, 벌로 다스려야 한다. • 구성원은 책임을 피하려 하며 공식적인 지시가 있어야만 움직인다.	• 인간을 일을 휴식이나 여가와 같이 당연한 것으로 받아들인다. • 구성원이 조직목표에 동의한다면 자기지시 및 자기통제를 발휘한다. • 책임을 수용하고 기꺼이 감수하는 태도로 자발적으로 움직인다.
조직관리	금전적 보상과 엄격한 통제로 조직을 관리하여야 한다.	자율적이고 창의적으로 일할 수 있는 환경을 조성하는 방식으로 조직을 관리하여야 한다.

[2020 채용2차] McGregor의 X이론에 따르면 인간은 근본적으로 업무에 대한 의욕을 가지고 있기 때문에 이러한 의욕을 강화시키기 위해 금전적 보상과 포상제도를 강화하였다. (×)

(3) 허즈버그(Herzberg)의 동기부여–위생이론

근로자의 동기를 유발하여 생산성을 향상시키기 위해서는, 위생요인은 제거하고 동기요인은 충족해야 한다고 하였다. [2020 채용2차]

구분	위생요인(Hygiene) = 불만요인, 제거대상	동기요인(Motivators) = 만족요인, 충족대상
내용	• 통상 직무의 외부적 · 물리적 · 환경적 요인이다. • 위생요인은 제거하더라도 불만이 없어지는 상태가 될 뿐, 위생요인이 제거되더라도 바로 생산성 향상을 가져오는 것은 아니다. ➡ 생산성 향상의 필요조건이나 충분조건은 아니다.	• 통상 직무의 내재적 · 심리적 요인이다. • 동기요인은 충족이 되는 경우 생산성 향상과 직접 연관된다. ➡ 생산성 향상의 충분조건이다.

💡 2007년 사이버 경장 특채로 입직한 이소진 경위(女)는, 본인부터가 경찰조직 내 비주류 · 소수자이기 때문에 조직 내 소외된 목소리를 잘 대변할 수 있다는 포부를 갖고, 2020년 6월 출범한 경찰청 직장협의회의 초대 위원장이 되었다.

| 예시 | • 부족한 급여
• 너무 엄격한 조직의 정책
• 비합리적이고 납득하기 어려운 관리 · 감독
• 불안한 신분(불충분한 직무상 안정)
• 긴장감을 유발하는 대인관계 | • 직무상의 성취감 · 책임감 · 안정감
• 승진의 가능성이나 개인적 성장 · 발전가능성
• 적성에 맞는 직무
• 주변의 인정 |

(4) 아지리스(Argyris)의 성숙-미성숙이론

- 인간의 생산성은 그의 성숙 혹은 미성숙의 결과로서, 인간은 미성숙(수동)상태로부터 성숙(능동)상태로 발전적 변화를 하게 된다고 한다. 예 수동적 인간 ➡ 능동적이고 적극적 인간, 의존상태 ➡ 독립상태, 단순한 행동양식 ➡ 다양하고 복잡한 행동양식, 피상적 관심 ➡ 몰입된 관심
- 조직의 구성원이 성숙할 수 있는 기회를 가질 수 있도록 하는 것이 강력한 동기부여 요인이 되므로, 조직의 구성원을 심리적 성공을 경험할 수 있는 성숙한 인간으로 관리하여야 한다고 주장하였다. [2022 채용2차]

04 근무성적의 평정

1. 근무성적 평정제도

💡 **과거**에는 근무평정제도가 평가대상자들의 직무수행능력을 측정하고 통제하는데 중점을 두었다면(X이론 기반), **오늘날** 근무평정제도는 공무원 개개인의 능력개발과 제도개선의 수단으로도 활용되는 측면이 있다(Y이론 기반). [2022 채용2차]

- 근무성적 평정제도는 근무실적 · 직무수행능력 · 성격 · 적성 · 잠재능력 등을 직속상관이나 가까운 감독자 등이 정기적 · 체계적으로 관찰 · 기록 · 평가하는 제도를 말한다.
- 이는 공정한 인사행정의 기초가 되는 한편 공무원의 행정능률과 직무에 대한 열의 · 협동정신을 향상시키는 수단으로 기능하게 된다.

2. 근무성적 평정의 대상

> **대통령령** 경찰공무원 승진임용 규정 제7조【근무성적 평정】① 총경 이하의 경찰공무원에 대해서는 매년 근무성적을 평정하여야 하며, 근무성적 평정의 결과는 승진 등 인사관리에 반영하여야 한다. [2021 경간]

3. 근무성적 평정의 실시

(1) 평정시기

> **훈령** 경찰공무원 승진임용 규정 시행규칙 제4조【근무성적 평정 등의 시기】① 영 제7조에 따른 근무성적 평정, 영 제9조에 따른 경력 평정은 연 1회 실시한다. [2021 경간]
> ② 근무성적 평정은 10월 31일을 기준으로 하고, 경력 평정은 12월 31일을 기준으로 한다. 다만, 총경과 경정의 경력 평정은 10월 31일을 기준으로 한다.

(2) 평정주체(평정자)

> **훈령** 경찰공무원 승진임용 규정 시행규칙 제6조 【근무성적 평정자】 ① 근무성적 평정자는 3명으로 하되, 제1차평정자는 평정대상자의 바로 위 감독자가 되고, 제2차평정자는 제1차평정자의 바로 위 감독자가 되며, 제3차평정자는 제2차평정자의 바로 위 감독자가 된다. [2021 경간]
> ② 제1항에도 불구하고 경찰청장은 평정자를 특정하기가 곤란하다고 인정하는 경우에는 따로 평정자를 지정할 수 있다.

(3) 평정요소

> **대통령령** 경찰공무원 승진임용 규정 제7조 【근무성적 평정】 ② 근무성적은 다음 각 호의 평정 요소에 따라 평정한다. 다만, 총경의 근무성적은 제2평정 요소로만 평정한다.
> 1. 제1평정 요소 ➡ 근태 · 교육 · 포상 · 기여(대체로 정략적)
>   가. 경찰업무 발전에 대한 기여도
>   나. 포상 실적
>   다. 그 밖에 행정안전부령으로 정하는 평정 요소 ➡ 교육훈련 · 근무태도
> 2. 제2평정 요소 ➡ 근무실적 · 직무능력 · 직무태도(대체로 정성적)
>   가. 근무실적
>   나. 직무수행능력
>   다. 직무수행태도
> [2022 채용2차] 총경에 대한 근무성적평정은 매년 하되, 근무실적, 직무수행능력 및 직무수행태도로만 평정한다. (○)

정량평가와 정성평가
- **정량평가**(Quantity): 양적기준을 통해 수치화된 평가가 가능한 평가를 말한다.
- **정성평가**(Quality): 질적기준을 통해 비수치화된 평가를 하는 평가를 말한다.

(4) 평정방법

> **대통령령** 경찰공무원 승진임용 규정 제7조 【근무성적 평정】 ③ 제2평정 요소에 따른 근무성적 평정은 평정대상자의 계급별로 평정 결과가 다음 각 호의 분포비율에 맞도록 하여야 한다. 다만, 평정 결과 제4호에 해당하는 사람이 없는 경우에는 제4호의 비율을 제3호의 비율에 가산하여 적용한다. ➡ 1 + 2 + 3 + 4 = 10 / 중간층을 두껍게 / 상위권을 후하게 [2021 경간]
> 1. 수: 20퍼센트
> 2. 우: 40퍼센트
> 3. 양: 30퍼센트
> 4. 가: 10퍼센트
> ④ 제11조 제2항 단서에 해당하는 경찰공무원과 경찰서 수사과에서 고소 · 고발 등에 대한 조사업무를 직접 처리하는 경위 계급의 경찰공무원을 평정할 때에는 제3항의 비율을 적용하지 아니할 수 있다.
> ⑤ 근무성적 평정 결과는 공개하지 아니한다. 다만, 경찰청장은 근무성적 평정이 완료되면 평정 대상 경찰공무원에게 해당 근무성적 평정 결과를 통보할 수 있다.
> ⑥ 근무성적 평정의 기준, 시기, 방법, 그 밖에 필요한 사항은 행정안전부령으로 정한다.
> [2021 경간] 근무성적평정 결과는 공개한다. 다만, 경찰청장은 근무성적 평정이 완료되기 전이라도 필요하면 평정 대상 경찰공무원에게 해당 근무성적 평정 예측결과를 통보할 수 있다. (×)
> [2022 채용2차] 근무성적평정과정에서 평정자에 의한 집중화 · 엄격화 등의 오류를 방지하기 위해 경찰서 수사과에서 고소 · 고발 등에 대한 조사업무를 직접 처리하는 경위 계급의 경찰공무원의 제2 평정요소에 따른 근무성적 평정은 수 20%, 우 40%, 양 30%, 가 10%로 분배해야 한다. (×)

훈령 경찰공무원 승진임용 규정 시행규칙 제7조 【근무성적의 평정 방법】① 근무성적의 총평정점은 50점을 만점으로 한다.

② 총경인 경찰공무원의 근무성적 평정점은 영 제7조 제2항 제2호에 따른 제2평정 요소(이하 "제2평정요소"라 한다)에 대하여 제1차평정자가 20점을 최고점으로 하여 평정한 점수와 제2차평정자와 제3차평정자가 각각 15점을 최고점으로 하여 평정한 점수를 합산한다.

③ 경정 이하 경찰공무원의 근무성적 평정점은 다음 각 호의 방법으로 영 제7조 제2항 제1호에 따른 제1 평정 요소(이하 "제1평정요소"라 한다)와 제2평정요소에 대한 평정점을 산정하여 합산한다.

1. **제1평정요소**에 대한 평정점은 30점을 최고점으로 하고, **제2평정요소**에 대한 평정점은 20점을 최고점으로 한다.
2. **제1평정요소**에 대해서는 제1차평정자가 30점을 최고점으로 하여 평정한 점수를 제2차평정자와 제3차평정자가 확인한다. 이 경우 평정 기준은 별표 1의 기준을 따른다.
3. **제2평정요소**에 대해서는 제1차평정자가 10점을 최고점으로 하여 평정한 점수와 제2차평정자와 제3차평정자가 각각 5점을 최고점으로 하여 평정한 점수를 합산한다.

🔍 **참고 근무성적 평정표(경정 이하) 예시**

- 평정대상자
  소속: 서울시도경찰청 동작경찰서
  성명: 홍길동

- 평정연도: 2021
- 대상계급: 경사

| | 제1평정요소 | | | | | 제2평정요소 | | | | |
	경찰업무 발전 기여도	포상	교육 훈련	근무 태도	계	근무 실적	직무 수행 능력	직무 수행 태도	계	단계별 평정자
배점	6	9	13	2	30	6	8	6	20	
내용	•중요 업무 계획 수립 •중요범죄 검거 등 평가	상 훈 으로 인한 상점과 징계 등으로 인한 벌점을 상계	체력단련, 상시 학습 이수 등을 평가	근무태도 일반을 평가	소계 27	•담당직무 의 양 •직무수행 정확성 •직무수행 신속성	•직무 지식 및 기술 •직무의 이 해력 •창의력 및 기획력 •관리 및 통솔력	•성실성 및 준법성 •친절도 및 협조성 •적극성 및 책임감	소계 18	
1차 평정	5	7	13	2	27	3	4	3	10	계급 경위 성명 김경위 (인)
2차 평정	확인	확인	확인	확인		1	2	1	4	계급 경감 성명 이경감 (인)
3차 평정	확인	확인	확인	확인		1	2	1	4	계급 경정 성명 박경정 (인)
비고										

4. 근무성적 평정의 예외

> **대통령령** 경찰공무원 승진임용 규정 제8조【근무성적 평정의 예외】① 휴직·직위해제 등의 사유로 해당 연도의 평정기관에서 6개월 이상 근무하지 아니한 경찰공무원에 대해서는 근무성적을 평정하지 아니한다. [2022 채용1차]
> ③ 교육훈련 외의 사유로 국가기관, 지방자치단체 또는 인사혁신처장이 지정하는 기관에 2개월 이상 파견근무하게 된 경찰공무원에 대해서는 파견받은 기관의 의견을 고려하여 근무성적을 평정하여야 한다.
> ④ 평정대상자인 경찰공무원이 전보된 경우에는 그 경찰공무원의 근무성적 평정표를 전보된 기관에 이관하여야 한다. 다만, 평정기관을 달리하는 기관으로 전보된 후 2개월 이내에 정기평정을 할 때에는 전출기관에서 전출 전까지의 근무기간에 대한 근무성적을 평정하여 이관하여야 하며, 전입기관에서는 받은 평정 결과를 고려하여 평정하여야 한다.
> ⑤ 정기평정 이후에 신규채용되거나 승진임용된 경찰공무원에 대해서는 2개월이 지난 후부터 근무성적을 평정하여야 한다.
> [2021 경간] 정기평정 이후에 신규채용되거나 승진임용된 경찰공무원에 대해서는 3개월이 지난 후부터 근무성적을 평정하여야 한다. (×)

주제 4 │ 경찰예산관리

01 여러 가지 예산제도

1. 품목별 예산제도(LIBS ; Line Item Budgeting System)

(1) 의의 [2012 승진(경감)]

- 지출의 대상·성질에 따라 세출예산을 인건비, 운영경비, 시설비 등으로 구분하는 예산으로, 지출품목마다 그 비용을 명시하고 그에 따라 예산을 배정하는 제도이다.
- 개별 지출품목마다 비용이 명시되어 있으므로 예산낭비·부당집행의 방지 및 감독부서의 결산검사, 그리고 국회의 통제가 용이하다. ➜ 통제지향적 [2017 경간]
- 이 제도는 예산담당 공무원에게 회계기술을 갖출 것을 요구하게 된다. [2012 실무 1]
- 다른 제도에 비해 비교적 운용하기가 쉬워 현재 우리 정부(경찰)를 비롯하여 세계적으로 가장 많이 활용되는 예산방식이다.

  [2018 경채] 품목별 예산제도는 지출의 대상, 성질을 기준으로 세출예산의 금액을 분류함으로써 단위원가의 계산이 중요하고 정부가 수행하는 업무에 중점을 두는 관리지향적 예산제도이다. (×)

🔍 참고 품목별 예산제도의 예시

장(분야)			목		2020년도 예산액(천원)
관(부분)	항(프로그램)	세항(단위사업)			
장(020) 공공질서안전					
관(023) 경찰					
	항(1200) 범죄수사활동				
		세항(1233) 사이버수사			14,861,000
			110	인건비	46,027
			210	운영비	4,206,390
			220	여비	329,000
			240	업무추진비	12,610
			...	...	...

(2) 장·단점

장점	단점
• 회계책임의 명확화를 기할 수 있다. • 예산의 운영과 지출이 합법적으로 이루어졌는지 회계검사가 쉬워 재정통제에 유리하다. • 행정관료의 재량범위가 축소되어 부정과 예산남용을 방지할 수 있다. ➔ 경비 사용의 적정화 [2019 채용2차] • 인사행정에 필요한 품목(봉급·수당·휴가비·보상비 등)별로 금액이 책정되므로 소요예산을 쉽게 책정할 수 있어 인사행정에 유용한 정보·자료를 제공할 수 있다. [2012 승진(경위)]	• 세부 품목별로 금액이 결정되어 있어 예산집행의 신축성이 저해된다. • 기능별로 예산을 계상하지 않고 품목별로 계상하므로 기능의 중복을 피하기 곤란하다. 예 시계·핸드폰 [2018 승진(경위)] • 같은 기능을 수행하기 위해 예산을 얼마나 절감하였는지 성과측정이 곤란하다. • 무엇을 구매하는지는 알 수 있지만 왜 사는지는 알 수 없어 지출목적이 불분명하다. • 물가변동 등에 따른 계획과 지출의 불일치에 대응하기 어렵다. • 품목별 비용을 따지는 미시적 관리로 전체적인 정부활동 조정에 필요한 역할을 하기 어렵고, 의사결정을 위한 자료를 제시하기 부족하다.

[2017 실무 1] 품목별 예산제도는 비교적 운용하기 쉬우나 회계책임이 분명하지 아니한 단점이 있다. (×)
[2017 경간] 품목별 예산제도는 기능의 중복을 피하기 용이하지만, 행정책임의 소재와 회계책임을 명확히 할 수 없다는 단점이 있다. (×)
[2019 승진(경감)] 품목별 예산제도는 지출의 대상·성질을 기준으로 세출예산의 금액을 분류하는 통제지향적 제도로 회계책임의 명확화를 통해 계획과 지출의 불일치를 극복할 수 있다는 장점이 있다. (×)
[2012 경간 유사] [2018 경채] 계획예산제도는 장기적인 기획과 단기적인 예산을 프로그램 작성을 통하여 유기적으로 결합하여 회계책임이 명확해지고, 인사행정에 유용한 정보와 자료를 제공할 수 있다는 장점이 있다. (×)

2. 성과주의 예산제도(PBS ; Performance Budgeting System)

(1) 의의 [2012 경간] [2012 승진(경감)]

예산의 통제보다는 정부가 수행하는 업무성과에 초점을 두는 예산으로서, 예산항목을 사업별·활동별로 분류한 다음 각 항목별 업무량과 단위원가를 산출하여 '단위원가 × 업무량 = 예산액'으로 표시하여 편성하는 예산이다. ➡ 관리지향적

> 🔍 **참고** 성과주의 예산제도의 예시
>
> | 사업 | 세부 사업활동 | 업무단위 | 단위원가 | 업무량 | 예산 |
> |------|------|------|------|------|------|
> | 경찰복지시설 확충 | 33,000m² 규모 제주 경찰수련원 건립 | 3.3m² | 300만원 | 10,000 | 300억원 |

(2) 장·단점

장점	단점
• 사업별·활동별로 예산이 편성되므로 국민이 경찰의 활동과 목적을 이해하기 쉽다. [2012 승진(경위)] [2017 경간] [2017 실무 1] • 업무규모와 단위, 단위원가가 분석·계산되므로 자원배분의 합리성을 제고할 수 있다. • 개별품목별로 예산을 계상하지 않으므로 예산집행의 신축성을 기할 수 있다. • 해당 부서의 업무능률을 측정하여 다음 연도 예산에 반영하기 쉽다.	• 단위원가 및 업무측정단위 산정이 어려운 경우가 있다. 예 연구개발과 같은 무형적 사업 [2012 실무 1] • 인건비와 같은 경직성 경비에는 적용이 어려워 기본경비에 대한 적용이 곤란하다. • 품목별 예산제도에 비해 회계책임이 불분명해지고 입법적 통제가 어려워진다.

[2012 경간] "단위원가"의 계산이 중요한 예산제도는 품목별 예산제도이다. (×)
[2020 실무 1] 성과주의 예산제도는 인건비 등 경직성 경비에 대한 적용이 용이하다는 장점이 있다. (×)
[2019 승진(경감)] 성과주의 예산제도는 정부가 구입하는 물품보다 정부가 수행하는 업무에 중점을 두는 관리지향적 예산제도로 기능의 중복을 피하기가 곤란하고 인건비 등 경직성 경비에 적용이 어렵다. (×)

3. 계획예산제도(PPBS ; Planning Programming Budgeting System)

(1) 의의 [2012 승진(경감)]

• 장기적인 기본계획과 단기적인 예산편성을 구체적인 활동계획을 통하여 유기적으로 연결시킴으로써, 예산배분에 관한 의사결정을 합리적으로 행하려는 예산제도를 말하며 기획예산 또는 프로그램 예산이라고도 한다. ➡ 활동목표·성취지향적 / 계획기능과 예산기능 연계 강조 [2017 실무 1]

• 기획단계에서부터 예산을 고려하므로, 한정된 재원으로 최대한의 정책효과를 거둘 수 있는 사업에 예산이 우선하여 할당될 수 있다. ➡ 재원배분에 관한 의사결정의 일관성·합리성 도모 가능

참고 계획예산제도의 예시

Planning	Program	Sub Category	Program Element	연도별 예산
고도화 정보사회 범죄대응능력 강화	정보통신망 이용 신종범죄 대응	암호화폐 범죄대응	연구용역 발주	...
			민간사업자 협력체계 구축	...
			추적프로그램 개발	2022년: 10억원 2023년: 12억원
		...	...	...
		...	...	...

(2) 장 · 단점

장점	단점
• 예산과 기획이 통합되어, 현실적으로 실현가능한 기획이 입안될 수 있고 장기적 사업계획의 신뢰성이 높아진다. • 자원배분의 합리화를 기대할 수 있다.	• 예산편성기능이 행정부에 중앙집권화되어, 의회 통제기능이 약화된다. • 계획만 있고 예산이 배정되지 않는 경우 실현되지 못하는 계획이 생길 수 있다. • 모든 대안을 탐색하고 충분한 정보 및 자료를 입수 · 분석할 수 있는 전문가가 필요한데, 현실적으로 어려움이 있다(현실적 한계). • 국민 입장에서 어떤 계획이 다른 계획에 비해 우선시되는지 이해하기 어려울 수 있다.

4. 영기준예산제도(ZBB ; Zero Based Budgeting)

(1) 의의 [2012 승진(경감)]

일몰법
• 특정한 정부조직이나 사업이 일정 기간 경과하면 별도의 연장입법이 없는 한 의무적 · 자동적으로 폐지되도록 한 법률을 말한다.
• 영기준예산과 함께 감축지향적 예산제도로서 중요한 의미를 갖는다. 예 기업구조조정 촉진법 부칙 제2조 【유효기간】 ① 이 법은 이 법 시행일부터 5년이 되는 날까지 효력을 가진다. [2012 승진(경위)] [2018 경채] [2019 승진(경감)]

• 조직체의 모든 사업 · 활동에 대하여 영기준을 적용해서 각각 효과성 · 효율성 및 중요도 등을 체계적으로 분석하여 사업의 축소 · 확대 여부를 매년 원점에서 다시 검토하여 우선순위가 높은 사업을 선택하여 예산을 집행하는 제도로서, 사업의 우선순위 결정이 매우 중요한 요소로 작용한다.
• 예산편성시 전년도 예산을 기준으로 점증적으로 예산액을 책정하는 폐단을 시정하려는 목적에서 유래하였다. [2012 채용1차] [2019 승진(경감)]

[2012 실무 1] [2017 실무 1 유사] 3년 주기로 사업의 우선순위를 새로이 결정하여 그에 따라 예산을 책정하는 방식을 영점기준예산 ZBB이라고 한다. (×)
[2012 승진(경위)] 사업의 우선순위 결정이 중요한 대표적인 예산제도는 계획예산제도이다. (×)

(2) 장·단점

장점	단점
• 예산의 팽창을 방지하고, 국민의 조세 부담증가도 억제할 수 있다. • 우선순위가 낮은 사업은 축소·폐지되고 우선순위가 높은 사업에 재원을 배분하므로 재정운용상의 탄력성을 기할 수 있다. • 하의상달의 의사구조로 실무계층의 참여를 증대시킬 수 있다. • 기존의 어떤 예산제도와도 공존할 수 있다.	• 우선하는 사업이 어떤 것인지 결정하는 것이 현실적으로 어렵다. • 법률적 근거를 갖고 시행되는 공공사업을 사업성이 낮다는 이유만으로 축소·폐지하기 곤란하다. • 시간과 노력이 과다하게 소요된다.

02 우리나라의 예산제도 개설

1. 예산의 의미

예산이란 일정 기간(1월 1일~12월 31일)의 국가 수입과 지출을 계획한 것으로서, 국회의 의결로 성립하는 국가재정작용의 준칙규범을 말한다.

⊕심화 예산과 관련된 국가재정법상의 주요개념과 원칙

1 회계연도와 회계연도 독립의 원칙

> **국가재정법 제2조【회계연도】** 국가의 회계연도는 매년 1월 1일에 시작하여 12월 31일에 종료한다.
> **국가재정법 제3조【회계연도 독립의 원칙】** 각 회계연도의 경비는 그 연도의 세입 또는 수입으로 충당하여야 한다.

• 정부의 예산은 매년 1월 1일부터 12월 31일까지의 한 회계연도를 단위로 하는 세입과 세출이므로, 각 회계연도의 경비는 당해 연도의 세입이나 수입에서 지출되어야 한다.

2 회계의 구분 – 일반회계·특별회계

> **국가재정법 제4조【회계구분】** ① 국가의 회계는 일반회계와 특별회계로 구분한다.
> ② **일반회계**는 조세수입 등을 주요 세입으로 하여 국가의 일반적인 세출에 충당하기 위하여 설치한다.
> ③ **특별회계**는 국가에서 특정한 사업을 운영하고자 할 때, 특정한 자금을 보유하여 운용하고자 할 때, 특정한 세입으로 특정한 세출에 충당함으로써 일반회계와 구분하여 회계처리할 필요가 있을 때에 법률로써 설치하되, 별표 1에 규정된 법률에 의하지 아니하고는 이를 설치할 수 없다.

(1) 일반회계
• 일반회계란 조세와 같은 일반세입으로 일반지출을 수행하는 국가운영의 기본회계를 말하며, 수입과 지출 사이에 특별한 견련관계가 없다. 통상 예산이라고 하면 일반회계를 가리킨다.
• 경찰예산의 대부분은 일반회계에 해당한다.
[2012 채용1차] 경찰예산의 대부분은 특별회계에 속한다. (×)

┃국가재정법 별표 1 특별회계설치 근거법률(일부, 총 17개)
• 교통시설특별회계법
• 책임운영기관의 설치 및 운영에 관한 법률 ➜ 경찰 관련 책임운영기관으로는 **경찰병원**, 해양경찰 관련 책임운영기관으로는 해양경찰정비창이 있다.

〈2020 정부예산〉
• 일반회계: 296조원
• 특별회계: 55.1조원
〈2020 경찰예산〉
• 총 예산: 11조6,165억원
• 일반회계: 11조5,342억원
• 특별회계: 약 776억원

(2) 특별회계

- **특별회계**는 국가재정법 제4조 제3항이 정하는 3가지 사유(① 국가의 특정사업 운영, ② 국가의 특정자금 운용, ③ 특정 세입으로 특정 세출에 충당 필요 있는 경우)가 있을 때 법률로써 설치하는 회계를 말한다. ➡ 일반회계와 별도로 특정 목적 위한 세입과 세출을 따로 계리하는 제도
- 특별회계는 원칙적으로 이를 설치한 소관부서가 관리하고 국회나 기획재정부의 직접 통제를 받지 않아, 각 부처는 일반회계보다 융통성 있게 운용이 가능한 특별회계를 선호하고 예산당국 역시 일반회계 증가에 대한 비판을 피하기 위해 특별회계를 늘리는 경향이 있다.
- 경찰과 관련한 특별회계로는 경찰병원의 세입·세출이 있다.

2. 예산의 종류

(1) 본예산

당초 국회의 의결을 얻어 확정·성립된 예산을 말한다.

(2) 수정예산

> **국가재정법 제35조【국회제출 중인 예산안의 수정】** 정부는 예산안을 국회에 제출한 후 부득이한 사유로 인하여 그 내용의 일부를 수정하고자 하는 때에는 국무회의의 심의를 거쳐 대통령의 승인을 얻은 수정예산안을 국회에 제출할 수 있다.

정부가 예산안을 국회에 제출한 후 국회의 심의·확정 전 부득이한 사정으로 내용을 수정하여 제출하는 예산을 말한다.

[2019 승진(경감)] 정부 예산안이 국회를 통과하여 확정된 후에 새롭게 발생한 사유로 인하여 이미 성립한 예산에 변경을 가할 필요가 있을 때 편성하는 예산은 수정예산이다. (×)

(3) 추가경정예산

> **국가재정법 제89조【추가경정예산안의 편성】** ① 정부는 다음 각 호의 어느 하나에 해당하게 되어 이미 확정된 예산에 변경을 가할 필요가 있는 경우에는 추가경정예산안을 편성할 수 있다.
> 1. 전쟁이나 대규모 재해(「재난 및 안전관리 기본법」 제3조에서 정의한 자연재난과 사회재난의 발생에 따른 피해를 말한다)가 발생한 경우
> 2. 경기침체, 대량실업, 남북관계의 변화, 경제협력과 같은 대내·외 여건에 중대한 변화가 발생하였거나 발생할 우려가 있는 경우
> 3. 법령에 따라 국가가 지급하여야 하는 지출이 발생하거나 증가하는 경우
> ② 정부는 국회에서 추가경정예산안이 확정되기 전에 이를 미리 배정하거나 집행할 수 없다.

- 예산이 국회에서 의결된 후 새로운 사정으로 인해 소요경비의 과부족이 생길 때 본예산에 추가 또는 변경을 가하는 예산을 말한다. [2019 채용2차]
- 우리나라의 경우 거의 매년 추가경정예산이 편성되고 있다.

[2018 경채] 추가경정예산은 회계연도 개시 전까지 예산의 불성립시에 전년도 예산에 준하여 지출하는 예산제도이다. (×)

💡 최근 2022년 2월 21일, 코로나로 인해 매출이 감소한 소상공인 등에게 방역지원금을 지급하기 위해 약 16조 9,000억원 규모의 추가경정예산이 국회 본회의를 통과한 바 있다.

(4) 준예산

헌법 제54조 ③ 새로운 회계연도가 개시될 때까지 예산안이 의결되지 못한 때에는 정부는 국회에서 예산안이 의결될 때까지 다음의 목적을 위한 경비는 전년도 예산에 준하여 집행할 수 있다.
1. 헌법이나 법률에 의하여 설치된 기관 또는 시설의 유지·운영
2. 법률상 지출의무의 이행
3. 이미 예산으로 승인된 사업의 계속

[2019 승진(경감)] 준예산은 회계연도 개시 전까지 예산의 불성립시 전년도 예산에 준하여 지출하는 제도로 예산 확정 전에는 경찰공무원의 보수와 경찰관서의 유지 운영 등 기본경비에는 사용할 수 없다. (×)

예산안이 법정기한(회계연도 개시 30일 전까지, 매년 12월 2일까지) 내 국회에 의결되지 못한 경우, 예산 불성립으로 인한 행정의 중단을 방지하기 위하여 전년도 예산에 준하여 집행할 수 있는 예산을 말하며, 이러한 준예산은 예산집행에 신축성을 부여하는 기능을 한다. [2012 채용1차]

03 예산의 구성

1. 예산총칙

국가재정법 제19조 【예산의 구성】 예산은 예산총칙·세입세출예산·계속비·명시이월비 및 국고채무부담행위를 총칭한다.

국가재정법 제20조 【예산총칙】 ① 예산총칙에는 세입세출예산·계속비·명시이월비 및 국고채무부담행위에 관한 총괄적 규정을 두는 외에 다음 각 호의 사항을 규정하여야 한다.

예산을 구성하고 있는 세입세출예산·계속비·명시이월비 및 국고채무부담행위에 대한 총칙적 규정을 말한다.

2. 세입·세출예산

국가재정법 제21조 【세입세출예산의 구분】 ① 세입세출예산은 필요한 때에는 계정으로 구분할 수 있다.
② 세입세출예산은 독립기관 및 중앙관서의 소관별로 구분한 후 소관 내에서 일반회계·특별회계로 구분한다.
③ 세입예산은 제2항의 규정에 따른 구분에 따라 그 내용을 성질별로 관·항으로 구분하고, 세출예산은 제2항의 규정에 따른 구분에 따라 그 내용을 기능별·성질별 또는 기관별로 장·관·항으로 구분한다.
④ 예산의 구체적인 분류기준 및 세항과 각 경비의 성질에 따른 목의 구분은 기획재정부장관이 정한다.

세입·세출예산은 국가재정법 제21조의 기준에 따라 작성된 예산 세입·세출의 명세서를 말한다. 예 경찰청 소관 일반회계 세입예산명세서, 경찰청 소관 일반회계 세출예산명세서

3. 예비비

예비비의 집행

예비비의 집행 자체는 행정부 내에서의 의사결정만으로 이루어지고, 국회가 개입하지 않는다. 다만, 집행 후 차기 국회에서 승인을 받아야 하는데, 승인을 받지 못한다 하더라도 지출행위의 효력에는 영향이 없다. 그러나 승인을 받지 못하는 경우 정치적 책임을 질 수 있다.

> **헌법 제55조** ② 예비비는 총액으로 국회의 의결을 얻어야 한다. 예비비의 지출은 차기 국회의 승인을 얻어야 한다.
>
> **국가재정법 제22조【예비비】** ① 정부는 예측할 수 없는 예산 외의 지출 또는 예산초과지출에 충당하기 위하여 일반회계 예산총액의 100분의 1 이내의 금액을 예비비로 세입세출예산에 계상할 수 있다. 다만, 예산총칙 등에 따라 미리 사용목적을 지정해 놓은 예비비는 본문에도 불구하고 별도로 세입세출예산에 계상할 수 있다.
> ② 제1항 단서에도 불구하고 공무원의 보수 인상을 위한 인건비 충당을 위하여는 예비비의 사용목적을 지정할 수 없다.
>
> **국가재정법 제51조【예비비의 관리와 사용】** ① 예비비는 기획재정부장관이 관리한다.

정부가 예측할 수 없는 예산 외 지출 등이 있을 경우에 대비하여 세입·세출예산에 계상해 둔 경비를 말한다. ➜ 일종의 비상금

4. 계속비

> **헌법 제55조** ① 한 회계연도를 넘어 계속하여 지출할 필요가 있을 때에는 정부는 연한을 정하여 계속비로서 국회의 의결을 얻어야 한다.
>
> **국가재정법 제23조【계속비】** ① 완성에 수년이 필요한 공사나 제조 및 연구개발사업은 그 경비의 총액과 연부액을 정하여 미리 국회의 의결을 얻은 범위 안에서 수년도에 걸쳐서 지출할 수 있다.
> ② 제1항의 규정에 따라 국가가 지출할 수 있는 연한은 그 회계연도부터 5년 이내로 한다. 다만, 사업규모 및 국가재원 여건을 고려하여 필요한 경우에는 예외적으로 10년 이내로 할 수 있다.
> ③ 기획재정부장관은 필요하다고 인정하는 때에는 국회의 의결을 거쳐 제2항의 지출연한을 연장할 수 있다.

5. 명시이월비

> **국가재정법 제24조【명시이월비】** ① 세출예산 중 경비의 성질상 연도 내에 지출을 끝내지 못할 것이 예측되는 때에는 그 취지를 세입세출예산에 명시하여 미리 국회의 승인을 얻은 후 다음 연도에 이월하여 사용할 수 있다.

6. 국고채무부담행위

> **헌법 제58조** 국채를 모집하거나 예산외에 국가의 부담이 될 계약을 체결하려 할 때에는 정부는 미리 국회의 의결을 얻어야 한다.
>
> **국가재정법 제25조【국고채무부담행위】** ① 국가는 법률에 따른 것과 세출예산금액 또는 계속비의 총액의 범위 안의 것 외에 채무를 부담하는 행위를 하는 때에는 미리 예산으로써 국회의 의결을 얻어야 한다.

② 국가는 제1항에 규정된 것 외에 재해복구를 위하여 필요한 때에는 회계연도마다 국회의 의결을 얻은 범위 안에서 채무를 부담하는 행위를 할 수 있다. 이 경우 그 행위는 일반회계 예비비의 사용절차에 준하여 집행한다.

③ 국고채무부담행위는 사항마다 그 필요한 이유를 명백히 하고 그 행위를 할 연도 및 상환연도와 채무부담의 금액을 표시하여야 한다.

04 예산절차

예산안 편성(행정부) ➡ 예산안 심의 · 의결(입법부) ➡ 예산집행(행정부) ➡ 예산결산(행정부 · 입법부) [2020 채용2차]

1. 정부의 예산안 편성절차

(1) 국가재정운용계획 수립

국가재정법 제7조【국가재정운용계획의 수립 등】① 정부는 재정운용의 효율화와 건전화를 위하여 매년 해당 회계연도부터 5회계연도 이상의 기간에 대한 재정운용계획(이하 "국가재정운용계획"이라 한다)을 수립하여 회계연도 개시 120일 전까지 국회에 제출하여야 한다.

(2) 신규사업 · 중기사업계획서 제출 – 매년 1월 31일까지 / 중앙관서장 ➡ 기재부장관

국가재정법 제28조【중기사업계획서의 제출】각 중앙관서의 장은 매년 1월 31일까지 해당 회계연도부터 5회계연도 이상의 기간 동안의 신규사업 및 기획재정부장관이 정하는 주요 계속사업에 대한 중기사업계획서를 기획재정부장관에게 제출하여야 한다. 예 2022년 1월 31일까지, 2022 · 23 · 24 · 25 · 26년도 기간 동안의 신규사업 · 중기사업계획서 제출 [2016 지능범죄] [2020 승진(경감)] [2022 경간] [2022 채용1차]

[2024 채용 1차] 경찰청장은 매년 1월 31일까지 해당 회계연도부터 5회계연도 이상의 기간 동안의 신규사업 및 경찰청장이 정하는 주요 계속사업에 대한 중기사업계획서를 기획재정부장관에게 제출하여야 한다. (×)
[2018 채용1차] 각 중앙관서의 장은 매년 1월 31일까지 당해 회계연도부터 3회계연도 이상의 기간 동안의 신규사업 및 기획재정부장관이 정하는 주요 계속사업에 대한 중기사업계획서를 기획재정부장관에게 제출하여야 한다. (×)
[2012 채용2차] 경찰청장은 매년 1월 31일까지 다음 회계연도부터 5회계연도 이상의 기간 동안의 신규사업 및 기획재정부장관이 정하는 주요 계속사업에 대한 중기사업계획서를 기획재정부장관에게 제출하여야 한다. (×)

💡 경찰청장이 여기서 말하는 '중앙관서의 장'이 된다(이하 같음).

(3) 예산안편성지침 통보 – 매년 3월 31일까지 / 기재부장관 ➡ 중앙관서장

국가재정법 제29조【예산안편성지침의 통보】① 기획재정부장관은 국무회의의 심의를 거쳐 대통령의 승인을 얻은 다음 연도의 예산안편성지침을 매년 3월 31일까지 각 중앙관서의 장에게 통보하여야 한다. [2012 경간] [2016 지능범죄] [2018 채용1차] [2020 승진(경감)] [2024 채용 1차]

② 기획재정부장관은 제7조의 규정에 따른 국가재정운용계획과 예산편성을 연계하기 위하여 제1항의 규정에 따른 예산안편성지침에 중앙관서별 지출한도를 포함하여 통보할 수 있다.

[2012 채용2차] 기획재정부장관은 국회의 심의를 거쳐 대통령의 승인을 얻은 다음 연도의 예산편성지침을 매년 3월 31일까지 경찰청장에게 통보하여야 한다. (×)

> **국가재정법 제30조【예산안편성지침의 국회보고】** 기획재정부장관은 제29조 제1항의 규정에 따라 각 중앙관서의 장에게 통보한 예산안편성지침을 국회 예산결산특별위원회에 보고하여야 한다.

(4) 예산요구서 제출 – 매년 5월 31일까지 / 중앙관서장 ➡ 기재부장관

> **국가재정법 제31조【예산요구서의 제출】** ① 각 중앙관서의 장은 제29조의 규정에 따른 예산안편성지침에 따라 그 소관에 속하는 다음 연도의 세입세출예산·계속비·명시이월비 및 국고채무부담행위 요구서(이하 "예산요구서"라 한다)를 작성하여 매년 5월 31일까지 기획재정부장관에게 제출하여야 한다. [2012 채용2차] [2018 채용1차] [2020 승진(경감)] [2021 경간]
> ② 예산요구서에는 대통령령으로 정하는 바에 따라 예산의 편성 및 예산관리기법의 적용에 필요한 서류를 첨부하여야 한다. [2016 지능범죄]
> ③ 기획재정부장관은 제1항의 규정에 따라 제출된 예산요구서가 제29조의 규정에 따른 예산안편성지침에 부합하지 아니하는 때에는 기한을 정하여 이를 수정 또는 보완하도록 요구할 수 있다.
> [2022 채용1차] 각 중앙관서의 장은 제29조의 규정에 따른 예산안편성지침에 따라 그 소관에 속하는 당해 연도의 세입세출예산 계속비 명시 이월비 및 국고채무부담행위 요구서를 작성하여 매년 3월 31일까지 기획재정부장관에게 제출하여야 한다. (×)

(5) 예산안 편성·제출 – 매년 9월 3일까지(회계연도 개시 120일 전까지) / 기재부장관 ➡ 국회

> **국가재정법 제32조【예산안의 편성】** 기획재정부장관은 제31조 제1항의 규정에 따른 예산요구서에 따라 예산안을 편성하여 국무회의의 심의를 거친 후 대통령의 승인을 얻어야 한다.
> [2020 승진(경감)] 기획재정부장관은 예산요구서에 따라 예산안을 편성하여 국회의 심의를 거친 후 대통령의 승인을 얻어야 한다. (×)
> **헌법 제54조** ② 정부는 회계연도마다 예산안을 편성하여 회계연도 개시 90일전까지 국회에 제출하고, 국회는 회계연도 개시 30일전까지 이를 의결하여야 한다.
> **국가재정법 제33조【예산안의 국회제출】** 정부는 제32조의 규정에 따라 대통령의 승인을 얻은 예산안을 회계연도 개시 120일 전까지 국회에 제출하여야 한다. [2018 채용1차] [2022 채용1차]
> [2012 채용2차] 경찰청장은 예산요구서에 따라 예산안을 편성하여 국무회의 심의와 대통령의 승인을 얻은 후 회계연도 개시 120일 전까지 국회에 제출하여야 한다. (×)
> [2016 지능범죄 유사] [2019 채용2차] 기획재정부장관은 예산안을 편성하여 국무회의 심의를 거쳐 대통령의 승인을 얻어야 하며, 정부는 이 예산안을 회계연도 개시 90일 전까지 국회에 제출하여야 한다. (×)

헌법은 회계연도 개시 90일 전까지 제출하도록 하고 있으나, **국가재정법**은 회계연도 개시 120일 전까지라고 하여 헌법보다 30일 일찍 국회에 예산안을 제출하도록 규정하고 있다. ➡ 헌법 문언해석상으로도 90일보다 더 빨리 국회에 제출하는 것은 문제가 없고, 이는 국회의 예산심사 기간을 늘려 국회의 예산통제를 더욱 엄밀하게 할 수 있도록 하는 것이므로 위헌이라 보기 어렵다.

⊕ 심화 특수한 예산서

1 성인지 예산서

> **국가재정법 제26조【성인지 예산서의 작성】** ① 정부는 예산이 여성과 남성에게 미칠 영향을 미리 분석한 보고서(이하 "성인지예산서"라 한다)를 작성하여야 한다.
>
> ② 성인지 예산서에는 성평등 기대효과, 성과목표, 성별 수혜분석 등을 포함하여야 한다.
>
> ③ 성인지 예산서의 작성에 관한 구체적인 사항은 대통령령으로 정한다.
>
> [2021 경간] '국가재정법'에 따라 경찰은 예산을 편성할 때 예산이 인권에 미친 영향을 평가하는 보고서를 작성하여야 한다. (×)

2 온실가스감축인지 예산서

> **국가재정법 제27조【온실가스감축인지 예산서의 작성】** ① 정부는 예산이 온실가스 감축에 미칠 영향을 미리 분석한 보고서(이하 "온실가스감축인지 예산서"라 한다)를 작성하여야 한다.
>
> ② 온실가스감축인지 예산서에는 온실가스 감축에 대한 기대효과, 성과목표, 효과분석 등을 포함하여야 한다.
>
> ③ 온실가스감축인지 예산서의 작성에 관한 구체적인 사항은 대통령령으로 정한다.

2. 국회의 예산안 심의 · 의결절차

(1) 소관 상임위원회 예비심사

> **국회법 제84조【예산안 · 결산의 회부 및 심사】** ① 예산안과 결산은 소관 상임위원회에 회부하고, 소관 상임위원회는 예비심사를 하여 그 결과를 의장에게 보고한다. 이 경우 예산안에 대해서는 본회의에서 정부의 시정연설을 듣는다.
>
> **국회법 제58조【위원회의 심사】** ⑦ 위원회는 안건이 예산상의 조치를 수반하는 경우에는 정부의 의견을 들어야 하며, 필요하다고 인정하는 경우에는 의안 시행에 수반될 것으로 예상되는 비용에 관하여 국회예산정책처의 의견을 들을 수 있다.

💡 통상 9월 초부터 11월 말까지를 소위 '예산시즌'이라고 부르며, 이 시기의 정부 예산업무 담당자(경찰청 재정담당관실 예산계, 재정기획계 등)들은 언제든 국회의 호출과 자료요구 등에 대응할 수 있도록 24시간 대기상태가 되어야 한다고 한다.

(2) 예산결산특별위원회의 종합심사

> **국회법 제84조【예산안 · 결산의 회부 및 심사】** ② 의장은 예산안과 결산에 제1항의 보고서를 첨부하여 이를 예산결산특별위원회에 회부하고 그 심사가 끝난 후 본회의에 부의한다. 결산의 심사 결과 위법하거나 부당한 사항이 있는 경우에 국회는 본회의 의결 후 정부 또는 해당 기관에 변상 및 징계조치 등 그 시정을 요구하고, 정부 또는 해당 기관은 시정 요구를 받은 사항을 지체 없이 처리하여 그 결과를 국회에 보고하여야 한다.
>
> ③ 예산결산특별위원회의 예산안 및 결산 심사는 제안설명과 전문위원의 검토보고를 듣고 종합정책질의, 부별 심사 또는 분과위원회 심사 및 찬반토론을 거쳐 표결한다. 이 경우 위원장은 종합정책질의를 할 때 간사와 협의하여 각 교섭단체별 대표질의 또는 교섭단체별 질의시간 할당 등의 방법으로 그 기간을 정한다. [2018 승진(경감)]
>
> ⑤ 예산결산특별위원회는 소관 상임위원회의 예비심사 내용을 존중하여야 하며, 소관 상임위원회에서 삭감한 세출예산 각 항의 금액을 증가하게 하거나 새 비목을 설치할 경우에는 소관 상임위원회의 동의를 받아야 한다. 다만, 새 비목의 설치에 대한 동의 요청이 소관 상임위원회에 회부되어 회부된 때부터 72시간 이내에 동의 여부가 예산결산특별위원회에 통지되지 아니한 경우에는 소관 상임위원회의 동의가 있는 것으로 본다.

▌예결위 종합심사의 구체적 모습
[2018 승진(경감)]

사항	내용
예산안 등 공청회	의결로 생략 가능
위원회 상정	• 정부제안설명 • 전문위원 검토보고
종합정책질의	정부전체에 대한 정책질의 · 답변
부별심사	경제부처 및 비경제부처 별로 실시
예산안 등 조정소위원회 심사	• 계수조정위원회라고도 함 • 상임위 예비심사 결과, 종합정책질의 등 참고하여 예산 증액 또는 삭감
예결위 본위원회 의결	11월 30일까지 심사 못마치면 다음 날인 12월 1일 본회의 자동부의

[2021 경간] 국회에 제출된 경찰예산안은 행정안전위원회에서 종합심사를 통해 구체적이고 실질적인 금액 조정이 이루어지며 종합심사가 끝난 예산안은 본회의에 상정되어 회계연도 개시 30일 전까지 본회의 의결을 거침으로써 확정된다. (×)

(3) 국회 본회의 심의 · 의결

> **헌법 제54조** ① 국회는 국가의 예산안을 심의 · 확정한다.
> ② 정부는 회계연도마다 예산안을 편성하여 회계연도 개시 90일 전까지 국회에 제출하고, 국회는 회계연도 개시 30일 전까지 이를 의결하여야 한다. ➜ 12월 2일까지

국회 본회의의 의결로서 예산안은 확정된다.

(4) 정부이송

> **국회법 제98조 【의안의 이송】** ① 국회에서 의결된 의안은 의장이 정부에 이송한다.

▌예산의 집행
- 예산의 집행이란 국회에서 확정된 예산에 따라 재원을 조달하고 경비를 지출하는 활동을 말하며, 예산의 집행은 예산의 배정으로부터 시작된다.
- 예산서에 **명시된 목적 이외에는** 집행할 수 없음이 원칙이다.

3. 정부의 예산집행절차

(1) 예산배정요구서 제출 – 예산확정 후 / 중앙관서장 ➜ 기재부장관

> **국가재정법 제42조 【예산배정요구서의 제출】** 각 중앙관서의 장은 예산이 확정된 후 사업운영계획 및 이에 따른 세입세출예산 · 계속비와 국고채무부담행위를 포함한 예산배정요구서를 기획재정부장관에게 제출하여야 한다. [2015 채용1차] [2021 경간]
> [2022 경간] [2024 채용 1차]
> [2020 승진(경위)] 각 중앙관서의 장은 예산이 확정되기 전에 사업운영계획 및 이에 따른 세입세출예산 · 계속비와 국고채무부담행위를 포함한 예산배정요구서를 기획재정부장관에게 제출하여야 한다. (×)

예산배정요구서에는 명시이월비는 포함되지 않는다. 이는 지난 회계연도에 지출을 끝내지 못한 부분으로서 이미 해당 기관이 가지고 있는 항목이기 때문이다.

[2012 경간] 예산이 성립되면 경찰청장은 사업운영계획 및 이에 의한 세입세출예산, 계속비, 국고채무부담행위, 명시이월비를 포함한 예산배정요구서를 기획재정부장관에게 제출하여야 한다. (×)

(2) 예산배정계획서 작성

> **국가재정법 제43조 【예산의 배정】** ① 기획재정부장관은 제42조의 규정에 따른 예산배정요구서에 따라 분기별 예산배정계획을 작성하여 국무회의의 심의를 거친 후 대통령의 승인을 얻어야 한다. [2024 채용 1차]

(3) 예산의 배정 – 기재부장관 ➜ 중앙관서장 / 감사원 통지 필요

> **국가재정법 제43조 【예산의 배정】** ② 기획재정부장관은 각 중앙관서의 장에게 예산을 배정한 때에는 감사원에 통지하여야 한다. [2015 채용1차] [2022 채용1차]
> ③ 기획재정부장관은 필요한 때에는 대통령령으로 정하는 바에 따라 회계연도 개시 전에 예산을 배정할 수 있다. ➜ 긴급배정
> ④ 기획재정부장관은 예산의 효율적인 집행관리를 위하여 필요한 때에는 제1항의 규정에 따른 분기별 예산배정계획에도 불구하고 개별사업계획을 검토하여 그 결과에 따라 예산을 배정할 수 있다.

⑤ 기획재정부장관은 재정수지의 적정한 관리 및 예산사업의 효율적인 집행관리 등을 위하여 필요한 때에는 제1항의 규정에 따른 분기별 예산배정계획을 조정하거나 예산배정을 유보할 수 있으며, 배정된 예산의 집행을 보류하도록 조치를 취할 수 있다.

[2021 경간] 경찰청장은 예산이 확정된 후 예산배정요구서를 기획재정부장관에게 제출하고 기획재정부장관은 예산배정요구서에 따라 분기별 예산배정계획을 작성하여 국무회의 심의와 대통령의 승인을 얻은 후 분기별 예산배정계획에 따라 경찰청장에게 예산을 배정한다. (○)

(4) 예산의 재배정 – 중앙관서장 ➡ 재무관

국가재정법 제43조의2【예산의 재배정】 ① 각 중앙관서의 장은 「국고금 관리법」 제22조 제1항에 따른 재무관으로 하여금 지출원인행위를 하게 할 때에는 제43조에 따라 배정된 세출예산의 범위 안에서 재무관별로 세출예산재배정계획서를 작성하고 이에 따라 세출예산을 재배정(기획재정부장관이 각 중앙관서의 장에게 배정한 예산을 각 중앙관서의 장이 재무관별로 다시 배정하는 것을 말한다. 이하 같다)하여야 한다.

(5) 예산의 집행

국가재정법 제44조【예산집행지침의 통보】 기획재정부장관은 예산집행의 효율성을 높이기 위하여 매년 예산집행에 관한 지침을 작성하여 각 중앙관서의 장에게 통보하여야 한다. [2015 채용1차]

국가재정법 제45조【예산의 목적 외 사용금지】 각 중앙관서의 장은 세출예산이 정한 목적 외에 경비를 사용할 수 없다.

[2015 채용1차] [2022 경간] 경찰청장은 세출예산이 정한 목적 외에 경비를 사용할 수 있다. (×)

(6) 예산의 탄력적 집행
1) 세출예산과목의 구성

장	관	항	세항	목
020 공공질서 및 안전	023 경찰	1200 범죄수사활동 1300 교통안전·소통확보	1231 범죄수사 1232 첨단과학수사	110 인건비 210 운영비
기능별 분류	조직별 분류	사업별 분류	활동별 분류	품목별 분류
입법과목			행정과목	
예산의 이용			예산의 전용	
국회의결, 기획재정부장관의 승인			기획재정부장관의 승인	

2) 예산의 전용

> **국가재정법 제46조【예산의 전용】** ① 각 중앙관서의 장은 예산의 목적범위 안에서 재원의 효율적 활용을 위하여 대통령령으로 정하는 바에 따라 기획재정부장관의 승인을 얻어 각 세항 또는 목의 금액을 전용할 수 있다. 이 경우 사업 간의 유사성이 있는지, 재해대책 재원 등으로 사용할 시급한 필요가 있는지, 기관운영을 위한 필수적 경비의 충당을 위한 것인지 여부 등을 종합적으로 고려하여야 한다.
> ② 각 중앙관서의 장은 제1항에도 불구하고 회계연도마다 기획재정부장관이 위임하는 범위 안에서 각 세항 또는 목의 금액을 자체적으로 전용할 수 있다.
> ③ 제1항 및 제2항에도 불구하고 각 중앙관서의 장은 다음 각 호의 어느 하나에 해당하는 경우에는 전용할 수 없다.
> 1. 당초 예산에 계상되지 아니한 사업을 추진하는 경우
> 2. 국회가 의결한 취지와 다르게 사업 예산을 집행하는 경우
> ④ 기획재정부장관은 제1항의 규정에 따라 전용의 승인을 한 때에는 그 전용명세서를 그 중앙관서의 장 및 감사원에 각각 송부하여야 하며, 각 중앙관서의 장은 제2항의 규정에 따라 전용을 한 때에는 전용을 한 과목별 금액 및 이유를 명시한 명세서를 기획재정부장관 및 감사원에 각각 송부하여야 한다.
> ⑤ 각 중앙관서의 장이 제1항 또는 제2항에 따라 전용을 한 경우에는 분기별로 분기만료일이 속하는 달의 다음 달 말일까지 그 전용 내역을 국회 소관 상임위원회와 예산결산특별위원회에 제출하여야 한다.
> ⑥ 제1항 또는 제2항의 규정에 따라 전용한 경비의 금액은 세입세출결산보고서에 이를 명백히 하고 이유를 기재하여야 한다

3) 예산의 이용 · 이체

> **국가재정법 제47조【예산의 이용 · 이체】** ① 각 중앙관서의 장은 예산이 정한 각 기관 간 또는 각 장 · 관 · 항 간에 상호 이용할 수 없다. 다만, 다음 각 호의 어느 하나에 해당하는 경우에 한정하여 미리 예산으로써 국회의 의결을 얻은 때에는 기획재정부장관의 승인을 얻어 이용하거나 기획재정부장관이 위임하는 범위 안에서 자체적으로 이용할 수 있다.
> 1. 법령상 지출의무의 이행을 위한 경비 및 기관운영을 위한 필수적 경비의 부족액이 발생하는 경우
> 2. 환율변동 · 유가변동 등 사전에 예측하기 어려운 불가피한 사정이 발생하는 경우
> 3. 재해대책 재원 등으로 사용할 시급한 필요가 있는 경우
> 4. 그 밖에 대통령령으로 정하는 경우
> ② 기획재정부장관은 정부조직 등에 관한 법령의 제정 · 개정 또는 폐지로 인하여 중앙관서의 직무와 권한에 변동이 있는 때에는 그 중앙관서의 장의 요구에 따라 그 예산을 상호 이용하거나 이체할 수 있다.
> ③ 각 중앙관서의 장은 제1항 단서의 규정에 따라 예산을 자체적으로 이용한 때에는 기획재정부장관 및 감사원에 각각 통지하여야 하며, 기획재정부장관은 제1항 단서의 규정에 따라 이용의 승인을 하거나 제2항의 규정에 따라 예산을 이용 또는 이체한 때에는 그 중앙관서의 장 및 감사원에 각각 통지하여야 한다.

④ 각 중앙관서의 장이 제1항 또는 제2항에 따라 이용 또는 이체를 한 경우에는 분기별로 분기만료일이 속하는 달의 다음 달 말일까지 그 이용 또는 이체 내역을 국회 소관 상임위원회와 예산결산특별위원회에 제출하여야 한다.

[2020 승진(경위)] 경찰청장은 예산이 정한 각 기관간 또는 각 장·관·항간에 상호 이용(移用)할 수 있는 것이 원칙이다. (×)

4) 명시이월과 사고이월

- **명시이월**: 세출예산 중 경비의 성질상 연도 내에 지출을 끝내지 못할 것이 예측되는 때에는 그 취지를 세입세출예산에 명시하여 미리 국회의 승인을 얻은 후 다음 연도에 이월하여 사용할 수 있다.
- **사고이월**: 연도 내에 지출원인행위를 하고 불가피한 사유로 인하여 연도 내에 지출하지 못한 경비와 지출원인행위를 하지 아니한 그 부대경비의 금액을 다음 연도에 넘겨서 사용하는 것이다.

4. 결산절차

(1) 결산의 원칙

국가재정법 제56조【결산의 원칙】 정부는 결산이 「국가회계법」에 따라 재정에 관한 유용하고 적정한 정보를 제공할 수 있도록 객관적인 자료와 증거에 따라 공정하게 이루어지게 하여야 한다.

(2) 중앙관서결산보고서 제출 – 다음 연도 2월 말까지 / 중앙관서장 ➡ 기재부장관

국가재정법 제58조【중앙관서결산보고서의 작성 및 제출】 ① 각 중앙관서의 장은 「국가회계법」에서 정하는 바에 따라 회계연도마다 작성한 결산보고서(이하 "중앙관서결산보고서"라 한다)를 다음 연도 2월 말일까지 기획재정부장관에게 제출하여야 한다. 예 2022년 회계연도(2022.1.1.~2022.12.31.)의 결산보고서를 2023년 2월 28일까지 제출
② 국회의 사무총장, 법원행정처장, 헌법재판소의 사무처장 및 중앙선거관리위원회의 사무총장은 회계연도마다 예비금사용명세서를 작성하여 다음 연도 2월 말까지 기획재정부장관에게 제출하여야 한다.

(3) 국가결산보고서 제출 – 다음 연도 4월 10일까지 / 기재부장관 ➡ 감사원

국가재정법 제59조【국가결산보고서의 작성 및 제출】 기획재정부장관은 「국가회계법」에서 정하는 바에 따라 회계연도마다 작성하여 대통령의 승인을 받은 국가결산보고서를 다음 연도 4월 10일까지 감사원에 제출하여야 한다.

(4) 결산검사 – 다음 연도 5월 20일까지 / 감사원 ➡ 기재부장관

헌법 제99조 감사원은 세입·세출의 결산을 매년 검사하여 대통령과 차년도 국회에 그 결과를 보고하여야 한다.

국가재정법 제60조【결산검사】 감사원은 제59조에 따라 제출된 국가결산보고서를 검사하고 그 보고서를 다음 연도 5월 20일까지 기획재정부장관에게 송부하여야 한다.
[2024 채용 1차]

(5) 국회제출 - 다음 연도 5월 31일까지 / 정부 ➡ 국회

> **국가재정법 제61조【국가결산보고서의 국회제출】** 정부는 제60조에 따라 감사원의 검사를 거친 국가결산보고서를 다음 연도 5월 31일까지 국회에 제출하여야 한다.
>
> [2021 경간] 경찰청장은 결산보고서를 기획재정부장관에게 제출하여야 하며 정부는 감사원 감사를 거친 국가결산보고서를 다음 연도 5월 31일까지 국회에 제출하여야 한다. (○)

05 예산지출

1. 지출의 의미

지출이란 세출예산 및 기금운용계획의 집행에 따라 국고에서 현금등이 지급되는 것을 말한다.

⊕ 심화 지출관리기관

1 재무관

• 재무관이란 중앙관서장의 위임 또는 지정에 따라 지출원인행위를 할 수 있는 자를 말한다.

> **국고금 관리법 제21조【지출원인행위의 위임】** ① 중앙관서의 장은 대통령으로 정하는 바에 따라 소속 공무원에게 위임하여 지출원인행위를 하게 할 수 있다.
> ② 제1항에 따른 지출원인행위의 위임은 중앙관서의 장이 소속 관서에 설치된 직위를 지정하는 것으로 갈음할 수 있다.
>
> **대통령령 국고금 관리법 시행령 제24조【지출원인행위의 위임】** 중앙관서의 장은 법 제21조에 따라 소속 공무원에게 지출원인행위에 관한 사무를 위임하였을 때에는 그 사실을 지출관, 기획재정부장관 및 감사원에 통지하여야 한다.
>
> **훈령 경찰 소관 회계직 공무원 관직 지정 및 회계사무 취급에 관한 규칙 제4조【재무관 및 계약관】** ① 재무관(계약관) 및 분임재무관(분임계약관)을 별표 2와 같이 지정한다.
> ② 시·도 지방경찰청의 재무관은 분임재무관에게 경찰청 소관 회계업무를 위임처리하게 할 수 있다.

• 경찰회계규칙 별표 2에 따른 재무관은 다음과 같다.

관서명	재무관(계약관) 관직	분임재무관(분임계약관) 관직
경찰청	경무담당관	–
시·도경찰청	경무과장	경찰서 경무과장

2 지출관

• 지출관이란 재무관의 지출원인행위에 대한 채무변제를 위해 출납기관에게 지출을 명령하는 자를 말한다.

> **국고금 관리법 제22조【지출의 절차】** ② 지출관의 임명은 중앙관서의 장이 소속 관서에 설치된 직위를 지정하는 것으로 갈음할 수 있다.
>
> **대통령령 국고금 관리법 시행령 제26조【지출관의 임명】** ① 중앙관서의 장은 법 제22조에 따라 그 소관 재무관의 지출원인행위에 대한 지출을 하게 하기 위하여 지출관을 임명하여야 한다.
> ② 중앙관서의 장은 제1항에 따라 지출관을 임명하였을 때에는 그 사실을 재무관, 기획재정부장관, 감사원 및 한국은행등에 통지하여야 한다.
>
> **훈령 경찰회계규칙 제5조【지출관】** 지출관 및 분임지출관을 별표 3과 같이 지정한다.

💡 이하 '경찰 소관 회계직 공무원 관직 지정 및 회계사무 취급에 관한 규칙'은 '경찰회계규칙'으로 약칭한다.

- 경찰회계규칙 별표 3에 따른 **지출관**은 다음과 같다.

관서명	지출관 관직	분임지출관 관직
경찰청	경무담당관실 경리계장	–
시·도경찰청	경무과장	경찰서 경무과 경리계장

③ 출납공무원

- **출납공무원**은 관서운영경비와 같은 자금을 출납·보관하는 공무원으로서, 경무담당관실 경리사무취급주무공무원(경찰청), 경무과 경리사무취급주무공무원(시·도경찰청, 경찰서)이 지정되어 있다.

> **국고금 관리법 제4조의3 【출납공무원의 임명 및 직무】** ① 출납공무원은 각 중앙관서의 장 또는 그 위임을 받은 공무원이 임명한다.
> ② 출납공무원은 법령에서 정하는 바에 따라 자금을 출납·보관하여야 한다.
> ③ 제1항에 따른 출납공무원의 임명은 소속 관서에 설치된 직위를 지정하는 것으로 갈음할 수 있다.
>
> **국고금 관리법 제27조 【지출기관과 출납기관의 분립】** 재무관, 지출관 및 출납공무원의 직무는 서로 겸할 수 없다. 다만, 기금의 경우에는 대통령령으로 정하는 바에 따라 지출관과 출납공무원의 직무를 겸할 수 있다.
>
> 훈령 **경찰회계규칙 제6조 【출납공무원】** ① 관서운영경비 출납공무원 및 분임일상경비출납공무원을 별표 4와 같이 지정한다.

2. 지출절차

(1) 지출사무의 총괄·관리

> **국고금 관리법 제19조 【지출의 총괄과 관리】** 기획재정부장관은 지출에 관한 사무를 총괄하고, 중앙관서의 장은 그 소관 지출원인행위와 지출에 관한 사무를 관리한다.
>
> **국고금 관리법 제20조 【지출원인행위의 준칙】** 지출원인행위는 중앙관서의 장이 법령이나 「국가재정법」 제43조에 따라 배정된 예산 또는 기금운용계획의 금액 범위에서 하여야 한다.
> [2019 승진(경감)] [2020 승진(경위) 유사] 예산의 집행은 예산의 배정으로 시작되며 예산이 확정되면 해당 예산이 배정되지 않은 상태에서도 지출원인행위를 할 수 있다. (×)
> [2019 채용2차] 예산의 집행은 예산의 배정으로부터 시작되므로 예산이 확정되더라도 해당 예산이 배정되지 않은 상태에서는 지출원인행위를 할 수 없다. (○)

▌지출원인행위
국고금 지출의 원인이 되는 계약이나 그 밖의 행위를 말한다. 예 경찰장비 발주·구매계약

(2) 재무관의 지출원인행위

> **국고금 관리법 제22조 【지출의 절차】** ① 중앙관서의 장 또는 제21조에 따라 위임받은 공무원(이하 "재무관"이라 한다)이 그 소관 세출예산 또는 기금운용계획에 따라 지출하려는 경우에는 대통령령으로 정하는 바에 따라 소속 중앙관서의 장이 임명한 공무원(이하 "지출관"이라 한다)에게 지출원인행위 관계 서류를 보내야 한다.
> 예 경찰청 재무관(경무담당관)이 경찰장비 구매계약을 체결한 경우, 구매계약서와 같은 지출원인행위 서류를 경찰청 지출관(경무담당관실 경리계장)에게 보내야 한다.

(3) 지출관의 지출

> **국고금 관리법 제22조【지출의 절차】** ③ 지출원인행위에 따라 지출관이 지출을 하려는 경우에는 대통령령으로 정하는 바에 따라 채권자 또는 법령에서 정하는 바에 따라 국고금의 지급사무를 수탁하여 처리하는 자(이하 "채권자등"이라 한다)의 계좌로 이체하여 지급하여야 한다. 예 경찰장비 구매계약서를 송부받은 경찰청 지출관(경무담당관실 경리계장)은 계약서에 기재된 장비판매자(채권자) 계좌로 구매대금을 이체하는 방법으로 지급한다.
> ④ 지출관은 정보통신의 장애나 그 밖의 불가피한 사유로 제3항에 따른 방법으로 지급할 수 없는 경우에는 대통령령으로 정하는 바에 따라 현금등을 채권자에게 직접 지급할 수 있다.
>
> **국고금 관리법 제23조【지출의 제한】** 지출관은 채권자등을 수취인으로 하는 경우 외에는 지출을 할 수 없다. 다만, 출납공무원에게 자금을 교부하는 경우에는 그러하지 아니하다.
>
> **대통령령** **국고금 관리법 시행령 제28조【지출의 방법】** ① 지출관이 법 제22조 제3항에 따라 지출을 하려는 경우에는 한국은행등으로 하여금 채권자 또는 법령에서 정하는 바에 따라 국고금의 지급사무를 수탁하여 처리하는 자(이하 "채권자등"이라 한다)의 은행 등 금융업무를 수행하는 기관(이하 "은행등"이라 한다)의 예금계좌로 이체하여 지급하게 하여야 한다.

3. 지출의 특례 – 관서운영경비

(1) 의의

> **국고금 관리법 제24조【관서운영경비의 지급】** ① 중앙관서의 장 또는 그 위임을 받은 공무원은 관서를 운영하는 데 드는 경비로서 그 성질상 제22조에서 규정한 절차에 따라 지출할 경우 업무수행에 지장을 가져올 우려가 있는 경비(이하 "관서운영경비"라 한다)는 필요한 자금을 출납공무원으로 하여금 지출관으로부터 교부받아 지급하게 할 수 있다.

- 해당 관서에서 일상적으로 사용되는 비용에 대해서까지도 국고금 관리법에 따른 원칙적인 지출절차를 요구할 경우 재무관이나 지출관의 업무수행에 지장을 가져올 수 있으므로, 이러한 지출에 대해서는 출납공무원으로 하여금 처리하게 하여 지출절차를 간소화 한 것이다. 예 여비, 업무추진비, 각종 공과금, 일상적 물품 구입비 등
- 이러한 관서운영경비는 지출관이 출납공무원에게 일정 금액을 미리 교부해 두고, 출납공무원이 지출관으로부터 교부받은 자금의 범위 내에서 사용(지급원인행위 및 지출)하게 된다.

(2) 관서운영경비의 취급자 및 취급원칙

> **국고금 관리법 제24조【관서운영경비의 지급】** ② 제1항에 따라 관서운영경비를 교부받아 지급하는 출납공무원(이하 "관서운영경비출납공무원"이라 한다)은 대통령령으로 정하는 바에 따라 제1항에 따라 교부된 자금의 범위에서 지급원인행위를 할 수 있다.

③ 관서운영경비는 관서운영경비출납공무원이 아니면 지급할 수 없다. [2019 승진(경감)]
④ 관서운영경비출납공무원은 관서운영경비를 금융회사등에 예치하여 관리하여야 한다.
⑤ 관서운영경비출납공무원이 관서운영경비를 지급하려는 경우에는 정부구매카드를 사용하여야 한다. 다만, 경비의 성질상 정부구매카드를 사용할 수 없는 경우에는 대통령령으로 정하는 바에 따라 현금지급 등의 방법으로 지급할 수 있다.
⑥ 관서운영경비의 범위, 지급절차 및 정부구매카드의 사용방법 등에 필요한 사항은 대통령령으로 정한다.

▌**정부구매카드**
「여신전문금융업법」에 따른 신용카드·직불카드 또는 「전자금융거래법」에 따른 직불전자지급수단으로서 대통령령으로 정하는 바에 따라 관서운영경비를 지급하기 위하여 사용되는 것을 말한다.

(3) 관서운영경비의 범위

대통령령 **국고금 관리법 시행령 제31조【관서운영경비의 범위】** 법 제24조 제6항에 따른 관서운영경비의 범위는 다음 각 호와 같다.
1. 운영비(복리후생비·학교운영비·일반용역비 및 관리용역비는 제외한다)·특수활동비·안보비·정보보안비 및 업무추진비 중 기획재정부령으로 정하는 금액 이하의 경비
2. 외국에 있는 채권자가 외국에서 지급받으려는 경우에 지급하는 경비(재외공관 및 외국에 설치된 국가기관에 지급하는 경비를 포함한다)
3. 여비
4. 그 밖에 제28조부터 제30조까지에서 규정한 절차에 따라 지출할 경우 업무수행에 지장을 가져올 우려가 있는 경비로서 기획재정부령으로 정하는 경비

기획재정부령 **국고금 관리법 시행규칙 제52조【관서운영경비의 범위】** ① 영 제31조 제1호에 따라 관서운영경비로 지급할 수 있는 경비의 최고금액은 건당 500만원으로 한다. 다만, 다음 각 호의 어느 하나에 해당하는 경우에는 그러하지 아니하다.
1. 기업특별회계상 당해 사업에 직접 소요되는 경비
2. 운영비 중 공과금 및 위원회참석비
3. 특수활동비 중 수사활동에 소요되는 경비
4. 안보비 중 정보활동에 소요되는 경비
5. 정보보안비 중 정보활동에 소요되는 경비
6. 그 밖에 기획재정부장관이 정하는 경비

주제 5 경찰장비관리

01 경찰장비관리 개설

- 경찰장비관리는 경찰업무를 수행하는 데 필요한 물품을 취득하여 효율적으로 보관, 사용하고 사용 후에 합리적으로 처분하는 과정을 말한다.
- 경찰장비관리의 목표는 능률성 · 효과성 · 경제성의 달성에 있다고 본다.

02 무기 및 탄약관리

1. 용어의 정의

┃ 경찰관 직무집행법상 '무기'
사람의 생명이나 신체에 위해를 끼칠 수 있도록 제작된 권총 · 소총 · 도검 등을 말한다.

┃ 위해성 경찰장비의 사용기준 등에 관한 규정상 '무기'
권총 · 소총 · 기관총(기관단총을 포함한다. 이하 같다) · 산탄총 · 유탄발사기 · 박격포 · 3인치포 · 함포 · 크레모아 · 수류탄 · 폭약류 및 도검
➡ (가스발사총 제외) **총** · (물포 제외) **포 · 도**

> **훈령** 경찰장비관리규칙 제112조 【정의】 이 장에서 사용하는 용어의 정의는 다음과 같다.
> 1. "무기"란 인명 또는 신체에 위해를 가할 수 있도록 제작된 권총 · 소총 · 도검 등을 말한다. [2017 승진(경감)]
> 2. "집중무기고"란 경찰인력 및 경찰기관별 무기책정기준에 따라 배정된 개인화기와 공용화기를 집중보관 · 관리하기 위하여 각 경찰기관에 설치된 시설을 말한다. [2017 채용2차]
> 3. "탄약고"란 경찰탄약을 집중 보관하기 위하여 타용도의 사무실, 무기고 등과 분리 설치된 보관시설을 말한다.
> 4. "간이무기고"란 경찰기관의 각 기능별 운용부서에서 효율적 사용을 위하여 집중무기고로부터 무기 · 탄약의 일부를 대여 받아 별도로 보관 · 관리하는 시설을 말한다. [2013 채용2차]
> 5. "무기 · 탄약 관리책임자"란 경찰기관의 장으로부터 무기 · 탄약 관리 업무를 위임받아 집중무기고 및 간이무기고에 보관된 무기 · 탄약을 총괄하여 관리 · 감독하는 자를 말한다.
> 6. "무기 · 탄약 취급담당자"란 무기 · 탄약 관리에 관한 업무를 분장받아 해당 경찰기관의 무기 · 탄약의 보관 · 운반 · 수리 · 입출고 등 무기 · 탄약 관리사무에 종사하는 자를 말한다.
>
> **훈령** 경찰장비관리규칙 제113조 【구분】 무기는 개인화기와 공용화기로 다음 각 호와 같이 구분한다.
> 1. 개인화기: 권총 · 소총(자동소총 및 기관단총을 포함한다) 등 개인이 운용하는 장비
> 2. 공용화기: 유탄발사기 · 중기관총 · 박격포 · 저격총 · 산탄총 · 로프발사총 · 다목적발사기(고폭탄을 사용하는 경우) · 물발사분쇄기 · 석궁 등 부대단위로 운용되는 장비

2. 무기고 및 탄약고

(1) 설치

> [훈령] **경찰장비관리규칙 제115조【무기고 및 탄약고 설치】**① 집중무기고는 다음 각 호의 경찰기관에 설치한다.
> 1. 경찰청 / 2. 시·도경찰청 / 3. 경찰대학, 경찰인재개발원, 중앙경찰학교 및 경찰수사연수원 / 4. 경찰서 / 5. 경찰기동대, 방범순찰대 및 경비대 / 6. 의무경찰대 / 7. 경찰특공대 / 8. 기타 경찰청장이 지정하는 경찰관서
> ② 무기고와 탄약고는 견고하게 만들고 환기·방습장치와 방화시설 및 총가시설 등이 완비되어야 한다.
> ③ 탄약고는 무기고와 분리되어야 하며 가능한 본 청사와 격리된 독립 건물로 하여야 한다. ➡ 탄약고와 무기고는 반드시 분리 ○, 반드시 본 청사와 독립건물 ✕
> [2017 채용2차] [2017 승진(경감)] [2022 채용1차]
> ④ 무기고와 탄약고의 환기통 등에는 손이 들어가지 않도록 쇠창살 시설을 하고, 출입문은 2중으로 하여 각 1개소 이상씩 자물쇠를 설치하여야 한다. [2013 채용2차]
> [2022 채용1차]
> ⑤ 무기·탄약고 비상벨은 상황실과 숙직실 등 초동조치 가능장소와 연결하고, 외곽에는 철조망장치와 조명등 및 순찰함을 설치하여야 한다. [2022 채용1차]
> ⑥ 간이무기고는 근무자가 24시간 상주하는 지구대, 파출소, 상황실 및 112타격대(이하 "지구대 및 상황실 등"이라 한다) 등 경찰기관의 장이 필요하다고 인정하는 상당한 이유가 있는 장소에 설치할 수 있다. [2017 승진(경감)] [2024 채용 1차]
> ⑦ 탄약고 내에는 전기시설을 하여서는 아니되며, 조명은 건전지 등으로 하고 방화시설을 완비하여야 한다. 단, 방폭설비를 갖춘 경우 전기시설을 설치할 수 있다.
> [2024 승진] [2024 채용 1차]
> [2017 승진(경감)] 무기·탄약고 비상벨은 상황실과 숙직실 등 초동조치 가능장소와 연결하고, 외곽에는 철조망장치와 조명등 및 순찰함을 설치할 수 있다. (✕)
> [2022 채용1차] 탄약고 내에는 전기시설을 하는 것이 원칙이나, 조명은 건전지 등으로 하고 방화시설을 완비하여야 한다. (✕)

> **총가시설**
> 무기를 세워서 진열할 수 있는 시설

(2) 보관 – 무기·탄약 / 열쇠

> [훈령] **경찰장비관리규칙 제116조【무기·탄약의 보관】**① 무기·탄약은 종류별, 제조년도별로 구분 관리하며, 그 품명과 수량이 표시된 현황판과 격납배치도, 무기출입 및 점검확인부를 비치하여야 한다.
> ② 간이무기고에 권총과 소총을 함께 보관할 경우에는 견고한 분리보관 장치를 하고, 소총은 별도 잠금장치를 설치하여야 한다.
> ③ 무기고에는 가스발사총(분사기)을 보관할 수 있고, 최루탄은 보관함에 넣어 탄약고에 함께 보관할 수 있으나, 무기·탄약고에 인화물질 및 기타 장비를 보관하여서는 아니된다.
> ④ 간이무기고에 탄약을 함께 보관할 경우에는 반드시 튼튼한 상자에 넣어 잠금장치를 하고 분리보관 하여야 한다.
> [훈령] **경찰장비관리규칙 제117조【무기·탄약고 열쇠의 보관】**① 무기고와 탄약고의 열쇠는 관리 책임자가 보관한다.
> ② 집중무기·탄약고와 간이무기고는 다음 각 호의 관리자가 보관 관리한다. 다만, 휴가, 비번 등으로 관리책임자 공백시는 별도 관리책임자를 지정하여야 한다.
> 1. 집중무기·탄약고의 경우
> 　가. 일과시간의 경우 무기 관리부서의 장(정보화장비과장, 운영지원과장, 총무과장, 경찰서 경무과장 등) [2024 승진]

나. 일과시간 후 또는 토요일·공휴일의 경우 당직 업무(청사방호) 책임자(상황관리관 등 당직근무자) [2024 승진]

2. **간이무기고의 경우**

가. 상황실 간이무기고는 112종합상황실(팀)장

나. 지구대 등 간이무기고는 지역경찰관리자

다. 그 밖의 간이무기고는 일과시간의 경우 설치부서 책임자, 일과시간 후 또는 토요일·공휴일의 경우 당직 업무(청사방호) 책임자

[2017 채용2차] 경찰서에 설치된 집중무기고의 열쇠는 일과시간은 경무과장, 일과 후는 상황관리관이 보관·관리한다. 다만, 휴가·비번 등으로 관리책임자 공백시는 별도 관리책임자를 지정하여야 한다. (○)

[2024 채용 1차] 집중무기·탄약고의 열쇠보관은 일과시간의 경우 무기 관리 부서의 장이, 일과시간 후에는 당직 업무(청사방호) 책임자 (상황관리관 등 당직근무자)가 한다. (○)

3. 무기 및 탄약

(1) 대여

> **[훈령] 경찰장비관리규칙 제118조【무기·탄약 등의 대여】** ① 경찰기관의 장은 공무집행을 위해 필요할 때에는 관리하고 있는 무기·탄약을 대여할 수 있다.
> ⑥ 경찰기관의 장이 평상시에 소속경찰관에게 무기의 실탄을 대여할 때에는 다음 기준에 따라야 한다. 다만, 기능별 임무나 상황에 따라 이를 가감할 수 있다.
> 1. 소총은 정당 실탄 20발 이내
> 2. 권총은 정당 실탄 8발 이내

(2) 회수 및 보관

> **[훈령] 경찰장비관리규칙 제120조【무기·탄약의 회수 및 보관】** ① 경찰기관의 장은 무기를 휴대한 자 중에서 다음 각 호에 해당하는 자가 발생한 때에는 즉시 대여한 무기·탄약을 회수하여야 한다. ➡ 필요적 회수(강제회수) 다만, 대상자가 이의신청을 하거나 소속 부서장이 무기 소지 적격 여부에 대해 심의를 요청하는 경우에는 무기 소지 적격 심의위원회(이하 '심의위원회'라 한다.)의 심의를 거쳐 대여한 무기·탄약의 회수여부를 결정한다. [2013 채용2차] [2018 경간] [2020 승진(경위)]
> 1. 직무상의 비위 등으로 인하여 중징계 의결 요구된 자
> 2. 삭제
> 3. 사의를 표명한 자
> ② 경찰기관의 장은 무기를 휴대한 자 중에서 다음 각 호에 해당하는 자가 있을 때에는 무기 소지 적격 심의위원회(이하 '심의위원회'라 한다.)의 심의를 거쳐 대여한 무기·탄약을 회수할 수 있다. 다만, 심의위원회를 개최할 시간적 여유가 없거나 사고 방지 등을 위해 신속한 회수가 필요하다고 인정되는 경우에는 대여한 무기·탄약을 즉시 회수할 수 있으며, 회수한 날부터 7일 이내에 심의위원회를 개최하여 회수의 타당성을 심의하고 계속 회수 여부를 결정하여야 한다. ➡ 임의적 회수(심의회수) [2013 채용2차] [2018 실무 1]
> 1. 직무상의 비위 등으로 인하여 감찰조사의 대상이 되거나 경징계의결 요구 또는 경징계 처분 중인 자
> 2. 형사사건의 수사 대상이 된 자
> 3. 경찰공무원 직무적성검사 결과 고위험군에 해당되는 자
> 4. 정신건강상 문제가 우려되어 치료가 필요한 자

∎ 우범곤 순경 사건
- 부산에서 파출소 근무로 경찰생활을 시작한 우범곤 순경은, 이후 101경비단에 선발되어 청와대에서 근무하기도 하였으나 술을 마시면 통제불능이 되는 성격으로 근무 부적격 판정을 받아 경남 의령군 궁류지서로 좌천성 발령을 받게 되었다.
- 1982.4.26. 애인과의 사소한 다툼이 발단이 되어 술을 마시던 우범곤은 예비군 무기고에서 카빈소총과 수류탄 등을 탈취 후 무차별 살상행위를 벌여 56명이 사망하고 약 30명이 중상을 입은 전대미문의 참사가 발생하였다.

5. 정서적 불안 상태로 인하여 무기 소지가 적합하지 않은 자로서 소속 부서장의 요청이 있는 자

6. 그 밖에 경찰기관의 장이 무기 소지 적격 여부에 대해 심의를 요청하는 자

③ 경찰기관의 장은 제2항에 규정한 사유들이 소멸되면 직권 또는 당사자 신청에 따라 무기 소지 적격 심의위원회의 심의를 거쳐 무기 회수의 해제 조치를 할 수 있다.

④ 경찰기관의 장은 무기를 휴대한 자 중에서 다음 각 호에 해당하는 경우에는 대여한 무기·탄약을 무기고에 보관하도록 하여야 한다. ➡ 일시보관

1. 술자리 또는 연회장소에 출입할 경우

2. 상사의 사무실을 출입할 경우

3. 기타 정황을 판단하여 필요하다고 인정되는 경우

[2024 채용 1차] 경찰기관의 장은 무기를 휴대한 자 중에서 '정신건강상 문제가 우려되어 치료가 필요한 자'가 있을 때에는 즉시 대여한 무기·탄약을 회수하여야 한다. (×)
[2024 승진] 경찰기관의 장은 무기를 휴대한 자가 술자리 또는 연회장소에 출입할 경우 즉시 대여한 무기·탄약을 회수해야 한다. (×)
[2017 채용2차] 경찰기관의 장이 무기를 휴대한 자 중에서 대여한 무기·탄약을 즉시 회수하여야 하는 대상은 '경찰공무원 직무적성검사 결과 고위험군에 해당되는 자', '형사사건의 수사 대상이 된 자', '사의를 표명한 자', '정서적 불안 상태로 인하여 무기 소지가 적합하지 않은 자로서 소속 부서장의 요청이 있는 자'이다. (×)
[2020 승진(경위)] 경찰기관의 장은 무기를 휴대한 자 중에서 형사사건의 수사 대상이 된 자에게 대여한 무기·탄약을 무기 소지 적격 심의위원회의 심의를 거쳐 회수할 수 있다. (O)

(3) 안전관리

> **훈령** 경찰장비관리규칙 제123조【무기·탄약 취급상의 안전관리】① 경찰관은 권총·소총 등 총기를 휴대·사용하는 경우 다음의 안전수칙을 준수하여야 한다.
> 1. 권총
>   가. 총구는 공중 또는 지면(안전지역)을 향한다.
>   나. 실탄 장전시 반드시 안전장치(방아쇠울에 설치 사용)를 장착한다.
>   다. 1탄은 공포탄, 2탄 이하는 실탄을 장전한다. 다만, 대간첩작전, 살인 강도 등 중요범인이나 무기·흉기 등을 사용하는 범인의 체포 및 위해의 방호를 위하여 불가피한 경우에 1탄부터 실탄을 장전할 수 있다. [2024 승진]
>   라. 조준시는 대퇴부 이하를 향한다.

03 차량관리

1. 차량의 구분

> **훈령** 경찰장비관리규칙 제88조【차량의 구분】① 차량의 차종은 승용·승합·화물·특수용으로 구분하고, 차형은 차종별로 대형·중형·소형·경형·다목적형으로 구분한다. [2018 경간]
> ② 차량은 용도별로 다음 각호와 같이 전용·지휘용·업무용·순찰용·특수용 차량으로 구분한다.
> 1. 전용:「공용차량관리규정」제4조 제1항에 따른 차량(경찰청장 및 경찰위원회 상임위원용 차량)
> 2. 지휘용: 치안현장 점검·지휘 등 상시 지휘체제 유지를 위해 경찰기관장 및 경찰부대의 장이 운용하는 차량

▌도로교통법상 자동차
- 승용자동차
- 승합자동차
- 화물자동차
- 특수자동차(견인차 등)
- 자동차인 건설기계
- 이륜자동차
- 원동기장치자전거 ➡ 자동차는 아님

▌운전면허 종류
- 제1종(대형·보통·소형·특수)
- 제2종(보통·소형·원동기)

3. **업무용**: 각 경찰부서의 인력 및 물자 수송 등 통상적인 경찰 업무와 경찰위원회 업무에 공통으로 사용할 수 있는 일반적인 차량
4. **순찰용**: 112순찰·교통·고속도로 및 형사순찰차량 등 기동순찰 목적으로 별도 제작 운용중인 차량
5. **특수용**: 경비·작전·피의자호송·과학수사·구급·식당·위생·견인, 특수진압차, 사다리차, 폭발물검색차, 방송차, 살수차(군중의 해산을 목적으로 고압의 물줄기를 분사하는 장비. 이하 같다), 물보급차, 가스차, 조명차, 페이로다 등 특수한 업무에 적합하도록 필요한 설비를 부착하는 등 별도 제작된 차량. 다만, 특수업무용 승용차량은「공용차량관리규정」제4조 제1항에 따른다.

[2018 승진(경감)] 차량은 용도별로 전용·지휘용·행정용·순찰용·특수용 차량으로 구분한다. (×)

2. 차량의 취득·배치·변경·교체

▌예산요구서 제출기한(국가재정법)
중앙관서의 장(경찰청장)은 매년 5월 31일까지 다음 연도의 예산요구서를 기획재정부장관에게 제출하여야 한다.

훈령 경찰장비관리규칙 제90조【차량소요계획의 제출】 ① 부속기관 및 시·도경찰청의 장은 다음 년도에 소속기관의 차량정수를 증감시킬 필요가 있을 때에는 매년 3월말까지 다음 년도 차량정수 소요계획을 경찰청장에게 제출하여야 한다. [2017 승진(경위)] [2018 경간]
② 제1항에도 불구하고 예기치 못한 치안수요의 발생 등 특별한 사유로 조기에 증·감 필요가 있을 경우에는 차량 제작기간 등을 감안 사전에 경찰청장에게 요구할 수 있다.

[2018 승진(경감)] 부속기관 및 시·도경찰청의 장은 다음 연도에 소속기관의 차량정수를 증감시킬 필요가 있을 때에는 매년 11월 말까지 다음 연도 차량정수 소요계획을 경찰청장에게 제출하여야 한다. (×)

훈령 경찰장비관리규칙 제91조【차량의 배치】 ① 부속기관 및 시·도경찰청의 장은 정수배정기준에 따라 차량을 배치·운용하여야 한다.
② 각 기관별로 치안여건, 업무량 등을 종합적으로 검토하여 조정할 필요가 있을 경우에는 정수범위 내에서 그 일부를 합리적으로 조정·운영 할 수 있다.

훈령 경찰장비관리규칙 제92조【차형의 변경】 ① 부속기관 및 시·도경찰청의 장은 치안여건의 변화로 이미 배정된 차형(➜ 대형·중형·소형·경형·다목적형)을 변경할 필요가 있다고 판단될 때에는 차량을 교체할 때 경찰청장에게 차형의 변경을 요청할 수 있다.
② 경찰청장은 제1항의 요청에 대하여 차형의 변경이 필요하다고 인정되는 경우에는 차형배정기준에도 불구하고 이를 변경하여 배정할 수 있다.

훈령 경찰장비관리규칙 제93조【차량의 교체】 ① 부속기관 및 시·도경찰청은 소속기관 차량 중 다음 년도 교체대상 차량을 매년 11월 말까지 경찰청장에게 보고하여야 한다.
② 차량교체는 차량의 최단운행 기준연한(이하 "내용연수"라 한다)에 따라 부속기관 및 시·도경찰청의 장이 보고한 교체대상 차량 중 책정된 예산범위 내에서 매년 초에 수립하는 "경찰청 물품수급관리계획"에 따라 실시한다. [2017 승진(경위)]

3. 차량의 관리 및 운행

> **훈령** **경찰장비관리규칙 제95조【차량의 집중관리】** ① 각 경찰기관의 업무용차량은 운전요원의 부족 등 불가피한 사유가 없는 한 집중관리를 원칙으로 한다. 다만, 지휘용 차량은 업무의 특성을 고려하여 지정 활용 할 수 있다. [2018 경간]
> ② 특수용 차량 등도 필요하다고 인정되는 경우에는 집중관리할 수 있다.
> ③ 집중관리대상 차량 및 운전자는 관리 주무부서 소속으로 한다.
>
> **훈령** **경찰장비관리규칙 제96조【차량의 관리】** ① 차량열쇠는 다음 각 호의 관리자가 지정된 열쇠함에 집중보관 및 관리하고, 예비열쇠의 확보 등을 위한 무단 복제와 운전원의 임의 소지 및 보관을 금한다. 다만, 휴가, 비번 등으로 관리책임자 공백시는 별도 관리책임자를 지정하여야 한다.
> 1. 일과시간의 경우 차량 관리부서의 장(정보화장비과장, 운영지원과장, 총무과장, 경찰서 경무과장 등)
> 2. 일과시간 후 또는 토요일·공휴일의 경우 당직 업무(청사방호) 책임자(상황관리관 등 당직근무자, 지구대·파출소는 지역경찰관리자)
> ② 차량은 지정된 운전자 이외의 사람이 무단으로 운행하여서는 아니되며, 운전자는 교통법규를 준수하여 사고를 방지하여야 한다.
>
> **훈령** **경찰장비관리규칙 제97조【특별관리】** ① 각급 경찰기관의 장은 특수진압차, 가스차, 살수차 등 사람의 생명·신체에 위해를 가할 우려가 있는 장비는 특별한 관리를 하여야 한다.
>
> **훈령** **경찰장비관리규칙 제98조【차량의 관리책임】** ① 차량을 배정 받은 각 경찰기관의 장은 차량에 대한 관리사항을 수시 확인하여 항상 적정하게 유지되도록 하여야 한다.
> ② 경찰기관의 장은 차량이 책임 있게 관리되도록 차량별 관리담당자를 지정하여야 한다.
> ③ 차량운행시 책임자는 1차 운전자, 2차 선임탑승자(사용자), 3차 경찰기관의 장으로 한다. [2017 승진(경위)]
> [2018 승진(경감)] 차량운행시 책임자는 1차 선임탑승자, 2차 운전자(사용자), 3차 경찰기관의 장으로 한다. (×)
>
> **훈령** **경찰장비관리규칙 제99조【차량운행절차】** ① 차량을 운행하고자 할 때는 사용자가 경찰배차관리시스템을 이용하여 주간에는 해당 경찰기관장의 운행허가를 받아야 하고, 일과 후 및 공휴일에는 상황관리(담당)관[경찰서는 상황(부)실장을 말한다]의 허가를 받아야 한다. 다만, 시스템을 이용할 수 없는 때에는 운행허가서로 갈음할 수 있다.
> ② 차량을 운행할 때에는 경찰배차관리시스템에 운행사항을 입력하여야 한다. 다만, 112·교통 순찰차 등 상시적으로 운행하는 차량은 시스템상의 운행사항 입력을 생략할 수 있다.
>
> **훈령** **경찰장비관리규칙 제102조【운전원 교육 및 출동태세 확립】** ① 차량을 배정받은 경찰기관의 장은 안전운행을 위한 자체계획을 수립하여 교육을 실시하여야 한다.
> ② 전·의경 신임운전요원은 4주 이상 운전교육을 실시한 후에 운행하도록 하여야 한다.
> ③ 112타격대 기타 작전용 차량 등 긴급출동 차량에 대하여는 사전에 철저한 정비와 운전원 확보를 통해 출동에 차질 없도록 대비하여야 한다.

▌집중관리(규칙 제8장)
경찰장비관리규칙 제8종(제62조~제66조)에 따른 관리를 말하는 것으로, 집중관리장비대장이 따로 작성되고 해당 장비에 대해서는 정기점검과 수시점검을 실시하여야 한다.

4. 차량의 불용처리

> **훈령** 경찰장비관리규칙 제94조【교체대상차량의 불용처리】① 차량교체를 위한 불용 대상 차량은 부속기관 및 시·도경찰청에 배정되는 수량의 범위 내에서 내용연수 경과 여부 등 차량사용기간을 최우선적으로 고려하여 선정한다.
> ② 사용기간이 동일한 경우에는 주행거리와 차량의 노후상태, 사용부서 등을 종합적으로 검토, 예산낭비 요인이 없도록 신중하게 선정한다.
> ③ 단순한 내용연수 경과를 이유로 일괄교체 또는 불용처분하는 것을 지양하고 성능이 양호하여 운행가능한 차량은 교체순위에 불구하고 연장 사용할 수 있다.
> ④ 불용처분된 차량은 부속기관 및 시·도경찰청별로 실정에 맞게 공개매각을 원칙으로 하되, 공개매각이 불가능한 때에는 폐차처분을 할 수 있다. 다만, 매각을 할 때에는 경찰표시도색을 제거하는 등 필요한 조치를 하여야 한다.
>
> [2017 승진(경위)] 차량교체를 위한 불용 대상차량은 부속기관 및 시도경찰청에 배정되는 수량의 범위 내에서 주행거리를 최우선적으로 고려하여 선정한다. (×)
> [2018 승진(경감)] 차량교체를 위한 불용 대상차량은 주행거리와 차량의 노후상태를 최우선적으로 고려하여 선정하여야 하고, 주행거리가 동일한 경우에는 차량사용시간, 사용부서 등을 추가로 검토한다. (×)

04 물품관리

1. 물품관리기관

(1) 총괄기관

> **물품관리법 제7조【총괄기관】**① 기획재정부장관은 물품관리의 제도와 정책에 관한 사항을 관장하며, 물품관리에 관한 정책의 결정을 위하여 필요하면 조달청장이나 각 중앙관서의 장으로 하여금 물품관리 상황에 관한 보고를 하게 하거나 필요한 조치를 할 수 있다.
> ② 조달청장은 각 중앙관서의 장이 수행하는 물품관리에 관한 업무를 총괄·조정한다.
>
> [2018 채용1차] 기획재정부장관은 각 중앙관서의 장이 수행하는 물품관리에 관한 업무를 총괄·조정한다. (×)

(2) 관리기관

> **물품관리법 제8조【관리기관】** 각 중앙관서의 장은 그 소관 물품을 관리한다.

(3) 물품관리관 – 중앙관서의 장이 위임할 수 있다. / 위임받은 공무원이 물품관리관

> **물품관리법 제9조【물품관리관】**① 각 중앙관서의 장은 대통령령으로 정하는 바에 따라 그 소관 물품관리에 관한 사무를 소속 공무원에게 위임할 수 있고, 필요하면 다른 중앙관서의 소속 공무원에게 위임할 수 있다.
> ② 제1항에 따라 각 중앙관서의 장으로부터 물품관리에 관한 사무를 위임받은 공무원을 물품관리관이라 한다.
> ③ 제1항에 따른 물품관리에 관한 사무의 위임은 특정한 직위를 지정하여 할 수 있다.

물품관리법 제12조【관리기관의 분임 및 대리】 ① 각 중앙관서의 장은 물품관리관의 사무의 일부를 분장하는 공무원(➡ 분임물품관리관)을, 물품관리관은 물품출납공무원의 사무의 일부를 분장하는 공무원(➡ 분임물품출납공무원)을 대통령령으로 정하는 바에 따라 각각 둘 수 있다.

② 각 중앙관서의 장은 물품관리관이 부득이한 사유로 직무를 수행할 수 없을 때에는 그 사무를 대리하는 공무원을, 물품관리관은 물품출납공무원 또는 물품운용관이 부득이한 사유로 직무를 수행할 수 없을 때에는 그 사무를 대리하는 공무원을 대통령령으로 정하는 바에 따라 각각 지정할 수 있다.

③ 제1항과 제2항에 따라 각 중앙관서의 장이나 물품관리관이 공무원을 두거나 지정할 경우에는 특정한 직위를 지정하여 할 수 있다.

[2018 채용1차] 각 중앙관서의 장은 물품관리관의 사무의 일부를 분장하는 분임물품관리관을 대통령령으로 정하는 바에 따라 두어야 한다. (×)
[2018 채용1차] 분임물품관리관이란 물품출납공무원의 사무의 일부를 분장하는 공무원을 말한다. (×)

쉽게 읽기!

§12 ①
• **분임물품관리관**: 각 중앙관서의 장이 / 물품관리관 사무일부 분장 위해
• **분임물품출납공무원**: 물품관리관이 / 물품출납공무원 사무일부 분장 위해

참고 경찰회계규칙 별표 7에 따른 물품관리관은 다음과 같다.

관서명	물품관리관 관직	분임물품관리관 관직
경찰청	장비담당관 (경찰 소관 총괄물품관리관)	각 과장
시·도경찰청	정보화장비과장(담당관)	경찰서 경무과장

(4) 물품출납공무원 – 물품관리관이 위임하여야 한다. / 위임받은 공무원이 물품출납공무원

물품관리법 제10조【물품출납공무원】 ① 물품관리관(제12조 제1항에 따라 그의 사무의 일부를 분장하는 공무원을 포함한다. 이하 같다)은 대통령령으로 정하는 바에 따라 그가 소속된 관서의 공무원에게 그 관리하는 물품의 출납과 보관에 관한 사무(출납명령에 관한 사무는 제외한다)를 위임하여야 한다.

② 제1항에 따라 물품의 출납과 보관에 관한 사무를 위임받은 공무원을 물품출납공무원이라 한다.

③ 제1항에 따라 물품관리관이 그 사무를 위임하는 경우에는 특정한 직위를 지정하여 할 수 있다.

참고 경찰회계규칙 별표 6에 따른 물품출납공무원은 다음과 같다.

관서명	물품출납공무원 관직	분임물품출납공무원 관직
경찰청	장비담당관실 취급주무공무원	• 경무담당관실 행정사무용품·관급자재 취급주무공무원 • 장비담당관실 차량·무기·탄약·피복 취급주무공무원 …
시·도경찰청	정보화장비과(담당관실) 장비관리계장	장비관리계 차량·무기·탄약·피복 취급주무공무원 …
경찰서	경무과 장비관리물품 취급주무공무원	경무과 정보화장비, 통신장비 취급주무공무원

(5) 물품운용관 – 물품관리관이 위임하여야 한다. / 위임받은 공무원이 **물품운용관**

> **물품관리법 제11조【물품운용관】** ① 물품관리관은 대통령령으로 정하는 바에 따라 그가 소속된 관서의 공무원에게 국가의 사무 또는 사업의 목적과 용도에 따라서 물품을 사용하게 하거나 사용 중인 물품의 관리에 관한 사무(이하 "물품의 사용에 관한 사무"라 한다)를 위임하여야 한다.
> ② 제1항에 따라 물품의 사용에 관한 사무를 위임받은 공무원을 물품운용관이라 한다. [2018 채용1차]
> ③ 제1항에 따라 물품관리관이 그 사무를 위임하는 경우에는 특정한 직위를 지정하여 할 수 있다.

2. 경찰장구류의 관리

> 훈령 **경찰장비관리규칙 제76조【수갑】** ① 수갑은 개인이 관리·운용할 수 있다.
> ② 물품관리관은 집중관리하는 수갑 중 일부를 피의자 호송용으로 사용하기 위하여 유치장을 관장하는 주무과장(이하 "유치인보호주무자"라 한다)에게 대여하여 유치인보호주무자의 책임하에 관리하도록 할 수 있다.
>
> 훈령 **경찰장비관리규칙 제77조【포승, 호송용 포승】** ① 포승, 호송용 포승은 운용부서에서 운용부서장의 책임 하에 관리·운용한다.
> ② 운용부서장은 운용부서 내에 견고한 보관시설 또는 보관함을 만들어 보관하고, 보관함 열쇠는 운용부서장이 관리한다.
>
> 훈령 **경찰장비관리규칙 제78조【경찰봉, 호신용경봉】** ① 경찰봉, 호신용경봉은 물품관리관의 책임 하에 집중관리한다. 다만, 운용부서에 대여하여 그 부서장의 책임 하에 관리·운용하게 할 수 있다.
> ② 지구대 등에서 관리·운용하는 경찰봉, 호신용경봉은 지역경찰관리자의 책임하에 관리·운용한다.
>
> 훈령 **경찰장비관리규칙 제79조【전자충격기】** ① 전자충격기는 물품관리관의 책임 하에 집중관리함을 원칙으로 하나, 운용부서에 대여하여 그 부서장의 책임하에 관리·운용하게 할 수 있다. [2018 경간]
> ② 경찰관이 직무수행을 위하여 전자충격기를 사용할 경우에는 다음 각 호의 안전수칙을 준수하여야 한다.
> 1. 사용 전 배터리 충전여부를 확인한다.
> 2. 전극침이 발사되는 전자충격기의 경우 안면을 향해 발사해서는 아니된다.
> 3. 14세미만의 자 또는 임산부에 대하여 사용하여서는 아니된다.
>
> 훈령 **경찰장비관리규칙 제80조【방패, 전자방패】** ① 방패, 전자방패는 각급 경찰기관의 보관시설에 집중관리함을 원칙으로 한다. 다만, 신속한 출동을 위해 출동버스에 보관할 수 있다.

01 보안관리 개설

1. 보안

(1) 적극적 보안(광의의 보안)

- 국가안전보장을 해치고자 하는 간첩·태업·전복 및 불순분자에 대하여 이를 경계·방지하며, 탐지·조사·체포하는 등의 적극적인 예방활동을 말한다.
- 국가보안법이 주된 법적 근거가 된다.

💡 경찰의 적극적 보안활동은 각론의 안보경찰 파트에서 다루게 되므로, 여기서는 소극적 보안에 대해 살펴본다.

(2) 소극적 보안(협의의 보안)

- 국가의 보호를 필요로 하는 비밀·인원·문서·자재·시설 및 지역 등을 보호하는 소극적인 예방활동이다.
- 국가정보원법, 정보 및 보안업무 기획·조정규정(대통령령), 보안업무규정(대통령령) 및 시행규칙(대통령훈령)·시행세부규칙(경찰청훈령) 등이 주된 법적 근거가 된다.

2. 보안누설에 대한 책임

(1) 행정상 책임

보안업무를 담당하는 공무원과 관계기관의 장이 고의 없이 발생시킨 보안누설이나 보안사고와 같은 보안업무처리상의 하자로 인해 부담하는 징계책임을 말한다.

(2) 형사상 책임

> 형법 제6조 제127조【공무상 비밀의 누설】공무원 또는 공무원이었던 자가 법령에 의한 직무상 비밀을 누설한 때에는 2년 이하의 징역이나 금고 또는 5년 이하의 자격정지에 처한다.

3. 보안업무의 4원칙

비교》 비밀분류 3원칙
- 과도·과소분류금지원칙
- 독립분류원칙
- 외국비밀존중원칙

알 사람만 알아야 한다는 원칙	• 한정의 원칙, 비확산의 원칙, 필요성의 원칙이라고도 한다. • 보안에 있어 가장 기본적이며 중요한 원칙으로서, 보안의 대상이 되는 사실을 전파할 때 전파가 꼭 필요한지, 전파가 필요하다면 전파를 받는 사람이 반드시 전파를 받아야 하는 사람인지의 여부를 신중히 검토한 후에 전파가 이루어져야 한다는 원칙이다.
부분화의 원칙	한 번에 다량의 비밀이나 정보가 유출되지 않도록 해야 한다는 원칙이다.
적당성의 원칙	사용자가 필요한 만큼 적당한 양을 전달해야 하며, 사용자가 요구하는 것 이상으로 정보를 제공하는 것은 불필요한 보안상 문제를 야기할 수 있다는 원칙이다.
보안과 업무효율의 조화원칙	보안과 업무효율은 반비례의 관계가 있으므로 양자의 적절한 조화를 유지하는 방법을 강구해야 한다는 원칙을 말한다.

[2020 실무 1] '알 사람만 알게하고 한 번에 다량의 비밀이나 정보가 유출되지 않도록 하여야 한다.'는 원칙은 비밀분류의 원칙이다. (×)
[2012 승진(경감)] 비밀분류의 원칙은 과도 또는 과소분류금지의 원칙, 독립분류의 원칙, 보안과 효율의 조화가 있다. (×)

02 보안업무규정(문서보안)

1. 총칙

(1) 목적과 정의 및 관리원칙

> **대통령령** 보안업무규정 제1조【목적】이 영은 「국가정보원법」 제4조에 따라 국가정보원의 직무 중 보안 업무 수행에 필요한 사항을 규정함을 목적으로 한다.
>
> **대통령령** 보안업무규정 제2조【정의】이 영에서 사용하는 용어의 뜻은 다음과 같다.
> 1. "비밀"이란 「국가정보원법」(이하 "법"이라 한다) 제4조 제1항 제2호에 따른 국가 기밀(이하 "국가 기밀"이라 한다)로서 이 영에 따라 비밀로 분류된 것을 말한다.
> 2. "각급기관"이란 「대한민국헌법」, 「정부조직법」 또는 그 밖의 법령에 따라 설치된 국가기관(군기관 및 교육기관을 포함한다)과 지방자치단체 및 「공공기록물 관리에 관한 법률 시행령」 제3조에 따른 공공기관을 말한다.
> 3. "중앙행정기관등"이란 「정부조직법」 제2조 제2항에 따른 부·처·청(이에 준하는 위원회를 포함한다)과 대통령 소속·보좌·경호기관, 국무총리 보좌기관 및 고위공직자범죄수사처를 말한다.
> 4. "암호자재"란 비밀의 보호 및 정보통신 보안을 위하여 암호기술이 적용된 장치나 수단으로서 Ⅰ급, Ⅱ급 및 Ⅲ급비밀 소통용 암호자재로 구분되는 장치나 수단을 말한다.
>
> **대통령령** 보안업무규정 제5조【비밀의 보호와 관리 원칙】각급기관의 장은 비밀의 작성·분류·취급·유통 및 이관 등의 모든 과정에서 비밀이 누설되거나 유출되지 아니하도록 보안대책을 수립하여 시행하여야 한다. 이 경우 비밀의 제목 등 해당 비밀의 내용을 유추할 수 있는 정보가 포함된 자료는 공개하지 않는다. [2016 채용1차]

(2) 보안책임의 주체

▌제33조 제3항에 따른 관리기관
국가보안시설 또는 국가보호장비를 관리하는 기관을 말한다.

> **대통령령** 보안업무규정 제3조【보안책임】다음 각 호의 어느 하나에 해당하는 사항을 관리하는 사람 및 관계 기관(각급기관과 제33조 제3항에 따른 관리기관을 말한다. 이하 같다)의 장은 해당 관리 대상에 대하여 보안책임을 진다.
> 1. 국가 기밀에 속하는 문서·자재·시설·지역
> 2. 국가안전보장에 한정된 국가 기밀을 취급하는 인원

2. 비밀취급의 인가

(1) 취급원칙과 인가권자

> **대통령령** 보안업무규정 제8조【비밀·암호자재의 취급】비밀은 해당 등급의 비밀취급 인가를 받은 사람만 취급할 수 있으며, 암호자재는 해당 등급의 비밀 소통용 암호자재취급 인가를 받은 사람만 취급할 수 있다. [2023 채용1차]
> [2016 채용1차] 비밀은 해당 등급의 비밀취급 인가를 받은 사람만 취급할 수 있다. (○)
>
> **대통령령** 보안업무규정 제9조【비밀·암호자재취급 인가권자】① Ⅰ급비밀 취급 인가권자와 Ⅰ급 및 Ⅱ급비밀 소통용 암호자재 취급 인가권자는 다음 각 호와 같다. ➜ Ⅰ / Ⅰ·Ⅱ
> 1. 대통령 / 2. 국무총리 / 3. 감사원장 /
> 4. 국가인권위원회 위원장 / 4의2. 고위공직자범죄수사처장 / 5. 각 부·처의 장
> 6. 국무조정실장, 방송통신위원회 위원장, 공정거래위원회 위원장, 금융위원회 위원장, 국민권익위원회 위원장, 개인정보 보호위원회 위원장 및 원자력안전위원회 위원장
> 7. 대통령 비서실장 / 8. 국가안보실장 / 9. 대통령경호처장
> 10. 국가정보원장 / 11. 검찰총장
> 12. 합동참모의장, 각군 참모총장, 지상작전사령관 및 육군제2작전사령관
> 13. 국방부장관이 지정하는 각군 부대장
> ② Ⅱ급 및 Ⅲ급비밀 취급 인가권자와 Ⅲ급비밀 소통용 암호자재 취급 인가권자는 다음 각 호와 같다. ➜ Ⅱ·Ⅲ / Ⅲ
> 1. 제1항 각 호의 사람
> 2. 중앙행정기관등인 청의 장 ➜ 경찰청장은 여기 해당 [2016 채용1차]
> 3. 지방자치단체의 장
> 4. 특별시·광역시·도 및 특별자치시·특별자치도의 교육감
> 5. 제1호부터 제4호까지의 사람이 지정한 기관의 장
> [2024 승진] 지방자치단체의 장, 광역시·도의 교육감, 경찰청장은 Ⅱ급 및 Ⅲ급비밀 취급인가권자와 Ⅲ급비밀 소통용 암호자재 취급인가권자이다. (○)
> [2012 채용3차 유사] [2012 경간] [2017 승진(경위) 유사] 검찰총장, 국정원장, 경찰청장은 Ⅰ급비밀 취급인가권자이다. (×)
> [2023 채용1차] 검찰총장, 국가정보원장, 경찰청장은 Ⅰ급비밀 취급 인가권자와 Ⅰ급 및 Ⅱ급비밀 소통용 암호자재 취급 인가권자에 해당한다. (×)

(2) 인가와 인가해제의 방법

> **대통령령** 보안업무규정 제10조【비밀·암호자재취급의 인가 및 인가해제】① 비밀취급 인가권자는 비밀을 취급하거나 비밀에 접근할 사람에게 해당 등급의 비밀취급을 인가하고, 필요한 경우에는 인가 등급을 변경한다.
> ② 비밀취급 인가는 인가 대상자의 직책에 따라 필요한 **최소한의 인원**으로 제한하여야 한다.
> ③ 비밀취급 인가를 받은 사람이 다음 각 호의 어느 하나에 해당하는 경우에는 그 인가를 해제해야 한다.
> 1. 고의 또는 중대한 과실로 보안사고를 저질렀거나 이 영을 위반하여 보안업무에 지장을 주는 경우
> 2. 비밀취급이 불필요하게 되었을 경우

④ 암호자재취급 인가권자는 비밀취급 인가를 받은 사람 중에서 암호자재취급이 필요한 사람에게 해당 등급의 비밀 소통용 암호자재취급을 인가하고, 필요한 경우에는 인가 등급을 변경한다. 이 경우 암호자재취급 인가 등급은 비밀취급 인가 등급보다 높을 수 없다.
⑤ 암호자재취급 인가를 받은 사람이 다음 각 호의 어느 하나에 해당하는 경우에는 그 인가를 해제해야 한다.
1. 비밀취급 인가가 해제되었을 경우
2. 암호자재와 관련하여 보안사고를 저질렀거나 이 영을 위반하여 보안 업무에 지장을 주는 경우
3. 암호자재의 취급이 불필요하게 되었을 경우
⑥ 비밀취급 및 암호자재취급의 인가와 인가 등급의 변경 및 인가 해제는 문서로 하여야 하며, 직원의 인사기록사항에 그 사실을 포함하여야 한다.

(3) 인가의 제한과 특례

> **훈령** 보안업무규정 시행규칙 제12조【비밀취급 인가의 제한】① 비밀취급 인가권자는 임무 및 직책상 해당 등급의 비밀을 항상 취급하는 사람에 한정하여 비밀취급을 인가하여야 한다.
> ② 비밀취급 인가권자는 소속 직원의 인사기록 카드에 기록된 비밀취급의 인가 및 인가해제 사유와 임용 시의 신원조사회보서에 따라 새로 신원조사를 하지 아니하고 비밀취급을 인가할 수 있다. 다만, I급비밀 취급을 인가할 때에는 새로 신원조사를 하여야 한다. [2018 경간]
> ③ 신원조사 결과 국가안전보장에 유해한 정보가 있음이 확인된 사람은 비밀취급 인가를 받을 수 없다.
> ④ 비밀취급 인가가 해제된 사람은 비밀을 취급하는 직책으로부터 해임되어야 한다.
>
> **훈령** 보안업무규정 시행규칙 제13조【비밀취급 인가의 특례】① 비밀취급 인가권자는 업무 상 조정·감독을 받는 기업체나 단체에 소속된 사람에 대하여 소관 비밀을 계속적으로 취급하게 하여야 할 필요가 있을 때에는 미리 국가정보원장과의 협의를 거쳐 해당하는 사람에게 II급 이하의 비밀취급을 인가할 수 있다. [2018 경간]
> ② 비밀취급 인가권자는 제1항에 따라 비밀취급을 인가하는 경우 그 비밀을 최대한 보호할 수 있는 보안대책을 마련하여야 한다.
> ③ 제1항에 따라 비밀취급 인가를 받은 사람은 영 및 이 훈령이 정하는 바에 따라 비밀을 취급해야 한다.
> [2022 경간] 비밀취급 인가권자는 업무상 조정·감독을 받는 기업체나 단체에 소속된 사람에 대하여 소관 비밀을 계속적으로 취급하게 하여야 할 필요가 있을 때에는 미리 경찰청장과의 협의를 거쳐 해당하는 사람에게 II급 이하의 비밀취급을 인가할 수 있다. (×)

3. 비밀의 보호

(1) 비밀의 구분과 분류

> **대통령령** **보안업무규정 제4조【비밀의 구분】** 비밀은 그 중요성과 가치의 정도에 따라 다음 각 호와 같이 구분한다. [2012 경간] [2016 지능범죄] [2019 승진(경감)] [2020 실무 1] [2022 경간] [2022 채용 1차] [2023 채용 1차] [2024 승진]
> 1. **Ⅰ급비밀**: 누설될 경우 대한민국과 외교관계가 단절되고 전쟁을 일으키며, 국가의 방위계획·정보활동 및 국가방위에 반드시 필요한 과학과 기술의 개발을 위태롭게 하는 등의 우려가 있는 비밀 **예** 핵무기 개발계획
> 2. **Ⅱ급비밀**: 누설될 경우 <u>국가안전보장에 막대한 지장</u>을 끼칠 우려가 있는 비밀 **예** 군사용 암호생성·해독장비
> 3. **Ⅲ급비밀**: 누설될 경우 <u>국가안전보장에 해를 끼칠 우려</u>가 있는 비밀 **예** 부대의 인원현황

[2019 승진(경감)] 비밀이란 그 내용이 누설될 경우 국가안전보장에 해를 끼칠 우려가 있는 국가 기밀로서 그 중요성과 가치에 따라 Ⅰ급, Ⅱ급, Ⅲ급비밀로 구분된다. (O)
[2012 채용3차] 누설되는 경우 국가안전보장에 '막대한 지장'을 초래할 우려가 있는 비밀은 Ⅲ급비밀로 한다. (×)
[2016 승진(경감) 유사] [2017 실무 3] [2022 승진(실무종합)] 「보안업무규정」상 비밀은 그 중요성과 가치의 정도에 따라 구분하며 누설될 경우 국가안전보장에 해를 끼칠 우려가 있는 비밀은 Ⅱ급 비밀에 해당한다. (×)

> **훈령** **보안업무규정 시행규칙 제16조【분류 금지와 대외비】** ③ 영 제4조에 따른 비밀 외에 「공공기관의 정보공개에 관한 법률」 제9조 제1항 제3호부터 제8호까지의 비공개 대상 정보 중 직무 수행상 특별히 보호가 필요한 사항은 이를 "대외비"로 한다.
> ④ 각급기관의 장은 제3항에 따른 대외비를 업무와 관계되지 아니한 사람이 열람, 복제·복사, 배부할 수 없도록 보안대책을 수립·시행하여야 한다.

[2016 승진(경감)] [2017 승진(경위)] 비밀은 그 중요성과 가치의 정도에 따라 Ⅰ급비밀, Ⅱ급비밀, Ⅲ급비밀, 대외비로 구분한다. (×)
[2012 경간] 대외비는 비밀은 아니지만 일시적으로 누설을 방지하기 위하여 직무수행상 특별히 보호를 요하는 사항으로 비밀에 준하여 보관한다. (O)

> **대통령령** **보안업무규정 제11조【비밀의 분류】** ① 비밀취급 인가를 받은 사람은 인가받은 비밀 및 그 이하 등급 비밀의 분류권을 가진다.
> ② 같은 등급 이상의 비밀취급 인가를 받은 사람 중 직속 상급직위에 있는 사람은 그 하급직위에 있는 사람이 분류한 비밀등급을 조정할 수 있다.
> ③ 비밀을 생산하거나 관리하는 사람은 비밀의 작성을 완료하거나 비밀을 접수하는 즉시 그 비밀을 분류하거나 재분류할 책임이 있다.

[2015 승진(경위)] 비밀의 등급은 보안과에서 일괄 결정한다. (×)
[2012 승진(경감)] A경찰서 경비과에서 생산한 중요시설 경비대책이란 제목의 비밀문건은 보안과에서 비밀분류를 담당한다. (×)

> **대통령령** **보안업무규정 제12조【분류원칙】** ① 비밀은 적절히 보호할 수 있는 <u>최저등급</u>으로 분류하되, 과도하거나 과소하게 분류해서는 아니 된다. ➜ 과도·과소분류 금지원칙 [2024 승진]
> ② 비밀은 그 자체의 내용과 가치의 정도에 따라 분류하여야 하며, 다른 비밀과 관련하여 분류해서는 아니 된다. ➜ 독립분류원칙
> ③ <u>외국 정부나 국제기구로부터 접수한 비밀은 그 생산기관이 필요로 하는 정도</u>로 보호할 수 있도록 분류하여야 한다. ➜ 외국비밀존중원칙 [2012 채용3차] [2016 지능범죄]

[2017 실무 3] [2018 실무 1] [2019 승진(경감)]
[2015 승진(경위)] 비밀 분류시 과도 또는 과소분류금지원칙, 독립분류의 원칙, 외국비밀 존중의 원칙을 준수하여야 한다. (O)
[2016 채용1차] [2016 승진(경감)] [2022 채용1차] 비밀은 적절히 보호할 수 있는 최고등급으로 분류하되, 과도하거나 과소하게 분류해서는 아니 된다. (×)
[2023 채용1차] 비밀은 적절히 보호할 수 있는 최저등급으로 분류하되, 과도하거나 과소하게 분류해서는 아니 된다. (O)
[2012 승진(경감)] 비밀은 그 자체의 내용과 가치의 정도에 따라 분류하여야 한다는 원칙은 과도 또는 과소분류금지의 원칙이다. (×)
[2017 승진(경위)] 외국 정부나 국제기구로부터 접수한 비밀은 그 접수기관이 필요로 하는 정도로 보호할 수 있도록 분류하여야 한다. (×)

- 2016년 언론보도에 따르면 국방부 보유 Ⅰ·Ⅱ·Ⅲ급 비밀 총 약 47만 건 중 Ⅰ급 비밀은 10건 미만이라고 한다.
- 또 다른 2016년 언론보도에 따르면 율곡계획(군사전력 증강계획) 및 백두산계획(국가총력전 전략)이 Ⅰ급 비밀에 해당한다고 한다.

비교》 보안업무의 4원칙
- 알 사람만 알아야 한다는 원칙
- 부분화의 원칙
- 적당성의 원칙
- 보안과 효율의 조화원칙

대통령령 보안업무규정 제13조【분류지침】 각급기관의 장은 비밀 분류를 통일성 있고 적절하게 하기 위하여 세부 분류지침을 작성하여 시행하여야 한다. 이 경우 세부 분류지침은 공개하지 않는다.

[2024 승진] 각급기관의 장은 비밀분류를 통일성있고 적절하게 하기 위하여 세부 분류지침을 작성하여 시행하여야 하며 이 경우 세부 분류지침은 공개하는 것을 원칙으로 한다. (×)

대통령령 보안업무규정 제15조【재분류 등】 ① 비밀을 효율적으로 보호하기 위하여 비밀등급 또는 예고문 변경 등의 재분류를 한다.
② 비밀의 재분류는 그 비밀의 예고문에 따르거나 생산자의 직권으로 한다. 다만, 다음 각 호의 어느 하나에 해당하는 경우에는 예고문의 비밀 보호기간 및 보존기간과 관계없이 비밀을 파기할 수 있다.
1. 전시·천재지변 등 긴급하고 부득이한 사정으로 비밀을 계속 보관할 수 없거나 안전하게 반출할 수 없는 경우
2. 국가정보원장의 요청이 있는 경우
3. 비밀 재분류를 통하여 예고문에 따른 파기 시기까지 계속 보관할 필요가 없게 된 경우로서 해당 비밀취급 인가권자의 사전 승인을 받은 경우
③ 외국 정부나 국제기구로부터 접수된 비밀 중 예고문이 없거나 기재된 예고문이 비밀 관리에 적당하지 아니하다고 인정되는 경우에는 접수한 기관의 장이 그 비밀을 최대한 보호할 수 있는 범위에서 재분류할 수 있다.

(2) 비밀의 표시

대통령령 보안업무규정 제14조【예고문】 제12조에 따라 분류된 비밀에는 「공공기록물 관리에 관한 법률」 제33조 제1항에 따른 비밀 보호기간 및 보존기간을 명시하기 위하여 예고문을 기재하여야 한다.

🔍 **참고 예고문 예시**

예고문	원본	보호기간: 20XX. XX. XX.	보존기간: X년
	사본	20XX. XX. XX. 파기	
	첨부물에서 분리되면 일반문서로 재분류		
붙임: 20XX년도 경찰청 OOOO 시행계획 (Ⅲ급비밀)			

대통령령 보안업무규정 제16조【표시】 비밀은 그 취급자 또는 관리자에게 경고하고 비밀취급 인가를 받지 아니한 사람의 접근을 방지하기 위하여 분류(재분류를 포함한다. 이하 같다)와 동시에 등급에 따라 구분된 표시를 하여야 한다.

4. 비밀의 관리 및 운용

(1) 비밀의 접수·발송

> **대통령령** 보안업무규정 제17조【비밀의 접수·발송】① 비밀을 접수하거나 발송할 때에는 그 비밀을 최대한 보호할 수 있는 방법을 이용하여야 한다.
> ② 비밀은 암호화되지 아니한 상태로 정보통신 수단을 이용하여 접수하거나 발송해서는 아니 된다.
> ③ 모든 비밀을 접수하거나 발송할 때에는 그 사실을 확인하기 위하여 접수증을 사용한다.

(2) 비밀의 보관

> **대통령령** 보안업무규정 제20조【보관책임자】각급기관의 장은 소속 직원 중에서 이 영에 따른 비밀 보관 업무를 수행할 보관책임자를 임명하여야 한다.
>
> **대통령령** 보안업무규정 제18조【보관】비밀은 도난·유출·화재 또는 파괴로부터 보호하고 비밀취급인가를 받지 아니한 사람의 접근을 방지할 수 있는 적절한 시설에 보관하여야 한다.
>
> **대통령령** 보안업무규정 제19조【출장 중의 비밀 보관】비밀을 휴대하고 출장 중인 사람은 비밀을 안전하게 보호하기 위하여 국내 경찰기관 또는 재외공관에 보관을 위탁할 수 있으며, 위탁받은 기관은 그 비밀을 보관하여야 한다. [2022 채용1차]
>
> **훈령** 보안업무규정 시행규칙 제33조【보관기준】① 비밀은 일반문서나 암호자재와 혼합하여 보관하여서는 아니 된다.
> ② Ⅰ급비밀은 반드시 금고에 보관하여야 하며, 다른 비밀과 혼합하여 보관하여서는 아니 된다. [2020 승진(경감)]
> ③ Ⅱ급비밀 및 Ⅲ급비밀은 금고 또는 이중 철제캐비닛 등 잠금장치가 있는 안전한 용기에 보관하여야 하며, 보관책임자가 Ⅱ급비밀 취급 인가를 받은 때에는 Ⅱ급비밀과 Ⅲ급비밀을 같은 용기에 혼합하여 보관할 수 있다. [2018 경간]
> ④ 보관용기에 넣을 수 없는 비밀은 제한구역 또는 통제구역에 보관하는 등 그 내용이 노출되지 아니하도록 특별한 보호대책을 마련하여야 한다.

[2017 경간] Ⅰ급비밀은 반드시 금고에 보관하여야 하며, 보관책임자가 Ⅰ급비밀 취급인가를 받은 때에는 Ⅰ급비밀을 Ⅱ·Ⅲ급비밀과 혼합 보관할 수 있다. (×)
[2018 경간] 보관용기에 넣을 수 없는 비밀은 제한지역에 보관하는 등 그 내용이 노출되지 아니하도록 특별한 보호대책을 마련하여야 한다. (×)

> **훈령** 보안업무규정 시행규칙 제34조【보관용기】① 비밀의 보관용기 외부에는 비밀의 보관을 알리거나 나타내는 어떠한 표시도 해서는 아니 된다. [2017 경간]
> ② 보관용기의 잠금장치의 종류 및 사용방법은 보관책임자 외의 사람이 알지 못하도록 특별한 통제를 하여야 하며, 다른 사람이 알았을 때에는 즉시 이를 변경하여야 한다.

[2020 승진(경감)] 비밀의 보관 용기 외부에는 비밀의 중요성과 가치에 따라 구분하여 표시하여야 한다. (×)
[2015 승진(경위)] 비밀의 보관용기는 외부에 비밀의 보관을 알리거나 나타내는 표시를 반드시 하여야 한다. (×)

> **훈령** 보안업무규정 시행규칙 제70조【비밀 및 암호자재 관련 자료의 보관】① 다음 각 호의 자료는 비밀과 함께 철하여 보관·활용하고, 비밀의 보호기간이 만료되면 비밀에서 분리한 후 각각 편철하여 5년간 보관해야 한다. [2020 경간] [2022 경간]
> 1. 비밀접수증 / 2. 비밀열람기록전 / 3. 배부처
> ② 다음 각 호의 자료는 새로운 관리부철로 옮겨서 관리할 경우 기존 관리부철을 5년간 보관해야 한다.

보호지역의 구분

- **제한지역**: 울타리 등으로 승인받지 않은 사람 접근·출입 감시필요 지역
- **제한구역**: 비인가자의 비밀 등 접근방지 위해 출입에 안내가 필요한 지역 예 경찰청 경호업무 담당부서 전역
- **통제구역**: 비인가자 출입이 금지되는 구역 예 치안상황실

💡 비밀 자체는 보호기간 만료 등으로 파기되더라도, 누가 해당 비밀에 접근하였는지에 대한 관리자료(비밀접수증, 비밀열람기록전, 배부처)는 분리하여 따로 보관함으로써 추후 문제가 될 경우 추적이 가능하게 한 것이다.

1. 비밀관리기록부 / 2. 비밀 접수 및 발송대장 / 3. 비밀대출부 / 4. 암호자재 관리기록부

③ 서약서는 서약서를 작성한 비밀취급인가자의 인사기록카드와 함께 철하여 인가 해제 시까지 보관하되, 인사기록카드와 함께 철할 수 없는 경우에는 별도로 편철하여 보관해야 한다.

④ 암호자재 증명서는 해당 암호자재를 반납하거나 파기한 후 5년간 보관해야 한다.

⑤ 암호자재 점검기록부는 최근 5년간의 점검기록을 보관해야 한다.

⑥ 제1항부터 제5항까지의 규정에 따른 보관기간이 지나면 해당 자료는 「공공기록물 관리에 관한 법률」에 따른 기록물관리기관으로 이관해야 한다.

[2017 경간] 비밀열람기록전의 보존기간은 3년이다. (×)

(3) 비밀의 관리

대통령령 보안업무규정 제21조 【비밀의 전자적 관리】 ① 각급기관의 장은 전자적 방법을 사용하여 비밀을 관리할 수 있으며, 이를 위하여 전자적 비밀관리시스템을 구축·운영할 수 있다.

② 각급기관의 장은 제1항에 따라 비밀을 관리할 경우 국가정보원장이 안전성을 확인한 암호자재를 사용하여 비밀의 위조·변조·훼손 및 유출 등을 방지하기 위한 보안대책을 마련하여 시행하여야 한다.

③ 국가정보원장은 관리하는 비밀이 적은 각급기관이 공동으로 활용할 수 있도록 통합 비밀관리시스템을 구축·운영할 수 있다.

대통령령 보안업무규정 제22조 【비밀관리기록부】 ① 각급기관의 장은 비밀의 작성·분류·접수·발송 및 취급 등에 필요한 모든 관리사항을 기록하기 위하여 비밀관리기록부를 작성하여 갖추어 두어야 한다. 다만, Ⅰ급비밀관리기록부는 따로 작성하여 갖추어 두어야 하며, 암호자재는 암호자재 관리기록부로 관리한다. [2016 지능범죄] [2020 경간]

② 비밀관리기록부와 암호자재 관리기록부에는 모든 비밀과 암호자재에 대한 보안책임 및 보안관리 사항이 정확히 기록·보존되어야 한다. [2020 경간]

[2018 채용3차] Ⅱ급 이상 비밀관리기록부는 따로 작성하여 갖추어 두어야 하며, 암호자재는 암호자재 관리기록부로 관리한다. (×)

(4) 비밀의 열람·복사

대통령령 보안업무규정 제23조 【비밀의 복제·복사 제한】 ① 비밀의 일부 또는 전부나 암호자재에 대해서는 모사·타자·인쇄·조각·녹음·촬영·인화·확대 등 그 원형을 재현하는 행위를 할 수 없다. 다만, 다음 각 호의 구분에 따른 비밀의 경우에는 그러하지 아니하다. [2018 채용3차]

1. Ⅰ급비밀: 그 생산자의 허가를 받은 경우

2. Ⅱ급비밀 및 Ⅲ급비밀: 그 생산자가 특정한 제한을 하지 아니한 것으로서 해당 등급의 비밀취급 인가를 받은 사람이 공용으로 사용하는 경우

3. 전자적 방법으로 관리되는 비밀: 해당 비밀을 보관하기 위한 용도인 경우

② 각급기관의 장은 보안 업무의 효율적인 수행을 위하여 필요하다고 인정되는 경우에는 해당 비밀의 보존기간 내에서 제1항 단서에 따라 그 사본을 제작하여 보관할 수 있다.

💡 앞서 언급한 2016년 언론보도에 따르면 백두산계획은 32부가 관계기관에 배포되어 보관되었다고 한다.

③ 제2항에 따라 비밀의 사본을 보관할 때에는 그 예고문이나 비밀등급을 변경해서는 아니 된다. 다만, 「공공기록물 관리에 관한 법률 시행령」 제68조 제6항에 따라 비밀을 재분류하는 경우에는 그러하지 아니하다.

④ 비밀을 복제하거나 복사한 경우에는 그 원본과 동일한 비밀등급과 예고문을 기재하고, 사본 번호를 매겨야 한다.

⑤ 제4항에 따른 예고문에 재분류 구분이 "파기"로 되어 있을 때에는 파기 시기를 원본의 보호기간보다 앞당길 수 있다.

[2019 승진(경위)] Ⅰ급 비밀은 그 생산자의 허가를 받은 경우에도 모사·타자·인쇄·조각·녹음·촬영·인화·확대 등 그 원형을 재현하는 행위를 할 수 없다. (×)

[2018 채용3차] 각급기관의 장은 보안 업무의 효율적인 수행을 위하여 필요하다고 인정되는 경우에는 국가정보원장의 승인하에 해당 비밀의 보존기간 내에서 그 사본을 제작하여 보관할 수 있다. (×)

대통령령 **보안업무규정 제24조【비밀의 열람】** ① 비밀은 해당 등급의 비밀취급 인가를 받은 사람 중 그 비밀과 업무상 직접 관계가 있는 사람만 열람할 수 있다.

➡ 비밀취급 인가 + 업무상 직접 관계 [2019 승진(경위)]

② 비밀취급 인가를 받지 아니한 사람에게 비밀을 열람하거나 취급하게 할 때에는 국가정보원장이 정하는 바에 따라 소속 기관의 장(비밀이 군사와 관련된 사항인 경우에는 국방부장관)이 미리 열람자의 인적사항과 열람하려는 비밀의 내용 등을 확인하고 열람 시 비밀 보호에 필요한 자체 보안대책을 마련하는 등의 보안조치를 하여야 한다. 다만, Ⅰ급비밀의 보안조치에 관하여는 국가정보원장과 미리 협의하여야 한다. [2018 채용3차]

훈령 **보안업무규정 시행규칙 제45조【비밀의 대출 및 열람】** ① 비밀보관책임자는 보관 비밀을 대출하는 때에는 별지 제15호서식의 비밀대출부에 관련 사항을 기록·유지한다. [2020 경간]

② 개별 비밀에 대한 열람자 범위를 파악하기 위하여 각각의 비밀문서 끝 부분에 별지 제16호서식의 비밀열람기록전을 첨부한다. 이 경우 문서 형태 외의 비밀에 대한 열람기록은 따로 비밀열람기록전(철)을 비치하고 기록·유지한다.

③ 제2항에 따른 비밀열람기록전은 그 비밀의 생산기관이 첨부하며, 비밀을 파기하는 때에는 비밀에서 분리하여 따로 철하여 보관하여야 한다. ➡ 비밀 자체는 파기되어도 비밀열람기록전은 따로 보관되어(5년), 누가 해당 비밀을 열람했는지 파악할 수 있다. [2020 경간]

④ 비밀열람자는 비밀을 열람하기에 앞서 비밀열람기록전에 정해진 사항을 기재하고 서명 또는 날인한 후 비밀을 열람하여야 한다.

⑤ 비밀의 발간업무에 종사하는 사람은 작업일지에 작업에 관한 사항을 기록·보관해야 한다. 이 경우 작업일지는 비밀열람기록전을 갈음하는 것으로 본다. [2020 경간]

(5) 비밀의 공개

대통령령 **보안업무규정 제25조【비밀의 공개】** ① 중앙행정기관등의 장은 다음 각 호의 어느 하나에 해당하는 사유가 있을 때에는 그가 생산한 비밀을 제3조의3에 따른 보안심사위원회의 심의를 거쳐 공개할 수 있다. 다만, Ⅰ급비밀의 공개에 관하여는 국가정보원장과 미리 협의해야 한다.

1. 국가안전보장을 위하여 국민에게 긴급히 알려야 할 필요가 있다고 판단될 때
2. 공개함으로써 국가안전보장 또는 국가이익에 현저한 도움이 된다고 판단될 때

② 공무원 또는 공무원이었던 사람은 법률에서 정하는 경우를 제외하고는 소속 기관의 장이나 소속되었던 기관의 장의 승인 없이 비밀을 공개해서는 아니 된다.
[2019 승진(경위)]
[2019 승진(경감)] 공무원 또는 공무원이었던 사람은 어떠한 경우에도 소속 기관의 장이나 소속되었던 기관의 장의 승인 없이 비밀을 공개해서는 아니 된다. (×)

대통령령 보안업무규정 제31조【비밀 소유 현황 통보】① 각급기관의 장은 연 2회 비밀 소유 현황을 조사하여 국가정보원장에게 통보하여야 한다.
② 제1항에 따라 조사 및 통보된 비밀 소유 현황은 공개하지 않는다.
[2016 지능범죄] 각급기관의 장은 매 분기별 비밀 소유 현황을 조사하여 국가정보원장에게 통보하여야 한다. (×)

(6) 비밀의 반출

대통령령 보안업무규정 제27조【비밀의 반출】비밀은 보관하고 있는 시설 밖으로 반출해서는 아니 된다. 다만, 공무상 반출이 필요할 때에는 소속 기관의 장의 승인을 받아야 한다. [2019 승진(경위)] [2022 채용1차]

대통령령 보안업무규정 제28조【안전 반출 및 파기 계획】관계 기관의 장은 비상시에 대비하여 비밀을 안전하게 반출하거나 파기할 수 있는 계획을 수립하고, 소속 직원에게 주지시켜야 한다.

7. 보안심사위원회

대통령령 보안업무규정 제3조의3【보안심사위원회】① 중앙행정기관등에 비밀의 공개 등 해당 기관의 보안 업무 수행에 관한 중요 사항을 심의하기 위하여 보안심사위원회를 둔다.
② 제1항에 따른 보안심사위원회의 구성 · 운영 등에 필요한 세부사항은 국가정보원장이 정한다.

훈령 보안업무규정 시행 세부규칙 제5조【보안심사위원회 설치】① 각 경찰기관의 장은 보안업무의 효율적인 운영과 중요 보안사항을 심의 · 결정하기 위하여 보안심사위원회(이하 "위원회"라 한다)를 설치 · 운영한다.
② 위원회의 구성은 다음 각 호와 같으며, 그 직에 임명됨과 동시에 당연직으로 한다.
1. **경찰청**: 차장을 위원장으로 하고, 5명 이상 7명 이하의 국 · 관을 위원으로 하며, 간사는 경무담당관으로 한다.
4. **시 · 도경찰청**: 차장을 위원장으로 하고, 5명 이상 7명 이하의 부장 또는 과장급을 위원으로 하며, 간사는 경무계장으로 한다. 다만, 차장이 없는 시 · 도경찰청의 경우에는 경무과장을 위원장으로 하고, 5명 이상 7명 이하의 계장급을 위원으로 하며, 간사는 경무계장으로 한다.
7. **경찰서등**: 해당 기관장을 위원장으로 하고, 과장급을 위원으로 하며, 간사는 경무계장 또는 서무계장으로 한다.

03 시설 및 지역보안

1. 보안시설의 지정

> **대통령령** **보안업무규정 제32조【국가보안시설 및 국가보호장비 지정】** ① 국가정보원장은 파괴 또는 기능이 침해되거나 비밀이 누설될 경우 전략적·군사적으로 막대한 손해가 발생하거나 국가안전보장에 연쇄적 혼란을 일으킬 우려가 있는 시설 및 항공기·선박 등 중요 장비를 각각 국가보안시설 및 국가보호장비로 지정할 수 있다.

대표적인 국가보안시설로는 ① 청와대, 국회의사당, 대법원, 국정원, 한국은행과 같은 공공기관시설, ② 일정 규모 이상의 제철소, 정유소, 조선소 등 산업시설, ③ 원자력발전소와 같은 전력시설, ④ 종합항공교통관제시설과 같은 교통시설, ⑤ 국제공항이나 일정 규모 이상의 항만시설, ⑥ 일정 규모 이상의 수원시설 등이 있다.

2. 보호지역

> **대통령령** **보안업무규정 제34조【보호지역】** ① 각급기관의 장과 관리기관 등의 장은 국가안전보장에 관련되는 인원·문서·자재·시설의 보호를 위하여 필요한 장소에 일정한 범위의 보호지역을 설정할 수 있다.
>
> ② 제1항에 따라 설정된 보호지역은 그 중요도에 따라 제한지역, 제한구역 및 통제구역으로 나눈다.
>
> ③ 보호지역에 접근하거나 출입하려는 사람은 각급기관의 장 또는 관리기관 등의 장의 승인을 받아야 한다.
>
> ④ 보호지역을 관리하는 사람은 제3항에 따른 승인을 받지 않은 사람의 보호지역 접근이나 출입을 제한하거나 금지할 수 있다.

> **훈령** **보안업무규정 시행규칙 제54조【보호지역의 구분】** ① 영 제34조 제2항에 따른 제한지역, 제한구역 및 통제구역이란 각각 다음 각 호의 지역 또는 구역을 말한다. [2020 승진(경감)]
>
> 1. **제한지역**: 비밀 또는 국·공유재산의 보호를 위하여 울타리 또는 방호·경비인력에 의하여 영 제34조 제3항에 따른 승인을 받지 않은 사람의 접근이나 출입에 대한 감시가 필요한 지역
>
> 2. **제한구역**: 비인가자가 비밀, 주요시설 및 Ⅲ급 비밀 소통용 암호자재에 접근하는 것을 방지하기 위하여 안내를 받아 출입하여야 하는 구역 [2020 실무 3] [2022 승진(실무종합)] [2022 경간]
>
> > **훈령** **보안업무규정 시행 세부규칙 제60조 제1호**
> > 전자교환기(통합장비)실, 정보통신실, 발간실, 송신 및 중계소, 정보통신관제센터, 경찰청 및 시·도경찰청 항공대, 작전·경호·정보·안보업무 담당부서 전역, 과학수사센터
>
> 3. **통제구역**: 보안상 매우 중요한 구역으로서 비인가자의 출입이 금지되는 구역
>
> > **훈령** **보안업무규정 시행 세부규칙 제60조 제2호** ➡ 암호·기록·상황·종합·비밀·무기 암호취급소, 정보보안기록실, 무기창·무기고 및 탄약고, 종합상황실·치안상황실, 암호장비 관리실, 정보상황실, 비밀발간실, 종합조회처리실

[2020 승진(경위)] 정보통신실, 과학수사센터, 암호취급소, 발간실, 치안상황실, 작전·경호·정보·보안업무 담당부서 전역은 「보안업무규정 시행 세부규칙」에 따른 제한구역에 해당한다. (×)

[2024 채용 1차] 「보안업무규정」에 따른 보호지역 중 비인가자가 비밀, 주요시설 및 Ⅲ급 비밀 소통용 암호자재에 접근하는 것을 방지 하기 위하여 안내를 받아 출입하여야 하는 구역에 해당하는 장소는 작전·경호·정보·안보업무 담당부서 전역, 종합조회 처리실, 종합상황실, 무기고 및 탄약고이다. (×)

04 인원보안

1. 개설

(1) 의의 및 대상

- 비밀을 취급하는 인원을 통제하고 보호를 요하는 인원의 안전을 유지하는 것, 다시 말해 신뢰할 만한 자들이 안전하게 국가보안업무를 수행하도록 하는 것을 말한다.
- 경찰공무원은 물론, 그 외에 국가·시·도공무원 등도 지위 고하를 불문하고 인원보안의 대상이 된다. 내방 중인 외국인도 인원보안의 대상에 포함될 수 있다.

(2) 인원보안업무의 취급

> **훈령** 보안업무규정 시행 세부규칙 제10조 【인원보안업무의 취급】 ① 인원보안에 관한 업무는 각급 경찰기관의 인사업무 담당부서에서 맡아 처리한다.
> ② 전투경찰순경(작전전투경찰순경 및 의무경찰순경을 포함한다. 이하 같다)에 대한 인원 보안업무는 전투경찰순경의 인사업무를 담당하는 부서에서 처리한다.

3. 인원보안의 수단

(1) 비밀취급 인가권자 및 인가자

1) 경찰 비밀취급 인가권자

> **훈령** 보안업무규정 시행 세부규칙 제11조 【Ⅱ급 및 Ⅲ급 비밀취급인가】 ① 「보안업무규정」(이하 "규정"이라 한다) 제7조 제2항의 규정에 따른 Ⅱ급 및 Ⅲ급 비밀취급 인가권자는 다음 각 호와 같다.
> 1. 경찰청장 / 2. 경찰대학장 / 3. 경찰교육원장 / 4. 중앙경찰학교장
> 5. 경찰수사연수원장 / 6. 경찰병원장 / 7. 시·도경찰청장
> ② 시·도경찰청장은 규정 제7조 제2항 제5호에 따라 경찰서장, 기동대장에게, Ⅱ급 및 Ⅲ급 비밀취급인가권을 위임한다. 이 경우 경정 이상의 경찰공무원을 장으로 하는 경찰기관의 장에게도 Ⅱ급 및 Ⅲ급 비밀취급인가권을 위임할 수 있다.
> ③ 제1항 및 제2항의 규정에 따라 Ⅱ급 및 Ⅲ급 비밀취급인가권을 위임받은 기관의 장은 이를 다시 위임할 수 없다.

2) 특별인가자

> **훈령** 보안업무규정 시행 세부규칙 제15조 【특별인가】 ① 모든 경찰공무원(전투경찰순경을 포함한다)은 임용과 동시 Ⅲ급 비밀취급권을 가진다. [2023 승진(실무종합)]
> ② 경찰공무원 중 다음 각 호의 부서에 근무하는 자(전투경찰순경을 포함한다)는 그 보직발령과 동시에 Ⅱ급 비밀취급권을 인가받은 것으로 한다.
> 1. 경비, 경호, 작전, 항공, 정보통신 담당부서(기동대, 전경대의 경우는 행정부서에 한한다)
> 2. 정보, 안보, 외사부서
> 3. 감찰, 감사 담당부서

4. 치안상황실, 발간실, 문서수발실

5. 경찰청 각 과의 서무담당자 및 비밀을 관리하는 보안업무 담당자

6. 부속기관, 시·도경찰청, 경찰서 각 과의 서무담당자 및 비밀을 관리하는 보안업무 담당자

③ 제1항 및 제2항에 따라 비밀의 취급인가를 받은 자에 대하여는 별도로 비밀취급인가증을 발급하지 않는다. 다만, 업무상 필요한 경우에는 발급할 수 있다.

④ 각 경찰기관의 장은 제2항 각호의 부서에 근무하는 경찰공무원 중 신원특이자에 대하여는 위원회 또는 자체 심의기구에서 Ⅱ급 비밀취급의 인가여부를 심의하고, 비밀취급이 불가능하다고 의결된 자에 대하여는 즉시 인사조치한다.

[2015 승진(경위)] 경찰공무원은 임용과 동시에 Ⅰ급비밀취급권을 갖는다. (×)
[2022 승진(실무종합)] 「보안업무규정 시행 세부규칙」상 정보부서에 근무하는 경찰공무원은 그 보직발령과 동시에 Ⅱ급 비밀취급권을 인가받은 것으로 한다. (○)

(2) 그 외의 수단

1) 신원조사

대통령령 **보안업무규정 제36조【신원조사】** ① 국가정보원장은 제3조 제2호(➡ 국가안전보장에 한정된 국가기밀을 취급하는 인원)에 해당하는 사람의 충성심·신뢰성 등을 확인하기 위하여 신원조사를 한다. [2013 채용2차] [2018 승진(경위)]

③ 관계 기관의 장은 다음 각 호에 해당하는 사람에 대하여 국가정보원장에게 신원조사를 요청해야 한다. [2017 채용2차] [2018 채용2차]

1. 공무원 임용 예정자(국가안전보장에 한정된 국가 기밀을 취급하는 직위에 임용될 예정인 사람으로 한정한다) [2012 채용3차]

2. 비밀취급 인가 예정자

4. 국가보안시설·보호장비를 관리하는 기관 등의 장(해당 국가보안시설 등의 관리 업무를 수행하는 소속 직원을 포함한다)

6. 그 밖에 다른 법령에서 정하는 사람이나 각급기관의 장이 국가안전보장을 위하여 필요하다고 인정하는 사람

[2020 경간] 국가보안을 위한 신원조사의 내용은 ① 충성심, ② 성실성, ③ 객관성, ④ 신뢰성을 확인하는 것이다. (×)
[2013 채용2차] 해외여행을 하고자 하는 자(입국하는 교포를 포함한다)는 신원조사의 대상이 된다. (×)
[2013 채용2차] 정부의 승인이나 동의를 요하는 법인의 임원 및 직원은 신원조사의 대상에서 삭제되었다. (○)

대통령령 **보안업무규정 제37조【신원조사 결과의 처리】** ① 국가정보원장은 신원조사 결과 국가안전보장에 해를 끼칠 정보가 있음이 확인된 사람에 대해서는 관계 기관의 장에게 그 사실을 통보하여야 한다. [2013 채용2차] [2018 채용2차]

② 제1항에 따라 통보를 받은 관계 기관의 장은 신원조사 결과에 따라 필요한 보안대책을 마련하여야 한다. [2018 승진(경위)]

[2017 채용2차] [2018 승진(경위)] 국가정보원장은 신원조사 결과 국가안전보장에 해를 끼칠 정보가 있음이 확인된 사람에 대해서는 관계기관의 장에게 통보할 수 있으며, 통보를 받은 관계 기관의 장은 신원조사 결과에 따라 필요한 보안대책을 마련하여야 한다. (×)

▌지금은 삭제된 신원조사 대상
- 공무원 임용 예정자(직위불문, 전체)
- 해외여행을 하고자 하는 자(입국하는 교포 포함)
- 공공단체의 직원과 임원의 임명에 있어서 정부의 승인이나 동의를 요하는 법인의 임원 및 직원

2) 보안교육

> 훈령 **보안업무규정 시행규칙 제69조【보안교육】** ① 다음 각 호에 해당하는 사람에 대해서는 관계기관의 장이 사전에 충분한 보안교육 등 보안조치를 하여야 한다.
> 1. 신규 채용직원
> 2. 비밀취급인가 예정자
> 3. 공무, 학술, 체육, 문화, 시찰, 유학 또는 국제기구·민간기업 파견 또는 취업 등을 목적으로 하는 해외여행자
> ② 중앙행정기관의 장은 소속 직원을 대상으로 반기별 1회 이상 보안교육을 실시해야 한다.
> ③ 관계 각급 교육기관의 장은 비밀교재 및 비밀교육 내용을 기록한 피교육자의 필기장 등에 대한 보안대책을 마련·이행하여야 한다

주제 7 경찰홍보

01 경찰홍보 개설

1. 경찰홍보의 의의

(1) 협의의 경찰홍보

경찰활동이나 경찰업무와 관련된 사항을 널리 알려 경찰목적 달성에 유리한 환경을 조성하는 행위를 말한다.

(2) 광의의 경찰홍보

지역주민의 참여를 확대하고 각종 기관 및 언론 등과의 상호 협조체제를 강화하여 이를 경찰이 수행하는 모든 업무에 연계시키는 것까지를 포함한다.

2. 경찰홍보 전략

소극적 홍보전략	적극적 홍보전략
• 홍보실과 기자실의 설치	• 대중매체의 적극적 이용
• 비밀주의와 공개최소화 원칙	• 공개주의와 비밀최소화 원칙
• 언론접촉 규제	• 전 경찰의 홍보 요원화
• 홍보와 타 기능의 분리	• 홍보와 타 기능의 연계를 통한 홍보전략

3. 경찰홍보 유형

유형	내용
협의의 홍보 (Public Relations)	인쇄매체 · 유인물 · 팜플렛 등 각종 매체를 통해 알리고 싶은 긍정적 부분을 일방적으로 알리는 홍보활동
지역공동체관계, CR (Community Relations)	지역사회 내의 각종 기관 및 주민들과 유기적인 연락 및 협조체제를 구축하여 지역사회 각계각층의 요구에 부응하는 경찰활동을 하는 동시에, 경찰활동의 긍정적인 측면을 지역사회에 널리 알리는 종합적인 지역사회 홍보체계 [2016 승진(경감)]
언론관계, PR (Press Relations)	신문 · 잡지 · TV · 라디오 등의 보도기능에 대응하는 활동으로 개별 사건사고에 대한 기자들의 질의에 답하는 대응적 · 소극적 홍보활동
대중매체관계, MR (Media Relations)	종합적인 홍보활동으로 신문 · 방송 및 영상물 등 각종 대중매체 제작자와 긴밀한 협조관계를 구축하여 대중매체의 필요를 충족시켜 주면서 경찰의 긍정적인 측면을 널리 알리는 적극적인 홍보활동
기업이미지식 홍보	• 시민을 소비자로 보는 시민중심의 행정 관점에서 발달 • 영 · 미를 중심으로 발달한 적극적인 홍보활동으로 경찰이 더 이상의 독점적인 치안기구가 아니라는 인식에 근거한 개념 • 조직이미지를 개선하여 국민의 지지도를 높이고 이를 바탕으로 예산획득, 타 조직 및 국민의 협력확보와 같은 목적을 달성하는 종합적이고 계획적인 홍보활동 • 일반기업이 이미지 제고를 위해 유료광고를 내고 친근한 상징물이나 캐릭터를 개발 · 전파하는 활동도 포함한다. 예 포돌이 · 포순이

4. 경찰과 대중매체의 관계 [2018 승진(경위)] [2018 승진(경감)] [2024 채용 1차]

학자	주요내용
로버트 마크 (R. Mark)	• 전(前) 영국 수도경찰청장 • "경찰과 대중매체는 단란하고 행복스럽지는 않더라도, 오래 지속되는 결혼생활과 같다."
크랜돈 (Crandon)	• 경찰과 대중매체는 서로를 필요로 하는 공생관계로 발달한다고 주장하고 있다. • 경찰은 범죄에 대한 대응이나 업무수행의 어려움을 널리 알리기 위해 대중매체가 필요한 반면, 대중매체는 시청자나 독자 확보를 위한 흥미거리를 제공해 주는 이야기를 확보하기 위해 경찰을 필요로 한다.
에릭슨 (Ericson)	• 경찰과 대중매체의 관계를 광범위하고 정치적인 관점으로 보았다. • "경찰과 대중매체는 서로 연합하여 그 사회의 일탈에 대한 개념을 규정하며, 도덕성과 정의를 규정짓는 사회적 엘리트 집단을 구성한다."

엠바고(Embargo)	어느 시한까지 보도하지 않을 것을 전제로 하는 보도자료의 제공을 말한다.
보도용 설명 (on the record)	• 제공하는 정보를 즉시 기사화할 수 있는 경우로서, 취재원의 이름과 직책이 기사에 이용될 수 있다. • 대부분의 보도자료 제공이 여기에 해당한다.
비보도 (off the record)	보도하지 않을 것을 조건으로 하는 자료나 정보의 제공을 말한다.
가십(Gossip)	원래 험담이나 루머 등 확인되지 않는 뉴스를 말하나, 우리 언론에서는 스트레이트로 처리하기 힘든 흥밋거리, 뒷이야기 등을 함축성 있게 처리한 기사라는 의미로 사용하고 있다.
리드(Lead)	기사 내용을 요약해서 1~2줄 정도로 간략하게 쓴 글을 말한다.
데드라인 (Deadline)	취재된 기사를 편집부에 넘겨야 하는 기사 마감시간을 말한다.
라운드 업 (Round Up)	한동안 보도되어 온 중요 뉴스나 사건의 전말을 종합적으로 정리한 기사를 말한다.
이슈(Issue)	일정시점에서 중요시되어 토론·논쟁이나 갈등의 요인이 되는 사회·문화·경제·정치적 관심이나 사고를 말한다.
피쳐(Feature)	신문·잡지의 기획기사를 말한다. 단순히 사건내용을 보도하는 스트레이트 기사(Straight News)가 아니고, 사건의 내막을 해설한 읽을거리나 전망기사를 말한다.

02 언론 관련 분쟁에 대한 대응

1. 의의

언론기관은 헌법 제21조에 따라 언론·출판의 자유의 한 내용으로서 신문·방송의 자유를 기본권으로 보장받으나, 사실과 다른 언론보도 등 신문·방송의 자유가 무분별하게 행사되는 경우 이에 대한 적절한 대응이 필요하게 된다.

2. 정정보도청구권

(1) 의의

사실적 주장에 관한 언론보도 내용의 일부 또는 전부가 진실하지 아니한 경우 해당 언론사가 스스로 기사내용이 잘못되었음을 밝히는 정정기사를 게재(또는 방송)해 줄 것을 요구하는 권리를 말한다. [2022 채용1차]

(2) 요건

> **언론중재 및 피해구제 등에 관한 법률 제14조【정정보도청구의 요건】** ① 사실적 주장에 관한 언론보도등이 진실하지 아니함으로 인하여 피해를 입은 자(이하 "피해자"라 한다)는 해당 언론보도등이 있음을 안 날부터 3개월 이내에 언론사, 인터넷뉴스서비스사업자 및 인터넷 멀티미디어 방송사업자(이하 "언론사등"이라 한다)에게 그 언론보도등의 내용에 관한 정정보도를 청구할 수 있다. 다만, 해당 언론보도등이 있은 후 6개월이 지났을 때에는 그러하지 아니하다. [2017 경간] [2020 승진(경감)] [2021 경간] [2022 경간] [2023 승진(실무종합)]

💡 **실제 정정보도문**
- OO방송은 20XX년 XX월 XX일 '9시 뉴스데스크'에서 '경찰이 카드깡'이라는 제목으로 서울지방경찰청 연금매장에서 조직적으로 카드깡이 이뤄졌고 이 과정에서 발생한 부당한 수익금을 최고위층이 활동비로 사용했는데 본사의 취재가 시작되자 공문을 내려보내는 등 사실은폐를 시도했다는 취지의 보도를 한 사실이 있습니다.
- 그러나 확인 결과, … 연금매장의 운영으로 인한 수익금은 경찰관들의 복리후생비로 사용되고 있어 고위층의 활동비로 사용된 적이 없으며 본사의 취재가 시작되자 서울지방경찰청이 사실은폐를 위해 연금매장의 점포 운영자에게 공문을 보냈다는 내용도 사실이 아닌 것으로 밝혀졌기에 이를 바로 잡습니다.

② 제1항의 청구에는 언론사등의 고의·과실이나 위법성을 필요로 하지 아니한다.

③ 국가·지방자치단체, 기관 또는 단체의 장은 해당 업무에 대하여 그 기관 또는 단체를 대표하여 정정보도를 청구할 수 있다.

④ 「민사소송법」상 당사자능력이 없는 기관 또는 단체라도 하나의 생활단위를 구성하고 보도 내용과 직접적인 이해관계가 있을 때에는 그 대표자가 정정보도를 청구할 수 있다.

⚖ 요지판례 ㅣ

■ 언론중재법 제14조의 정정보도청구는 사실적 주장에 관한 언론보도가 진실하지 아니한 경우에 허용되므로, 그 청구의 당부를 판단하려면 원고가 정정보도청구의 대상으로 삼은 원보도가 사실적 주장에 관한 것인지 단순한 의견표명인지를 먼저 가려보아야 한다. 여기에서 사실적 주장이란 가치판단이나 평가를 내용으로 하는 의견표명에 대치되는 개념으로서 증거에 의하여 그 존재 여부를 판단할 수 있는 사실관계에 관한 주장을 말한다(대판 2012.11.15, 2011다86782). ➡ 언론보도는 대개 사실적 주장과 의견표명이 혼재하는 형식으로 이루어지는 것이어서 구별기준 자체가 일의적이라고 할 수 없고, 양자를 구별할 때에는 당해 원보도의 객관적인 내용과 아울러 일반 독자가 보통의 주의로 원보도를 접하는 방법을 전제로, 사용된 어휘의 통상적인 의미, 전체적인 흐름, 문구의 연결 방법뿐만 아니라 당해 원보도가 게재한 문맥의 보다 넓은 의미나 배경이 되는 사회적 흐름 및 일반 독자에게 주는 전체적인 인상도 함께 고려하여야 한다.

■ 언론중재법 제14조 제1항에서 정하는 언론보도의 진실성은 내용 전체의 취지를 살펴보아 중요한 부분이 객관적 사실과 합치되는 것일 때 인정되며 세부적인 면에서 진실과 약간 차이가 나거나 다소 과장된 표현이 있더라도 무방하고, 또한 복잡한 사실관계를 알기 쉽도록 단순하게 만드는 과정에서 일부 특정한 사실관계를 압축·강조하거나 대중의 흥미를 끌기 위하여 실제 사실관계에 장식을 가하는 과정에서 다소 수사적 과장이 있더라도 전체적인 맥락에서 보아 보도내용의 중요부분이 진실에 합치한다면 보도의 진실성은 인정된다고 보아야 한다(대판 2011.9.2, 2009다52649). ➡ 진실에 부합하는지는 표현의 전체적인 취지가 중시되어야 하는 것이고 세부적인 문제에서 객관적 진실과 완전히 일치할 것이 요구되어서는 아니 되기 때문이다.

■ 언론중재법 제14조에 의하여 사실적 주장에 관한 언론보도 등의 내용에 관한 정정보도를 청구하는 피해자는 그 언론보도 등이 진실하지 아니하다는 데 대한 증명책임을 부담한다(대판 2011.9.2, 2009다52649).

[2021 경간] 정정보도를 청구하는 경우에 그 언론사의 고의·과실이나 위법성을 필요로 하는 것은 아니며 그 언론사는 언론보도가 진실하다는 것에 대한 증명책임을 부담한다. (×)

---

(3) 행사방법 및 절차

언론중재 및 피해구제 등에 관한 법률 제15조【정정보도청구권의 행사】 ① 정정보도 청구는 언론사등의 대표자에게 서면으로 하여야 하며, 청구서에는 피해자의 성명·주소·전화번호 등의 연락처를 적고, 정정의 대상인 언론보도등의 내용 및 정정을 청구하는 이유와 청구하는 정정보도문을 명시하여야 한다. 다만, 인터넷신문 및 인터넷뉴스서비스의 언론보도등의 내용이 해당 인터넷 홈페이지를 통하여 계속 보도 중이거나 매개 중인 경우에는 그 내용의 정정을 함께 청구할 수 있다. [2017 경간] [2020 승진(경감)]

② 제1항의 청구를 받은 언론사등의 대표자는 3일 이내에 그 수용 여부에 대한 통지를 청구인에게 발송하여야 한다. 이 경우 정정의 대상인 언론보도등의 내용이 방송이나 인터넷신문, 인터넷뉴스서비스 및 인터넷 멀티미디어 방송의 보도과정에서 성립한 경우에는 해당 언론사등이 그러한 사실이 없었음을 입증하지 아니하면 그 사실의 존재를 부인하지 못한다. [2020 경간]

[2017 승진(경감)] [2022 경간] 정정보도청구를 받은 언론사 등의 대표자는 7일 이내에 그 수용 여부에 대한 통지를 청구인에게 발송하여야 한다. (×)

(4) 정정보도의 방법

언론중재 및 피해구제 등에 관한 법률 제15조【정정보도청구권의 행사】③ 언론사등이 제1항의 청구를 수용할 때에는 지체 없이 피해자 또는 그 대리인과 정정보도의 내용·크기 등에 관하여 협의한 후, 그 청구를 받은 날부터 7일 내에 정정보도문을 방송하거나 게재(인터넷신문 및 인터넷뉴스서비스의 경우 제1항 단서에 따른 해당 언론보도등 내용의 정정을 포함한다)하여야 한다. 다만, 신문 및 잡지 등 정기간행물의 경우 이미 편집 및 제작이 완료되어 부득이할 때에는 다음 발행 호에 이를 게재하여야 한다. [2017 경간]

⑤ 언론사등이 하는 정정보도에는 원래의 보도 내용을 정정하는 사실적 진술, 그 진술의 내용을 대표할 수 있는 제목과 이를 충분히 전달하는 데에 필요한 설명 또는 해명을 포함하되, 위법한 내용은 제외한다.

⑥ 언론사등이 하는 정정보도는 공정한 여론형성이 이루어지도록 그 사실공표 또는 보도가 이루어진 같은 채널, 지면 또는 장소에서 같은 효과를 발생시킬 수 있는 방법으로 하여야 하며, 방송의 정정보도문은 자막(라디오방송은 제외한다)과 함께 통상적인 속도로 읽을 수 있게 하여야 한다.

⑦ 방송사업자, 신문사업자, 잡지 등 정기간행물사업자 및 뉴스통신사업자는 공표된 방송보도(재송신은 제외한다) 및 방송프로그램, 신문, 잡지 등 정기간행물, 뉴스통신 보도의 원본 또는 사본을 공표 후 6개월간 보관하여야 한다.

⑧ 인터넷신문사업자 및 인터넷뉴스서비스사업자는 대통령령으로 정하는 바에 따라 인터넷신문 및 인터넷뉴스서비스 보도의 원본이나 사본 및 그 보도의 배열에 관한 전자기록을 6개월간 보관하여야 한다.

(5) 언론사의 정정보도 거부사유

언론중재 및 피해구제 등에 관한 법률 제15조【정정보도청구권의 행사】④ 다음 각 호의 어느 하나에 해당하는 사유가 있는 경우에는 언론사등은 정정보도청구를 거부할 수 있다. [2020 경간]

1. 피해자가 정정보도청구권을 행사할 정당한 이익이 없는 경우 [2023 승진(실무종합)]
2. 청구된 정정보도의 내용이 명백히 사실과 다른 경우
3. 청구된 정정보도의 내용이 명백히 위법한 내용인 경우
4. 정정보도의 청구가 상업적인 광고만을 목적으로 하는 경우
5. 청구된 정정보도의 내용이 국가·지방자치단체 또는 공공단체의 공개회의와 법원의 공개재판절차의 사실보도에 관한 것인 경우

[2022 경간] 피해자가 정정보도청구권을 행사할 정당한 이익이 없더라도 피해자 권리 보호를 위해 해당 언론사는 정정보도의 청구를 거부할 수 없다. (×)
[2020 경간] 정정보도의 청구가 공익적인 광고만을 목적으로 하는 경우 언론사는 정정보도청구를 거부할 수 있다. (×)

[2020 승진(경감)] 청구된 정정보도의 내용이 법원의 공개재판절차의 사실보도에 관한 것인 경우 언론사등은 정정보도 청구를 거부할 수 없다. (×)
[2022 경간] 청구된 정정보도의 내용이 국가·지방자치단체 또는 공공단체의 공개회의와 법원의 공개재판절차의 사실보도에 관한 것인 경우에는 언론사 등은 정정보도 청구를 거부할 수 없다. (×)
[2017 승진(경감)] 청구된 정정보도의 내용이 국가·지방자치단체 또는 공공단체의 비공개회의와 법원의 비공개재판절차의 사실보도에 관한 것인 경우 언론사 등은 정정보도청구를 거부할 수 있다. (×)

3. 반론보도청구권

(1) 의의

사실적 주장에 관한 언론보도로 인하여 피해를 입은 사람이 언론보도 내용에 대한 자신의 입장(반론)을 보도해 달라고 요구하는 권리를 말한다. ➡ '반론'이므로 진실 여부를 문제삼는 것이 아니다.

(2) 요건

언론중재 및 피해구제 등에 관한 법률 제16조【반론보도청구권】① 사실적 주장에 관한 언론보도등으로 인하여 피해를 입은 자는 그 보도 내용에 관한 반론보도를 언론사등에 청구할 수 있다.
② 제1항의 청구에는 언론사등의 고의·과실이나 위법성을 필요로 하지 아니하며, 보도 내용의 진실 여부와 상관없이 그 청구를 할 수 있다. [2022 채용1차]
③ 반론보도청구에 관하여는 따로 규정된 것을 제외하고는 정정보도청구에 관한 이 법의 규정을 준용한다.

4. 추후보도청구권

(1) 의의

해명권이라고도 하며, 언론의 범죄 피의사실에 대한 보도 이후 무죄판결 또는 이와 동등한 형태로 종결된 때에 추후보도를 신청할 수 있는 권리를 말한다.

(2) 요건

언론중재 및 피해구제 등에 관한 법률 제17조【추후보도청구권】① 언론등에 의하여 범죄혐의가 있거나 형사상의 조치를 받았다고 보도 또는 공표된 자는 그에 대한 형사절차가 무죄판결 또는 이와 동등한 형태로 종결되었을 때에는 그 사실을 안 날부터 3개월 이내에 언론사등에 이 사실에 관한 추후보도의 게재를 청구할 수 있다.
② 제1항에 따른 추후보도에는 청구인의 명예나 권리 회복에 필요한 설명 또는 해명이 포함되어야 한다.
③ 추후보도청구권에 관하여는 제1항 및 제2항에 규정된 것을 제외하고는 정정보도청구권에 관한 이 법의 규정을 준용한다.
④ 추후보도청구권은 특별한 사정이 있는 경우를 제외하고는 이 법에 따른 정정보도청구권이나 반론보도청구권의 행사에 영향을 미치지 아니한다.

💡 **실제 반론보도문**

• ○○매일은 지난 X월 X일자 '단속은 시늉만 '… 경찰-불법 유흥업소 유착 의혹' 제하 기사에서, 방역지침 위반 영업에 관한 신고를 받고도 청주흥덕경찰서가 관내 유흥업소에 대한 이른바 봐주기식 단속을 한 데에 해당 업소와의 유착 의혹이 있다는 내용을 보도했습니다.

• 한편, 청주흥덕경찰서는 "지면에 보도된 유흥업소 대상 당시 112 신고에 대한 처리과정을 확인한 결과, 경찰과 업소관계자가 평소 전화통화한 사실이 있는지, 112 신고 사실을 업소관계자에게 미리 알려준 사실이 있는지, 신고자의 인적사항을 업소관계자에게 유출한 사실이 있는지 등 경찰과 유흥업소 간 유착관계를 의심할 만한 어떤 객관적 사실도 확인되지 않았다."고 알려왔습니다.
[이 보도는 언론중재위원회의 조정에 따른 것입니다.]

💡 **실제 추후보도문**

• 본지는 2015.8.12. 보도를 통해 30대 남성 이 모씨가 마크 리퍼트 주한 미국대사 및 미국 오바마 대통령의 딸에 대한 협박 혐의가 있다고 보도했습니다.

• 그러나 2020년 3월 12일 대법원 재판 결과, 이 모씨는 위 내용에 대해 무죄 판결을 받았음을 알려드립니다. … 이모씨는 백악관홈페이지에 한번도 접속해 본 적도 없고, 협박글 작성한 적 없으며, 글을 게시한 적 없다며 시종일관 주장했던 사건이며, 압수물에서 협박 글 게시한 흔적이나 이력 없습니다.

03 언론 관련 분쟁에 대한 조정 및 중재

1. 조정

(1) 의의

언론보도 등으로 피해를 입은 피해자와 언론사와의 정정보도, 반론보도, 추후보도 등에 관한 분쟁을 제3자인 언론중재위원회가 객관적·법률적 입장에서 개입, 당사자 사이의 이해와 화해를 이끌어내 분쟁을 해결하는 것을 말한다.

(2) 절차

1) 조정의 신청

🔍 쉽게 읽기!
- §18 ②: 피해배상에 관한 조정신청은 / 안 날로부터 3개월, 있은 날로부터 6개월
- §18 ③: 정정보도청구 등에 대한 조정신청은 /
  - 정정보도 관련: 안 날로부터 3개월, 있은 날로부터 6개월
  - 반론보도 관련: 안 날로부터 3개월, 있은 날로부터 6개월
  - 추후보도 관련: 무죄 등 종결 날로부터 3개월
  - 언론사에 먼저 청구한 경우: 협의 불성립된 날부터 14일

> **언론중재 및 피해구제 등에 관한 법률 제18조 【조정신청】** ① 이 법에 따른 정정보도청구등과 관련하여 분쟁이 있는 경우 피해자 또는 언론사등은 중재위원회에 조정을 신청할 수 있다. [2020 승진(경감)]
> ② 피해자는 언론보도등에 의한 피해의 배상에 대하여 제14조 제1항의 기간 (➡ 안 날로부터 **3개월**, 보도가 있은 날로부터 **6개월**) 이내에 중재위원회에 조정을 신청할 수 있다. 이 경우 피해자는 손해배상액을 명시하여야 한다.
> ③ 정정보도청구등과 손해배상의 조정신청은 제14조 제1항(제16조 제3항에 따라 준용되는 경우를 포함한다) 또는 제17조 제1항의 기간 이내에 서면 또는 구술이나 그 밖에 대통령령으로 정하는 바에 따라 전자문서 등으로 하여야 하며, 피해자가 먼저 언론사등에 정정보도청구등을 한 경우에는 피해자와 언론사등 사이에 협의가 불성립된 날부터 14일 이내에 하여야 한다.
> ④ 제3항에 따른 조정신청을 구술로 하려는 신청인은 중재위원회의 담당 직원에게 조정신청의 내용을 진술하고 이의 대상인 보도 내용과 정정보도청구 등을 요청하는 정정보도문 등을 제출하여야 하며, 담당 직원은 신청인의 조정신청 내용을 적은 조정신청조서를 작성하여 신청인에게 이를 확인하게 한 다음, 그 조정신청조서에 신청인 및 담당 직원이 서명 또는 날인하여야 한다.
> ⑤ 중재위원회는 중재위원회규칙으로 정하는 바에 따라 조정신청에 대하여 수수료를 징수할 수 있다.
> ⑥ 신청인은 조정절차 계속 중에 정정보도청구등과 손해배상청구 상호간의 변경을 포함하여 신청취지를 변경할 수 있고, 이들을 병합하여 청구할 수 있다.

2) 조정의 심리

> **언론중재 및 피해구제 등에 관한 법률 제19조 【조정】** ① 조정은 관할 중재부에서 한다. 관할구역을 같이 하는 중재부가 여럿일 경우에는 중재위원회 위원장이 중재부를 지정한다.
> ② 조정은 신청 접수일부터 14일 이내에 하여야 하며, 중재부의 장은 조정신청을 접수하였을 때에는 지체 없이 조정기일을 정하여 당사자에게 출석을 요구하여야 한다.
> ③ 제2항의 출석요구를 받은 신청인이 2회에 걸쳐 출석하지 아니한 경우에는 조정신청을 취하한 것으로 보며, 피신청 언론사등이 2회에 걸쳐 출석하지 아니한 경우에는 조정신청 취지에 따라 정정보도등을 이행하기로 합의한 것으로 본다. [2022 채용1차]

④ 제2항의 출석요구를 받은 자가 천재지변이나 그 밖의 정당한 사유로 출석하지 못한 경우에는 그 사유가 소멸한 날부터 3일 이내에 해당 중재부에 이를 소명하여 기일 속행신청을 할 수 있다. 중재부는 속행신청이 이유 없다고 인정하는 경우에는 이를 기각(棄却)하고, 이유 있다고 인정하는 경우에는 다시 조정기일을 정하고 절차를 속행하여야 한다.

⑤ 조정기일에 중재위원은 조정 대상인 분쟁에 관한 사실관계와 법률관계를 당사자들에게 설명 · 조언하거나 절충안을 제시하는 등 합의를 권유할 수 있다.

⑥ 변호사 아닌 자가 신청인이나 피신청인의 대리인이 되려는 경우에는 미리 중재부의 허가를 받아야 한다.

⑦ 신청인의 배우자 · 직계혈족 · 형제자매 또는 소속 직원은 신청인의 명시적인 반대의사가 없으면 제6항에 따른 중재부의 허가 없이도 대리인이 될 수 있다. 이 경우 대리인이 신청인과의 신분관계 및 수권관계를 서면으로 증명하거나 신청인이 중재부에 출석하여 대리인을 선임하였음을 확인하여야 한다.
➡ 즉, 경찰청 공보실 직원은 중재부 허가 없어도 대리인이 될 수 있다.

⑧ 조정은 비공개를 원칙으로 하되, 참고인의 진술청취가 필요한 경우 등 필요하다고 인정되는 경우에는 중재위원회규칙으로 정하는 바에 따라 참석이나 방청을 허가할 수 있다.

⑨ 조정절차에 관하여는 이 법에서 규정한 것을 제외하고는 「민사조정법」을 준용한다.

⑩ 조정의 절차와 중재부의 구성방법, 그 관할, 구술신청의 방식과 절차, 그 밖에 필요한 사항은 중재위원회규칙으로 정한다.

3) 조정의 결정

언론중재 및 피해구제 등에 관한 법률 제21조【결정】 ① 중재부는 조정신청이 부적법할 때에는 이를 각하하여야 한다.

② 중재부는 신청인의 주장이 이유 없음이 명백할 때에는 조정신청을 기각할 수 있다.

③ 중재부는 당사자 간 합의 불능 등 조정에 적합하지 아니한 현저한 사유가 있다고 인정될 때에는 조정절차를 종결하고 조정불성립결정을 하여야 한다.

언론중재 및 피해구제 등에 관한 법률 제22조【직권조정결정】 ① 당사자 사이에 합의(제19조 제3항에 따라 합의한 것으로 보는 경우를 포함한다)가 이루어지지 아니한 경우 또는 신청인의 주장이 이유 있다고 판단되는 경우 중재부는 당사자들의 이익이나 그 밖의 모든 사정을 고려하여 신청취지에 반하지 아니하는 한도에서 직권으로 조정을 갈음하는 결정(이하 "직권조정결정"이라 한다)을 할 수 있다. 이 경우 그 결정은 제19조 제2항(➡ 조정은 신청 접수일로부터 14일 이내)에도 불구하고 조정신청 접수일부터 21일 이내에 하여야 한다.

② 직권조정결정서에는 주문과 결정 이유를 적고 이에 관여한 중재위원 전원이 서명 · 날인하여야 하며, 그 정본을 지체 없이 당사자에게 송달하여야 한다.

③ 직권조정결정에 불복하는 자는 결정 정본을 송달받은 날부터 7일 이내에 불복 사유를 명시하여 서면으로 중재부에 이의신청을 할 수 있다. 이 경우 그 결정은 효력을 상실한다.

④ 제3항에 따라 직권조정결정에 관하여 이의신청이 있는 경우에는 그 이의신청이 있은 때에 제26조 제1항에 따른 소가 제기된 것으로 보며, 피해자를 원고로 하고 상대방인 언론사등을 피고로 한다.

4) 합의 등의 효력

▌재판상 화해(소송상 화해)
소속계속 중 당사자 쌍방이 권리 주장을 양보해 소송을 종료시키기로 합의하는 것을 말하며, 확정판결과 동일한 효력을 갖는다.

> 언론중재 및 피해구제 등에 관한 법률 제23조 【조정에 의한 합의 등의 효력】 다음 각 호의 어느 하나의 경우에는 재판상 화해와 같은 효력이 있다.
> 1. 조정 결과 당사자 간에 합의가 성립한 경우
> 2. 제19조 제3항(➡ 당사자 2회 불출석)에 따라 합의가 이루어진 것으로 보는 경우
> 3. 제22조 제1항에 따른 직권조정결정에 대하여 이의신청이 없는 경우

2. 중재

💡 처음부터 중재부 종국적 결정에 따르기로 합의한 것이므로, 중재결정 자체가 확정판결과 동일한 효력을 갖게 되고 따라서 조정절차보다 더 신속하게 분쟁을 끝낼 수 있게 된다.

> 언론중재 및 피해구제 등에 관한 법률 제24조 【중재】 ① 당사자 양쪽은 정정보도청구등 또는 손해배상의 분쟁에 관하여 중재부의 종국적 결정에 따르기로 합의하고 중재를 신청할 수 있다.
> ② 제1항의 중재신청은 조정절차 계속 중에도 할 수 있다. 이 경우 조정절차에 제출된 서면 또는 주장·입증은 중재절차에서 제출한 것으로 본다.
> ③ 중재절차에 관하여는 그 성질에 반하지 아니하는 한도에서 조정절차에 관한 이 법의 규정과 「민사소송법」 제34조, 제35조, 제39조 및 제41조부터 제45조까지의 규정을 준용한다.
> 언론중재 및 피해구제 등에 관한 법률 제25조 【중재결정의 효력 등】 ① 중재결정은 확정판결과 동일한 효력이 있다.
> ② 중재결정에 대한 불복과 중재결정의 취소에 관하여는 「중재법」 제36조를 준용한다.

3. 정정보도청구 등의 소

> 언론중재 및 피해구제 등에 관한 법률 제26조 【정정보도청구등의 소】 ① 피해자는 법원에 정정보도청구등의 소를 제기할 수 있다. ➡ 조정이나 중재절차를 반드시 거칠 필요 ×
> ③ 제1항의 소는 제14조 제1항(제16조 제3항에 따라 준용되는 경우를 포함한다) 및 제17조 제1항에 따른 기간 이내에 제기하여야 한다. ➡ 정정보도청구소송·반론보도청구소송: 안 날로부터 3개월, 있은 날로부터 6개월 / 추후보도청구소송: 무죄 등 종결날로부터 3개월

04 언론중재위원회

1. 언론중재위원회의 설치 및 심의사항

> 언론중재 및 피해구제 등에 관한 법률 제7조 【언론중재위원회의 설치】 ① 언론등의 보도 또는 매개(이하 "언론보도등"이라 한다)로 인한 분쟁의 조정·중재 및 침해사항을 심의하기 위하여 언론중재위원회(이하 "중재위원회"라 한다)를 둔다. [2015 승진(경위)] [2017 승진(경위)]
> ② 중재위원회는 다음 각 호의 사항을 심의한다. [2017 실무 1]
> 1. 중재부의 구성에 관한 사항

2. 중재위원회규칙의 제정·개정 및 폐지에 관한 사항 [2015 승진(경위)]

3. 제11조 제2항에 따른 사무총장의 임명 동의

4. 제32조에 따른 시정권고의 결정 및 그 취소결정

5. 그 밖에 중재위원회 위원장이 회의에 부치는 사항

2. 언론중재위원회의 구성

(1) 중재위원

언론중재 및 피해구제 등에 관한 법률 제7조【언론중재위원회의 설치】③ 중재위원회는 40명 이상 90명 이내의 중재위원으로 구성하며, 중재위원은 다음 각 호의 사람 중에서 문화체육관광부장관이 위촉한다. 이 경우 제1호부터 제3호까지의 위원은 각각 중재위원 정수의 5분의 1 이상이 되어야 한다. [2017 실무 1] [2018 채용1차] [2018 실무 1] [2023 승진(실무종합)]

1. 법관의 자격이 있는 사람 중에서 법원행정처장이 추천한 사람

2. 변호사의 자격이 있는 사람 중에서 「변호사법」 제78조에 따른 대한변호사협회의 장이 추천한 사람

3. 언론사의 취재·보도 업무에 10년 이상 종사한 사람

4. 그 밖에 언론에 관하여 학식과 경험이 풍부한 사람

⑩ 중재위원은 명예직으로 한다. 다만, 대통령령으로 정하는 바에 따라 수당과 실비보상을 받을 수 있다.

⑪ 중재위원회의 구성·조직 및 운영에 필요한 사항은 중재위원회규칙으로 정한다.

언론중재 및 피해구제 등에 관한 법률 제8조【중재위원의 직무상 독립과 결격사유】① 중재위원은 법률과 양심에 따라 독립하여 직무를 수행하며, 직무상 어떠한 지시나 간섭도 받지 아니한다.

② 다음 각 호의 어느 하나에 해당하는 사람은 중재위원이 될 수 없다.

1. 「국가공무원법」 제2조 및 「지방공무원법」 제2조에 따른 공무원(법관의 자격이 있는 사람과 교육공무원은 제외한다)

2. 「정당법」에 따른 정당의 당원

3. 「공직선거법」에 따라 실시되는 선거에 후보자로 등록한 사람

4. 언론사의 대표자와 그 임직원

5. 「국가공무원법」 제33조 각 호의 어느 하나에 해당하는 사람 ➜ 국가공무원법상 결격사유

③ 중재위원이 제2항 각 호의 어느 하나에 해당하게 된 때에는 당연히 그 직에서 해촉된다.

(2) 위원장·부위원장 및 감사

언론중재 및 피해구제 등에 관한 법률 제7조【언론중재위원회의 설치】④ 중재위원회에 위원장 1명과 2명 이내의 부위원장 및 2명 이내의 감사를 두며, 각각 중재위원 중에서 호선한다. [2016 채용1차] [2018 채용1차] [2018 실무 1]

⑤ 위원장·부위원장·감사 및 중재위원의 임기는 각각 3년으로 하며, 한 차례만 연임할 수 있다. [2017 승진(경위)]

⑥ 위원장은 중재위원회를 대표하고 중재위원회의 업무를 총괄한다. [2015 승진(경위)]

▎호선하는 위원장
- 국가경찰위원회 위원장
- 자치경찰위원회 위원추천위원회 위원장
- 경찰청, 시·도경찰청 인권위원회
- 언론중재위원회 위원장
- 손실보상심의위원회 위원장

⑦ 부위원장은 위원장을 보좌하며, 위원장이 부득이한 사유로 직무를 수행할 수 없을 때에는 중재위원회규칙으로 정하는 바에 따라 그 직무를 대행한다.
⑧ 감사는 중재위원회의 업무 및 회계를 감사한다.

[2017 실무 1 유사] [2017 승진(경위)] [2023 승진(실무종합)] 언론중재위원회에 위원장 1명과 2명 이내의 부위원장 및 3명 이내의 감사를 두며, 각각 언론중재위원 중에서 호선한다. (×)
[2016 채용1차 유사] [2022 채용1차] 언론중재위원회는 40명 이상 90명 이내의 중재위원으로 구성하며, 위원장 1명과 2명 이내의 부위원장 및 2명 이내의 감사를 두는데, 위원장 부위원장 감사 및 중재위원의 임기는 각각 3년으로 하며, 연임할 수 없다. (×)
[2018 실무 1] 위원장·부위원장·감사 및 중재위원의 임기는 각각 2년으로 하며, 한 차례만 연임할 수 있다. (×)

(3) 의결정족수

> 언론중재 및 피해구제 등에 관한 법률 제7조【언론중재위원회의 설치】⑨ 중재위원회의 회의는 재적위원 과반수의 출석과 출석위원 과반수의 찬성으로 의결한다. [2016 채용1차] [2017 실무 1] [2017 승진(경위)] [2018 실무 1]
> [2015 승진(경위)] 중재위원회의 회의는 재적위원 1/4의 출석과 출석위원 과반수의 찬성으로 의결한다. (×)

3. 언론중재위원회의 중재부

> 언론중재 및 피해구제 등에 관한 법률 제9조【중재부】① 중재는 5명 이내의 중재위원으로 구성된 중재부에서 하며, 중재부의 장은 법관 또는 변호사의 자격이 있는 중재위원 중에서 중재위원회 위원장이 지명한다.
> ② 중재부는 중재부의 장을 포함한 과반수의 출석과 출석위원 과반수의 찬성으로 의결한다.

제2장 / 경찰통제

제3편 경찰행정학

주제 1 경찰통제의 기초

01 경찰통제 개설

1. 경찰통제의 의의

- **경찰통제**란 경찰의 조직과 활동을 검토하고 감시함으로써 경찰조직과 경찰활동의 적정을 도모하기 위한 제도적 장치 또는 활동을 총칭하는 것이라고 정의할 수 있다.
- 이는 통제위주로 경찰조직을 운영하자는 의미가 아니라, 공공의 안녕과 질서를 유지하고 국민의 인권을 보호하는 경찰이 되기 위해서는 경찰조직이 민주적으로 운영되고 있는지 경찰의 조직과 활동을 조직 내·외부적 관점에서 점검하여 조직의 건강성의 확보·유지하자는 의미로 이해하여야 한다.

2. 경찰통제 필요성

유형	내용
경찰의 민주적 운영	• 경찰의 기본이념인 민주주의 이념은 헌법적 근거를 두고 있을 뿐만 아니라고 경찰법 제1조에서 명시하고 있는 이념으로서, 이러한 민주주의 이념을 달성하기 위해서는 경찰의 운영 자체가 민주적이어야 한다. • 경찰법상의 경찰위원회제도나, 경찰활동을 공개하는 공공기관의 정보공개에 관한 법률 등이 이를 위한 것이다.
법치주의에 따른 경찰활동	• 경찰활동을 비롯하여, 국민의 권리를 제한하고 의무를 부과하는 모든 활동은 법에 근거를 두고 법을 위반하여서는 안된다. • 경찰활동이 이러한 법치주의의 한계를 일탈하지 않도록 하기 위해 일정한 경찰통제가 필요하다.
경찰의 정치적 중립확보	• 경찰은 특정 정치세력이 아닌 주권자인 전체 국민을 위하여 존재해야 하므로, 경찰이 정치적으로 편향되지 않도록 일정한 제도적 통제 장치가 필요하다. • 경찰공무원법 및 국가공무원법상 경찰공무원의 신분이 법적으로 보장되고, 정치 운동이나 정치 관여가 금지되어 있는 것이 이와 관련된 것이다.
인권보호	경찰활동의 특성상 국민의 인권침해를 가져오는 경찰활동이 발생할 개연성이 있으므로, 경찰활동에 따른 국민의 인권침해를 방지하기 위해 경찰통제가 필요하다.
경찰조직 자체의 부패방지	경찰활동의 신뢰성과 정당성을 확보하고, 경찰조직 자체의 부패를 방지하고 건전한 조직을 유지하기 위해서 적절한 경찰통제가 필요하다.

> **경찰의 기본이념**
> 1. 민주주의
> 2. 법치주의
> 3. 정치적 중립주의
> 4. 인권존중주의
> 5. 경영주의

3. 경찰통제의 기본요소

(1) 경찰정보의 공개

- 경찰정보의 공개는 경찰통제의 근본 또는 전제요소이다. 경찰이 무슨일을 어떻게 하고있는지 알아야 그에 따른 건설적 비판을 토대로 한 경찰통제장치가 제대로 작동할 수 있기 때문이다.
- 경찰행정기관의 정보공개는 공공기관의 정보공개에 관한 법률에 근거한다.

(2) 절차적 참여의 보장

- 행정절차에 국민이 직접 참여함으로써 능동적인 경찰통제가 가능해 지고, 잘못된 경찰권행사를 사전에 바로잡을 수 있게 됨으로써 효율적 경찰통제가 가능해진다.
- 국민의 행정절차 참여에 관한 일반법으로써 행정절차법이 있고, 그 외에도 자치경찰제 · 경찰위원회 · 경찰서 행정발전위원회 · 경찰협력위원회 · 민원봉사실 · 방범리콜제도 등도 국민의 절차적 참여를 위한 제도들이다.

▌민원봉사실
국민의 경찰에 대한 여러가지 민원을 접수하고 처리하기 위한 창구이다.

▌방범리콜제도
방범활동과 관련된 주민 건의사항을 수렴하고 방범시책에 반영함으로써 주민 참여를 확대시킨다.

(3) 경찰권한의 분산

- 권한이 집중되면 남용되거나 정치적으로 이용당할 가능성이 높아지므로, 적절한 권한분산 역시 경찰통제의 기본적 요소로서 작용한다.
- 대표적으로 자치경찰제 시행을 통한 중앙과 지방간의 권한분산이 있으며, 경찰이 아닌 다른 조직과의 권한분산, 조직 내 상 · 하위계급자간 권한분산도 그 예가 될 수 있다.

(4) 책임지는 경찰

- 경찰의 잘못이나 과오에 대해서는 분명한 책임소재 파악 및 추궁이 전제되어야 경찰통제가 제대로 기능할 수 있음에도, 구조적인 정책결정 과오나 문제점에 대해 책임지는 자가 없다는 비판이 있다.
- 일반적으로 조직책임보다는 경찰공무원 개인의 책임으로 돌리려는 경향이 있으며, 책임 자체도 징계와 같은 경찰공무원 개인 책임이 지나치게 무겁다는 평가가 있다.

(5) 피드백(환류)

경찰통제는 경찰행정의 목표와 관련하여 그 수행과정의 적정 여부를 확인하는 과정으로써 확인 결과에 따라 문제가 있으면 책임을 추궁하고 나아가 환류를 통하여 발전할 수 있도록 해야 한다.

02 경찰통제의 유형

1. 민주적 통제와 사법적 통제

구분	민주적 통제	사법적 통제
의의	시민이 직접 또는 그 대표기관을 통하여 참여 · 감시 시스템을 구축하여 통제하는 것	행정소송이나 국가배상제도를 통해 사법부가 행정부의 행위를 심사하여 통제하는 것

관련 원칙	적법절차(적정절차)원칙	• 행정소송 개괄주의 • 재량권의 일탈·남용에 대한 심사
성격	절차적·사전적 통제	실체적·사후적 통제
원류	영·미법계	대륙법계
관련제도	경찰위원회제도, 경찰책임자 선거제도, 자치경찰제도	행정소송제도, 국가배상제도
우리나라	국가경찰위원회, 시·도자치경찰위원회, 자치경찰제도, 국민감사청구제도 [2020 채용2차]	행정소송제도, 국가배상제도

[2023 승진(실무종합)] 민주적 통제에는 국가경찰위원회, 국민감사청구, 국가배상제도가 있다. (×)

▎ 국민감사청구제도

공공기관의 부정한 업무처리로부터 다수의 공익을 보호하기 위하여, 공공기관의 사무처리가 법령위반 또는 부패행위로 인하여 공익을 현저히 해하는 경우에 18세 이상 국민 300인 이상의 연서를 받아 감사원에 감사를 청구하는 제도이다(부패방지 및 국민권익위원회의 설치와 운영에 관한 법률 제72조).〈개정 시행일: 2022.7.5.〉

2. 사전적 통제와 사후적 통제 [2017 경간] [2019 채용1차] [2020 승진(경위)] [2022 채용1차]

구분	사전적 통제	사후적 통제
의의	권리나 이익이 침해되기 전 미리 행정을 통제하는 것	권리나 이익이 침해된 후 사후적으로 행정을 통제하는 것
입법부	국회의 입법권, 예산심의권	국회의 국정감사·조사권, 예산결산권, 경찰청장에 대한 탄핵소추권
행정부	• 행정절차법상의 청문·공청회·의견청취, 입법예고, 행정예고 등 • 국가경찰위원회 제도	행정심판제도, 징계책임제도, 상급기관의 하급기관에 대한 감사·감독권
사법부	–	행정소송제도, 국가배상제도

[2023 승진(실무종합)] 사전통제에는 입법예고제, 국회의 예산심의권, 사법부의 사법심사가 있다. (×)
[2012 채용2차] 경찰에 대한 사전통제를 규정하고 있는 기본법은 행정절차법이라 할 수 있고, 사전통제제도에는 청문, 행정상 입법예고, 상급기관의 하급기관에 대한 감사권 등이 있다. (×)
[2020 경간] 행정절차법, 국회에 의한 예산결산권은 사전통제에 해당한다. (×)
[2015 경간] 국가경찰위원회의 심의·의결은 외부통제이면서 사전통제 수단이다. (○)

3. 내부적 통제와 외부적 통제

(1) 내부적 통제 [2017 경간]

경찰조직 내부적으로 권한의 남용이나 일탈을 통제하는 것을 말하며, 이를 위한 구체적 수단으로는 다음과 같은 것들이 있다.

수단	내용
훈령권· 직무명령권	• 상급관청은 하급관청에 대하여 지시권이나 감독권 등의 훈령권을 행사함으로써 하급관청의 위법이나 재량권 행사의 오류를 시정하는 등 통제할 수 있다. [2012 채용2차] [2020 채용2차] • 상급자는 하급자에게 직무명령권을 행사하여 하급자를 통제할 수 있다. [2022 채용1차]
이의신청에 대한 재결권	처분청의 직근 상급관청은 개별법에 의해서 인정되는 이의신청에 대한 재결권을 행할 수 있다. 예 동작경찰서의 집회금지통고에 대해 직근 상급경찰관서인 서울경찰청에 이의신청이 들어온 경우 서울경찰청은 재결을 통해 동작경찰서를 통제(집회 및 시위에 관한 법률) 《주의》 행정심판에 대한 행정심판위원회의 재결은 외부적 통제에 해당한다.

감사관제도	경찰청과 그 소속기관 및 산하단체에 대한 감사업무 등을 담당하는 감사관은(시도경찰청은 청문감사인권담당관, 경찰서는 청문감사인권관) 조직 내부적 통제장치에 속한다. [2020 승진(경위)]

[2023 승진(실무종합)] 외부통제에는 소청심사위원회, 행정소송, 훈령권이 있다. (×)
[2020 경간] 경찰청의 감사관, 시도경찰청의 청문감사인권담당관, 경찰서의 청문감사인권관은 외부통제에 해당한다. (×)
[2019 채용1차] 청문감사관 제도, 국가경찰위원회, 직무명령권은 경찰통제 유형 중 내부통제에 해당한다. (×)
[2023 채용1차] 청문감사인권관제도, 경찰청장의 훈령권은 내부통제에 해당하고 국민권익위원회, 국가경찰위원회, 소청심사위원회, 국회의 입법권은 외부통제에 해당한다. (○)

> 🔍 **참고** 감사관 · 청문감사인권담당관 · 청문감사인권관
>
> ① **감사관 – 경찰청**
>
> > **대통령령** 경찰청과 그 소속기관 직제 제6조【감사관】① 감사관은 고위공무원단에 속하는 일반직공무원 또는 경무관으로 보한다.
>
> ② **청문감사인권담당관 – 시 · 도경찰청**
>
> > **행정안전부령** 경찰청과 그 소속기관 직제 시행규칙 제33조【청문감사인권담당관】① 청문감사인권담당관은 총경으로 보한다.
> >
> > **행정안전부령** 경찰청과 그 소속기관 직제 시행규칙 제52조【청문감사인권담당관】 청문감사인권담당관은 청문 · 감사 · 인권보호 및 민원 업무에 관하여 시 · 도경찰청장을 보좌한다.
>
> ③ **청문감사인권관 – 경찰서**
>
> > **행정안전부령** 경찰청과 그 소속기관 직제 시행규칙 제74조【하부조직】① 경찰서의 사무를 분장하기 위하여 경찰서에 청문감사인권관 … 둔다. …
> > ② 청문감사인권관은 민원상담 · 고충해결 · 민원처리 지도 · 감독 및 감찰 · 인권보호업무를 수행한다.

💡 2021.7.30. 개정 전후 명칭은 다음과 같이 변경되었다.

구분	변경 전	변경 후
시 · 도경찰청	청문감사담당관	청문감사인권담당관
경찰서	청문감사관	청문감사인권관

(2) 외부적 통제

- 경찰조직 내부적 통제만으로는 문제점을 발견하기 어렵거나 발견하였더라도 인적 관계 등으로 시정이 어려운 경우가 있을 수 있으므로, 외부적인 통제도 요구되는 것이다.
- 외부적 통제의 유형은 다음과 같은 것들이 있다. [2019 채용1차]

유형	내용
민중에 의한 통제	• 민중통제는 국민여론, 각종 단체 등 이익집단, 언론기관, 정당, 비정부기구(NGO) 등을 통한 직 · 간접적인 통제를 말한다. • 민주주의의 특징을 잘 보여주는 통제수단이다.
입법부에 의한 통제	• 국회는 국민을 대표하는 기관으로서 국회의 통제는 국민의 뜻을 경찰활동에 반영할 수 있는 수단이 된다. • 경찰관련 법안의 입법권, 예산 심의 · 의결권, 국정감사 · 조사권, 경찰청장에 대한 탄핵소추권 등의 수단이 활용된다. [2012 채용2차]
사법부에 의한 통제	• 항고소송이나 국가배상청구소송 등 위법한 경찰활동에 대한 법원의 사후적 사법심사를 통한 통제를 말하며, 대륙법계보다는 판례법이 법체계의 근간을 이루는 영미법계에서 더 강력한 통제장치로서 작용한다. [2012 채용2차]

- 개별 사안별로는 가장 강력한 통제수단이 될 수 있지만, 시간과 비용이 많이 소요되고, 위법한 정도에 이르지 않는 부당한 재량행위 등은 사법부가 통제하기 어렵다는 한계가 있다.

주체	내용
대통령	경찰청장의 임명권, 경찰위원회 위원의 임명권, 정책결정권
행정안전부장관	경찰청장과 국가경찰위원회 위원의 임명제청권 [2020 경간]
감사원	세입·세출의 결산확인, 경찰기관 및 경찰공무원의 직무에 대한 감찰권
국민권익위원회	(국무총리 소속) 고충민원의 조사와 처리 및 이와 관련된 시정권고 또는 의견표명
시민고충처리위원회	(지방단치단체 소속) 지방자치단체 및 그 소속 기관에 관한 고충민원의 처리와 행정제도의 개선
행정심판위원회	(국민권익위원회 소속) 경찰관청의 위법·부당한 처분에 대한 재결
소청심사위원회	(인사혁신처 소속) 경찰공무원의 징계 등 불이익처분에 관한 소청심사청구
국가경찰위원회	(행정안전부 소속) 경찰의 주요정책 등에 대한 심의·의결권을 통해 경찰을 통제
시·도자치경찰위원회	(시·도지사 소속) 자치경찰사무 관장
기타	국가정보원, 국방부, 검찰 등에 의한 통제

(행정부에 의한 통제)

국가인권위원회

- 국가인권위원회는 인권의 보호와 향상을 위한 업무를 수행하기 위하여 설치된 독립기구로서 입법·행정·사법 어디에도 속하지 않으나, 넓은 의미에서는 행정부에 의한 통제로 볼 수 있다(광의의 행정부에 의한 통제).
- 최근에는 수사과정이나 집회관리 등에서 발생하는 인권침해에 대한 위원회의 관련 결정이 경찰의 정책(유치장 시설의 개선 등)에 많은 영향을 미치고 있다.

> **국가인권위원회법 제3조【국가인권위원회의 설립과 독립성】** ② 위원회는 그 권한에 속하는 업무를 독립하여 수행한다.
>
> **국가인권위원회법 제20조【관계기관등과의 협의】** ① 관계 국가행정기관 또는 지방자치단체의 장은 인권의 보호와 향상에 영향을 미치는 내용을 포함하고 있는 법령을 제정하거나 개정하려는 경우 미리 위원회에 통지하여야 한다.
>
> **국가인권위원회법 제24조【시설의 방문조사】** ① 위원회(상임위원회와 소위원회를 포함한다. 이하 이 조에서 같다)는 필요하다고 인정하면 그 의결로써 구금·보호시설을 방문하여 조사할 수 있다.

[2020 채용2차] 경찰의 위법행위에 대한 국가배상판결이나 행정심판에 의한 통제는 사법통제이며, 국가인권위원회와 국민권익위원회에 의한 통제는 행정통제이다. (×)

[2022 채용1차] 경찰의 위법한 처분에 대한 행정소송제도는 사법통제로서 외부적 통제 장치이다. (○)

[2017 경간] 국가경찰위원회의 심의·의결, 감사원에 의한 직무감찰, 중앙행정심판위원회의 심리·재결은 외부통제 수단에 해당한다. (○)

[2020 승진(경위)] 국가경찰위원회 제도는 경찰의 주요정책 등에 관하여 심의·의결하는 권한을 가지고 있으므로 민주적 통제에 해당하고, 행정안전부 소속으로 외부적 통제에도 해당한다. (○)

[2020 경간] 국가인권위원회의 통제는 협의의 행정통제로서 외부통제에 해당한다. (×)

이하 '부패방지 및 국민권익위원회의 설치와 운영에 관한 법률'은 '부패방지권익위법'으로 약칭한다.

03 부패방지 및 국민권익위원회의 설치와 운영에 관한 법률

1. 목적과 정의

부패방지권익위법 제1조【목적】이 법은 국민권익위원회를 설치하여 고충민원의 처리와 이에 관련된 불합리한 행정제도를 개선하고, 부패의 발생을 예방하며 부패행위를 효율적으로 규제함으로써 국민의 기본적 권익을 보호하고 행정의 적정성을 확보하며 청렴한 공직 및 사회풍토의 확립에 이바지함을 그 목적으로 한다.

부패방지권익위법 제2조【정의】이 법에서 사용하는 용어의 뜻은 다음과 같다.
  3. "공직자"란 다음 각 목의 어느 하나에 해당하는 자를 말한다. 다만, 다목의 경우에는 제5장을 적용하는 경우에 한정하여 공직자로 본다.
      가. 「국가공무원법」및 「지방공무원법」에 따른 공무원과 그 밖의 다른 법률에 따라 그 자격·임용·교육훈련·복무·보수·신분보장 등에 있어서 공무원으로 인정된 자
      나. 공직유관단체의 장 및 그 직원
      다. 제1호 마목에 따른 각급 사립학교의 장과 교직원 및 학교법인의 임직원
  4. "부패행위"란 다음 각 목의 어느 하나에 해당하는 행위를 말한다.
      가. 공직자가 직무와 관련하여 그 지위 또는 권한을 남용하거나 법령을 위반하여 자기 또는 제3자의 이익을 도모하는 행위 [2015 실무 1]
      나. 공공기관의 예산사용, 공공기관 재산의 취득·관리·처분 또는 공공기관을 당사자로 하는 계약의 체결 및 그 이행에 있어서 법령에 위반하여 공공기관에 대하여 재산상 손해를 가하는 행위 [2015 실무 1]
      다. 가목과 나목에 따른 행위나 그 은폐를 강요, 권고, 제의, 유인하는 행위

2. 부패방지를 위한 관계자들의 노력과 의무

부패방지권익위법 제3조【공공기관의 책무】① 공공기관은 건전한 사회윤리를 확립하기 위하여 부패방지에 노력할 책무를 진다.
  ② 공공기관은 부패를 방지하기 위하여 법령상, 제도상 또는 행정상의 모순이 있거나 그 밖에 개선할 사항이 있다고 인정할 때에는 즉시 이를 개선 또는 시정하여야 한다. [2015 실무 1]
  ③ 공공기관은 교육·홍보 등 적절한 방법으로 소속 직원과 국민의 부패척결에 대한 의식을 고취하기 위하여 적극 노력하여야 한다.
  ④ 공공기관은 부패방지를 위한 국제적 교류와 협력에 적극 노력하여야 한다.

부패방지권익위법 제4조【정당의 책무】① 「정당법」에 따라 등록된 정당과 소속 당원은 깨끗하고 투명한 정치문화를 만들기 위하여 노력하여야 한다.
  ② 정당 및 소속 당원은 올바른 선거문화를 정착하게 하고 정당운영 및 정치자금의 모집과 사용을 투명하게 하여야 한다.

부패방지권익위법 제5조【기업의 의무】기업은 건전한 거래질서와 기업윤리를 확립하고 일체의 부패를 방지하기 위하여 필요한 조치를 강구하여야 한다.

부패방지권익위법 제6조【국민의 의무】모든 국민은 공공기관의 부패방지시책에 적극 협력하여야 한다.

부패방지권익위법 제7조【공직자의 청렴의무】공직자는 법령을 준수하고 친절하고 공정하게 집무하여야 하며 일체의 부패행위와 품위를 손상하는 행위를 하여서는 아니 된다.
[2015 실무 1] 「부패방지 및 국민권익위원회의 설치와 운영에 관한 법률」은 공직자의 청렴의무와 업무상 비밀이용 금지는 별도로 규정하고 있지 않다. (×)

• 부패방지권익위법상 공직자의 업무상 비밀이용금지조항(제7조의2)는 지나 2021. 5. 18. 삭제되었다.

3. 부패행위의 신고 ➡ 청탁금지법상 신고 구조와 유사

부패방지권익위법 제55조【부패행위의 신고】누구든지 부패행위를 알게 된 때에는 이를 위원회에 신고할 수 있다. [2017 실무 1]

부패방지권익위법 제56조【공직자의 부패행위 신고의무】공직자는 그 직무를 행함에 있어 다른 공직자가 부패행위를 한 사실을 알게 되었거나 부패행위를 강요 또는 제의받은 경우에는 지체 없이 이를 수사기관·감사원 또는 위원회에 신고하여야 한다. [2017 실무 1] [2024 승진]

부패방지권익위법 제57조【신고자의 성실의무】제55조 및 제56조에 따른 부패행위 신고 (이하 이 장에서 "신고"라 한다)를 한 자(이하 이 장에서 "신고자"라 한다)가 신고의 내용이 허위라는 사실을 알았거나 알 수 있었음에도 불구하고 신고한 경우에는 이 법의 보호를 받지 못한다. [2017 실무 1] [2020 경간]

부패방지권익위법 제58조【신고의 방법】신고를 하려는 자는 본인의 인적사항과 신고취지 및 이유를 기재한 기명의 문서로써 하여야 하며, 신고대상과 부패행위의 증거 등을 함께 제시하여야 한다. ➡ 실명신고원칙 [2020 경간] [2024 승진]

부패방지권익위법 제58조의2【비실명 대리신고】① 제58조에도 불구하고 신고자는 자신의 인적사항을 밝히지 아니하고 변호사를 선임하여 신고를 대리하게 할 수 있다. 이 경우 제58조에 따른 신고자의 인적사항 및 기명의 문서는 변호사의 인적사항 및 변호사 이름의 문서로 갈음한다. ➡ 예외적 비실명신고
② 제1항에 따른 신고는 위원회에 하여야 하며, 신고자 또는 신고자를 대리하는 변호사는 그 취지를 밝히고 신고자의 인적사항, 신고자임을 입증할 수 있는 자료 및 위임장을 위원회에 함께 제출하여야 한다.
③ 위원회는 제2항에 따라 제출된 자료를 봉인하여 보관하여야 하며, 신고자 본인의 동의 없이 이를 열람하여서는 아니 된다.
[2022 채용2차] 국민권익위원회는 누구든지 경찰공무원 등의 부패행위를 알게 된 때에는 무기명으로 신고할 수 있도록 하고 있다. (×)
[2017 실무 1] 부패행위를 신고하고자 하는 자는 신고취지 및 이유를 기재한 무기명의 문서로써 하여야 하며, 신고대상과 부패행위의 증거 등을 함께 제시하여야 한다. (×)

4. 신고내용의 확인 및 이첩

부패방지권익위법 제59조【신고내용의 확인 및 이첩 등】① 위원회는 접수된 신고사항에 대하여 신고자를 상대로 다음 각 호의 사항을 확인할 수 있다.
1. 신고자의 인적사항, 신고의 경위 및 취지 등 신고내용의 특정에 필요한 사항
2. 신고내용이 제29조 제2항 각 호의 어느 하나에 해당하는지의 여부에 관한 사항 ➡ 국민권익위원회의 조치불가사항(국가기밀, 수사·재판·감사 등 관련 사항, 행정심판·소송 등 진행 중 사항 등)

③ 위원회는 접수된 신고사항에 대하여 감사·수사 또는 조사가 필요한 경우 이를 감사원, 수사기관 또는 해당 공공기관의 감독기관(감독기관이 없는 경우에는 해당 공공기관을 말한다. 이하 "조사기관"이라 한다)에 이첩하여야 한다. 다만, 신고가 다음 각 호의 어느 하나에 해당하는 경우에는 이를 조사기관에 이첩하지 아니하고 종결할 수 있다.

1. 신고의 내용이 명백히 거짓인 경우
2. 신고자의 인적사항을 알 수 없는 경우
3. 신고자가 신고서나 증명자료 등에 대한 보완 요청을 2회 이상 받고도 위원회가 정하는 보완요청기간 내에 보완하지 아니한 경우
4. 신고에 대한 처리 결과를 통지받은 사항에 대하여 정당한 사유 없이 다시 신고한 경우
5. 신고의 내용이 언론매체 등을 통하여 공개된 내용에 해당하고 공개된 내용 외에 새로운 증거가 없는 경우
6. 다른 법령에 따라 해당 부패행위에 대한 감사·수사 또는 조사가 시작되었거나 이미 끝난 경우
7. 그 밖에 부패행위에 대한 감사·수사 또는 조사가 필요하지 아니한 경우로서 대통령령으로 정하는 경우

④ 위원회는 접수된 신고사항이 제3항에 따른 이첩 또는 종결처리의 대상인지 명백하지 아니한 경우로서 조사기관에서 처리하는 것이 타당하다고 인정하는 경우에는 이를 조사기관에 송부할 수 있다.

⑤ 위원회는 신고자를 상대로 제1항에 따라 사실관계를 확인하였음에도 불구하고 제3항에 따른 이첩 여부를 결정할 수 없는 경우에는 그 결정에 필요한 범위에서 피신고자의 의사에 반하지 아니하는 때에 한정하여 피신고자에게 의견 또는 자료 제출 기회를 부여할 수 있다.

⑥ 위원회에 신고가 접수된 당해 부패행위의 혐의대상자가 다음 각 호에 해당하는 고위공직자로서 부패혐의의 내용이 형사처벌을 위한 수사 및 공소제기의 필요성이 있는 경우에는 위원회의 명의로 검찰, 수사처, 경찰 등 관할 수사기관에 고발을 하여야 한다.

1. 차관급 이상의 공직자
2. 특별시장, 광역시장, 특별자치시장, 도지사 및 특별자치도지사
3. 경무관급 이상의 경찰공무원
4. 법관 및 검사
5. 장성급 장교
6. 국회의원

⑦ 관할 수사기관은 제6항에 따른 고발에 대한 수사결과를 위원회에 통보하여야 한다. 위원회가 고발한 사건이 이미 수사 중이거나 수사 중인 사건과 관련된 사건인 경우에도 또한 같다.

⑧ 위원회는 접수된 신고사항을 그 접수일부터 60일 이내에 처리하여야 한다. 이 경우 제1항 제1호에 따른 사항을 확인하기 위한 보완 등이 필요하다고 인정되는 경우에는 그 기간을 30일 이내에서 연장할 수 있다.

⑨ 위원회는 국가기밀이 포함된 신고사항에 대해서는 대통령령으로 정하는 바에 따라 처리한다.

[2024 승진] 국민권익위원회는 접수된 신고사항에 대하여 신고자를 상대로 신고대상자의 인적사항, 신고의 경위 및 취지 등 신고내용의 특정에 필요한 사항을 확인하여야 한다. (×)
[2020 경간] 국민권익위원회는 신고가 접수된 부패행위의 혐의대상자가 경무관급 이상의 경찰공무원이고, 부패 혐의의 내용이 형사처벌을 위한 수사 및 공소제기의 필요성이 있는 경우에는 위원회의 명의로 검찰에 고발할 수 있다. (×)

5. 조사결과의 처리

> **부패방지권익위법 제60조【조사결과의 처리】** ① 조사기관은 신고를 이첩 또는 송부받은 날부터 60일 이내에 감사·수사 또는 조사를 종결하여야 한다. 다만, 정당한 사유가 있는 경우에는 그 기간을 연장할 수 있으며, 위원회에 그 연장사유 및 연장기간을 통보하여야 한다. [2020 경간] [2024 승진]
>
> ② 제59조 제3항 또는 제4항에 따라 신고를 이첩 또는 송부받은 조사기관(조사기관이 이첩받은 신고사항에 대하여 다른 조사기관에 이첩·재이첩, 감사요구, 송치, 수사의뢰 또는 고발을 한 경우에는 이를 받은 조사기관을 포함한다. 이하 이 조에서 같다)은 감사·수사 또는 조사결과를 감사·수사 또는 조사 종료 후 10일 이내에 위원회에 통보하여야 한다.
>
> ③ 위원회는 제2항에 따라 감사·수사 또는 조사결과를 통보받은 경우 즉시 신고자에게 그 요지를 통지하여야 하고, 필요한 경우 조사기관에 대하여 통보내용에 대한 설명을 요구할 수 있다.
>
> ④ 신고자는 제3항에 따른 통지를 받은 경우 위원회에 감사·수사 또는 조사결과에 대한 이의를 신청할 수 있다.
>
> ⑤ 위원회는 제59조 제3항에 따라 신고를 이첩받은 조사기관의 감사·수사 또는 조사가 충분하지 아니하다고 인정되는 경우에는 감사·수사 또는 조사결과를 통보받은 날부터 30일 이내에 새로운 증거자료의 제출 등 합리적인 이유를 들어 조사기관에 대하여 재조사를 요구할 수 있다.
>
> ⑥ 재조사를 요구받은 조사기관은 재조사를 종료한 날부터 7일 이내에 그 결과를 위원회에 통보하여야 한다. 이 경우 위원회는 통보를 받은 즉시 신고자에게 재조사 결과의 요지를 통지하여야 한다.

6. 감사청구권

> **부패방지권익위법 제72조【감사청구권】** ① 18세 이상의 국민은 공공기관의 사무처리가 법령위반 또는 부패행위로 인하여 공익을 현저히 해하는 경우 대통령령으로 정하는 일정한 수 이상(➜ 300인 이상)의 국민의 연서로 감사원에 감사를 청구할 수 있다. 다만, 국회·법원·헌법재판소·선거관리위원회 또는 감사원의 사무에 대하여는 국회의장·대법원장·헌법재판소장·중앙선거관리위원회 위원장 또는 감사원장(이하 "당해 기관의 장"이라 한다)에게 감사를 청구하여야 한다.
>
> ② 제1항에도 불구하고 다음 각호의 어느 하나에 해당하는 사항은 감사청구의 대상에서 제외한다.
> 1. 국가의 기밀 및 안전보장에 관한 사항
> 2. 수사·재판 및 형집행(보안처분·보안관찰처분·보호처분·보호관찰처분·보호감호처분·치료감호처분·사회봉사명령을 포함한다)에 관한 사항
> 3. 사적인 권리관계 또는 개인의 사생활에 관한 사항
> 4. 다른 기관에서 감사하였거나 감사 중인 사항. 다만, 다른 기관에서 감사한 사항이라도 새로운 사항이 발견되거나 중요사항이 감사에서 누락된 경우에는 그러하지 아니하다.
> 5. 그 밖에 감사를 실시하는 것이 적절하지 아니한 정당한 사유가 있는 경우로서 대통령령이 정하는 사항

③ 제1항에도 불구하고 지방자치단체와 그 장의 권한에 속하는 사무의 처리에 대한 감사청구는 「지방자치법」 제21조(➡ 주민감사청구)에 따른다.

[2020 승진(경위) 유사] [2022 채용1차] 부패방지 및 국민권익위원회의 설치와 운영에 관한 법률 및 동법 시행령에 따르면, 18세 이상의 국민은 경찰 등 공공기관의 사무처리가 법령위반 또는 부패행위로 인하여 공익을 현저히 해하는 경우, 100명 이상의 국민의 연서로 감사원에 감사를 청구할 수 있다. (×)

7. 국민권익위원회 · 시민고충처리위원회

부패방지권익법 제11조【국민권익위원회의 설치】 ① 고충민원의 처리와 이에 관련된 불합리한 행정제도를 개선하고, 부패의 발생을 예방하며 부패행위를 효율적으로 규제하도록 하기 위하여 국무총리 소속으로 국민권익위원회(이하 "위원회"라 한다)를 둔다.
② 위원회는 「정부조직법」 제2조에 따른 중앙행정기관으로서 그 권한에 속하는 사무를 독립적으로 수행한다.

부패방지권익법 제32조【시민고충처리위원회의 설치】 ① 지방자치단체 및 그 소속 기관에 관한 고충민원의 처리와 행정제도의 개선 등을 위하여 각 지방자치단체에 시민고충처리위원회를 둘 수 있다.

주제 2 경찰 감찰

01 경찰 감찰 규칙

1. 목적 · 정의 및 적용범위

💡 **경찰청 소속 일반직 공무원**

담당하는 업무의 종류가 매우 다양하며, 2022년 직제 기준 133,000명 중 4,301명이 여기에 해당한다. 예 행정서기(8급): 치안정책홍보 콘텐츠 기획 / 운전서기보(9급): 기동대 차량 운전 · 관리 / 위생서기보(9급): 탐지견 견사 및 시설물 관리

훈령 경찰 감찰 규칙 제1조【목적】 이 규칙은 경찰청 및 그 소속기관(이하 "경찰기관"이라 한다)에 소속하는 경찰공무원, 별정 · 일반직 공무원(무기계약 및 기간제 근로자를 포함한다), 의무경찰 등(이하 "소속공무원"이라 한다)의 공직기강 확립과 경찰 행정의 적정성 확보를 위한 감찰에 필요한 사항을 규정함을 목적으로 한다.

[2018 실무 1] 「경찰 감찰 규칙」 제1조는 "경찰공무원등의 공직기강 확립과 경찰 행정의 효율성 확보를 위한 감찰에 필요한 사항을 규정함을 목적으로 한다."라고 명시하고 있다. (×)

훈령 경찰 감찰 규칙 제2조【정의】 이 규칙에서 사용하는 용어의 정의는 다음과 같다.
1. "의무위반행위"란 소속공무원이 「국가공무원법」 등 관련 법령 또는 직무상 명령 등에 따른 각종 의무를 위반한 행위를 말한다.
2. "감찰"이란 복무기강 확립과 경찰행정의 적정성을 확보하기 위해 경찰기관 또는 소속공무원의 제반업무와 활동 등을 조사 · 점검 · 확인하고 그 결과를 처리하는 감찰관의 직무활동을 말한다.
3. "감찰관"이란 제2호에 따른 감찰을 담당하는 경찰공무원을 말한다.

훈령 경찰 감찰 규칙 제3조【적용 범위】 경찰기관의 감찰업무는 다른 법령에 특별한 규정이 있는 경우를 제외하고는 이 규칙이 정하는 바에 따른다.

2. 감찰관

(1) 행동준칙

> 훈령 **경찰 감찰 규칙 제4조【감찰관의 행동준칙】** 감찰관이 감찰활동을 할 때에는 다음 각 호의 준칙에 따라 행동하여야 한다.
> 1. 감찰관은 적법절차를 준수하고 감찰대상자 소속 기관장이나 관계인의 의견을 충분히 수렴한다.
> 2. 감찰관은 감찰활동을 함에 있어서 소속공무원의 인권을 존중하며, 친절하고 겸손한 자세로 직무를 수행한다.
> 3. 감찰관은 감찰활동 전 과정에 있어 소속공무원의 사생활의 비밀과 자유를 부당하게 침해하지 않는다.
> 4. 감찰관은 직무와 무관한 사상·신념, 정치적 성향 등 불필요한 정보를 수집하지 않는다.
> 5. 감찰관은 의무위반행위의 유형과 경중에 따른 적정한 방법으로 감찰활동을 수행한다.
> 6. 감찰관은 객관적인 증거와 조사로 사실관계를 명확히 하고, 공정하게 직무를 수행한다.
> 7. 감찰관은 직무상 알게 된 사항에 대하여 비밀을 엄수한다.
> 8. 감찰관은 선행·수범 직원을 발견하는데 적극 노력한다.

- 그동안 경찰감찰은 표적감찰이나 감찰의 고압적 태도로 내부적으로 많은 비판이 있었고, 2018년에는 근거 없는 음해성 투서로 감찰을 받던 경찰공무원이 자백강요 등 인권침해적 감찰로 인해 극단적 선택을 하는 사례가 발생하기도 하였다.
- 이러한 사건을 계기로 경찰감찰은 비위적발보다는 직무상 문제를 확인·개선하는 방향으로 대폭 개선되었고, 별건감찰 금지·피감찰자 방어권 보장 등 구체적인 개선이 있었다.

(2) 감찰관의 자격 및 선발

> 훈령 **경찰 감찰 규칙 제5조【감찰관의 결격사유】** 다음 각 호의 어느 하나에 해당하는 사람은 감찰관이 될 수 없다.
> 1. 직무와 관련한 금품 및 향응 수수, 공금횡령·유용, 「성폭력범죄의 처벌 등에 관한 특례법」에 따른 성폭력범죄로 징계처분을 받은 사람
> 2. 제1호 이외의 사유로 징계처분을 받아 말소기간이 경과하지 아니한 사람
> 3. 질병 등으로 감찰관으로서의 업무수행이 어려운 사람
> 4. 기타 감찰관으로서 적합하지 아니하다고 판단되는 사람
>
> 훈령 **경찰 감찰 규칙 제6조【감찰관 선발】** ① 경찰기관의 장은 감찰관 보직공모에 응모한 지원자 및 3인 이상의 동료로부터 추천 받은 자를 대상으로 적격심사를 거쳐 감찰관을 선발한다.
> ② 제1항에 따른 감찰관 선발을 위한 적격심사에 관한 세부사항은 경찰청장이 별도로 정한다.
>
> 훈령 **경찰 감찰 규칙 제8조【감찰관 적격심사】** ① 경찰기관의 장은 소속 감찰관에 대하여 감찰관 보직 후 2년마다 적격심사를 실시하여 인사에 반영하여야 한다.
> ② 제6조 제2항의 규정은 제1항에 준용한다.

▌말소기간(공무원 인사기록·통계 및 인사사무 처리 규정)

징계	말소기간	승진제한
감등	9년	18개월
정직	7년	18개월
감봉	5년	12개월
견책	3년	6개월

(3) 감찰관의 제척·기피·회피

> **훈령** **경찰 감찰 규칙 제9조【제척】** 감찰관은 다음 경우에 당해 감찰직무(감찰조사 및 감찰업무에 대한 지휘를 포함한다)에서 제척된다. ➡ 당연히 빠지는 것!
> 1. 감찰관 본인이 의무위반행위로 인해 **감찰대상**이 된 때
> 2. 감찰관 본인이 의무위반행위로 인해 피해를 받은 자(이하 "**피해자**"라 한다)인 때
> 3. 감찰관 본인이 의무위반행위로 인해 감찰대상이 된 소속공무원(이하 "**조사대상자**"라 한다)이나 피해자의 친족이거나 친족관계가 있었던 자인 때
> 4. 감찰관 본인이 조사대상자나 피해자의 법정대리인이나 후견감독인인 때
>
> **훈령** **경찰 감찰 규칙 제10조【기피】** ① 조사대상자, 피해자는 다음 경우에 별지 제1호 서식의 감찰관 기피 신청서를 작성하여 그 감찰관이 소속된 경찰기관의 감찰업무 담당 부서장(이하 "**감찰부서장**"이라 한다)에게 해당 감찰관의 기피를 신청할 수 있다. ➡ 상대방 신청으로 빠지는 것!
> 1. 감찰관이 제9조 각 호의 사유에 해당되는 때
> 2. 감찰관이 이 규칙을 위반하거나 불공정한 조사를 할 염려가 있다고 볼만한 객관적·구체적 사정이 있는 때
> ② 제1항에 따른 감찰관 기피 신청을 접수받은 감찰부서장은 기피 신청이 이유 있다고 인정하는 때에는 담당 감찰관을 재지정하여야 하며, 기피 신청이 이유 있다고 인정하지 않는 때에는 제37조에 따른 감찰처분심의회의 심의를 거쳐 기피 신청 수용 여부를 결정하여야 한다.
> ③ 제2항의 경우 감찰부서장은 기피 신청자에게 결과를 통보하여야 한다.
>
> **훈령** **경찰 감찰 규칙 제11조【회피】** ① 감찰관은 제9조의 사유에 해당하면 스스로 감찰직무를 회피하여야 하며, 제9조 이외의 사유로 감찰직무를 수행함에 있어 공정성을 잃을 염려가 있다고 인정하는 경우 회피할 수 있다. ➡ 스스로 빠지는 것!
> ② 회피하려는 감찰관은 소속 경찰기관의 감찰부서장에게 별지 제2호 서식을 작성하여 제출하여야 한다.
> ③ 제10조 제2항의 규정은 회피에 준용한다.

(4) 감찰관의 신분보장

> **훈령** **경찰 감찰 규칙 제7조【감찰관의 신분보장】** ① 경찰기관의 장은 감찰관이 제5조에 따른 결격사유에 해당되는 것으로 밝혀졌을 경우와 다음 각 호의 어느 하나에 해당하는 경우를 제외하고는 2년 이내에 본인의 의사에 반하여 전보하여서는 아니 된다. 다만, 승진 등 인사관리상 필요한 경우에는 그러하지 아니하다.
> 1. **징계사유**가 있는 경우
> 2. **형사사건**에 계류된 경우
> 3. 질병 등으로 감찰업무를 수행할 수 없거나 직무수행 능력이 현저히 부족하다고 판단되는 경우
> 4. 고압·권위적인 감찰활동을 반복하여 물의를 야기한 경우
> ② 경찰기관의 장은 1년 이상 성실히 근무한 감찰관에 대해서는 희망부서를 고려하여 전보한다. [2016 채용2차] [2016 경간] [2017 승진(경감)]
>
> [2021 승진(실무종합)] 경찰기관의 장은 감찰관이 제5조에 따른 결격사유에 해당되었을 경우와 제7조 제1항 각 호의 어느 하나에 해당하는 경우를 제외하고는 3년 이내에 본인의 의사에 반하여 전보하여서는 아니 된다. 다만, 승진 등 인사관리상 필요한 경우에는 그러하지 아니하다. (×)

3. 감찰정보

(1) 수집과 처리

> **[훈령]** 경찰 감찰 규칙 제20조【감찰정보의 수집】① 감찰관은 감찰업무와 관련된 다음 각 호의 어느 하나에 해당하는 감찰정보를 매월 1건 이상 수집·제출하여야 하며, 감찰관이 아닌 소속공무원도 감찰정보를 수집한 경우에는 이를 감찰부서에 제출할 수 있다.
> 1. **비위정보**: 소속공무원의 비위와 관련한 정보
> 2. **제도개선자료**: 불합리한 제도·시책, 관행 등의 개선에 관한 자료
> 3. **기타자료**: 관리자의 조직관리·운영 실태, 주요 치안시책 등에 대한 현장여론, 비위우려자의 복무실태 등 인사·조직 운영에 참고가 될 만한 자료
> ② 감찰관은 수집한 감찰정보를 별지 제4호 서식의 감찰정보보고서에 따라 작성한 후 경찰청 또는 소속 시·도경찰청의 감찰부서장에게 제출하여야 한다.
>
> **[훈령]** 경찰 감찰 규칙 제21조【감찰정보의 처리】제20조에 따른 감찰정보를 접수한 감찰부서장은 다음 각 호의 기준에 따라 감찰정보를 구분한다.
> 1. **즉시조사대상**: 신속한 진상확인 및 조사·처리가 필요한 사항
> 2. **감찰대상**: 사실관계 확인 또는 감찰활동 착수 등 감찰활동이 필요한 사항
> 3. **이첩대상**: 해당 경찰기관에서 직접 처리하는 것보다 다른 경찰기관이나 부서 등에서 처리·활용하는 것이 효과적이라고 판단되는 사항
> 4. **참고대상**: 감찰업무에 도움이 될 것으로 판단되는 사항
> 5. **폐기대상**: 익명 제보 등 출처가 불분명한 정보 또는 이미 제출된 정보와 동일한 정보 등 그 내용상 감찰대상으로서의 가치가 없거나 감찰업무 활용도가 매우 낮을 것으로 예상되는 정보
>
> **[훈령]** 경찰 감찰 규칙 제23조【평가 및 포상】① 감찰정보 실적은 개인별 평가를 원칙으로 하며, 정보 수집·처리 구분에 따라 점수를 부여하여 평가한다.
> ② 개인별 감찰정보 실적은 분기별로 종합 평가하고, 평가실적이 우수한 직원에 대하여는 포상 등을 할 수 있다.

(2) 감찰정보심의회·감찰정보시스템

> **[훈령]** 경찰 감찰 규칙 제22조【감찰정보심의회】① 감찰부서장은 다음 각 호의 사항을 결정하기 위하여 감찰정보심의회를 설치·운영할 수 있다.
> 1. 제21조에 따른 감찰정보의 구분
> 2. 제15조에 따른 감찰활동 착수와 관련된 사항
> ② 감찰정보심의회는 위원장을 포함한 3명 이상 5명 이하의 위원으로 구성하며, 위원장은 감찰부서장이 되고 위원은 감찰부서장이 소속 공무원 중에서 지명한다.
>
> **[훈령]** 경찰 감찰 규칙 제24조【감찰정보시스템】경찰청 감찰담당관은 감찰정보의 수집·처리, 감찰결과 등의 효율적 관리를 위하여 감찰정보시스템을 구축·운영할 수 있다.

4. 감찰활동

(1) 관할과 종류

> **[훈령]** **경찰 감찰 규칙 제12조【감찰활동의 관할】** 감찰관은 소속 경찰기관의 관할구역 안에서 활동하여야 한다. 다만, 상급 경찰기관의 장의 지시가 있는 경우에는 관할 구역 밖에서도 활동할 수 있다. [2013 채용2차] [2016 경간] [2017 채용1차] [2021 승진(실무종합)]
>
> **[훈령]** **경찰 감찰 규칙 제13조【특별감찰】** 경찰기관의 장은 의무위반행위가 자주 발생 하거나 그 발생 가능성이 높다고 인정되는 시기, 업무분야 및 경찰관서 등에 대 하여는 일정기간 동안 전반적인 조직관리 및 업무추진 실태 등을 집중 점검할 수 있다.
> [2018 실무 1] 「경찰 감찰 규칙」 제13조는 '특별감찰'에 대해 "경찰기관의 장은 상급 경찰기관의 장의 지시에 따라 소속 감찰관으로 하여금 일정기간 동안 다른 경찰기관 소속 직원의 복무실태, 업무추진 실태 등을 점검하게 할 수 있다."라고 규정 하고 있다. (×)
>
> **[훈령]** **경찰 감찰 규칙 제14조【교류감찰】** 경찰기관의 장은 상급 경찰기관의 장의 지 시에 따라 소속 감찰관으로 하여금 일정기간 동안 다른 경찰기관 소속 직원의 복무실태, 업무추진 실태 등을 점검하게 할 수 있다. [2013 채용2차] [2016 채용2차] [2016 경간] [2019 승진(경위)]
> [2017 승진(경감)] 소속 경찰기관의 장의 지시에 따라 소속 감찰관으로 하여금 일정기간 동안 다른 경찰기관 소속 직원의 복무실태, 업무추진 실태 등을 점검하게 할 수 있다. (×)

(2) 감찰절차

> **[훈령]** **경찰 감찰 규칙 제15조【감찰활동의 착수】** ① 감찰관은 소속공무원의 의무위반 행위에 관한 단서(현장인지, 진정·탄원 등을 포함한다)를 수집·접수한 경우 소 속 경찰기관의 감찰부서장에게 보고하여야 한다. [2021 승진(실무종합)]
> ② 감찰부서장은 제1항에 따른 보고를 받은 경우 감찰 대상으로서의 적정성을 검 토한 후 감찰활동 착수 여부를 결정하여야 한다. [2018 실무 1] [2019 승진(경위)]
>
> **[훈령]** **경찰 감찰 규칙 제16조【감찰계획의 수립】** ① 감찰관은 제15조에 따른 감찰활동 에 착수할 때에는 감찰기간과 대상, 중점감찰사항 등을 포함한 **감찰계획**을 소속 경찰기관의 감찰부서장에게 **보고하여 승인을 받아야** 한다.
> ② 감찰관은 사전에 계획하고 보고한 범위에 한하여 감찰활동을 수행하여야 한다.
> ➡ 별건감찰금지
> ③ 제1항에 따른 감찰기간은 **6개월**의 범위 내에서 감찰부서장이 정한다.
> ④ 감찰관은 계속 감찰활동이 필요한 경우 그 사유를 소명하여 소속 경찰기관의 감찰부서장의 승인을 받아 **6개월**의 범위 내에서 감찰기간을 **연장**할 수 있다.
>
> **[훈령]** **경찰 감찰 규칙 제17조【자료 제출 요구 등】** ① 감찰관은 직무상 다음 각 호의 요구를 할 수 있다. 다만, 제2호 및 제3호의 경우에는 필요 최소한의 범위 내에서 요구하여야 한다. [2020 승진(경위)]
> 1. 조사를 위한 출석
> 2. 질문에 대한 답변 및 진술서 제출 ➡ 필요최소한 요구
> 3. 증거품 등 자료 제출 ➡ 필요최소한 요구
> 4. 현지조사의 협조
> ② 소속공무원은 감찰관으로부터 제1항에 따른 요구를 받은 때에는 정당한 사유 가 없는 한 그 요구에 응하여야 한다.

💡
- 2019년 3월, 버닝썬 유착비리와 아 레나 폭행사건 부실대응 등으로 제 기된 유흥업소 유착비리 관련, 서울 청은 관내 31개 경찰서에 대해 3개월 간 특별감찰을 실시한 바 있다. 당시 강남 압구정치안센터에 감찰관 상주 사무실을 두고 강남권 경찰서들을 집중 감찰하였다.
- 이에 앞선 2011년에는, 강남룸싸롱 황제사건('이경백 사건')으로 특별감 찰이 실시되어 강남서 형사과 직원 만 1/3이 교체되었고, 이후 현직경찰 관 18명 구속, 징계 66명이라는 초유 의 사태가 발생하기도 하였다.

③ 감찰관은 직무수행 중 알게 된 정보나 제출 받은 자료를 감찰 목적 외의 용도로 이용할 수 없다.

[2018 승진(경감)] 감찰관은 직무상 증거품 등 자료 제출, 현지조사의 협조 등을 요구할 수 있으며, 경찰공무원등은 정당한 사유가 없더라도 감찰관의 요구에 응하지 않을 수 있다. (×)

[2016 승진(경위)] 감찰관은 직무수행에 있어서 조사를 위한 출석, 질문에 대한 답변 및 진술서 제출, 증거품 및 자료 제출, 현지조사의 협조 등을 요구할 수 있으며, 경찰공무원 등은 정당한 사유가 없는 한 그 요구에 응하여야 한다. (○)

> 훈령 **경찰 감찰 규칙 제18조【감찰관 증명서 등 제시】** 감찰관은 제17조에 따른 요구를 할 경우 소속 경찰기관의 장이 발행한 별지 제3호 서식의 감찰관 증명서 또는 경찰공무원증을 제시하여 신분을 밝히고 감찰활동의 목적을 설명하여야 한다.

> 훈령 **경찰 감찰 규칙 제19조【감찰활동 결과의 보고 및 처리】** ① 감찰관은 감찰활동 결과 소속공무원의 의무위반행위, 불합리한 제도·관행, 선행·수범 직원 등을 발견한 경우 이를 소속 경찰기관의 장에게 보고하여야 한다.
> ② 경찰기관의 장은 제1항의 결과에 대하여 문책 요구, 시정·개선, 포상 등 필요한 조치를 하여야 한다.

(3) 감찰조사의 방법과 방어권보장

> 훈령 **경찰 감찰 규칙 제25조【출석요구】** ① 감찰관은 감찰조사를 위해서 조사대상자의 출석을 요구할 때에는 조사기일 3일 전까지 별지 제5호 서식의 출석요구서 또는 구두로 조사일시, 의무위반행위사실 요지 등을 통지하여야 한다. 다만, 사안이 급박한 경우 또는 조사대상자의 요청이 있는 경우에는 즉시 조사에 착수할 수 있다. [2016 승진(경위)] [2019 승진(경위)]
> ② 제1항의 경우 조사일시 등을 정할 때에는 조사대상자의 의사를 존중하여야 한다.
> ③ 감찰관은 의무위반행위와 관련된 내용을 조사할 때에는 사전에 준비를 철저히 하여 잦은 출석으로 인한 피해를 주지 않도록 하여야 한다.
> ④ 감찰관은 조사대상자의 방어권 보장을 위하여 필요한 경우 조사대상자의 동의를 받아 조사대상자의 소속 부서장에게 제1항에 따른 출석요구 사실을 통지할 수 있다.

[2018 승진(경감)] 감찰관은 감찰조사를 위해서 조사대상자의 출석을 요구할 때에는 조사기일 2일 전까지 출석요구서 또는 구두로 조사일시, 의무위반행위사실 요지 등을 통지하여야 한다. 다만, 사안이 급박한 경우에는 즉시 조사에 착수할 수 있다. (×)

> 훈령 **경찰 감찰 규칙 제26조【변호인의 선임】** ① 조사대상자는 변호사를 변호인으로 선임할 수 있다. 다만, 감찰부서장의 승인을 받은 경우에는 변호사가 아닌 사람을 특별변호인으로 선임할 수 있다.
> ② 제1항에 따라 조사대상자의 변호인으로 선임된 사람은 그 위임장을 미리 감찰관에게 제출하여야 한다.

> 훈령 **경찰 감찰 규칙 제27조【조사대상자의 진술거부권】** ① 조사대상자는 진술하지 아니하거나 개개의 질문에 대하여 진술을 거부할 수 있다.
> ② 감찰관은 조사대상자에게 제1항과 같이 진술을 거부할 수 있음을 사전에 고지하여야 한다.

> 훈령 **경찰 감찰 규칙 제28조【조사 참여】** ① 감찰관은 조사대상자가 다음 각 호의 사항을 신청할 경우 이에 해당하는 사람을 참여하게 하거나 동석하도록 하여야 한다.
> 1. 다음 각 목의 사람의 참여
>   가. 다른 감찰관
>   나. 변호인

제25조 제4항 관련

기본적으로 감찰대상자는 자신이 감찰대상이 되었다는 사실을 부서장에게 알리고 싶지 않을것이나, 감찰조사에 적절히 대응(방어권 행사)하기 위해 근무시간 조정 등 부서장의 협조가 필요할 수도 있다.

2. 다음 각 목의 사람의 동석
   가. 조사대상자의 동료공무원
   나. 조사대상자의 직계친족, 배우자, 가족 등 조사대상자의 심리적 안정과 원활한 의사소통에 도움을 줄 수 있는 자
② 감찰관은 다음 각 호의 사유가 발생한 경우에는 참여자의 참여를 제한하거나 동석자의 퇴거를 요구할 수 있다.
1. 참여자 또는 동석자가 조사 과정에 부당하게 개입하거나 조사를 제지·중단시키는 경우
2. 참여자 또는 동석자가 조사대상자에게 특정한 답변을 유도하거나 진술 번복을 유도하는 경우
3. 그 밖의 참여자 또는 동석자의 언동 등으로 조사에 지장을 초래하는 경우
③ 감찰관은 참여자의 참여를 제한하거나 동석자를 퇴거하게 한 경우 그 사유를 조사대상자에게 설명하고 그 구체적 정황을 청문보고서 등 조사서류에 기재하여 기록에 편철하여야 한다.

훈령 **경찰 감찰 규칙 제29조【감찰조사 전 고지】** ① 감찰관은 감찰조사를 실시하기 전에 조사대상자에게 의무위반행위 사실의 요지를 알려야 한다.
② 제1항의 경우 감찰관은 조사대상자에게 제28조 제1항 각 호의 사항(➜ 참여·동석)을 신청할 수 있다는 사실을 고지하여야 한다.
[2017 채용1차] 감찰관은 감찰조사를 실시하기 전에 조사대상자에게 의무위반행위 사실의 요지를 알릴 수 없지만 다른 감찰관의 참여를 요구할 수 있음은 고지하여야 한다. (×)

훈령 **경찰 감찰 규칙 제30조【영상녹화】** ① 감찰관은 조사대상자가 영상녹화를 요청하는 경우에는 그 조사과정을 영상녹화하여야 한다.
② 영상녹화의 범위 및 영상녹화사실의 고지, 영상녹화물의 관리와 관련된 사항은 「범죄수사규칙」의 영상녹화 관련 규정을 준용한다.

훈령 **경찰 감찰 규칙 제31조【조사시 유의사항】** ① 감찰관은 조사시 엄정하고 공정하게 진실 발견에 노력하여야 한다.
② 감찰관은 조사시 조사대상자의 이익이 되는 주장 및 제출자료 등에 대해서도 사실관계를 명확히 하여 조사내용에 반영하여야 한다.
③ 감찰관은 조사시 조사대상자의 연령, 성별 등을 고려하여 언행에 유의하여야 한다.
④ 감찰관은 감찰에 필요한 정보 등을 제공한 자 또는 피해자에 대해서는 가명조서를 작성하는 등의 방법으로 비밀을 유지하고 그 신원을 보호하여야 한다.
⑤ 감찰부서장은 성폭력·성희롱 피해 여성에 대하여는 피해자의 의사에 반하지 않는 한 여성 경찰공무원이 조사하도록 하여야 하고, 조사 과정에서 피해자의 인격이나 명예가 손상되거나 사적인 비밀이 침해되지 않도록 하여야 한다.
⑥ 감찰관은 피해자를 조사할 경우 피해자의 심리상태를 확인하여야 하고, 필요시 소속 경찰기관의 감찰부서장에게 보고하여 피해자 심리 전문요원의 조치를 받을 수 있도록 하여야 한다.

훈령 **경찰 감찰 규칙 제32조【심야조사의 금지】** ① 감찰관은 심야(자정부터 오전 6시까지를 말한다)에 조사를 하여서는 아니 된다. [2013 채용2차]
② 제1항에도 불구하고 감찰관은 조사대상자 또는 그 변호인의 별지 제6호 서식에 의한 심야조사 요청이 있는 경우에는 예외적으로 심야조사를 할 수 있다. 이 경우 심야조사의 사유를 조서에 명확히 기재하여야 한다. [2016 승진(경위)] [2017 승진(경감)]
[2016 채용2차] [2017 채용1차] [2020 승진(경위) 유사] 감찰관은 심야(오후 10시부터 오전 6시까지를 말한다)에 조사를 하여서는 아니 된다. 다만, 사안에 따라 신속한 조사가 필요하고, 조사대상자로부터 심야조사 동의서를 받은 경우에는 심야에도 조사할 수 있다. (×)

훈령 경찰 감찰 규칙 제33조【휴식시간 부여】① 감찰관은 조사에 장시간이 소요되는 경우 특별한 사정이 없는 한 조사 도중에 최소한 2시간마다 10분 이상의 휴식시간을 부여하여 조사대상자가 피로를 회복할 수 있도록 노력하여야 한다.
② 감찰관은 조사대상자가 조사 도중에 휴식시간을 요청하는 때에는 조사에 소요된 시간, 조사대상자의 건강상태 등을 고려하여 적정하다고 판단될 경우 휴식시간을 부여하여야 한다.
③ 감찰관은 조사 중인 조사대상자의 건강상태에 이상 징후가 발견되면 의사의 진료를 받게 하거나 휴식을 취하게 하는 등 필요한 조치를 취하여야 한다.

훈령 경찰 감찰 규칙 제34조【감찰조사 후 처리】① 감찰관은 감찰조사를 종료한 때에는 소속 경찰기관의 장에게 별지 제7호 서식의 진술조서, 증빙자료 등과 함께 감찰조사 결과를 보고하여야 한다.
② 제1항의 경우 감찰관은 조사대상자에게 감찰조사 결과 요지를 서면 또는 전화, 문자메시지(SMS) 전송 등의 방법으로 통지하여야 한다.
③ 감찰관은 조사한 의무위반행위사건이 소속 경찰기관의 징계관할이 아닌 때에는 관할 경찰기관으로 이송하여야 한다.
④ 의무위반행위사건을 이송 받은 경찰기관의 감찰부서장은 필요시 해당 사건에 대하여 추가 조사 등을 실시할 수 있다.

5. 감찰결과의 처리와 불복 등

훈령 경찰 감찰 규칙 제37조【감찰처분심의회】① 감찰부서장은 다음 각 호의 사항을 심의하기 위하여 감찰처분심의회(이하 "처분심의회"라고 한다)를 설치·운영할 수 있다.
1. 감찰결과 처리 및 양정과 관련한 사항
2. 감찰결과에 대한 이의신청 처리와 관련한 사항
3. 감찰결과의 공개와 관련한 사항
4. 감찰관 기피 신청과 관련한 사항
② 처분심의회는 위원장을 포함한 3명 이상 7명 이하의 위원으로 구성하며, 위원장은 감찰부서장이 되고 위원은 감찰부서장이 소속 공무원 중에서 지명하거나 학식과 경험을 고루 갖춘 해당 분야의 외부전문가 중에서 위촉할 수 있다.

훈령 경찰 감찰 규칙 제38조【감찰결과에 대한 이의신청】① 제34조 제2항에 따른 통지(➡ 감찰조사 결과통지)를 받은 조사대상자는 그 통지를 받은 날부터 10일 이내에 감찰을 주관한 경찰기관의 장에게 이의신청을 할 수 있다. 다만, 감찰결과 징계요구된 사건에 대해서는 징계위원회에서의 의견진술 등의 절차로 이의신청을 갈음할 수 있다.
② 제1항의 이의신청을 접수한 경찰기관의 장은 처분심의회의 심의를 거쳐 이의 신청이 이유 없다고 인정될 때에는 이를 기각하고 이유 있다고 인정될 때에는 그 감찰조사 결과를 취소하거나 변경하여야 한다.

훈령 경찰 감찰 규칙 제39조【감찰결과의 공개】① 감찰결과는 원칙적으로 공개하지 아니한다. 다만, 유사한 비위의 재발을 방지하기 위하여 다음 각 호의 경우에는 감찰결과 요지를 공개할 수 있다.
1. 중대한 비위행위(금품·향응수수, 공금횡령·유용, 정보유출, 독직폭행, 음주운전 등)
2. 언론 등 사회적 관심이 집중되어 사생활 보호의 이익보다 국민의 알권리 충족 등 공공의 이익이 현저하게 크다고 판단되는 사안

② 감찰결과의 공개 여부는 경찰기관의 장이 처분심의회의 의견을 들어 최종 결정한다.

③ 경찰기관의 장은 감찰결과를 공개할 경우 사건관계인의 사생활과 명예가 보호될 수 있도록 다음 각 호의 사항이 공개되지 않도록 보호조치를 하여야 한다.

1. 성명, 소속 등 사건관계인의 개인정보
2. 비위혐의와 직접 관련이 없는 개인의 신상 및 사생활에 관한 내용
3. 사건관계인의 징계경력 또는 감찰조사경력 자료
4. 감찰사건 기록의 원본 또는 사본

6. 징계 등 조치

[훈령] 경찰 감찰 규칙 제40조【감찰관에 대한 징계 등】 ① 경찰기관의 장은 감찰관이 이 규칙에 위배하여 직무를 태만히 하거나 권한을 남용한 경우 및 직무상 취득한 비밀을 누설한 경우에는 해당 사건의 담당 감찰관 교체, 징계요구 등의 조치를 한다.

② 감찰관의 의무위반행위에 대해서는 「경찰공무원 징계령 세부시행규칙」의 징계양정에 정한 기준보다 가중하여 징계조치한다.

[2018 승진(경감)] 감찰관의 의무위반행위 중 직무와 관련된 금품 및 향응 수수, 공금횡령·유용, 성폭력범죄에 한하여 「경찰공무원 징계령 세부시행규칙」의 징계양정에 정한 기준보다 가중하여 징계조치한다. (×)

[훈령] 경찰 감찰 규칙 제41조【감찰활동 방해에 대한 징계 등】 경찰기관의 장은 조사대상자가 정당한 이유 없이 출석 거부, 현지조사 불응, 협박 등의 방법으로 감찰조사를 방해하는 경우에는 징계요구 등의 조치를 할 수 있다.

7. 민원사건과 기관통보사건

(1) 민원사건

[훈령] 경찰 감찰 규칙 제35조【민원사건의 처리】 ① 감찰관은 소속공무원의 의무위반 사실에 대한 민원을 접수한 경우 접수일로부터 2개월 내에 신속히 처리하여야 한다. 다만, 부득이한 사유로 민원을 기한 내에 처리할 수 없을 때에는 소속 경찰기관의 감찰부서장에게 보고하여 그 처리 기간을 연장할 수 있다. [2016 채용2차] [2018 승진(경감)]

② 민원사건을 배당받은 감찰관은 민원인, 피민원인 등 관련자에 대한 감찰조사 등을 거쳐 사실관계를 명확히 하여야 한다.

③ 감찰관은 불친절 또는 경미한 복무규율위반에 관한 민원사건에 대해서는 민원인에게 정식 조사절차 또는 조정절차를 선택할 수 있음을 고지하고, 민원인이 조정절차를 선택한 때에는 해당 소속공무원의 사과, 해명 등의 조정절차를 진행하여야 한다. 다만, 조정이 이루어지지 아니한 때에는 지체 없이 조사절차를 진행하여야 한다.

④ 감찰관은 민원사건을 접수한 경우 접수 후 매 1개월이 경과한 때와 감찰조사를 종결하였을 때에 민원인 또는 피해자에게 사건처리 진행상황을 통지하여야 한다. 다만, 진행상황에 대한 통지가 감찰조사에 지장을 주거나 피해자 또는 사건관계인의 명예와 권리를 부당히 침해할 우려가 있는 때에는 통지하지 않을 수 있다.

⑤ 제4항에 따른 통지는 문서로 하여야 한다. 다만, 신속을 요하거나 민원인이 요청하는 경우에는 **구술 또는 전화로 통지**할 수 있다.

[2016 경간유사] [2016 승진(경위)] 감찰관은 소속 경찰공무원 등의 의무위반사실에 대한 민원을 접수하였을 때는 접수일로부터 3개월 이내에 신속히 처리하여야 하며 그 기간을 연장할 수 없다. (×)

(2) 기관통보사건

훈령 경찰 감찰 규칙 제36조【기관통보사건의 처리】① 감찰관은 다른 경찰기관 또는 검찰, 감사원 등 다른 행정기관으로부터 통보받은 **소속공무원의 의무위반행위**에 대해서는 **통보받은 날로부터 1개월 이내**에 신속히 처리하여야 한다. [2017 승진(경감)] [2020 승진(경위)]

② 감찰관은 검찰·경찰, 그 밖의 수사기관으로부터 **수사개시 통보를 받은 경우**에는 징계의결요구권자의 결재를 받아 해당 기관으로부터 수사결과의 통보를 받을 때까지 감찰조사, 징계의결요구 등의 절차를 **진행하지 아니할 수 있다.**

[2013 채용2차] [2016 경간] [2018 실무 1] 감찰관은 다른 경찰기관 또는 검찰, 감사원 등 다른 행정기관으로부터 통보받은 소속직원의 의무위반행위에 대해서는 통보받은 날로부터 2개월 이내에 신속히 처리하여야 한다. (×)

[2017 채용1차] 감찰관은 검찰·경찰, 그 밖의 수사기관으로부터 수사개시 통보를 받은 경우에는 징계의결 요구권자의 결재를 받아 해당기관으로부터 수사결과의 통보를 받을 때까지 감찰조사, 징계의결요구 등의 절차를 진행해야 한다. (×)

[2019 승진(경위)] 감찰관은 검찰·경찰, 그 밖의 수사기관으로부터 수사개시 통보를 받은 경우에는 해당 기관으로부터 수사결과의 통보를 받을 때까지 감찰조사, 징계의결요구 등의 절차를 진행해서는 아니 된다. (×)

02 경찰청 감사 규칙

1. 감사대상기관

훈령 경찰청 감사 규칙 제3조【감사대상기관】① 경찰청장의 감사 대상기관은 다음 각 호와 같다.

1. 「경찰청과 그 소속기관 직제」에 따른 경찰청 및 그 소속기관
2. 「공공기관 운영에 관한 법률」에 따라 경찰청 소관으로 지정·고시된 공공기관
3. 법령에 의하여 경찰청장이 기관 임원의 임명·승인, 정관의 승인, 감독 등을 하는 법인 또는 단체
4. 「행정안전부 및 그 소속청 비영리법인의 설립 및 감독에 관한 규칙」에 따라 경찰청장이 주무관청이 되는 비영리법인
5. 제1호부터 제4호까지의 감사 대상기관으로부터 보조금 등 예산지원을 받는 법인 또는 단체

② 감사는 감사대상기관의 바로 위 감독관청이 실시하는 것을 원칙으로 하되, 필요한 경우에는 경찰청에서 직접 실시할 수 있다.

2. 감사의 종류와 주기

훈령 경찰청 감사 규칙 제4조【감사의 종류와 주기】① 감사의 종류는 종합감사, 특정감사, 재무감사, 성과감사, 복무감사, 일상감사로 구분한다.

② 종합감사의 주기는 1년에서 3년까지 하되 치안수요 등을 고려하여 조정 실시한다. 다만, 직전 또는 당해연도에 감사원 등 다른 감사기관이 감사를 실시한(실시 예정인 경우를 포함한다) 감사대상기관에 대해서는 감사의 일부 또는 전부를 실시하지 아니할 수 있다.
③ 일상감사의 대상·기준 및 절차 등에 관한 세부사항은 경찰청장이 따로 정한다.

💡 감사의 종류에 대한 설명은 2021. 5.28. 경찰청 감사 규칙이 개정되면서 삭제되었으나, 개정 후에도 감사의 종류는 그대로 유지되었고, 감사 종류에 대한 설명내용 자체는 유효한 것으로 보여 교재에서는 그대로 유지하기로 한다.

종류	내용
종합감사	피감사기관의 주기능·주임무 및 조직·인사·예산 등 업무 전반의 적법성·타당성 등을 점검하기 위하여 실시하는 감사
특정감사	특정한 업무·사업 등에 대하여 문제점을 파악하여 원인과 책임 소재를 규명하고 개선대책을 마련하기 위하여 실시하는 감사
재무감사	예산의 운용실태 및 회계처리의 적정성 여부 등에 대한 검토와 확인을 위주로 실시하는 감사
성과감사	특정한 정책·사업·조직·기능 등에 대한 경제성·능률성·효과성의 분석과 평가를 위주로 실시하는 감사
복무감사	피감사기관에 속한 사람이 감사대상 사무와 관련하여 법령과 직무상 명령을 준수하는지 여부 등 그 복무에 대하여 실시하는 감사

3. 감사의 실시

> 훈령 **경찰청 감사 규칙 제5조【감사계획의 수립】** ① 경찰청 감사관(이하 "감사관"이라 한다)은 감사계획 수립에 필요한 경우 시·도자치경찰위원회 및 시·도경찰청장과 감사일정을 협의하여야 한다.
> ② 감사관은 매년 2월말까지 연간 감사계획을 수립하여 감사대상기관에 통보한다.
>
> 훈령 **경찰청 감사 규칙 제6조【감사단의 편성】** ① 감사관은 감사목적을 달성하고 감사성과를 확보할 수 있도록 감사담당자의 전문지식 및 실무경험 등을 고려하여 감사단을 편성할 수 있고 개인별 감사사무분장을 정하여야 한다.
> ② 감사관은 제1항에 따라 감사단을 편성하고자 할 때에는 감사담당자 중에서 감사단장을 지정하여 감사단을 지휘·감독하도록 하여야 한다.
> ③ 감사관은 전문지식 또는 실무경험이 필요하다고 인정되는 업무에 대한 감사를 할 경우에는 업무담당자나 외부전문가를 감사에 참여시킬 수 있다.
>
> 훈령 **경찰청 감사 규칙 제7조【감사담당자등의 제외 등】** ① 감사담당자등(감사관 및 감사담당자를 말한다)은 다음 각 호의 어느 하나에 해당하여 감사수행의 독립성을 유지하기 어렵다고 판단될 때에는 감사관은 경찰청장에게, 감사담당자는 감사관에게 지체 없이 보고하여야 한다. [2018 채용3차]
> 1. 본인 또는 본인의 친족(「민법」제777조에 따른 친족을 말한다. 이하 같다)이 감사대상이 되는 기관·부서·업무와 관련이 있는 사람과 개인적인 연고나 이해관계 등이 있어 공정한 감사수행에 영향을 미칠 우려가 있는 경우
> 2. 본인 또는 본인의 친족이 감사대상이 되는 기관·부서·업무와 관련된 주요 의사결정과정에 직·간접적으로 관여한 경우
> 3. 그 밖에 공정한 감사수행이 어려운 특별한 사정이 있는 경우

② 경찰청장 또는 감사관은 제1항에 따른 보고를 받거나 감사담당자등이 제1항 각 호의 어느 하나에 해당한다고 인정하는 경우에는 해당 감사담당자등을 감사에서 제외하는 등 적정한 조치를 하여야 한다.

> **훈령** **경찰청 감사 규칙 제8조【감사담당자의 우대】** 경찰청장은 관계 법령에서 정하는 범위 내에서 감사담당자에 대하여 근무성적평정, 전보·수당 등의 우대방안을 적극 추진하도록 노력하여야 한다.

> **훈령** **경찰청 감사 규칙 제9조【감사의 절차】** 감사는 다음 각 호의 순서로 진행함을 원칙으로 하되 감사관 또는 감사단장이 감사의 종류 및 현지실정에 따라 조정할 수 있다.
> 1. **감사개요 통보**: 감사관 또는 감사단장은 감사대상기관의 장에게 감사계획의 개요를 통보한다.
> 2. **감사의 실시**: 감사담당자는 개인별 감사사무분장에 따라 감사를 실시한다.
> 3. **감사의 종결**: 감사관 또는 감사단장은 감사기간 내에 감사를 종결하여야 한다. 다만, 감사목적의 달성을 위하여 필요한 경우 감사기간을 연장할 수 있다.
> 4. **감사결과의 설명**: 감사관 또는 감사단장은 감사의 목적을 달성하기 위하여 필요한 경우 감사대상기관 또는 부서를 대상으로 주요 감사결과를 설명하고 이에 대한 의견을 들을 수 있다.

4. 감사결과의 처리

> **훈령** **경찰청 감사 규칙 제10조【감사결과의 처리기준 등】** 감사관은 감사결과를 다음 각 호의 기준에 따라 처리하여야 한다.
> 1. **징계 또는 문책 요구**: 국가공무원법과 그 밖의 법령에 규정된 징계 또는 문책 사유에 해당하거나 정당한 사유 없이 자체감사를 거부하거나 자료의 제출을 게을리한 경우
> 2. **시정 요구**: 감사결과 위법 또는 부당하다고 인정되는 사실이 있어 추징·회수·환급·추급 또는 원상복구 등이 필요하다고 인정되는 경우
> 3. **경고·주의 요구**: 감사결과 위법 또는 부당하다고 인정되는 사실이 있으나 그 정도가 징계 또는 문책사유에 이르지 아니할 정도로 경미하거나, 감사대상기관 또는 부서에 대한 제재가 필요한 경우 [2018 채용3차]
> 4. **개선 요구**: 감사결과 법령상·제도상 또는 행정상 모순이 있거나 그 밖에 개선할 사항이 있다고 인정되는 경우
> 5. **권고**: 감사결과 문제점이 인정되는 사실이 있어 그 대안을 제시하고 감사대상기관의 장 등으로 하여금 개선방안을 마련하도록 할 필요가 있는 경우
> 6. **통보**: 감사결과 비위 사실이나 위법 또는 부당하다고 인정되는 사실이 있으나 제1호부터 제5호까지의 요구를 하기에 부적합하여 감사대상기관 또는 부서에서 자율적으로 처리할 필요가 있다고 인정되는 경우
> 7. **변상명령**: 「회계관계직원 등의 책임에 관한 법률」이 정하는 바에 따라 변상책임이 있는 경우
> 8. **고발**: 감사결과 범죄 혐의가 있다고 인정되는 경우
> 9. **현지조치**: 감사결과 경미한 지적사항으로서 현지에서 즉시 시정·개선조치가 필요한 경우
>
> [2018 승진(경감)] 개선 요구는 감사결과 문제점이 인정되는 사실이 있어 그 대안을 제시하고 감사기관의 장 등으로 하여금 개선방안을 마련하도록 할 필요가 있는 경우를 말한다. (×)

┃ 감사결과 처리 정리
• 징계 또는 문책 요구: 거부, 게을리
• 시정 요구: 원상복구
• 경고·주의 요구: 부서 제재
• 개선 요구: 법령·제도·행정 모순
• 권고: 문제점 인정
• 통보: 자율적
• 변상명령: 변상책임
• 고발: 범죄혐의
• 현지조치: 현지시정·개선
➜ 징거·시원·경제·개모·권문·통자·변변·고범·현현

03 행정업무의 운영 및 혁신에 관한 규정

1. 목적과 정의

> **대통령령** 행정업무의 운영 및 혁신에 관한 규정 제1조【목적】이 영은 행정기관의 행정업무 운영에 관한 사항을 규정함으로써 행정업무의 간소화·표준화·과학화 및 정보화를 도모하고 행정기관 간 협업을 촉진하여 행정의 효율을 높이는 것을 목적으로 한다.
>
> **대통령령** 행정업무의 운영 및 혁신에 관한 규정 제3조【정의】이 영에서 사용하는 용어의 뜻은 다음과 같다.
> 1. "공문서"란 행정기관에서 공무상 작성하거나 시행하는 문서(도면·사진·디스크·테이프·필름·슬라이드·전자문서 등의 특수매체기록을 포함한다. 이하 같다)와 행정기관이 접수한 모든 문서를 말한다.
> 2. "전자문서"란 컴퓨터 등 정보처리능력을 가진 장치에 의하여 전자적인 형태로 작성되거나 송신·수신 또는 저장된 문서를 말한다.
>
> **대통령령** 행정업무의 운영 및 혁신에 관한 규정 제4조【공문서의 종류】공문서(이하 "문서"라 한다)의 종류는 다음 각 호의 구분에 따른다.
> 1. **법규문서**: 헌법·법률·대통령령·총리령·부령·조례·규칙(이하 "법령"이라 한다) 등에 관한 문서
> 2. **지시문서**: 훈령·지시·예규·일일명령 등 행정기관이 그 하급기관이나 소속 공무원에 대하여 일정한 사항을 지시하는 문서
> 3. **공고문서**: 고시·공고 등 행정기관이 일정한 사항을 일반에게 알리는 문서
> 4. **비치문서**: 행정기관이 일정한 사항을 기록하여 행정기관 내부에 비치하면서 업무에 활용하는 대장, 카드 등의 문서
> 5. **민원문서**: 민원인이 행정기관에 허가, 인가, 그 밖의 처분 등 특정한 행위를 요구하는 문서와 그에 대한 처리문서
> 6. **일반문서**: 제1호부터 제5호까지의 문서에 속하지 아니하는 모든 문서
>
> [2018 실무 1] '지시문서'란 조례·규칙·훈령·지시·예규 및 일일명령 등 행정기관이 그 하급기관 또는 소속 공무원에 대하여 일정한 사항을 지시하는 문서를 말한다. (×)
> [2022 채용1차] '일반문서'란 민원인이 행정기관에 허가, 인가, 그 밖의 처분 등 특정한 행위를 요구하는 문서와 그에 대한 처리문서를 말한다. (×)

2. 문서의 작성, 성립과 효력발생

(1) 작성

> **대통령령** 행정업무의 운영 및 혁신에 관한 규정 제7조【문서 작성의 일반원칙】① 문서는 「국어기본법」 제3조 제3호에 따른 어문규범에 맞게 한글로 작성하되, 뜻을 정확하게 전달하기 위하여 필요한 경우에는 괄호 안에 한자나 그 밖의 외국어를 함께 적을 수 있으며, 특별한 사유가 없으면 가로로 쓴다. [2024 승진]
> ② 문서의 내용은 간결하고 명확하게 표현하고 일반화되지 않은 약어와 전문용어 등의 사용을 피하여 이해하기 쉽게 작성하여야 한다.
> ③ 문서에는 음성정보나 영상정보 등이 수록되거나 연계된 바코드 등을 표기할 수 있다.
> ④ 문서에 쓰는 숫자는 특별한 사유가 없으면 아라비아 숫자를 쓴다.

⑤ 문서에 쓰는 날짜는 숫자로 표기하되, 연·월·일의 글자는 생략하고 그 자리에 온점을 찍어 표시하며, 시·분은 24시각제에 따라 숫자로 표기하되, 시·분의 글자는 생략하고 그 사이에 쌍점을 찍어 구분한다. 다만, 특별한 사유가 있으면 다른 방법으로 표시할 수 있다.

⑥ 문서 작성에 사용하는 용지는 특별한 사유가 없으면 가로 210밀리미터, 세로 297밀리미터의 직사각형 용지로 한다.

⑦ 제1항부터 제6항까지에서 규정한 사항 외에 문서 작성에 필요한 사항은 행정안전부령으로 정한다.

[2024 승진] 공문서에는 음성정보나 영상정보 등이 수록되거나 연계된 바코드 등을 표기할 수 없다. (×)

(2) 성립

대통령령 행정업무의 운영 및 혁신에 관한 규정 제6조【문서의 성립 및 효력 발생】① 문서는 결재권자가 해당 문서에 서명(전자이미지서명, 전자문자서명 및 행정전자서명을 포함한다. 이하 같다)의 방식으로 결재함으로써 성립한다. [2024 승진]

대통령령 행정업무의 운영 및 혁신에 관한 규정 제10조【문서의 결재】① 문서는 해당 행정기관의 장의 결재를 받아야 한다. 다만, 보조기관 또는 보좌기관의 명의로 발신하는 문서는 그 보조기관 또는 보좌기관의 결재를 받아야 한다.

② 행정기관의 장은 업무의 내용에 따라 보조기관 또는 보좌기관이나 해당 업무를 담당하는 공무원으로 하여금 위임전결하게 할 수 있으며, 그 위임전결 사항은 해당 기관의 장이 훈령이나 지방자치단체의 규칙으로 정한다.

③ 제1항이나 제2항에 따라 결재할 수 있는 사람이 휴가, 출장, 그 밖의 사유로 결재할 수 없을 때에는 그 직무를 대리하는 사람이 대결하고 내용이 중요한 문서는 사후에 보고하여야 한다.

(3) 효력발생

대통령령 행정업무의 운영 및 혁신에 관한 규정 제6조【문서의 성립 및 효력 발생】② 문서는 수신자에게 도달(전자문서의 경우는 수신자가 관리하거나 지정한 전자적 시스템 등에 입력되는 것을 말한다)됨으로써 효력을 발생한다.

③ 제2항에도 불구하고 공고문서는 그 문서에서 효력발생 시기를 구체적으로 밝히고 있지 않으면 그 고시 또는 공고 등이 있은 날부터 5일이 경과한 때에 효력이 발생한다. [2024 승진]

주제 3 │ 인권보장과 경찰통제

01 인권

> **헌법 제10조** 모든 국민은 <u>인간으로서의 존엄과 가치를 가지며, 행복을 추구할 권리를</u> 가진다. 국가는 개인이 가지는 불가침의 기본적 인권을 확인하고 이를 보장할 의무를 진다.
>
> **국가인권위원회법 제2조【정의】**이 법에서 사용하는 용어의 뜻은 다음과 같다.
> 1. "<u>인권</u>"이란 「대한민국헌법」 및 법률에서 보장하거나 대한민국이 가입·비준한 국제인권조약 및 국제관습법에서 인정하는 <u>인간으로서의 존엄과 가치 및 자유와 권리를</u> 말한다.
>
> **국가인권위원회법 제4조【적용범위】**이 법은 <u>대한민국 국민과 대한민국의 영역에 있는 외국인에</u> 대하여 적용한다.

▌인권의 국제적 정의
- **1948 세계인권선언**: 인권이란 모든 인류 구성원이 갖는 천부의 존엄성과 평등하고 양도할 수 없는 권리
- **UN 인권최고대표사무소**: 인권이란 국적, 거주지, 성, 출신 국가, 출신 민족, 피부색, 종교, 언어 등과 관계없이 모든 인류 구성원이 갖는 천부적 권리를 말한다.

<u>인권</u>이란 존엄성을 가진 인간으로서 누구나 가지는 기본적이고 보편적인 권리를 말한다.

02 국가인권위원회법

1. 국가인권위원회

(1) 설립과 구성

> **국가인권위원회법 제3조【국가인권위원회의 설립과 독립성】**① 이 법에서 정하는 인권의 보호와 향상을 위한 업무를 수행하기 위하여 국가인권위원회(이하 "위원회"라 한다)를 둔다.
> ② 위원회는 그 권한에 속하는 업무를 독립하여 수행한다.
>
> **국가인권위원회법 제5조【위원회의 구성】**① 위원회는 <u>위원장 1명과 상임위원 3명을 포함한 11명의 인권위원</u>(이하 "위원"이라 한다)으로 구성한다.
> ② 위원은 다음 각 호의 사람을 대통령이 임명한다.
> 1. 국회가 선출하는 4명(상임위원 2명을 포함한다)
> 2. 대통령이 지명하는 4명(상임위원 1명을 포함한다)
> 3. 대법원장이 지명하는 3명

(2) 업무와 권한

1) 업무

> **국가인권위원회법 제19조【업무】**위원회는 다음 각 호의 업무를 수행한다.
> 1. 인권에 관한 법령(입법과정 중에 있는 법령안을 포함한다)·제도·정책·관행의 조사와 연구 및 그 개선이 필요한 사항에 관한 권고 또는 의견의 표명
> 2. <u>인권침해행위에 대한 조사와 구제</u>
> 3. <u>차별행위에 대한 조사와 구제</u>

4. 인권상황에 대한 실태 조사

5. 인권에 관한 교육 및 홍보

6. 인권침해의 유형, 판단 기준 및 그 예방 조치 등에 관한 지침의 제시 및 권고

7. 국제인권조약 가입 및 그 조약의 이행에 관한 연구와 권고 또는 의견의 표명

8. 인권의 옹호와 신장을 위하여 활동하는 단체 및 개인과의 협력

9. 인권과 관련된 국제기구 및 외국 인권기구와의 교류·협력

10. 그 밖에 인권의 보장과 향상을 위하여 필요하다고 인정하는 사항

2) 권한

국가인권위원회법 제20조【관계기관등과의 협의】① 관계 국가행정기관 또는 지방자치단체의 장은 인권의 보호와 향상에 영향을 미치는 내용을 포함하고 있는 법령을 제정하거나 개정하려는 경우 미리 위원회에 통지하여야 한다.

국가인권위원회법 제22조【자료제출 및 사실 조회】① 위원회는 그 업무를 수행하기 위하여 필요하다고 인정하면 관계기관등에 필요한 자료 등의 제출이나 사실 조회를 요구할 수 있다.

② 위원회는 그 업무를 수행하기 위하여 필요한 사실을 알고 있거나 전문적 지식 또는 경험을 가지고 있다고 인정되는 사람에게 출석을 요구하여 그 진술을 들을 수 있다.

③ 제1항에 따른 요구를 받은 기관은 지체 없이 협조하여야 한다.

국가인권위원회법 제24조【시설의 방문조사】① 위원회(상임위원회와 소위원회를 포함한다. 이하 이 조에서 같다)는 필요하다고 인정하면 그 의결로써 구금·보호시설을 방문하여 조사할 수 있다.

② 제1항에 따른 방문조사를 하는 위원은 필요하다고 인정하면 소속 직원 및 전문가를 동반할 수 있으며, 구체적인 사항을 지정하여 소속 직원 및 전문가에게 조사를 위임할 수 있다. 이 경우 조사를 위임받은 전문가가 그 사항에 대하여 조사를 할 때에는 소속 직원을 동반하여야 한다.

③ 제2항에 따라 방문조사를 하는 위원, 소속 직원 또는 전문가(이하 이 조에서 "위원등"이라 한다)는 그 권한을 표시하는 증표를 지니고 이를 관계인에게 내보여야 하며, 방문 및 조사를 받는 구금·보호시설의 장 또는 관리인은 즉시 방문과 조사에 편의를 제공하여야 한다.

④ 제2항에 따라 방문조사를 하는 위원등은 구금·보호시설의 직원 및 구금·보호시설에 수용되어 있는 사람(이하 "시설수용자"라 한다)과 면담할 수 있고 구술 또는 서면으로 사실이나 의견을 진술하게 할 수 있다.

⑤ 구금·보호시설의 직원은 위원등이 시설수용자를 면담하는 장소에 참석할 수 있다. 다만, 대화 내용을 녹음하거나 녹취하지 못한다.

국가인권위원회법 제25조【정책과 관행의 개선 또는 시정 권고】① 위원회는 인권의 보호와 향상을 위하여 필요하다고 인정하면 관계기관등에 정책과 관행의 개선 또는 시정을 권고하거나 의견을 표명할 수 있다.

② 제1항에 따라 권고를 받은 관계기관등의 장은 그 권고사항을 존중하고 이행하기 위하여 노력하여야 한다.

③ 제1항에 따라 권고를 받은 관계기관등의 장은 권고를 받은 날부터 90일 이내에 그 권고사항의 이행계획을 위원회에 통지하여야 한다.

▎경찰 관련 구금·보호시설
경찰서 유치장 및 사법경찰관리가 직무 수행을 위하여 사람을 조사하고 유치하거나 수용하는 데에 사용하는 시설(제2조 제2하 나목)

• 국가인권위원회는 2020.11.25. 경찰청장에게 피의자 호송시 의무적 수갑 사용을 임의규정으로 개정하라는 권고를 하였고, 경찰청장은 2021.7.15. 피의자 유치 및 호송규칙을 개정하였다.
• 2021.9.27.에는 경찰공무원에 대한 인권교육을 내실화 있게 추진하라는 권고를 하였고, 경찰청장은 2021.12.23. 인권위 권고를 수용하겠다고 하면서 경찰인권보호규칙 개정 등 이행계획을 회신하였다.

④ 제1항에 따라 권고를 받은 관계기관등의 장은 그 권고의 내용을 이행하지 아니할 경우에는 그 이유를 위원회에 통지하여야 한다.

⑤ 위원회는 제1항에 따른 권고 또는 의견의 이행실태를 확인·점검할 수 있다.

⑥ 위원회는 필요하다고 인정하면 제1항에 따른 위원회의 권고와 의견 표명, 제4항에 따라 권고를 받은 관계기관등의 장이 통지한 내용 및 제5항에 따른 이행실태의 확인·점검 결과를 공표할 수 있다.

[2021 경간] '국가인권위원회법'에 따라 국가인권위원회는 인권의 보호와 향상을 위하여 필요하다고 인정하면 경찰정책 과 관행을 개선 또는 시정할 수 있다. (×)

2. 인권침해행위에 대한 조사 등

국가인권위원회법 제30조【위원회의 조사대상】 ① 다음 각 호의 어느 하나에 해당하는 경우에 인권침해나 차별행위를 당한 사람(이하 "피해자"라 한다) 또는 그 사실을 알고 있는 사람이나 단체는 위원회에 그 내용을 진정할 수 있다.

1. 국가기관, 지방자치단체, 「초·중등교육법」 제2조, 「고등교육법」 제2조와 그 밖의 다른 법률에 따라 설치된 각급 학교, 「공직자윤리법」 제3조의2 제1항에 따른 공직 유관단체 또는 구금·보호시설의 업무 수행(국회의 입법 및 법원·헌법재판소의 재판은 제외한다)과 관련하여 「대한민국헌법」 제10조부터 제22조까지의 규정에서 보장된 인권을 침해당하거나 차별행위를 당한 경우

2. 법인, 단체 또는 사인(私人)으로부터 차별행위를 당한 경우

③ 위원회는 제1항의 진정이 없는 경우에도 인권침해나 차별행위가 있다고 믿을 만한 상당한 근거가 있고 그 내용이 중대하다고 인정할 때에는 **직권으로 조사할 수 있다.**

④ 제1항에 따른 진정의 절차와 방법에 관하여 필요한 사항은 위원회 규칙으로 정한다.

국가인권위원회법 제31조【시설수용자의 진정권 보장】 ① 시설수용자가 위원회에 진정하려고 하면 그 시설에 소속된 공무원 또는 직원(이하 "소속공무원등"이라 한다)은 그 사람에게 즉시 진정서 작성에 필요한 시간과 장소 및 편의를 제공하여야 한다.

② 시설수용자가 위원 또는 위원회 소속 직원 앞에서 진정하기를 원하는 경우 소속공무원등은 즉시 그 뜻을 위원회에 통지하여야 한다.

③ 소속공무원등은 제1항에 따라 시설수용자가 작성한 진정서를 즉시 위원회에 보내고 위원회로부터 접수증명원을 받아 이를 진정인에게 내주어야 한다. 제2항의 통지에 대한 위원회의 확인서 및 면담일정서는 발급받는 즉시 진정을 원하는 시설수용자에게 내주어야 한다.

⑥ 시설에 수용되어 있는 진정인(진정을 하려는 사람을 포함한다)과 위원 또는 위원회 소속 직원의 면담에는 구금·보호시설의 직원이 참여하거나 그 내용을 듣거나 녹취하지 못한다. 다만, 보이는 거리에서 시설수용자를 감시할 수 있다. ➡ 방문조사의 경우: 참여할 수 있지만 녹음·녹취불가

⑦ 소속공무원등은 시설수용자가 위원회에 제출할 목적으로 작성한 진정서 또는 서면을 열람할 수 없다.

⑧ 시설수용자의 자유로운 진정서 작성과 제출을 보장하기 위하여 구금·보호시설에서 이행하여야 할 조치와 그 밖에 필요한 절차와 방법은 대통령령으로 정한다.

03 경찰 인권보호 규칙

1. 목적 및 정의

> **훈령** **경찰 인권보호 규칙 제1조【목적】** 이 규칙은 경찰청과 그 소속기관에서 <u>인권보호 업무를 하는 데 필요한 사항을 규정함으로써 모든 사람의 기본적 인권을 보호함을 목적으로 한다.</u>
>
> **훈령** **경찰 인권보호 규칙 제2조【정의】** 이 규칙에서 사용하는 용어의 정의는 다음과 같다.
> 1. **"경찰관등"** 이란 경찰청과 그 소속기관의 경찰공무원, 일반직공무원, 무기계약근로자 및 기간제근로자, 의무경찰을 의미한다.
> 2. **"인권침해"** 란 경찰관등이 직무를 수행하는 과정에서 모든 사람에게 보장된 인권을 침해하는 것을 말한다. [2022 채용1차]
> 3. **"조사담당자"** 란 인권침해를 내용으로 하는 진정을 조사하고 이에 따른 구제 업무 등을 수행하는 경찰청과 그 소속기관에 근무하는 공무원을 말한다.
> [2023 채용1차] "경찰관등"이란 경찰청과 그 소속기관의 경찰공무원, 일반직 공무원을 말한다(단, 무기계약근로자 및 기간제근로자, 의무경찰은 제외한다). (×)

2. 경찰청 및 시·도경찰청 인권위원회

(1) 설치·구성 및 업무

> **훈령** **경찰 인권보호 규칙 제3조【설치】** 경찰 활동 전반에 걸친 민주적 통제를 구현하여 경찰력 오·남용을 예방하고, 경찰 행정의 인권지향성을 높여 인권을 존중하는 경찰 활동을 정립하기 위해 <u>경찰청장 및 시·도경찰청장의 자문기구로서</u> 각각 <u>경찰청 인권위원회, 시·도경찰청 인권위원회</u>(이하 "위원회"라 한다)를 설치하여 운영한다. [2023 채용1차] [2024 승진]
> [2020 지능범죄 유사] [2022 채용1차] [2022 경간] 경찰 활동 전반에 걸친 민주적 통제를 구현하여 경찰력 오·남용을 예방하고, 경찰 행정의 인권지향성을 높여 인권을 존중하는 경찰 활동을 정립하기 위해 시·도경찰청장 및 경찰서의 심의의결기구로서 각각 시·도경찰청 인권위원회, 경찰서 인권위원회를 설치하여 운영한다. (×)
>
> **훈령** **경찰 인권보호 규칙 제5조【구성】** ① 위원회는 <u>위원장 1명을 포함하여 7명 이상 13명 이하의 위원으로 구성한다. 이때, 특정 성별이 전체 위원 수의 10분의 6을 초과하지 아니해야 한다.</u> [2019 채용1차] [2020 지능범죄]
> [2018 채용3차] 위원회는 위원장 1명을 포함하여 7명 이상 15명 이하의 위원으로 구성한다. 이때, 특정 성별이 전체 위원 수의 10분의 6을 초과하지 아니해야 한다. (×)
>
> **훈령** **경찰 인권보호 규칙 제4조【업무】** <u>위원회는 다음 각 호의 사항에 대한 권고 또는 의견표명을 할 수 있다.</u>
> 1. 인권과 관련된 경찰의 제도·정책·관행의 개선
> 2. 경찰의 인권침해 행위의 시정
> 3. 국가인권위원회·국제인권규약 감독 기구·국가별 정례인권검토의 권고안 및 국가인권정책기본계획의 이행
> 4. 인권영향평가 및 인권침해 사건 진상조사단(이하 '진상조사단'이라 한다)에 관한 사항

💡 2022.4. 기준 경찰청 인권위원회는 13명의 인권위원으로 구성(위원장 문경란, 예)되어 있고 그중 여성은 6명, 남성은 7명이다.

(2) 위원

1) 자격, 임기 및 결격사유

■ 호선하는 위원장
- 국가경찰위원회 위원장
- 자치경찰위원회 위원추천위원회 위원장
- 경찰청, 시·도경찰청 인권위원회
- 언론중재위원회 위원장
- 손실보상심의위원회 위원장

> **훈령 경찰 인권보호 규칙 제5조【구성】** ② 위원장은 위원회에서 호선하며, 위원은 당연직 위원과 위촉 위원으로 구분한다.
> ③ 당연직 위원은 경찰청은 감사관, 시·도경찰청은 청문감사담당관으로 한다.
> ④ 위촉 위원은 인권 분야에 전문적인 지식과 경험이 있고 아래 각 호의 어느 하나에 해당하는 사람 중에서 경찰청장 또는 시·도경찰청장(이하 "청장"이라 한다)이 위촉한다. 이때, 각 호에 해당하는 사람이 반드시 1명 이상 포함되어야 한다.
> 1. 판사·검사 또는 변호사로 3년 이상의 경력이 있는 사람
> 2. 「초·중등교육법」 제2조 제1호부터 제4호, 「고등교육법」 제2조 제1호부터 제6호까지의 규정에 따른 학교에서 교원 또는 교직원으로 3년 이상 근무한 경력이 있는 사람
> 3. 「비영리민간단체지원법」 제2조 제1호부터 제3호, 제5호부터 제6호까지의 규정에 따른 단체에서 인권 분야에 3년 이상 활동한 경력이 있거나 그러한 단체로부터 인권위원으로 위촉되기에 적합하다고 추천을 받은 사람
> 4. 그 밖에 사회적 약자 등 다양한 사회 구성원의 목소리를 반영할 수 있는 사람

> **훈령 경찰 인권보호 규칙 제7조【임기】** ① 위원장과 위촉 위원의 임기는 위촉된 날로부터 2년으로 하며 위원장의 직은 연임할 수 없고, 위촉 위원은 두 차례만 연임할 수 있다. [2018 채용3차] [2019 채용1차] [2020 지능범죄]
> ② 위촉 위원에 결원이 생긴 경우 새로 위촉할 수 있고, 이 경우 새로 위촉된 위원의 임기는 위촉된 날부터 기산한다.
> [2018 채용3차] 위촉 위원에 결원이 생긴 경우 새로 위촉할 수 있고, 이 경우 위촉된 위촉된 위원의 임기는 위촉된 날의 다음날부터 기산한다. (×)

> **훈령 경찰 인권보호 규칙 제6조【위촉 위원의 결격사유】** ① 다음 각 호의 어느 하나에 해당하는 사람은 위원이 될 수 없다.
> 1. 「공직선거법」에 따라 실시하는 선거에 후보자(예비후보자 포함)로 등록한 사람
> 2. 「공직선거법」에 따라 실시하는 선거에 의하여 취임한 공무원이거나 그 직에서 퇴직한 날부터 3년이 지나지 아니한 사람
> 3. 경찰의 직에 있거나 그 직에서 퇴직한 날부터 3년이 지나지 아니한 사람
> 4. 「공직선거법」에 따른 선거사무관계자 및 「정당법」에 따른 정당의 당원
> ② 위촉 위원이 제1항 각 호의 어느 하나에 해당하게 된 때에는 당연히 퇴직한다.

2) 위원의 해촉

> **훈령 경찰 인권보호 규칙 제8조【위원의 해촉】** 다음 각 호의 어느 하나에 해당하는 경우에는 청장은 위원회의 의견을 들어 위원을 해촉할 수 있다.
> 1. 입건 전 조사·수사 중인 사건에 청탁 또는 경찰 인사에 관여하는 행위를 하거나 기타 직무 관련 비위사실이 있는 경우
> 2. 위원회의 명예를 실추시키거나 위원으로서의 품위를 손상시키는 행위를 한 경우
> 3. 특별한 사유 없이 연속으로 정기회의에 3회 불참 등 직무를 태만히 한 경우
> 4. 위원 스스로 직무를 수행하는 것이 곤란하다고 의사를 밝힌 경우
> 5. 그 밖에 부득이한 사유로 업무를 수행할 수 없는 경우

3) 위원장의 직무

> **훈령** **경찰 인권보호 규칙 제10조【위원장의 직무 등】** ① 위원장은 위원회를 대표하며, 위원회의 업무를 총괄한다.
> ② 위원장이 일시적인 사유로 그 직무를 수행할 수 없을 경우에는 위원 중에서 위촉 일자가 빠른 순으로 그 직무를 대행한다. 다만, 위촉 일자가 같을 때에는 연장자 순으로 대행한다.
> ③ 위원장이 직무를 계속하여 수행할 수 없는 사유가 발생하거나 직무를 수행할 수 없다는 의사 표시를 한 경우에는 제2항의 대행자는 그 사유가 발생하거나 의사를 표시한 날로부터 30일 이내에 회의를 개최하여 위원장을 선출하여야 한다. 단, 위원장의 잔여 임기가 6개월 미만일 때에는 위원장을 선출하지 않을 수 있다.
> ④ 제3항에 따라 선출된 위원장의 임기는 전임 위원장의 잔여 임기로 한다.

4) 위원회의 회의 및 운영

> **훈령** **경찰 인권보호 규칙 제11조【회의】** ① 위원회의 회의는 정기회의와 임시회의로 구분하며, 재적위원 과반수의 출석으로 개의하고, 출석위원 과반수의 찬성으로 의결한다.
> ② 정기회의는 경찰청은 월 1회, 시·도경찰청은 분기 1회 개최한다.
> ③ 임시회의는 위원장이 필요하다고 인정하거나 청장 또는 재적위원 3분의 1 이상이 소집을 요구하는 경우 위원장이 소집한다.
> [2018 채용3차] 위원회의 회의는 정기회의와 임시회의로 구분하며, 정기회의는 경찰청은 분기 1회, 시·도경찰청은 월 1회 개최한다. (×)

> **훈령** **경찰 인권보호 규칙 제13조【간사】** ① 간사는 의안에 대한 자료 수집, 조사 연구, 각 위원과의 연락, 회의의 소집 통지, 개최 준비, 회의록 작성 및 그 밖에 위원회의 운영에 관한 사무를 총괄한다.
> ② 간사는 다음 각 호와 같이 정한다.
> 1. 경찰청: 인권보호담당관
> 2. 시·도경찰청: 피해자보호계장 또는 소관 업무 계장

> **훈령** **경찰 인권보호 규칙 제14조【권고 또는 의견표명에 대한 조치】** ① 제4조에 따라 권고 또는 의견표명(이하 '권고등'이라고 한다)을 받은 청장은 그 권고 등 사항을 존중하고 이행하기 위하여 노력하여야 한다.
> ② 청장은 권고등의 내용을 이행할 경우, 구체적인 이행 계획을 권고등을 받은 날로부터 30일 이내에 위원회에 서면으로 제출해야 하며, 권고등의 내용을 이행하지 않을 경우 그 이유를 위원회에 서면으로 제출하여야 한다.
> ③ 위원회는 제2항에 따라 제출 받은 서면을 토대로 이행 계획 또는 불수용 이유의 타당성 등을 검토하여 청장에게 의견표명을 할 수 있다.

> **훈령** **경찰 인권보호 규칙 제15조【협조 요청】** 위원회는 업무 수행에 필요한 경우에는 다음 각 호의 사항에 관해 협조해 줄 것을 청장에게 요청할 수 있다.
> 1. 안건과 관련 있는 경찰관등의 위원회 출석
> 2. 안건과 관련 있는 자료 및 의견의 제출
> 3. 경찰 관련 시설의 방문

> **훈령** **경찰 인권보호 규칙 제16조【수당 등의 지급】** 회의에 출석한 위원에게는 예산의 범위 안에서 수당 또는 여비를 지급할 수 있다.

3. 인권교육

▎ 경찰인권교육 계획
(기·종·교 – 5·3·1)
• 경찰청장:
– 인권정책기본계획: 5년 단위
– 인권교육종합계획: 3년 단위
• 경찰관서장:
– 인권교육계획: 매년 단위

> 훈령 **경찰 인권보호 규칙 제18조【경찰 인권정책 기본계획의 수립】** ① 경찰청장은 국민의 인권보호와 증진을 위하여 **경찰 인권정책 기본계획**(이하 "기본계획"이라 한다)을 **5년마다 수립해야 한다.** [2023 채용1차]
> ② 기본계획에는 다음 각 호의 사항이 포함돼야 한다.
> 1. 경찰 인권정책의 기본방향과 추진목표
> 2. 추진목표별 세부과제 및 실행계획
> 3. 인권취약계층에 대한 인권보호 방안
> 4. 인권에 관한 교육 및 홍보 등 인권의식 향상을 위한 시책
> 5. 인권보호 및 증진에 관한 협력체계 구축 방안
> 6. 그 밖에 국민의 인권보호 및 증진에 필요한 사항
> [2024 승진] 경찰청장은 국민의 인권보호와 증진을 위하여 경찰 인권정책 기본계획을 3년마다 수립해야 한다. (×)
> [2022 경간] 경찰청장은 경찰관 등이 근무하는 동안 지속적·체계적으로 교육을 받을 수 있도록 매년 단위로 인권교육종합계획을 수립하여 시행하여야 한다. (×)

> 훈령 **경찰 인권보호 규칙 제18조의2【경찰 인권교육계획의 수립】** ① 경찰청장은 경찰관등(경찰공무원으로 신규 임용될 사람을 포함한다. 이하 이 조, 제20조, 제20조의2 및 제20조의3에서 같다)이 근무하는 동안 지속적·체계적으로 교육을 받을 수 있도록 **3년 단위로** 다음 각 호의 사항을 포함한 **인권교육종합계획을 수립하여 시행해야 한다.**
> [2022 채용1차]
> 1. 경찰 인권교육의 기본방향과 추진목표
> 2. 인권교육 전문강사 양성 및 지원
> 3. 경찰 인권교육 실태조사·평가
> 4. 교육기관 및 대상별 인권교육 실시
> 5. 그 밖에 경찰관등의 인권 보호와 향상을 위하여 필요한 사항
> ② 경찰관서의 장은 제1항의 내용을 반영하여 **매년 인권교육 계획을 수립하여 시행하여야 한다.**
> [2021 승진] 경찰청장은 경찰관등이 근무하는 동안 지속적 체계적으로 교육을 받을 수 있도록 매년 인권교육종합계획을 수립 시행하여야 한다. (×)

> 훈령 **경찰 인권보호 규칙 제19조【인권교육의 방법】** 경찰관등은 대면 교육, 사이버 교육 등 다양한 방법을 통해 교육을 이수할 수 있고, 학습자의 능동적인 학습권을 보장하기 위해 **토론식, 참여식 교육을 권장한다.**

> 훈령 **경찰 인권보호 규칙 제20조【인권교육의 실시】** ① 경찰관등은 인권의식을 함양하고 인권친화적 경찰활동을 위해 인권교육을 이수해야 한다.
> ② 경찰관서의 장은 소속 경찰관등에게 다음 각 호의 내용을 포함하여 인권교육을 실시한다.
> 1. 인권의 개념 및 역사의 이해
> 2. 인권보장의 필요성, 경찰과 인권의 관계
> 3. 인권보호 모범 및 침해 사례
> 4. 인권 관련 법령, 정책 및 제도의 이해
> 5. 그 밖에 경찰관서의 장이 인권교육에 필요하다고 인정하는 내용

4. 인권영향평가

> 훈령 **경찰 인권보호 규칙 제21조【인권영향평가의 실시】** ① 경찰청장은 인권침해를 예방하고, 인권친화적인 치안 행정이 구현되도록 다음 각 호의 사항에 대하여 인권영향평가를 실시하여야 한다. [2021 경간]

1. 제·개정하려는 법령 및 행정규칙

2. 국민의 인권에 영향을 미치는 정책 및 계획

3. 참가인원, 내용, 동원 경력의 규모, 배치 장비 등을 고려하여 인권침해 가능성이 높다고 판단되는 집회 및 시위

② 제1항에도 불구하고 다음 각 호의 어느 하나에 해당하는 경우 평가 대상에서 **제외**한다.

1. 제·개정하려는 법령 및 행정규칙의 내용이 경미한 경우

2. 사전에 청문, 공청회 등 의견 청취 절차를 거친 정책 및 계획

[2022 승진(실무종합)] 참가인원, 내용, 동원 경력의 규모, 배치 장비 등을 고려하여 인권침해 가능성이 높다고 판단되는 집회 및 시위의 경우는 「경찰 인권보호 규칙」상 인권영향평가 실시 대상에 해당한다. (○)

훈령 경찰 인권보호 규칙 제23조【평가 절차】① 경찰청장은 다음 각 호의 구분에 따른 기한 내에 인권영향평가를 실시하여야 한다.

1. 제21조 제1항 제1호: 해당 안건을 경찰위원회에 상정하기 60일 이전

2. 제21조 제1항 제2호: 해당 사안이 확정되기 이전

3. 제21조 제1항 제3호: 집회 및 시위 종료일로부터 30일 이전

② 제1항에도 불구하고 제1항 각 호의 기한에 평가를 실시할 수 없는 부득이한 사유가 발생한 경우에는 기한에 관계없이 평가를 실시할 수 있다.

③ 경찰청장은 인권영향평가를 실시하는 경우에 경찰청 인권위원회에 자문 할 수 있다.

④ 경찰청장은 제3항에 따라 경찰청 인권위원회가 제시한 의견을 존중하여야 한다.

훈령 경찰 인권보호 규칙 제24조【점검】인권보호담당관은 반기 1회 이상 인권영향평가의 이행 여부를 점검하고, 이를 경찰청 인권위원회에 제출하여야 한다. [2021 승진(실무종합)] [2024 승진]

[2022 경간] [2022 승진(실무종합)] 인권보호담당관은 분기별 1회 이상 인권영향평가의 이행 여부를 점검하고, 이를 경찰청 인권위원회에 제출하여야 한다. (×)

5. 인권진단

훈령 경찰 인권보호 규칙 제25조【진단사항】인권보호담당관은 인권침해를 예방하고 제도를 개선하기 위해 연 1회 이상 다음 각 호의 사항을 진단하여야 한다. [2022 채용1차] [2023 채용1차]

1. 인권 관련 정책 이행 실태

2. 인권교육 추진 현황

3. 경찰청과 소속기관의 청사 및 부속 시설 전반의 인권침해적 요소의 존재 여부

훈령 경찰 인권보호 규칙 제26조【방법】진단은 대상 경찰관서를 방문하여 관찰, 서류 점검, 면담, 설문 등의 방법으로 실시하되, 방문 진단이 곤란하다고 인정하는 경우에는 서면으로 할 수 있다.

6. 인권침해 사건의 조사·처리

훈령 경찰 인권보호 규칙 제28조【진정의 접수 및 처리】① 인권침해 진정은 문서(우편·팩스 및 컴퓨터 통신에 의한 것을 포함한다. 이하 같다)나 전화 또는 구두로 접수 받으며, 담당 부서는 경찰청 인권보호담당관실로 한다.

② 경찰청 인권보호담당관실은 진정이 제기되지 아니하였더라도 경찰청장이 직접 조사를 명하거나 중대하고 긴급한 조치가 필요하다고 판단한 사안 또는 인권침해의 단서가 되는 사실을 알게 되었을 경우에는 직접 조사할 수 있다.

③ 제1항에도 불구하고 사건의 내용을 확인하여 처리 관서 또는 부서가 특정되거나 「경찰청 사무분장 규칙」에 따른 사무가 확인될 경우에는 경찰청 인권보호담당관실에 접수된 진정을 이첩할 수 있다.

훈령 **경찰 인권보호 규칙 제32조【물건 등의 보관 등】** ① 조사담당자는 사건 조사 과정에서 진정인·피진정인 또는 참고인 등이 임의로 제출한 물건 중 사건 조사에 필요한 물건은 보관할 수 있다. [2023 승진(실무종합)]

② 조사담당자는 제1항에 따라 제출받은 물건의 목록을 작성하여 제출자에게 내주고 사건기록에 그 물건 등의 번호·명칭 및 내용, 제출자 및 소유자의 성명과 주소를 적고 서명 또는 기명날인하게 하여야 한다.

③ 조사담당자는 제출받은 물건에 사건번호와 표제, 제출자 성명, 물건 번호, 보관자 성명 등을 적은 표지를 붙인 후 봉투에 넣거나 포장하여 안전하게 보관하여야 한다. [2023 승진(실무종합)]

④ 조사담당자는 제출자가 보관 중인 물건의 반환을 요구하는 경우에는 반환하여야 하며, 다음 각 호의 어느 하나에 해당하는 경우에는 제출자가 요구하지 않더라도 반환할 수 있다. [2021 승진(실무종합)]

1. 진정인이 진정을 취소한 사건에서 진정인이 제출한 물건이 있는 경우
2. 사건이 종결되어 더 이상 보관할 필요가 없는 경우 [2022 승진(실무종합)]
3. 그 밖에 물건을 계속 보관하는 것이 적절하지 않은 경우

[2023 승진(실무종합)] 진정인이 진정을 취소한 사건에서 진정인이 제출한 물건이 있는 경우에는 진정인이 요구하는 경우에 한하여 반환할 수 있다. (×)

훈령 **경찰 인권보호 규칙 제34조【수사 개시로 인한 조사중단】** 조사담당자는 사건을 조사하는 과정에서 동일한 사건에 대하여 경찰·검찰 등의 수사가 시작된 경우에는 사건 조사를 즉시 중단하고 종결하거나 해당 기관에 이첩할 수 있다. 다만, 확인된 인권침해 사실에 대한 구제 절차는 계속하여 이행할 수 있다. [2021 승진(실무종합)]

💡 **경찰 개인정보 보호법 위반사례**
- 경찰관 A는 2012년 1월, 지인 소개로 알게 된 B로부터 500만원을 받고 경찰청 수배정보 시스템에 접속해서 B씨가 사기범행 대상으로 삼은 토지 소유자 2명의 신상정보를 B씨에게 유출하여, 개인정보 보호법 위반으로 징역 1년 6개월에 벌금 1천만원을 선고받았다.
- 경찰관 X는 내부적으로 취득한 교통사고 등 피의자의 인적사항·연락처 등 개인정보를 이용해 피해자의 가족인 것처럼 속여 총 12차례에 걸쳐 합의금을 편취하여(사기 및 개인정보 보호법 위반) 지난 2022년 3월경 구속되었다.
- 이 외에도 특히 지구대·파출소의 온라인 조회시스템을 통해 개인적 호기심이나 지인의 부탁 등으로 개인정보 무단 조회·유출사고가 빈번하게 발생하여 국정감사에서 질타를 당하기도 하였다.

04 개인정보 보호법

1. 입법취지

- 대한민국 헌법은 제17조에서 "모든 국민은 사생활의 비밀과 자유를 침해받지 아니한다."라고 규정하여 사생활의 비밀과 자유를 기본권으로 보장하고 있다.
- 그런데 정보사회의 고도화와 개인정보의 경제적 가치 증대로 사회 모든 영역에 걸쳐 개인정보의 수집과 이용이 보편화되고 있으나, 그동안 국가사회 전반을 규율하는 개인정보 보호원칙과 개인정보 처리기준이 마련되지 못해 개인정보 침해사례가 지속적으로 발생하였던 바, 개인정보 침해로 인한 국민의 사생활과 비밀의 자유를 침해를 방지하기 위하여 2011년 3월 29일 개인정보 보호법이 제정되었다.
- 특히 경찰은 그 업무의 성격상 일반적인 개인정보는 물론, 개인의 신체적·행동적 특징에 관한 정보나 유전정보, 범죄경력정보 등 민감정보를 접할 기회가 많은 바, 개인정보 취급에 각별히 유의를 기울일 필요가 있다.

2. 목적 및 정의

개인정보 보호법 제1조【목적】 이 법은 개인정보의 처리 및 보호에 관한 사항을 정함으로써 개인의 자유와 권리를 보호하고, 나아가 개인의 존엄과 가치를 구현함을 목적으로 한다.

개인정보 보호법 제2조【정의】 이 법에서 사용하는 용어의 뜻은 다음과 같다.

1. **"개인정보"**란 살아 있는 개인에 관한 정보로서 다음 각 목의 어느 하나에 해당하는 정보를 말한다.
   가. 성명, 주민등록번호 및 영상 등을 통하여 개인을 알아볼 수 있는 정보
   나. 해당 정보만으로는 특정 개인을 알아볼 수 없더라도 다른 정보와 쉽게 결합하여 알아볼 수 있는 정보. 이 경우 쉽게 결합할 수 있는지 여부는 다른 정보의 입수 가능성 등 개인을 알아보는 데 소요되는 시간, 비용, 기술 등을 합리적으로 고려하여야 한다. 예 '홍길동' 이라는 이름만으로는 누구인지 특정이 불가능하지만, 성별·나이·주소 등 다른 정보와 결합할 경우 특정한 개인이 식별가능한 경우 [2015 실무 3]
   다. 가목 또는 나목을 제1호의2에 따라 가명처리함으로써 원래의 상태로 복원하기 위한 추가 정보의 사용·결합 없이는 특정 개인을 알아볼 수 없는 정보(이하 "가명정보"라 한다) ➜ 아래 제1의2호에 따라 가명처리된 가명정보도 개인정보에 해당한다!

1의2. **"가명처리"**란 개인정보의 일부를 삭제하거나 일부 또는 전부를 대체하는 등의 방법으로 추가 정보가 없이는 특정 개인을 알아볼 수 없도록 처리하는 것을 말한다. 예 홍XX(남, 21세, 서울시 동작구 XX동 거주) [2022 채용2차]

2. **"처리"**란 개인정보의 수집, 생성, 연계, 연동, 기록, 저장, 보유, 가공, 편집, 검색, 출력, 정정, 복구, 이용, 제공, 공개, 파기, 그 밖에 이와 유사한 행위를 말한다.

3. **"정보주체"**란 처리되는 정보에 의하여 알아볼 수 있는 사람으로서 그 정보의 주체가 되는 사람을 말한다. 예 위 예시에서 '홍길동'이라는 개인이 정보주체이다. [2014 실무 3] [2015 실무 3]

4. **"개인정보파일"**이란 개인정보를 쉽게 검색할 수 있도록 일정한 규칙에 따라 체계적으로 배열하거나 구성한 개인정보의 집합물을 말한다.

5. **"개인정보처리자"**란 업무를 목적으로 개인정보파일을 운용하기 위하여 스스로 또는 다른 사람을 통하여 개인정보를 처리하는 공공기관, 법인, 단체 및 개인 등을 말한다.

6. **"공공기관"**이란 다음 각 목의 기관을 말한다. [2014 실무 3] [2015 실무 3]
   가. 국회, 법원, 헌법재판소, 중앙선거관리위원회의 행정사무를 처리하는 기관, 중앙행정기관(대통령 소속 기관과 국무총리 소속 기관을 포함한다) 및 그 소속 기관, 지방자치단체
   나. 그 밖의 국가기관 및 공공단체 중 대통령령으로 정하는 기관

7. **"영상정보처리기기"**란 일정한 공간에 지속적으로 설치되어 사람 또는 사물의 영상 등을 촬영하거나 이를 유·무선망을 통하여 전송하는 장치로서 대통령령으로 정하는 장치를 말한다. [2022 채용2차]

8. **"과학적 연구"**란 기술의 개발과 실증, 기초연구, 응용연구 및 민간 투자 연구 등 과학적 방법을 적용하는 연구를 말한다.

[2015 실무 3] 개인정보란 특정 개인을 식별하거나 식별할 수 있는 정보로 사자(死者)에 관한 정보를 포함된다. (×)
[2014 실무 3] 해당 정보만으로 특정 개인을 알아볼 수 없다면, 다른 정보와 쉽게 결합하여 알아볼 수 있더라도 개인정보에는 포함하지 않는다. (×)
[2022 채용2차] 살아 있는 개인에 관한 정보로서 해당 정보만으로는 특정 개인을 알아볼 수 없더라도 다른 정보와 쉽게 결합하여 알아볼 수 있는 정보를 "개인정보"라 한다. (○)
[2022 채용2차] 정보처리 기술을 활용하여 기존의 다양한 정보를 가공해서 만들어 낸 새로운 정보에 관한 독점적 권리를 가지는 사람을 "정보주체"라 한다. (×)

3. 개인정보 보호원칙

> **개인정보 보호법 제3조【개인정보 보호 원칙】** ① 개인정보처리자는 개인정보의 처리 목적을 명확하게 하여야 하고 그 **목적에 필요한 범위**에서 **최소한**의 개인정보만을 적법하고 정당하게 수집하여야 한다.
> ② 개인정보처리자는 개인정보의 처리 목적에 필요한 범위에서 적합하게 개인정보를 처리하여야 하며, 그 **목적 외의 용도로 활용하여서는 아니 된다.**
> ③ 개인정보처리자는 개인정보의 처리 목적에 필요한 범위에서 개인정보의 **정확성, 완전성 및 최신성이 보장되도록** 하여야 한다.
> ④ 개인정보처리자는 개인정보의 처리 방법 및 종류 등에 따라 정보주체의 권리가 침해받을 가능성과 그 위험 정도를 고려하여 개인정보를 안전하게 관리하여야 한다.
> ⑤ 개인정보처리자는 개인정보 처리방침 등 개인정보의 처리에 관한 사항을 공개하여야 하며, 열람청구권 등 정보주체의 권리를 보장하여야 한다.
> ⑥ 개인정보처리자는 정보주체의 사생활 침해를 **최소화하는 방법**으로 개인정보를 처리하여야 한다.
> ⑦ 개인정보처리자는 개인정보를 익명 또는 가명으로 처리하여도 개인정보 수집목적을 달성할 수 있는 경우 **익명처리가 가능한 경우에는 익명에 의하여,** 익명처리로 목적을 달성할 수 없는 경우에는 가명에 의하여 처리될 수 있도록 하여야 한다. [2024 채용 1차]
> ⑧ 개인정보처리자는 이 법 및 관계 법령에서 규정하고 있는 책임과 의무를 준수하고 실천함으로써 정보주체의 신뢰를 얻기 위하여 노력하여야 한다.
>
> **개인정보 보호법 제59조【금지행위】** 개인정보를 처리하거나 처리하였던 자는 다음 각 호의 어느 하나에 해당하는 행위를 하여서는 아니 된다.
> 1. 거짓이나 그 밖의 부정한 수단이나 방법으로 개인정보를 취득하거나 처리에 관한 동의를 받는 행위
> 2. 업무상 알게 된 개인정보를 누설하거나 권한 없이 다른 사람이 이용하도록 제공하는 행위 [2018 경간]
> 3. 정당한 권한 없이 또는 허용된 권한을 초과하여 다른 사람의 개인정보를 훼손, 멸실, 변경, 위조 또는 유출하는 행위

경찰청이나 시·도경찰청, 각급 경찰서 홈페이지 하단에 보면 해당 기관이 어떤 개인정보를 수집·보유하여 어떤 목적으로 어떻게 이용하고 있는지 등에 대한 '개인정보 처리방침'문서를 공개하고 있다.

4. 개인정보의 수집과 이용

> **개인정보 보호법 제15조【개인정보의 수집·이용】** ① 개인정보처리자는 다음 각 호의 어느 하나에 해당하는 경우에는 개인정보를 수집할 수 있으며 그 수집 목적의 범위에서 이용할 수 있다.
> 1. 정보주체의 동의를 받은 경우
> 2. **법률에 특별한 규정이 있거나 법령상 의무를 준수하기 위하여 불가피한 경우** [2018 경간] [2024 채용 1차]
> 3. 공공기관이 법령 등에서 정하는 소관 업무의 수행을 위하여 불가피한 경우
>   예 사법경찰관이 피의자를 신문하면서 성명·연령 등을 확인하고 조서에 기재하는 경우
> 4. 정보주체와의 계약의 체결 및 이행을 위하여 불가피하게 필요한 경우
> 5. 정보주체 또는 그 법정대리인이 의사표시를 할 수 없는 상태에 있거나 주소불명 등으로 사전 동의를 받을 수 없는 경우로서 **명백히 정보주체 또는 제3자의 급박한 생명, 신체, 재산의 이익을 위하여 필요하다고 인정되는 경우** 예 경찰관이 긴급구조 조치로서 의식불명의 A를 의료기관에 인계하였으나, 의료기관이 A의 인적사항 확인 전 치료를 할 수 없다고 고집하여 경찰관이 A의 신분증을 꺼내 인적사항을 확인해 준 경우

▌형사소송법 제241조【피의자신문】
검사 또는 사법경찰관이 피의자를 신문함에는 먼저 그 성명, 연령, 등록기준지, 주거와 직업을 물어 피의자임에 틀림 없음을 확인하여야 한다.

▌경찰관 직무집행법 제4조【보호조치 등】
④ 경찰관은 제항의 조치(➔ 긴급구호 요청이나 경찰관서 보호조치)를 하였을 때에는 지체 없이 구호대상자의 가족, 친지 또는 그 밖의 연고자에게 그 사실을 알려야 하며, 연고자가 발견되지 아니할 때에는 구호대상자를 적당한 공공보건의료기관이나 공공구호기관에 즉시 인계하여야 한다.

6. 개인정보처리자의 정당한 이익을 달성하기 위하여 필요한 경우로서 명백하게 정보
   주체의 권리보다 우선하는 경우. 이 경우 개인정보처리자의 정당한 이익과 상당한
   관련이 있고 합리적인 범위를 초과하지 아니하는 경우에 한한다.
② 개인정보처리자는 제1항 제1호에 따른 동의를 받을 때에는 다음 각 호의 사항을
정보주체에게 알려야 한다. 다음 각 호의 어느 하나의 사항을 변경하는 경우에도 이
를 알리고 동의를 받아야 한다. 예 경찰청 착한운전 마일리지 서비스에 가입하려는 국민으
로부터 관련 정보를 동의받아 수집·이용하는 경우
1. 개인정보의 **수집·이용 목적** 예 착한운전 마일리지 서비스 제공을 위해
2. 수집하려는 **개인정보의 항목** 예 성명·연락처·이메일주소·운전면허 관련 정보 등
3. 개인정보의 **보유 및 이용 기간** 예 서비스 탈퇴시까지 보유·이용
4. 동의를 거부할 권리가 있다는 사실 및 동의 거부에 따른 불이익이 있는 경우에는
   그 불이익의 내용
③ 개인정보처리자는 당초 수집 목적과 합리적으로 관련된 범위에서 정보주체에게
불이익이 발생하는지 여부, 암호화 등 안전성 확보에 필요한 조치를 하였는지 여부
등을 고려하여 대통령령으로 정하는 바에 따라 **정보주체의 동의 없이 개인정보를 이
용할 수 있다.**
[2024 채용 1차] 개인정보처리자는 법령상 의무를 준수하기 위하여 불가피한 경우에는 개인정보를 수집할 수 있으며 그 수집 목적
의 범위에서 이용할 수 있다. (○)

5. 가명정보의 처리

개인정보 보호법 제28조의2 【가명정보의 처리 등】 ① 개인정보처리자는 통계작성, 과학적
연구, 공익적 기록보존 등을 위하여 **정보주체의 동의 없이 가명정보를 처리할 수
있다.**
[2024 채용 1차] 개인정보처리자는 통계작성, 과학적 연구, 공익적 기록보존 등을 위하여 가명정보를 처리하는 경우에 정보주체에게
이를 알리고 동의를 받아야 한다. (×)

6. 개인정보의 제공

개인정보 보호법 제17조 【개인정보의 제공】 ① 개인정보처리자는 다음 각 호의 어느 하나
에 해당되는 경우에는 정보주체의 개인정보를 제3자에게 제공(공유를 포함한다. 이하
같다)할 수 있다.
1. 정보주체의 동의를 받은 경우
2. 제15조 제1항 제2호·제3호·제5호 및 제39조의3 제2항 제2호·제3호에 따라 개인
   정보를 수집한 목적 범위에서 개인정보를 제공하는 경우
② 개인정보처리자는 제1항 제1호에 따른 동의를 받을 때에는 다음 각 호의 사항을
정보주체에게 알려야 한다. 다음 각 호의 어느 하나의 사항을 변경하는 경우에도 이
를 알리고 동의를 받아야 한다.
1. 개인정보를 제공받는 자
2. 개인정보를 제공받는 자의 개인정보 이용 목적
3. 제공하는 개인정보의 항목
4. 개인정보를 제공받는 자의 개인정보 보유 및 이용 기간
5. 동의를 거부할 권리가 있다는 사실 및 동의 거부에 따른 불이익이 있는 경우에는
   그 불이익의 내용

③ 개인정보처리자가 개인정보를 국외의 제3자에게 제공할 때에는 제2항 각 호에 따른 사항을 정보주체에게 알리고 동의를 받아야 하며, 이 법을 위반하는 내용으로 개인정보의 국외 이전에 관한 계약을 체결하여서는 아니 된다.

④ 개인정보처리자는 당초 수집 목적과 합리적으로 관련된 범위에서 정보주체에게 불이익이 발생하는지 여부, 암호화 등 안전성 확보에 필요한 조치를 하였는지 여부 등을 고려하여 대통령령으로 정하는 바에 따라 정보주체의 동의 없이 개인정보를 제공할 수 있다.

[2018 경간] 개인정보처리자는 정보주체의 동의를 받은 경우에도 정보주체의 개인정보를 제3자에게 제공(공유를 포함한다)하여서는 아니 된다. (×)

🔍 **참고 개인정보 제공 예시(경찰청 교통국 ➡ 타기관 제공)**

제공받는 기관	관련 업무	제공일	법적 근거	제공항목	제공목적
행정안전부	운전면허 결격기간 조회	상시조회	전자정부법	운전면허 결격기간	정보의 주체가 본인의 정보를 정부24 홈페이지에서 확인하여 면허 결격기간 조회
보험개발원	교통사고 사실확인원 발급	수시	자동차 손해배상 보장법	주민번호 · 성명 · 사고접수일시 · 발생장소 · 차종 · 차량번호 · 사고유형 · 가해자 여부 등	자동차손해배상보장법 등 법적 근거에 의해 제공

7. 개인정보의 파기

개인정보 보호법 제21조【개인정보의 파기】① 개인정보처리자는 보유기간의 경과, 개인정보의 처리 목적 달성 등 그 개인정보가 불필요하게 되었을 때에는 지체 없이 그 개인정보를 파기하여야 한다. 다만, 다른 법령에 따라 보존하여야 하는 경우에는 그러하지 아니하다. [2018 경간]

② 개인정보처리자가 제1항에 따라 개인정보를 파기할 때에는 복구 또는 재생되지 아니하도록 조치하여야 한다.

③ 개인정보처리자가 제1항 단서에 따라 개인정보를 파기하지 아니하고 보존하여야 하는 경우에는 해당 개인정보 또는 개인정보파일을 다른 개인정보와 분리하여서 저장 · 관리하여야 한다.

④ 개인정보의 파기방법 및 절차 등에 필요한 사항은 대통령령으로 정한다.

8. 개인정보 보호위원회

(1) 설치 및 구성

개인정보 보호법 제7조【개인정보 보호위원회】① 개인정보 보호에 관한 사무를 독립적으로 수행하기 위하여 국무총리 소속으로 개인정보 보호위원회(이하 "보호위원회"라 한다)를 둔다.

② 보호위원회는 「정부조직법」 제2조에 따른 중앙행정기관으로 본다. 다만 …

개인정보 보호법 제7조의2 【보호위원회의 구성 등】 ① 보호위원회는 상임위원 2명(위원장 1명, 부위원장 1명)을 포함한 9명의 위원으로 구성한다.

② 보호위원회의 위원은 개인정보 보호에 관한 경력과 전문지식이 풍부한 다음 각 호의 사람 중에서 위원장과 부위원장은 국무총리의 제청으로, 그 외 위원 중 2명은 위원장의 제청으로, 2명은 대통령이 소속되거나 소속되었던 정당의 교섭단체 추천으로, 3명은 그 외의 교섭단체 추천으로 대통령이 임명 또는 위촉한다.

1. 개인정보 보호 업무를 담당하는 3급 이상 공무원(고위공무원단에 속하는 공무원을 포함한다)의 직에 있거나 있었던 사람
2. 판사·검사·변호사의 직에 10년 이상 있거나 있었던 사람
3. 공공기관 또는 단체(개인정보처리자로 구성된 단체를 포함한다)에 3년 이상 임원으로 재직하였거나 이들 기관 또는 단체로부터 추천받은 사람으로서 개인정보 보호 업무를 3년 이상 담당하였던 사람
4. 개인정보 관련 분야에 전문지식이 있고 「고등교육법」 제2조 제1호에 따른 학교에서 부교수 이상으로 5년 이상 재직하고 있거나 재직하였던 사람

③ 위원장과 부위원장은 정무직 공무원으로 임명한다.

④ 위원장, 부위원장, 제7조의13에 따른 사무처의 장은 「정부조직법」 제10조에도 불구하고 정부위원이 된다.

💡 2022년 4월 기준 개인정보 보호위원회 위원은 다음과 같이 구성되어 있다.

순번	이름	직위
1	윤종인	위원장(상임) (前 행정안전부 차장)
2	최영진	부위원장(상임) (前 대통령비서실)
3	강정화	前 개인정보 분쟁위원회
4	고성학	한국정보인증 대표
5	백대용	변호사
6	서종식	변호사
7	염흥열	정보보호학 교수
8	이희정	법전원 교수
9	지성우	법전원 교수

(2) 위원과 위원장

개인정보 보호법 제7조의3 【위원장】 ① 위원장은 보호위원회를 대표하고, 보호위원회의 회의를 주재하며, 소관 사무를 총괄한다.

② 위원장이 부득이한 사유로 직무를 수행할 수 없을 때에는 부위원장이 그 직무를 대행하고, 위원장·부위원장이 모두 부득이한 사유로 직무를 수행할 수 없을 때에는 위원회가 미리 정하는 위원이 위원장의 직무를 대행한다.

③ 위원장은 국회에 출석하여 보호위원회의 소관 사무에 관하여 의견을 진술할 수 있으며, 국회에서 요구하면 출석하여 보고하거나 답변하여야 한다.

④ 위원장은 국무회의에 출석하여 발언할 수 있으며, 그 소관 사무에 관하여 국무총리에게 의안 제출을 건의할 수 있다.

개인정보 보호법 제7조의4 【위원의 임기】 ① 위원의 임기는 3년으로 하되, 한 차례만 연임할 수 있다.

② 위원이 궐위된 때에는 지체 없이 새로운 위원을 임명 또는 위촉하여야 한다. 이 경우 후임으로 임명 또는 위촉된 위원의 임기는 새로이 개시된다.

개인정보 보호법 제7조의5 【위원의 신분보장】 ① 위원은 다음 각 호의 어느 하나에 해당하는 경우를 제외하고는 그 의사에 반하여 면직 또는 해촉되지 아니한다.

1. 장기간 심신장애로 인하여 직무를 수행할 수 없게 된 경우
2. 제7조의7의 결격사유에 해당하는 경우
3. 이 법 또는 그 밖의 다른 법률에 따른 직무상의 의무를 위반한 경우

② 위원은 법률과 양심에 따라 독립적으로 직무를 수행한다.

(3) 위원회의 회의

> 개인정보 보호법 제7조의10 【회의】 ① 보호위원회의 회의는 위원장이 필요하다고 인정하거나 재적위원 4분의 1 이상의 요구가 있는 경우에 위원장이 소집한다.
> ② 위원장 또는 2명 이상의 위원은 보호위원회에 의안을 제의할 수 있다.
> ③ 보호위원회의 회의는 재적위원 과반수의 출석으로 개의하고, **출석위원 과반수의 찬성으로 의결한다.**

⊕ 심화 영상정보처리기기(CCTV · 네트워크카메라)

1 종류

개인정보보호법상 영상정보처리기기는 고정형과 이동형 두가지 종류가 있다.

> 개인정보 보호법 제2조 【정의】 이 법에서 사용하는 용어의 뜻은 다음과 같다.
> 7. "고정형 영상정보처리기기"란 일정한 공간에 설치되어 지속적 또는 주기적으로 사람 또는 사물의 영상 등을 촬영하거나 이를 유·무선망을 통하여 전송하는 장치로서 대통령령으로 정하는 장치를 말한다.
> 7의2. "이동형 영상정보처리기기"란 사람이 신체에 착용 또는 휴대하거나 이동 가능한 물체에 부착 또는 거치하여 사람 또는 사물의 영상 등을 촬영하거나 이를 유·무선망을 통하여 전송하는 장치로서 대통령령으로 정하는 장치를 말한다.

2 고정형 영상정보처리기기 설치운영 제한

> 개인정보 보호법 제25조 【고정형 영상정보처리기기의 설치·운영 제한】 ① 누구든지 다음 각 호의 경우를 제외하고는 공개된 장소에 고정형 영상정보처리기기를 설치·운영하여서는 아니 된다. ➡ 아래 각 호의 경우는 고정형 영상정보처리기기를 설치운영 할 수 있다!
> 1. 법령에서 구체적으로 허용하고 있는 경우
> 2. 범죄의 예방 및 수사를 위하여 필요한 경우
> 3. 시설의 안전 및 관리, 화재 예방을 위하여 정당한 권한을 가진 자가 설치·운영하는 경우
> 4. 교통단속을 위하여 정당한 권한을 가진 자가 설치·운영하는 경우
> 5. 교통정보의 수집·분석 및 제공을 위하여 정당한 권한을 가진 자가 설치·운영하는 경우
> 6. 촬영된 영상정보를 저장하지 아니하는 경우로서 대통령령으로 정하는 경우
> ② 누구든지 불특정 다수가 이용하는 목욕실, 화장실, 발한실, 탈의실 등 개인의 사생활을 현저히 침해할 우려가 있는 장소의 내부를 볼 수 있도록 고정형 영상정보처리기기를 설치·운영하여서는 아니 된다. 다만, 교도소, 정신보건 시설 등 법령에 근거하여 사람을 구금하거나 보호하는 시설로서 대통령령으로 정하는 시설에 대하여는 그러하지 아니하다. 예 교도소 내부나 정신병원 등 내부의 고정형 CCTV 설치

3 이동형 영상정보처리기기 설치운영 제한

> 개인정보 보호법 제25조의2 【이동형 영상정보처리기기의 운영 제한】 ② 누구든지 불특정 다수가 이용하는 목욕실, 화장실, 발한실, 탈의실 등 개인의 사생활을 현저히 침해할 우려가 있는 장소의 내부를 볼 수 있는 곳에서 이동형 영상정보처리기기로 사람 또는 그 사람과 관련된 사물의 영상을 촬영하여서는 아니 된다. 다만, 인명의 구조·구급 등을 위하여 필요한 경우로서 대통령령으로 정하는 경우에는 그러하지 아니하다. 예 인명구조현장에서 로봇형 카메라 이용

2025 대비 최신개정판

해커스경찰
서정표
경찰학 기본서 | 1권 총론

개정 3판 1쇄 발행 2024년 7월 29일

지은이	서정표 편저
펴낸곳	해커스패스
펴낸이	해커스경찰 출판팀

주소	서울특별시 강남구 강남대로 428 해커스경찰
고객센터	1588-4055
교재 관련 문의	gosi@hackerspass.com
	해커스경찰 사이트(police.Hackers.com) 교재 Q&A 게시판
	카카오톡 플러스 친구 [해커스경찰]
학원 강의 및 동영상강의	police.Hackers.com

ISBN	1권: 979-11-7244-245-3 (14350)
	세트: 979-11-7244-244-6 (14350)
Serial Number	03-01-01

저작권자 ⓒ 2024, 서정표

이 책의 모든 내용, 이미지, 디자인, 편집 형태는 저작권법에 의해 보호받고 있습니다.

서면에 의한 저자와 출판사의 허락 없이 내용의 일부 혹은 전부를 인용, 발췌하거나 복제, 배포할 수 없습니다.

경찰공무원 1위,
해커스경찰 police.Hackers.com

해커스경찰

· 정확한 성적 분석으로 약점 극복이 가능한 **합격예측 온라인 모의고사**(교재 내 응시권 및 해설강의 수강권 수록)
· 해커스 스타강사의 **경찰학 무료 특강**
· **해커스경찰 학원 및 인강**(교재 내 인강 할인쿠폰 수록)

한경비즈니스 선정 2024 한국품질만족도 교육(온·오프라인 경찰학원) 부문 1위

해커스경찰 전 강좌

100% 환급+평생패스

형사법/경찰학/헌법 전 강좌

합격할 때까지 평생 무제한 연장!

* 환급 시 제세공과금 본인 부담

경찰 전강좌 100%
환급+평생패스 바로가기

경찰학 **서정표**

경찰헌법 **신동욱**

경찰헌법 **박철한**

범죄학 **노신**

경찰헌법 **황남기**

경찰학 **김재규**

형사법 **김대환**

경찰학 **조현**

경찰학 **이상훈**

전 강사&전 강좌
무제한 수강

검정제/가산점 강의
무료 제공

합격 시
수강료 전액환급*

*증빙 서류 제출 및 조건 달성 시
*제세공과금 제외

해커스경찰 police.Hackers.com

문의 1588-4055